Marketing des services

6e édition

Christopher Lovelock, *Yale school of management*
Jochen Wirtz, *Université de Singapour*
Denis Lapert, *TELECOM École de Management*
Annie Munos, *Euromed Marseille École de Management*

D1511621

Publié par Pearson Education France
47 bis, rue des Vinaigriers
75010 PARIS
Tél. : 01 72 74 90 00

Mise en pages : TyPAO

ISBN : 978-2-7440-7265-9
Copyright © 2008 Pearson Education France
Tous droits réservés

Dépôt légal : mai 2009 - IMPRIMÉ EN FRANCE - Imprimeur n° 10433

Achevé d'imprimer le 4 mai 2009 sur les presses de l'imprimerie « La Source d'Or » - 63039 Clermont-Ferrand

Dans le cadre de sa politique de développement durable,
La Source d'Or a été référencée IMPRIM'VERT® par son organisme consulaire de tutelle.
Cet ouvrage est imprimé - pour l'intérieur - sur papier offset « Amber Graphic » 80 g
des papeteries Arctic Paper, dont les usines ont obtenu les certifications environnementales
ISO 14001 et OHSAS 18001 et opèrent conformément aux normes E.C.F. et E.M.A.S.
Le papier « Amber Graphic » est certifié F.S.C. et ISO 9706 « papier permanent ».

Table des matières

Préface

Christopher est décédé le 24 février 2008.
Quelques jours avant, nous procédions ensemble aux dernières corrections.
Comme toujours il se montrait passionné et impatient de voir ce nouvel ouvrage.
Il avait déjà prévu quelques visites en France pour en assurer la promotion.

On pourra imaginer la peine qui est la nôtre de devoir assurer ce travail promotionnel sans lui.
Nous avons l'impression de lui voler quelque chose.

C'est pourquoi nous lui dédicaçons Marketing des Services.

Annie Munos et Denis Lapert

Les services dominent, comme jamais auparavant, une économie mondiale en pleine expansion. La technologie continue d'évoluer à une vitesse spectaculaire. Les entreprises n'ont que le choix de se transformer ou de décliner. Les unes fusionnent ou disparaissent, pendant que d'autres apparaissent. La concurrence est de plus en plus rude entre les entreprises qui innovent constamment pour répondre aux besoins, attentes et comportement en perpétuelle évolution des clients. Ces derniers sont eux-mêmes obligés de faire face au changement, que certains voient comme une opportunité, alors que d'autres le considèrent comme un inconvénient, voire une menace. Une chose est claire : les compétences en marketing et en management des services n'ont jamais été aussi importantes. À l'image du marketing des services, cet ouvrage a aussi évolué, chaque nouvelle édition étant une version largement révisée de la précédente. Cette sixième édition ne déroge pas à la règle. Les lecteurs y trouveront la réalité du monde actuel, incorporant les pensées universitaires et managériales récentes, illustrant les concepts les plus audacieux.

Cette nouvelle version a une connotation fortement managériale, tout en étant fondée sur des recherches universitaires solides. Notre objectif est de combler le fossé trop fréquent entre la théorie et le monde réel. De nombreux exemples renforcent, tout au long des 15 chapitres, les cas pratiques managériaux. En complément du texte, vous trouverez une sélection d'articles notables (les Lectures) et des études de cas, testées en cours.

Préparer cette nouvelle édition fut un challenge passionnant. Le marketing des services, qui était auparavant une petite niche académique occupée seulement par une poignée de professeurs pionniers, est devenu un secteur d'activité grandissant pour la recherche et la formation. On constate aussi un intérêt croissant des étudiants pour ce domaine, ce qui, du point de vue de leur carrière professionnelle, est très prometteur. En effet, la plupart des diplômés des écoles de management travailleront dans les services.

Qu'est-ce qui est nouveau dans cette édition ?

La sixième édition constitue une révision majeure de la version précédente. Son contenu reflète les développements continus de l'économie des services et intègre les récentes conclusions de chercheurs renommés.

Nouveaux sujets, nouvelles structures

- Le livre s'organise autour d'une nouvelle structure développant les stratégies efficaces du marketing des services et mettant en avant la valeur des échanges entre les fournisseurs et les clients. Cette structure permet une approche flexible de l'apprentissage, et aide également les étudiants à mieux voir comment les sujets des différents chapitres sont liés entre eux.

- La première et la deuxième parties ont été refaites afin d'améliorer le séquençage des sujets. En particulier, l'évocation de la stratégie (chapitre 7) est désormais placée après, et non plus avant, les chapitres traitant des éléments stratégiques tels que les produits, la fabrication du service, la communication et l'établissement des prix.

- Chaque chapitre a été entièrement révisé. Chacun comporte de nouveaux exemples et des références liées aux dernières recherches. Certains ont été renommés afin de refléter l'importance des changements. La figure A montre la structure en quatre parties, ainsi que la manière dont celles-ci sont séquencées.

- Le chapitre 1 « Nouvelles perspectives du marketing des services » a été complètement réécrit. Il explore la nature de l'économie de services, et présente une nouvelle conceptualisation de la nature des services, fondée sur les recherches d'un des auteurs. Le chapitre explique également les différents challenges auxquels sont confrontés les marketeurs, en évitant soigneusement les généralisations.

- Le chapitre 2 « Le comportement du client en interaction avec les services » a aussi été substantiellement revu et s'organise maintenant autour d'un modèle de consommation du service en trois étapes. Celles-ci distinguent, quand c'est nécessaire, les services à forte interaction avec le client et ceux à faible interaction. À chaque étape, le modèle présente les différents concepts essentiels à la compréhension, à l'analyse et à la gestion du comportement du client.

- Les nouvelles applications de la technologie – des stratégies fondées sur Internet, la biométrie… – ainsi que les opportunités et les challenges qu'elles impliquent, pour les clients et pour les marketeurs de services, sont soulignés tout au long du livre.

- En plus des améliorations majeures apportées aux autres chapitres, vous trouverez : une nouvelle manière de traiter le prix des services, incluant une partie importante sur le management du revenu et une partie politiquement incorrecte sur les pratiques de pricing abusives ; une vue d'ensemble des récents développements des communications électroniques tels que l'iTV, les blogs et la publicité sur Internet ; les dernières réflexions sur l'excellence des services à moindre coût ; une large section sur « la roue de la fidélité » et la gestion de la relation client (CRM) ; et une discussion sur les derniers raisonnements relatifs au management du changement et au service leadership.

- En réécrivant et en reconstruisant les chapitres, nous avons souhaité créer un texte qui soit clair, facilement lisible, et concis. Les « encadrés » sont conçus pour attirer l'attention de l'étudiant et fournir des opportunités de discussions en cours. Ils décrivent des résultats importants de la recherche, illustrent les applications pratiques des concepts majeurs du marketing des services, et présentent les meilleures pratiques des entreprises innovantes. La plupart de ces encarts sont nouveaux ou mis à jour.

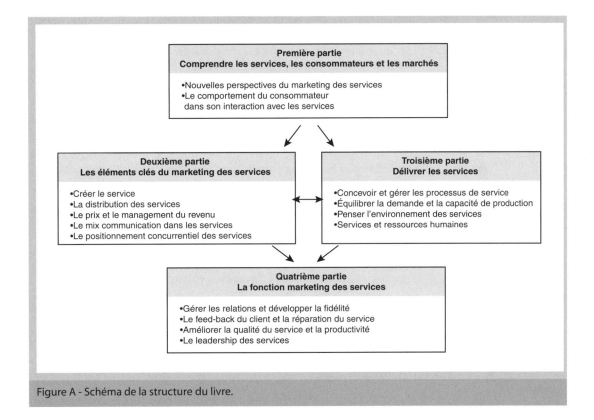

Figure A - Schéma de la structure du livre.

Nouvelles études de cas

- Cette édition offre une sélection de nouveaux cas mis à jour et testés en cours, de difficultés et de longueurs différentes.

- Afin de répondre aux requêtes des lecteurs, nous avons accru la proportion de cas de longueur faible ou moyenne.

- La nouvelle sélection permet de couvrir encore plus largement les problèmes et les secteurs d'application du marketing des services, avec des cas présentant un grand spectre de secteurs et d'entreprises – des géants multinationaux aux petites start-up.

Pour quels types de cours ce livre peut-il être utilisé ?

Cet ouvrage convient aussi bien aux étudiants en master qu'aux étudiants en MBA ou en Executive MBA. *Marketing des services* place les problématiques du marketing dans un contexte managérial plus global. Il séduira donc également les étudiants se dirigeant vers une carrière dans le management au sens large, ainsi que les cadres en formation qui allient leurs études avec un poste de manager.

Quelle que soit la spécificité d'un poste de manager, nous affirmons qu'il (ou elle) doit comprendre et connaître les liens forts qui existent entre les fonctions marketing, opérationnelles et de ressources humaines. Avec cette perspective en tête, nous avons construit ce livre afin que les enseignants puissent faire une utilisation sélective des chapitres, des récits, et des cas dans le cadre de cours de taille et de format différents.

Qu'est-ce qui différencie ce livre ?

Les caractéristiques clés de ce livre sont :

- une orientation managériale forte et un focus sur la stratégie permettant de comprendre les besoins et le comportement du client, mais aussi d'utiliser ces idées pour développer des stratégies concurrentielles efficaces sur le marché ;

- l'utilisation de cadres conceptuels dont l'intérêt a été validé pour les étudiants en master et en MBA ;

- l'incorporation des résultats des recherches universitaires clés ;

- l'emploi d'exemples intéressants liant la théorie à la pratique ;

- l'intégration d'une sélection d'articles et d'extraits de travaux de recherche pertinents, ainsi que d'une série d'études de cas pour accompagner le texte des chapitres ;

- des références variées et mises à jour à la fin de chaque chapitre ;

- une perspective internationale.

Nous avons conçu ce livre pour compléter les ouvrages classiques sur les fondamentaux du marketing. En reconnaissant que le secteur des services dans l'économie se caractérise par sa diversité, nous croyons qu'un seul modèle conceptuel ne suffit pas à couvrir pertinemment les problématiques marketing qui touchent des entreprises différentes – des imposantes multinationales (dont les domaines peuvent être l'aéronautique, la banque, l'assurance, les télécommunications, le transport de marchandises et les services professionnels) aux petites entreprises locales (comme les restaurants, les pressings, les taxis, et de nombreux autres services aux entreprises). Ce livre offre donc une « boîte à outils », soigneusement conçue pour les managers, enseignants, étudiants, dont les différents concepts, structures, et procédures d'analyse permettent d'examiner et de résoudre au mieux les challenges variés auxquels sont confrontés les managers dans des situations diverses.

Remerciements

Au fil des ans, nos collègues universitaires et du monde de l'entreprise nous ont fourni des informations précieuses à travers leurs publications, les conférences ou les séminaires et les conversations individuelles passionnantes. Nous avons tous énormément bénéficié des discussions pendant et après les cours avec les étudiants ou avec les participants aux programmes destinés aux cadres.

Nous sommes très redevables à ces chercheurs et professeurs qui nous ont aidés à ouvrir la voie à l'étude du management et du marketing des services, et dont le travail continue à inspirer beaucoup de personnes. Parmi elles, John Bateson du Groupe SHL ; Leonard Berry de l'université A&M au Texas ; Mary Jo Bitner et Stephen Brown de l'Arizona State University ; Sonia Capelli de l'IUT de Valence ; Richard Chase de l'université de la Californie du Sud ; Faridaj Djellal, professeur à l'université de Tours ; Pierre Eiglier de l'IAE de l'université d'Aix-Marseille III ; Raymond Fisk de l'université de la Nouvelle-Orléans ; Faiz Gallouj, professeur à l'université de Lille 1 ; Christian Grönroos de la Swedish School of Economic, en Finlande ; Stephen Grove de l'université Clemson ; Evert Gummesson de l'université de Stockholm ; James Heskett et Earl Sasser de l'université d'Harvard ; Gian Lucca Marzocchi, professeur à l'université de Bologne ; Chiara Orsingher, professeur à l'université de Bologne ; William Sabadie de l'IAE de Lyon ; Benjamin Schneider, professeur émérite de l'université du Maryland ; Jean-Baptiste Suquet, professeur au CRG École polytechnique ; Sara Valentini, professeur à l'université de Bologne ; et Valarie Zeithaml de l'université de Caroline du Nord.

Nous saluons aussi les contributions des défunts Eric Langeard, Théodore Levitt et Daryl Wyckoff.

Un remerciement particulier aux personnes qui ont apporté des contributions exceptionnelles au domaine, non seulement avec leurs rôles de chercheur et de professeur, mais aussi en tant que cadres, permettant la publication de nombreux articles importants, cités dans ce livre. Ce sont Bo Edvardsson de l'université de Karlstad et directeur de la publication *International Journal of Service Industry Research* (*IJSIM*) ; Robert Johnston de l'université de Warwick, directeur et fondateur du *IJSIM* ; Jos Lemmink de l'université de Maastricht et ancien directeur de la publication au *IJSIM* ; A. « Parsu » Parasuraman de l'université de Miami et directeur de la publication du *Journal of Service Research* (*JSR*) ; et Roland Rust de l'université du Maryland, directeur de la publication du *Journal of Marketing*, directeur et fondateur du *JSR*.

Il est aussi impossible de ne pas citer tous ceux qui ont influencé notre pensée. Par conséquent, nous voulons tout particulièrement exprimer notre gratitude à Tor Andreassen, Norwegian School of Management ; David Bowen, Thunderbird Graduate School of Management ; John Deighton et Leonard Schlesinger, Harvard Business School ; Jean-Pierre Helfer d'Audencia Nantes École de management ; Loizos Heracleous, université d'Oxford ; Douglas Hoffmann de l'université du Colorado ; Sheryl Kimes, université Cornell ; Jean-Claude Larréché, INSEAD ; David Maister, Maister Associates ; Anna Mattila, université de Pennsylvanie ; Dwight Merunka de l'IAE d'Aix-en-Provence ; Jean-Louis Moulin de l'université de la Méditerranée ; Gilles Paché de l'Université de la Méditerranée ; Jean Philippe de l'université Paul Cézanne ; Anat Rafaeli, Technion-Israeli

Institute of Technology ; Frederick Reichheld, Bain & Co ; Francis Salerno de l'IAE de Lille ; Bernd Stauss, Katholische, Universität Eichstät ; Charles Weinberg, université de Colombie Britannique ; Lauren Wright, université de Californie, Chico ; et George Yip, London Business School.

Nous avons aussi bénéficié des idées des coauteurs dans les adaptations internationales de *Marketing des services*, et nous sommes reconnaissants de l'amitié et de la collaboration de Guillermo d'Andrea de l'IAE, université Austral, Argentine ; Luis Huete de l'IESE, Espagne ; Keh Hean Tat de l'université de Pékin, Chine ; Barbara Lewis, anciennement de Manchester School of Management, Grande-Bretagne ; Lu Xiongwen de l'université Fudan, Chine ; Jayanta Chatterjee de l'Indian Institute of Technology à Kanpur, Inde ; Javier Reynoso du Tec de Monterrey, Mexique ; Paul Patterson de l'université de la Nouvelle-Galles du Sud, Australie ; Sandra Vandermerwe de l'Imperial College, Londres ; et Rhett Walker de l'université de La Trobe, Australie.

… Et encore Jean-Paul Leonardi ; Bernard Belletante ; Corinne Grenier ; Anne Marie Levo d'Euromed Marseille ; Camal Gallouj, université de Lille 1 ; Olivier Badot ESCP/EAP ; Benoit Meyronin Grenoble École de management ; Christian Pinson, INSEAD ; Geneviève Duteil ; Patricia et Mylène ; Paola ; Claude Chenost ; Serge Acker ; René et Antoinette Munos et la minette.

Il faut bien plus que des auteurs pour écrire un livre et ses suppléments. Nous devons remercier chaleureusement nos assistants de recherche, qui nous ont aidés dans différents aspects des cas, du texte ou du manuel de ressources destiné aux instructeurs. Ce sont Chen Zhaohui, Patricia Chew, Kate Ingram, Phil Chap, Lou Seng Lee, Tim Lovelock, Sébastien Rosso, Alice de Queylard, Valérie Mûre, qui nous grandement aidés tout au long des différentes éditions. Nous avons particulièrement apprécié tout le travail acharné fait par les équipes d'édition et de production qui ont travaillé pour transformer notre manuscrit en un texte publié magnifique. On trouve dans ces équipes Katie Stevens, éditrice d'acquisition ; Melissa Pellerano, chef de projet ; Christine Letto, assistante éditoriale ; Renata Butera, directrice de la production ; Pascale Pernet, directrice éditoriale ; Julie Besné, éditrice ; Gwenaëlle Huby, responsable de production.

La première partie de notre ouvrage pose les fondements nécessaires à l'étude des services et à l'apprentissage des méthodes et des connaissances requises pour être un marketeur des services efficace.

Dans le chapitre 1, nous définissons la nature des services et la manière dont ils créent de la valeur pour les clients, sans qu'il y ait transfert de propriété. En insistant sur les défis spécifiques au marketing des services, nous développons la démarche et la structure d'un plan marketing stratégique des services, plan qui sera détaillé dans chacun des chapitres des parties II, III et IV de cet ouvrage.

Le chapitre 2 expose les fondements nécessaires à la compréhension des besoins et des comportements des clients à la fois dans des environnements de services à forte et faible interaction. Nous employons des concepts pratiques qui vous permettent d'analyser et d'interpréter les rôles joués par les clients dans la création et la livraison de différents types de services – y compris ceux délivrés par le biais des technologies en libre service. Nous présentons en particulier un modèle à trois étapes de consommation du service qui explore la manière dont les clients prennent des décisions, réagissent aux interactions de services et évaluent la performance du service.

**COMPRENDRE LES BESOINS DES CONSOMMATEURS,
SAVOIR PRENDRE LES DÉCISIONS,
MAÎTRISER ET GÉRER LES COMPORTEMENTS
DANS LES SITUATIONS DE SERVICES**

**Les spécificités des services qui affectent le comportement du consommateur
Les 3 phases du modèle de consommation des services :**

- La phase du préachat : recherche-évaluation des alternatives et décision
- La phase de la rencontre de service : les services high contact et les services low contact
- La phase post achat : évaluation (attentes/consommation) et intentions futures

(Chapitre 2)

Élaborer le modèle de service

- Développer l'offre de services : service de base et services périphériques
- Sélectionner les canaux de distribution : canaux traditionnels et/ou canaux électroniques
- Déterminer les prix en fonction des coûts, de la concurrence et de la valeur créée
- Former les clients et promouvoir la proposition de valeur
- Positionner la proposition de valeur par rapport à la concurrence

Gérer l'interface client

- Concevoir et gérer les processus de services
- Équilibrer la demande et les capacités de production
- Concevoir et mettre en place l'environnement physique du service
- Manager le personnel en contact pour un avantage concurrentiel

Mettre en place des stratégies de services efficaces

- Créer une relation privilégiée avec les clients et les fidéliser
- Prévoir les actions de recouvrement de services et mettre en place des systèmes de feed-back client
- Améliorer continuellement la qualité du service et la productivité
- Organiser la gestion du changement et le leadership

Chapitre 1

Nouvelles perspectives marketing dans une économie de services

« Nous sommes dans une économie de services, et ce depuis un certain temps. »
– Karl Albrecht et Ron Zemke

« De nos jours, les consommateurs ont plus que jamais le pouvoir de choisir. »
– The Economist

Ce chapitre aborde les questions suivantes

- Pourquoi étudier les services ?
- Dans quelles mesures le secteur des services est-il important et quelles sont les principales industries ?
- Qu'est-ce qu'un service et comment peut-on le conceptualiser et le définir ?
- Quels sont les enjeux marketing spécifiques aux services par opposition aux produits ?

En tant que consommateurs, nous utilisons les services tous les jours. Allumer la lumière, écouter la radio, parler au téléphone, prendre le bus, faire un achat sur Internet ou même déposer ses chaussures chez le cordonnier sont des exemples types de consommation de services au niveau individuel. L'institution dans laquelle nous poursuivons nos études est aussi une organisation de services, qui plus est complexe. En effet, en plus du service « formation », les établissements scolaires et universitaires mettent à la disposition de ses apprenants une médiathèque, une cafétéria, une cellule d'orientation professionnelle personnalisée, un service de photocopie, de reliure, de téléphone et des connexions Internet, et même parfois une agence de voyages et un distributeur de billets. Ce chapitre propose une vue d'ensemble de la dynamique actuelle de l'économie des services.

Encore trop souvent, les consommateurs se plaignent de ne pas être totalement satisfaits de la qualité et de la valeur des services qu'ils reçoivent : des retards de livraison d'un paquet, un personnel incompétent et/ou pas toujours qualifié et/ou manquant d'empathie et d'implication, des horaires restreints ou peu adaptés à la vie de famille et professionnelle, des procédures inutiles et/ou compliquées, des files d'attente, des automates peu conviviaux et complexes d'utilisation, des attentes téléphoniques coûteuses, etc. Doit-on pour autant en conclure que l'ensemble des firmes de services ne sont pas performantes ? Non, bien évidemment. Mais les fournisseurs de services qui ont à faire face à une rude concurrence semblent rester muets et inactifs face à des scores de satisfaction souvent insuffisants et connus par l'ensemble des collaborateurs, et avoir d'autres préoccupations que de bien servir ses clients.

Cependant, il en existe qui savent satisfaire leurs clients tout en gérant un système de production de services profitable, délivré par des employés qualifiés et agréables.

Dans ce livre, nous présenterons des entreprises, petites et grandes, toutes remarquables, à partir desquelles vous serez à même de vous faire une opinion sur la manière de réussir dans ce secteur d'activité.

Mais il existe ici un paradoxe. En effet, nous vivons dans une économie de services mais beaucoup d'écoles de commerce et de grandes universités, la recherche académique et l'enseignement, sont prioritairement axés sur l'industrie. Si vous avez déjà suivi un cours de marketing, vous avez sûrement dû apprendre plus de choses sur les produits que sur les services. Fort heureusement, un nombre de plus en plus important d'étudiants, de consultants, d'enseignants, notamment les auteurs de cet ouvrage, ont choisi de se spécialiser dans le marketing des services et de continuer les recherches commencées il y a maintenant plus de trente ans. Vous pouvez être rassuré : cet ouvrage vous donnera tous les outils, toutes les méthodes et vous soumettra tous les axes de réflexion les plus récents sur la discipline du marketing des services.

1. Les services dominent l'économie française

Préalablement aux développements qui vont suivre, nous souhaitons apporter quelques éclaircissements sur ce qu'est un service dans l'analyse économique française.

1.1. Les premiers contributeurs à la valeur ajoutée

Comme dans toutes les économies développées, les services marchands occupent une place de plus en plus importante dans l'économie française. Le tableau 1.1 montre qu'en 2005, les services contribuaient à près de 35 % de la valeur ajoutée de l'ensemble des activités économiques de la France contre 32 % en 1990.

Tableau 1.1 : la valeur ajoutée des services par branche

	1990		2000		2005	
	Montant		Montant		Montant	
	En vol.	En %	En vol.	En %	En vol.	En %
Agriculture, sylviculture, pêche	30,2	2,9	36,6	2,8	34,0	2,5
Industrie	173,0	16,4	229,0	17,7	248,3	17,9
Construction	77,3	7,3	66,6	5,2	69,7	5,0
Tertiaire marchand :	535,8	50,8	684,2	53,0	752,0	54,2
– commerce	107,3	10,2	135,7	10,5	143,2	10,3
– transport	38,9	3,7	52,8	4,1	56,2	4,1
Services marchands dont :	332,9	31,6	429,3	33,3	479,6	34,5
Services aux entreprises	149,1	14,1	202,7	15,7	228,4	16,5

Tableau 1.1 : la valeur ajoutée des services par branche *(suite)*

	1990		2000		2005	
	Montant		Montant		Montant	
	En vol.	En %	En vol.	En %	En vol.	En %
Services aux particuliers	61,1	5,8	67,9	5,3	73,6	5,3
Activités immobilières	122,7	11,6	158,8	12,3	177,5	12,8
Activités financières	56,8	5,4	66,4	5,1	73,2	5,3
Tertiaire non marchand	240,2	22,8	274,4	21,3	283,6	20,4
TOTAL	1 054,8	100,0	1 290,7	100,0	1 388,5	100,0

Source : comptes nationaux, INSEE, 2005.

D'autre part, durant ces deux dernières décennies, la valeur ajoutée des services marchands a crû en moyenne annuelle plus vite que celle de l'économie (+ 2,8 % contre + 2,2 %). Mais ce sont les services aux entreprises qui ont le plus contribué au dynamisme de l'ensemble des services avec une croissance annuelle moyenne de 3,6 % alors que les services aux particuliers n'ont progressé que de 1,3 %. Les activités informatiques et les services de télécommunications tiennent « le haut du pavé », comme nous le montre le tableau 1.2.

Tableau 1.2 : la production des services marchands

Production des services marchands	
	taux de variation en volume (en %) 2006
Activités informatiques	6,2
Location sans opérateur	6,0
Télécommunications	6,0
Administrations d'entreprises	5,9
Sélection et fourniture de personnel	4,7
Architecture, ingénierie, contrôle	4,4
Services professionnels	3,2
Publicité et études de marché	2,9
Location immobilière	2,8
Autres activités culturelles, récréatives et sportives	2,1
Promotion, gestion immobilières	1,8
Hôtels et restaurants	1,2

Tableau 1.2 : la production des services marchands *(suite)*

Production des services marchands	
	taux de variation en volume (en %) **2006**
Services logistiques	0,9
Activités audiovisuelles	0,7
Agences de voyages	− 0,4
Assainissement	− 0,8
Activités de poste et de courrier	− 0,9
Services personnels	− 1,0

Source : Insee, comptes des services, 2005.

La figure 1.1 confirme la contribution des services aux entreprises au développement et à la croissance des services en France.

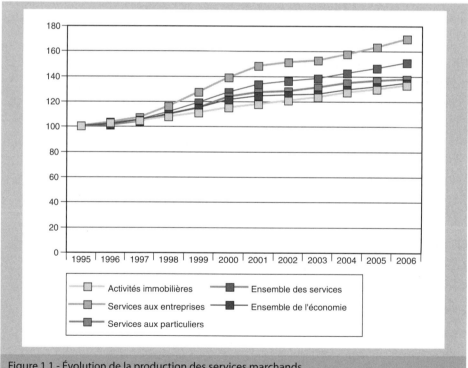

Figure 1.1 - Évolution de la production des services marchands.

Source : les tableaux de l'économie française, Insee, 2007.

1.2. Forts contributeurs à la formation du PIB

Pour conclure notre « radiographie » du secteur des services, nous souhaitons montrer la forte part des services dans la formation du produit intérieur brut français : 1 915 milliards d'euros en 2005 contre 868,8 milliards d'euros pour l'industrie (tableau 1.3).

Tableau 1.3 : l'évolution du produit intérieur brut français de 1990 à 2005 ventilé par secteurs économiques

Produit intérieur brut	1990	2000	2005
Production des branches en milliards d'euros = total	1 818,0	2 614,6	3 060,6
Agriculture	70,9	76,9	73,8
Industrie (y compris l'énergie)	601,7	820,1	868,3
Construction	133,3	157,6	203,5
Services dont :	1 012,1	1 560,1	1 915,0
Commerce	182,5	249,6	305,7
Services aux entreprises	212,4	369,9	460,4
Services aux particuliers	80,0	129,4	159,0

Source : La France en bref, Insee, 2007.

1.3. Premiers employeurs devant l'industrie

Pour compléter notre analyse sur l'importance et la contribution du secteur des services en France, nous invitons nos lecteurs à consulter le tableau 1.4 qui montre très claire-ment que les emplois dans les services ne cessent d'augmenter alors que ceux de l'industrie stagnent, voire diminuent. Le secteur des services compte aujourd'hui 6,4 millions personnes (équivalent à temps plein). Ils représentent près de 26 % de l'emploi intérieur, loin devant l'industrie qui ne totalise que 14 %.

En France comme dans d'autres pays industriels et développés, des bouleversements traversent le secteur des services (fusion, acquisition, développement, disparition, internationalisation, « électronisation » et automatisation des offres) mais aussi influencent notre façon de vivre et de travailler. En effet, de nouveaux services sont constamment lancés dans le but de répondre à nos besoins et même de satisfaire ceux que nous ignorions (besoins latents). Il y a environ dix ans, peu de personnes prévoyaient l'essor et le développement des offres de services disponibles sur Internet mais aussi par le biais du canal téléphonique. Aujourd'hui, rares sont les entreprises de services qui n'ont pas recours aux canaux à distance (téléphoniques, électroniques, automatiques et traditionnels).

Mais si les services prédominent dans l'économie française, ils ne cessent également de croître dans le monde aussi bien dans les pays développés que dans les pays dits émergents.

Tableau 1.4 : emploi intérieur par branche, en équivalent temps plein (en % de l'emploi total)

	1978	2006
Industrie (y compris IAA et énergie)	24,9	14
Services marchands	14,2	25,1
Services opérationnels	3,0	7,8
Hôtels et restaurants	2,6	3,6
Conseil et assistance	2,5	5,8
Services personnels et domestiques	2,4	2,9
Postes et télécommunications	1,7	1,8
Activités récréatives, culturelles et sportives	1,3	2,3
Recherche et développement	0,7	0,9
Éducation, santé et action sociale	12,8	18,6
Commerce	12,6	13,3
Agriculture, sylviculture, pêche	10,1	4,2
Construction	9,6	7,3
Administration publique	7,7	8,5
Transports	4,0	4,5
Activités financières	2,9	3,1
Activités immobilières	0,8	1,1
Activités associatives	0,3	0,4
ENSEMBLE	100,00	100,00

Source : Les ressorts de l'économie des services : dynamique propre et externalisation, Insee Premières, 2007, n° 1163.

2. Les services dominent l'économie mondiale

La taille de ce secteur est croissante dans la presque totalité des économies du monde. Lorsque l'économie nationale d'un pays se développe, les parts relatives de l'emploi dans l'agriculture, l'industrie (production et exploitation) et les services changent radicalement au profit du secteur des services. Même dans les économies en voie de développement, les services croissent rapidement et représentent souvent au moins la moitié du PIB[1]. Le tableau 1.5 montre l'évolution vers une économie à dominante « services ».

Tableau 1.5 : les principaux exportateurs de services dans le monde

Rang 2005	Rang 2004	Pays	Part dans le commerce mondial	Évolution 2004-2005
1	1	États-Unis	14,6 %	10 %
2	2	Royaume-Uni	7,6 %	− 1 %
3	3	Allemagne	5,9 %	7 %
4	4	France	4,7 %	4 %
5	5	Japon	4,4 %	12 %
6	7	Italie	3,9 %	13 %
7	6	Espagne	3,8 %	8 %
8	9	Chine	3,4 %	NC
9	8	Pays-Bas	3,1 %	4 %
10	16	Inde	2,8 %	NC

Source : OMC, 2005.

2.1. La structure du secteur des services

Le secteur des services est très fragmenté. Il comprend un ensemble très large d'activités différentes qui s'adresse aussi aux particuliers et aux entreprises, à l'État et aux organisations à but non lucratif.

Comme nous l'avons vu, les services constituent la partie essentielle de l'économie d'aujourd'hui et représentent aussi la part la plus importante dans la création d'emplois[2]. La probabilité que vous passiez votre vie professionnelle dans des entreprises de services est très forte, à moins que vous ne créiez votre propre société !

Pour mieux comprendre la nature de l'économie d'aujourd'hui, une nouvelle méthode de classification des industries a été adoptée en France (voir l'encadré Questions de services 1.1).

2.2. Pourquoi le secteur des services est-il en pleine croissance ?

Comme nous l'avons indiqué précédemment, le secteur des services ne cesse de progresser et de tenir le haut du pavé des économies développées. Plusieurs raisons à ce constat. D'une part, l'amélioration de la productivité et l'automatisation dans l'agriculture et l'industrie, et d'autre part, une demande croissante pour les services traditionnels et nouveaux. Ces deux facteurs sont à l'origine d'une augmentation constante du nombre de personnes employées dans les services. Il faut ajouter à cela une partie « cachée » d'emplois de services souvent répertoriés par les statisticiens dans l'agriculture ou dans l'industrie. Ces « services internes » couvrent une large gamme d'activités, telles que les services de recrutement, juridique et comptable, la paie, le nettoyage et l'entretien d'espaces verts, la logistique, la publicité et de nombreux autres services. Pour des raisons de commodité et de moyens, un grand nombre de ces entreprises choisissent de recourir à la sous-traitance de ces services internes, ainsi exécutés plus efficacement par

La NAF et la NES

Les nomenclatures d'activités et de produits ont été élaborées en vue de faciliter l'organisation de l'information économique et sociale. Leur finalité est essentiellement statistique. Depuis janvier 1993, la nomenclature d'activités française (NAF) consacre la naissance d'un dispositif européen (NACE) unique de nomenclatures qui dérive du système international.

Cependant, la NAF étant très éclatée, une nomenclature spécifique à la France est apparue pour une meilleure analyse économique : la nomenclature économique de synthèse (NES). Celle-ci comporte trois niveaux d'agrégations (niveau 16, 36 et 114).

Exemple de la nomenclature NAF à 17 groupes		**Exemple de la nomenclature NES à 16 groupes**	
Code	**Libellé**	**Code**	**Libellé**
A	Agriculture, chasse, sylviculture	EA	Agriculture, sylviculture, pêche
B	Pêche, aquaculture, services annexes	EB	Industries agricole et alimentaire
C	Industries extractives	EC	Industrie des biens de consommation
D	Industrie manufacturière	ED	Industrie automobile
E	Production et distribution d'électricité, de gaz et d'eau	EE	Industrie des biens d'équipement
F	Construction	EF	Industrie des biens intermédiaires
G	Commerce, réparations automobiles et d'articles domestiques	EG	Énergie
H	Hôtels et restaurants	EH	Construction
I	Transports et communications	EJ	Commerce
J	Activités financières	EK	Transports
K	Immobilier, location et services aux entreprises	EL	Activités financières
L	Administration publique	EM	Activités immobilières
M	Éducation	EN	Services aux entreprises
N	Santé et action sociale	EP	Services aux particuliers
O	Services collectifs, sociaux et personnels	EQ	Éducation, santé, action sociale
P	Activités des ménages	ER	Administration
Q	Activités extraterritoriales		

un opérateur spécialisé. Lorsque tel est le cas, ces emplois et activités deviennent plus facilement identifiables comme composantes de l'économie de services.

D'autres facteurs influencent le développement du marché des services, tels que les politiques gouvernementales, les tendances de l'activité économique, les évolutions sociales et des modes de vie, le développement de l'informatique, « l'électronisation » des entreprises et l'internationalisation croissante des grands groupes de services. Dans cet ouvrage, nous soulignerons l'impact de ces facteurs sur les modèles de consommation et les stratégies concurrentielles des entreprises[3].

Les conséquences des changements soulignés précédemment sont nombreuses et diverses. D'une part, il existe une demande croissante de services. L'ouverture de l'économie y contribue significativement et induit un accroissement de la concurrence[4]. D'autre part, plus de concurrence stimule l'innovation et inversement. Les besoins et le comportement des consommateurs se modifient d'autant en réponse aux évolutions de la démographie, aux changements de valeur des individus et à l'enrichissement des offres de services. La survie ou la disparition d'une entreprise de services dépendra de sa capacité à évoluer face à l'ensemble de ces changements, parfois difficiles, qui affectent l'économie des services mais aussi les comportements d'achat des consommateurs de services.

3. Les services posent des questions marketing spécifiques

Tous les *produits* – un terme que nous utilisons dans ce livre pour décrire le contenu délivré par tous les types d'activités – procurent des bénéfices aux clients consommateurs. Dans le cas des biens, les avantages proviennent des propriétés de l'objet, alors que dans les services, les avantages sont créés par les actions et les performances[5] (voir le Mémo 1.1) du système de distribution mis à disposition des clients. Pour réussir et performer dans cet environnement en perpétuelle évolution, les entreprises de services doivent maîtriser l'ensemble des outils requis dans la construction d'une stratégie marketing.

De façon globale, le marketing peut être considéré de plusieurs façons. Il peut être vu comme une impulsion stratégique et concurrentielle recherchée par le top management, comme un ensemble d'activités fonctionnelles accomplies par une équipe dédiée (telles que les politiques produits, les prix, les canaux de distribution et la communication) ou comme une politique orientée vers le client au sein de l'organisation tout entière. Dans ce livre, nous chercherons à intégrer ces trois perspectives. Christian Gronröos, consultant et professeur de marketing international et industriel à la Swedish School of Economics and Business Administration (Helsinki), défend une théorie selon laquelle la fonction marketing des services est plus large que les activités du département marketing traditionnel, requérant des coopérations étroites entre les marketeurs, les responsables des opérations et des ressources humaines[6]. John Bateson, professeur à la London Business School, donne trois composantes au marketing des services : la gestion des ressources humaines (le personnel en contact), la gestion du client (coproducteur du service) et la gestion des opérations (tout ce qui concerne le *back office* et les éléments logistiques nécessaires à la délivrance du service).

Qu'est-ce qu'un service ?

Du fait de la nature physique de leurs activités, la fabrication, l'industrie et l'agriculture sont plus faciles à décrire et à définir que les services, qui rassemblent une large gamme d'activités et qui sont constitués d'éléments entrants et sortants intangibles. Pour définir le service, nous suggérons ici deux définitions :

- Un service est une action ou une prestation offerte par une partie à une autre. Bien que le processus puisse être lié à un produit physique, la prestation est transitoire, souvent intangible par nature, et ne résulte pas normalement de la possession de l'un des facteurs de production.

- Un service est une activité économique qui crée de la valeur et fournit des avantages aux consommateurs à un moment et en un lieu donnés pour apporter le changement désiré, en faveur du bénéficiaire du service.

De façon plus « amusante », les services ont aussi été décrits comme quelque chose qui « peut être acheté et vendu mais qu'on ne peut pas se laisser tomber sur le pied »*.

Selon l'INSEE, une activité de service est « la mise à disposition d'une capacité technique ou intellectuelle. À la différence d'une activité industrielle, elle ne peut pas être décrite par les seules caractéristiques d'un bien tangible acquis par le client ».

Dans le sens que les Anglo-Saxons donnent au terme de service, on retrouve un vaste champ d'activités allant des transports à l'administration en passant par le commerce, les activités financières et immobilières, les services aux entreprises et aux particuliers, l'éducation, la santé et l'action sociale. En France, une différence est faite entre les activités tertiaires et les activités de services (qui n'incluent pas les transports et le commerce), la limite étant donné par les nomenclatures citées précédemment.

* Evert Gummesson, « Lip Service : A Neglected Area in Services Marketing », *Journal of Consumer Services*, n° 1, 1987. Pour une liste plus large de définitions, consulter Christian Grönroos, *Service Management and Marketing*, 2e édition, New York, John Wiley & Sons, 2001, pp. 26-27.

Comme nous le montre la figure 1.2, l'étendue du champ d'action du marketing des services rend son application complexe et contraint l'entreprise de services à avoir une vision très globale et transversale des problématiques que posent la relation client et la mise à disposition du service. La trilogie du service est, selon John Bateson, la dynamique complexe dans laquelle officient les services de services : la gestion des clients et leurs satisfactions, la gestion des ressources humaines et le maintien de leur empathie vis-à-vis du client et la gestion des opérations de services pour assurer une bonne productivité. Trois décisions souvent contradictoires qui justifient une approche spécifique du management et du marketing des services.

Mais une conduite efficace des activités opérationnelles ne suffit pas pour réussir dans les services. Le service doit être adapté aux besoins du client, à ses comportements, à son aversion pour le risque qu'induit l'intangibilité de ce qu'il reçoit. Le choix du bon canal de distribution revêt aujourd'hui un caractère central, tout comme le prix proposé et les

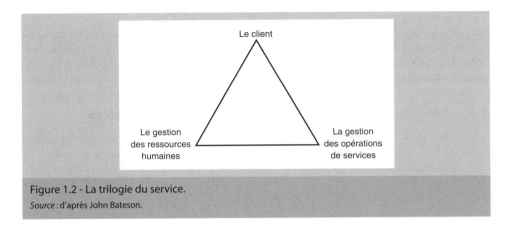

Figure 1.2 - La trilogie du service.
Source : d'après John Bateson.

conditions de recouvrement en cas de dysfonctionnements et/ou de malfaçon. Il faut ajouter à cela une écoute permanente de l'évolution des tendances de consommation, de la taille et de la structure des différents secteurs de services ainsi que du développement des offres de services des concurrents directs et indirects.

Mais alors, les concepts et pratiques marketing développés dans les sociétés de fabrication sont-ils directement transférables aux entreprises des services ? La réponse est souvent non, parce que les activités marketing dans le secteur des services tendent à différer de celles des secteurs de fabrication dans plusieurs domaines importants.

Des aspects plus pratiques sont indiqués dans le tableau 1.6 qui liste neufs différences élémentaires propres à nous aider à distinguer les tâches spécifiques du marketing de services. Ce tableau souligne aussi quelques implications managériales clés qui constitueront la base de la plupart de nos analyses et discussions dans ce chapitre et les suivants.

Tableau 1.6 : principales différences entre les produits et les services

- On ne possède pas les services. On y accède temporairement.
- Les services sont des performances intangibles, pas des objets.
- Les clients sont souvent activement impliqués dans le processus de production/fabrication.
- D'autres personnes peuvent faire partie de l'expérience de service.
- Il est difficile de contrôler la qualité tout en améliorant la productivité.
- Souvent, le service est difficile à évaluer par le client.
- Les services ne peuvent pas être produits en avance pour être stockés.
- Le facteur temps est très important. La vitesse peut être capitale.
- Les systèmes de livraison comprennent des canaux physiques et électroniques.

Il faut néanmoins souligner que ces différences ne s'appliquent pas de la même façon à tous les services. Plus avant dans ce chapitre, nous verrons comment différents types de services présentent, d'une façon ou d'une autre, des enjeux différents pour les marketeurs. Mais d'abord, examinons chaque caractéristique plus en détail et tirons les implications marketing fondamentales.

3.1. Les clients n'acquièrent pas la propriété des services

La distinction essentielle entre un produit et un service réside dans le fait que les clients apprécient la valeur des services sans en obtenir la propriété (hors nourriture, pièces de rechange, etc.). Mais rares ne sont pas les cas où les marketeurs de services offrent aux clients la possibilité de louer des objets (voiture, chambre d'hôtel), le travail et le savoir d'un expert, une somme d'argent (un prêt), un abonnement à des réseaux de télévision ou le paiement de droit d'entrée. Il n'en reste pas moins que ces éléments tangibles ne sont jamais la propriété des clients : ils payent le droit d'y accéder sans en posséder la matière.

L'une des principales préoccupations des marketeurs des services demeure le prix. Lorsqu'une société loue un bien, quelle qu'en soit la nature, le temps devient la variable essentielle du coût. Un autre aspect tout aussi important concerne les critères de choix qui conduisent le consommateur à s'orienter plus vers une location ou un achat. En effet, promouvoir une location de voiture à un client est très différent d'essayer de la lui vendre. Dans le cas d'une location, le personnel en contact se focalisera plus sur des avantages tels que le lieu de prise en charge et de retour, les horaires d'ouverture, les extensions possibles de garantie et d'assurance, etc., tous les attributs du service location qui font sens pour un consommateur. Les caractéristiques intrinsèques aux qualités techniques du véhicule sont moins saillantes dans l'argumentaire de la location.

3.2. Le résultat du service est intangible

Bien que les services incluent souvent des éléments matériels, comme un lit d'hôtel, la nourriture commandée au restaurant ou l'outillage nécessaire à la réparation d'un véhicule, leurs résultats (l'*output*) sont intangibles. Les sociétés de services délivrent des prestations (et non des biens) et les bénéfices client proviennent de la nature des prestations qui requièrent une approche marketing différente de celle des industries de fabrication de biens tangibles. Cependant, des images concrètes et des métaphores peuvent être utilisées pour mettre en évidence les compétences des sociétés de services et illustrer les avantages de leurs prestations.

Une façon intéressante de distinguer les biens des services, suggérée tout d'abord par Lynn Shostack[7], est de les placer sur une échelle de dominante tangible à dominante intangible (voir figure 1.3). L'un des tests économiques suggérés pour savoir si un bien est plutôt un produit ou plutôt un service est de déterminer si plus de la moitié de la valeur provient du service lui-même[8]. Dans un restaurant, par exemple, le coût de la nourriture peut ne représenter que 20 à 30 % du prix du repas. La plus grande partie de la valeur ajoutée provient de la préparation, de la cuisine, du service en salle, des « extras » tels que le parking, les toilettes et la nature de l'environnement du restaurant lui-même.

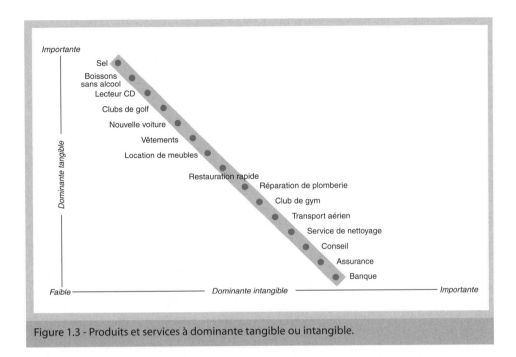

Figure 1.3 - Produits et services à dominante tangible ou intangible.

Pour mieux comprendre la notion de service comme prestation ne pouvant pas être emballée puis emportée, on peut établir une analogie avec le théâtre : la prestation de service est comme la mise en scène d'une pièce de théâtre, avec son personnel (les acteurs), son système de livraison (la scène) et son public (les clients)[9].

3.3.   Les clients participent au processus de production

Nombre de services requièrent la présence et la participation du client à la création du « produit de service »[10]. L'implication des consommateurs peut prendre la forme du libre-service (utilisation d'une laverie automatique, retrait d'argent à un distributeur automatique de billets...), ou d'une coopération avec des prestataires de services (coiffeurs, hôtels, lycées et collèges, hôpitaux). Dans de telles circonstances, les consommateurs peuvent être considérés comme des employés ponctuels et les sociétés de services ont intérêt à les former pour les rendre plus compétents et plus productifs[11].

Changer la nature du processus de production modifie souvent le rôle affecté aux consommateurs dans le processus[12]. En tant que consommateur de services, vous savez que votre satisfaction dépendra de la manière dont vous êtes traité, alors que l'intérêt principal est la performance finale. Quand la présence des clients est nécessaire sur le site de prestation du service, celui-ci doit, en toute logique, être situé dans un endroit facile d'accès et offrir des horaires pratiques, afin que les clients aient envie de revenir.

Eiglier et Langeard (1987) distinguent quatre formes de participation : la coopération, la participation physique, la participation intellectuelle et la participation affective.

La coopération : le client émet des informations (écrites, orales voire gestuelles) pour préciser sa demande. Par exemple, le diagnostic médical (émission d'informations sur les symptômes), le coiffeur (longueur, couleur, etc.).

La participation physique : le client est physiquement impliqué dans la réalisation du service. Par exemple, pousser un caddy dans un hypermarché, prendre ses produits, faire la queue, déposer les produits sur le tapis roulant, utiliser une pompe à essence en libre service.

La participation intellectuelle : le client doit mémoriser, comprendre, analyser une situation ou un mode d'emploi spécifique pour obtenir son service. Par exemple, Ikea et ses notices de montage, le distributeur automatique de billets (introduire son code secret, suivre les instructions), faire une commande par Internet, etc.

3.4. D'autres clients font souvent partie du service

La différence entre un service et un autre tient souvent à la qualité et aux compétences spécifiques des employés en charge de délivrer le service aux clients. C'est plus particulièrement vrai dans les services à « fort contact » où les consommateurs ne sont pas seulement en contact avec le personnel, mais aussi avec d'autres clients. En conséquence, la nature des clients d'un service détermine la nature de l'expérience de service. Par exemple, lors d'un événement sportif, l'enthousiasme des supporters peut ajouter au plaisir de la partie. Cependant, si quelques-uns d'entre eux deviennent agressifs et injurieux, le plaisir des autres spectateurs diminue. C'est également le cas de lieux de services comme les pubs irlandais connus pour leur ambiance spécifique liée aux comportements des clients. B. Schneider dira à cet effet une phrase révélatrice de l'importance des clients dans un lieu de services : « *People make the place.* »

Les sociétés de services doivent accorder une attention particulière au recrutement, à la formation et à la motivation des employés. En effet, en plus des compétences techniques, ces derniers doivent posséder de bons atouts relationnels. De la même façon, les entreprises doivent gérer et façonner le comportement des clients afin que la mauvaise conduite de certains ne nuise pas aux autres. Mélanger différents types de clientèles dans un même lieu de services est-il une bonne idée ? Certainement pas. Imaginez un homme d'affaires fatigué arrivant à l'hôtel tard le soir et confronté à de bruyants voisins de chambre en vacances. Pour éviter toute forme de nuisance, les entreprises de services doivent veiller à faire des choix de clients pour endiguer les effets de concomitance de clientèles. Les lieux de services doivent être spécialisés. C'est une règle de base du marketing des services.

3.5. Les inputs et les outputs sont très variables

La double présence humaine propre au système de fabrication du service (le personnel en contact et les clients) rend difficile la standardisation et le contrôle de la qualité des *inputs* et des *outputs* du service. Les biens manufacturés sont produits dans certaines conditions, contrôlés, conçus pour optimiser à la fois la productivité, la qualité, et pour vérifier la conformité avec les standards de qualité avant d'arriver chez le client. Ceci est vrai uniquement pour les services réalisés en l'absence du client (procéder à des vérifications bancaires, réparer des automobiles ou nettoyer des bureaux la nuit). En revanche, pour les services consommés en même temps qu'ils sont produits, l'« assemblage final »

– dont la durée peut varier d'un client à l'autre – doit être réalisé en temps réel. Par conséquent, la possibilité d'erreurs est plus probable, et protéger le client d'un risque de problème ou d'échec plus difficile. Pour les entreprises de services, tous ces éléments rendent difficiles l'amélioration de la productivité, le contrôle de la qualité et l'offre d'un produit identique. Comme le disait un marketeur d'Holiday Inn venant d'une entreprise de fabrication :

> *Nous ne pouvons pas contrôler la qualité de nos produits autant que l'ingénieur de Procter & Gamble tout au long de la ligne de production. Quand vous achetez un paquet de lessive, vous pouvez raisonnablement être sûr à 99,99 % que ce produit conviendra pour nettoyer vos vêtements. Quand vous « achetez » une chambre à Holiday Inn, vous êtes sûr à un moindre pourcentage que ça conviendra et que vous pourrez passer une bonne nuit de sommeil sans histoire sans que personne ne claque une porte ou toute autre sorte de désagrément pouvant arriver dans un hôtel[13].*

3.6. Les services sont difficilement évaluables par le client

Pour la plupart des marchandises, il est relativement facile d'évaluer les caractéristiques qui conviennent au client : la couleur, la forme, le prix, le poids, et plus généralement le ressenti vis-à-vis du produit. *A contrario*, d'autres biens et beaucoup de services mettent l'accent sur les « attributs d'expérience », qui ne peuvent être discernés qu'après l'achat ou pendant la consommation : le goût, la facilité d'utilisation, la tranquillité de l'endroit ou la qualité du traitement. Enfin, il y a les « attributs de croyance », les caractéristiques que les clients eux-mêmes trouvent difficiles à évaluer même après leur utilisation parce qu'elles sont liées à une certaine expertise dans des domaines qu'ils ne connaissent pas vraiment. La chirurgie, la comptabilité, les réparations techniques en sont quelques exemples[14].

Les marketeurs peuvent réduire les risques avant l'achat d'un service en aidant les clients à faire coïncider leurs besoins aux caractéristiques spécifiques des services et à les éduquer sur ce qu'ils attendent pendant et après la prestation de service. Une société qui a une bonne réputation en matière de traitement des clients, de considération et d'éthique, gagnera leur confiance et profitera des références positives communiquées par le bouche à oreille.

3.7. Le stockage après production n'est pas possible

Parce qu'un service est une action ou une performance plutôt qu'un bien tangible, il est « périssable » et ne peut pas être stocké. Les locaux, les équipements et le personnel nécessaires pour la création d'un service peuvent être tenus prêts et disponibles mais font partie de la capacité productive, pas le service lui-même. C'est le cas d'une salle de classe avec chaises, bureaux, « barco », installations électriques, etc. Tant que les étudiants ne sont pas dans la salle en présence du professeur : il n'y a pas de service (transmission de la connaissance) qui se fait « en direct ». *Idem* pour les avions, bus et trains qui, en l'absence de passagers, ne sont pas des services mais des capacités productives de services. La difficulté majeure des services réside dans l'harmonisation entre l'offre (capacités productives) et la demande (les clients). Lorsque la demande dépasse la capacité de production, les consommateurs peuvent être déçus, voire éconduits, à moins qu'ils n'acceptent d'attendre.

Par conséquent, l'une des tâches clés des marketeurs de services est de trouver les moyens de lisser la demande pour la faire correspondre à la capacité *via* les prix, la promotion et autres détails. Les capacités productives inactives étant très coûteuses (immobilisations), les responsables doivent également rechercher les possibilités d'augmenter ou de réduire cette capacité en jouant sur le nombre d'employés, l'espace physique et les équipements pour pouvoir s'adapter aux fluctuations prévisibles de la demande. Si la maximisation du profit est un but important, les praticiens du marketing doivent cibler les bons segments de marché, au bon moment, en se focalisant sur la vente pendant les périodes de pic pour parvenir le plus souvent possible à cet équilibre.

3.8.   Le facteur temps a beaucoup d'importance

Un très grand nombre de services sont délivrés en temps réel pendant que les clients sont physiquement présents sur le lieu de « production ». Il y a des limites au temps que ces derniers sont prêts à passer sur le lieu de la prestation car ils y associent une valeur (temps passé et donc temps « perdu ») et sont souvent prêts à payer plus cher pour un service plus rapide. De plus en plus de clients très occupés et très actifs souhaitent des services disponibles au moment qui les accommode. Par conséquent, de plus en plus de sociétés offrent des heures d'ouverture prolongées pouvant aller jusqu'à 24 h/24, 7 j/7. C'est l'une des raisons essentielles qui expliquent le succès des services rendus en ligne *via* Internet ou par téléphone souvent disponibles 24 h/24 et 7 j/7.

Dans d'autres cas, l'attention porte sur le temps écoulé. Même lorsque les clients passent une commande pour un service à délivrer en leur absence, ils ont des attentes précises sur le temps de délivrance et/ou de réalisation (réparation d'une machine, finalisation d'un rapport, nettoyage d'un costume, préparation d'un document…). Aujourd'hui, les consommateurs sont de plus en plus sensibles à la notion du temps, c'est pour cela que la rapidité est souvent considérée comme un élément clé du service et une façon d'attirer de nouveaux consommateurs.

En conséquence, les marketeurs de services doivent prendre en considération les contraintes de temps qui peuvent varier d'un segment de marché à un autre et chercher à être compétitifs sur la rapidité.

3.9.   Les canaux de distribution prennent plusieurs formes

Dans le domaine des produits, la fabrication requiert la mise en place et le choix de canaux de distribution physiques pour amener les biens fabriqués de l'usine (lieu de production) aux clients (consommateurs finaux). Les services ont la particularité de combiner sur le même lieu, la création du service, la distribution et la livraison ou d'utiliser des moyens électroniques comme la radio, la télévision ou le transfert de fonds électronique. Parfois, comme dans le service bancaire, les sociétés offrent aux consommateurs un choix de canaux de distribution allant de la visite à la banque en personne jusqu'à la consultation sur Internet.

Les canaux à distance (téléphoniques, automatiques et électroniques) les plus utilisés par les clients sont ceux qui offrent la meilleure performance temps. L'émergence des technologies de l'information n'a fait qu'accentuer cette requête des clients et est dans une très large mesure « responsable » de la désertification des canaux traditionnels.

Les progrès de l'informatique – ordinateurs, bases de données, télécommunications et en particulier le développement d'Internet – ont permis l'émergence et l'accroissement des canaux électroniques. Une autre raison explique cette croissance : le fort contenu informationnel des services. En effet, le premier service rendu aux clients est de l'information : des horaires, des tarifs, des procédures, des diagnostics, des stocks, de la documentation, des montants monétaires, etc. Rares sont les firmes de services qui n'ont pas, au sein de leur offre de services, de l'information sous toutes ses formes. Ainsi, tout service fondé sur l'information peut être délivré instantanément partout dans le monde grâce aux e-mails (courriels) et aux sites Internet.

4. Des différences importantes existent entre les services

Bien qu'il faille distinguer le marketing des biens de celui des services, il ne faut pas omettre de rappeler que des différences importantes existent entre les différents secteurs de services (transports, hôtellerie, banque, télécommunications, etc.). Ces regroupements par secteurs d'activités nous aident à définir le noyau du service (service de base) qu'offre l'entreprise, à comprendre les besoins des consommateurs et la concurrence. Cependant, cette approche peut engendrer une vision étroite et restrictive. L'objet de cette section est d'établir et de montrer les grandes distinctions.

4.1. Les processus peuvent différer

Nombreux sont les travaux qui proposent des classifications de services. Il serait vain d'en faire l'inventaire exhaustif. Pour faire un distinguo entre une activité de service et une autre, prendre en compte la nature du processus de création et de mise à disposition du service nous paraît être le plus pertinent.

Les marketeurs qui s'intéressent aux produits n'ont généralement pas besoin de connaître les spécifications de leur production, cette tâche relevant de la responsabilité des personnes qui en ont la charge. La situation est toute différente pour les services. En effet, en raison de la participation du client et de sa présence sur le lieu même de la « production » du service, le marketing a besoin de comprendre la nature des processus auxquels le client est exposé : il s'agit de l'ensemble des actions et de la succession des étapes que le client devra exécuter, selon une séquence bien définie, pour obtenir le service. Les processus de services varient de la mise en place de procédures simples, comme faire le plein d'essence d'une voiture, à des niveaux complexes d'activités comme transporter des passagers à bord d'un vol international (arriver à l'aéroport, trouver un parking libre, s'y garer, retrouver le hall de l'aéroport, trouver le comptoir d'enregistrement du vol, faire la queue, présenter l'ensemble des papiers requis, fournir les informations nécessaires à l'embarquement, se diriger vers la zone internationale, se prêter aux contrôles de police, à la fouille des bagages, etc.). Nous verrons plus en avant dans cet ouvrage comment l'ensemble de ces tâches peuvent être représentées dans des logigrammes qui en facilitent la compréhension et aident bien souvent à améliorer leur déroulement et ordonnancement.

Un processus implique la prise en compte d'un *input* jusqu'à sa transformation en *output*. Les questions qu'il convient alors de se poser sont : quelle(s) partie(s) du service se déroule(nt) et selon quelles séquences/étapes ? Et comment les tâches que le client exécute sont-elles réalisées ? Deux grandes catégories de « choses » sont transformées dans les services : les personnes et les objets. Dans la plupart des cas, du transport de passagers à l'éducation, les clients eux-mêmes sont les principaux *inputs* du processus de service. Dans d'autres cas, l'*input* peut être un objet comme un ordinateur, un automate, un téléphone ou un ensemble de données financières. Dans certains services, le processus est physique et quelque chose de tangible se déroule, ce qui n'est pas vrai dans les services fondés sur l'information.

En regardant les processus de services dans une perspective purement opérationnelle, nous constatons qu'ils peuvent être classés en quatre groupes[15]. La figure 1.4 montre une classification à quatre entrées, établie sur des actions tangibles sur les personnes ou sur leurs possessions physiques, et des actions intangibles sur leur esprit ou sur leurs biens intangibles.

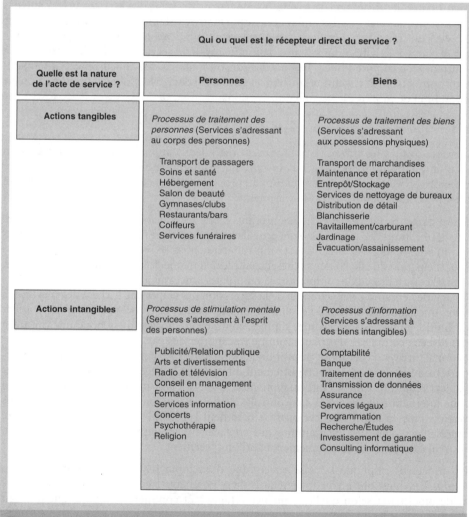

Quelle est la nature de l'acte de service ?	Qui ou quel est le récepteur direct du service ?	
	Personnes	**Biens**
Actions tangibles	*Processus de traitement des personnes* (Services s'adressant au corps des personnes) Transport de passagers Soins et santé Hébergement Salon de beauté Gymnases/clubs Restaurants/bars Coiffeurs Services funéraires	*Processus de traitement des biens* (Services s'adressant aux possessions physiques) Transport de marchandises Maintenance et réparation Entrepôt/Stockage Services de nettoyage de bureaux Distribution de détail Blanchisserie Ravitaillement/carburant Jardinage Évacuation/assainissement
Actions intangibles	*Processus de stimulation mentale* (Services s'adressant à l'esprit des personnes) Publicité/Relation publique Arts et divertissements Radio et télévision Conseil en management Formation Services information Concerts Psychothérapie Religion	*Processus d'information* (Services s'adressant à des biens intangibles) Comptabilité Banque Traitement de données Transmission de données Assurance Services légaux Programmation Recherche/Études Investissement de garantie Consulting informatique

Figure 1.4 - Compréhension de la nature de l'acte de service.

Chacune de ces catégories de services engage des processus de fabrication très différents aux implications essentielles pour le marketing, les opérations et les ressources humaines. Bien que les secteurs d'activités dans lesquels chaque catégorie apparaît soient très différents, les analyses montrent qu'ils partagent, en fait, des caractéristiques importantes liées aux processus. En conséquence, l'étude comparée d'autres entreprises du même groupe peut permettre d'obtenir des informations et ainsi de créer des innovations à haute valeur ajoutée.

Examinons pourquoi ces quatre types de processus ont des implications distinctes en matière de stratégie marketing, de gestion des opérations et de ressources humaines.

Le processus de traitement des personnes

Depuis longtemps, les personnes ont accès à des services tels que le transport, la nourriture, l'hébergement, les soins. Pour bénéficier de l'ensemble de ces services, elles doivent physiquement « entrer » dans le système de fabrication du service. Parce qu'elles sont partie intégrante du processus (elles demandent à être traitées, transformées), elles ne peuvent bénéficier du service à distance et doivent, par conséquent, consacrer du temps à interagir et coopérer activement avec le prestataire de services. Le niveau d'implication attendu du client peut être très variable (monter dans un bus pour un trajet de 5 minutes jusqu'à entreprendre un long traitement hospitalier). L'*output* des services à la personne est par exemple : un client arrivé à destination dans le cas du transport, une coupe de cheveu dans le cas d'un coiffeur, ou une meilleure condition physique dans le cas d'un club sportif ou d'un traitement hospitalier.

Réfléchir sur le processus de services aide à identifier les coûts non financiers que les clients sont prêts à consentir – par exemple, le temps nécessaire pour accéder à un soin hospitalier critique.

Le processus de traitement des biens

Les clients demandent souvent à une entreprise de services de procéder à un traitement de leurs biens ou de leurs possessions physiques (maison, ordinateur, « chien »...). Ils sont alors physiquement moins impliqués que dans les services à la personne. Considérons les différences entre le transport de passagers et le transport de marchandises. Dans le premier cas, le client doit nécessairement être présent. Dans le second, il peut demander que l'entreprise prélève le colis à son domicile ou à son bureau et attendre la confirmation de livraison.

Dans la plupart des services fondés sur les processus de traitement des biens, l'implication du client est généralement limitée à l'apport de l'objet, à sa reprise et au paiement de la facture. Si l'objet est impossible à déplacer, alors la réalisation du service doit se faire sur place et le personnel de services doit apporter les fournitures et matériels nécessaires. Dans tous les cas, le résultat doit fournir une solution satisfaisante au problème du client ou une amélioration concrète du bien en question.

Le processus de stimulation mentale

Les services qui interagissent avec l'esprit des gens incluent essentiellement la formation, l'éducation, l'information, le conseil aux entreprises, la psychothérapie, le divertissement et certaines pratiques religieuses. Ces composants ont le pouvoir de modifier les attitudes et d'influencer le comportement. C'est pourquoi des codes et des règles déontologiques sont nécessaires. Bénéficier de ces services demande un investissement en temps de la part des clients, sans pour autant que ces derniers n'aient à se déplacer physiquement dans l'entreprise. Ils doivent juste recevoir les informations qui leur sont présentées.

Des services comme le divertissement ou la formation sont souvent réalisés à un endroit et transmis par la télévision ou la radio individuellement aux personnes. Toutefois, ils peuvent être délivrés en direct et en personne à un groupe de clients en un lieu donné comme un cinéma ou une salle de cours ou de conférences. Nous devons cependant reconnaître que regarder un concert en direct, chez soi, à la télévision, n'est pas la même expérience de service qu'assister à un concert en salle avec des centaines, voire des milliers d'autres personnes.

Puisque le cœur du service de cette catégorie est fondé sur l'information (que ce soit la musique, la voix ou les images), ces services peuvent être facilement digitalisés, enregistrés et rendus disponibles pour des réutilisations ultérieures au travers des canaux électroniques, ou transformés en produits manufacturés comme des disques ou cassettes.

Le processus d'information

Curieusement, l'information est très certainement la forme la plus intangible du service mais elle peut être aussi transformée en produit durable comme des lettres, des rapports, des livres, des cassettes ou des disques. Parmi les services très dépendants des traitements de l'information, on trouve la comptabilité, le droit, l'analyse de marchés, l'audit et le diagnostic médical.

Dans les services de processus d'information et de stimulation mentale, la rencontre du fournisseur (participation et présence du client sur le lieu de service) se fait plus par tradition et/ou par volonté personnelle que pour le besoin des processus opérationnels. En effet, dans le cas d'opérations de services non complexes, le contact personnel est, dans la plupart des cas, inutile comme dans la banque ou l'assurance. Bon nombre d'entreprises l'ont compris aujourd'hui et proposent ces opérations par le biais des canaux électroniques, téléphoniques ou automatiques. Nous aurons l'occasion de revenir plus dans le détail des problèmes que pose la gestion du multicanal dans la relation client.

Mais il n'en reste pas moins que les services pâtissent d'habitudes et de traditions que clients et prestataires de services sont loin de vouloir abandonner. Les entreprises et les clients peuvent de concert convenir qu'ils préfèrent se rencontrer parce qu'ils ont ainsi l'impression de mieux communiquer et de mieux percevoir les attentes et la personnalité de l'autre partie. Cependant, l'expérience montre que des relations personnelles efficaces, construites sur la confiance, peuvent être créées et perdurer simplement grâce à des contacts téléphoniques, des sites Internet ou des e-mails.

4.2. Concevoir l'usine de services

La nature de l'implication des clients varie souvent entre les quatre catégories de services décrites précédemment. Rien ne peut changer le fait que dans le cas des processus de traitement des personnes le client doit physiquement être présent sur le lieu de service. Par exemple, si vous êtes actuellement à New York et que vous devez vous rendre à Paris, vous ne pouvez pas faire autrement que d'embarquer sur un vol international et passer du temps dans un avion au-dessus de l'Atlantique. Même cas de figure si vous souhaitez vous faire couper les cheveux, personne ne peut aller chez un coiffeur à votre place. Si vous vous cassez une jambe, vous devrez personnellement subir les désagréments de la fracture, l'opération par un chirurgien orthopédique, puis vous devrez rester immobilisé pendant plusieurs semaines.

Lorsque des clients se rendent dans les locaux où est délivré le service, leur degré de satisfaction dépend de facteurs tels que l'apparence et les caractéristiques des installations de l'entreprise, à la fois extérieures et intérieures : le personnel, les interactions avec les équipements en libre-service, l'apparence et le comportement des autres clients.

Les marketeurs doivent impérativement travailler étroitement avec les collaborateurs des services opérationnels (*back office* et gestion des opérations) pour optimiser la conception, l'interface et l'installation des équipements que le client doit utiliser pour obtenir son service. C'est le « prix » à payer pour une participation efficace du client et une meilleure productivité des processus de fabrication du service. S'il est vrai que l'aspect extérieur d'un immeuble est important pour le client (symboles, communication, esthétisme), l'intérieur doit en revanche être pensé et conçu en termes de performances. Plus les clients restent longtemps dans l'entreprise, plus ils ont l'occasion d'acheter des services. Il est donc important de leur offrir des locaux confortables et attractifs pour en quelque sorte leur « faciliter » le travail.

4.3. Les canaux alternatifs de livraison de service

Contrairement aux entreprises fondées sur un processus de traitement des personnes, les entreprises de services opérant des processus de stimulation mentale et de traitement de l'information n'ont pas besoin de la présence du client dans l'entreprise. Les dirigeants peuvent proposer un choix parmi les suivants : 1) laisser venir les clients dans un lieu conçu pour les recevoir ; 2) limiter le contact à un local annexe séparé de la maison mère ; 3) se rendre au domicile ou sur le lieu de travail du client ; et 4) travailler à distance (par téléphone, fax, e-mail ou Internet).

Prenez l'exemple du nettoyage de vêtements. Vous pouvez faire votre lessive chez vous, mais si vous n'avez pas le matériel, vous pouvez recourir à la laverie automatique où vous payerez pour utiliser des équipements en libre-service. Si vous préférez avoir recours à des professionnels pour laver et sécher votre linge, vous pouvez alors vous rendre dans une blanchisserie. Parfois, le nettoyage est effectué dans l'arrière-boutique, mais il peut aussi arriver que les vêtements soient emmenés dans une laverie industrielle relativement éloignée. Dans certaines villes, il existe un service qui emporte et livre les vêtements chez leur propriétaire. En raison des coûts supplémentaires engendrés, ce type de prestation est souvent onéreux.

Les canaux, physiques et électroniques, permettent aux clients et aux fournisseurs d'effectuer leurs opérations à distance. Par exemple, plutôt que faire vos courses dans un centre commercial, vous pouvez consulter un site Internet puis passer votre commande en ligne ou par téléphone et vous faire livrer. Les catalogues d'information, les logiciels ou les articles de recherche, peuvent même être téléchargés sur votre ordinateur.

Depuis l'émergence des technologies de l'information et le développement du commerce électronique, les managers d'aujourd'hui doivent être créatifs pour générer de la valeur client (temps, confort, facilité). Des entreprises telles qu'UPS, FedEx, Chronopost et autres entreprises de logistique ouvrent d'innombrables possibilités de revoir la place et la dimension du service de livraison. Certains fabricants de petits équipements permettent aux clients d'éviter de se rendre chez le distributeur lorsqu'un produit a besoin d'une réparation. À la place, un coursier vient collecter le produit défaillant (en fournissant même l'emballage si nécessaire), le remet au site de maintenance, et délivre le produit quelques jours plus tard, une fois le problème résolu. Le canal de distribution électronique offre même plus d'aisance puisque le temps de transport peut être éliminé. Par l'utilisation des moyens de télécommunications, les ingénieurs d'un centre de maintenance (qui peut se situer à l'autre bout de la planète) peuvent être capables de diagnostiquer des problèmes techniques et de logiciels à distance et de transmettre des signaux électroniques afin de corriger les erreurs.

Repenser les procédures de livraison de service pour tous mais surtout pour les processus de traitement des personnes permet à une entreprise de donner satisfaction à ses clients hors de ses murs et de transformer un service à « fort contact » en un service à « faible contact ». Lorsque la nature du processus rend possible la livraison d'un service à distance, alors la conception et le choix de l'emplacement de l'usine peuvent être guidés uniquement par des priorités opérationnelles. Les chances de succès d'une telle approche dépendent de l'acceptation du client et seront d'autant plus importantes si les nouvelles procédures sont conviviales, réductrices de coûts et offrent une plus grande commodité aux clients. Aujourd'hui, un très grand nombre d'entreprises recourent à des centres d'appels délocalisés aux quatre coins du monde. Il convient, dans ce cas, de veiller à limer tout indicateur d'expatriation qui pourrait générer un risque chez le consommateur : véracité de l'information, prise en charge de la requête. Nombreux sont les exemples qui témoignent de trop peu de rigueur pour certaines entreprises. Les marketeurs ne doivent pas omettre que si le contact client n'est qu'oral, le client le « sent », l'expérimente et le « vit » tout autant, si ce n'est plus, qu'un contact direct.

4.4. Prendre le meilleur des technologies de l'information

Les services fondés sur l'information (un terme qui couvre à la fois les services de stimulus mental et de traitement de l'information) sont les grands « gagnants » de cette mutation technologique et de l'émergence des technologies de l'information. Un nombre grandissant de banques met en place un service Internet accessible d'un téléphone portable pour que leurs clients puissent accéder à leurs comptes personnels et effectuer certaines transactions quelle que soit leur localisation.

Aujourd'hui, Internet a un impact majeur sur les stratégies de distribution d'un grand nombre de secteurs d'activités[16]. Cependant, une distinction doit être faite entre promouvoir l'activité même de l'entreprise (par exemple, les assurances ou encore les agents de change) et la fourniture de services supplémentaires pour améliorer l'offre de produits (par exemple, commander des produits chez un distributeur en ligne ou bien réserver ses vacances). La plupart des utilisations d'Internet concernent les services supplémentaires de transfert d'informations liées au produit, et non le téléchargement du produit lui-même.

4.5. Équilibrer l'offre et la demande

Les fluctuations importantes de la demande et l'équilibre entre l'offre et la demande sont un véritable tourment pour beaucoup de responsables d'entreprises de services contrairement aux entreprises de production qui ont la possibilité de stocker leur production et de la protéger. Cette possibilité leur permet de bénéficier d'économies d'échelle engendrées par des niveaux de production stables. Peu d'entreprises de services peuvent opérer de la sorte. Par exemple, le revenu potentiel d'un siège inoccupé à bord d'un avion est définitivement perdu dès que l'avion décolle. Les nuits d'hôtel sont également des services périssables. De même, il y a risque de perte lorsque la demande excède l'offre. Si une personne ne peut obtenir une réservation à bord d'un vol, une autre compagnie récupérera le contrat. Dans d'autres situations, les clients peuvent être mis en liste d'attente jusqu'à ce qu'une capacité de production soit suffisante pour satisfaire leur besoin.

En général, les services qui s'adressent à des personnes et des objets physiques sont plus exposés à ces limitations que ceux fondés sur l'information. En effet, les transmissions radio et télévisées, par exemple, atteignent quantité de foyers dans leur rayon de réception grâce aux satellites et réseaux câblés de distribution. Ces dernières années, les processus liés au traitement de l'information ont été largement améliorés par des systèmes informatiques plus puissants, la digitalisation du signal et le remplacement des câbles coaxiaux par des fibres optiques.

Cependant, les progrès de la technologie n'ont pas encore permis d'apporter des progrès similaires à des services qui concernent les individus et leurs possessions physiques. En conséquence, la gestion de la demande devient essentielle dans l'amélioration de la productivité de ce type de services (compensations pour l'utilisation du service hors période de pointe, réservation, etc.). Par exemple, un club de golf peut utiliser ces deux stratégies en proposant un tarif préférentiel pendant la basse période et en offrant un service de réservation pendant les périodes de pointe.

La difficulté pour les processus de traitement des personnes vient aussi du fait que le client impose à ses prestataires des limites de temps qu'il refuse de dépasser. En comparaison, les possessions physiques souffrent rarement si elles doivent attendre (excepté si elles sont hautement périssables). En effet, le client est très réactif sur le coût et les inconvénients que génèrent les retards de livraison du service (vêtements ou voiture non disponibles à la date convenue, par exemple). Le problème du management de la demande et de la capacité est si important (productivité des immobilisations et meilleure profitabilité) que nous y consacrerons un chapitre à part entière (chapitre 9).

4.6. Lorsque les personnes deviennent une part du produit

Dans plusieurs cas de processus de traitement des personnes, les clients rencontrent beaucoup d'employés et interagissent avec eux pendant un temps donné. Ils sont aussi amenés à rencontrer autant de clients que l'entreprise de services peut en servir simultanément. Un bus, un amphithéâtre, un restaurant, un salon de coiffure, un aéroport, un hypermarché, une salle de concerts, etc. Tous ces lieux de services s'offrent à plusieurs clients simultanément. Lorsque d'autres personnes deviennent parties de cette expérience de service, leur attitude, leur comportement et leur apparence peuvent la modifier en l'améliorant ou en la détériorant.

En tant que membre à part entière du processus de fabrication du service, le client évalue très distinctement la qualité et la compétence des employés tant sous l'angle de leur apparence physique, de leurs qualités sociales et humaines que de leurs capacités techniques. Le client va aussi porter un jugement sur la pertinence de la présence d'autres clients sur le même lieu de service que lui et évaluer ainsi l'attention que l'entreprise qu'il a choisie lui porte. C'est l'une des raisons essentielles qui fait que le marketing des services impose une politique de segmentation pertinente, et ce, en raison de la grande concomitance de clientèles dans les lieux de services.

5. Le marketing doit être intégré aux autres fonctions

Cet ouvrage ne se limite pas exclusivement à l'étude du marketing des services. En effet, au fil des différents chapitres, vous trouverez des références à deux fonctions tout aussi importantes que le marketing : les opérations et les ressources humaines. Imaginez-vous responsable d'un petit hôtel ou si vous préférez, P-DG d'une grande banque. Dans les deux cas, vous serez concerné, un, par la satisfaction de vos clients, deux, par le fonctionnement régulier et efficace de vos activités opérationnelles, et trois, par le comportement de vos employés tant au niveau de leur efficacité qu'au niveau de leur empathie et de leur motivation à vouloir rendre un bon service aux clients.

Des difficultés dans l'un de ces trois domaines peuvent affecter la bonne exécution des tâches des autres fonctions et aboutir, *in fine*, à l'insatisfaction des clients.

5.1. Le marketing mix des services

Dans les stratégies classiques de positionnement d'un produit, le marketing utilise généralement quatre éléments de base : le produit, le prix, la place (ou distribution) et la promotion (ou communication). De façon générale, on fait souvent référence aux « 4 P » du marketing mix[17]. Afin de représenter la nature distinctive des performances des services, nous modifierons cette terminologie et étendrons le mix par l'ajout de trois éléments associés à la réalisation du service : l'environnement physique, le processus et les acteurs. Ces sept éléments du marketing des services représentent un jeu de variables décisionnelles interconnectées auxquelles sont confrontés les responsables des entreprises de services[18]. Attachons-nous à les décrire brièvement.

Le service

Les responsables doivent à la fois identifier et sélectionner les caractéristiques du service de base (produit ou service) et le package de services supplémentaires associés, en référence aux bénéfices attendus par les clients et au positionnement du produit/service de la concurrence. En bref, nous devons prêter attention à tous les aspects des performances du service afin de créer de la valeur pour les clients.

Le lieu et le temps

La livraison des éléments du service aux clients implique des décisions aussi bien en termes de lieu et de temps d'exécution, que de méthode et de moyens employés. La livraison peut nécessiter des moyens de distribution physique ou électronique ou les deux selon la nature du service offert. Le recours aux services de messagerie et d'Internet permet la réalisation des services dans un cyberespace au choix du client. L'entreprise peut livrer le service directement, ou utiliser un intermédiaire (comme un représentant) qui reçoit une prime ou un pourcentage du prix de vente. La rapidité d'exécution et la commodité du lieu et du moment de livraison pour le client deviennent alors clés dans le design de l'offre.

La promotion et la formation

Aucun programme marketing ne peut réussir sans communication efficace. Cet élément remplit trois rôles essentiels : fournir les informations et les conseils nécessaires aux clients, convaincre les clients potentiels des avantages du service et les encourager à acheter au bon moment. Dans le marketing des services, la communication est essentiellement de nature éducationnelle, et tout particulièrement pour les nouveaux clients. Les entreprises peuvent informer leurs clients des bénéfices du service, où et quand l'obtenir, et les renseigner sur la façon de participer aux processus de service. La communication peut être effectuée par des personnes (comme des représentants ou des commerciaux) ou encore à l'aide de médias comme la télévision, la radio, les journaux, les magazines, les affiches, les brochures et les sites Internet. Les activités de promotion peuvent influencer le choix de la marque, quant aux offres commerciales, elles peuvent être utilisées pour inciter les clients à acheter.

Le prix et les autres coûts des services

Cet élément regroupe la gestion des coûts induits par les clients lors de l'obtention des bénéfices du service offert. Les responsables des services ne décident pas seulement du prix de vente, des marges commerciales et des conditions financières, ils recherchent aussi la minimisation des coûts associés lors de l'acte d'achat et de l'utilisation du service. Par exemple, dans le cas de la vente d'un séjour à l'étranger, les dépenses annexes, le temps et les efforts requis pour convertir une monnaie.

L'environnement physique

L'apparence des immeubles, du paysage, des véhicules, des ameublements, des équipements, du personnel, des documentations et autres imprimés, et tout autre élément visible donnent aux clients des indications sur le niveau de la qualité du service rendu. À défaut de pouvoir se renseigner *ex ante* sur la qualité et le niveau de performance des services rendus par un prestataire, le client construit ses attentes et ses perceptions sur l'ensemble des éléments matériels auxquels il a accès. D'où la nécessité de porter le plus grand intérêt aux supports physiques à disposition ou non des clients. La difficulté ici réside dans l'entretien (souvent le personnel, mais aussi la direction, ne voient plus ce que les clients voient toujours d'un œil nouveau), la maintenance (tout équipement non entretenu fournit aux clients des indicateurs négatifs : la lettre d'une enseigne en panne de néon, un automate « tagué » ou en panne, une moquette usée, des sièges affaissés, une peinture vieillie et jaunie par le temps, des teintes et des styles démodés).

Le processus

Délivrer un service nécessite l'établissement de processus dédiés, d'interfaces ergonomes, spécialisés et souvent standardisés pour une très grande part. Mal définis, lents, bureaucratiques et inefficaces dans leur mise en place, ils ennuient les clients et rendent difficile la réalisation de leur travail, ce qui entraîne inéluctablement une baisse de la productivité de l'entreprise (mais aussi de celle du client) et un accroissement des échecs de mise à disposition effective du service. Citons à titre d'exemple : les bornes de préenregistrement (*check in*) des vols aériens souvent peu visibles et mal disposés ; les pèse-légumes des hypermachés souvent insuffisants, en panne d'étiquettes et encore trop souvent peu lisibles ; les sites de vente à distance complexes dans l'utilisation (taille de la police, style et interface), etc.

Les acteurs

Beaucoup de services se délivrent grâce au recours et à la compétence d'un personnel en contact : le médecin, le coiffeur, l'enseignant, l'assureur, le banquier, le consultant, un opérateur téléphonique, etc. La nature, l'intensité, le déroulement, le ton, le rythme, la voix, la gestuelle et l'attitude du personnel en contact influencent fortement la perception des clients et conditionnent la qualité du service rendu, quelle qu'en soit l'issue[19]. Une société de services qui délivre des prestations par le biais d'un personnel en contact doit déployer des efforts considérables en recrutement, formation et motivation des employés[20] sous peine d'être boudée par ses clients en raison de la faible performance et attractivité du personnel. C'est, à notre sens, le problème principal des entreprises de services d'aujourd'hui, confrontées à l'attraction qu'offrent le développement des canaux à distance, la démocratisation d'Internet et la maîtrise croissante des clients en matière de technologies de l'information. Les entreprises de services à forte densité informationnelle trouvent souvent dans les technologies de l'information le relais ou un ersatz d'une relation en face à face devenue coûteuse pour elle ou sans valeur pour le client.

Les choix doivent être faits en tenant compte de la complexité du service, d'un strict point de vue du client. Qu'est-ce qui est complexe pour un client et nécessite la présence d'un personnel qualifié ? Qu'est-ce qui est simple et facilement opérationnalisable par le client ? *A priori*, la réponse semble simple mais il n'en est rien car ce qui est complexe pour la firme peut ne pas l'être pour un client et vice versa.

À titre d'exemple, lors d'une de nos précédentes recherches[21], il s'est avéré que 76 % des prêts à l'habitat d'une grande banque nationale furent initiés dans le canal téléphonique (renseignement, demande d'imprimés et des conditions d'accès) et non dans le canal traditionnel. Pour certains clients (et ils sont de plus en plus nombreux), un crédit à l'habitat ne revêt pas de complexité majeure – contrairement à ce que pensent les banques.

5.2. Liens entre gestion du client, des opérations et des ressources humaines

Comme nous venons de le voir, les éléments composants le modèle dit des « 7 P » en anglais ne peuvent fonctionner de façon efficace s'ils sont isolés des autres fonctions de l'entreprise. Trois fonctions managériales jouent un rôle central dans la satisfaction des besoins des clients : le marketing, les opérations et les ressources humaines. La figure 1.5 illustre ces interdépendances. Dans les chapitres suivants, nous nous demanderons comment les marketeurs devraient communiquer avec les collaborateurs en poste dans ces fonctions pour élaborer les plannings et la mise en place des stratégies marketing.

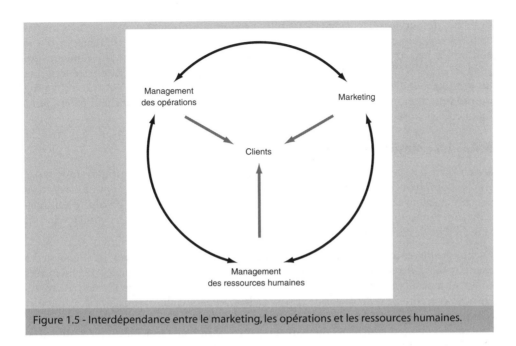

Figure 1.5 - Interdépendance entre le marketing, les opérations et les ressources humaines.

Les entreprises de services doivent comprendre les implications de ces sept composants du management des services, comme décrits précédemment, pour être à même de développer des stratégies efficaces qui améliorent leurs chances de réussir.

5.3. Offre de services versus service client et service après vente

Avec la croissance de l'économie des services et le poids croissant de la valeur ajoutée qu'offrent les services associés aux produits, la distinction entre services et produits devient floue. À ce sujet, Theodore Levitt, l'un des experts les plus reconnus en marketing, a observé que : « Il n'y a rien de comparable au secteur des services. Il existe seulement des secteurs dont les éléments de services sont meilleurs ou moins bons que ceux d'autres secteurs. Tout le monde est dans le service. »[22] Plus récemment, Roland Rust, éditeur du *Journal of Service Research*, a expliqué que les entreprises de production ont effectivement adopté cette posture car, comme il l'écrit : « La plupart des entreprises de production se considèrent elles-mêmes comme étant d'abord de service. »[23] Même si ce qu'écrit Roland Rust peut être recevable, il est important d'insister et de montrer la différence entre la situation dans laquelle le service est l'élément central de l'offre et celle dans laquelle les « manufacturiers » adoptent une stratégie de services pour proposer et valoriser le produit qu'ils fabriquent. En effet, tout produit offre un service, mais tout service n'est pas produit et loin s'en faut !

Dans cet ouvrage, nous faisons la distinction entre le marketing des services, où le service est le « produit » en lui-même, et le marketing (des produits) *via* les services. Dans ce dernier cas, une entreprise de production peut établir sa stratégie marketing en ajoutant des services supplémentaires au produit, mais ce produit reste un produit physique et donc, pas un service.

Plusieurs des services qui accompagnent les produits au moment de la vente ne sont pas facturés séparément mais inclus dans le prix du produit lui-même. L'acheteur d'une voiture de luxe reçoit un niveau exceptionnel de service de la part du vendeur, qui propose également un excellent niveau de garantie. Cependant, la voiture reste toujours un produit manufacturé et nous devrons toujours faire la différence entre le marketing du produit au moment de la vente et le marketing des services que le client paiera pour maintenir sa voiture en bon état pendant plusieurs années.

5.4.   La création de valeur

À ce niveau, il doit être clairement établi que les responsables doivent trouver au sein des 7 P les composantes de la valeur client. La valeur peut être définie comme l'avantage procuré par une action spécifique (ou un objet), en relation avec les besoins d'un individu (ou d'une entreprise) à un moment donné, auquel sont déduits les coûts qu'induit la recherche de ces bénéfices.

En interne, les entreprises créent de la valeur en proposant les services qu'attendent les clients (pour générer un réachat et donc de la fidélité) à un prix raisonnable (flux financiers couvrant les coûts engendrés par la « production » et la distribution du service). Ainsi, les entreprises reçoivent de la valeur de la part de leurs clients, d'abord sous forme d'argent et ensuite par l'utilisation des services en question. Ces transferts de valeur illustrent un des concepts les plus fondamentaux du marketing, celui de l'*échange* (une valeur en contrepartie d'une quelque autre valeur). Ces échanges ne se limitent pas à l'achat et la vente, ils existent également lorsqu'un employé rejoint une entreprise pour y travailler. L'employeur reçoit les bénéfices des efforts de l'employé, lequel perçoit son salaire et d'autres avantages tels que la formation, l'expérience et un environnement de travail convivial.

En tant que client, vous-même prenez la décision ou non d'investir du temps, de l'argent et des efforts pour obtenir un service qui vous promet les avantages spécifiques que vous recherchez. Peut-être que le service en question comble un besoin immédiat (manger une pizza, aller au cinéma…) ou un besoin à plus long terme (suivre une formation, investir). Si vous avez le sentiment d'avoir payé plus que nécessaire ou obtenu moins de bénéfices que ceux espérés ou que vous avez été traité de façon incorrecte lors de la livraison du service, la valeur reçue sera diminuée. Mais peut-être que l'entreprise traite mal ses employés (faible niveau de salaire, pas d'avantages sociaux, etc.) et si tel est le cas, il faut savoir que les clients détectent et perçoivent les insatisfactions et le mal-être du personnel en contact.

Toute entreprise qui recherche une relation durable avec ses clients mais aussi ses employés ne peut se permettre de mal les traiter. Pour cette raison, les entreprises ont besoin d'un cadre juridique et de valeurs morales partagées par tous les collaborateurs, si possible sans exception, et surtout par ceux qui sont en contact avec les clients. Ces valeurs devraient être aussi expliquées aux clients potentiels afin de les convaincre, de les attirer mais aussi de les retenir sans oublier que dans les services : il faut faire avant de dire et non pas dire avant de faire !

Il y a plus de trente ans, Siegmund Warburg, de l'agence d'investissement bancaire S.G. Warburg (l'actuel SBS Warburg), déclarait :

> *La réputation d'une entreprise pour son intégrité, sa générosité et ses services, est le plus important de ses biens, beaucoup plus important que l'aspect financier.*

Cependant, la réputation d'une entreprise est comme un organisme vivant, très délicat, qui peut être endommagé très facilement et dont il convient de sans cesse prendre soin, car elle est pour l'essentiel affaire de comportement et de standards humains[24].

Aujourd'hui plus qu'hier, nous constatons un fort intérêt envers l'éthique des affaires et la présence d'une législation forte pour protéger à la fois les clients et les employés de traitements abusifs. Dans ce livre, nous reviendrons périodiquement sur les questions d'éthique puisqu'elles sont très étroitement liées aux différents aspects du management des services.

6. Le succès des services nécessite d'être attentif aux clients et à la concurrence

Ces dernières années, la place de la valeur des actionnaires n'a fait qu'augmenter et être à la base de la grande majorité des décisions prises par l'ensemble des dirigeants d'entreprises qu'ils soient français ou américains. Les profits des entreprises peuvent probablement être améliorés sur le court terme par un effort vigoureux de réduction des dépenses, mais sur le long terme, il ne peut y avoir de création de valeur pour les actionnaires sans que, préalablement, il y ait eu création de valeur pour les clients. Le marketing est la seule fonction de management dans l'entreprise qui soit dédiée à la génération de revenus. Aucune entreprise ne peut espérer maintenir un courant de revenus sans attirer, puis conserver les clients d'accord pour continuer à acheter et payer des services à des prix qui couvrent l'ensemble des coûts et dégagent des marges suffisantes pour réaliser les investissements nécessaires et générer du profit.

Le chapitre qui suit introduit un thème qui reviendra tout au long du livre : l'orientation client. Comprendre ses besoins et son comportement, s'assurer de l'adéquation entre ses besoins et l'offre de services et gérer les rencontres avec les clients de façon à générer leur satisfaction. Nous insisterons sur l'importance d'être sélectif lors du ciblage spécifique de certains types de clients. L'objectif devrait donc être de développer des stratégies marketing qui rendent compatibles les besoins des clients et leur potentiel d'achat avec les capacités et les objectifs à long terme de l'entreprise.

Conserver les clients intéressants dans une économie très concurrentielle exige la compréhension de la manière dont les relations clients sont créées et alimentées. Historiquement, beaucoup d'entreprises de services étaient orientées vers les transactions (la vente) plutôt que vers la relation (le réachat et le choix délibéré du client d'un seul prestataire précis). Un client était alors considéré de la même manière qu'un autre pourvu qu'il paie. Aujourd'hui, l'accent est davantage porté sur le développement de stratégies marketing relationnelles qui améliorent la satisfaction afin de construire sur de la durée, la fidélité des clients. Pour cela, les entreprises de services doivent développer une connaissance du client fondée sur la qualité de service et s'assurer que chaque collaborateur au sein de l'entreprise comprend son rôle et mesure sa contribution à la satisfaction des attentes des clients.

Les gagnants sur des marchés très concurrentiels de services progressent par la révision constante de leurs pratiques managériales, la recherche de voies innovantes pour mieux servir les clients, et en particulier, l'utilisation intelligente des nouvelles technologies.

Considérons les six entreprises décrites dans Meilleures pratiques 1.1, toutes leaders dans un secteur d'activité différent. Nous les retrouverons tout au long de ce livre.

Les outils et les stratégies marketing que nous décrivons dans les différents chapitres mettent l'accent sur l'orientation client et les dynamiques concurrentielles. Cependant, nous reconnaissons explicitement qu'une intégration effective des activités du marketing avec celles des opérations et des ressources humaines nécessite que les marketeurs travaillent en partenariat avec leurs collègues des autres fonctions afin d'assurer un équilibre ou même mieux, une synergie, entre la qualité et la productivité.

Meilleures pratiques 1.1

Six entreprises focalisées sur le client qui prospèrent grâce à l'innovation et la croissance

Ryanair est la compagnie aérienne *low cost* la plus dynamique en Europe. Depuis sa base initiale de Dublin en Irlande, elle a su se positionner avec succès comme une compagnie à bas prix développant simplement les court et moyen-courriers à travers l'Europe. Les fondamentaux de son succès sont la ponctualité, la fréquence de ses vols offrant une excellente valeur pour le client, un service de réservation facile d'utilisation, une stratégie d'opération à faibles coûts et des pratiques financières innovantes et audacieuses.

Aggreko se décrit comme « le leader mondial de location d'équipement d'énergie ». Basée au Royaume-Uni, cette entreprise loue des générateurs électriques mobiles et des équipements de contrôle de température depuis ses 70 dépôts dans 20 pays différents. De grandes entreprises et des services publics sont ses clients clés. L'essentiel de son activité provient d'opérations de sécurité ou d'événements spéciaux – les Jeux olympiques, par exemple –, mais elle est aussi capable de répondre rapidement à des situations d'urgence, comme des catastrophes naturelles qui mettent hors d'usage les générateurs électriques traditionnels. Rapidité, flexibilité, sérieux et sensibilité environnementale sont parmi les points forts d'Aggreko.

eBay définit sa mission comme étant « d'aider les gens à échanger pratiquement tout sur Terre ». Créée en 1995, eBay n'a aucune autre présence physique que ses bureaux administratifs en Californie, que ses clients ne voient jamais. À la place, elle utilise Internet pour mettre en relation les acheteurs et les vendeurs, au niveau régional, national et même mondial, dans un format de vente aux enchères au travers du cyberespace. Ciblant des clients individuels, pas les entreprises, eBay permet aux gens de présenter des produits et de faire des offres d'achat dans plus de 4 300 catégories, comprenant voitures, antiquités, jouets, poupées, bijoux, objets de collections, livres, poteries, verres, pièces de monnaie, timbres et bien plus encore. Une partie de l'attraction d'eBay vient simplement du fait qu'il s'agit du plus important site mondial de commerce de personne à personne, offrant toujours plus de nouveaux articles à vendre et de nouveaux acheteurs potentiels que n'importe quel autre site de ventes aux enchères.

TLContact est l'une des quelques start-up « dot.com » qui ont survécu et prospéré. Cette entreprise crée des pages Internet personnelles et sécurisées pour les patients hospitalisés, si bien que leur famille et leurs proches peuvent rester en contact avec eux pendant leur traitement médical et leur convalescence. Les jeunes fondateurs en eurent l'idée lorsque leur premier enfant est né avec une grave malformation cardiaque. Un autre membre de la famille créa un site Internet afin que les proches puissent suivre les progrès du bébé après les diverses opérations sans avoir à téléphoner aux parents ou à l'hôpital. TLC possède maintenant des contrats avec un certain nombre d'hôpitaux aux États-Unis et au Canada, et offre une version espagnole de son service à Mexico.

Accor, présent dans 140 pays, est l'un des leaders mondiaux de l'hôtellerie. Créée en 1983, l'entreprise propose partout dans le monde des formules de séjours adaptées au besoin de chacun de ses clients grâce à une judicieuse stratégie de marques. Les activités de voyage, de restauration, et maintenant de loisirs grâce à sa prise de participation dans le Club Méditerranée, viennent compléter cette offre unique dans l'univers du loisir. Accor s'attache à concilier ses objectifs de croissance et de profit avec sa responsabilité sociale et environnementale en préservant l'avenir.

Steria est l'une des plus importantes sociétés de services en informatique en Europe. Présente dans la plupart des secteurs de l'économie, Steria a construit sa réputation sur une approche globale des services informatiques. Elle a construit sa réputation et sa croissance sur un esprit orienté service et des valeurs humaines solides (simplicité, créativité, indépendance, respect, ouverture).

Conclusion

Pourquoi étudier les services ? Parce que les économies modernes sont dirigées par les activités de services. Les services sont responsables de la création d'une quantité substantielle de nouveaux emplois à travers le monde, aussi bien qualifiés que peu qualifiés. Ils incluent une variété importante d'activités, y compris le secteur public et les organisations à but non lucratif. Tout ceci représente plus de la moitié de l'économie dans la plupart des pays développés et plus des deux tiers dans les pays à économie très développée.

Comme nous venons de le voir dans ce chapitre, les entreprises de services diffèrent des entreprises de production par plusieurs aspects importants et nécessitent une approche distincte du marketing et des autres fonctions de management. En conséquence, les responsables qui souhaitent voir réussir leur entreprise ne peuvent continuer à dépendre seulement des outils et concepts développés dans et pour le secteur industriel. Plutôt que de se focaliser sur la frontière qui distingue les biens des services, il est plus utile et pertinent d'identifier les différentes catégories de services et d'étudier les défis que le marketing, les opérations et les ressources humaines relèvent dans chacun de ces groupes.

Le schéma des quatre types présentés dans ce chapitre se concentre sur les implications clients des différents types de processus des services. Certains services nécessitent un contact physique direct avec les clients (coupe de cheveux et transport de passagers), alors que d'autres demandent le contact avec « l'esprit » des gens (formation et divertissement). Ils peuvent prendre en compte des objets physiques (nettoyage et livraisons), tandis que d'autres gèrent l'information (comptabilité et assurance). Les processus opérationnels qui sont à la base de la création et de la livraison de tout service ont un impact majeur sur les stratégies marketing et les ressources humaines.

L'ensemble des outils stratégiques disponibles pour les marketeurs de services est plus riche que pour les produits manufacturés. En plus, des décisions à prendre sur les éléments du service, de son prix, de sa localisation, du temps requis pour délivrer le service et de stratégie promotionnelle, les marketeurs des activités de services se trouvent confrontés à des difficultés dans la livraison du service en raison de l'importance de l'environnement physique qui abrite le processus de fabrication. Nous pouvons les décrire comme les 7 P du marketing des services. Les managers employant ces outils doivent avoir à l'esprit l'importance du choix de leurs clients et que le succès nécessite une focalisation permanente sur la satisfaction et la fidélité du client.

Activités

Questions de révision

1. Est-il possible pour une économie d'être totalement fondée sur les services ? Est-il bon pour une économie d'avoir un large secteur de services ? Discutez.

2. Quelles sont les principales raisons de croissance du secteur des services dans les principales économies mondiales ?

3. Qu'est-ce qui différencie le marketing des services et justifie une approche particulière ?

4. Considérez-vous le marketing mix, traditionnellement appliqué au secteur des biens, comme approprié pour le secteur des services ?

5. Révisez chacune des différentes façons de classer les services. Comment expliqueriez-vous l'utilité de chacune de ces classes pour les managers ?

6. Pourquoi le temps est-il si important dans les services ?

7. Pourquoi le marketing, les opérations et les ressources humaines doivent-ils être liés de façon plus forte dans les services que dans l'industrie de production ? Donnez des exemples.

8. Dans quelles mesures le design d'une entreprise de services affecte a) la satisfaction du client et b) la productivité de l'employé ?

9. À quels problèmes éthiques majeurs doivent faire face les responsables d'entreprises de services à processus de stimulation mentale ?

Exercices d'application

1. Visitez les sites Internet des bureaux d'études statistiques suivants : United States Bureau of Economic Analysis (www.bea.gov) ; Statistics Canada (www.statcan.ca) ;

Institut national de la statistique et des études économiques (www.insee.fr). Sur chaque site, recueillez les données sur les dernières tendances dans les services pour : a) le pourcentage du produit national brut ; b) le pourcentage d'employés alloués aux services ; c) l'analyse de ces deux statistiques par secteur d'activité ; et d) les exportations et importations de services.

2. Sur la base d'exemples, expliquez comment, durant les dix dernières années, Internet et les technologies de télécommunications – à savoir *Interactive Voice Response Systems* (IVRS) et le commerce mobile (m-commerce) – ont modifié certains services que vous utilisez.

3. Choisissez une entreprise de services qui vous est familière et montrez comment chacun des sept éléments (7 P) du management des services est appliqué.

4. Constituez une liste d'au moins douze services que vous avez utilisés le mois dernier.

   a. Classez-les par type de processus.

   b. Dans quels cas auriez-vous pu éviter de vous rendre dans l'entreprise et obtenir le service à distance ? Commentez.

   c. De quelle façon votre propre expérience des services est-elle affectée par les autres clients – soit positivement, soit négativement ?

5. Visitez les locaux de deux entreprises de services concurrentes sur un même secteur d'activité (par exemple, deux distributeurs, restaurants ou hôtels) que vous considérez comme ayant des approches du service différentes. Comparez-les en vous appuyant sur un ou plusieurs paragraphes de ce chapitre.

Notes

1. Données comparatives sur l'Amérique latine au milieu des années 1990, voir *El Mundo de Trabajo en una Economia Integrada*, Washington, The World Bank, 1996. Données sur les pays asiatiques, voir *Key Indicators of Developing Asian and Pacific Countries*, Asian Development Bank, 2002 ; Christopher H. Lovelock, Jochen Wirtz et Hean Tat Keh, « Asia's Growing Service Sectors », *Services Marketing in Asia : Managing People, Technology, and Strategy*, Singapour, Prentice Hall, 2002, pp. 76-91.

2. Données en provenance de : US Department of Commerce, Statistics Canada, 2002-2003, et Insee 2003.

3. Regis McKenna, *Real Time*, Boston, Harvard Business School Press, 1997.

4. US Department of Commerce, *North American Industry Classification System – United States*, Washington, National Technical Information Service, PB 2002-101430, 2002.

5. Leonard L. Berry, « Services Marketing is Different », *Business*, mai-juin 1980.

6. Evert Gummesson, « Lip Service : A Neglected Area in Services Marketing », *Journal of Consumer Services*, n° 1, 1987. Pour une liste plus large de définitions, consulter Christian Grönroos, *Service Management and Marketing*, 2ᵉ édition, New York, John Wiley & Sons, 2001, pp. 26-27.

7. *Ibid.*

8. G. Lynn Shostack, « Breaking Free from Product Marketing », *Journal of Marketing*, avril 1977. Président du directoire et actionnaire majoritaire de Joyce International Inc., Lynn Shostack a été primé par l'American Marketing Association pour la qualité de ses articles publiés dans la *Harvard Business Review* et le *Journal of Marketing*.

9. W. Earl Sasser, R. Paul Olsen et D. Daryl Wyckoff, *Management of Service Operations : Text, Cases, and Readings*, Boston, Allyn & Bacon, 1978.

10. Stephen J. Grove, Raymond P. Fisk et Joby John, « Service as Theater : Guidelines and Implications », in *Handbook of Services Marketing and Management*, T. A. Schwartz et D. Iacobucci (éd.), Thousand Oaks, Sage Publications, 2000, pp. 21-36.

11. Sur les différentes personnalisations du client et la définition de la coproduction, voir A.Salerno, « Personnalisation et connexion identitaire dans la relation du consommateur à l'organisation de service », *Actes de l'AFM*, Deauville, 2001.

12. Bonnie Farber Canziani, « Leveraging Customer Competency in Service Firms », *International Journal of Service Industry Management*, vol. 8, n° 1, 1997, pp. 5-25.

13. Sur les rôles du client dans les services, voir M. Bitner, W. Faranda, A. Hubbert et V. Zeithaml, « Customer contributions and roles in service delivery », *International Journal of Service Industry Management*, vol. 8, n° 3, 1997, pp. 19-31.

14. Gary Knisely, « Greater Marketing Emphasis by Holiday Inns Breaks Mold », *Advertising Age*, 15 janvier 1979.

15. Cette section s'appuie sur Valarie A. Zeithaml, « How Consumer Evaluation Processes Differ Between Goods and Services », in *Marketing of Services*, J. A. Donnelly et W. R. George (éd.), Chicago, American Marketing Association, 1981, pp. 186-190.

16. Ces classifications sont issues de Lovelock, « Dealing with Inherent Variability : The Difference between Manufacturing and Service ? », *International Journal of Production Management*, vol. 7, n° 4, 1987, pp. 13-22.

17. A. Munos, *Technologies de l'information et activités de services*, Rapport soumis pour l'obtention de l'habilitation à diriger des recherches, Université Paul Cézanne, CERGAM, 2006. Leyland Pitt, Pierre Berthon et Jean-Paul Berthon, « Changing Channels : The Impact of the Internet on Distribution Strategy », *Business Horizons*, mars-avril 1999, pp. 19-28.

18. La classification des 4 P des variables décisionnelles du marketing a été créée par E. Jerome McCarthy, *Basic Marketing : A Managerial Approach*, Homewood, Richard D. Irwin, Inc., 1960.

19. Adapté de Bernard H. Booms et Mary J. Bitner, « Marketing Strategies and Organization Structures for Service Firms », in *Marketing of Services*, J. H. Donnelly et W. R. George (éd.), Chicago, American Marketing Association, 1981, pp. 47-51.

20. Sur ce sujet, voir aussi Michael D. Hartline et O. C. Ferrell, « The Management of Customer Contact Service Employees », *Journal of Marketing*, vol. 60, n° 4, octobre 1996, pp. 52-70.

21. A. Salerno, « Une étude des relations entre personnalisation, proximité dyadique et identité de clientèle », *Recherche et applications en marketing*, vol. 16, n° 4, 2001.

22. A. Munos, *L'interface client dans le multicanal : implications pour le management des services*, Thèse pour l'obtention du doctorat ès sciences de gestion, Université de la Méditerranée, CRETLOG, 2003.

23. Theodore Levitt, *Marketing for Business Growth*, New York, McGraw-Hill, 1974, p. 5.

24. Roland Rust, « What is the Domain of Service Research ? », *Journal of Service Research*, vol. 1, novembre 1998, p. 107.

25. Siegmund Warburg, cité dans une présentation de Derek Higgs, Londres, septembre 1997.

Chapitre 2

Le comportement du client dans les interactions de services

« I can't get no satisfaction. » – Mick Jagger

« Une personne qui trouve l'information nécessaire et qui choisit WISELY a plus de chances d'obtenir satisfaction que Mick Jagger. » – Claes Fornell

« Le monde entier est une scène et tous les hommes et toutes les femmes sont des acteurs ; ils sont leurs entrées et leurs sorties et un homme dans sa vie joue plusieurs scènes. » – William Shakespeare, As you like it

Ce chapitre aborde les questions suivantes

- Quelles sont les quatre catégories de services ? Pour quelles raisons chacune d'entre elles pose des problématiques marketing distinctives ?
- Qu'est-ce que le modèle à trois temps du processus d'achat de services ?
- Quels sont les risques que le consommateur perçoit lors de la sélection, l'achat et l'usage des services ? Comment les firmes de services peuvent réduire le risque perçu par les consommateurs ?
- Comment les clients forment-ils leurs attentes de services ?
- Comment la théorie des rôles et des scripts nous aide à comprendre le comportement durant l'interaction de services ?
- Quels avantages y a-t-il à considérer le service comme une forme de pièce de théâtre ?

L a compréhension du comportement du consommateur est la base du marketing. Sans une bonne maîtrise des attentes et de la réaction des clients face à des situations d'achat, aucune entreprise ne peut durer sur un marché ouvert et qualifié de concurrentiel. À cet effet, les entreprises de services doivent être capables de répondre aux questions suivantes : pourquoi mes clients choisissent « mon entreprise » et pas les autres (mes concurrents) ? Pourquoi les clients utilisent tel ou tel service (connaître ce que les clients affectionnent mais aussi boudent ou refusent de consommer) ?

S'intéresser au comportement du consommateur dans les interactions de services requiert une parfaite connaissance des différentes formes d'interactions possibles avec le client et des attitudes que le client développe vis-à-vis de chacune d'elles. Cela nécessite également de connaître les freins, réticences mais aussi « l'engouement » dont le client fait preuve à chaque étape de la « production » et de la consommation du service, pour qu'*in fine*, il soit satisfait et choisisse de réitérer l'expérience (déclencher le réachat et donc la fidélité).

Un des thèmes majeurs de ce chapitre est de montrer en quoi les relations de services diffèrent entre elles et les conséquences et implications à la fois managériales et marketing qu'il faut tirer. Les rencontres de services entre clients et personnel en contact dites de type *high contact* diffèrent grandement des rencontres de services dites *low contact*. Comme nous l'avons vu dans le chapitre précédent, certains services nécessitent un contact et une implication très active du client, rendant indispensable sa présence sur le lieu de service pour qu'un personnel en contact qualifié puisse délivrer le service (compagnies aériennes, restauration à table, hôpitaux). *A contrario*, certains services ne nécessitent pas la présence de personnel en contact et peuvent être proposés aux clients par l'intermédiaire du téléphone, d'Internet, de l'e-mail ou bien par lettre (compagnies d'assurance, chaînes de télévision).

En dépit de leurs attentes, très souvent, les clients éprouvent une certaine difficulté à évaluer un service avant de l'avoir acheté. Il appartient donc aux marketeurs d'aider le consommateur à révéler ses attentes et donc pour cela, d'analyser son comportement : comment et quand le service est utilisé ? Comment se déroule l'interaction consommateur/personnel/autres consommateurs, surtout dans le cas de services à fort contact (*high contact*) ? Enfin, les marketeurs doivent vérifier si l'expérience issue de la prestation a bien répondu aux attentes du client.

Dans ce chapitre, nous analyserons la nature de la consommation d'un service, ainsi que la manière de gérer les interactions afin de satisfaire à la fois les clients et la trésorerie de la société. Nous montrerons comment le contact avec le client agit sur son comportement, sur la nature de la rencontre de service et sur les stratégies d'amélioration de la productivité et de la qualité.

1. L'interaction des clients avec un service

Un client participe rarement à la production d'un bien, sauf lorsque ce dernier est conçu sur mesure. L'une des caractéristiques essentielles entre un produit et un service est justement qu'il ne peut y avoir de « création/distribution » de services sans interaction directe et participation active du client au système de fabrication.

1.1. Décrire l'implication des clients grâce aux logigrammes

Le moyen le plus clair pour décrire un service est bien souvent de recourir à la méthode dite du logigramme. Il permet une meilleure visualisation mais aussi le repérage systématique des points de rencontre client/prestataire de services (en *back office* et en *front office*) ainsi que les actions qui doivent être menées à la fois par le client et le prestataire pour délivrer le service. D'autre part, cette approche permet de différencier le niveau de participation du client avec la société de services dans chacune des quatre catégories décrites dans le chapitre 1 – processus de traitement des personnes, de traitement des biens, de stimulation mentale et d'information. Prenons un exemple dans chaque catégorie : se loger à l'hôtel, faire réparer son lecteur de DVD, s'informer sur la météo et souscrire une assurance maladie. La figure 2.1 nous montre un logigramme qui décrit les moyens utilisés dans chacun des cas.

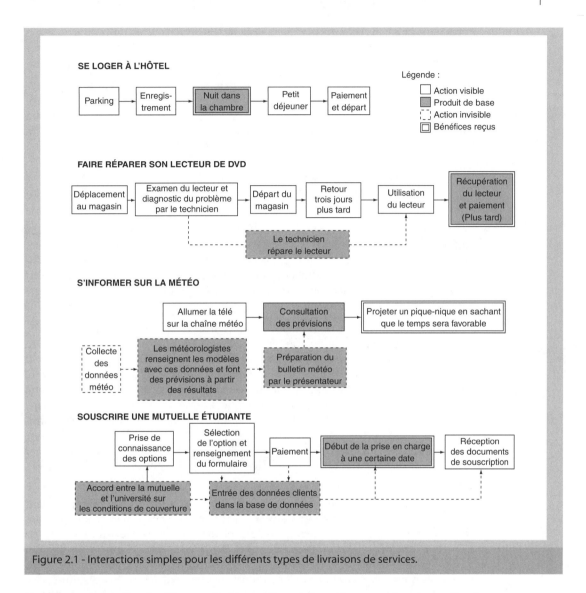

Figure 2.1 - Interactions simples pour les différents types de livraisons de services.

Imaginez que vous êtes le client et réfléchissez à l'ampleur et à la nature de votre implication dans le processus de livraison de service.

- *Loger à l'hôtel (processus de traitement des personnes).* Vous conduisez depuis un certain temps, la fatigue se fait sentir. Vous décidez de vous arrêter dans un hôtel au bord de la route. Vous vous garez et vous constatez que l'endroit est propre et les bâtiments repeints. À la réception, une personne aimable et souriante vous accueille et vous donne la clef de votre chambre. Vous traversez le hall avec votre sac et entrez dans votre chambre. Après vous être déshabillé et avoir utilisé la salle de bains, vous vous couchez. Le lendemain, vous vous levez et refaites vos bagages après vous être habillé en sortant de la douche. Ensuite, vous profitez du café et des pâtisseries proposés par la maison. Vous remettez votre clef à l'accueil, vous payez puis partez.

- *Réparer un lecteur DVD (processus de traitement des biens)*. En utilisant votre lecteur DVD, vous vous rendez compte que la qualité de l'image est plutôt mauvaise. Vous cherchez dans les Pages Jaunes un réparateur dans votre quartier. Au magasin, le technicien vérifie votre appareil et vous informe qu'il a tout simplement besoin d'être ajusté et nettoyé. Le devis semble correct, donc vous acceptez de faire effectuer les travaux qui seront réalisés sous trois jours. Le technicien se dirige vers l'arrière-boutique et vous quittez le magasin. Le jour J, vous y retournez pour récupérer votre appareil et vous payez. Vous rentrez chez vous, le branchez. L'image est nette !

- *Prévision météo (processus de stimulation mentale)*. Vous voulez organiser un pique-nique en forêt ce week-end, dans trois jours. Vous vérifiez les prévisions météo à la télévision. Les cartes affichées démontrent la probabilité d'une tempête dans les soixante-douze heures à venir. Elles indiquent que le passage de la tempête se fera au sud de votre région. Vous appelez donc vos amis pour leur confirmer que le pique-nique aura bel et bien lieu ce week-end.

- *Assurance maladie (processus d'information)*. Votre école ou université vous envoie un dossier d'information sur les mutuelles étudiantes en début d'année. Vous y trouvez une description des différentes options d'assurance proposées. Bien que vous soyez en très bonne santé, à l'exception d'allergies saisonnières, vous vous rappelez la mauvaise expérience d'un ami qui a eu des frais hospitaliers ahurissants pour le traitement d'une double fracture de la cheville. De ce fait, au moment de l'inscription universitaire, vous décidez de souscrire une mutuelle qui couvrira les visites chez le médecin ainsi que tous les frais hospitaliers. Vous remplissez un questionnaire sur votre historique de santé et vous le signez. Le coût de votre mutuelle sera ajouté à vos frais de scolarité. Vous n'avez plus à vous soucier de frais médicaux inattendus.

Comme vous pouvez le constater grâce à ces logigrammes, votre rôle en tant que client varie totalement d'un processus à un autre. Les deux premiers exemples impliquent des processus physiques. À l'hôtel, vous participez pleinement au service qui est livré en temps réel sur une période de huit à neuf heures. Pour un montant donné, vous louez la chambre, l'utilisation de la salle de bains et d'autres biens physiques pour la nuit. Lorsque vous quittez la chambre, vous ne pouvez pas emmener les éléments du service avec vous. Néanmoins, si le lit avait été inconfortable, vous pourriez être fatigué et peut-être endolori le lendemain. Votre rôle chez le réparateur est limité à quelques minutes pour expliquer les « symptômes » de votre appareil, le laisser et revenir quelques jours plus tard pour le récupérer. Vous faites confiance au technicien pour exécuter le service pendant votre absence, car vous n'êtes pas réellement impliqué dans la production du service. Les deux autres services, prévisions météo et assurance maladie, impliquent des actions intangibles et un rôle plutôt passif pour le client.

À titre d'exemple, le tableau 2.1 montre la complexité que requiert l'organisation d'un service en salle de l'arrivée du client jusqu'à son départ.

Tableau 2.1 : Les principales étapes du service restauration

Espaces de service	Supports physiques	Personnel en contact	Relations autres clients
Arrivée du client			
Stationnement	- Grandeur des stationnements - Espaces disponibles	–	- Abondance de véhicules - Conflits de stationnement
Arrivée au restaurant	- Porte d'entrée libre et dégagée - File d'attente	Gérer l'attente des clients	Attitudes des autres clients
Accueil du client			
Rencontre avec l'hôtesse	–	Accueillir les clients immédiatement	–
Arrivée à table	Propreté de la table, des chaises et des banquettes	- Remettre les menus en main propre dans la bonne langue - Mettre la carte des vins au centre de la table	Attitudes des clients aux tables à proximité
Consultation du menu	Menu propre, bien écrit, facile à comprendre	–	Influence des assiettes des autres clients
Eau et pain	–	Remplir les verres d'eau et apporter du pain	–
Proposition d'un apéritif	Disponibilité des boissons sur le menu	Proposer des choix et présenter les promotions	–
Réponses aux questions	–	Être à l'écoute et bien répondre aux questions	–
Mention des promotions du jour	–	Proposer un choix de plats en promotion ou décrire brièvement la table d'hôte	–
Service de l'apéritif	Verre propre adapté à la boisson servie	Respecter l'ordre de service en déposant la bonne commande à la bonne personne	–
Repas			
Commande du repas	Disponibilités des plats sur le menu	- Être à l'écoute - Demander les précisions nécessaires - Répéter la commande	–
Service de l'entrée	Assiette propre, bien présentée, à la bonne température, avec les ustensiles adéquats	- Servir la bonne assiette à la bonne personne - Souhaiter « Bon appétit ! » - Revenir vérifier si le client ne manque de rien	–
–	–	Retirer les verres quand ils sont vides	–
Débarrassage de l'entrée	–	Retirer l'entrée lorsque tout le monde a terminé	–

Tableau 2.1 : Les principales étapes du service restauration (suite)

Espaces de service	Supports physiques	Personnel en contact	Relations autres clients
Commande du vin	Disponibilité des vins sur la carte	- Proposer des accords mets et vins - Donner la possibilité de déguster les vins avant de commander	–
Service du vin	Verre à vin adéquat et propre	- Exécuter adéquatement le service du vin - S'assurer que les clients aient toujours au moins le tiers de leur verre rempli, sinon les resservir	–
Service du plat principal	Assiette propre, bien présentée, à la bonne température, avec les ustensiles adéquats	- Servir la bonne assiette à la bonne personne - Respecter les politesses élémentaires	–
Demande de satisfaction du client	–	Après 2 min, revenir à la table pour demander s'il manque quelque chose et si tout est au goût du client	Possibilité de dérangement par les autres clients
Débarrassage du plat principal	–	Retirer les assiettes lorsque tout le monde a terminé	–
Proposition/commande d'un dessert	Disponibilités des desserts sur le menu	Proposer un dessert en spécifiant le temps d'attente s'il y a lieu	–
Proposition/commande d'un café	Disponibilités des cafés sur le menu	Proposer un café ou un café spécial	–
Service du dessert	Assiette propre, bien présentée, à la bonne température, avec les ustensiles adéquats	Servir la bonne assiette à la bonne personne	–
Service du café	Tasse propre, bien présentée, à la bonne température	Servir le bon café à la bonne personne avec la crème, le lait et le sucre	–
Débarrasser le dessert	–	Retirer les assiettes à mesure qu'elles sont terminées	–
		Départ du client	
Remise de l'addition	Addition claire et facile à lire	- Apporter l'addition au moment adéquat - Remettre l'addition face cachée	–
Utilisation des toilettes	Toilettes propres et bien équipées, en nombre suffisant	Vérifier régulièrement l'état des toilettes	Présence et attitude des autres clients
Remerciements et invitation à revenir (serveur)	–	Remercier les clients et leur dire « À bientôt » à la sortie	–
Sortie du restaurant	Porte d'entrée libre et dégagée	–	–
Récupération du véhicule	–	–	Bris quelconques sur l'automobile

Source : D'après la revue Hôtels, Restaurants & Institutions, vol. 11, n° 1, janvier-mars 2007 et Pierre Eigler et Éric Langeard, Servuction : Le marketing des services, Éditions McGraw-Hill, Paris, 1987, p. 30.

1.2. L'importance des logigrammes

Comme nous pouvons le comprendre, les marketeurs trouvent les logigrammes particulièrement profitables pour identifier et définir le(s) moment(s) où le client utilise le service principal, ainsi que pour repérer les services supplémentaires qui composent le service.

Certains services sont de courte durée et n'ont que quelques étapes (utilisation d'un taxi, coupe de cheveux), alors que d'autres peuvent se dérouler sur un laps de temps plus long avec de multiples étapes. Un déjeuner au restaurant peut prendre plusieurs heures, tandis qu'une visite dans un parc d'attraction durer toute une journée. Si vous avez réservé, la première étape a pu avoir lieu plusieurs jours ou semaines auparavant.

Tous les dirigeants des entreprises de services fortement impliqués dans une démarche marketing des services s'accordent à dire qu'il est difficile d'améliorer la qualité et la productivité d'un service sans une compréhension globale de l'implication du client. Une entreprise peut améliorer la perception de la qualité de son service en corrigeant les processus, en éliminant le temps perdu ainsi que les étapes inutiles pour gagner du temps.

Au cours des processus d'interaction avec les sociétés de services – les employés, les systèmes de livraison tels que les sites Web ainsi que les autres clients –, les clients sont exposés à des informations qui peuvent influencer leurs perceptions et leur évaluation d'un service. Idéalement, les entreprises de services doivent fournir la meilleure qualité possible à chaque étape de l'interaction avec le client. Pourtant, de nombreuses performances sont illogiques et difficiles à expliquer. Richard Chase et Sriram Dasu, professeurs à la School Business Administration de l'université de Californie du sud-est, s'accordent sur l'idée qu'il est plus important de terminer sur un point fort que de commencer par un point fort[1]. Le principe s'applique aux services *low contact* comme aux services *high contact*. Ils soulignent que de nombreux sites Web commerciaux sont très attrayants, créant de fortes attentes du côté du consommateur. Malheureusement, ils le sont de moins en moins, voire deviennent hasardeux, au fur et à mesure que l'on approche de l'achat.

2. Les 3 phases du processus de décision d'achat de services

Lorsque les consommateurs décident d'acheter un service pour satisfaire un besoin, ils passent par ce qui est souvent appelé un processus d'achat, processus complexe qui se compose de trois étapes identifiables – le préachat, l'interaction avec le service et le post-achat –, chacune ayant au moins deux sous-étapes (voir figure 2.2).

2.1. Le préachat

La décision d'acheter et d'utiliser un service se prend durant l'étape de préachat. Les besoins et les attentes individuels sont ici très importants en raison de leur influence sur les offres que les clients évaluent. Pour un achat routinier présentant peu de risques, le client sélectionne un fournisseur rapidement. En revanche, pour des enjeux plus importants ou pour un service nouveau, il peut faire une recherche complète d'informations. L'étape suivante consiste à prendre la décision, après avoir identifié le potentiel d'un fournisseur et pesé le pour et le contre de chacunes de ces options.

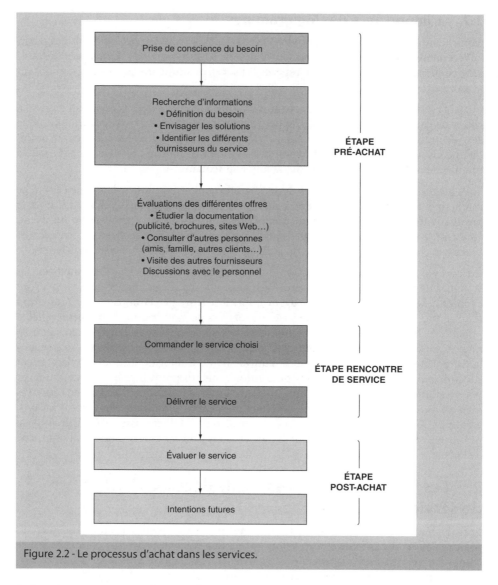

Figure 2.2 - Le processus d'achat dans les services.

2.2. La rencontre de service

Après avoir pris la décision d'achat, les clients ont davantage de contacts avec leur fournisseur. Le stade de la rencontre de service commence très souvent par une commande ou une réservation. Les contacts peuvent se faire sous forme d'échanges entre le client et l'employé ou par le biais de machines ou d'ordinateurs. Dans les services *high contact*, tels que restaurants, hôpitaux, hôtels ou transports publics, les clients sont activement impliqués dans un ou plusieurs processus de service. Souvent, ils expérimentent une grande variété d'éléments pendant la livraison du service, chacun fournissant des indices quant à la qualité du service.

2.3. L'étape post-achat

Durant la période qui suit l'achat, les clients continuent un processus qu'ils ont engagé au moment de la rencontre : l'évaluation de la qualité du service et leur satisfaction/insatisfaction à son égard. De cela dépendront leurs intentions futures : seront-ils fidèles, transmettront-ils de bons (mauvais) échos à leur entourage ?

Les consommateurs évaluent la qualité du service en comparant ce qu'ils attendaient avec ce qu'ils ont reçu. Ils seront satisfaits si le rapport qualité/prix est raisonnable et si d'autres facteurs personnels sont positifs. Dans ce cas, ils renouvelleront probablement leurs achats et deviendront des clients fidèles. À l'inverse, si l'expérience ne répond pas à leurs attentes, ils se plaindront de la mauvaise qualité du service et risqueront de changer de fournisseur de services[2].

La figure 2.3 montre les différentes étapes du processus d'achat du service corrélé avec les différentes formes d'interaction de services.

3. La phase de préachat

Le processus de préachat démarre lorsque le client éprouve un besoin et commence à faire le recensement des solutions qui s'offrent à lui pour y répondre. Il continue lorsque le client est à la recherche d'informations et évalue les alternatives/solutions possibles.

3.1. La recherche de solutions et d'alternatives

Les clients achètent des marchandises ou des services pour satisfaire leurs besoins. Lorsqu'une personne éprouve un besoin, elle souhaite l'assouvir, souvent par l'achat d'un bien ou d'un service. Ainsi, les clients font systématiquement la différence entre ce qu'ils ont reçu avec ce qu'ils attendaient, qui plus est si ce qu'ils ont consommé leur a coûté de l'argent, du temps et des efforts qui auraient pu être utilisés autrement.

Lorsque les populations ont largement satisfait la majorité de leurs besoins en biens matériels, elles s'intéressent dès lors à des dépenses plus ludiques telles que prendre des vacances, faire du sport, aller au restaurant, se divertir, thésauriser, etc., dépenses qui constituent une place très importante dans l'impartition budgétaire.

Pour Daniel Bethamy d'American Express, les consommateurs sont de plus en plus à la recherche « d'expériences mémorables et non des gadgets[3] ». Ces changements de comportement et d'attitude offrent l'occasion aux entreprises de services de s'adapter en proposant de nouvelles offres attractives, innovantes et différenciatrices. À titre d'exemple, certains fournisseurs ont misé sur l'intérêt des sports extrêmes et proposent des services tels que la marche en haute montagne, le parapente et le rafting. La notion d'expérience de service s'étend aussi aux secteurs industriel et commercial (présentations interactives ou divertissements offerts aux clients lors de salons professionnels[4]).

3.2. La difficulté d'évaluer le service

Les attentes des clients pour un service de qualité varient d'un secteur à un autre (par exemple, une visite chez votre comptable pour parler impôts est très différente d'une visite chez le vétérinaire pour soigner votre animal). Les attentes peuvent aussi varier en fonction du positionnement des fournisseurs de services au sein du même secteur (ainsi,

Services high contact	Services low contact	Processus d'achat du service	Concepts et décisions clés
		1. Le préachat	
Exploration et visite des lieux de services, observation	Surfer sur le Net, téléphoner	**Recherche d'information** – Clarifier les besoins – Explorer les solutions **Évaluation des alternatives** (solutions et prestataires)	Recensement des besoins Ensemble évoqué Recherche, évocation des expériences passées, croyances Évaluation des risques perçus
Rencontre de personnes et observation (possibilités de tester) : facilités, équipements, les opérations en action et en train de se dérouler, rencontrer et discuter avec des clients	Rencontres/contacts préliminaires : sites Web spécialisés, blogs, chats, e-mails, rapports et publications	– Consultations et études des informations existantes (brochures, sites Web, publicité, etc.) – Renseignements et discussions avec des employés – Rencontrer/discuter avec d'autres consommateurs clients et non clients **Prendre sa décision**	Formation des attentes – Niveau de service désiré – Service attendu – Service reçu – Application des principes de la zone de tolérance
		2. La rencontre de service	
Présence sur le lieu de service	Néant	Rencontre de service chez le prestataire choisi	– Moment de vérité – Rencontre de service – Les *inputs* du système de fabrication du service (personnel en contact, support physique et autres clients présents sur le lieu de service) – Rôles, scripts et attitudes du personnel en contact
Sur le lieu de service uniquement	Néant	Service délivré en self-service ou en interface directe	– Environnement de service
		3. L'état post-achat	
		– Évaluation des performances du service – Intentions futures : réachat ou abandon	– Confirmation/disconfirmation des attentes – Satisfaction/dysatisfaction

Figure 2.3 - Les trois étapes du processus de décision des services et les niveaux de contact de service.

les voyageurs n'attendent pas le même service sur un vol long courrier, même en classe économique, que sur un court trajet). Les marketeurs doivent donc comprendre les attentes des consommateurs, surtout quand elles sont liées à la performance de certains éléments d'un produit.

L'évaluation de la qualité d'un service peut être faite en fonction de critères personnels antérieurs à la rencontre de service[5]. La qualité perçue du service correspond à la différence entre les attentes du client et ce qu'il a réellement reçu. Les aspirations des personnes ont tendance à être très influencées par leurs propres expériences en tant que client – avec un fournisseur de services en particulier, avec les concurrents du même secteur ou avec des services semblables dans des secteurs d'activité différents. Sans expérience du service, ils peuvent fonder leurs attentes sur des facteurs comme le bouche-à-oreille, les informations ou les efforts marketing de l'entreprise.

Les attentes varient au fil du temps, en fonction de facteurs contrôlés par le fournisseur (publicité, prix, nouvelles technologies, innovation), de tendances sociales, des associations de consommateurs et de l'accès croissant à l'information grâce aux médias et à Internet. Ainsi, les clients des secteurs de santé sont de nos jours mieux informés et cherchent souvent à être plus impliqués dans les décisions relatives aux soins prescrits. L'encadré Questions de services 2.1 décrit un nouveau comportement parmi les parents d'enfants atteints de maladies graves.

Les parents veulent s'impliquer dans les décisions médicales concernant leurs enfants

Beaucoup de parents veulent participer à la prise de décision liée aux soins de leurs enfants. En partie grâce à la médiatisation des avancées de la médecine et aux associations de défense, ils sont mieux informés que les générations précédentes et plus sûrs d'eux, n'acceptant plus de simples recommandations de spécialistes. Particulièrement les parents d'enfants nés avec des défauts congénitaux ou ayant développé une maladie mettant leur vie en danger. Ils investissent du temps et de l'énergie pour comprendre la maladie de leur enfant. Certains ont même créé des associations à but non lucratif, focalisées sur des maladies précises, afin de rapprocher les familles qui font face aux mêmes problèmes. Ces associations aident bien souvent aussi à collecter des fonds pour la recherche et les soins.

Internet a rendu l'information médicale et les avancées de la recherche plus accessibles. Une étude réalisée par le Texas Heart Center montre que sur cent soixante parents ayant des enfants souffrant de problèmes cardiaques, 58 % ont pu se procurer des informations précises sur la maladie de leur enfant grâce à Internet. Quatre utilisateurs sur cinq ont indiqué que l'information liée aux maladies cardiaques était facile à trouver. Parmi ces personnes, la moitié était en mesure de citer leur site Web de cardiologie favori. Presque toutes ont estimé que l'information accessible facilitait la compréhension de la maladie de leur enfant. L'étude a même démontré que six parents ont créé leur propre site Web interactif traitant du souffle au cœur congénital de leur enfant.

☞

Questions de services 2.1

Questions de services 2.1

Norman J. Siegel, M.D., ancien directeur du service pédiatrique du Yale New Haven Children's Hospital, commentant le niveau élevé d'information des parents, observe :

De nos jours, les pratiques sont très différentes. La formule d'autrefois, « Faites-moi confiance, je vais m'en occuper », ne s'applique plus. Je vois beaucoup de patients qui se rendent à mon cabinet avec un dossier rempli de pages Web imprimées. Ils veulent savoir pourquoi le docteur Untel a écrit ceci ou cela. Ils se rendent aussi sur les forums Internet. Ils veulent tout savoir à propos de la maladie, si elle est chronique. Certains parents sont presque aussi bien informés que des étudiants en médecine ou internes des hôpitaux.

Le Dr Siegel avoue être ravi de cette tendance mais ajoute que certains médecins ont du mal à s'adapter.

C. M. Ikemba *et al.*, « Internet Use in Families wuth children requiring Cardiac surgery for congenital heart disease », *Pediatrics*, n° 3, 2002, pp. 419-422. Christopher Lovelock et Jeff Cregory, « Yale New Haven Children's Hospital », étude de cas de la Yale School of Management, 2003.

Les performances du service, surtout celles qui ont peu d'éléments tangibles, peuvent être difficiles à évaluer, avant et même après l'acte d'achat et de consommation du service, d'où le risque de devoir constater, post-achat, une situation et un état de satisfaction décevant. Si un bien physique acheté est détérioré, le produit peut être rendu ou échangé, même si cela nécessite un effort supplémentaire de la part du consommateur. Cela n'est guère concevable dans le domaine des services. Même si certains peuvent être reproduits (re-nettoyage de vêtements mal lavés), ce n'est pas une solution envisageable dans le cas d'une pièce de théâtre mal jouée, d'un cours mal enseigné, d'un diagnostic mal conçu, d'un conseil non pertinent : les conséquences du service ont déjà altéré l'état du client (service à la personne) ou l'état du bien.

3.3. Les attributs qui facilitent l'évaluation du service

En raison de leur immatérialité, les services sont plus difficiles à évaluer que les produits. Pour contourner cette difficulté, les marketeurs doivent connaître les facteurs/attributs qui facilitent leur évaluation par les clients. Les attributs liés aux services peuvent être divisés en plusieurs catégories : l'examen, l'expérimentation et la croyance[6]. En fonction de leurs attributs, tous les services peuvent être placés sur un *continuum* allant de « facile à évaluer » à « difficile à évaluer ».

Les attributs d'examen

Les biens matériels (vêtements, meubles, voitures, biens électroniques, aliments…) ont tendance à mettre l'accent sur les attributs qui permettent aux consommateurs d'évaluer un produit avant de se le procurer (le style, la couleur, la texture, le goût, le son, etc.). Ces attributs tangibles aident les consommateurs à mesurer ce qu'ils auront en contrepartie de leur argent, ainsi qu'à réduire le sentiment d'incertitude ou de risque lié à l'achat. Nous comprenons ici que l'examen des services n'est guère possible en raison de leur immatérialité. Le client doit donc « attendre » les attributs liés à l'expérience de service.

Les attributs d'expérience

Lorsque les attributs ne peuvent pas être évalués avant l'achat, les clients doivent alors expérimenter le service (voyages, concerts, rencontres sportives, restauration, etc.). Dans le cas de l'achat d'un voyage, même si le client lit des brochures ou des articles de presse, se rend sur des sites Web, regarde des documentations, il est dans l'impossibilité d'évaluer ou de ressentir la beauté d'un site, le plaisir de faire de la marche, les sensations de la plongée sous-marine aux Caraïbes sans auparavant s'y être rendu et avoir effectivement « consommé » l'ensemble de ces activités/expériences de services.

Les attributs de croyance

Les caractéristiques que les consommateurs ont du mal à évaluer même après leur achat/ consommation s'appellent les attributs de croyance, car le client est contraint de penser que certains avantages ont été livrés, même s'ils sont difficiles à identifier. En effet, les clients n'ont pas l'expertise de leur prestataire pour réellement mesurer et évaluer si le travail a été bien fait. Par exemple, lorsqu'un patient sort de chez son dentiste, il est dans l'incapacité de mesurer et de savoir si ce dernier a correctement fait son travail. Des situations similaires s'observent dans le cas d'un conseil donné par un consultant dans une entreprise, lors d'une opération chirurgicale, lors d'un cours dispensé. Le client se réfère donc à sa confiance dans la profession et/ou au personnel en contact qui a effectué l'acte.

3.4. L'intangibilité du service augmente le risque perçu

L'augmentation du risque perçu est surtout valable pour des services qui sont fondés sur une expérience importante et sur une conviction forte, rendant difficile leur évaluation avant l'achat et la consommation. Les nouveaux utilisateurs risquent de ressentir plus fortement cette incertitude. Plus la perception du risque est grande, plus la probabilité d'être victime d'une mauvaise prestation est grande. Différents types de risques perçus sont mentionnés dans le tableau 2.2.

Tableau 2.2 : Risques perçus à l'achat et lors de l'utilisation du service

Type de risque	Exemples de préoccupations client
Fonctionnel (résultat non satisfaisant) :	– Cette formation me donnera-t-elle le niveau suffisant pour obtenir un meilleur job ?
	– Cette carte de crédit me permettra-t-elle de faire des achats n'importe où, n'importe quand ?
	– Ce pressing arrivera-t-il à supprimer les taches sur cette veste ?
Financier (coûts non prévus, perte d'argent)	– Vais-je perdre de l'argent si je fais l'investissement que me recommande ma banque ?
	– Vais-je engager des dépenses imprévues si je pars en vacances ?
	– La réparation de ma voiture va-t-elle coûter plus cher que le montant du devis ?

Tableau 2.2 : Risques perçus à l'achat et lors de l'utilisation du service *(suite)*

Type de risque	Exemples de préoccupations client
Temporel (temps perdu, conséquence des délais)	– Devrais-je attendre avant d'accéder à cette exposition ?
	– Le service de ce restaurant est si lent que je vais être en retard à mon rendez-vous.
	– La réparation de notre salle de bains sera-t-elle effectuée avant l'arrivée de nos amis ?
Physique (brutalité ou dommage aux biens)	– Vais-je me blesser si je vais au ski ?
	– Le contenu de ce colis sera-t-il endommagé par la Poste ?
	– Vais-je tomber malade pendant mes vacances ?
Psychologique (crainte et émotions)	– Puis-je être sûr que cet avion ne va pas se crasher ?
	– Ce consultant va-t-il me considérer comme stupide ?
	– Le diagnostic du médecin va-t-il me perturber ?
Social (que pensent et comment réagissent les autres ?)	– Que vont penser mes amis s'ils apprennent que je dors dans un hôtel bon marché ?
	– Ma famille va-t-elle approuver le choix du restaurant ?
	– Mes collègues de travail vont-ils approuver le choix de ce fournisseur ?
Sensoriel (impact non souhaité sur les cinq sens)	– Aurai-je plutôt vue sur le parking que sur la plage ?
	– Le lit sera-t-il confortable ?
	– Ma chambre sentira-t-elle le tabac ?

Lorsque les clients sont peu familiarisés avec un service, différentes méthodes se présentent à eux pour réduire les risques pendant l'étape de préachat :

- rechercher l'information à partir de ressources personnelles (famille, amis…) ;
- se fier à la réputation d'une entreprise ;
- rechercher des garanties et assurances ;
- visiter le lieu du service ou essayer certains aspects du service avant de se le procurer ;
- poser des questions aux employés concernant la concurrence ;
- utiliser Internet pour comparer les différents services disponibles.

Que peuvent faire les fournisseurs de services pour réduire le risque perçu par leurs clients ? En plus d'offrir des garanties et de proposer la visite des locaux de l'entreprise (si c'est envisageable), ils doivent écouter les clients et déterminer leurs attentes et besoins avant de recommander une solution. Ils doivent aussi les informer des caractéristiques d'un service, leur décrire les types d'utilisateurs qui peuvent en bénéficier, et les conseiller sur la manière d'obtenir les meilleurs résultats.

Les raisons qui sous-tendent que les services comptent une forte proportion d'attributs de croyance et d'expérience sont liées à la nature intangible de leurs performances et à la variabilité des *inputs* et des *outputs* (causes principales des problèmes de contrôle de qualité). Ces caractéristiques posent des problèmes aux marketeurs, les obligeant à trouver des moyens pour rassurer les clients à propos des risques perçus associés à l'achat ainsi qu'à l'utilisation de services dont la performance et la valeur sont difficilement mesurables, même après la consommation.

Réduire le risque perçu

Les marketeurs dont les produits ont plutôt des attributs d'expérience essaient bien souvent de fournir plus d'attributs d'examen à leurs clients. Une des approches consiste à proposer un essai gratuit. Certains fournisseurs d'accès à Internet ont adopté cette stratégie, en proposant un CD aux utilisateurs potentiels et l'essai gratuit de leurs services pendant un certain nombre d'heures. Cela réduit les craintes des clients et facilite leur souscription au service.

La publicité est un autre moyen d'aider les consommateurs à visualiser les avantages d'un service. Par exemple, la seule chose tangible que reçoivent les utilisateurs de carte de crédit est un morceau de plastique, puis un relevé de compte tous les mois. Néanmoins, c'est loin d'être l'avantage principal que procure ce service *low contact*. Réfléchissez aux publicités pour des cartes de crédit que vous avez pu voir. Ont-elles mis en avant la carte ou plutôt des avantages autres (des destinations exotiques accessibles grâce à la carte…) ? Ces publicités sont censées stimuler l'intérêt du consommateur.

Les prestataires de services dont les attributs sont essentiellement fondés sur la croyance sont confrontés à un défi encore plus grand. Certains avantages peuvent être si immatériels que les clients sont incapables d'évaluer la qualité de ce qu'ils ont reçu après l'achat ou la consommation du service. Dans ce cas, les marketeurs tentent de fournir des indices tangibles à propos de leurs services. Pour illustrer sa taille, sa force et sa capacité à aider les entreprises à se protéger des gros risques, une grande banque française utilise un logo représentant des anneaux de chaîne attachés entre eux. Les professionnels tels que les médecins, consultants, professeurs, architectes et avocats mettent souvent en valeur leurs diplômes, certifications et réalisations afin de montrer à leurs clients qu'ils sont hautement qualifiés et aptes à fournir le service proposé. De nombreuses entreprises ont développé des sites Web pour informer d'éventuels clients de leurs services, insister sur leur expertise et même illustrer certaines de leurs réussites[7].

Contrôler la qualité et sécuriser les clients

Les produits présentant essentiellement des attributs d'examen sont le plus souvent des biens matériels fabriqués en usine sans participation du client avant d'être achetés et consommés. Dans cette situation, la qualité est relativement facile à contrôler. Les erreurs peuvent être détectées et corrigées avant que le produit ne soit disponible sur le marché. Certains fabricants tels que Motorola se disent capables de garantir une qualité de produit à un niveau appelé « six sigma » – de 99,999 % !

Le contrôle de qualité pour des services qui ont des attributs d'expérience et de croyance est difficile en raison de la participation des clients dans le processus de fabrication. L'évaluation de ces services peut être modifiée par l'interaction des clients avec la localisation de l'entreprise, les employés ou même d'autres clients. Votre expérience chez le coiffeur peut combiner ce que vous pensez du salon, votre aptitude à décrire ce que vous voulez au styliste, celle du styliste à réaliser ce que vous voulez et votre appréciation des autres clients et des employés du salon. Les coiffeurs soulignent que faire du bon travail est difficile si leurs clients ne sont pas coopératifs.

Beaucoup de services relatifs à des attributs de croyance ont peu de caractéristiques tangibles et ont souvent recours à l'expertise des professionnels pour pouvoir fournir des services de qualité. Dans ce cas, les fournisseurs doivent avoir une interaction efficace avec le client pour fabriquer un produit satisfaisant. Des problèmes peuvent apparaître lorsque cette interaction ne produit pas un résultat qui répond aux attentes des clients.

3.5. Comprendre les attentes de service du consommateur

Les attentes des consommateurs se décomposent en plusieurs éléments distincts : le service attendu, le service adéquat, le service prédit et une zone de tolérance qui se situe entre les niveaux de service attendu et proposé[8]. La figure 2.4 montre comment les attentes et le service proposé se forment.

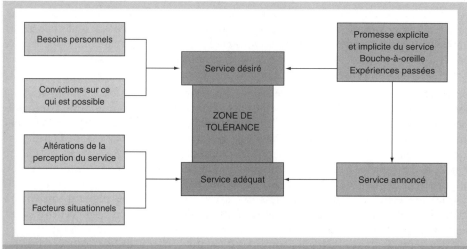

Figure 2.4 - Facteurs influençant les attentes des clients.

Source : V. A. Zeithaml, L. A. Berry et A. Parasuraman, « The Nature of Determinants of Customer Expectations of Service », *Journal of the Academy of Marketing Science*, n° 1, 1993, pp. 1-12.

Niveau de service attendu et adéquat

Le type de service que les clients espèrent recevoir est qualifié de *service attendu*. C'est le niveau souhaité, une combinaison de ce qu'ils estiment pouvoir et devoir recevoir pour satisfaire leurs besoins personnels. Néanmoins, la plupart sont réalistes et comprennent que les entreprises ne peuvent pas toujours fournir le niveau exact de service attendu. Ils ont ainsi un seuil de niveau d'attente, appelé *service attendu* ou *adéquat*, qui est défini comme le niveau de service minimum que les clients considèrent comme étant satisfaisant. Ce niveau d'attente peut être déterminé par la performance de service et le niveau de service supposés des autres fournisseurs. Les niveaux d'attente de service et de service adéquat peuvent refléter des promesses implicites ou explicites faites par le fournisseur, le bouche à oreille et les expériences passées avec l'entreprise[9], voire d'autres entreprises.

Niveau de service prédit

Le niveau de service attendu est connu sous le nom de *service prédit*, qui influence directement la définition du service adéquat. Plus le niveau de service prédit est élevé, plus celui de service adéquat le sera. Les prédictions du niveau de service peuvent varier en fonction de la situation. Par exemple, les personnes qui se rendent au musée un jour pluvieux peuvent s'attendre à une foule bien plus importante que si le temps était ensoleillé. Ainsi, une attente de dix minutes pour se procurer les billets d'entrée lors d'une journée fraîche et pluvieuse ne mènera pas forcément à une chute du niveau de service adéquat.

Zone de tolérance

La nature et les caractéristiques du service rendent leur livraison très différente d'un employé à l'autre au sein d'une même entreprise et même pour un employé d'un jour à un autre. L'ampleur de la variation acceptable par les clients s'appelle la *zone de tolérance* (voir la figure 2.4). Une performance au-dessous du niveau de service adéquat sera cause d'insatisfaction, au-dessus du niveau de service attendu, elle comblera les clients. La zone de tolérance est celle à l'intérieur de laquelle les clients ne prêtent pas attention à la performance du service[10]. Lorsque le service se situe à l'extérieur, les clients réagissent soit positivement soit négativement.

La zone de tolérance peut être plus ou moins large selon les clients, en fonction de facteurs tels que la concurrence, le prix ou l'importance de certains attributs du service. Ces facteurs affectent le plus souvent les niveaux de service adéquats, tandis que les niveaux de service attendus peuvent augmenter très lentement en fonction de l'accumulation d'expériences des clients. Considérez un patron de PME qui a besoin de l'avis de son comptable. Son niveau de service idéal est peut-être une réponse le lendemain. Mais s'il fait sa demande au moment de l'année où les comptables préparent les bilans et déclarations fiscales de leurs clients, il sait qu'il n'aura pas une réponse rapide. Même si son niveau de service idéal ne change pas, sa zone de tolérance en matière de temps de réponse est plus large car son seuil de service adéquat est plus bas.

4. La rencontre de service

4.1. Le moment de vérité

Richard Normann, professeur à l'université de Lund (Suède) et fondateur d'une société de conseil (Service Management Group), a emprunté à la corrida la métaphore des moments de vérité afin de montrer l'importance des moments de contact avec les clients :

> *[Nous] pouvons dire que la qualité est perçue lors du moment de vérité, lorsque le fournisseur de services et le client se « confrontent dans l'arène ». À ce moment précis, ils sont livrés à eux-mêmes… Ce sont les connaissances, la motivation et les pratiques utilisées par le représentant de l'entreprise, ainsi que les attentes et l'attitude du client qui, ensemble, créeront le processus de livraison du service* [11].

Dans la tauromachie, la vie du taureau ou celle du matador (ou les deux) sont mises en péril. Le moment de vérité est l'instant où le matador vainc le taureau avec son épée ; une analogie un peu hardie pour une entreprise de services ayant l'intention de créer des liens durables avec sa clientèle ! À l'instar de la tauromachie, Normann pense que la durée du lien avec le client est mise en péril lors de la rencontre. À l'inverse de la tauromachie, le but du marketing relationnel – que nous explorerons dans le chapitre 12 – est d'empêcher une rencontre de détruire ce qui est déjà, ou en voie de devenir, une relation durable.

Jan Carlzon, ancien P.-D.G. de Scandinavian Airlines System, a utilisé la métaphore du moment de vérité comme référence pour assurer le passage de SAS d'une entreprise dirigée par son système opérationnel à une entreprise tournée sur la satisfaction de ses clients. À propos de sa compagnie aérienne, Carlzon a fait le commentaire suivant :

> *L'année dernière, chacun de nos dix millions de clients a été confronté, en moyenne, à cinq employés de la SAS. Ce contact a duré environ quinze secondes chaque fois. Ainsi, SAS s'est « créé » cinquante millions de fois par an quinze secondes de temps. Ces cinquante millions de moments de vérité sont les moments qui, au bout du compte, déterminent la réussite ou l'échec de SAS. Ce sont des moments au cours desquels nous devons prouver à nos clients que SAS est leur meilleur choix[12].*

4.2. Services « high contact » et services « low contact »

Une rencontre de service est le moment durant lequel les clients interagissent directement avec la firme de services (personnel en contact, automates, firme en général)[13]. Au fur et à mesure que le contact s'intensifie entre le consommateur et le service, le nombre et la durée des rencontres de service vont s'accroître. La figure 2.5 regroupe les services selon trois niveaux de contact avec le client, représentant la durée d'interaction : avec le personnel de service, avec les éléments physiques du service, ou avec les deux. Notez que les banques se situeront sur des positions différentes dans le tableau selon qu'elles utilisent le canal traditionnel (agence en dur), téléphonique, automatique ou électronique.

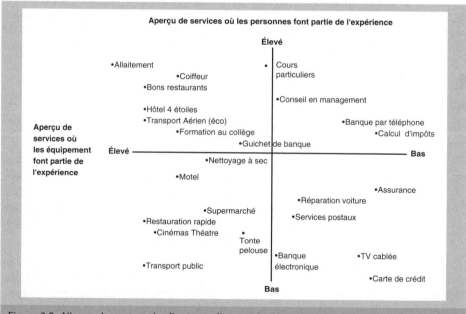

Figure 2.5 - Niveau de contact du client avec l'entreprise de services.

Les services « *high contact* »

Les services dits *high contact* sont plutôt ceux pour lesquels les clients se rendent dans les locaux de l'entreprise et qui nécessitent l'expertise d'un personnel en contact qualifié sans lequel le service ne peut être délivré. Les clients prennent part activement au développement du service (chez le coiffeur, dans les services médicaux). Ce sont tous les services de traitement des personnes (autres que ceux fournis chez soi). Les services des trois autres catégories de processus peuvent également engendrer de hauts niveaux de contact lorsque le client, pour des raisons de tradition, de préférence ou de manque de choix, se rend sur le site du service et y reste jusqu'à la fin de la prestation. Les banques avec guichets, le commerce de détail et la formation sont des exemples de services qui, traditionnellement *high contact*, sont devenus *low contact*.

Les services « *low contact* »

Inversement, les services *low contact* impliquent très peu de contacts physiques entre client et fournisseur. Il peut s'agir de services délivrés en interaction avec les clients mais dont l'expertise du personnel en contact est faible ainsi que le temps de présence du client sur le lieu de service. Prenons à titre d'exemple la restauration rapide ou les opérations courantes faites dans un guichet de banque. Les services *low contact* se déroulent aussi à distance grâce, notamment, à l'électronique.

L'émergence des technologies de l'information, le fort contenu informationnel des services, la maîtrise croissante de l'utilisation des technologies par les clients, l'effective mise en place des canaux distance et le développement de leur utilisation poussent de plus en plus de firmes de services à « transformer » des services dits *high contact* en services *low contact*[14].

Le multicanal, l'accès à l'information, l'augmentation de l'éducation des clients, la baisse du prix des équipements électroniques et informatiques ainsi que les objectifs de rentabilité des firmes de services constituent autant de facteurs favorisant l'émergence d'une société de services fortement basée sur de l'interaction à distance et donc encline à une mutation *low contact*, si elle n'est pas généralisée, en tout état de cause, fortement diffuse.

4.3. Le système de fabrication du service : la servuction

Le système qui opérationnalise la « fabrication »/la livraison/la consommation du service par le client est un système composé d'inputs (les entrants nécessaires à la fabrication du service) et d'un output (le résultat issu de la combinaison de ces outputs, dans le cas précis, le service). Ce système est composé de trois éléments étroitement et intrinsèquement liés :

- Les opérations de services abritent les *inputs* sont traités et les éléments du service sont créés.
- La livraison du service, opérations d'assemblage final et livraison du service au client.
- Le marketing du service qui englobe tous les points de contact avec les clients que sont : la publicité, la facturation et les études de marché.

Les différents composants du système

Certaines parties de ce système sont visibles par les clients, d'autres non[15]. Certains auteurs utilisent les termes de *front office* et de *back office* pour faire référence aux parties visibles et invisibles de l'opération. D'autres parlent de *front stage* (la scène) et de *back stage* (les coulisses), en évoquant l'analogie avec le théâtre pour souligner le fait que le service est une performance[16]. Cette analogie, parfois appelée dramaturgie, est plaisante et nous l'utiliserons tout au long de ce livre.

Les opérations de « fabrication » du service

Comme au théâtre, les éléments visibles des opérations de services peuvent être divisés en deux groupes : ceux qui sont liés aux acteurs (ou le personnel du service) et ceux qui sont liés au lieu de la pièce (les locaux, l'équipement et autres éléments tangibles). Ce qui se déroule en arrière-plan a peu d'importance aux yeux des clients, qui évaluent la production en fonction des éléments qu'ils rencontrent pendant la livraison de service. Évidemment, si le personnel en coulisses et les systèmes annexes qui supportent la prestation (par exemple facturation, services achat et comptabilité) n'ont pas le rendement prévu, cela agit sur la qualité de la scène (*front stage*) et les clients le remarqueront. Cela peut être le cas d'un restaurant n'offrant plus de plat du jour, d'un hôtel qui fournit une facture inadéquate au client ou d'un avion retardé suite à des erreurs d'enregistrement.

La part des opérations de services visibles par le consommateur varie fortement en fonction du niveau de contact avec le client. Puisque les services dits *high contact* impliquent une présence physique, la composante visible du système d'opérations y est plus importante.

Les services *low contact* minimisant le contact entre le client et celui qui délivre le service, la majorité du système d'opérations de services se réduit à un *back stage* éloigné du lieu de service. Les éléments d'avant-scène sont généralement limités à des contacts téléphoniques et postaux. Pensez un instant à votre fournisseur d'accès à Internet. Savez-vous où sont situés ses locaux ? Quant à votre carte de crédit, il est bien possible que les transactions soient traitées très loin de votre domicile.

La livraison du service

Il faut entendre par livraison du service : où, quand et comment le service est délivré au consommateur. Ce sous-système inclut non seulement les éléments visibles (équipements, bâtiments, personnel) mais aussi, dans certains cas, l'interaction avec d'autres clients.

Pour reprendre l'analogie avec le théâtre, la distinction entre les services *high contact* et les services *low contact* est comparable aux différences qu'il y a entre le déroulement d'une pièce de théâtre sur scène (*high contact*) et celui d'une pièce créée pour la télévision (*low contact*). Cela est dû au fait que les clients de services *low contact* ne voient généralement pas l'usine où le travail est effectué ; au mieux, ils parleront avec le fournisseur de services par téléphone. Sans locaux ni aménagements ni même la présence d'employés pour fournir des indices tangibles, les clients doivent se faire leur propre avis sur la qualité d'un service en fonction d'une aisance au téléphone, d'une voix agréable et accueillante et de la réactivité d'un représentant.

Lorsque le service est livré au travers de canaux électroniques impersonnels, tels que des distributeurs automatiques, des répondeurs téléphoniques préenregistrés, ou bien par l'ordinateur personnel du client, il y a très peu de théâtre dans la performance. Certaines entreprises compensent en donnant des noms à leurs machines, en diffusant de la musique ou en installant des animations colorées sur des écrans vidéo, pour rendre l'expérience un peu plus humaine.

En plus de la livraison de service décrite précédemment, d'autres éléments entrent en jeu pour les clients dans la perception globale d'une entreprise de services. Ils prennent en compte les efforts de communication, la publicité, les appels téléphoniques, les courriers, les factures, l'interaction éventuelle avec les employés ou les locaux, les articles dans la presse, le bouche-à-oreille et enfin, la participation à des études de marché.

En règle générale, la responsabilité de gérer les systèmes de livraison de service incombe aux directeurs des opérations. Le marketing doit cependant être impliqué, afin de savoir comment les clients réagissent pendant la livraison de service, et s'assurer que le système est conforme à leurs besoins et à leurs intérêts.

4.4.   Le marketing des services « low contact » et « high contact »

De façon générale, les parties visibles du service (les opérations de services et la livraison du service) constituent le système de marketing du service. Ils représentent tous les moyens mis à la disposition du client pour rencontrer, comprendre et apprendre de l'entreprise de services. Puisque les services sont une expérience, chacun de ces éléments offre des informations sur la nature et la qualité d'un service. L'incohérence entre différents éléments peut affaiblir la crédibilité d'une entreprise. La figure 2.6 décrit le système d'un service *high contact* tel qu'un hôtel, un club de sport ou un restaurant.

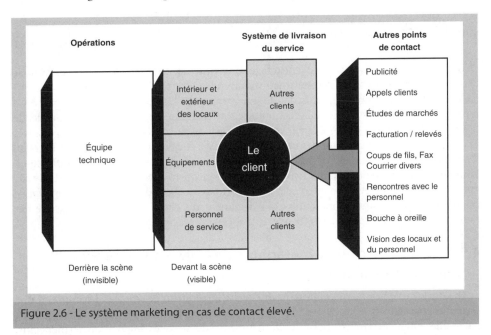

Figure 2.6 - Le système marketing en cas de contact élevé.

La figure 2.7 montre comment les choses changent lorsque les clients ont affaire à des services de type *low contact*, comme une carte de crédit ou une compagnie d'assurance sur Internet. Comme le nom l'indique, dans ce cas de figure, clients et personnel en contact n'ont aucune interaction directe, ou, si c'est le cas (comme dans la restauration rapide), elle est succincte, courte dans le temps et très ténue. L'interaction se déroule par le biais d'un automate ou d'un site Internet. Le client peut avoir des contacts additionnels de type courrier, e-mail. En raison de l'absence d'interface où les incidents ou dysfonctionnements peuvent se régler *in situ*, tout incident dans une interaction *low contact* est très souvent rédhibitoire pour le client, plus que dans le cas des services *high contact*.

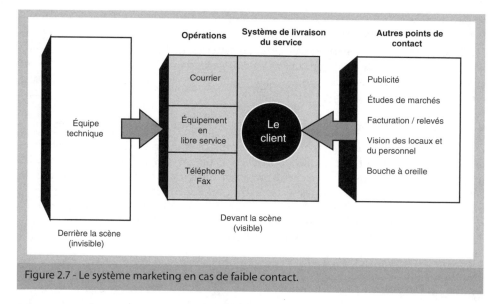

Figure 2.7 - Le système marketing en cas de faible contact.

Le comportement individuel du client reflète souvent ses attitudes mais aussi ses croyances. Des recherches menées par Parasuraman montrent que certaines caractéristiques personnelles du client sont directement issues de son attrait pour l'innovation et la nouveauté. Ce type de clients est persuadé que la technologie est fiable, qu'elle offre plus de contrôle, de flexibilité et de confort de vie. Les entreprises de services ont tendance à penser qu'une très grande majorité de clients sont des innovateurs « nés », ce qui est loin d'être le cas. En effet, d'autres clients, radicalement opposés aux innovateurs, ont des croyances toutes différentes. Pour eux, la technologie n'est pas fiable mais plutôt incontrôlable, ne permet pas d'être sûr que la transaction ait été bien effectuée, ne permet pas au client de prouver sa bonne foi en cas d'erreur de manipulation, s'utilise au détriment du confort du client et génère des nuisances de natures très diverses (baisse de la socialisation entre autres).

4.5. Le théâtre comme métaphore de la livraison de service : une approche intégrative

Le théâtre est une bonne métaphore pour décrire la livraison de service. Il comprend une série d'événements que les clients vivent comme une performance[17]. C'est une approche particulièrement éclairante pour les fournisseurs de services *high contact* (médecins, professeurs, restaurants, hôtels…) et pour les entreprises qui servent de nombreuses personnes simultanément (clubs de sport, hôpitaux, certains divertissements). En pratique, le degré jusqu'auquel les comparaisons théâtrales peuvent être utilisées par les marketeurs dépend de la nature du processus de service mais aussi de l'offre elle-même. Le tableau 2.3 en résume l'essentiel.

L'endroit où se déroule le service peut être comparé à la salle où le spectacle est joué. Parfois, le lieu change d'une scène à l'autre (par exemple, lorsque les passagers d'une compagnie aérienne se déplacent de l'entrée du terminal vers les guichets d'enregistrement, puis vers la salle d'embarquement puis enfin dans l'avion). La scène peut n'avoir que peu de support comme dans une poste, ou un décor élaboré comme dans les hôtels modernes. De nombreuses scènes de service suivent un script très formel (le service dans un restaurant haut de gamme), tandis que d'autres sont plus improvisés (comme un cours à l'université).

Tableau 2.3 : Considérations théâtrales pour différents types de services

Catégorie de processus de service	Niveau de contact	Implications dramatiques
Processus de traitement des personnes	*High contact*	Puisque les acteurs et l'auditoire sont proches, le lieu et les performances sur scène jouent sur la perception de qualité de service du client. Les aspects théâtraux importants sont : le décor et l'ambiance, l'apparence et le comportement des acteurs, les accessoires, les costumes et les scripts. D'autres membres de l'auditoire (les clients) peuvent s'influencer les uns les autres en termes de perception de qualité.
Processus de stimulation mentale	*High contact* *Low contact*	Si les acteurs et l'auditoire sont physiquement proches, beaucoup d'implications existent pour les services à processus de traitement des personnes. Si la performance est effectuée à distance, les membres de l'auditoire ne ressentent pas d'interaction entre eux. Les apparences des acteurs et du lieu sont moins importantes. Les scripts peuvent toujours être utiles pour s'assurer que les acteurs et l'auditoire jouent leurs rôles correctement.
Processus de traitement des biens	*Medium contact* *Low contact*	La performance peut se passer soit dans les locaux de l'entreprise, soit chez le membre de l'auditoire. Le contact entre les acteurs et l'auditoire peut être limité au début et à la fin de la prestation de service. (À ces différents points de contact, les éléments décrits ci-dessus pour les services à processus de traitement des personnes rentrent en ligne de compte mais à un niveau moins élevé.) Dans certaines situations (services de jardinage, de nettoyage), la performance de service se déroule sans que l'auditoire soit présent. Les résultats de ces services sont habituellement tangibles et peuvent être utilisés comme indice pour juger de la qualité du service.
Processus d'information	*Low contact*	Il y a peu de contact entre les acteurs et les membres de l'auditoire. L'acte et le receveur sont intangibles et la performance se déroule en général sans que le client soit présent. À cause de ces facteurs, seuls les résultats peuvent être évalués, pas le processus ; néanmoins, même les clients peuvent avoir du mal à évaluer le résultat.

Développé à partir d'informations recueillies dans Stephen J. Grove, Raymond P. Fisk et Joby John, « Services as Theater : Guidelines and Implications », dans Teresa A. Schwartz et Dawn Iacobucci, *Handbook of Service Marketing and Management*, Thousand Oaks, Sage Publications, 2000, p. 31.

Les rôles

Si nous comparons la livraison de service à une expérience théâtrale, les employés et les clients jouent des rôles prédéfinis pour que chacun d'eux atteigne les performances souhaitées. Pour le personnel en contact, réussir un acte de vente, générer de la confiance, inciter le client à revenir et donc à procéder à un réachat, vendre son entreprise ainsi que son savoir-faire. Pour le client, obtenir le service souhaité, réussir la réalisation des tâches qui lui sont confiées pour accéder au service (exemples de rôles à tenir dans un cours universitaire : avoir fait le travail demandé par le professeur, avoir lu le chapitre de la séance, être à l'heure, poser des questions de compréhension ou des questions de débat pour enrichir le cours, maintenir le silence, etc.).

Stephen Grove et Ray Fisk, respectivement professeur de marketing à l'université de Clemson et responsable du département de marketing à l'université de New Orleans, définissent le rôle comme étant « une série de comportements appris à travers l'expérience et la communication, de façon à être exécutés par un individu dans une certaine interaction, afin d'obtenir une efficacité maximale dans l'accomplissement d'objectifs[18] ». Les rôles ont aussi été définis comme des combinaisons d'indices sociaux, ou des attentes de la société guidant les comportements dans un contexte bien particulier[19].

La satisfaction et la productivité du client et du personnel en contact dépendent de la congruence des rôles durant l'interaction de services. Le personnel en contact doit se comporter et interagir en fonction des attentes des clients et des caractéristiques spécifiques. Le client doit, quant à lui, réagir et suivre les règles que suggère le personnel en contact, à défaut de quoi une situation de conflit peut naître en raison du comportement dissident du client : il empêche le personnel en contact de faire son travail en n'exécutant pas les rôles et actions qu'il doit dispenser pendant l'interaction. Le personnel de scène est composé des membres d'une équipe qui jouent un rôle, comme le feraient les acteurs d'une comédie dramatique. Ils sont supportés par une équipe de production qui se trouve en arrière-plan. Dans certains cas, on attend d'eux qu'ils portent des costumes spéciaux lorsqu'ils sont sur scène (blouses blanches des médecins, tenues élégantes des portiers d'hôtels, uniformes des hôtesses de sortie des hypermarchés, vestes couleur moutarde de l'enseigne Century 21, etc.). Lorsque les employés d'une entreprise de services portent des vêtements spécifiques, ils se distinguent des employés en fonction dans d'autres entreprises, mais aussi des clients présents sur le lieu de service. Ainsi, le « design des uniformes peut être interprété comme étant une forme de packaging ou d'une image de marque[20] ». Dans de nombreuses entreprises de services, le choix du design et des couleurs de l'uniforme est intégré à d'autres facteurs représentatifs de l'entreprise. Beaucoup d'employés de *front stage* doivent se plier aux règles vestimentaires et aux standards de propreté (comme la règle chez Disney qui stipule que les employés ne doivent pas avoir de barbe, sauf dans les rôles qui en nécessitent une).

Les scripts

À l'instar du scénario d'un film, le script d'un service spécifie les séquences et les modalités de l'interaction que le personnel en contact et le client doivent suivre pour donner une issue au service. Les employés ont généralement reçu une formation spécifique tandis que les clients apprennent leur script avec l'expérience et la répétition des interactions. En quelque sorte, n'étant pas en possession de son « script », il improvise. Plus le client est fidèle à une firme de services, plus il aura une bonne connaissance du script, plus il sera efficace et plus il sera satisfait. Toute déviation du script handicape le personnel en contact mais aussi le client et est source de non-satisfaction, voire de conflits.

Certains clients refusent de changer de prestataire pour ne pas avoir à réapprendre un script nouveau qui leur demandera du temps et de l'énergie.

Si une entreprise décide de modifier ses scripts, par exemple, en utilisant une technologie (passer d'un service *high contact* à un service *low contact*), le personnel et les clients doivent être formés à cette nouvelle approche ; la firme de services doit également montrer les avantages que ce changement procure au personnel mais aussi aux clients.

Certains services sont plus ritualisés que d'autres. Dans des environnements très structurés comme les cabinets dentaires, le schéma de fonctionnement peut définir comment les acteurs (dans ce cas, les réceptionnistes, les assistants dentaires, les prothésistes et les dentistes) doivent se déplacer en fonction de la scène (le bureau du dentiste), des éléments qui entourent la scène (meubles et équipements) et des autres acteurs.

D'autres scripts sont extrêmement structurés. Ils permettent aux employés d'effectuer leurs tâches rapidement et efficacement. Cette approche aide les entreprises à surmonter les problèmes auxquels elles ont à faire face, comme réduire la variabilité et avoir une qualité de service uniforme. Le risque est que la répétition fréquente entraîne une certaine lassitude et que la livraison de service ignore les besoins des clients.

Tous les services n'impliquent pas que les performances soient régies par un script hautement structuré. Pour les services fortement adaptés au client (médecins, formateurs, coiffeurs, consultants…), le script de service est flexible et peut même varier en fonction de la situation et du client. Lorsque les clients sont novices face à un service, ils ne savent pas forcément à quoi s'attendre et peuvent redouter de ne pas participer correctement. Les entreprises doivent donc être prêtes à les former sur le rôle qu'ils doivent tenir dans la livraison du service.

Un logigramme peut fournir la base du développement d'un script bien conçu qui donne une description complète des événements à respecter pendant l'interaction de services en incluant les rôles joués par les clients et par le personnel aux différents moments du processus.

Toutes les firmes de services ne proposent pas à leurs clients un environnement « théâtral » et/ou de vivre des performances notamment dans un contexte *business to business*. Dans de nombreux cas, le personnel en contact se rend chez le client avec ses outils et équipements divers, tel un consultant fournissant un service spécialisé dans les locaux du client (même si cela peut être pratique pour les clients, cela ne l'est pas toujours pour les consultants qui se retrouvent parfois dans des sous-sols délabrés ou à faire des inventaires de produits congelés dans des chambres froides[21] !). Les télécommunications offrent ici une alternative, en permettant ainsi l'implication des clients dans le scénario à partir d'un local éloigné. En effet, nombre de consultants ou techniciens spécialisés préfèrent travailler à distance de leur ordinateur et dans un confort de travail qui est le leur, plutôt que de se déplacer chez le client souvent moins bien installé que lui.

En fonction de la nature du travail, on peut imposer aux employés d'apprendre des textes, allant d'une annonce en plusieurs langues jusqu'à un « bla-bla » de vente (rappelez-vous du dernier télémarketeur qui vous a appelé !) ou même une prononciation distincte de « Passez une bonne journée ! » Tout comme au théâtre, les entreprises utilisent souvent des scripts pour définir le comportement des acteurs et leur discours. Le contact visuel, les sourires et le serrage de mains peuvent être également imposés, accompagnés d'une salutation verbale. D'autres règles de conduite peuvent être l'interdiction de fumer, de manger, de boire ou de mâcher du chewing-gum pendant le service ou de passer des appels téléphoniques personnels pendant le service.

4.6. L'entreprise de services : une école de « théâtre »

Même si les fournisseurs de services essaient de créer un niveau idéal de participation des clients, ce sont *in fine* les actions des clients qui en déterminent le niveau réel. La sous-participation engendre moins de bénéfices pour les clients (un étudiant qui apprend moins n'atteindra pas le niveau requis et ne validera pas son module – échec du service). En revanche, un client qui participe trop peut amener l'entreprise à utiliser plus de ressources qu'initialement prévu (une demande de préparation spéciale pour un hamburger dans un fast-food) ou déstabiliser le système mis en place. Exemple : vous êtes dans un hôtel de luxe et souhaitez vous-même monter vos bagages. Le personnel embauché à cet effet vivra mal cette usurpation de rôle et de responsabilité. Vous lui enlevez le travail que sa direction lui a confié. Les entreprises de services doivent enseigner à leurs clients les rôles à jouer afin d'optimiser les niveaux de participation lors de la production et la consommation du service.

Plus les clients sont supposés effectuer des tâches, plus leurs besoins d'information sur la manière de procéder pour obtenir de meilleurs résultats est nécessaire. La formation requise peut être fournie de différentes manières. Les brochures et les notices d'instruction sont deux approches très courantes. Les machines automatiques contiennent souvent leurs propres instructions d'utilisation et des diagrammes détaillés (malheureusement, ceux-ci ne sont souvent compris que par les ingénieurs qui les ont rédigés) peuvent être mis à disposition. Certaines banques mettent un téléphone à côté de leurs distributeurs pour que les clients puissent appeler une personne physique en cas d'incompréhension des indications affichées à l'écran ou si la machine ne fonctionne pas correctement. La publicité pour de nouveaux services a souvent un contenu éducatif très important.

Lors de l'émergence du canal électronique, les banques ont tenté de montrer à leurs clients la façon d'utiliser le serveur en mettant un ordinateur fixe dans le hall d'entrée à proximité du guichet. Or, ces ordinateurs étaient bien souvent en libre service (il appartenait au client de s'exercer et de se familiariser). Le personnel de guichet et les chargés de clientèle n'avaient pas le temps de s'occuper des clients qui demandaient aide et assistance, sauf à quitter son poste de travail.

Comme stipulé dans le paragraphe précédent, dans de nombreuses entreprises, les clients sollicitent les employés pour obtenir un avis ou de l'aide. Ils sont frustrés lorsque leur demande n'est pas satisfaite. Les fournisseurs de services, allant des vendeurs et des chargés de clientèle aux hôtesses et infirmières, doivent être formés à former les clients.

Schneider (professeur de psychologie à l'université du Maryland) et Bowen (professeur de management au département World Business de Thunderbird) proposent de donner aux consommateurs un avant-goût réaliste d'un service avant sa livraison. Selon eux, cela permettrait aux clients d'identifier clairement leur rôle dans la coproduction de service[22]. Par exemple, une entreprise peut montrer une présentation vidéo pour aider les clients à comprendre leur rôle dans l'interaction de services. Cette technique est utilisée par certains dentistes afin de faire comprendre aux patients le processus chirurgical qu'ils vont subir et de leur indiquer comment ils doivent coopérer pour faciliter le travail du médecin.

Au fil de leurs recherches d'alternatives technologiques pour la création et la livraison de service, les entreprises de services découvrent qu'un grand nombre de clients ne sont pas également réceptifs aux nouvelles technologies.

5. L'étape post-achat

Lors de l'interface de service (*high contact* ou *low contact*), les clients évaluent la performance du service qu'ils ont reçu et la compare avec les attentes formulées lors du préachat. Voyons à présent comment le client réagit et forme ses futures intentions.

5.1. Confirmation, « disconfirmation » des attentes

Les termes « qualité » et « satisfaction » sont parfois confondus. Pourtant, certains chercheurs pensent que la qualité perçue d'un service n'est qu'une composante de la satisfaction, reflétant aussi le rapport qualité/prix et les facteurs personnels et situationnels[23].

La satisfaction peut être définie comme un jugement à la suite d'un achat ou d'une série d'interactions entre le service/produit et le consommateur[24]. La plupart des études s'appuient sur la théorie que la confirmation/infirmation d'attentes et préconsommation sont les éléments essentiels qui déterminent la satisfaction[25]. Ceci signifie que les clients ont certains « standards » de services en tête (leurs attentes) avant de les consommer, observent la performance et la comparent à ces « standards/normes », puis formulent des jugements de satisfaction en fonction du résultat de leur comparaison. Le jugement qui en résulte s'appelle la « disconfirmation » : *négative* si le service est plus mauvais qu'attendu, *positive* s'il est meilleur, et tout simplement la confirmation s'il est tel que prévu[26]. Lorsqu'il y a disconfirmation positive, née d'un certain plaisir associé à un élément de surprise, les clients ont toutes les chances d'être ravis.

Le client pleinement satisfait

Une étude menée par Oliver (Owen Graduate School of Management de l'université de Vanderbilt), Rust (Centre de marketing des services, université du Maryland) et Varki (université de Rhode Island) suggère que le plaisir est régi par trois composants : une performance inhabituellement élevée, une émotion (surprise, excitation) et une impression positive (plaisir, joie)[27]. La satisfaction est une combinaison d'attentes de disconfirmations positives (mieux que prévu) et d'impressions positives. D'où l'interrogation de ces chercheurs : « Si l'enchantement est une fonction inattendue du plaisir, peut-il alors se manifester dans des services et produits courants, tels que la livraison de journaux ou la collecte des déchets ? » Il peut néanmoins apparaître dans des domaines courants tels que l'assurance ou le service après-vente (voir l'encadré Meilleures pratiques 2.1). Cependant, une fois que les clients ont été enchantés, leurs attentes augmentent. Ils seraient insatisfaits si le niveau de service revenait au niveau antérieur et cela rendrait leur contentement plus difficile à atteindre dans le futur[28]. Ainsi, pour satisfaire le client, une concentration toute particulière est nécessaire sur ce qui en reste inconnu ou inattendu.

Darty : le Contrat de confiance

La société Darty est fière de donner à ses clients une qualité de service exceptionnelle, et ses résultats dans ce domaine sont très impressionnants. Novatrice en matière de satisfaction client, Darty « inventa » le Contrat de confiance en 1973, alors qu'à cette époque peu d'entreprises se préoccupaient de satisfaction du client…

L'affirmation initiale est sans équivoque : « Notre objectif : 100 % de clients satisfaits. Fidèles à notre engagement de vous satisfaire à 100 %, nous avons élaboré le Contrat de confiance. Ce dernier précise les prestations, les services et les garanties dont bénéficient les produits achetés chez Darty. »

Article 1. Les prix : le remboursement de la différence.

Article 2. Le choix : le choix le plus large possible.

Article 3. La livraison : rapidité et gratuité.

Article 4. L'enlèvement de l'ancien matériel : un service gratuit lors de la livraison.

Article 5. L'assistance téléphonique : 7 jours sur 7.

Article 6. Les garanties : gratuité des interventions pièces, main-d'œuvre, frais de déplacement, de réglage et de réparation.

Article 7. Les interventions : 7 jours sur 7, le jour même de l'appel.

Article 8. Le prêt d'un appareil de remplacement.

Article 9. La prolongation de garantie en cas d'immobilisation.

Article 10. Les extensions de garantie : le contrat de dépannage.

Source : www.darty.com.

Satisfaction du client et performance de l'entreprise

Pourquoi la satisfaction est-elle si importante pour les responsables des entreprises de services ? Il y a évidemment des relations entre le niveau de satisfaction de la clientèle et la performance globale d'une entreprise. Les chercheurs de l'université du Michigan ont trouvé qu'en moyenne, pour une augmentation de 1 % de la satisfaction de la clientèle, le retour sur investissement (ROI)[29] d'une entreprise augmentait de 2,37 %. Fournier et Mick, tous deux professeurs à l'université d'Harvard, déclarent :

> *La satisfaction de la clientèle est le point central du concept marketing… Il est tout à fait courant de trouver dans les missions des entreprises la notion de satisfaction. Les plans marketing et les programmes d'incitation ciblent la satisfaction en tant qu'objectif et communiquent sur les récompenses obtenues en matière de satisfaction clients[30].*

Pour les entreprises de services, se fier seulement aux études de satisfaction – réalisées après la transaction – est une erreur, surtout lorsqu'il s'agit de services *high contact*. Cette approche ne permet pas de résoudre les problèmes qui se passent pendant que le consommateur est engagé dans le processus de fabrication du service (ses différentes étapes). L'entreprise manque ici l'occasion de résoudre des problèmes que le client aura omis à la fin de la transaction. Il portera un jugement global en n'expliquant pas les étapes/processus/tâches qui sont à la base de son mécontentement.

Les clients ont souvent une connaissance précise de ce qui va et de ce qui ne va pas dans le processus de fabrication du service. Trop souvent, les responsables des firmes de services omettent que la personne qui connaît le mieux l'entreprise est le client. En effet, c'est la seule personne à expérimenter/utiliser l'intégralité de l'offre de service et de ses processus. Le personnel en contact n'expérimentant que son poste de travail, les dirigeants restant bien souvent dans leurs bureaux et/ou au siège social, boudant quelque peu le réseau où finalement tout se passe.

Pour palier ce phénomène très connu dans les services, certaines entreprises de services mettent en place des programmes qui sont de véritables pistes du client.

C'est le cas du groupe Accor qui impose à l'ensemble de ses hôtels, toutes enseignes confondues, d'interchanger les rôles pendant une période donnée. Ainsi, la gouvernante devient un client le temps d'une nuit pour expérimenter le service qu'elle rend aux clients (l'état du matelas, l'aisance de la chambre, de la salle de bains, la propreté des mûrs que le client voit lorsqu'il est couché, le wattage des ampoules de chevet, etc.). La réceptionniste devient serveuse en salle et inversement, etc. Tout dirigeant nouvellement nommé doit passer un mois dans un hôtel de l'enseigne dont il a charge.

Ce type de programme permet : de mieux comprendre les tâches de chacun, de diffuser une responsabilité collective de la satisfaction du client, de repérer les dysfonctionnements des différentes servuctions qui opérationnalisent l'ensemble de l'offre de service et, *in fine*, de servir la performance globale de l'entreprise.

Donner du *feedback* durant la relation de service

Il n'est pas toujours facile de réaliser des enquêtes formelles avec des questionnaires lorsqu'une transaction est en train de se réaliser. Pour mieux connaître le comportement qu'adopte le client au sein du système de fabrication du service, les responsables peuvent entraîner et former leurs employés à être plus observateurs sur le lieu de service. Nul n'est mieux placé que le personnel en contact pour relater les expériences du client lorsqu'il utilise les équipements mis à sa disposition. Ils sont plus que quiconque en mesure d'identifier les clients en difficulté, frustrés ou mal à l'aise face à un environnement ou une tâche à réaliser, et de leur demander s'ils ont besoin d'aide. Il a été ainsi démontré que si un aspect particulier du service incommode les clients en permanence, c'est qu'il a besoin d'améliorations, voire d'une nouvelle conception. Or, trop souvent, peu d'actions sont conduites dans ce sens. Ces actions sont simples à mettre en place et peu coûteuses comparativement aux coûts que génère l'intervention de consultants spécialistes.

Pour mesurer le niveau d'aisance d'un consommateur, Spake *et al.* ont développé une méthode qui s'applique principalement aux services à *high contact*[31]. Avant une interaction, le consommateur n'a que des attentes concernant la transaction et ne peut que difficilement discuter satisfaction à ce stade. Néanmoins, son niveau d'aisance avec le fournisseur de services peut être mesuré à chaque stade de la transaction, du préachat au post-achat. En réalisant des enquêtes, Spake *et al.* ont trouvé que les répondants associaient un niveau d'aisance élevé à un niveau de risque perçu comme faible.

Conclusion

Les services couvrent un large spectre d'opérations *high contact* et *low contact* qui reflètent les catégories de services et la nature du processus utilisé pour le créer et le livrer. L'utilisation de logigrammes nous aide à comprendre la nature de l'implication du client, ses points de contact dans l'ensemble du système de fabrication du service et les actions à mener aussi bien en *front office* et en *back office* pour délivrer le service.

Dans tous les types de services, la compréhension et la gestion des interactions de services entre les clients et le personnel sont indispensables et sont à la base du marketing des services. Cela permet de satisfaire les clients et de construire une relation durable entre clients/prestataire de services. Améliorer la compréhension de la manière dont les clients évaluent, choisissent et utilisent les services, est primordial dans les stratégies de création et de livraison de services. Cela a aussi des effets sur le choix du processus de service, l'organisation et la présentation des réalités physiques qui constituent l'offre et l'utilisation de la communication marketing, au moins dans un but éducatif. Plusieurs des caractéristiques distinctives des services (notamment l'intangibilité et les problèmes de contrôle de qualité) amènent les clients à adopter des procédures d'évaluation qui diffèrent de celles utilisées pour évaluer des biens physiques.

Le service peut être divisé en trois systèmes qui se recoupent. Le système opérationnel comprend le personnel, les locaux et l'équipement nécessaires au bon fonctionnement et à la création du service. La seule partie de ce système que le client peut apercevoir s'appelle *front stage* (la scène). Le système de livraison incorpore les éléments visibles et les clients eux-mêmes, qui prennent parfois un rôle actif dans la création du service, au lieu de se faire servir passivement. Plus le niveau de contact est élevé, plus nous pouvons appliquer des analogies théâtrales au processus de mise en scène de la livraison de service dans lequel les employés et les clients jouent des rôles et suivent parfois des scripts très précis. Enfin, le système marketing inclut non seulement le système de livraison, qui englobe surtout les éléments de production et de distribution du marketing mix, mais aussi d'autres composants tels que la facturation, les systèmes de paiement, la publicité, les vendeurs et le bouche-à-oreille.

Activités

Questions de révision

1. Clarifiez la différence entre les services *high contact* et les services *low contact* et expliquez de quelle manière la nature de ces deux expériences peut être différente. Donnez des exemples.

2. Décrivez les attributs d'examen, d'expérience et de croyance et donnez des exemples pour chacun d'entre eux.

3. Expliquez pourquoi l'évaluation du service a tendance à être plus difficile que celle de biens physiques.

4. Comment les attentes des clients se forment-elles ? Expliquez la différence entre le service attendu et le service adéquat par rapport à une expérience que vous avez vécue récemment.

5. Choisissez un service dont vous êtes familier et représentez-le sous forme de logigramme. Définissez les activités *front stage* et *back stage*.

6. Décrivez la relation entre les attentes des clients et la satisfaction client.

7. Clarifiez la distinction entre le système opérationnel de service, le système de livraison de service et le système marketing de service. Identifiez les distinctions clés, pour chacun de ces systèmes pour les services *high contact* et *low contact*.

Exercices d'application

1. Quelles actions une banque pourrait-elle mettre en œuvre pour encourager plus de clients à utiliser les services bancaires par téléphone, courrier, Internet et distributeurs au lieu de passer au guichet ?

2. Choisissez trois services, un avec des attributs d'examen élevés, un avec des attributs d'expérience élevés et, enfin, un dernier avec des attributs de croyance élevés. Spécifiez quelles caractéristiques les rendent faciles ou difficiles à évaluer et suggérez les stratégies spécifiques que les marketeurs pourraient adopter dans chaque situation. En quoi facilitent-elles l'évaluation ? En quoi réduisent-elles le risque perçu ?

3. Quels sont les éléments de *back stage* (a) d'un centre de réparation de voitures, (b) d'une compagnie aérienne, (c) d'une université, ou (d) d'une entreprise de conseil ? Sous quelles conditions serait-il possible de permettre aux clients de voir ces éléments et comment organiseriez-vous cela ?

4. Quels rôles sont joués par le personnel de *front stage* au sein des entreprises *low contact* ? Ces rôles sont-ils plus ou moins importants pour la satisfaction de la clientèle que dans les services *high contact* ?

5. Décrivez une interaction non satisfaisante que vous avez vécue avec (a) un service *high contact* et (b) un service *low contact*. Dans chaque situation, qu'aurait pu faire le fournisseur de services pour améliorer la situation ?

6. Écrivez deux scripts de clientèle, un pour un service standard et l'autre pour un service personnalisé. Quelles sont les différences clés entre les deux ?

Notes

1. Richard B. Chase et Sriram Dasu, « Want to Perfect Your Company's Service ? Use Behavioral Science », *Harvard Business Review*, n° 79, juin 2001, pp. 79-84.

2. Jaishankar Ganesh, Mark J. Arnold et Kristy E. Reynolds, « Understanding the Customer Base of Service Providers : An Examination of the Differences Between Switchers and Slayers », *Journal of Marketing*, vol. 64, n° 3, 2000, pp. 65-87.

3. Stephanie Anderson Forest, Katie Kerwin et Susan Jackson, « Presents That Won't Fit Under the Christmas Tree », *Business Week*, 1997, p. 42.

4. B. Joseph Pine et James H. Gilmore, « Welcome to the Experience Economy », *Harvard Business Review*, vol. 76, juillet-août 1998, pp. 97-108.

5. Voir Benjamin Schneider et David E. Bowen, *Winning the Service Game*, Boston, Harvard Business School Press, 1995 ; Valarie A. Zeithaml, Leonard L. Berry et A. Parasuraman, « The Nature and Determinants of Customer Expectations of Services », *Journal of the Academy of Marketing Science*, vol. 21, 1993, pp. 1-12.

6. Valarie A. Zeithaml, « How Consumer Evaluation Processes Differ Between Goods and Services », in J.H. Donnelly et W.R. George, *Marketing of Services*, Chicago, American Marketing Association, 1981.

7. Leonard L. Berry et Ineeli Bendapudi, « Clueing in Customers », *Harvard Business Review*, n° 81, février 2003, pp. 100-107.

8. Valarie A. Zeithaml, Leonard L. Berry et A. Parasuraman, « The Behavioral Consequences of Service Quality », *Journal of Marketing*, vol. 60, avril 1996, p. 35.

9. Cathy Johnson et Brian P. Mathews, « The Influence of Experience on Service Expectations », *International Journal of Service Industry Management*, vol. 8, n° 4, 1997, pp. 46-61.

10. Robert Johnston, « The Zone of Tolerance : Exploring the Relationship between Service Transactions and Satisfaction with the Overall Service », *International Journal of Service Industry Management*, vol. 6, n° 5, 1995, pp. 46-61.

11. Normann a été le premier à utiliser le terme « moment de vérité » dans une étude suédoise en 1978, puis elle est apparue en anglais dans Richard Normann, *Service Management : Strategy and Leadership in Service Businesses*, Chichester, John Wiley & Sons, 2/E, 1991, pp. 16-17.

12. Jan Carlzon, *Moments of Truth*, Cambridge, Ballinger Publishing Co., 1987, p. 3.

13. Lynn Shostack, « Planning the Service Encounter », in J. A. Czepiel, M. R. Solomon et C. F. Surprenant (éd.), *The Service Encounter*, Lexington, Lexington Books, 1985, pp. 243-254.

14. James G. Barnes, Peter A. Dunne et William J. Glynn, « Self-Service and Technology : Unanticipated and Unintended Effects on Customer Relationships », in Teresa A. Schwartz et Dawn Iacobucci, *Handbook of Service Marketing and Management*, Thousand Oaks, Sage Publications, 2000, pp. 89-102.

15. Richard B. Chase, « Where Does the Customer Fit in a Service Organization ? », *Harvard Business Review*, vol. 56, novembre-décembre 1978, pp. 137-142.

16. Stephen J. Grove, Raymond P. Fisk et Mary Jo Bitner, « Dramatizing the Service Experience : A Managerial Approach », in T. A. Schwartz, D. E. Bowen et S. W. Brown, *Advances in Services Marketing and Management*, vol. I, Greenwich, JAI Press, 1992, pp. 91-122. Voir aussi B. Joseph Pine II et James H. Gilmore, *The Experience Economy*, Boston, Harvard Business School Press, 1999.

17. Stephen J. Grove, Raymond P. Fisk et Joby John, « Services as Theater : Guidelines and Implications », in Teresa A. Schwartz et Dawn Iacobucci, *Handbook of Service Marketing and Management*, Thousand Oaks, Sage Publications, 2000, pp. 21-36.

18. Stephen J. Grove et Raymond P. Fisk, « The Dramaturgy of Services Exchange : An Analytical Framework for Services Marketing », in L. L. Berry, G. L. Shostack et G. D. Upah (éd.), *Emerging Perspectives on Services Marketing*, Chicago, The American Marketing Association, 1983, pp. 45-49.

19. Michael R. Solomon, Carol Suprenant, John A. Czepiel et Evelyn G. Gutman, « A Role Theory Perspective on Dyadic Interactions : The Service Encounter », *Journal of Marketing*, vol. 49, hiver 1985, pp. 99-111.

20. Michael R. Solomon, « Packaging the Service Provider », *The Service Industries Journal*, juillet 1986.

21. Elizabeth MacDonald, « Oh, the Horrors of Being a Visiting Accountant », *Wall Street Journal*, mars 1997, p. B1.

22. Benjamin Schneider et David E. Bowen, *Winning the Service Game*, Boston, Harvard Business School Press, 1995, p. 92.

23. Valarie A. Zeithaml et Mary Jo Bitner, *Services Marketing : Integrating Customer Focus Across the Firm*, 3/E, Burr Ridge, Irwin-McGraw-Hill, 2003.

24. Youjae Yi, « A Critical Review of Customer Satisfaction », in V. A. Zeithaml (éd.), *Review of Marketing 1990*, Chicago, American Marketing Association, 1990.

25. Richard L. Oliver, « Customer Satisfaction with Service », in Teresa A. Schwartz et Dawn Iacobucci, *Handbook of Service Marketing and Management*, Thousand Oaks, Sage Publications, 2000, pp. 247-254 ; Jochen Wirtz et Anna S. Mattila, « Exploring the Role of Alternative Perceived Performance Measures and Needs-Congruency in the Consumer Satisfaction Process », *Journal of Consumer Psychology*, 11, n° 3, 2001, pp. 181-192.

26. Richard L. Oliver, *Satisfaction : A Behavioral Perspective on the Consumer*, New York, McGraw-Hill, 1997. Richard L. Oliver, Roland T. Rust et Sajeev Varki, « Customer Delight : Foundations, Findings, and Managerial Insight », *Journal of Retailing*, vol. 73, 1997, pp. 311-336.

27. Roland T. Rust et Richard L. Oliver, « Should We Delight the Customer ? », *Journal of The Academy of Marketing Science*, n° 1, 2000, pp. 86-94.

28. Eugene W. Anderson et Vikas Mittal, « Strengthening the Satisfaction-Profit Chain », *Journal of Service Research* 3, novembre 2000, pp. 107-120.

29. Susan Fournier et David Glen Mick, « Rediscovering Satisfaction », *Journal of Marketing*, vol. 63, octobre 1999, pp. 5-23.

30. Deborah F. Spake, Sharon E. Beatty, Beverly K. Brockman et Tammy Neal Crutchfield, « Development of the Consumer Comfort Scale : A Multi-Study Investigation of Service Relationships », *Journal of Service Research 5*, n° 4, mai 2003.

Implémenter une culture du service : une relecture des travaux conduits en sciences humaines et en marketing des services

Annie Munos,
Euromed Marseille, École de Management

En raison du décloisonnement de l'environnement marchand et du poids de la variable humaine dans la fabrication du service, les firmes tertiaires engagées dans un processus d'internationalisation sont contraintes de placer la variable culturelle au cœur de leur stratégie. En effet, de plus en plus confrontées à la diversité culturelle de leurs collaborateurs mais aussi des acteurs locaux, elles sont à la recherche d'ancrages pour dupliquer sans trop de contraintes leur concept de service à l'international. Tout l'enjeu consiste alors à mettre en place des « pratiques/processus/organisations » qui gomment les spécificités comportementales de la culture locale au profit de la culture du service de la firme et du concept qu'elle internationalise. Or, que nous disent les différentes recherches sur la « culture du service » ? Des travaux montrent la nécessité de détenir une culture client (Claver *et al.*, 1999 ; Eiglier et Langeard, 1987), de maîtriser des processus de qualité du service (Parasuraman *et al.*, 1998), d'encourager le maintien d'un climat de service (Bitner *et al.*, 1994 ; Bowen et Lawler, 1992 ; Schneider, 1990) et de « tangibiliser » les processus de fabrication du service pour optimiser la coproduction client/prestataire (Chase, 1981 ; Chase et Tansik, 1983 ; Shostack, 1981).

Mais peu d'apports explicites sur les composantes/fondements d'une « culture du service ». Or, les sommes dépensées par les entreprises pour « motiver le personnel en contact », gérer la qualité du service, mettre en place une organisation tournée vers le client ainsi que le nombre de chartes du service élaborées, montrent que l'implémentation d'une « culture du service » est un processus complexe qui trouve ses ancrages dans des logiques à la fois organisationnelles, marketing mais aussi culturelles.

Associer le mot « culture » au mot « service » (culture du service) suggère que l'individu/ collaborateur ne puisse pas plus échapper aux attitudes et scripts interactionnels requis par le concept de service, qu'à ses « intrants biologiques » et à sa « nature d'être ». Puisqu'il s'agit bien de produire des « servuctions » (systèmes de fabrication du service) (Eiglier et Langeard, 1987) qui fabriquent et répètent l'offre dans le temps et l'espace, la démarche, bien que managériale et marketing, détient cependant un caractère « ethnologique ». En effet, pour obtenir un consensus et une homogénéité des comportements de service, à l'instar de tout groupe ou ethnie, la firme de service doit s'organiser pour générer des actions, des modes de pensées et des processus de fabrication qui produisent un « output » spécifique (le concept de service).Comme l'illustre la figure 1, l'orientation choisie dans cette recherche consiste à se baser sur les fondements de la culture pour bâtir ceux de la culture du service sur la base des concepts clefs du marketing des services.

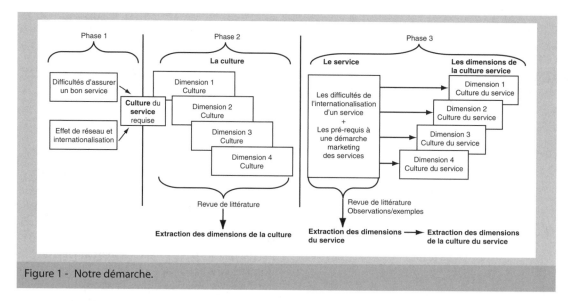

Figure 1 - Notre démarche.

Notre recherche s'articule en trois parties. La première expose les raisons culturelles et opérationnelles de la difficulté d'internationaliser un concept de service. La seconde extrait les principales composantes de la « culture » (au sens étymologique du terme). Sur la base de ces ancrages conceptuels, une troisième et dernière partie expose les fondements et les dimensions de l'implémentation d'une culture du service, et ce, en référence aux concepts clefs du marketing des services.

1. Internationaliser un service : problématiques et limites

1.1. Interaction de service et internationalisation : le prisme culturel

Les travaux de recherche en marketing des services identifient trois problématiques majeures spécifiques au service. La première, est que l'évanescence et l'immatérialité du service nécessitent une organisation « *matérialisante* » du service (Chase, 1981 ; Chase et Tanzik, 1983 ; Chase *et al.*, 1998 ; Shostack, 1984). La deuxième, est que la qualité du service dépend des attributs et des caractéristiques de l'interaction client/prestataire de service, elle-même fortement dépendante de l'environnement de service dans lequel évoluent la firme de service et ses clients (Berry et Parasuraman, 1992 ; Bitner, 1992 ; Bowen et Lawler, 1992 ; Butler et Snizek, 1976). Et enfin, la troisième, est qu'une orientation client ne peut exister sans la présence d'une culture d'entreprise (Edvardsson et Enquist, 2002 ; Sturdy, 2000 ; Wilson, 1997). Dans un contexte international, la forte présence humaine dans le système de fabrication du service (client et personnel en contact, [Eiglier et Langeard, 1987]) pose la question de la réceptivité/capacité et « aptitudes culturelles » des deux protagonistes de l'échange à adopter les comportements requis pour opérationnaliser un concept de service conçu dans un espace culturel différent. Comme l'illustre la figure 2, les travaux de Badad *et al.* (1983), de Shaw-Ching Liu et Furrer (2001) et de Winsted (1999) montrent que la conception du service est influencée par les spécificités culturelles des pays et que les attentes de services diffèrent d'un espace culturel à un autre.

L'enjeu majeur des dirigeants des firmes de service consiste à maîtriser et gérer au mieux les écarts d'interprétation de leur concept de service pour prévenir toute forme de dérive.

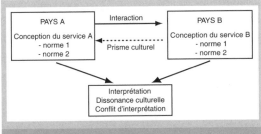

Figure 2 - Interaction de service et prisme culturel

Pour y parvenir, nous verrons que bon nombre d'entre eux font des choix organisationnels qui concernent à la fois le « *front office* » (personnel en contact et scénarios d'interactions de services) et le « *back-office* » (infrastructures et moyens dédiés au « *front office* »).

1.2. « Rendre service » : durer et dupliquer dans le temps et l'espace

« Rendre service » n'est pas chose difficile, sauf lorsqu'il s'agit de faire perdurer dans le temps et l'espace un niveau constant d'engagement quels que soient les circonstances et les environnements dans lesquels évolue la firme de service, et a fortiori, le personnel en contact. À ce propos, les travaux de Chase (1981), de Chase *et al.* (1998) ou de Levitt (1976) montrent l'importance des processus et des installations matérielles en « front office » et en « back-office » dans la systématisation et la régularité de la prestation. Ceux de Parasuraman *et al.* (1990) relatifs à la qualité de service démontrent la nécessité de mettre en place une organisation spécifique et facilitatrice, en raison de l'importance pour le client de variables telles que la promptitude ou le contrôle de la situation. Pour y parvenir, la firme de service doit prendre deux décisions : déterminer les composantes et les caractéristiques des attitudes du service requises par les particularités de l'offre et mettre en place une organisation qui facilite dans le temps et l'espace la répétition ad hoc des « scénarios » et interactions de services. Ces choix organisationnels endiguent les risques de non-conformité aux standards de qualité définis par la firme et minimisent les interférences et interprétations

culturelles du service lorsque celui-ci est rendu dans un contexte international. « Formatée » et donc « programmée » pour canaliser et homogénéiser les attitudes services requises, la firme s'apparente, in fine, à une « entité culturelle » à part entière au sens où elle se dote d'une organisation capable de « produire » et de reproduire les comportements et attitudes de services conformes à la promesse faite au client et ce, quel que soit l'environnement culturel du pays.

Voyons à présent dans une deuxième partie, quels sont les fondements de la culture ainsi que ses principaux objectifs.

2. Les fondements de la culture : concepts et objectifs

Définir la culture et lister le nombre de définitions serait une tâche bien ambitieuse lorsque l'on sait que dès 1952, Kroeber et Kluchohn en proposaient déjà 164. En revanche, en définir à la fois ses contours et ses principales dimensions pour poser les fondements d'une « culture du service » revêt dans le cadre de notre recherche un caractère essentiel. Trois dimensions sont à la base de la culture : l'homogénéité des modes de pensée et d'action, le partage, l'identification et la formation de savoir-faire et de méthodes de travail et enfin la maîtrise de l'environnement. Analysons ci-après chacune de ces dimensions.

2.1. 1re dimension : homogénéité des modes de pensée et d'action

C'est à Kroeber et Kluckhohn (1952) que nous devons l'une des premières définitions de la culture. Les auteurs la définissent comme une sorte de « super organisme » indépendant des personnes et des rapports sociaux qui les unissent, qui s'impose aux individus comme une « réalité supérieure » et qui détermine leur conduite. Les auteurs assimilent la culture à une « inconditionnelle » programmation et organisation à laquelle les individus ne peuvent ne pas souscrire, qui génère des actions et des orientations homogènes au plan social et organisationnel, structure les comportements et relie les individus à un collectif. Pour les auteurs, la conséquence immédiate est la « production » de modes de pensée et d'actions homogènes, où les individus, les organisations, les ethnies ou les structures se rallient à des objectifs et des attitudes communs et partagés. Ceci nous amène à analyser la seconde dimension de la culture : l'identification, la formation et le partage de savoir-faire et de méthodes de travail.

2.2. 2ᵉ dimension : formation et partage de savoir-faire et de méthodes de travail

Les travaux de Badad *et al.* (1983), de Braudel (1987) ou de Toynbee (1961) mettent en exergue le poids de la culture dans l'élaboration de méthodes de production spécifiques, à la base de la constitution de savoir-faire et des éléments symboliques qui les sous-tendent. Ces travaux montrent la part de l'histoire, des spécificités environnementales et climatiques, des règles de la vie en groupe, de l'idéologie politique et sociale ou des valeurs, dans la formation de ces méthodes de travail. Les travaux de Hofstede (1983) et de Hofstede *et al.* (1990) montrent que la combinaison de symboles, de héros, de rites et de valeurs, sont à la base de pratiques qui constituent selon les auteurs l'essentiel de la culture organisationnelle.

2.3. 3ᵉ dimension : la maîtrise de l'environnement

Les travaux de Kroeber et Kluckhohn (1952) attribuent très tôt à l'environnement un rôle déterminant dans la formation de la culture. Ils démontrent que la pérennité d'un groupe social dépend dans une très large mesure de sa capacité à le maîtriser. Plus tard, les travaux de Shein (1997) ou plus récemment ceux de Dupriez et Simon (2000) valident la thèse de Kroeber t Kluckhohn (1952). Ces derniers notent que « *la culture est un ensemble de rites, de méthodes de travail, de règles de conduite, de croyances et de peurs qui s'imposent à tout un groupe dans le but*

de maîtriser et <u>*domestiquer l'environnement*</u> *au sein duquel il évolue* » (p. 127).

L'idée commune à l'ensemble de ces travaux est que l'individu ne peut pas plus contourner les intrants de sa « nature culturelle » que ceux de sa nature biologique.

Tirés des trois variables analysées ci-dessus et ramenés aux concepts appropriés du marketing des services, examinons dans une troisième et dernière partie, les fondements de l'implémentation d'une culture du service.

3. « Culture du service » : analyse et fondements

Les recherches en marketing des services montrent que la force d'un concept de service trouve ses fondements et ancrages dans quatre dimensions : une dimension organisationnelle et logistique, une dimension relationnelle, une dimension scénique et sensorielle et enfin l'existence d'une culture d'entreprise. Analysons chacune d'entre elles.

3.1. 1ʳᵉ dimension : organisation et logistique du service

L'une des contraintes majeures de la firme de service est d'être capable, quels que soient les pays et les environnements de service, d'opérationnaliser son offre en respectant les standards, critères et normes de qualité qui ont été élaborés. Les travaux de Levitt (1977) et de Shostack (1981) montrent que l'immatérialité du service et les difficultés qu'elle engendre peuvent être gérées et contournées grâce à la méthode dite du « *blue print* ». Cette technique consiste à découper de façon précise et selon une logique séquentielle, toutes les phases de la prestation, à isoler les éléments tangibles et intangibles et permettre la standardisation des composantes du service dans le temps et l'espace. Les travaux de Chase (1981), de Chase et Tansik (1983), de Chase *et al.* (1998) et de Mills *et al.* (1983) renforcent la thèse de Shostack (1981) en montrant que <u>l'action</u> (le service) et <u>la pensée</u> (la conception du service) reposent prioritairement sur une organisation en amont et en aval du système de fabrication du service qui facilite les tâches du client et du personnel en contact mais aussi optimise la productivité globale de la firme de service.

Homogénéiser les modes de pensées et d'action : « corporatiser » la conception du service

En 1983, les travaux de Mintzberg relatifs à l'influence de la structure de l'entreprise sur les comportements, les attitudes et les actions des collaborateurs font date. De notre point de vue, ces travaux s'appliquent avec plus de force aux firmes de service dont le cœur de métier repose sur les compétences du personnel en contact, se caractérise par une relation de service dite « *high contact* » (Chase, 1981) et où la présence d'un personnel qualifié est indispensable. L'internationalisation de l'échange de service renforce la difficulté en raison des effets du prisme culturel (interprétations/lectures des populations locales [personnel en contact et clients]). Pour palier/endiguer les risques de dérive et assurer la répétition du service, le personnel en contact doit se reposer sur une organisation amont et avale du service, une logistique et un système d'information qui facilitent et pérennisent la réalisation du service (Paché et Munos, 000). Prenons à titre d'exemples des enseignes telles que FedEx ou Disneyland. Quels que soient les territoires d'implantation et la nationalité du personnel en contact, les offres Disneyland et FedEx sont pensées et opérationnalisées grâce à la mise en place de processus et d'équipements spécifiques qui reproduisent la « pensée » Disneyland ou celle de FedEx (conception du service) et l'action (la réalisation de la promesse faite aux clients).

Mettre en place des savoir-faire et des méthodes de travail : systématiser la qualité de la transaction

Un grand nombre de travaux montre l'importance du « *back-office* » et des fonctions logistiques dans la réalisation du service mais aussi dans la qualité du service rendu. Parmi les plus célèbres, il faut citer ceux de Armistead (1990), de Maister et Lovelock (1982), de Mills et

Moberg (1982), de Sasser (1976) ou de Snyder *et al.* (1982). Tous montrent qu'*à l'instar* du produit, le service repose sur des savoir-faire distinctifs et spécifiques qui s'acquièrent avec des équipements, des scénarios interactionnels, des logistiques et des systèmes d'information spécialisés et conçus pour opérationnaliser un concept de service identifié et/ou exercer un métier de service particulier. À titre d'exemple, une entreprise de restauration rapide ne « s'invente » pas « *fast food* » mais elle s'équipe « *fast food* » pour ne faire que du « *fast food* ».

Maîtriser l'environnement : faciliter l'internationalisation du service

La question centrale est l'acceptation/intégration par le personnel en contact local des scénarios interactionnels d'un concept de service conçu dans un espace culturel différent du sien où les attentes et conceptions du service divergent. Sans le recours à des scripts/processus interactionnels, l'enseigne prend alors le risque de devoir gérer les effets du prisme culturel du concept de service (dérive, interprétations dissonantes). Le recours à des outils/scénarios/*back offices* spécifiques permet une meilleure maîtrise de l'environnement et du contexte local et évite toute forme d'interprétation des rôles et attitudes requises par l'enseigne. Prenons à tire d'exemple l'enseigne Novotel dont les « boulons » (rouages de l'intégralité de l'offre de Novotel) prévoient de la phrase d'accueil téléphonique au « *wattage* » des ampoules des lampes de chevet. Cette méthode adaptée aux normes des pays d'accueil a permis au groupe Accor de développer son enseigne à l'international et de bénéficier d'un effet de réseau sans précédent (connaissance de l'enseigne et des composantes de l'offre). Voyons à présent la seconde dimension de la « culture du service » : les qualités et aptitudes relationnelles.

3.2. 2e dimension : qualités et aptitudes relationnelles

Comme nous l'avons mentionné, ce n'est pas de rendre service qui pose problème mais d'assurer la même prestation dans le temps et l'espace.

L'importance de la qualité de l'interaction directe dans la satisfaction client est très tôt soulevée par les travaux d'Albaum (1967) qui démontrent l'existence d'une relation de cause à effet entre l'empathie du personnel de vente de neuf stations services et les résultats commerciaux, ces stations ayant des caractéristiques identiques. Près d'une décennie plus tard, les travaux de Fisher *et al.* (1976) montrent l'impact positif d'un contact furtif sur la qualité du service (bibliothèque universitaire/étudiants) tandis que ceux de Butler et Snizek (1976) mettent en exergue l'impact négatif sur le « vouloir rendre un bon service » d'un sentiment de subordination éprouvé par le personnel en contact, sentiment qui diminue lorsque le premier niveau de management et les clients le gratifient. Il faut attendre les travaux de Schneider (1992) et de Schneider *et al.* (1992) pour connaître l'impact du vécu du personnel en contact (les relations avec sa hiérarchie, les clients, l'orientation service donnée par le premier niveau de management) sur le « climat de service ». Bowen et Lawler (1992) enrichissent cette thèse en montrant l'importance de « *l'empowerment* » sur la volonté et la motivation du personnel en contact à vouloir rendre un bon service.

Homogénéiser les modes de pensées et d'action : motiver le personnel en contact

Les travaux de Shamir (1990), de Schneider (1990) et de Singh (2000) montrent que la présence du client, l'hétérogénéité de ses demandes mais aussi la peur de ne pas pouvoir le renseigner et/ou le servir, génèrent chez le personnel en contact, tension, stress et anxiété ce qui oblige les dirigeants à porter une attention toute particulière à la gestion de la ressource humaine au contact du client. Des recherches plus récentes montrent que le personnel en contact détient la caractéristique de « mal vieillir » (Munos, 2003, 2006) avouant adopter sur de la durée des attitudes plus automatiques qu'empathiques et perdre le goût du contact et de l'interface directe. Il faut ici rappeler les travaux de Norman (1994) sur le poids de l'attitude du personnel en contact sur la qualité de ce que l'auteur appelle « le moment de vérité », ultime interface entre le client et le personnel en contact.

Mettre en place des savoir-faire et des méthodes de travail : professionnaliser et « protéger » le personnel en contact

Les travaux de Strobel (1990), de De Bandt et Gadrey (1994), de Wilson (1997) ou de Claver *et al.* (1999) montrent l'impact des spécificités identitaires, organisationnelles et juridiques des firmes de service sur la conception et les caractéristiques de la relation de service. À titre d'exemple, un agent salarié d'une entreprise de services publics (peu rompue aux exigences et difficultés dues à la présence de concurrents), détient une conception du service différente de celle du salarié d'un acteur privé plus exposé aux lois du marché (concurrence et libre choix du client). Ces travaux montrent que les environnements de services et les expériences passées du personnel en contact formatent et conditionnent ses attitudes mais aussi sa conception du service. L'hétérogénéité potentielle des profils, l'historique, les expériences professionnelles et la personnalité du personnel en contact requièrent la mise en place de méthodes de travail et de scénarios interactionnels qui facilitent l'opérationnalisation des attitudes de services requises par l'enseigne et attendues par les clients (promesse client). C'est le cas par exemple des enseignes telles que Hewlett Packard, IBM, SAP dans l'industrie ou de Mac Donald's, Domino's Pizza, Sofitel/Novotel/Carrefour/Décathlon ou Ikea qui ont mis en place dans chaque pays des méthodes de travail, des scripts, des systèmes d'information et des logistiques spécifiques qui facilitent l'implantation, l'intégration locale, l'acceptation/compréhension de l'offre et les dimensions/nature des différentes interfaces clients.

Maîtriser l'environnement de service : diminuer/gérer le stress

Servir le client c'est : gérer le face à face, défendre à la fois les intérêts de la firme et ceux du client (les deux pouvant être contradictoires), accueillir les doléances et revendications des clients, susciter de la confiance, générer de la fidélité, satisfaire les désirs du client et désamorcer les conflits potentiels.

À ces impératifs professionnels et relationnels viennent s'ajouter un niveau de salaire souvent peu motivant, une position dans l'échelle hiérarchique généralement basse et la contrainte de devoir, dans beaucoup de cas de figure, accepter une relation de subordination avec les clients. La réduction des zones d'incertitude et du niveau de stress qui en résulte passe souvent par la mise en place de systèmes d'informations, d'outils, de processus et de scripts interactionnels précis qui ont pour but de sécuriser le personnel, de l'aider à mieux gérer l'interaction, d'anticiper les scénarios possibles, d'acquérir plus d'assurance pour faire preuve de plus d'empathie vis-à-vis du client. Étudions à présent la troisième dimension : la dimension scénique et sensorielle du support physique.

3.3. 3e dimension : un support physique sensoriel, spécifique et différenciateur

Nous avons vu précédemment l'importance des qualités organisationnelles, techniques et opérationnelles des éléments tangibles du service. Mais il faut attendre les travaux de Bitner (1990, 1992), de Bitner *et al.* (1990, 1994) mais aussi de Cottet et Vibert (1999) pour mesurer l'importance positive de la sensorialité, l'esthétique et la suggestivité des supports physiques sur la motivation du personnel en contact à vouloir rendre un bon service et la qualité du service perçue par le client (Parasuraman *et al.*, 1998). Les travaux de Donovan et Rossiter (1982) ou plus récemment ceux de Cova (1994, 2000) ou de Badot (2003), apportent une contribution majeure en montrant que les supports physiques génèrent des valeurs communautaires entre les clients mais aussi entre les clients et le personnel en contact. Les travaux de Oliver (1980) et de Oliver et Westbrook (1982) démontrent que c'est sur la base de ce que suggèrent les éléments tangibles de l'offre que le client élabore des « présupposés » critères de qualité et de performance du service, Schneider (1990, 1992) en fait d'ailleurs une condition principale dans la création du « climat de service ».

Homogénéiser les modes de pensées et d'action : créer un sens commun du service

L'ensemble de ces travaux montre que les composantes du support physique, sa sensorialité, suggestivité et caractéristiques distinctives influencent le comportement et les attitudes du personnel en contact et des clients qui ont tous deux la particularité de partager le même appareil productif, ses bienfaits, mais aussi ses nuisances à la fois opérationnelles et sensorielles. Schneider (1992) montre que ce partage favorise la création d'un « lien situationnel et interactionnel » et que c'est sur la base des attributs, style, performance et sensorialité du support physique que se crée un sens commun du service : personnel en contact et clients réduisent les dissonances d'approche, du service à rendre pour le premier et du service attendu pour le second.

Mettre en place des savoir-faire et des méthodes de travail : créer du lien

Pour traiter ce point, la référence à des firmes telles que Disneyland, Benigan's, Mc Donald's, Planet Hollywood, Nature et Découverte, Bear Factory, Lush, F.A.O. Schwarz, Anthropology, les pubs irlandais (ou anglais), Starbuck coffee, Planet Hollywood et bien d'autres enseignes encore s'impose. Les supports physiques de ces enseignes constituent à eux seuls un élément du service, tant leur suggestivité et qualités scéniques sont distinctives et innovantes. Elles basent leur notoriété dans la mise en scène du service, l'expérience client et s'affichent comme étant les « professionnels » des lieux de service qui procurent plaisir, valeur de lien, attachement des clients et du personnel en contact.

Maîtriser l'environnement : créer l'effet de réseau

Nous voulons plus particulièrement traiter ici de l'importance des caractéristiques techniques et opérationnelles des éléments tangibles du service dans le développement d'un réseau d'enseigne. En effet, une firme qui a vocation d'étendre son réseau au plan national et/ou international doit trouver dans le support physique un allié (et une caractéristique distinctive) pour prendre de vitesse ses concurrents. À titre d'exemple, il ne faut pas plus de huit jours au groupe Accor pour construire un hôtel Formule 1 (maîtrise des matériaux et de la filière bâtiment) et pas plus à Mac Donald's. Cette force au sens « *Porterien* » du terme, non seulement porte la dynamique de développement de la firme (connaissance et visibilité de l'enseigne : l'effet de réseau) mais contribue à rassurer et à mieux maîtriser les relations établies avec les différents partenaires au plan local ou international (l'environnement local).

Voyons à présent la quatrième et dernière dimension : la présence d'une culture d'entreprise sans laquelle l'existence et la pérennité des trois dimensions précédentes seraient compromises.

3.4. 4ᵉ dimension : l'existence d'une culture d'entreprise

Pour qualifier la culture d'entreprise, un grand nombre de définitions existe mais toutes s'accordent sur le principe que l'entreprise est une entité sociale qui sécrète des règles, des coutumes, des préférences et des croyances propres qui, partagées, forment le ciment de l'organisation et les conditions de son bon fonctionnement (Gray *et al.*, 2000 ; Hopfl, 1993). Les travaux de Sainsaulieu et Uhalde (1995) montrent que la culture d'entreprise prend plusieurs formes, que ses manifestations et expressions sont variées, mais que toutes s'ancrent invariablement autour de quatre dimensions : les rites, les symboles, les codes vestimentaires et enfin les attitudes partagées. Les travaux de Handy (1986) et de Grave (1986) précisent qu'elle constitue un moyen efficace d'inséminer et de distiller au jour le jour et auprès de chaque collaborateur, les marquages de l'entreprise, ses valeurs, sa façon de fonctionner et de prendre des décisions. D'autres travaux montrent que sans culture d'entreprise, la constance, l'implication, la croyance et le maintien de valeurs partagées autour des objectifs de la firme et de ses clients sont difficiles à obtenir et à maintenir (Edvardsson et Enquist, 2002 ; Gray et al, 2000 ; Sturdy, 2000 ; Wilson, 1997). Des firmes telles que Ikea, Carrefour, Sofitel, Novotel, l'Arche, Hewlett Packard, Mac Donald's, Disneyland ou Pizza Hut, sont connues pour avoir su développer une

culture d'entreprise à la base de l'existence d'une « communauté de pensée et d'actions » dont les supports varient : une « Charte du service » pour Hewlett Packard, des « Mots clefs » pour Sofitel, des « Boulons » pour Novotel, des « Engagements » pour Carrefour ou des « Totems » pour l'Arche. Ces mots chargés de symboles véhiculent des programmes lourds de formation, de motivation, d'émulation et d'actions de grande envergure, dont la vocation est de donner une teinture spécifique et une identité forte et partagée à l'ensemble des collaborateurs.

Homogénéiser les modes de pensées et d'action : instaurer une communauté de vie

Les développements précédents montrent que la culture d'entreprise contribue à homogénéiser les modes de pensées et d'action des collaborateurs d'une firme (entre eux et vis-à-vis des clients) et permet d'endiguer la formation de comportements et d'attitudes non conformes ou peu compatibles avec les valeurs de la firme et ses orientations à la fois stratégiques, marketing et comportementales. La culture « d'entreprise » est au sens littéral du terme, source de performance au sens où elle conditionne l'organisation et la conception du travail, mais également le métier, l'efficacité, la compétitivité et la notoriété de l'entreprise.

Mettre en place des savoir-faire et des méthodes de travail : encourager l'apprentissage et « l'expertisation »

Argumentons ici par l'exemple. Si le succès des enseignes du groupe Accor tient à la pertinence de ses offres et à la clairvoyance de ses dirigeants, il convient de souligner le rôle des méthodes de travail mises en place en interne pour développer la connaissance du client et sensibiliser tout le personnel aux contributions respectives de chacun dans la qualité globale du service. Pour cela, aussi souvent que le permettent les contraintes opérationnelles des enseignes, chacune d'elles « impose » à tout son personnel une « piste du client », programme qui consiste sur une période courte, à interchanger les rôles et les fonctions des membres de l'unité. À titre

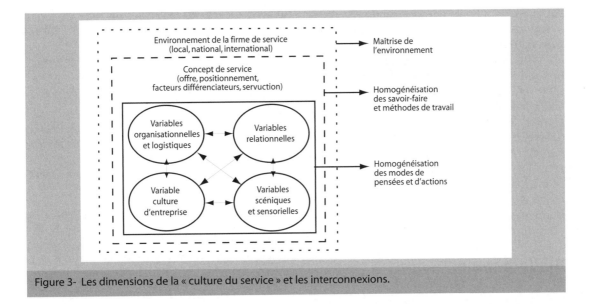

Figure 3- Les dimensions de la « culture du service » et les interconnexions.

d'exemple, l'hôtesse d'accueil et la serveuse en salle échangent pour un temps leurs fonctions tout comme le maître d'hôtel et la responsable des gouvernantes et ainsi de suite. Certains membres du personnel sont invités à passer une nuitée pour faire une « expérience client ». Les dirigeants d'enseigne nouvellement nommés occupent durant un mois l'intégralité des postes d'un hôtel du réseau dont ils sont nouvellement responsables. Ce procédé fait partie intégrante de la culture d'entreprise du groupe et contribue à parfaire et à sensibiliser le personnel et l'encadrement au savoir-faire de l'enseigne, à la relation client et à la qualité du service.

Maîtriser l'environnement : créer de la différenciation

Les entreprises ne s'intéressent pas à la culture d'entreprise pour elle-même mais parce qu'elle constitue au premier chef un moyen de mieux traiter les problèmes, accroître l'efficacité et minimiser les effets d'éventuelles modifications environnementales auxquelles les firmes doivent faire face, et ce, quels que soient les domaines d'activités, tailles et modes de management. Elles s'y appuient essentiellement pour résoudre des problèmes concrets tels que les orientations stratégiques, les fusions/acquisitions, la mobilisation du personnel, les restructurations et leur politique de communication. Dans le but de clarifier et de synthétiser nos développements, la figure 3 schématise les dimensions de la « culture du service » ainsi que ses objectifs.

Conclusion

Les firmes de service les plus représentées à l'international sont dans une très large mesure anglo-saxonnes et américaines, même si certaines entreprises françaises obtiennent d'excellents scores (Carrefour, Casino, Auchan, Accor, Club Med) pour les services rendus à la personne. En effet, des firmes telles que FedEx, Wal Mart, Mac Donald's, Disney, Century 21, Mariott, Sephora, Pizza Hut, Athur Andersen et voire même Metro (Allemagne) ont bâti leur notoriété et leur savoir-faire grâce à des logiques de « production » de services performantes, largement basées sur de la rigueur organisationnelle en amont et en aval de la prestation et ce, quels que soient les pays d'implantation. Le point commun à toutes ces enseignes est la place ténue laissée à l'improvisation et la rigueur de l'organisation. D'un point de vue conceptuel, toutes ces entreprises appliquent les préceptes de l'école « *techniciste* » du service largement développés dans notre article où l'organisation, la logistique et l'outil priment sur la variable humaine, par opposition à l'école humaniste qui donne une place centrale au personnel en contact. Sans nier le rôle primordial de la ressource humaine dans les services, le succès jamais démenti de ces firmes de service nous indique que « savoir rendre un bon service », qui plus est dans un environnement international soumis aux effets du prisme culturel, relève avant tout d'une démarche volontariste et construite qui trouve ses ancrages prioritairement dans des logiques organisationnelles et « mécanistes ».

Bibliographie

ALBAUM G., « Exploring Interaction in a Marketing Situation », *Journal of Marketing Research*, vol. 4, 1967, pp. 168-172.

ARMISTEAD C. G., *Competitive Services Strategy and the Service Operations Tasks*, Actes du 1er Séminaire international de recherche en management des activités de service, La Londe les Maures, 1990, pp. 2-16.

BADAD E. Y., BIRNBAUM M. et BENNE K. D., *The Social Self : Group Influences on Personal Identity*, Beverly Hills, Californie, Sage, 1983.

BADOT O., *Le marketing expérientiel du distributeur*, in Michon C. (éd.), *Le Marketeur. Les nouveaux fondements du marketing*, Paris, Pearson Education, 2003, pp. 283-300.

BERRY L. L. et PARASURAMAN A., *Prescriptions for a Services Quality Revolution in America*, Chicago, Illinois, American Marketing Association's Proceedings Series, 1992, pp. 5-15.

BITNER M. J., « Evaluating Service Encounters : The Effects of Physical Surroundings and Employees Responses », *Journal of Marketing*, vol. 54, 1990, pp. 69-82.

BITNER M. J., « Servicescapes : The Impact of Physical Surroundings on Customers and Employees », *Journal of Marketing*, vol. 56, n° 2, 1992, pp. 57-71.

BITNER M. J, BOOMS B. H. et STANFIELD-TETREAULT M., « The Service Encounter : Diagnosing Favourable and Unfavourable Incidents », *Journal of Marketing*, vol. 54, 1990, pp. 71-84.

BITNER M. J., BOOMS B. H et MOHR L. A., « Critical Service Encounters : The Employee's Viewpoint », *Journal of Marketing*, vol. 58, n° 4, 1994, pp. 1-12.

BOWEN D. E. et LAWLER E. E III., « The Empowerment of Service Workers : What, Why, How, and When ? », *Sloan Management Review*, vol. 33, n° 3, 1992, pp. 31-39.

BRAUDEL F., *Grammaire des civilisations*, Paris, Arthaud Flammarion, 1987.

BUTLER S. R. et SNIZEK W., « The Waitress Diner Relationship », *Sociology of Work and Occupations*, vol. 3, n° 2, 1976, pp. 209-222.

CHASE R. B., « The Customer Contact Approach to Services : Theoretical Bases and Practical Extensions », *Operation Research*, vol. 29, n° 4, 1981, pp. 686-706.

CHASE R. B. et TANSIK D. A., « The Customer Contact Model for Organization Design », *Management Science*, vol. 29, 1983, pp. 1037-1050.

CHASE R. B., AQUILANO N. J. et JACOBS F. R., *Production and Operations Management : Manufacturing and Services*, New York, Mc Graw Hill, 1998.

CLAVER E., LLOPIS J., GASCO J. L., MOLINA H. et CONCA F. J., « Public Administration : from bureaucratic culture to citizen-oriented culture », *The International Journal of Public Sector Management*, vol. 12, n° 5, 1999, pp. 455-464.

COTTET P. et VIBERT F., *La valorisation hédonique et/ou utilitaire du shopping dans le magasin d'usine*, Actes du 15e Congrès de l'Association française du Marketing, Strasbourg, 1999, pp. 93-114.

COVA B., *Conception des lieux de service : une perspective ethnosociologique*, Actes du 3e Séminaire international de recherche en management des activités de service, La Londe les Maures, 1994, pp. 177-199.

COVA V., *Even if the Servicescape Fails, « I Will Survive »*, Actes du 6e Séminaire international de recherche en management des activités de service, Lalonde les Maures, 2000, pp. 204-226.

DE BANDT J. et GADREY J., *Relations de service, marchés de services*, Paris, CNRS Édition, 1994.

DONOVAN R. J. et ROSSITER J. R., « Store Atmosphere : An Environmental Psychology Approach », *Journal of Retailing*, n° 58, 1982, pp. 34-57.

DUPRIEZ P. et SIMONS S., *La résistance culturelle : fondements, applications et implications du management interculturel*, Bruxelles, De Boeck Université, 2000.

EDVARDSSON B. et ENQUIST B., « The IKEA Saga's : How Service Culture Drives Service Strategy », *The Service Industries Journal*, vol. 22, n° 4, 2002, pp. 153-186.

EIGLIER P. et LANGEARD E., *Servuction : le marketing des services*, Paris, Mc Graw Hill, 1987.

FISHER J., RYTTING M. et HESLIN R., « Hands Touching Hands : Affective and Evaluative Effects of an Interpersonal Touch », *Sociometry*, vol. 39, n° 4, 1976, pp. 416-421.

GRAVE D., *Corporate Culture*, Londres, St Martin's Press, 1986.

GRAY B. J., MATEAR S. M. et MATHESON P. K., « Improving the Performance of Hospitality Firms », *International Journal of Contemporary Hospitality Management*, vol. 12, n° 3, 2000, pp. 149-155.

HANDY C., *L'olympe des managers*, Paris, Éditions Organisations, 1986.

HOFSTEDE G., « National Culture in Four Dimensions : A Research-Based Theory of Cultural Differences among Nations », *International Studies of Management and Organisation*, vol. 12, n° 1-2, 1983.

HOFSTEDE G., Neuijen B., Ohayv D. D. et Sanders G., « Measuring Organizational Cultures : a Qualitative and Quantitative Study Across Twenty Cases », *Administration Science Quarterly*, n° 2, 1990, pp. 286-316.

HOPFL H., *Culture and Commitment – British Airways, Case Studies in OB and HRM*, in Gowler D., Legge K. et Clegg C. (éd.), 2ᵉ éd., Londres, Paul Chapman, 1993.

KROEBER A. L. et KLUCKHOHN C., « Culture : A Critical Review of Concepts and Definitions », *Papers of the Peabody Museum of Archaeology and Ethnology*, Harvard University, vol. 47, n° 1, 1952, pp. 1-123.

LEVITT T., « The Industrialization of Services », *Harvard Business Review*, vol. 54, n° 5, 1976, pp. 63-74.

MAISTER D. H. et LOVELOCK C. H., « Managing Facilitator Services », *Sloan Management Review*, vol. 23, n° 2, 1982, pp. 19-31.

MILLS P. K. et MOBERG D. J., « Perspectives on the Technology of Service Operation », *Academy of Management Review*, vol. 7, n° 3, 1982, pp. 467-487.

MILLS P. K., CHASE R. B. et MARGULIES N., « Motivating The Client/Employee System as a Service Production Strategy », *Academy of Management Review*, vol. 8, 1983, pp. 301-310.

MINTZBERG H., *Power In and Around Organizations*, Englewood Cliffs, New Jersey, Prentice Hall, 1983.

MUNOS A., *L'interface client dans la distribution multicanal : implications pour le management des services*, Thèse de doctorat en Sciences de gestion, Université de la Méditerranée (Aix-Marseille II), juillet 2003.

MUNOS A., *Technologies de l'information et activités de services*, Rapport pour l'habilitation à diriger des recherches, Université Paul Cézanne, GREFI, 2006.

NORMAN R., *Le management des services : théorie du moment de vérité dans les services*, Paris, InterÉditions, 1994.

OLIVER R. L., « A Cognitive Model of the Antecedents and Consequences of Satisfaction Decisions », *Journal of Marketing Research*, n° 17, 1980, pp. 460-469.

OLIVER R. L. et WESTBROOK R. A., « The Factor Structure of Satisfaction and Related Postpurchase Measures », in Day R. L. et Hunt H. K. (éd.), *New Findings in Consumer Satisfaction and Complaining Behaviour*, Bloomington, Indiana University, Indiana, 1982, pp. 11-14.

PACHÉ G. et MUNOS A., *La logistique au cœur des stratégies compétitives de la firme de service : une relecture de travaux conduits en management et marketing des services*, Actes du congrès international RIRL, Fortaleza, Brésil, 2004.

PARASURAMAN A., ZEITHAML V. A. et BERRY L. L., « SERVQUAL : une échelle multi items de mesure des perceptions de la qualité de service par les consommateurs », *Recherche et Applications en Marketing*, vol. 5, n° 1, 1998, pp. 19-41.

SAINSAULIEU R. et UHALDE M., *Les mondes sociaux de l'entreprise*, Paris, Desclée de Brouwer, 1995.

SASSER E. W., « Match Supply and Demand in Service Industries », *Harvard Business Review*, vol. 54, n° 6, 1976, pp. 133-140.

SCHEIN E. H., « Three Cultures of Management : the Key to Organizational Learning », *Sloan Management Review*, fall, 1997, pp. 9-20.

SCHNEIDER B., *Organizational Climate and Culture*, San Francisco, Californie, Jossey-Bass Publishers, 1990.

SCHNEIDER B., *Everything You Always Wanted to Know About to Make Service Quality Happen*, Actes du 2ᵉ Séminaire international de recherche en management des activités de service, La Londe les Maures, 1992, pp. 579-589.

SCHNEIDER B., PARKINGTON J. J. et BUSTON V., « Employees and Customers Perceptions in Banks », *Administrative Science Quarterly*, vol. 25, 1980, pp. 252-257.

SCHNEIDER B., WHEELER J. K. et COW J. F., « A Passion for Service : Using Content Analysis to Explicate Service Climate Themes », *Journal of Applied Psychology*, vol. 77, n° 5, 1992, pp. 1-12.

SHAMIR B., « Between Service and Servility : Role Conflict in Subordinate Service Roles », *Human Relations*, vol. 33, n° 10, 1980, pp. 741-756.

SHAW-CHING Liu B. et FURRER O., « The Relationships Between Culture and Behavioural Intentions Towards Services », *Journal of Service Research*, vol. 4, n° 2, 2001, pp. 118-129.

SHOSTACK G. L., *How to Design a Service ?*, Communication at the American Marketing Association Conference, Chicago, Illinois, 1981.

SHOSTACK G. L., « Designing Services that Deliver », *Harvard Business Review*, vol. 62, 1984, pp. 133-139.

SINGH J., « Performance Productivity and Quality of Frontline Employees in Service Organizations », *Journal of Marketing*, vol. 64, n° 2, 2000, pp. 1-14.

SNYDER C. A., Cox J. F. et Jesse R. F. Jr, « A Dependant Demand Approach to Service Organization Planning and Control », *Academy of Management Review*, vol. 7, n° 3, 1982, pp. 455-466.

STROBEL P., *Relations de service et identités professionnelles*, Actes du 1er Séminaire international de recherche en management des activités de service, La Londe les Maures, 1990, pp. 698-715.

STURDY A. J., « Training in Service : Importing and Imparting Customer Service Culture as an Interactive Process », *International Journal of Human Resource Management*, vol. 6, n° 11, 2000, pp. 1082-1103.

TOYNBEE A., *A Study of History, 12*, Londres, Oxford University Press, 1961, pp. 934-1961.

WILSON A. M., « The Nature of Corporate Culture within a Service Delivery Environment », *International Journal of Service Industry Management*, vol. 8, n° 1, 1997, pp. 87-102.

WINSTED K. F., « The Service Experience in Two Cultures : A Behavioral Perspective », *Journal of Retailing*, vol. 73, n° 3, 1997, pp. 337-360.

Élaborer le modèle de service

La deuxième partie de l'ouvrage explique comment construire un modèle de service, ce qui représente l'aspect central de notre cadre de marketing stratégique. Nous insistons sur l'importance de créer une proposition de valeur significative – un ensemble spécifique de bénéfices et de solutions qui souligne les différences clés par rapport aux alternatives concurrentielles. Cette proposition de valeur doit aborder et intégrer deux éléments : la création d'un concept de service et la déclinaison de ses différents éléments par l'intermédiaire de canaux physiques et électroniques.

L'étape suivante suppose de développer un business plan qui couvre tous les coûts (et qui dégage une marge profitable) par des stratégies de prix réalistes. Pour s'assurer que les clients ciblés perçoivent les bénéfices de cet échange de valeurs comme bien supérieurs aux coûts financiers, au temps et aux efforts qu'ils consentent, la proposition de valeur sera diffusée de manière à ce que les clients puissent faire les bons choix et rentabiliser le service pour en tirer le meilleur avantage. Enfin, la stratégie doit permettre de défendre une position distinctive au sein du marché, au regard des alternatives concurrentielles.

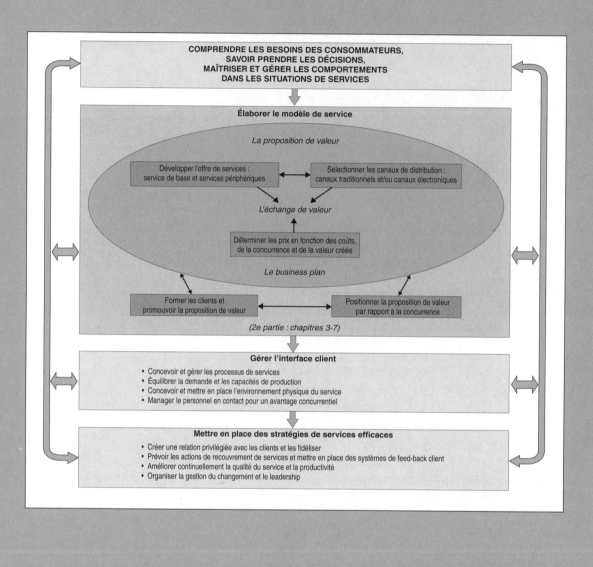

**COMPRENDRE LES BESOINS DES CONSOMMATEURS,
SAVOIR PRENDRE LES DÉCISIONS,
MAÎTRISER ET GÉRER LES COMPORTEMENTS
DANS LES SITUATIONS DE SERVICES**

Élaborer le modèle de service

La proposition de valeur

Développer l'offre de services :
service de base et services périphériques

Sélectionner les canaux de distribution :
canaux traditionnels et/ou canaux électroniques

L'échange de valeur

Déterminer les prix en fonction des coûts,
de la concurrence et de la valeur créée

Le business plan

Former les clients et
promouvoir la proposition de valeur

Positionner la proposition de valeur
par rapport à la concurrence

(2e partie : chapitres 3-7)

Gérer l'interface client

- Concevoir et gérer les processus de services
- Équilibrer la demande et les capacités de production
- Concevoir et mettre en place l'environnement physique du service
- Manager le personnel en contact pour un avantage concurrentiel

Mettre en place des stratégies de services efficaces

- Créer une relation privilégiée avec les clients et les fidéliser
- Prévoir les actions de recouvrement de services et mettre en place des systèmes de feed-back client
- Améliorer continuellement la qualité du service et la productivité
- Organiser la gestion du changement et le leadership

Développer l'offre globale de services : service de base et services périphériques

« Sont nominés pour le meilleur film : ... Et le gagnant est : ... »
— Festival international du Cinéma, Cannes

« C'est assurément ne pas connaître le cœur humain
que de penser qu'on peut le remuer par des fictions. »
— Voltaire

Ce chapitre aborde les questions suivantes

- Que faut-il entendre par service et offre globale de service ?
- Quelles approches peuvent être utilisées pour « designer » un service ?
- Comment pouvons-nous catégoriser les services périphériques/supplémentaires qui entourent le service de base ?

Toutes les entreprises de services doivent choisir et proposer à leurs clients les services qui leur conviennent et établir les procédures opérationnelles à mettre en œuvre pour les créer. Dans une entreprise orientée client, ces choix sont souvent dictés par des facteurs provenant du marché lui-même où les entreprises doivent différencier leurs offres de celles de leurs concurrents. La disponibilité de nouveaux processus de livraison, *via* Internet notamment, permet aux entreprises de recourir à de nouvelles formes de livraison, qui changent la nature de l'expérience du service et offrent des avantages nouveaux pour les clients attirés par ces nouveaux modes d'interaction. L'expansion de la banque en ligne en est la plus parfaite illustration. Il s'agit d'une forme d'innovation service qui entraîne, mais aussi nécessite, l'exploitation de développements technologiques capables de satisfaire des besoins non exprimés de façon explicite par les clients.

Une offre de services est généralement constituée d'un service central (service de base) à qui l'on associe d'autres services (services périphériques) qui facilitent l'accès au service de base, lui donnent plus de valeur (mais aussi de la valeur client) et le différencient des concurrents. Le service central répond au besoin élémentaire du client (transport vers un lieu précis, résolution d'un problème de santé spécifique, réparation d'un équipement défectueux, se reposer, apprendre, se divertir…). Les services périphériques sont ceux qui facilitent et mettent en valeur l'utilisation des services de base (fourniture d'informations, conseil, documentation spécifique à la résolution de problèmes et tout ce qui concerne le bien-être, le confort et l'aisance du client).

Concevoir de nouveaux services est très complexe et impliquant pour l'entreprise. En effet, elle doit penser et concevoir les processus, identifier les personnes impliquées (y compris et surtout les clients) et qualifier les expériences en termes d'*input* et d'*output*. Des opérations et des décisions lourdes de conséquences sur les systèmes existants et très coûteuses en raison des changements qu'elles requièrent. Les processus peuvent (doivent) être présentés à travers des *blueprints* qui ont la particularité de décrire de façon très précise les tâches des employés, celles des clients ainsi que l'ensemble des séquences opérationnelles et ce, à chaque étape du déroulement du service.

Dans ce chapitre, nous nous intéressons au concept d'offre de services, comment ajouter de la valeur au service et comment le « designer ».

1. Créer et planifier les services

Qu'entendons-nous par service ? Dans les chapitres précédents, nous avons établi qu'un service est plus une « performance » qu'une « chose » ou qu'une entité tangible. Quand les consommateurs achètent des produits manufacturés, ils prennent possession d'objets physiques, alors que les services, intangibles et éphémères, sont plus expérimentés que possédés. Il en est de même lorsque le service comprend des éléments matériels, comme un plat cuisiné, un hamburger dans un fast-food, ou une pièce de rechange pour une voiture. Une part significative du prix payé par le client représente la valeur ajoutée des éléments qui accompagnent le service : la main-d'œuvre, les compétences et le recours à des équipements spécifiques.

1.1. Les phases clés de la planification du service

Un des défis du marketing des services est de maintenir en permanence l'attention du client envers les services. Traditionnellement, cette tâche relevait du management des opérations, avec comme résultat le fait que les attentes des clients étaient secondaires par rapport aux activités opérationnelles. Cependant, les marketeurs ne pouvant travailler seuls pour développer de nouveaux services, en particulier lorsque leur lancement implique l'utilisation de nouvelles technologies, ils doivent collaborer avec les responsables chargés des opérations et avec les responsables des ressources humaines. La figure 3.1 indique les phases clés de la planification et de la création de services et met en évidence le rapport entre les opportunités du marché et les ressources nécessaires, qu'elles soient physiques, technologiques ou humaines.

La tâche commence au niveau le plus élevé de l'entreprise avec un exposé des objectifs. Cet exposé conduit à une analyse détaillée du marché et de la concurrence (pour tous les marchés sur lesquels l'entreprise est actuellement présente et ceux où elle pense entrer). Parallèlement est effectuée une analyse de l'allocation des ressources, incluant l'inventaire et l'évaluation des ressources actuelles de l'entreprise, la façon dont elles sont réparties, ainsi que l'identification des ressources additionnelles nécessaires pouvant raisonnablement être obtenues. Ces différentes phases peuvent être considérées comme une forme d'analyse SWOT identifiant les forces, les faiblesses, les opportunités et les menaces, tant du côté marketing que du côté des ressources opérationnelles et humaines. Chacune entraîne un état précis des actifs.

Le bilan des actifs marketing comprend le détail du portefeuille de clients de l'entreprise (sa taille, ses caractéristiques et sa valeur), la connaissance du marché et des concurrents,

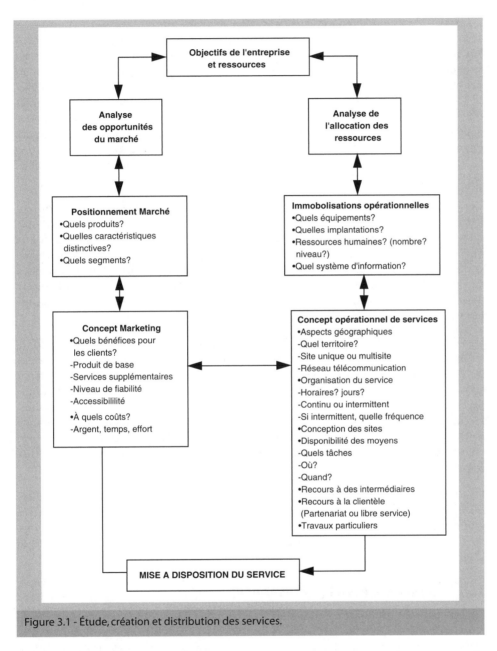

Figure 3.1 - Étude, création et distribution des services.

la ligne de services actuels, la réputation de sa (ses) marque(s), ses capacités en termes de marketing opérationnel ainsi que sa stratégie de positionnement actuel. Nous verrons au chapitre 7 qu'une analyse de positionnement peut être développée pour chaque service que l'entreprise offre à un ou plusieurs marchés cibles, en indiquant les caractéristiques qui distinguent ce service de ceux offerts par la concurrence.

Les opportunités marketing révélées par cette analyse doivent à ce stade être confrontées avec les actifs opérationnels. L'entreprise peut-elle réorganiser plus judicieusement les installations physiques ? Les équipements, les technologies de l'information et les ressources humaines nécessaires au marketing des services existant peuvent-ils ajouter des éléments pour améliorer l'attrait de l'offre ou créer de nouveaux services ? Inversement, une analyse de ces actifs opérationnels suggère-t-elle de nouvelles possibilités d'utilisation ? Si l'entreprise manque des ressources nécessaires à une nouvelle initiative marketing, peut-elle exercer un effet de levier sur ses actifs par un partenariat avec des intermédiaires voire avec les clients eux-mêmes ? Finalement, une opportunité marketing promet-elle des profits suffisants, et surtout, un retour sur investissements acceptable, après déduction de tous les coûts ?

La phase suivante pour passer d'une éventualité à une réalité est la création d'un concept marketing mettant en évidence les avantages offerts aux clients ainsi que le prix que ceux-ci sont prêts à payer en retour. Il doit prendre en compte aussi bien le service de base que les services périphériques, leurs caractéristiques à la fois en termes de niveau de performance et de style, ainsi que le lieu, le moment et la manière dont les clients y auront accès. Les coûts liés au service n'incluent pas seulement la dimension financière mais aussi le temps, les efforts intellectuels et physiques ou les sensations négatives pouvant être induites lors de la réception du service.

Une des étapes parallèle consiste à établir le concept opérationnel du service, qui décrit la nature des processus mis en œuvre (y compris l'utilisation des technologies de l'information), ainsi que la manière et le moment où les différents actifs opérationnels pourront être déployés. À partir de là, il définira : la zone géographique, l'ordre des opérations, l'agencement des locaux, les équipements et enfin les ressources humaines nécessaires. Le concept opérationnel prend également en compte les opportunités d'optimisation de ses propres ressources à travers l'utilisation des intermédiaires voire des clients eux-mêmes. Enfin, il devra clarifier quelles seront les tâches et les ressources assignées aux opérations de front stage et de back stage.

Définir les concepts marketing et opérationnel est nécessairement un processus interactif, car l'un et l'autre doivent être harmonisés pour délivrer une offre de services donnée. Le travail de planification devient alors un ensemble de choix à faire par l'équipe managériale pour organiser le processus de livraison du service (voir sur ce point le chapitre 4).

1.2. Le service global (métaservice)

Les services sont généralement désignés en référence à des corps de métiers spécifiques – par exemple, les services médicaux et de soins, les services de transport, les services logistiques, etc. – et comprennent l'ensemble des bénéfices offerts et/ou proposés aux clients. Le service de base est composé d'un ensemble d'autres services, appelés services complémentaires ou périphériques, qui facilitent l'usage du service de base, ajoutent de la valeur et différencient le service des autres services offerts par des firmes concurrentes. Le service de base est offert par l'ensemble des entreprises de services présentes sur un marché ; la voie de la différenciation n'est plus dans le service de base mais dans les services complémentaires/périphériques.

Exemple : une nuitée affaire dans un hôtel 3 étoiles (service de base pour un client homme d'affaires). Les différences que prône Novotel pour s'attirer des clients ne sont pas les composantes de la nuitée (la chambre) mais l'ensemble des services proposés (complémentaires/périphériques) pour le confort de l'homme d'affaires :

- la localisation (facile d'accès, sortie d'autoroute, pas besoin d'entrer dans le centre-ville que le client ne connaît généralement pas) ;

- parking gratuit, sécurisé, gardé et fermé ;

- possibilité de dîner jusqu'à minuit (la dernière commande est prise à minuit) ;

- le *early breakfast* à 4 heures du matin ;

- le petit déjeuner buffet : un « brunch » copieux, avec large choix, qui permet d'attendre l'heure d'un déjeuner tardif voire d'un encas frugal ;

- la chambre wifi.

Au travers de l'exemple de Novotel, il est aisé de comprendre les raisons pour lesquelles les services supplémentaires/périphériques sont ceux qui différencient les entreprises qui réussissent de celles qui échouent.

Aussi bien dans le domaine des services que dans celui des biens, plus la concurrence augmente et plus le secteur arrive à maturité, plus la tendance est de considérer le service de base comme une commodité. Si une entreprise n'est pas en mesure d'offrir un service de base décent, elle ne se maintiendra probablement pas sur le marché. Bien que le service de base soit continuellement amélioré, un avantage compétitif se matérialise par des services périphériques performants.

La combinaison du service de base et des services périphériques est ce qu'il convient d'appeler le service global ou l'offre globale de services. Plusieurs modèles le décrivent dans un contexte de services. Lynn Shostack, directeur du Coveport Group Inc., a développé un modèle dit moléculaire (voir figure 3.2) qui utilise une analogie avec la chimie pour aider les marketeurs à représenter et à gérer ce qu'elle a appelé une « entité totale de marché »[1]. Au centre du modèle se trouve l'avantage principal (qui répond au besoin primaire du client), lié à une série d'autres composantes du service. Shostack prétend que, comme dans les formules chimiques, un changement opéré sur un seul élément peut altérer la nature de l'entité. Les molécules sont entourées d'une série de bandes représentant le prix, la distribution et le positionnement sur le marché.

Le modèle moléculaire nous aide à identifier et différencier les éléments tangibles et intangibles qui interviennent dans la distribution du service. Dans le cas d'une compagnie aérienne par exemple, les éléments intangibles incluent le transport, la fréquence des vols, ainsi que le service avant, pendant et après le vol. Cependant, l'avion ainsi que la nourriture et les boissons servies sont tous des éléments tangibles. En mettant en avant les éléments tangibles, les marketeurs peuvent déterminer quelle est la dominante de leurs services. Selon Shostack, plus la proportion d'éléments intangibles est grande, plus il est nécessaire d'apporter des indices tangibles faisant référence aux caractéristiques et à la qualité du service.

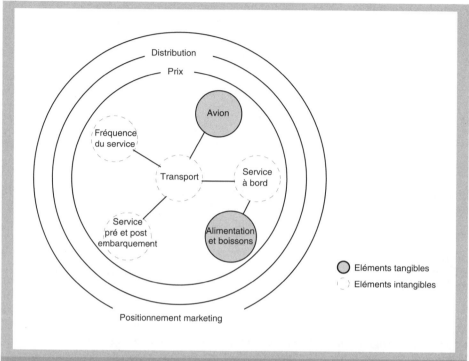

Figure 3.2 - Le modèle moléculaire de Shostack : service passager d'une compagnie aérienne.

Pierre Eiglier et feu Éric Langeard, tous deux professeurs à l'université d'Aix-Marseille III, ont proposé un modèle dans lequel le service central est entouré par une couronne contenant une série de services supplémentaires/périphériques spécifiques à ce service particulier[2]. Leur approche, comme celle de Shostack, met l'accent sur l'interdépendance des divers composants. Ils font ainsi la différence entre les éléments qui sont nécessaires pour faciliter l'utilisation du service central (comme le comptoir de la réception d'un hôtel) de ceux rendant le service central plus attrayant (comme la salle de musculation ou le bar de ce même hôtel).

Eiglier et Langeard guident notre réflexion dans deux voies :

- Les services périphériques/supplémentaires sont-ils nécessaires pour faciliter l'utilisation du service de base ou simplement pour ajouter un attrait supplémentaire ?

- Les clients doivent-ils payer séparément chaque élément du service ou tous les éléments regroupés sous un prix global ?

Christian Grönroos nous propose un autre éclairage en classant les services supplémentaires/périphériques en deux catégories, les services facilitateurs et les services de soutien[3] (voir un peu plus loin dans ce chapitre).

1.3. Concevoir une offre globale de service

Lors de la conception et de l'élaboration de l'offre globale de services, les responsables doivent impérativement avoir une vision globale de la performance qu'ils veulent voir expérimentée par les clients. La conception de l'offre doit prendre en compte trois composantes clés : le service de base, les services périphériques et les processus de livraison.

Le service de base

Le service de base constitue la raison essentielle pour laquelle le client se rend dans l'entreprise de services. Il s'agit très souvent de l'activité centrale ou du métier principal de la firme de service. Par exemple, la nuitée pour un hôtel, un repas pour un restaurant, une formation et un diplôme pour une université ou une école, etc. En revanche, l'exercice de ce métier ne suffit pas à créer de la différence et à être attractif pour les clients. Le service de base pose les questions suivantes : qu'acquiert réellement l'acheteur et dans quel type d'affaires nous situons-nous ? Le service de base apporte-t-il une solution conforme aux attentes du client ? Par exemple, le transport répond-il au besoin de déplacer une personne ou un objet physique ? Ou le conseil en gestion fournit-il une recommandation concernant les actions qu'une entreprise devrait mettre en œuvre ? Ou encore, les services de réparation sont-ils capables de restaurer une mécanique détériorée ou défectueuse ?

Les services périphériques

Ces éléments sont conçus et organisés autour du service de base pour l'améliorer, lui donner de la valeur, le rendre plus facile d'utilisation et augmenter son intérêt et son attractivité. La diversité des services périphériques joue souvent un rôle dans sa différenciation et son positionnement. Des éléments périphériques ou l'amélioration du niveau de performance peuvent accroître la valeur du service de base et permettre au fournisseur de le faire payer plus cher.

Les processus de livraison

Le troisième composant concerne les procédures utilisées pour livrer tant le service de base que chacun des services périphériques. Dans son sens le plus large, la conception de l'offre globale de services doit présenter la façon dont les différents composants du service sont livrés au client, le rôle de ce dernier au sein de ces processus, les délais de livraison, ainsi que des recommandations portant sur le niveau et le style que doit avoir le service pour pouvoir être proposé. Chacune des quatre catégories – traitement des personnes, traitement des biens, stimulation mentale et information – a différentes implications dans l'investissement du client, les procédures opérationnelles, le degré de contact entre le client et le personnel, et entre le client et les équipements, ainsi que dans les demandes de services périphériques.

L'intégration des trois composants est représentée à la figure 3.3, qui illustre l'offre de services pour une nuit d'hôtel. Le service de base – la location d'une chambre pour une nuit – est défini par le niveau de service, le planning (combien de temps avant qu'un autre paiement ne soit effectué pour cette même chambre), la nature du processus (dans le cas présent, le processus de traitement des personnes), et le rôle des clients – ce que l'on attend qu'ils fassent par eux-mêmes et ce que l'hôtel va faire pour eux (faire les lits, fournir les serviettes de toilette et nettoyer la chambre).

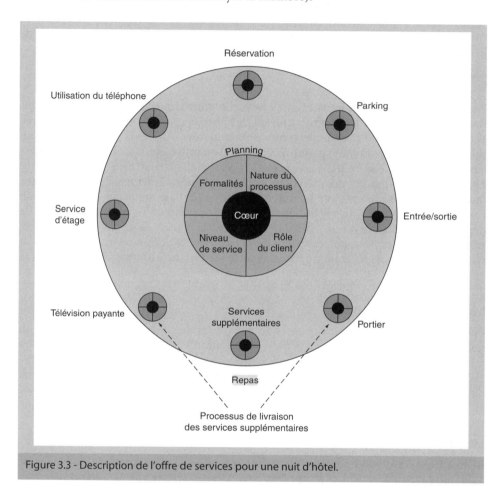

Figure 3.3 - Description de l'offre de services pour une nuit d'hôtel.

Autour du noyau central figure un ensemble de services périphériques, allant de la réservation au service de chambre. Comme pour le service de base, les processus de livraison doivent être spécifiés pour chacun de ces éléments. Plus l'hôtel est cher, plus le niveau de service de chaque élément doit être élevé (par exemple, un parking couvert et surveillé, une nourriture de meilleure qualité, un choix de films récents et attrayants sur les chaînes de télévision payantes). Des services additionnels doivent aussi être offerts, comme un centre d'affaires, un bar, une piscine et une salle de sport. L'une des caractéristiques d'un hôtel haut de gamme est de proposer tous les services que les clients peuvent désirer et à tout moment (y compris un service d'étage 24 h/24)[4].

1.4. Organiser le processus de livraison dans le temps

Dans la conception d'un service, un quatrième composant doit être pris en compte : il s'agit de l'ordre probable dans lequel les clients utiliseront chacun des services de base et périphériques, ainsi que le temps que cela leur prendra. Cette information, montrant une bonne compréhension des besoins des clients, de leurs habitudes et de leurs attentes, est nécessaire non seulement pour des raisons marketing, mais aussi pour la planification des opérations, de l'utilisation des équipements et de l'affectation du personnel.

Dans l'industrie hôtelière, ni le service de base, ni les services périphériques ne sont délivrés simultanément au cours de la prestation de service. Certains services doivent nécessairement être fournis avant d'autres. Dans de nombreux cas, en fait, la consommation du service de base alterne avec celle de certains services périphériques.

La figure 3.4 ajoute une dimension temporelle aux différents éléments du service global, en identifiant à quel moment et pendant combien de temps ils sont consommés. L'exemple illustre un service hôtelier (processus de traitement des personnes à contact élevé). Le temps y joue un rôle clé, pas seulement d'un point de vue opérationnel, mais aussi du point de vue des clients eux-mêmes.

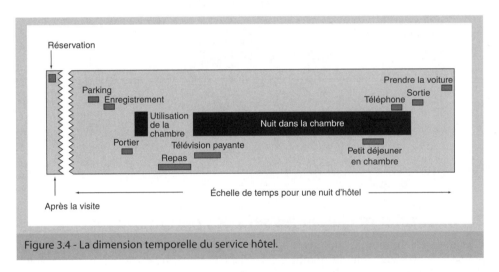

Figure 3.4 - La dimension temporelle du service hôtel.

Déterminer combien de temps le client devrait consacrer aux différents éléments du service est un aspect important de la planification du service. Les études montrent que les clients d'un segment donné prévoient de consacrer un temps spécifique pour une activité précise et n'apprécient pas d'être pressés (par exemple, huit heures de sommeil, une heure et demie pour un repas d'affaires, vingt minutes pour un petit déjeuner). En revanche, au moment d'effectuer une réservation, un enregistrement, un paiement ou d'attendre sa voiture auprès du service de voituriers, ils souhaitent réduire, voire supprimer le temps consacré à des activités qu'ils perçoivent comme non productives. Comme le montre l'encadré Questions de services 3.1, la rapidité du service est souvent un attribut essentiel du service pour les clients, et sa mise en œuvre nécessite une bonne compréhension des considérations marketing et opérationnelles.

Planifier le service de restauration rapide

Le magazine de l'industrie de la restauration *Restaurant Hospitality* a formulé dix suggestions pour servir rapidement les clients sans laisser croire que l'on désire les mettre à la porte. Comme vous pourrez le remarquer, certaines de ces tactiques s'adressent aux processus de *front stage* et d'autres de *back stage*, mais ce sont les interactions entre l'opérationnel, les perspectives marketing et la façon dont les membres du personnel se comportent avec les clients, qui créent le résultat escompté.

1. Faire la distinction entre les clients pressés et ceux qui ne le sont pas.
2. Créer des menus spéciaux rapides.
3. Conseiller ces menus spéciaux aux clients pressés.
4. Placer les menus rapides et ceux qui génèrent la marge la plus importante au début ou à la fin de la carte.
5. Proposer des plats pouvant être servis en continu.
6. Prévenir les clients lorsqu'ils commandent des plats longs à préparer.
7. Penser aux buffets, aux tables roulantes pour le service, et accroître l'offre de sandwiches.
8. Offrir des sandwiches complets, copieux et rapides à préparer.
9. Utiliser des équipements conçus pour faire gagner du temps comme les fours combinés.
10. Éliminer les étapes de préparation qui obligent les cuisiniers à stopper la cuisson.

Adapté de Paul B. Hertneky, « Built for Speed », *Restaurant Hospitality*, janvier 1997, p. 58.

2. Identifier et classer les services périphériques[5]

Plus nous examinons les différents types de services, plus nous remarquons que la plupart d'entre eux ont de nombreux services périphériques en commun. Le logigramme (introduit au chapitre 2) est un excellent moyen de comprendre la globalité de l'expérience de service du client. Il permet également d'identifier les nombreux et différents types de services périphériques qui accompagnent un service de base. Par exemple, dans un restaurant de luxe, les services périphériques incluent les réservations, les voituriers, le vestiaire, le placement à la table, la commande du menu, le sommelier, la note, les moyens de paiement et l'utilisation des toilettes. Si vous préparez des logigrammes pour des services variés, vous remarquerez rapidement que même si les services de base sont différents, les éléments périphériques sont souvent communs – l'information du client, la facturation, les réservations, la prise de la commande et la résolution des problèmes reviennent de façon récurrente. Autant d'occasions d'optimiser leur organisation, leur planification et leur livraison.

2.1. Mettre en place et valoriser les services périphériques

Potentiellement, il y a des dizaines de services périphériques, mais chacun d'eux peut être classé dans une des huit rubriques suivantes. Nous les avons séparés en services périphériques *facilitants* et services périphériques *de soutien*.

Services facilitants	Services de soutien
Information	Conseil
Commande	Hospitalité
Facturation	Sécurité
Paiement	Exceptions

Dans la figure 3.5, ces huit rubriques sont représentées sous forme de pétales entourant le centre d'une fleur, que nous appelons la *fleur des services*. Les rubriques sont placées dans l'ordre dans lequel les clients y sont en général confrontés (même si des variantes sont possibles, par exemple le paiement avant/après la fourniture du service) et en suivant le sens des aiguilles d'une montre. Dans une entreprise de services bien organisée, les pétales et le cœur sont bien formés et se complètent les uns les autres. Une organisation de service mal gérée peut être comparée à une fleur avec des pétales manquants, fanés ou décolorés. Même si le cœur est parfait, l'aspect global de la fleur n'est pas attractif. Pensez à votre propre expérience en tant que consommateur (ou quand vous achetez pour le compte d'une entreprise). Quand vous n'êtes pas satisfait d'un achat en particulier, est-ce la faute du cœur, ou bien le problème vient-il d'un ou de plusieurs pétales ?

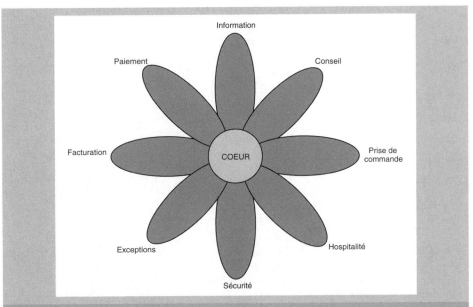

Figure 3.5 - La fleur des services : le service de base entouré de groupes de services périphériques.

Chaque service de base n'est pas forcément entouré par des éléments périphériques issus des huit catégories. Comme nous le verrons, la nature de l'offre centrale (service de base) aide à déterminer quels services périphériques doivent être offerts et lesquels pourraient être ajoutés pour en améliorer la commercialisation et la valeur. En général, les services de traitement des personnes tendent à être accompagnés par plus de services périphériques que les trois autres. Parallèlement, ceux nécessitant un niveau de contact élevé seront accompagnés par plus d'éléments périphériques que les services nécessitant un niveau de contact faible.

La position stratégique d'une entreprise sur un marché aide à déterminer quels services périphériques devraient être ajoutés (voir chapitre 7). Une stratégie visant à fournir plus d'avantages pour améliorer la perception de qualité chez les clients nécessitera probablement plus de services périphériques (et aussi un niveau de performance plus élevé pour tous les éléments) qu'une stratégie de concurrence sur les prix. Les entreprises qui offrent différents niveaux de services, comme la première classe, la classe affaire et la classe économique pour une compagnie aérienne, les différencient souvent en ajoutant des services périphériques à chaque catégorie.

L'information

Pour tirer la valeur maximale d'un bien ou d'un service, les clients ont besoin d'informations pertinentes (voir tableau 3.1). Les nouveaux clients et les prospects en sont particulièrement demandeurs. Ils veulent en savoir plus sur le lieu où le service est vendu (ou bien des détails sur la façon de le commander), les horaires, les prix, les instructions d'utilisation. D'autres informations, parfois obligatoires, précisent les conditions de vente, d'utilisation et de garantie, les précautions d'emploi, etc. Enfin, les clients veulent recevoir des documents matérialisant la commande, la confirmation de réservation, des attestations de paiement et éventuellement des relevés réguliers d'activité.

Tableau 3.1 : Exemples d'éléments d'information

• Direction de l'emplacement du lieu de service

• Horaires

• Prix

• Données sur l'utilisation du service de base et des services périphériques

• Rappels

• Avertissements

• Conditions de ventes et de service

• Notification de modifications

• Documentation

• Confirmation des réservations

• Résumé de l'activité du compte

• Reçus et factures

L'information fournie par une entreprise doit être exacte et pertinente, sous peine de tromper ou contrarier les clients. Ce sont prioritairement les employés au contact de la clientèle qui informent (même s'ils ne sont pas toujours aussi bien documentés que les clients pourraient le désirer), mais aussi les imprimés, les catalogues, les manuels d'utilisation, sans oublier les cassettes vidéo, les logiciels de démonstration, les ordinateurs à écrans tactiles, les messageries vocales commandées à distance… L'innovation la plus récente et la plus significative est l'utilisation d'Internet dans le cadre de l'entreprise. Les horaires de train ou d'avion, les prestations des hôtels, l'aide à la localisation de lieux spécifiques (restaurants, magasins, etc.) ou l'information sur les services de certaines entreprises sont autant d'exemples d'applications réussies d'Internet. De nombreuses entreprises de logistique offrent aux expéditeurs la possibilité de suivre la progression de leurs colis qui sont identifiés par des numéros personnalisés.

La prise de commande

Lorsque les clients sont prêts à acheter, un élément supplémentaire entre alors en jeu : la prise en compte des demandes, les réservations et les commandes (voir tableau 3.2). Le processus de commande doit être courtois, rapide et efficace pour que les clients ne perdent pas de temps et ne fassent pas d'efforts inutiles, de quelque nature que ce soit.

La technologie peut être utilisée pour rendre la prise de commande plus rapide tant pour les vendeurs que pour les acheteurs. La clé du problème réside dans le fait de minimiser autant que possible les efforts requis par chacune des parties, tout en assurant l'exactitude et l'intégralité des informations.

Tableau 3.2 : Exemples de prise de commande

Adhésion
• Membre d'un club
• Abonnement
• Prérequis (crédit, diplôme)
Prise de la commande
• Sur place
• Par courrier ou téléphone
• Par mail ou par commande online[*]
Réservations
• Sièges
• Tables
• Chambres
• Locations de véhicules ou autres équipements
• Rendez-vous professionnels
• Salons particuliers

* Voir Jean Marc Lehu, « Internet comme outil de *yield management* dans le tourisme », *Décisions marketing*, n° 19, 2000.

Les banques et les compagnies d'assurance doivent faire passer leurs clients potentiels au travers d'un processus destiné à obtenir un ensemble d'informations pertinentes sur chacun d'eux, afin de voir quels sont ceux qui ne répondent pas aux critères de base (problèmes financiers ou de santé par exemple). Les universités ont également besoin que les futurs étudiants fassent une demande d'admission et répondent à certaines conditions. Les réservations représentent un type spécial de prise de commande qui donne droit aux clients à une unité spécifique de service, par exemple une place dans un avion, une table au restaurant, une chambre d'hôtel, du temps avec un professionnel qualifié ou l'accès à un théâtre ou à un stade où le nombre de places est limité. La précision est vitale ; réserver des sièges pour le mauvais jour vous rendra impopulaire auprès de vos clients !

Les systèmes sans tickets, fondés sur la réservation en ligne ou par téléphone, engendrent d'énormes économies pour les compagnies aériennes dans la mesure où il n'y a plus de commissions à verser aux agences de voyage ; les clients s'enregistrent directement et l'effort administratif est radicalement réduit. Mais certains clients n'apprécient pas ces processus sans papier. Bien qu'ils reçoivent un numéro de confirmation au téléphone et qu'ils n'aient besoin que de montrer leur pièce d'identité pour obtenir leur place, ils ne sont pas convaincus s'ils n'ont pas une preuve tangible de leur réservation d'un siège sur un vol particulier. Dans le cadre de voyages d'affaires, certains se plaignent également que les reçus arrivent parfois plusieurs jours, voire plusieurs semaines après le voyage, ce qui pose des problèmes pour le remboursement de leurs frais. Certaines compagnies aériennes offrent à présent de faxer sur demande les reçus et les itinéraires au moment où le vol est réservé.

La facturation

La facturation est le dénominateur commun à tous les services. Des factures inexactes, illisibles ou incomplètes, risquent de décevoir les clients jusqu'alors plutôt satisfaits et d'accroître le mécontentement de ceux déjà insatisfaits.

La facturation doit aussi être contrôlée dans le temps, être émise rapidement pour stimuler la rapidité du règlement. Les procédures de facturation vont de l'indication du prix de vive voix à une gestion informatisée (voir tableau 3.3). L'approche la plus simple consiste peut-être à faire de l'autofacturation, c'est-à-dire payer à la commande, comme lorsque le client règle le montant d'une commande avec sa carte de crédit. Dans ces cas-là, la facturation et le paiement sont combinés en un seul acte.

Tableau 3.3 : Exemples d'éléments de facturation

- Relevés périodiques de l'activité du compte

- Facture pour chaque transaction

- Rappel verbal du solde

- Affichage du solde sur ordinateur

- Autofacturation

Dans une très grande majeure partie des cas, la facturation est informatisée. Bien que ce procédé améliore la productivité, il peut générer des mécontentements mais aussi des désavantages – notamment lorsqu'un client conteste une facture inexacte et se voit enseveli sous une avalanche de factures au montant de plus en plus élevé (composé d'intérêts et de pénalités), accompagnées de menaces croissantes envoyées automatiquement par ordinateur.

Les clients attendent des factures claires, informatives et formulées de manière à ce que le calcul du montant total à payer soit aisé à comprendre. Les symboles insolites, pas plus que les impressions floues ou les écritures illisibles, ne suscitent chez le client une disposition favorable. Les imprimantes lasers produisent aujourd'hui des formulaires plus lisibles dans lesquels l'information est organisée de façon plus fonctionnelle. C'est ici que la recherche marketing peut intervenir, en demandant aux clients quelles informations ils souhaitent recevoir et comment ils veulent les voir organisées.

Les clients détestent attendre que leur facture soit élaborée dans un hôtel, un restaurant, une agence de location de voitures. De nombreux hôtels ainsi que des agences de location ont mis au point des possibilités de paiement express, en prenant à l'avance les détails des cartes de crédit et en envoyant ensuite les documents nécessaires par la poste. La précision est alors essentielle. À partir du moment où les clients utilisent les paiements express pour gagner du temps, ils ne veulent pas en perdre plus tard pour faire apporter des corrections ou se faire rembourser. Aux États-Unis, certaines agences de location de voitures ont recours à une procédure intermédiaire : un agent rencontre les clients lorsqu'ils ramènent le véhicule, enregistre le kilométrage et le niveau de la jauge de carburant, puis imprime une facture en utilisant un terminal portable sans fil. De nombreux hôtels mettent le matin sous la porte de leurs clients le montant total des charges, d'autres offrent la possibilité de visionner la facture avant de partir sur le téléviseur de leur chambre.

Le paiement

Dans la plupart des cas, un paiement implique un acte de la part du client (et un tel acte peut être très lent !). Les prélèvements bancaires matérialisés sur un relevé constituent une exception détaillant les charges ayant déjà été déduites du compte client. De plus en plus, les clients souhaitent obtenir des facilités de paiement ou un crédit lorsqu'ils font des achats aussi bien dans leur propre pays que lorsqu'ils voyagent à l'étranger.

Un ensemble de possibilités existe pour faciliter le paiement des factures (voir tableau 3.4). Les systèmes de paiement automatique, par exemple, nécessitent que les clients insèrent des pièces, des billets, des jetons ou des cartes dans des automates. Mais leurs pannes peuvent réduire à néant l'objectif principal. Cela signifie qu'une maintenance régulière ainsi qu'une intervention rapide sont essentielles. De nombreux paiements sont encore effectués en argent liquide ou par chèques, mais les cartes de crédit prennent de plus en plus d'importance. Les jetons, les bons, les coupons ou les tickets prépayés constituent d'autres possibilités. Les paiements rapides sont essentiels pour les entreprises et les clients. Pour les encourager, certaines envoient périodiquement des lettres de remerciement aux clients qui acquittent leurs factures dans les délais.

Tableau 3.4 : Exemples de paiements

Libre-service
- Mettre l'appoint dans la machine
- Machine rendant la monnaie
- Cartes de crédit
- Transfert électronique de fonds
- Chèque

Paiement direct ou à un intermédiaire
- Maniement d'argent
- Maniement de chèques
- Maniement de cartes de crédit
- Rachat de coupons
- Bons de réductions
- Déduction automatique sur les dépôts

Contrôle et vérification
- Système automatique (portique de détection)
- Système de personnel (contrôleurs, surveillants aux portes)

Pour s'assurer que les gens paient réellement leur dû, un système de contrôle est mis en place pour certains services, comme le péage d'autoroute. Il lie un paiement automatique ou par l'intermédiaire d'un salarié à un système de contrôle mécanique : la barrière ou la vérification des billets avant l'accès à une salle de spectacle ou à bord d'un train. Les contrôleurs doivent toutefois combiner tact, politesse et fermeté dans le cadre de leur travail, de façon que les clients honnêtes ne se sentent pas agressés ou importunés. Leur présence visible a souvent un effet dissuasif sur les éventuels fraudeurs.

Le conseil

Contrairement à l'information qui suggère une réponse simple et neutre aux questions des clients (ou une information imprimée qui anticipe leurs besoins), le conseil implique un dialogue pour sonder les désirs des clients et proposer une solution sur mesure. Il consiste à donner un avis souvent immédiat mais fondé sur une réelle connaissance du service en réponse à la question : « Que me suggérez-vous ? » (Par exemple, vous pourriez demander des conseils sur les différents styles de coupes de cheveux ainsi que sur les services capillaires à votre coiffeur.) Pour être efficace, un conseil doit s'appuyer sur une réelle compréhension de la situation de chaque client. De bonnes informations sur les clients, leur profil, sont alors souvent d'une grande utilité, en particulier si les données pertinentes peuvent être consultées rapidement, *via* un terminal informatique par exemple. Le tableau 3.5 fournit quelques exemples de services périphériques appartenant à cette catégorie.

Tableau 3.5 : Exemples de conseils

> • Conseil
>
> • Écoute
>
> • Conseils personnels
>
> • Conseils techniques
>
> • Formation à l'utilisation des services

Le conseil peut aussi prendre des formes plus subtiles. Il implique souvent d'aider les clients à mieux comprendre leur situation de façon à ce qu'ils puissent trouver leurs propres solutions et programmes d'action. C'est le cas pour des services liés à la santé, quand il s'agit de convaincre les personnes d'avoir une vision à long terme et d'adopter des comportements plus bénéfiques pour leur santé, souvent au prix d'un sacrifice initial. Par exemple, des centres d'amincissement comme Weight Watchers ont recours au conseil pour aider leurs clients à changer leurs comportements, afin que leur perte de poids demeure effective même après la fin de la cure.

Enfin, il existe des formes de conseil plus formelles telles que le conseil en management. La « vente de solutions » incluant services et équipements nécessaires à leur mise en œuvre est un bon exemple. Les ingénieurs commerciaux évaluent la situation du client et lui donnent ensuite des conseils objectifs sur l'ensemble des systèmes et équipements à mettre en œuvre pour obtenir les meilleurs résultats. Certains services de conseil sont offerts dans l'espoir de réaliser une vente. Dans d'autres cas, le service n'est pas inclus et est facturé au client. Le conseil peut aussi être fourni à l'aide de supports pédagogiques, de programmes de formation et de démonstrations publiques.

L'hospitalité

Les services liés à l'hospitalité devraient, idéalement, refléter le plaisir de rencontrer de nouveaux clients et/ou de retrouver des anciens. Les entreprises bien gérées essaient de s'assurer que leurs employés traitent les clients comme des invités. Courtoisie et considération des besoins s'appliquent lors des rencontres en tête à tête comme lors d'échanges téléphoniques (voir tableau 3.6). L'hospitalité trouve son expression la plus complète dans les rencontres en tête à tête. Elle peut par exemple commencer (et finir) avec un service de transport gratuit aller-retour vers l'emplacement du service. Si les clients doivent attendre à l'extérieur avant que le service ne soit délivré, il convient de prévoir une protection contre les intempéries. S'ils doivent attendre à l'intérieur, il faut leur proposer un espace aménagé avec des sièges, voire des distractions (télévision, journaux, magazines). Recruter des employés naturellement chaleureux, accueillants et soucieux du client, aide à créer une atmosphère hospitalière et agréable.

Tableau 3.6 : Exemples d'hospitalité

• Salutations
• Nourriture et boissons
• Sanitaires
• Salle d'attente agréable (sièges, magazines…)
• Transport
• Sécurité

La qualité des services d'hospitalité fournis par une entreprise peut augmenter ou réduire la satisfaction engendrée par le service de base. C'est particulièrement vrai pour les services à processus de traitement des personnes, lorsque les clients ne peuvent pas facilement quitter le lieu où le service est livré. Les hôpitaux et cliniques privées cherchent souvent à se rendre plus attractifs en proposant un niveau de service en chambre, repas compris, qui pourrait être celui d'un bon hôtel. Des compagnies aériennes cherchent à se différencier avec de meilleurs repas et une équipe de cabine plus attentive ; Singapore Airlines ou Air France sont par exemple réputées pour ces deux points.

Même si l'accueil avant et après le vol est important, le service fourni par une compagnie aérienne ne s'achève pas forcément avec l'arrivée à destination des passagers. Les voyageurs s'attendent certes à bénéficier de salons d'attente avant le départ, mais British Airways (BA) s'est démarquée en proposant un salon à l'arrivée dans ses terminaux des aéroports d'Heathrow et de Gatwick à Londres, pour servir les passagers débarquant tôt le matin après un long vol en provenance d'Amérique, d'Asie, d'Afrique et d'Australie. BA propose ainsi aux passagers de première classe et de classe affaires, ainsi qu'aux détenteurs d'une « BA Executive Club Gold Card » (accordée aux clients les plus fidèles), la possibilité d'utiliser un salon spécial où ils peuvent prendre une douche, se changer, prendre un petit déjeuner, passer des coups de fil, consulter Internet ou envoyer des fax avant d'achever leur voyage. C'est un bel avantage, dont BA a activement fait la promotion. Les autres compagnies aériennes ont, depuis, suivi l'exemple.

Les problèmes d'accueil viennent souvent de la conception matérielle des espaces où les clients attendent avant de recevoir le service. Une étude a montré par exemple que les bureaux peu accueillants ainsi que le manque de confort des cabinets de chirurgie esthétique peuvent rebuter les clients.

La sécurité

Quand ils se viennent sur le lieu de livraison du service, les clients souhaitent certains services de sécurité (comme des parkings sûrs et pratiques pour leurs véhicules). À défaut, ils peuvent renoncer à venir. Aujourd'hui plus qu'hier, la sécurité devient pour les clients un facteur décisif et différenciateur. Une étude récente (Philippe et Léo) a montré que l'une des raisons essentielles de la fréquentation des centres commerciaux (au détriment du centre-ville) était la sécurité offerte et ambiante : présence de maîtres-chiens, parkings gardés, éclairage, discipline induite par l'ensemble des dispositifs sécuritaires, etc.

La liste des services de sécurité possibles sur un site est longue. Elle peut inclure un vestiaire, un service de transport des bagages, la mise en sûreté des objets de valeur et éventuellement la surveillance des enfants ou des animaux de compagnie (voir tableau 3.7). Aujourd'hui, beaucoup d'entreprises accordent une réelle attention à la sécurité des clients lors de leur venue. La plupart des banques françaises cherchent à apprendre à leurs clients comment protéger leur carte de retrait ou eux-mêmes en cas de vol ou d'agression physique *via* des brochures d'information. De plus, elles s'assurent que leurs machines sont bien éclairées et dans des endroits très visibles, afin de réduire les risques. Cet effort a été rendu obligatoire suite au mouvement des convoyeurs de fonds, ayant décidé de ne plus approvisionner les distributeurs placés dans des lieux dangereux.

Tableau 3.7 : Exemples de dispositions pour la sécurité

Prendre soin de ce qui appartient aux clients

- Garde des enfants
- Garde des animaux
- Parking
- Vigile dans le parking
- Vestiaire
- Coffre-fort
- Local à bagages

Prendre soin des marchandises achetées ou louées

- Emballage
- Transport
- Livraison
- Installation
- Inspection et diagnostic
- Nettoyage
- Maintenance préventive
- Réparation et rénovation
- Mise à niveau

Les exceptions

Les exceptions engendrent des services périphériques qui sortent du cadre standard d'une livraison normale (voir tableau 3.8). Les entreprises inventives les anticipent et développent des plans particuliers et des solutions adéquates. De cette façon, les employés ne sont pas pris au dépourvu et sont prêts quand les clients ont besoin d'une assistance particulière. Des procédures bien définies leur permettent de répondre rapidement et avec efficacité aux demandes.

Tableau 3.8 : Exemples d'éléments exceptionnels

Demandes spéciales avant la livraison du service
- Besoins des enfants
- Régime diététique
- Besoins médicaux
- Pratique religieuse
- Exception par rapport aux procédures standard

Traitement de communications particulières
- Plaintes
- Compliments
- Suggestions

Résolution de problèmes
- Garantie contre les malfaçons
- Résolution des problèmes d'utilisation du service
- Résolution des problèmes causés par les personnels ou d'autres clients
- Assistance aux clients ayant souffert de problèmes médicaux

Restitution
- Remboursement
- Compensation amiable
- Réparation gratuite des marchandises défectueuses

Il y a de nombreux et différents types d'exceptions :

- *Les demandes spéciales.* Nombreuses sont les circonstances au cours desquelles un client peut demander un service « extra ». Elles sont souvent liées à des besoins personnels exceptionnels : s'occuper des enfants, respecter un régime alimentaire ou diététique particulier, recevoir des soins médicaux spéciaux, observer certaines pratiques religieuses, etc. Ce type de requêtes spéciales est fréquent dans le secteur du tourisme et dans les hôpitaux.

- *La résolution des problèmes.* Le cas se présente quand le processus normal de livraison (ou la performance du service) échoue en raison d'accidents, de non-respect des délais, de défauts dans les équipements, ou lorsque les clients rencontrent des difficultés à utiliser le service.

- *Le traitement des plaintes, les suggestions et compliments.* Cette activité nécessite des procédures bien définies. Les clients doivent pouvoir facilement exprimer leur insatisfaction, proposer des améliorations ou faire un compliment. Les fournisseurs de services doivent être capables de recevoir la plainte et d'y apporter une réponse appropriée rapidement pour que le client se sente compris et éprouve un sentiment d'équité.

- *La restitution.* De nombreux clients s'attendent à recevoir une compensation en cas de déficiences graves. Cette compensation peut prendre la forme de réparation sous garantie, d'accords juridiques, de remboursements, d'offres de services gratuits ou d'autres formes de dédommagement.

Les responsables doivent garder un œil sur la quantité des demandes exceptionnelles. Trop élevée, cela peut indiquer que les procédures doivent être réévaluées. Par exemple, si un restaurant reçoit constamment des demandes de plats végétariens alors qu'il n'en a pas au menu, c'est le signe qu'il est temps de revoir celui-ci et d'y ajouter au moins un plat de ce type. Une approche flexible des exceptions est en général une bonne idée, car cela reflète une prise en compte scrupuleuse des besoins des clients. D'un autre côté, trop d'exceptions peuvent compromettre la sécurité, avoir un impact négatif sur les autres clients et provoquer un surcroît de travail pour les employés.

2.2. Les implications managériales

Les huit catégories de services périphériques formant la *fleur des services* fournissent collectivement de nombreuses options pour améliorer le service de base. La plupart des services périphériques représentent (ou devraient représenter) des réponses aux besoins des clients. Certains sont des services facilitant, comme l'information et les réservations, permettant aux clients d'utiliser le service de base de façon plus efficace. Les autres sont des « extras » qui améliorent le service de base ou même réduisent ses coûts non financiers (repas, magazines et éléments de divertissement et d'accueil qui aident à passer le temps). Certains éléments, en particulier la facturation et le paiement, sont imposés par le prestataire de services : même s'ils ne sont pas réellement désirés par le client, ils constituent une partie de l'expérience globale de service. Un élément auquel on n'a pas suffisamment prêté attention peut affecter la perception de la qualité du service chez le client. Les pétales « information » et « conseil » illustrent l'accent mis dans cet ouvrage sur le besoin de formation et de promotion pour une meilleure communication avec les clients.

Tous les services de base ne sont pas entourés par un grand nombre de services périphériques issus des huit pétales. Les services à processus de traitement des personnes tendent à être les plus demandeurs en services périphériques. Quand les clients ne se rendent pas sur le site de production du service, le besoin d'accueil est limité à la courtoisie dans les lettres et les communications téléphoniques.

Les services classés dans la catégorie des processus de traitement des biens mettent souvent l'accent sur les éléments de sécurité, mais on peut très bien ne pas en avoir besoin dans le cas d'un service lié aux processus d'informations où clients et fournisseurs négocient en tête à tête. Les services financiers qui sont fournis électroniquement constituent une exception, mais les entreprises doivent s'assurer que les actifs financiers intangibles de leurs clients sont réellement sécurisés lors des transactions par téléphone ou *via* Internet.

Les responsables sont confrontés à de nombreuses possibilités dans les types de services périphériques qu'ils doivent offrir, en particulier dans le cadre de l'élaboration d'une politique service et de positionnement. Une étude menée sur des entreprises *B to B* japonaises, américaines et européennes a montré que la plupart ont simplement ajouté un niveau de service à leur offre initiale sans en connaître la vraie valeur pour les clients[6]. Les entreprises observées ont indiqué qu'elles ne comprenaient pas quels packages de services elles devraient offrir à leurs clients en complément du service de base, et quels services devraient être proposés en option à des coûts périphériques. Sans cette connaissance, développer des politiques de prix attractives peut être délicat. Il n'y a pas de règles simples sur les prix des services de base et des services périphériques, mais les responsables devraient revoir en permanence leurs politiques de prix et celles de leurs concurrents afin de s'assurer qu'ils sont bien alignés sur le marché et en cohérence avec les besoins des clients. Nous en parlerons plus en détail au chapitre 9, en partie consacré aux prix.

En résumé, les tableaux 3.1 à 3.8 peuvent servir de check-list dans le cadre d'une recherche continue d'amélioration des services de base et d'élaboration de nouvelles offres. Ils ne prétendent pas être exhaustifs dans la mesure où certains services peuvent requérir des éléments périphériques spéciaux. Des niveaux de services périphériques variés autour d'un service commun peuvent jeter les bases d'une gamme de services différents, un peu comme les différentes classes des compagnies aériennes. Quels que soient les services périphériques offerts, les éléments de chaque pétale doivent être considérés avec soin pour rencontrer constamment des standards de service définis. Ainsi, la « fleur » aura toujours une apparence régulière et attractive.

3. Planifier et commercialiser les services

Ces dernières années, de plus en plus d'entreprises de services ont commencé à parler de leurs *produits*, un terme auparavant associé aux services manufacturés. Certaines parlent même de leurs *produits et services*, une expression aussi utilisée par les entreprises dont la production est dirigée par les services. Quelle est la distinction entre ces deux termes dans notre environnement « business » quotidien ?

Un *produit* implique un ensemble d'*outputs* défini et cohérent, bien distinct. Dans un contexte industriel, le concept est facile à comprendre et à visualiser. Les entreprises de services peuvent différencier leurs « produits » de la même façon avec leurs différents modèles. La restauration rapide est souvent décrite comme une opération quasi industrielle car il produit un *output* combiné à un service à valeur ajoutée. Sur chaque site, un menu est proposé avec ses services, bien tangibles. Les adeptes de burgers font facilement la différence entre un Whopper de chez Burger King et un Whopper au fromage, ou entre un Whopper et un Big Mac. Le service tient à la livraison rapide d'un aliment fraîchement préparé, la possibilité (dans certains cas) de commander et d'emporter des plats frais sans sortir de la voiture, la mise à disposition dans le restaurant de boissons, de condiments et de serviettes, ainsi qu'à la possibilité de s'asseoir à une table pour manger son repas.

Mais les prestataires de services moins concrets proposent aussi un « menu » de « produits » représentant un assemblage d'éléments soigneusement ordonnancés autour du « produit » de base, et pouvant constituer un ensemble de services périphériques à valeur ajoutée. Par exemple, les banques offrent une variété de « produits » tels que le compte chèque, l'assurance, le prêt à la consommation ou le prêt à l'habitat, les « produits » retraite et placement, etc. Les assurances proposent différents types de polices d'assurance, et les universités et ou écoles de commerce différents diplômes ou programmes chacun composés de cours et d'électifs spécifiques.

3.1. Les gammes de « produits » et les marques

La plupart des entreprises de services offrent une gamme de « produits » plutôt qu'un seul. Certains sont parfaitement distincts les uns des autres, lorsqu'une entreprise est positionnée sur différents secteurs d'activité. Dans le cadre d'un secteur d'activité donné, une entreprise peut choisir de proposer de nombreux « produits », positionnés différemment, identifiés chacun par un nom de marque distinct. C'est le cas de nombreuses chaînes d'hôtels. En France, le groupe Accor propose différentes marques d'hôtellerie sous l'ombrelle de la marque ACCOR :

- *Sofitel.* Très grands hôtels dans lesquels le service est le plus complet possible dans les centres-villes, offrant des zones accessibles à des groupes nombreux ainsi que des installations pour faire des réunions.

- *Mercure* et *Novotel.* Grands hôtels dans lesquels le service est le plus complet possible dans des zones résidentielles, offrant des installations pour faire des réunions, ainsi que des accès à des installations de sport et de loisirs.

- *Ibis.* Hôtels de taille moyenne sans installations prévues pour faire des conférences, destinés aux voyageurs d'affaires qui ont besoin de chambres confortables ainsi que de quelques services axés sur les affaires.

- *Formule 1.* Chambres peu chères avec des services limités[7].

Chaque marque promet un ensemble distinct de bénéfices, destiné à des segments de clientèle différents. Les offres de niveau de service (et donc de prix) varient. Il y a également différentes configurations de chambres disponibles. Dans certains cas, la segmentation est fonction de la situation : la même personne peut avoir différents besoins (ainsi que la volonté de payer des sommes différentes) selon les circonstances (séjour privé et familial ou professionnel). La stratégie d'extension de marque consiste à encourager les clients à utiliser les hôtels placés sous la même marque dans toutes les circonstances. Une étude des comportements de passage d'une marque à une autre de 5 400 clients d'hôtels a montré que les extensions de marques favorisent la captation des clients, mais que cette stratégie a ses limites notamment lorsque le nombre de marques dérivées est de quatre ou plus[8].

Dans certaines situations, les clients vont choisir plus qu'une simple marque dérivée. Comme exemple, considérons le cas de Sun Microsystems, une entreprise qui propose un ensemble de services de haute technologie. Elle offre un programme d'aide à l'utilisation des matériels et logiciels baptisé SunSpectrum Support[9]. Quatre niveaux d'aide sont disponibles, déclinés du platine au bronze (ils sont détaillés sur la page Web reproduite à la figure 3.6). L'objectif est de donner aux acheteurs le choix d'un niveau d'aide qui soit cohérent avec les besoins de leurs entreprises (et leurs budgets), allant du niveau le plus élevé (la mission d'analyse) au niveau le moins élevé (le self-support). Notez que les heures de disponibilité du service sont plus larges au niveau d'assistance le plus élevé (24 h/24, 7 j/7), alors qu'au niveau le plus bas le service est limité aux heures de bureau, cinq jours par semaine.

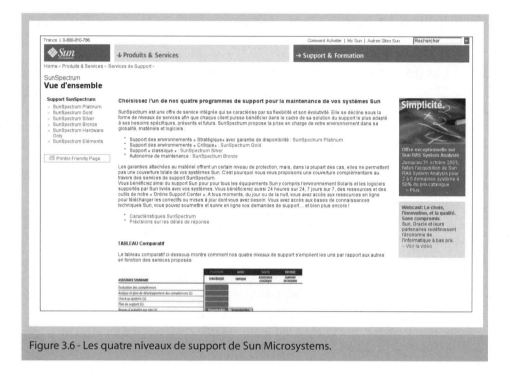

Figure 3.6 - Les quatre niveaux de support de Sun Microsystems.

British Airways (BA) offre pour sa part six « produits » différents dans sa gamme de voyages, souvent désignés sous le terme de marques dérivées. Quatre offres de services intercontinentaux existent depuis que l'offre Concorde (service de luxe supersonique) a été arrêtée et deux marques internes à l'Europe :

- First (un service de luxe dans un avion normal), Club World (classe affaires), World Traveller Plus (classe économique supérieure) et World traveller (classe économique) ;

- Club Europe (classe affaires) et Euro Traveller (classe économique).

À l'intérieur du Royaume-Uni, Shuttle offre également un service à haute fréquence entre les principales villes britanniques. Chaque offre de BA représente un concept de service et un ensemble clairement défini de spécificités des éléments du service, avant, pendant et après le vol.

La responsabilité de développer et de gérer chaque service est confiée à une équipe autonome, focalisée sur les éléments service, prix et communications marketing. Grâce à des formations internes et à la communication externe, le personnel comme les passagers sont constamment tenus informés des caractéristiques de chaque service. À part le Super Shuttle, la plupart des appareils de BA comprennent plusieurs classes. Pour une destination donnée, tous les passagers voyageant sur le même vol reçoivent le même service de base, mais la nature et les extensions de la plupart des services périphériques différeront, tant à l'aéroport que dans les airs. Par exemple, les passagers en Club World ne bénéficient pas seulement d'avantages tangibles, tels que des sièges plus confortables qui se transforment en lits, une meilleure nourriture, ainsi que l'utilisation d'un salon à l'aéroport avant le départ, mais reçoivent également un service personnalisé lors de l'enregistrement au sol, du contrôle des passeports à Londres (des files d'attente réservées), et de la récupération des bagages (récupération prioritaire). Les passagers de première classe sont encore plus soignés. Bien sûr, plus le niveau de service est élevé, plus le prix l'est également.

3.2. Valoriser la marque

La marque peut être employée tant au niveau de l'entreprise que du « produit » par chaque service. La marque d'une entreprise bien dirigée n'est pas seulement facilement reconnaissable, mais elle est aussi porteuse de sens pour les clients : elle représente une relation commerciale spécifique. Certaines entreprises choisissent d'associer leur marque d'entreprise avec des marques de « produits » (souvent décrites comme étant des marques dérivées). Elles véhiculent les valeurs de l'entreprise mais aussi tout ou partie de la promesse client. Elles doivent proposer des expériences spécifiques ainsi que des bénéfices associés à un processus de service donné.

Forum Corporation, un cabinet de conseil, fait la différence entre (1) l'expérience aléatoire d'un client avec une forte variabilité, (2) une expérience de marque générale dans laquelle la majorité des prestataires offrent des expériences plus ou moins similaires, qui se différencient uniquement par la marque (celles des distributeurs de banque sont de bons exemples), et (3) une « expérience de marque de la part du client » dans laquelle l'expérience du client est modelée de façon spécifique et sensée[10] (voir Mémo 3.1).

Partout dans le monde, de nombreuses entreprises de services financiers continuent de créer des noms de marques pour distinguer les différents services qu'elles offrent. Leur objectif est de transformer une série d'éléments de services et de processus en une expérience de service cohérente et reconnaissable, offrant un rendement défini et annoncée à un prix spécifique. Malheureusement, indépendamment du nom, il y a souvent une différence à peine perceptible entre les offres de marque, car la valeur de la proposition n'apparaît pas clairement. Don Shultz, professeur émérite de communication et marketing à la Medill School of Journalism (Northwestern University), met l'accent sur le fait que « La promesse de la marque ou la valeur de la proposition n'est pas un slogan, une icône, une couleur ou un élément graphique, bien que tout cela y contribue. C'est, en fait, le cœur et l'âme de la marque[11]… »

Un challenge important pour les marketeurs de services est de maîtriser parfaitement tous les aspects de la marque, d'en être familier et de la construire en cohérence avec chacun des aspects de l'expérience de service du client. Nous pouvons établir un lien entre la notion

Se rapprocher de l'expérience de marque du client

Forum Corporation identifie huit étapes de base pour développer et valoriser l'expérience de marque du client :

1. Cibler des clients rentables, employer une segmentation liée au comportement plutôt que des considérations démographiques.

2. Avoir une connaissance approfondie de ce que les clients ciblés valorisent.

3. Créer une promesse de marque – une évocation de ce que les clients cible peuvent espérer retirer de leur expérience avec votre entreprise – qui réponde à un besoin, sur laquelle on puisse jouer, qui puisse être intégrée aux standards de l'entreprise et qui attire l'attention des clients sur l'entreprise et ses employés.

4. Utiliser cette connaissance pour construire une expérience réellement différente pour le client.

5. Donner aux employés les connaissances, les outils, ainsi que les supports nécessaires pour délivrer l'expérience définie au client.

6. Faire de chacun un gestionnaire de marque.

7. Faire des promesses que vos processus pourront tenir et dépasser.

8. Mesurer et contrôler. Le respect des délais de livraison est très important.

d'expérience d'un service de marque et la métaphore de la *fleur des services* en mettant l'accent sur le besoin de cohérence dans la couleur et la texture de chaque pétale. Malheureusement, de nombreuses expériences de services demeurent très hasardeuses et donnent le sentiment d'être face à une fleur composée de pétales d'autres fleurs !

Nous reviendrons sur la marque dans le contexte des stratégies de communications marketing[12] au chapitre 6.

4. Développer de nouveaux services

L'intensité de la concurrence et les attentes des clients augmentent dans presque tous les secteurs d'activité de services. En outre, le succès ne réside pas seulement dans le fait de fournir correctement des services existants, mais aussi dans la création de nouveaux services attractifs, différenciateurs et en accord avec l'évolution des habitudes de consommation et des besoins. Parce que les résultats et les processus se combinent souvent pour créer l'expérience clients, ces deux aspects doivent être pris en compte lors du développement d'un nouveau service.

4.1. Une hiérarchie des catégories de nouveaux services

Nous avons identifié sept catégories de nouveaux services, allant des innovations majeures aux simples changements de style.

1. *Les innovations majeures de services* sont de nouveaux services de base encore jamais définis. Ils incluent généralement des caractéristiques et des processus radicalement nouveaux. L'introduction par FedEx de la livraison express de colis de nuit dans

l'ensemble des États-Unis en 1971, la naissance du service global d'informations de CNN, le lancement des services en ligne d'eBay en sont quelques exemples[13].

2. *Les innovations majeures de processus* consistent à utiliser de nouveaux processus pour fournir des services de base déjà existants, de façon nouvelle et avec des bénéfices périphériques. Par exemple, l'Open University en Grande Bretagne est en concurrence avec d'autres universités pour proposer des programmes d'études supérieures ou non de manière non traditionnelle. Elle n'a pas de campus permanent, mais dispense ses cours en ligne ou le soir dans des locaux en location. Ses étudiants ont presque tous les avantages d'un diplôme en deux fois moins de temps et pour un prix bien inférieur aux autres universités[14]. Ces dernières années, l'expansion d'Internet a entraîné la création de nombreuses nouvelles entreprises de type start-up avec de nouveaux modèles de vente qui excluent l'utilisation de magasins traditionnels mais font gagner du temps aux clients en leur évitant de se déplacer. Souvent, ces modèles ajoutent de nouveaux avantages, principalement la fourniture d'informations périphériques, la possibilité de dialoguer avec d'autres clients (*chat*) et d'émettre des avis et suggestions sur les « produits » et les services de l'entreprise.

3. *Les extensions de gammes de services* sont des ajouts aux différents services déjà existants. La première entreprise sur un marché précis à offrir un service peut être perçue comme innovatrice, les autres seront vues davantage comme suiveuses, agissant souvent de manière défensive. Ces nouveaux services peuvent être destinés à répondre à un plus grand nombre de clients existants, ou à en attirer de nouveaux ayant différents besoins (ou bien les deux). Delta Airlines est l'un des principaux transporteurs à tenter le lancement séparé d'un modèle de transport à bas prix pour concurrencer d'autres compagnies telles que Jet Blue et Southwest Airlines. Les entreprises de téléphonie ont introduit de nombreux services à valeur ajoutée tels que l'attente en ligne ainsi que le transfert d'appel. Dans le milieu bancaire, de nombreuses banques proposent à présent des services d'assurance dans l'espoir d'augmenter le nombre de relations rentables avec les clients déjà existants.

4. *Les extensions de lignes de processus* sont moins novatrices que les innovations sur les processus eux-mêmes, mais représentent souvent de nouvelles façons distinctes de délivrer des services existants. Plus communément, elles entraînent l'ajout d'une chaîne de distribution réduisant les contacts à une chaîne de distribution à contacts plus fréquents, comme la création des services bancaires par téléphone ou par Internet. La Fnac, la plus importante enseigne de vente de livres en France, a ajouté à son activité un site Internet, Fnac.com, pour faire concurrence à Amazon.fr. Créer des options en libre-service pour compléter la livraison du service par les employés est une forme d'extension de lignes de processus.

5. *Les innovations sur les services périphériques* prennent la forme de nouveaux éléments de services ajoutés à un service de base, ou bien celle d'une amélioration d'un service périphérique. Wanadoo offre à présent aux clients plusieurs possibilités d'accès à haute vitesse à Internet en moins d'une heure, sept jours par semaine dans la plupart de ses lieux d'implantation. Des innovations sur un service déjà existant et nécessitant peu de technologie peuvent être aussi simples que l'installation d'un parking sur un lieu de vente, ou le fait d'accepter les cartes de crédit comme moyen de paiement. Des améliorations multiples peuvent transformer ce

que les clients perçoivent en une nouvelle expérience, même si elle est construite autour de la même base. Les restaurants à thème tels que les Blue Elephants améliorent le service de base de nourriture à l'aide de nouvelles expériences. Les cafés sont conçus pour distraire les clients avec des aquariums, des perroquets, des chutes d'eau, des singes en fibre de verre, des arbres parlant qui donnent des informations sur la sauvegarde de l'environnement.

6. *Les améliorations des services* sont les types d'améliorations les plus courants. Elles entraînent des changements modestes dans la performance des services déjà existants, et incluent des améliorations du service de base et des services périphériques déjà existants.

7. *Les changements de style* représentent le plus simple des types d'améliorations : ils n'entraînent aucun changement tant sur le processus que sur la performance. Cependant, ils sont souvent très visibles, suscitent l'intérêt et peuvent servir à motiver les employés. Repeindre les lieux de vente ou les véhicules, changer les uniformes des employés, introduire un nouveau type de mobilier et effectuer des changements mineurs dans les procédures utilisées par les employés en sont quelques exemples.

Comme le montre cette typologie, une innovation de service peut apparaître à différents niveaux ; tous les types d'innovations n'ont pas un impact sur les caractéristiques du service ou ne sont pas expérimentés par les clients.

4.2. Les produits comme source de nouvelles idées de service

Les produits et les services peuvent être des substituts concurrents quand ils offrent les mêmes bénéfices. Par exemple, si votre pelouse a besoin d'être tondue, vous pouvez acheter une tondeuse à gazon et le faire vous-même, ou engager un jardinier pour s'en occuper. Le choix des clients peut être fondé sur leurs connaissances, leurs capacités physiques et leur temps disponible, comme par des facteurs tels que la comparaison entre le coût de l'achat et celui de l'utilisation, la place pour le stockage des objets achetés, l'estimation de la fréquence d'utilisation. Le tableau 3.9 montre quatre possibilités dans le cas d'un trajet en voiture et dans le cas de la dactylographie d'un texte. Trois d'entre elles présentent des opportunités de service.

Tableau 3.9 : Les services en tant que substitut à la possession et/ou à l'utilisation de biens

	Posséder un bien matériel	**Louer un bien matériel**
Faire le travail soi-même	Conduire sa voiture Utiliser son traitement de texte	Louer une voiture et la conduire
Embaucher quelqu'un pour faire le travail	Se faire conduire par un chauffeur Embaucher une secrétaire pour saisir et mettre en forme un texte	Prendre un taxi ou louer une limousine Faire faire le travail par une entreprise spécialisée

Chaque nouveau produit physique peut créer le besoin d'un service qui y est lié par un processus de traitement des biens (particulièrement si le service est à forte valeur ajoutée, et durable dans le temps). Un équipement industriel peut nécessiter des services au cours de son cycle de vie, commençant par le transport et l'installation et continuant avec la maintenance, le nettoyage, les conseils d'utilisation, la résolution des problèmes, l'amélioration, la réparation et la destination finale. Historiquement, de tels services après-vente génèrent d'importants revenus au cours des années suivant la vente pour des produits comme les camions, le matériel de production industriel, les locomotives, les ordinateurs.

4.3. Réorganiser les processus de service

La création des processus de service a des conséquences non seulement sur les clients, mais aussi sur les coûts, la vitesse et la productivité. Améliorer la productivité dans les services nécessite souvent d'accélérer l'ensemble du processus (ou le cycle du temps). Réorganiser nécessite d'analyser et de repenser les processus pour accomplir plus rapidement une meilleure performance[15]. Pour réduire la durée du processus, il faut identifier chaque étape, mesurer sa durée, regarder quelles sont les possibilités de réduire le temps nécessaire à son achèvement (ou même l'éliminer) et supprimer les temps morts. Effectuer des tâches en parallèle plutôt qu'en séquence pour accélérer les processus. Les entreprises de services peuvent utiliser la technique du *blueprint* pour représenter sur des logigrammes les opérations de service d'une manière systématique.

L'examen des processus peut aussi entraîner la création de méthodes alternatives de livraison différentes pour constituer des concepts de services entièrement nouveaux. Ces nouvelles options peuvent comprendre l'élimination de certains services périphériques, l'ajout de nouveaux, l'institution de procédures en libre-service, mais aussi repenser la façon et le moment de livraison du service.

La figure 3.7 illustre ce principe à l'aide de simples logigrammes présentant quatre modèles de fourniture de repas (type restauration rapide, vente à emporter, livraison à domicile, traiteur). Du point de vue client, qu'a-t-il été ajouté ou supprimé à ce qui était proposé par un restaurant proposant un service complet ? Et dans chaque situation, comment ces changements affectent-ils les activités de *back office* ?

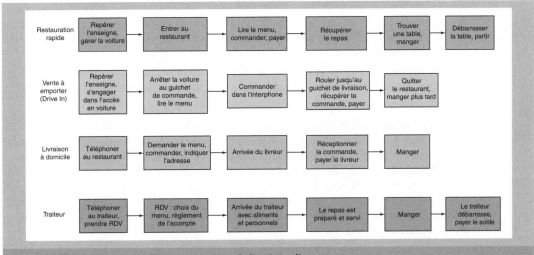

Figure 3.7 - Flowchart pour différents scénarios de livraison d'un repas.

4.4. Utiliser la recherche pour créer de nouveaux services

Si une entreprise crée un nouveau service à partir de rien, comment peut-elle savoir quelles caractéristiques et quel prix créeront la meilleure valeur pour le consommateur ciblé ? Elle doit s'adresser pour cela aux clients potentiels, d'où le besoin de recherche. Examinons comment Marriott Corporation a utilisé les experts en recherches marketing pour l'aider dans le développement de nouveaux services dans l'industrie hôtelière, en fait une nouvelle chaîne d'hôtels (baptisée Courtyard by Marriott)[16] pour les hommes d'affaires en déplacement. Le but de la recherche était d'obtenir, de la part des personnes interrogées, des réponses et des impressions sur les différents services hôteliers afin de savoir lequel avait à leurs yeux le plus de valeur, et déterminer ainsi ce qui pouvait leur être offert, en fonction du prix, pour arriver au meilleur compromis possible, en termes de rentabilité et de satisfaction client. L'entreprise voulait savoir s'il existait une niche entre les hôtels luxueux et ceux bon marché, particulièrement là où la demande était insuffisante pour justifier l'implantation d'hôtels du même type que les siens.

Un échantillon de 601 clients venant de quatre zones urbaines a participé à cette étude. Les chercheurs ont utilisé une technique sophistiquée connue sous le nom d'analyse conjointe, qui demande aux enquêteurs de faire des comparaisons entre différents groupes d'attributs[17]. L'objectif est de déterminer quel ensemble d'attributs, à des prix donnés, offre un plus grand intérêt. Les 50 attributs de l'étude de Marriott furent divisés en sept catégories (ou ensembles d'attributs) composés chacune d'une variété d'éléments différents, eux-mêmes fondés sur l'étude détaillée des offres de la concurrence :

1. *Facteurs extérieurs.* Forme du bâtiment, paysage, taille et emplacement de la piscine, taille de l'hôtel.

2. *Caractéristiques des chambres.* Taille et décor des chambres, air conditionné, emplacement et type de la salle de bains, choix de divertissements et autres agréments.

3. *Services liés à la nourriture.* Type et emplacement des restaurants, menus, repas servis dans les chambres, distributeurs automatiques, magasins, cuisines dans les chambres.

4. *Caractéristiques du salon.* Emplacement, atmosphère, type de clientèle.

5. *Services.* Réservations, enregistrement, règlement de la note, navette vers l'aéroport, réception (service de bagagistes), service de messagerie, secrétariat, location et maintenance de voitures, blanchisserie, valets de chambre.

6. *Équipements de loisirs et détente.* Sauna, bain bouillonnant, salle de sport, courts de tennis et de squash, salle de jeux, espace récréatif pour les enfants.

7. *Sécurité.* Vigiles, détecteurs de fumées, surveillance vidéo 24 h/24.

Pour chacune de ces sept catégories, une série de *stimuli* proposant différents niveaux de performance pour chaque constituant était présentée aux répondants. Par exemple, pour la chambre les propositions présentaient neuf attributs. Pour chacun d'eux, de trois à cinq niveaux de performance pour les caractériser. Ainsi, les agréments varient de petit savon à gros savon, échantillon de shampoing, cirage à chaussures, et ensuite de gros savon, gel douche, bonnet de douche, kit de couture, shampoing spécial, savon spécial, jusqu'au niveau le plus élevé, gros savon, gel douche, bonnet de bain, kit de couture, savon spécial, dentifrice, etc.

Durant la seconde phase de l'analyse, on montrait différents profils d'hôtels aux répondants. Chaque profil se caractérisait par des niveaux de performance variés selon les différentes caractéristiques contenues dans les sept facteurs ; dans certains cas, des services de premier ordre furent volontairement omis.

Les enquêtés devaient indiquer, sur une échelle de 1 à 5, leur probabilité de rester dans un hôtel présentant ces caractéristiques, pour un prix donné par nuit. La figure 3.8 montre l'une des cinquante cartes développées pour cette recherche. Chaque répondant recevait cinq de ces cartes.

PRIX DE LA NUIT : 55 euros

TAILLE DE L'HÔTEL, BAR, SALON
Vaste (600 chambres, 12 étages)
- Bar-salon paisible
- Couloirs centraux et ascenseurs
- Chambres avec grandes fenêtres

ASPECT AMÉNAGEMENT
- Forme de l'immeuble, larges ouvertures
- Paysage vu des chambres
  - Arbres et plantations
  - Piscine, fontaine
  - Terrasses ensoleillées pour manger, bronzer

ALIMENTATION
- Brasserie aux prix modérés et restaurant gastronomique
- Petit-déjeuner continental ou buffet
- Déjeuner, soupes, sandwiches
- Dîner comprenant soupes, salades, 6 plats chauds

QUALITÉ DES CHAMBRES DE L'HÔTEL
Qualité des meubles, tapis, confort du lit comparable à :
- Hyatt Regencies
- Westin Plaza Hôtels

TAILLE DES CHAMBRES ET FONCTIONNALITÉS
Chambre plus grande que dans la majorité des chambres de même catégorie
- Espace permettant la mise en place d'un lit, un canapé et 2 chaises
- Grand bureau
- Table de salon
- Nécessaire à café et réfrigérateur

SERVICES STANDARDS
- Enregistrement rapide
- Service de messages fiable
- Blanchisserie
- Portier
- Quelqu'un qui fournit gratuitement les réservations extérieures, tickets, etc.
- Propreté, tenue comparable à :
  - Hyatts
  - Marriotts

LOISIRS
- Piscines intérieure et extérieure
- Jacuzzi, sauna
- Salle de sport
- Salle de jeu pour enfant

SÉCURITÉ
- Gardien de nuit
- Extincteurs en nombre et bien disposés dans l'hôtel

Mettre une croix dans la case ci-dessous décrivant le mieux votre envie de rester à l'hôtel pour ce prix.

Souhaitez-vous séjourner presque tout le temps	Souhaitez-vous séjourner régulièrement	Souhaitez-vous séjourner de temps en temps	Souhaitez-vous rarement séjourner	Vous ne souhaitez pas séjourner
☐	☐	☐	☐	☐

Figure 3.8 - Offre simple de services hôteliers.

La recherche effectuée a fourni des indications détaillées pour la sélection d'environ 200 éléments de services, représentant les attributs les plus appréciés par les segments ciblés et les prix qu'ils étaient prêts à payer compte tenu de la concurrence. Un aspect important de l'étude était qu'elle ne se concentrait pas seulement sur ce que les voyageurs désiraient, mais également sur les éléments qu'ils apprécieraient, mais qu'ils n'étaient pas prêts à payer (après tout, il y a une différence entre vouloir quelque chose et accepter de payer pour l'obtenir !). L'utilisation de ces données a permis de définir des prix spécifiques en retenant les éléments les plus appréciés par le marché cible.

L'entreprise Marriott fut suffisamment encouragée par ces résultats pour construire trois prototypes d'hôtels Courtyard by Marriott. Après avoir testé le concept dans des conditions réelles et y avoir apporté quelques améliorations, elle a développé une grande chaîne hôtelière dont le slogan publicitaire devint « Courtyard by Marriott – l'hôtel conçu par les hommes en voyage d'affaires ». Ce nouveau style d'hôtels combla un vide avec un service correspondant aux désirs des clients et présentant un équilibre entre le prix qu'ils étaient prêts à payer et les caractéristiques physiques et de service qu'ils recherchaient. Le succès de ce projet a incité l'entreprise Marriott à développer de nouveaux services destinés à des segments de clients particuliers, tels que Fairfield Inn et SpringHill Suites, en utilisant les mêmes méthodes de recherche.

4.5. Assurer le succès dans le développement de nouveaux services

La plupart des recherches concernant les facteurs de succès des nouveaux services ont été restreintes aux marchés de l'industrie ou à ceux qui mettent en relation des acteurs économiques. Storey et Easingwood affirment que dans le développement de nouveaux services, le service de base n'a qu'une importance secondaire. C'est la qualité de l'offre globale du service, ainsi que le support marketing qui va avec, qui ont une importance capitale. Le succès vient de la connaissance du marché :

> *Sans compréhension du marché, sans connaissance des clients et sans connaissance des concurrents, il est très improbable qu'un nouveau service puisse être un succès[18].*

Tax et Stuart, tous deux professeurs associés à l'université de Victoria, affirment que les nouveaux services devraient être définis en fonction des possibilités d'extension du système de service existant, liées aux interactions entre participants, processus et éléments physiques[19]. Ils proposent une organisation du cycle en sept étapes pour évaluer la faisabilité et les risques associés à l'intégration de nouveaux développements.

Les entreprises de services ne sont pas à l'abri du taux d'échec élevé que l'on rencontre avec les nouveaux produits manufacturés. L'arrivée d'Internet a entraîné la création de nombreuses et nouvelles entreprises « .com », mais la majorité d'entre elles a échoué au bout de quelques années, voire quelques mois pour certaines. Les raisons de ces échecs sont très diverses et incluent notamment l'impossibilité de répondre aux besoins identifiés les clients, l'incapacité de dégager des bénéfices, ainsi que des problèmes de qualité d'exécution du service.

Jusqu'à quel point les processus de développement de nouveaux services peuvent-ils être conduits et contrôlés pour assurer leur réussite ? Une étude d'Edgett et de Parkinson, respectivement professeur à l'université Hamilton à Ontario et professeur au centre de gestion de l'université de Bradford, s'est concentrée sur les facteurs discriminants entre les nouveaux services financiers qui ont eu du succès et ceux qui n'en ont pas eu[20]. Ce sont, par ordre d'importance :

1. *La synergie avec le marché.* Le nouveau service est cohérent avec l'image existante de l'entreprise, lui procurant un avantage sur les concurrents en termes de rencontre des besoins connus des clients, et reçoit un support efficace de l'entreprise et de ses filiales pendant et après le lancement ; de plus, l'entreprise a une bonne connaissance des comportements d'achat de ses clients.

2. *Les facteurs organisationnels.* Coopération et coordination doivent exister entre les différents secteurs de l'entreprise ; le personnel chargé du développement est totalement impliqué dans l'activité globale de celle-ci et convaincu de l'importance du nouveau service.

3. *Les facteurs de recherche marketing.* Des études de marché détaillées et menées scientifiquement sont réalisées tôt dans le processus de développement avec une idée claire du type d'informations qu'il faut obtenir ; une bonne définition du concept du service doit être développée avant de lancer l'étude.

Une autre étude sur les services financiers des entreprises a apporté des résultats plus ou moins similaires[21]. Dans ce cas, les facteurs clés – dont dépendait le succès – étaient identifiés comme la *synergie* (en termes d'expérience, d'existence d'un lien entre le service, l'entreprise et les ressources proposées) et le *marketing interne* (le support apporté au personnel avant le lancement).

Le succès de Courtyard by Marriott dans un secteur vraiment différent, un service à processus de traitement des personnes avec de nombreux éléments tangibles, renforce l'idée selon laquelle un processus de développement hautement structuré augmentera les chances de succès d'une innovation. Cependant, il peut y avoir des limites au niveau de la structuration qui peut et doit être imposée. Edwardson, Haglund et Mattson ont passé en revue les nouveaux développements de services dans les télécommunications, les transports et les services financiers. Ils en ont conclu que :

> *Les processus complexes tels que le développement de nouveaux services ne peuvent pas être formellement planifiés. La créativité et l'innovation ne peuvent pas seulement s'appuyer sur la planification et le contrôle. Il doit y avoir certains éléments d'improvisation, d'anarchie et de compétition interne dans le développement de nouveaux services… Nous croyons qu'une approche contingentée est nécessaire et que la créativité, d'un côté, la planification formelle ainsi que le contrôle, de l'autre, peuvent être combinés et avoir pour résultats de nouveaux services qui seront des succès[22].*

Conclusion

Créer un service est une tâche complexe qui nécessite de comprendre comment les services de base et périphériques doivent être combinés, ordonnés et programmés pour créer une offre qui rencontre les besoins des segments cibles du marché. De nombreuses entreprises créent un éventail d'offres avec des attributs ayant des performances différentes, et donnent à chaque ensemble une marque ou un nom différent. Cependant, si aucune de ces marques dérivées n'apporte de valeur qui ait un sens, cette stratégie sera inefficace d'un point de vue concurrentiel. En particulier, la création de marques de services distinctes nécessite une certaine cohérence de tous les éléments à tous les niveaux du processus de livraison du service.

Les innovations majeures de services sont relativement rares, alors qu'elles sont l'élément central d'une action marketing efficace. L'utilisation des nouvelles technologies, pour fournir un service existant d'une nouvelle manière, est beaucoup plus commune. Dans les secteurs d'activité arrivés à maturité, le service de base peut devenir une commodité. La recherche d'avantages concurrentiels se concentre souvent sur des améliorations portant sur la création de valeur grâce aux services périphériques qui entourent le service de base. Dans ce chapitre, nous avons regroupé les services périphériques en huit catégories, entourant un cœur comme les pétales d'une fleur.

Un élément clé du concept de *fleur des services* est le fait que différents types de services de base partagent souvent l'utilisation d'éléments périphériques similaires. Avec pour résultat le fait que les clients peuvent faire des comparaisons entre les différents secteurs d'activité. Par exemple, « Si mon gestionnaire de portefeuille peut me donner une information claire sur l'activité de mon compte, pourquoi le magasin dans lequel je fais mes courses ne le pourrait-il pas ? », ou « Si ma compagnie aérienne préférée peut prendre des réservations efficacement, pourquoi mon restaurant chinois favori ne le pourrait-il pas ? » Les questions de ce type devraient inciter les responsables à étudier le monde des affaires, au-delà de leur type d'activité, en recherchant le meilleur prestataire pour un service supplémentaire donné.

Activités

Questions de révision

1. Expliquez le rôle des services périphériques. Peuvent-ils être appliqués aux marchandises aussi bien qu'aux services ? Si oui, comment pourraient-ils être en relation avec une stratégie marketing ?

2. Expliquez la différence entre services périphériques de soutien et services périphériques facilitants. Donnez plusieurs exemples tirés de services que vous avez récemment utilisés.

3. Comment la stratégie de marque est-elle utilisée dans le marketing des services ? Quelle est la différence entre une marque d'entreprise comme Accor et les noms de ses différentes chaînes hôtelières ?

4. Quel intérêt a British Airways à utiliser des noms de marques tels que Club World ou Euro Traveller ? Pourquoi ne pas juste mettre en place une classe affaire et une classe économique ?

5. Quel est l'objectif de techniques telles que l'analyse conjointe dans la création de nouveaux services ?

Exercices d'application

1. Quels échecs de services avez-vous rencontrés au cours des deux dernières semaines ? Mettent-ils en cause le service de base ou des éléments de services périphériques ? Identifiez les causes possibles de tels échecs, et comment ils pourraient être évités à l'avenir.

2. Identifier quelques exemples réels de marques de « produits » financiers pris dans la banque ou les assurances. Définissez leurs caractéristiques. Quelles significations et quelles valeurs ces marques aimeraient-elles transmettre aux clients ?

Notes

1. G. Lynn Shostack, « Breaking Free from Product Marketing », *Journal of Marketing*, vol. 44, avril 1977, pp. 73-80.

2. Pierre Eiglier et Éric Langeard, « Services as Systems : Marketing Implications », in *Marketing Consumer Services : New Insights*, P. Eiglier, É. Langeard, C. H. Lovelock, J. E. G. Bateson et R. F. Young (dir.), Cambridge, Institut des sciences du marketing, 1977, pp. 83-103. Note : une version antérieure de cet article a été publiée en français dans la *Revue française de gestion*, mars-avril 1977, pp. 72-84.

3. Christian Grönroos, *Service Management and Marketing*, Lexington, Lexington Books, 1990, p. 74.

4. Pour avoir un exemple de services central, périphériques et annexes en milieu culturel, voir : Chatelain Stéphanie, « Le marketing en milieu muséal », *Actes des Journées de recherche en marketing de Bourgogne*, Dijon, 27 novembre 1997, pp. 57-71.

5. Le concept de *fleur des services*, présenté dans cette section, est apparu pour la première fois dans « Cultivating the Flower of Service : New Ways of Looking at Core and Supplementary Services », de Christopher H. Lovelock, in *Marketing, Operations, and Human Resources : Insights into Services*, P. Eiglier et E. Langeard (éd.), Aix-en-Provence, IAE, université d'Aix-Marseille III, 1992, pp. 296-316.

6. James C. Anderson et James A. Narus, « Capturing the Value of Supplementary Services », *Harvard Business Review*, vol. 73, janvier-février 1995, pp. 75-83.

7. Voir Jean-François Bourgois et Frédéric Jallat, « Histoire d'une innovation de service réussie : le lancement de Formule 1 », *Décisions marketing*, n° 2, 1994, pp. 31-35.

8. Weizhong Jiang, Chekitan S. Dev et Vithala R. Rao, « Brand Extension and Customer Loyalty : Evidence from the Lodging Industry », *Cornell Hotel and Restaurant Administration Quarterly*, août 2002, pp. 5-16.

9. www.sun.com/service/support/sunspectrum, visité en mars 2003.

10. Joe Wheeler et Shaun Smith, *Managing the Experience*, Upper Saddle River, Prentice Hall, 2003.

11. Don E. Shultz, « Getting to the Heart of the Brand », *Marketing Management*, septembre-octobre 2001, pp. 8-9.

12. Des informations périphériques concernant la marque pourront être consultées dans les textes suivants : Annabel Salerno, « Le rôle de la congruence des valeurs marque-consommateur et des identifications sociales de clientèle dans l'identification de la marque », *Actes du congrès de l'Association française de marketing de Lille*, 2002 ; Jean-Marc Ferrandi et Pierre Valette-Florence, « Premiers test et validation de la transposition d'une échelle de personnalité humaine aux marques », *Recherche et applications en marketing*, vol. 17, n° 3, 2002.

13. Frédéric Jallat, « Innovation dans les services : les facteurs de succès », *Décisions marketing*, n° 2, 1994, pp. 23-30.

14. Voir James Traub, « Drive-Thru U. », *The New Yorker*, 20 et 27 octobre 1997 ; Joshua Macht, « Virtual You », *Inc. Magazine*, janvier 1998, pp. 84-87.

15. Voir, par exemple, Michael Hammer et James Champy, *Reengineering the Corporation*, New York, HarperBusiness, 1993.

16. Jerry Wind, Paul E. Green, Douglas Shifflet et Marsha Scarbrough, « Courtyard by Marriott : Designing a Hotel Facility with Consumer-Based Marketing Models », in *Interfaces*, janvier-février 1989, pp. 25-47.

17. Paul E. Green, Abba M. Krieger et Yoram (Jerry) Wind, « Thirty Years of Conjoint Analysis : Reflections and Prospects », *Interfaces*, 31, mai-juin 2001, S56-S73.

18. Chris D. Storey et Christopher J. Easingwood, « The Augmented Service Offering : A Conceptualization and Study of Its Impact on New Service Success », *Journal of Product Innovation Management*, vol. 15, 1998, pp. 335-351.

19. Stephen S. Tax et Ian Stuart, « Designing and Implementing New Services : The Challenges of Integrating Service Systems », *Journal of Retailing*, vol. 73, n° 1, 1997, pp. 105-134.

20. Scott Edgett et Steven Parkinson, « The Development of New Financial Services : Identifying Determinants of Success and Failure », *International Journal of Service Industry Management*, vol. 5, n° 4, 1994, pp. 24-38.

21. Christopher Storey et Christopher Easingwood, « The Impact of the New Product Development Project on the Success of Financial Services », *Service Industries Journal*, vol. 13, n° 3, juillet 1993, pp. 40-54.

22. Bo Edvardsson, Lars Haglund et Jan Mattsson, « Analysis, Planning, Improvisation and Control in the Development of New Services », *International Journal of Service Industry Management*, vol. 6, n° 2, 1995, pp. 24-35 (34) ; voir également Bo Edvardsson et Jan Olsson, « Key Concepts for New Service Development », *The Service Industries Journal*, vol. 16, avril 1996, pp. 14-164.

Chapitre 4

La distribution des services et le multicanal

« Pensez globalement et agissez localement. » – John Naisbitt

« Les entreprises les mieux équipées pour le 21e siècle sont celles qui considéreront l'investissement dans des systèmes temps réel comme essentiel pour maintenir leur compétitivité et conserver leurs clients. »
– Regis Mc Kenna

Ce chapitre aborde les questions suivantes

- Comment peut-on délivrer les services ? Quels sont les principaux modes de distribution ?
- Quels sont les principaux défis que pose la distribution des services orientés vers les personnes, les biens ou fondés sur l'information ?
- Quelles sont les implications pour une entreprise délivrant des services à travers des canaux physiques et électroniques ?
- Quels rôles jouent les intermédiaires dans la livraison des services ?
- Quels sont les principaux « moteurs » de la globalisation des services et de leur distribution ?

Délivrer un service à des clients implique de savoir : où ? quand ? comment ? La croissance rapide d'Internet et maintenant des portables aux fonctions de plus en plus variées et étendues signifie que les stratégies marketing doivent prendre en considération le *cyberespace* et le temps en s'intéressant autant à la livraison électronique des services qu'à la livraison physique plus traditionnelle dans un lieu donné. De plus, la globalisation croissante pose d'importantes questions stratégiques sur les modes de livraison de services internationaux.

Dans ce chapitre, nous allons aborder le rôle que joue la livraison dans la définition d'une stratégie de services, globalement et localement, et l'impact du multicanal dans la performance marketing de l'entreprise de services.

1. La distribution dans le contexte des services

Beaucoup de gens imaginent, sous le vocable « distribution », l'acheminement de boîtes en carton à des magasins ou des particuliers. Or, dans le contexte de services, en raison de l'absence de stock et de l'importance de l'information transportée par le canal électronique, il n'y a souvent rien à transporter. Comment la distribution peut-elle s'effectuer dans ce type d'environnement ?

Dans un cycle normal de vente, la distribution s'articule autour de trois éléments indissociables :

1. *La promotion et l'information.* La diffusion des informations et des matériels promotionnels relatifs à la prestation de service dans le but d'intéresser le client à l'achat du service.

2. *La négociation.* Parvenir à un accord sur le contenu et la configuration du service ainsi que sur les conditions financières pour pouvoir finaliser le contrat d'achat. L'enjeu ici est de vendre le droit d'utilisation du service (une réservation ou un billet).

3. *Le flux du « produit »/service.* De nombreux services, surtout ceux qui impliquent une intervention humaine ou qui nécessitent une implantation physique, demandent des installations pour leur mise en œuvre. Dans ce contexte, la stratégie de distribution nécessite le développement d'un réseau de sites locaux. En ce qui concerne un service de traitement de l'information, comme les prévisions météo, les opérations bancaires sur Internet, l'enseignement à distance, l'information ou les programmes de télévision, le flux du « produit » (contenant du service) peut être effectué par des canaux électroniques centralisés sur un ou plusieurs sites.

1.1. Distinguer la distribution des services périphériques du service de base

La distribution peut concerner le service de base mais aussi les services périphériques. C'est une distinction importante car beaucoup de services de base exigent un emplacement physique (ce qui représente une contrainte) ce qui n'est pas forcément le cas des services périphériques. Par exemple, les vacances au Club Méditerranée ne peuvent être prises qu'au Club Méditerranée, et les représentations d'un spectacle de Broadway doivent obligatoirement avoir lieu dans un théâtre à Manhattan (sauf s'il part en tournée). En effet, un grand nombre de services périphériques sont par nature informationnels et peuvent être distribués à moindre coût par d'autres moyens et canaux de distribution. Les clients potentiels du Club Méditerranée ont accès à l'information par leur agence de voyage mais aussi, par Internet, au téléphone ou même par courrier, à la suite de quoi ils peuvent effectuer leur réservation en utilisant le même canal. De la même manière, les places de théâtre peuvent être achetées à distance et ne demandent nécessairement de se rendre sur place.

En regardant les huit pétales de la *fleur des services*, on peut observer que pas moins de cinq pétales se rapportent à l'information (figure 4.1). Les services d'information, de conseil, de commande, de réservation, de paiement et de facturation (carte de crédit) peuvent tous s'effectuer par voie informatique et/ou électronique. Même les entreprises de services pour lesquelles le service de base est essentiellement composé d'éléments tangibles, tel que la vente au détail et les réparations, déplacent vers Internet de nombreux services périphériques, ferment des agences et s'appuient sur des moyens logistiques rapides pour mettre en œuvre de nouvelles stratégies de traitement à distance de leurs clients.

Dans certains secteurs, la distribution de l'information, les moyens de consultation et la prise de commande (ou la réservation et la vente de billets) ont atteint un niveau très

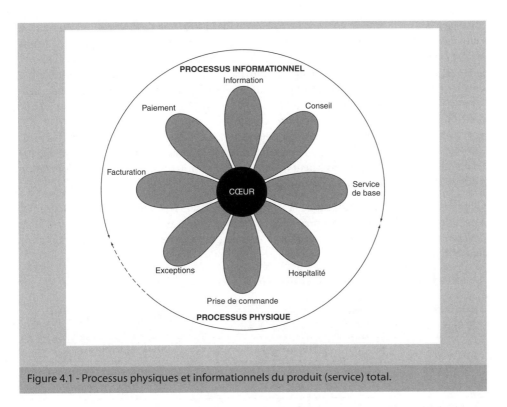

Figure 4.1 - Processus physiques et informationnels du produit (service) total.

sophistiqué. Par exemple, le groupe Accor, dont les 4 000 hôtels incluent des enseignes aussi prestigieuses que Sofitel, Novotel ou Mercure, a vu ses ventes par Internet augmenter considérablement. Comme le dit Mathieu Statt directeur marketing Internet et CRM :

> À la fin du mois d'octobre, l'ensemble du portefeuille de marques hôtelières d'Accor enregistraient un volume d'affaires en ligne de 710 millions d'euros sur 10 mois, contre 619 millions sur l'année 2005 complète. Nous pensons donc dépasser 800 millions d'euros de volume d'affaires Internet sur 2006, ce qui représente une progression importante. La contribution de la vente en ligne au chiffre d'affaires global était de 12,5 % à la fin du mois d'octobre dernier, contre 9,8 % sur l'ensemble de l'année 2005 et 7,8 % en 2004. C'est la clientèle individuelle pour affaires ou loisirs qui représente la plus large contribution à notre volume d'affaires Internet loin devant le en ligne, dans une optique de recrutement et de gain de parts de marché.

2. Les choix des canaux dépendent des types de contact

Décider où, quand et comment effectuer une prestation de service a une incidence importante sur la nature de l'expérience de service car cela détermine le type de contact (s'il y a lieu) avec le personnel du prestataire, ainsi que le prix et les autres coûts inhérents à l'obtention de ce service.

Plusieurs facteurs doivent être pris en compte dans la stratégie de distribution du service. La question clé est de savoir si la nature du service ou la stratégie de l'entreprise exige que le client soit en contact physique direct avec le personnel, l'équipement ou les installations. Si tel est le cas, les clients doivent-ils se rendre chez le prestataire de services, ou bien ce dernier enverra-t-il ses employés et ses équipements ? Ou encore, est-il possible d'effectuer les opérations à distance grâce aux outils de télécommunications ou à des canaux de distribution physique ? L'une des réponses possibles est intimement liée au caractère plus ou moins complexe que représentent l'opération de service et, bien entendu, les aptitudes et expertises du client à réaliser entièrement la transaction de service. Le problème ici est que l'entreprise de services peut détenir une définition de la complexité de l'opération différente de celle du client et inversement.

Ce point est lié à la question centrale : l'entreprise de services veut/doit-elle fonctionner à partir d'un site unique ou proposer à ses clients plusieurs points de vente dans des lieux différents ? Les choix possibles, combinant les types de contacts et le nombre de sites, figurent au tableau 4.1.

Tableau 4.1 : Méthode de distribution des services

Nature des interactions entre le client et le prestataire de service	Disponibilité des installations de services	
	Site unique	Sites multiples
Le client va chez le prestataire de service	• Théâtre • Coiffeur	• Transport en commun • Restauration rapide
Le prestataire de services va chez le client	• Jardinier • Service de dératisation • Taxi	• Distribution du courrier
Le client et le prestataire de services traitent à distance (courrier ou liaisons électroniques)	• Carte de crédit • Chaîne de télévision	• Stations de radio • Compagnie de téléphone

2.1. Le client se rend chez le prestataire de services

La facilité d'accès à des lieux de services et l'amplitude de leurs heures d'ouverture ont une grande importance lorsque le client doit se rendre sur le lieu de service, soit pour effectuer une transaction soit, toute simplement, pour commencer ou conclure une opération. À ce titre, des analyses statistiques complexes sont utilisées pour faciliter les décisions de localisation des supermarchés en fonction de l'emplacement des lieux de travail ou de résidence des clients potentiels. (Pour ce genre de décision, la méthode Delphi est efficace[1].) L'analyse de la circulation routière et piétonnière permet d'établir le nombre de clients potentiels qui passent tous les jours devant un site donné. La construction d'une voie express ou l'ouverture d'une nouvelle ligne de bus ou de train peuvent avoir un impact significatif et aider à définir les sites qui deviennent plus propices ou ceux qui le sont moins.

La tradition selon laquelle les clients se rendent chez le prestataire pour des services autres que le traitement des personnes est désormais remise en cause en raison des avancées technologiques des télécommunications, de l'organisation des entreprises – qui tend de plus en plus à fournir une prestation de services à distance – et de l'amélioration des « connaissances » des consommateurs quels que soient les domaines. L'augmentation des équipements technologiques et leur baisse de prix, l'augmentation des connexions Internet par ménage, les effets intergénérationnels, le gommage des frontières lieu de travail/lieu de résidence, l'hybridation des technologies (le téléphone portable avec connexion Internet), ainsi que l'accès croissant à tout type d'information sur le Net sont autant de facteurs qui concourent à augmenter l'autonomie des clients vis-à-vis de leurs prestataires mais également à réfuter/refuser/remettre en cause l'hégémonie de certains métiers de services et une relation de dépendance largement entretenue par un certain nombre d'entreprises de services et de corporations de services. Les clients ne sont plus ce qu'ils étaient et ont largement compris les avantages qu'ils pouvaient tirer d'une liberté retrouvée.

Figure 4.2 - Étudiantes à l'université.
Source : Reims Management School.

2.2. Le prestataire de services se rend chez le client

Dans d'autres cas, c'est le prestataire de services qui se déplace chez le client. La société Sodexho par exemple fournit des services de restauration et d'entretien à une gamme de clients très variée, écoles, hôpitaux, stades et prisons. Elle doit envoyer ses employés et leurs équipements, car, par définition, le besoin est spécifique au lieu d'intervention.

Se rendre chez le client est inévitable lorsque l'intervention concerne un objet inamovible (arbre à élaguer, machines à réparer, insectes nuisibles à éliminer…).

Dans d'autres cas, se rendre chez le client est facultatif. Il est en effet plus coûteux en termes de temps et d'argent pour le prestataire de services de se rendre avec ses équipements chez le client plutôt que l'inverse, d'où la tendance actuelle à faire déplacer le client (de moins en moins de médecins se rendent à domicile !). Néanmoins, dans les endroits très éloignés comme l'Alaska ou le nord-ouest du Canada, les prestataires prennent couramment l'avion pour aller chez leurs clients car ceux-ci ont plus de difficultés à voyager. L'Australie est connue pour son « Royal Flying Doctor Service » qui expédie ses médecins jusqu'aux fermes les plus reculées.

En règle générale, les prestataires de services auront plutôt tendance à se déplacer auprès des entreprises que chez les particuliers, ce que reflète l'importance, en termes de volume, des opérations de services *B to B*. Le service aux particuliers peut devenir néanmoins une niche de marché lucrative si ces derniers sont prêts à payer un supplément pour un service personnalisé. Par exemple, une jeune vétérinaire s'est constitué une clientèle à partir du concept d'intervention à domicile pour animaux domestiques. Elle a remarqué que ses clients préféraient payer davantage pour un service qui, non seulement leur fait gagner du temps, mais est aussi moins stressant pour les animaux – ceux-ci n'ont pas à attendre dans une salle d'attente bondée d'animaux et de maîtres angoissés. Le lavage de voiture « sur place », la restauration à domicile et en entreprise, la confection sur mesure ou les soins esthétiques sont d'autres exemples de ce type de services.

La location d'équipements et de main-d'œuvre, pour des événements ponctuels ou pour répondre à la demande de clients souhaitant augmenter leur capacité de production pendant des périodes de forte activité, est également une prestation de service en pleine croissance.

2.3. Les opérations de services sont effectuées à distance

Un client qui effectue ses opérations de services à distance et uniquement à distance ne connaît pas les locaux de son prestataire ni les personnels en contact. Il y aura donc peu de contacts personnels et ceux-ci se feront le plus souvent par téléphone ou, ce qui accentue l'éloignement, par courrier, fax ou e-mail.

Pour la réparation de petits matériels, on pourra demander au client d'expédier l'objet à un centre de services après-vente où il sera dépanné, puis renvoyé à l'expéditeur (avec la possibilité de payer plus cher pour une livraison rapide). De nombreux prestataires de services ont mis en place un système de livraison intégré en partenariat avec des entreprises de transports express dont certaines proposent des solutions très intéressantes, telles que le stockage et la livraison express de pièces détachées d'avion (*B to B*), ou la collecte à domicile de téléphones portables défectueux et leur retour au consommateur après réparation (*B to C*, ramassage et livraison).

Tout produit à base d'information peut être transmis presque instantanément grâce aux outils de télécommunications vers n'importe quelle partie du monde où existe l'outil de réception approprié. Les services postaux ou autres prestataires logistiques sont dorénavant en concurrence avec les services de télécommunications.

2.4. Les préférences des canaux diffèrent selon les consommateurs

L'utilisation de différents circuits de distribution pour un même service (par exemple, les services bancaires peuvent être dispensés par Internet, téléphone portable, répondeur automatique, centre d'appel, distributeur automatique, au guichet ou par visite à domicile) a non seulement une incidence sur le coût du service pour le prestataire, mais aussi sur la façon dont le service est ressenti par le client. De récentes études ont porté sur la préférence des consommateurs en termes de canaux de distribution de services (personnel, impersonnel ou libre service), ce qui a permis de dégager certains principes généraux[2] :

- Plus le service ou l'achat sera perçu comme complexe et à haut risque, plus le consommateur recherchera le contact personnel. Par exemple, si les clients d'une banque utilisent volontiers le télétraitement pour commander une carte de crédit, ils préféreront un entretien personnel pour un crédit immobilier.

- Les clients ayant un bon niveau de familiarité et de confiance envers un service et/ou un canal de distribution tendent à utiliser les canaux à distance (automatiques, téléphoniques, électroniques).

- Les clients qui cherchent simplement à concrétiser une opération recherchent avant tout la facilité généralement associée aux canaux à distance et au libre-service. Ceux qui ont des préoccupations d'ordre social utiliseront de préférence les canaux personnels.

- La commodité est le facteur décisif quant au choix du mode de service auprès de la majorité des consommateurs. Elle se traduit pour eux par un minimum d'effort et de perte de temps plutôt que par des économies d'argent. Cela concerne non seulement l'opération elle-même mais également la facilité d'accès au service à tout moment. Les clients veulent aussi pouvoir accéder aux services périphériques, en particulier l'information, les réservations et les réponses à leurs problèmes, sans y passer trop de temps.

  La commodité est sur la même échelle que le « faire soi-même ». Faire soi-même est l'inverse du confort et de la réduction d'effort, cette pratique place le rôle du client en concurrence avec l'entreprise (un client qui décide de faire sa vidange de voiture lui-même). Plusieurs raisons expliquent cette pratique : économie, mais surtout recherche d'une expérience et d'un contrôle sur sa vie. À l'inverse, la commodité maximale consiste à tout faire pour le client en lui évitant tout effort. Entre ces deux bornes, il y a une participation commune qui conduit à la coproduction avec, pour l'entreprise, en plus de la production, l'assistance au client et le contrôle de la réalisation.

3. Les décisions du lieu et des horaires

Sur quels critères les responsables doivent-ils s'appuyer pour décider du lieu et des horaires de livraison des prestations de services ? La réponse dépend des besoins et des attentes des clients, de la maîtrise de technologies par le client, des pratiques de la concurrence, de la nature du service (expertise/risques associés), de l'ergonomie des sites (dans le cas du canal électronique), de la complexité des procédures à suivre dans l'utilisation du téléphone, de l'encombrement des lignes. Comme on l'a vu, les stratégies de distribution de certains services périphériques sont parfois différentes de celles utilisées pour le service de base. Par exemple, si le client trouve normal d'avoir à se rendre à un endroit spécifique et à une heure précise pour un événement sportif ou un spectacle, il peut souhaiter plus de souplesse dans les horaires et les moyens d'accès pour réserver sa place, ce qui implique l'élargissement des heures d'ouverture du service des réservations, l'acceptation de celles-ci et leur paiement par carte bancaire, téléphone ou Internet, et l'expédition des billets par courrier ou e-mail.

3.1. Où délivrer les services

La localisation d'un site qui reçoit les clients dépend de critères différents de ceux de sites où se déroulent les activités de *back office*. Dans le premier cas, ce sont les préférences du client qui prédominent. Les services peu différents de ceux de la concurrence doivent être facilement accessibles depuis le domicile ou le lieu de travail des clients (services bancaires, restauration rapide…). En revanche, les consommateurs pourront accepter de faire le déplacement pour un service dont ils ont particulièrement besoin ou envie.

Les contraintes liées à la localisation

Malgré l'importance que revêt le facteur « commodité » pour le client, des problèmes opérationnels peuvent générer des contraintes spécifiques à certains services. Les aéroports sont par exemple souvent mal situés par rapport aux domicile, lieu de travail ou destination des passagers. Pour des raisons liées au bruit et à l'environnement, trouver un site pour un nouvel aéroport ou pour en agrandir un existant est une tâche bien difficile (on demanda un jour à un ministre du gouvernement français quel serait le meilleur endroit pour construire un troisième aéroport pour desservir Paris ; il réfléchit, puis répondit : « Le plateau du Larzac »). Leur situation, loin des centres-villes où la plupart des passagers souhaitent pourtant se rendre, implique la construction de lignes ferroviaires express (Orlyval en région parisienne ou la liaison expresse entre Paris et l'aéroport Roissy-Charles-de-Gaulle). D'autres contraintes sont liées à des facteurs géographiques, comme le climat et la nature du terrain.

La recherche d'économies d'échelle peut également restreindre les choix de localisation. Les grands centres hospitaliers fournissent une gamme étendue de prestations médicales, ou même des facultés de médecine, pour lesquelles ils ont besoin de bâtiments importants. Les patients devant suivre un traitement complexe ne peuvent pas être soignés chez eux et doivent s'y déplacer. Une ambulance, voire un hélicoptère, peut être mise à leur disposition pour les y conduire. Cela est d'autant plus nécessaire dans les cas où les équipements ou les compétences ne se trouvent que dans quelques hôpitaux. Les chirurgiens auront tendance à habiter à proximité afin de pouvoir s'y rendre facilement en cas d'urgence.

Il faut cependant relever que les progrès technologiques, la recherche médicale et les récentes innovations en matière de télécommunications ont permis au secteur hospitalier (et médical au sens large du terme) d'être extrêmement innovant en matière de site mais aussi de prestations de services.

Certains hôpitaux (dont celui de Grenoble très prisé pour son service urologie et néphrologie, greffes rénales) ont développé des centres de dialyse en « libre-service » au sein des antennes hospitalières, mais aussi à domicile, ainsi que des suivis de malades à distance. Les services de dialyse sont proposés à certains patients atteints de pathologies rénales spécifiques. En revanche, le suivi à distance est de plus en plus répandu : le malade envoie des informations au service hospitalier dont il dépend et le personnel de soins à domicile procède de la même façon. D'importantes activités médicales réticulaires ont pu voir le jour grâce aux progrès technologiques et médicaux et ont considérablement modifié les politiques de localisation mais aussi les rôles, attributions et responsabilités alloués au patient.

Les « mini-stores »

Un développement assez intéressant pour les entreprises multiservices a été de maximiser leur couverture dans une zone géographique donnée par l'implantation de sites de prestations de services à très petite échelle. Une des approches passe par l'automatisation. Ainsi, les distributeurs automatiques de billets fournissent un service proche de celui d'une agence bancaire au moyen d'un petit terminal en libre-service que l'on peut placer un peu partout[3]. Les restaurants *Le Poivrier* en France sont souvent cités en exemple pour leur stratégie innovante fondée sur de petits restaurants sans cuisine. Le groupe centralise la préparation des repas en un seul site qui livre des plats précuisinés aux restaurants qui n'ont plus qu'à les réchauffer avant de les servir.

De plus en plus d'entreprises de services parviennent à mailler leurs réseaux de services en concentrant sur un même lieu de services (existence d'un flux important de clients) un ensemble d'automates. C'est le cas, par exemple, d'une banque qui installe ses distributeurs automatiques dans une grande surface ou des points de vente spécialisés dans une gare (journaux, sandwiches, etc.). L'enseigne Monoprix installée principalement en centre-ville propose à ses clients un ensemble de services automatisés : une machine SNCF pour retirer ses dossiers ou réserver un billet de train, des photocopieuses, des photomatons, un DAB (distributeur automatique de billets), un GAB (guichet automatique bancaire), une machine de location de DVD.

L'automatisation des prestations de services, lorsqu'elle est possible (complexité et faisabilité technique), permet de « repenser » la localisation mais aussi de mailler des réseaux de services complémentaires.

S'installer au sein d'un complexe à usages multiples

La localisation la plus logique et la plus évidente du service est à proximité du domicile ou du lieu de travail de la clientèle. Les immeubles modernes sont souvent conçus pour abriter toutes sortes d'activités, pas seulement des bureaux ou des centres de production, mais aussi des services tels qu'une banque (ou au moins un distributeur automatique), un restaurant, un salon de coiffure, des magasins, etc. Certaines entreprises ont même prévu une garderie d'enfants pour simplifier la vie des parents.

Une tendance actuelle consiste à installer les activités de proximité ou autres services le long des voies de transports et près des gares (routières ou de chemin de fer) et des aéroports. Les grandes compagnies pétrolières ont installé des magasins dans leurs stations-service pour offrir aux clients de passage la possibilité d'acheter dans un site unique non seulement du carburant mais aussi des accessoires automobiles, de la nourriture, des produits ménagers, de la lecture. Les aires de repos sur autoroutes sont souvent équipées de toilettes, distributeurs de billets, télécopieurs, restaurants et hôtels, en plus de toute une gamme de services d'entretien et de dépannage pour camions et véhicules de tourisme. Un des développements les plus intéressants concerne les terminaux d'aéroports.

Conçus initialement dans le cadre de l'infrastructure des transports aériens comme simples lieux de transit des passagers et de leurs bagages, ils se voient convertis en centres commerciaux et de loisirs. Si l'on tient compte du temps que passent certains clients entre deux correspondances, ces initiatives font sens et créent de la valeur, pour les clients mais aussi pour l'aéroport.

3.2. Quand le service doit-il être délivré ?

Dans le passé, la plupart des commerçants et prestataires de services des pays industrialisés avaient des horaires traditionnels et plutôt restrictifs qui limitaient la disponibilité du service quarante à cinquante heures par semaine. Dans un certain sens, cette pratique cadrait avec les usages (mais aussi les contraintes légales et syndicales) de ce qui était considéré comme convenable en matière d'horaires de travail des employés et d'ouverture des magasins. Cette situation causait beaucoup de problèmes aux clients qui devaient faire leurs achats soit pendant la pause déjeuner, en supposant que les magasins restent ouverts, soit le samedi. Historiquement, l'ouverture le dimanche était réprouvée dans les pays de culture chrétienne et même interdite par la loi, reflétant une longue tradition fondée sur les pratiques religieuses. De nos jours, la législation est moins virulente mais se maintient. Parmi les services, seules quelques distractions et activités de loisirs comme le cinéma, les restaurants et les salles de sport restaient disponibles le soir en semaine et pendant le week-end, mais avec certaines restrictions en termes d'horaires d'activité, surtout le dimanche.

Aujourd'hui, la situation est en pleine évolution. Dans les activités pour lesquelles une réponse instantanée est requise, la règle est devenue le service 24 h/24, 7 j/7, partout dans le monde (voir Mémo 4.1). Néanmoins, il existe des oppositions à l'ouverture sept jours par semaine. Aujourd'hui, en 2007, selon une enquête du *Figaro*, 72 % des Français déclarent être favorables à l'ouverture des magasins le dimanche et ceci correspond à une réalité sociale. Toujours selon *Le Figaro*, les commerçants ouverts le dimanche disent réaliser ce même jour 40 % de leur chiffre d'affaires hebdomadaire.

Mémo 4.1

Quels sont les facteurs encourageant les horaires étendus ?

Cinq facteurs contribuent à l'extension des horaires d'ouverture. La tendance est plus accentuée aux États-Unis et au Canada, mais également dans d'autres pays européens comme l'Allemagne.

- *Pression économique des consommateurs.* Le nombre croissant de ménages à deux revenus et de personnes vivant seules n'ayant pas de suffisamment de temps disponible pour faire leurs courses et profiter de certains services. Ainsi, un magasin qui souhaite rencontrer les besoins et les désirs de ses clients et également s'aligner sur la concurrence devra prendre cette donnée en considération.

☞

- *Changements de législation.* Un deuxième facteur est le déclin, regretté par certains, du traditionnel point de vue religieux voulant qu'un jour (le dimanche dans les cultures chrétiennes prédominantes) soit chômé, indépendamment de ses affinités religieuses. Évidemment, dans une société multiculturelle, c'est un point très discutable que de désigner un jour spécial. Pour les juifs et les adventistes du septième jour, le sabbat est le samedi ; pour les musulmans, le jour saint est le vendredi. Quant aux athées et aux agnostiques, ils ne sont pas concernés. Dans les pays industrialisés, il y a eu une lente et graduelle érosion d'une telle législation, bien que ces règles persistent encore dans certains pays. En Suisse, par exemple, tout est fermé le dimanche à l'exception des boulangeries.

- *Incitation économique pour rentabiliser l'utilisation des actifs.* Une grande part du capital des entreprises est généralement consacrée aux emplacements et aux équipements de service. Le coût incrémental de l'extension des heures d'ouverture est relativement modeste (en particulier, lorsqu'il s'agit d'employés à temps partiel). L'extension des heures d'ouverture réduit l'affluence et accroît les revenus. Les coûts liés à la fermeture et la réouverture des magasins s'en trouvent réduits. Même si le nombre de clients supplémentaires liés à l'extension des horaires d'ouverture est faible, il y a à la fois des avantages opérationnels et marketing à rester ouverts 24 h/24.

- *Disponibilité des employés pour travailler hors des heures ouvrables.* Le changement des styles de vie et l'accroissement du travail à temps partiel ont contribué à créer un ensemble de personnes « souhaitant » travailler le soir et la nuit. Certains de ces travailleurs sont des étudiants cherchant un emploi en dehors de leurs heures de cours, des mères de famille souhaitant composer entre vie de famille et vie professionnelle. D'autres, tout simplement, préfèrent travailler la nuit pour profiter de la journée.

- *Libre-service.* Les équipements de libre-service sont devenus de plus en plus fiables et faciles à utiliser. Beaucoup de machines acceptent les cartes de paiement et sont économiquement intéressantes, car sans coûts de personnel. En revanche, elles requièrent de fréquentes interventions et ne sont pas protégées contre le vandalisme. Le coût incrémental de fonctionnement 24 h/24 est encore ici marginal. En fait, il est beaucoup plus simple de laisser fonctionner une machine tout le temps, plutôt que de l'interrompre et de la remettre en marche.

4. Les services en ligne

Les avancées technologiques de ces vingt dernières années ont eu un impact considérable sur les prestations de services tant au niveau de la « production » que de la livraison. Elles ont donné lieu à de multiples innovations dans le domaine de la livraison. Dans de nombreux pays, par exemple, les banques ont fermé des agences et déplacé la clientèle vers des canaux bancaires électroniques moins coûteux, dans le seul but d'améliorer leur productivité et de rester compétitifs dans un marché de plus en plus concurrentiel.

Cependant, tous les clients n'apprécient pas les nouvelles approches en libre-service et/ou à distance. Aussi, pour les inciter à adopter les canaux à distance, des stratégies différentes ciblées sur chaque catégorie de clientèle peuvent être nécessaires[4]. Par ailleurs, il faut admettre que certains clients ne changeront jamais leurs habitudes et préféreront toujours les relations personnelles. Une alternative qui reste acceptable est le service bancaire par téléphone, peut-être parce qu'il fait appel à un outil qui est familier aux clients. Beaucoup d'entre eux (notamment les personnes âgées représentant souvent une grande partie de l'argent stocké) veulent conserver un contact avec le guichet pour des opérations et mises à jour réalisables sur un GAB ou par téléphone. La mise en place de dispositifs fondés sur la technologie entraîne une modification des habitudes des consommateurs, pas forcément souhaitée. Ceci influence inévitablement la qualité perçue des prestations et, de fait, la satisfaction des clients (les évolutions technologiques constituent la plus grande cause d'insatisfaction d'une banque).

4.1. Les technologies : innovations dans le processus de livraison du service

Une très grande majeure partie des dirigeants d'entreprises de services ont su saisir les avantages qu'offraient Internet mais aussi les outils de télécommunications d'une façon générale. Quatre innovations intéressent plus particulièrement ces dirigeants :

1. Le développement de téléphones portables de quatrième génération qui permettent aux usagers d'avoir un accès à Internet où qu'ils soient.

2. L'utilisation des technologies de reconnaissance vocale qui permettent au client de fournir des informations ou passer commande simplement en parlant au téléphone ou dans un micro.

3. La création de sites Web capables de fournir des informations, de prendre des commandes, et même de servir de moyen de livraison pour des services fondés sur l'information.

4. Les cartes à puce dans lesquelles sont enregistrées des informations détaillées concernant le propriétaire et qui peuvent servir de porte-monnaie digital (Monéo).

Seuls, ou associés à d'autres, les canaux électroniques représentent un complément ou une alternative aux canaux traditionnels physiques pour la livraison de services d'information.

L'encadré Meilleures pratiques 4.1 décrit une application multicanal dans la banque électronique.

4.2. E-commerce : la transition vers le cyberespace

Comme outil de distribution, Internet facilite les quatre catégories de « flux » qui transitent entre l'entreprise et ses clients (*B to C* ou *B to B*) : l'information, la négociation, les services, les transactions et la promotion. Comparé aux canaux traditionnels, Internet facilite les recherches et offre la possibilité de transférer aux clients des informations dans un délai très court, d'obtenir presque instantanément leurs réactions et de créer des communautés en ligne pour commercialiser des types de services et de produits[5].

Parmi les facteurs qui attirent le consommateur vers les magasins virtuels, il faut citer la commodité, la facilité de recherche (obtenir l'information, ou localiser le produit ou

First Direct, une banque multicanal sans agences

First Direct, une filiale d'HSBC, est devenue célèbre grâce à l'invention de la banque sans agences. Elle sert plus d'un million de clients à travers le Royaume-Uni et au-delà, grâce à ses centres d'appel éloignés de la puissante place financière de Londres, grâce à son site Web, ses messages sur téléphones mobiles (SMS) et l'accès au vaste réseau de distributeurs d'HSBC.

Créée en 1989 comme la première banque par téléphone accessible 24 h/24, First Direct stimula un secteur d'activité en réorientant un service à contact fort vers un service à faible contact grâce au téléphone et aux distributeurs bancaires. Répondant à la demande de banque à domicile, elle introduisit progressivement un service de banque à domicile (nécessitant pour le client d'avoir un PC mais sans abonnement Internet) et migra vers Internet en 1999.

Stimulée par la concurrence d'autres entreprises de services financiers offrant les mêmes services à des tarifs très compétitifs, la banque fit alors un nouveau bond. En janvier 2000, First Direct, en se proclamant « première banque virtuelle au monde », annonça qu'elle voulait se transformer en e-banque et créer les standards de l'e-banking. Le cœur de la stratégie est une approche multicanal qui combine l'expérience de la banque par téléphone avec les atouts d'Internet, du téléphone mobile et des technologies WAP (Wireless) pour délivrer un service de meilleure qualité à des prix forcément concurrentiels. Comme le remarque Alan Hughes, le directeur général : « Nous sommes la première banque au monde à reconsidérer l'ensemble de notre activité dans le contexte de l'ère digitale. L'enjeu de cette initiative est de créer une nouvelle catégorie d'e-banques et d'être une référence pour l'ensemble du secteur dans le monde. Plus qu'une banque, FirstDirect.com devient la première banque Internet. »

Un élément essentiel de cette stratégie est d'offrir la possibilité aux Britanniques d'accéder à un service plus pratique grâce à leur téléphone mobile, constatation faite que plus de 70 % des adultes possèdent un mobile. Grâce à des messages SMS, les clients ont accès à de mini-relevés sur trois comptes et sont informés des opérations de débit et de crédit. Ils sont automatiquement alertés lorsque leur compte passe dans le rouge. De plus, ce service est complété par la technologie Internet WAP permettant de visualiser les transactions sur leur mobile. En 2003, plus de 55 % des contacts clients étaient électroniques.

Le service téléphonique vocal reste encore le principal moyen de communications avec les clients, mais la banque teste un nouvel agent interactif en ligne, appelé Cara, qui par gestes et brefs messages répond aux questions des utilisateurs. Jonathan Etheridge, chef du département e-Futur remarque : « Depuis de nombreuses années, nous sommes les leaders du service au téléphone. Maintenant, Cara nous offre l'occasion d'apprendre comment donner une personnalité au site Web de First Direct. Cara est la première pierre du pont que nous construisons entre le monde relativement impersonnel d'Internet et l'expérience infiniment plus riche d'une conversation téléphonique. »

Source : d'après l'étude de cas de Delphine Parmenter, Jean-Claude Larréché et Christopher Lovelock, « First Direct : Branchless Banking », Fontainebleau, INSEAD, 1997, et diverses coupures de presse parues en 2001, 2002, 2003 et consultables sur www.firstdirect.com.

service désirés), l'attractivité des prix et l'étendue du choix. En effet, la possibilité de bénéficier d'un service 24 h/24 avec une livraison rapide est une caractéristique particulièrement séduisante pour une clientèle qui généralement ne consacre que peu de temps aux achats.

De nombreux détaillants, comme la FNAC et la chaîne de vente de livres Barnes & Noble, ont fortement développé leur présence sur Internet comme support à leurs magasins, notamment pour contrer les « détaillants Internet » comme Amazon qui n'ont pas de lieux de vente. Cependant, cette stratégie est à double tranchant. En effet, elle demande un investissement lourd sans certitude qu'il débouchera sur une rentabilité suffisante à long terme et un taux de croissance élevé[6]. Une autre chaîne de vente de livres, Borders, a préféré s'associer à Amazon en lui donnant la responsabilité de l'exploitation de leur site Web.

Les sites Web deviennent de plus en plus perfectionnés et accessibles aux consommateurs. Ils agissent souvent à la manière de bons vendeurs par téléphone en dirigeant le client vers des solutions susceptibles de l'intéresser. Quelques sites permettent même de dialoguer en direct avec le service clientèle par messagerie électronique comme vient de faire très récemment l'enseigne IKEA. L'aide à la recherche est un outil très apprécié sur certains sites, qui, pour l'industrie du livre, peut aller de la liste de tous les livres en stock d'un auteur donné, aux horaires de vol entre deux villes à une date précise pour les transports aériens.

Des nouvelles évolutions particulièrement passionnantes sont le développement de liens entre sites Web et le téléphone portable. L'intégration du portable dans l'infrastructure de la prestation de service peut être utile à plusieurs niveaux : 1) rendre les services plus accessibles ; 2) déclencher des alertes en fournissant l'information pertinente au bon moment ; 3) mettre à jour les informations en temps réel pour actualiser les bases de données[7]. Par exemple, les clients d'un agent de change peuvent bénéficier d'une procédure qui leur permet d'être avertis, par e-mail ou par texto lorsque leurs actions atteignent un certain seuil ou qu'une opération a été conclue (alerte). Ils peuvent aussi avoir accès en temps réel aux derniers cours de Bourse (mise à jour). Ils ont ainsi la possibilité de réagir et donner des ordres sur-le-champ en utilisant leur téléphone portable (accessibilité). La compagnie aérienne Singapore Airlines (SIA) a récemment mis à la disposition de ses clients un système d'alerte par texto pour l'heure de départ des vols. Les clients n'ont qu'à faire la demande sur le site Web de SIA et sont avisés en cas de retard.

L'information, sous une forme ou sous une autre, est impliquée dans presque toutes les relations opérationnelles au sein d'une entreprise. Le coût des nouvelles technologies est devenu si bas et leur champ d'application si large que les prestataires de services doivent saisir toutes les occasions de les incorporer dans le développement de leur stratégie de distribution. Frances Cairncross, éditeur du magazine *The Economist*, pense que les cadres supérieurs, afin d'y parvenir, devront redéfinir leur vision de la structure de leur entreprise et se préparer à en modifier la culture[8].

5. Le rôle des intermédiaires

De nombreuses entreprises de services ont constaté qu'elles pouvaient réduire leurs coûts en déléguant certaines tâches. Le plus souvent, cela concerne les éléments annexes du service. Par exemple, malgré l'utilisation croissante des numéros de téléphone centralisés et d'Internet, les organisateurs de croisière, de séjours de vacances et les hôtels dépendent encore largement des agences de voyages pour une part importante dans leurs contacts avec la clientèle, en particulier pour tout ce qui concerne l'information, les réservations, les paiements et la billetterie. Comment le prestataire de services doit-il s'y prendre pour travailler en partenariat avec un ou plusieurs intermédiaires et pour assurer à la clientèle un ensemble complet de services ? En figure 4.3, nous utilisons la *fleur des services* pour décrire un exemple de service de base fourni par le prestataire d'origine ainsi que des services annexes d'information, de consultation et de traitement des exceptions, alors que la livraison des autres services annexes, compris dans l'offre à la clientèle, est déléguée à un intermédiaire. Dans d'autres cas, des aspects spécifiques de la prestation peuvent être sous-traités à des spécialistes. Le prestataire de base doit se considérer comme responsable de l'ensemble du processus et s'assurer que la contribution de chacun des intermédiaires s'intègre dans la conception générale du service de manière à fournir un produit de qualité homogène représentatif de sa marque.

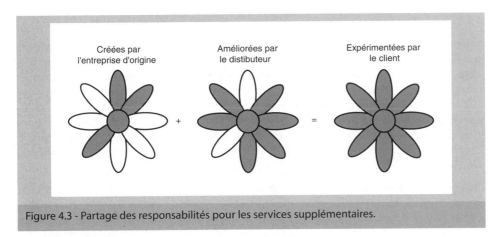

Créées par
l'entreprise d'origine

Améliorées par
le distibuteur

Expérimentées par
le client

Figure 4.3 - Partage des responsabilités pour les services supplémentaires.

5.1. La franchise

La livraison du service de base peut être sous-traitée à un intermédiaire. C'est là l'essence même du concept de la franchise qui est devenue une méthode très courante pour développer un réseau de services et une offre intégrant l'ensemble des pétales de la *fleur des services*, sans avoir recours aux financements qu'aurait exigé la même expansion grâce à des sites propriétaires détenus et gérés par l'entreprise.

C'est une stratégie attrayante pour les sociétés qui privilégient la croissance car les franchisés sont généralement très motivés pour bien cibler leur clientèle et garantir la qualité de la prestation[9]. La franchise, associée souvent aux chaînes de restauration rapide, est également appliquée pour une gamme étendue de services *B to C* mais aussi *B to B* (voir les Pages Jaunes). Parmi les exemples cités dans ce livre vous trouverez en fin d'ouvrage dans les études de cas celui d'Aussie Pooch Mobile, un service de lavage de chiens franchisé à partir de l'Australie qui est une réussite.

Pourtant, les recherches de Scott Shane et Chester Spell ont démontré un taux de perte significatif des franchiseurs dans les premières années du développement d'une franchise, avec une défaillance d'un tiers des franchisés dans les quatre premières années et la disparition de pas moins des trois quarts des franchiseurs après douze ans[10]. Pour assurer le succès d'une franchise, il faut une taille suffisante qui s'appuie sur une marque reconnue, une offre simple, peu de salariés et peu de tâches logistiques à effectuer. Étant donné l'importance du taux de croissance requis pour atteindre le seuil de rentabilité, certains franchiseurs délèguent à des franchisés principaux (*master franchising*) pour une zone géographique déterminée, la responsabilité du recrutement, de la formation et du support logistique des franchisés. Ces délégués sont souvent des franchisés qui ont déjà fait leurs preuves dans la gestion d'un point de vente sous franchise.

Le franchiseur[11] recrute des entrepreneurs qui acceptent d'investir leur temps et leurs propres ressources dans le droit d'exploiter un concept de service déjà développé. En échange, il fournit la formation à la gestion et la commercialisation du produit, vend les fournitures nécessaires et apporte un soutien publicitaire au niveau national ou régional pour appuyer la publicité locale (qui est à la charge du franchisé mais doit se conformer aux instructions du franchiseur en ce qui concerne le texte, le graphisme et l'utilisation des médias).

L'inconvénient de la délégation d'activités au franchisé est qu'elle implique une perte de contrôle sur l'exécution de la prestation et, de ce fait, sur la façon dont le service lui-même est perçu par le consommateur. Il est difficile d'avoir l'assurance que l'intermédiaire applique rigoureusement les procédures imposées par le franchiseur, et c'est pourtant essentiel pour l'efficacité du contrôle qualité. Pour renforcer le contrôle sur tous les aspects de la prestation de service, le contrat de franchise exige généralement la stricte application de normes, procédures, textes et styles de présentation. Le franchiseur surveille non seulement les spécifications du produit et du service, mais aussi l'environnement, la prestation du personnel et d'autres éléments tels que les horaires d'ouverture.

Un problème récurrent provient du fait qu'à mesure que les franchisés acquièrent de l'expérience, ils éprouvent du ressentiment face aux diverses charges payées au franchiseur et estiment que la concession serait mieux exploitée sans les contraintes imposées par le contrat. Très fréquemment, les désaccords qui s'ensuivent débouchent sur des actions en justice.

5.2. Les contrats de licence et de distribution

Comme alternative à la franchise, il est possible pour un fournisseur d'accorder à un autre fournisseur une licence de distribution du produit de base à sa place et pour son compte. Par exemple, les entreprises de transports font régulièrement appel à des transporteurs indépendants, plutôt que d'ouvrir des agences locales dans toutes les villes de leur zone d'influence. Elles peuvent aussi travailler avec des indépendants qui conduisent leurs propres camions, plutôt que de financer l'acquisition d'une flotte de camions et de recruter des conducteurs à plein-temps. Dans un tout autre domaine, les universités accordent parfois sous licence à d'autres établissements des cours qu'elles ont développés.

Les services financiers font aussi partie des activités qui peuvent être couvertes par des contrats de distribution. Les banques qui veulent élargir la gamme de leurs produits pour y inclure les placements financiers se chargent de la distribution de fonds communs de placement créés par des établissements financiers qui ne disposent pas de leur propre réseau de distribution. De nombreuses banques vendent également des polices pour le compte de compagnies d'assurance. Ils perçoivent une commission sur la vente mais ne s'occupent pas de la gestion des sinistres.

6. Délivrer le service dans un environnement international

Par quels moyens les sociétés de services peuvent-elles avoir accès au marché international ? Cette décision dépend principalement de la nature du service mais aussi, et surtout, du processus de « livraison ».

6.1. Comment les processus affectent le développement international des services ?

En effet, selon qu'il s'agisse de services rendus à la personne, de services concernant des biens ou de services à fort contenu informationnel, les stratégies de développement à l'international peuvent être très différentes.

Les services rendus à la personne

Ce type de services demande un contact direct et physique avec le consommateur. Trois possibilités sont à prendre en compte :

- *Exporter le concept.* Seule ou en partenariat avec un fournisseur local, la société crée un centre de services dans un pays étranger. L'objectif recherché peut être d'atteindre de nouveaux clients ou de suivre les clients existants (particuliers ou entreprises) ou bien les deux à la fois. C'est une pratique courante pour les chaînes de restaurants, les hôtels, les sociétés de location de voitures ou les centres de soins, où une présence à proximité des consommateurs est nécessaire en raison de la concurrence locale.

- *Importer la clientèle*[12]. Dans ce contexte, ce sont les clients étrangers qui se rendent dans le pays du prestataire. À titre d'exemple, des consommateurs se rendant dans une station de ski particulière et renommée (Davos en Suisse ou Vail dans le Colorado). Dans le domaine des soins médicaux, certains patients peuvent aussi décider de se faire soigner, s'ils en ont les moyens, dans des établissements spécialiséss et reconnus, comme la clinique Mayo dans le Massachusetts ou à l'Hôpital américain de Neuilly.

- *Transporter les clients dans de nouveaux endroits.* Dans le cadre du transport de passagers, le service international implique l'ouverture de nouvelles liaisons vers des destinations attrayantes. Cette stratégie a pour but d'attirer de nouveaux clients et d'élargir le choix des anciens clients.

L'encadré Meilleures pratiques 4.2 explique comment une grande chaîne hôtelière s'est créée un positionnement au niveau mondial.

Les services s'adressant aux biens des clients

Cette catégorie de services porte sur les biens physiques des clients et couvre la réparation, l'entretien, le transport, le stockage et le nettoyage. En général, une présence permanente à proximité de la clientèle est nécessaire. C'est vrai pour les services pour lesquels le client se déplace pour déposer ses articles comme pour ceux pour lesquels c'est le prestataire qui se rend chez le client. Parfois, des experts peuvent être envoyés sur place ou c'est l'article, s'il est transportable, qui est expédié à l'étranger pour être réparé. Comme le transport de passagers, celui du fret permet d'accéder à de nouveaux marchés grâce à de nouvelles liaisons.

Meilleures pratiques 4.2

Groupe Accor : innovations sur des bases internationales

Le groupe Accor, basé à Paris, est l'un des leaders mondiaux d'un ensemble de services intégrés et complémentaires : hôtels, agences de voyages et locations de voitures. D'après les experts, c'est l'une des rares et véritables entreprises hôtelières globales avec ses 4 000 hôtels dans le monde, 500 000 chambres dans 140 pays et plus de 170 000 collaborateurs. Depuis toujours, le groupe a montré sa capacité à être un fournisseur de services innovants comme le montrent ses analyses en profondeur du marché, ses offres intégrées et sa stratégie de croissance internationale.

Accor a évolué de la position de véritable chaîne européenne vers celle d'une des plus grandes chaînes mondiales. Elle exploite plusieurs catégories d'hôtels distincts : 5 étoiles, 4 étoiles, 3 étoiles, 2 étoiles et 1 étoile. Les marques détenues par Accor sont Sofitel, Pullman, Novotel, Mercure, Suitehotel, All Seasons, Ibis, Etap Hotel, Formule 1 et Motel 6. Le groupe vient récemment de prendre le contrôle de 52 hôtels du groupe Dorint et consolide ainsi sa présence en Allemagne. Le groupe commercialise des activités complémentaires notamment avec Lenôtre.

Gilles Pelisson, administrateur-directeur général du Groupe Accor depuis janvier 2006, cherche à donner à la société la structure intégrée dont il a besoin pour être compétitif à l'échelon mondial. L'activité des hôtels a été restructurée autour de trois segments stratégiques reflétant leur position sur le marché. Il y a aussi deux divisions fonctionnelles. La première, la division des services globaux, a été créée pour implanter et promouvoir les fonctions communes à l'ensemble des activités des hôtels : systèmes d'information, de réservation, maintenance, assistance technique, achats, comptes clés, partenariats et synergie entre hôtels et autres activités. La seconde, la division de développement des hôtels, est structurée par marques et par région et est responsable de la collaboration avec le management de chaque hôtel pour le marketing, le développement des services et des stratégies de croissance. Selon J.-M. Espalioux :

> Compte tenu de la révolution du secteur des services qui se met en place, je ne vois pas d'avenir pour des chaînes d'hôtels purement nationales, excepté pour des niches tout à fait spécifiques telles que Ralles à Singapour ou Ritz à Paris. Les chaînes nationales ne peuvent investir suffisamment.

Le groupe continue son internationalisation en se focalisant sur la consolidation et l'intégration de son réseau, aussi bien qu'en assurant une présence sur certains marchés émergents comme la Pologne, la Hongrie et les autres pays de l'ex-bloc soviétique. Gilles Pelisson est aussi très attentif au fait que le principal obstacle à la globalisation des services est le personnel :

> La globalisation nous confronte à des challenges souvent sous-estimés. La principale difficulté est de faire en sorte que notre management local adhère à nos valeurs et à notre culture. Ils doivent comprendre nos marchés, notre culture et nous avons aussi à apprendre beaucoup d'eux.

Afin d'obtenir une coopération internationale, un travail d'équipe efficace et une communication claire pour réaliser cette globalisation correctement, Accor a éliminé autant que possible la hiérarchie, les descriptions de fonction rigides, les titres et les organigrammes. Les employés sont encouragés à interagir autant qu'ils le peuvent avec leurs collègues et avec les clients. Ils définissent les limites de leurs « jobs » dans le contexte de l'« expérience client totale » et sont gratifiés selon le soin avec lequel ils appliquent ces directives. En plus de ces initiatives, Accor utilise les vidéoconférences et autres technologies pour créer et renforcer une culture commune à tous les employés Accor du monde.

Sources : Accor, Rapport annuel 2006 ; sites : accor.com ; accorhotels.com ; accorservices.com ; sofitel.com ; novotel.com ; mercure.com ; ibishotel.com ; etaphotel.com ; hotelformule1.com.

Meilleures pratiques 4.2

Les services informationnels

Cette catégorie se divise en deux parties : les services s'adressant à « l'esprit » des personnes (informations, films, cours, programmes de télévision) et ceux s'appliquant aux biens intangibles du consommateur (banque, assurance). Ceux-ci peuvent être distribués à l'échelle internationale par un des trois moyens suivants :

- *Exporter le service vers un site de prestation local.* Le service est ainsi accessible au client sur un site qui lui est proche et qu'il visite. Par exemple, un film produit à Hollywood sera diffusé dans les salles de cinéma du monde entier, ou encore un programme universitaire pourra être conçu dans un pays pour être enseigné ailleurs par des professeurs qualifiés.

- *Importer les clients.* Les clients ont la possibilité d'aller à l'étranger ou dans un centre spécialisé. Dans ce cas, l'approche s'apparente à celle du service s'appliquant aux personnes. Par exemple, un grand nombre d'étudiants étrangers se rendent à l'Insead pour suivre un cursus particulier en management.

- *Exporter l'information grâce aux outils de télécommunications et la transformer sur place.* Plutôt que de transporter d'un pays à l'autre des services s'appliquant aux biens, les données peuvent être téléchargées ou gravées sur CD ou DVD à partir du pays d'origine pour être exportées et exploitées dans le pays destinataire (dans certains cas par le client lui-même).

En théorie, aucun de ces services d'information ne nécessite un contact direct avec le client puisque tous sont accessibles à distance au travers des outils de télécommunications ou par la poste. Les services bancaires et d'assurance sont l'exemple type de services à fort contenu informationnel qui n'ont pas de frontière. Dans la pratique, il peut être nécessaire d'assurer une présence locale afin de créer des relations personnelles, d'effectuer des études sur place (comme du conseil ou de l'audit), ou même de se conformer aux obligations légales.

6.2. Les obstacles au commerce international de services

Bon nombre d'entreprises de services ont pour objectif une présence marquée à l'international. Les différentes stratégies menées ont pour but de constituer des réseaux *in situ* ou à distance dans les pays où l'entreprise a décidé d'être présente. Les barrières à l'entrée, nombreuses il y a quelques années, sont en train de disparaître. En effet, les récentes lois en faveur du libre-échange ont contribué à l'expansion des activités transnationales et internationales. Parmi les développements les plus marquants, on notera l'Alena (liant le Canada, le Mexique et les États-Unis), en Amérique latine les blocs économiques comme le Pacte andin et le Mercosur, ainsi que l'Union européenne élargie en mai 2004 (voir Mémo 4.2).

Cependant, pour certains services il est encore difficile de travailler dans un contexte international. Malgré les efforts de l'OMC (*Organisation mondiale du commerce*) et de son prédécesseur le GATT (*General Agreement on Trade and Tarifs*), qui ont essayé de négocier l'ouverture des marchés de services, il reste encore bien du chemin à parcourir. Le libre accès aux lignes aériennes reste un point particulièrement épineux. Beaucoup de pays exigent la signature d'accords bilatéraux avant de permettre l'ouverture de nouvelles liaisons aériennes. Or, si un pays est d'accord pour accueillir un transporteur étranger, l'autre ne l'est pas toujours et il n'est donc pas possible d'exploiter cette ligne. Des restrictions gouvernementales ainsi que l'engorgement de certains grands aéroports ont conduit à refuser aux compagnies aériennes étrangères la possibilité de faire atterrir des vols supplémentaires. Les transports des passagers et du fret sont également affectés par ces restrictions.

Mais il faut noter d'autres types de contraintes telles que : les retards administratifs, le refus par des agents de l'immigration d'accorder un permis de travail à des dirigeants ou ouvriers étrangers, une lourde imposition des sociétés étrangères, une politique qui favorise et protège les fournisseurs locaux, une réglementation complexe des procédures commerciales et opérationnelles (y compris le flux des données depuis et vers l'étranger) et l'absence de règles clairement définies pour la comptabilisation des services. Autant de dispositions qui freinent considérablement le processus d'internationalisation des services. De plus, les différences culturelles et de langage peuvent générer des modifications coûteuses dans la nature d'un service et dans son mode de livraison et promotion.

6.3. Les facteurs favorisant l'adoption de stratégies transnationales

Les chercheurs, toutes disciplines confondues, s'accordent unanimement sur le fait qu'aujourd'hui la tendance est à la mondialisation et à la création de stratégies transnationales[13]. Dans le cas des services, l'impulsion de ces courants provient des marchés, de la concurrence, des progrès technologiques, des réductions de coûts du transport et des politiques gouvernementales. L'importance relative de chacun de ces facteurs varie en fonction du type de service.

Les facteurs liés au marché

Les facteurs liés au marché et qui favorisent une stratégie transnationale sont : la similarité des besoins de la clientèle au plan international, l'exigence de ces clients d'obtenir un service uniforme partout dans le monde, et l'existence de canaux internationaux (réseaux physiques ou électroniques). Les entreprises impliquées dans un processus

Mémo 4.2

L'Union européenne : vers un commerce sans frontières

Beaucoup de décisions stratégiques concernant le marketing des services sur les marchés paneuropéens sont des extensions de décisions déjà mises en place par des entreprises américaines opérant sur leur marché domestique. Bien que physiquement plus petits que les États-Unis, les 25 pays de l'Union européenne ont une population plus nombreuse (456 millions contre 285 millions) et sont culturellement et politiquement plus diversifiés, avec des différences en termes de goûts, styles de vie, et la complication de multiples langues nationales officielles et une variété de langues régionales. Avec l'arrivée des nouveaux pays, le marché européen est encore plus vaste. L'admission des pays de l'Europe de l'Est et le lien avec la Turquie ajouteront encore plus de diversité et rapprocheront le marché européen de la Russie et des pays d'Asie centrale.

À l'intérieur de l'Union européenne, la Commission a fait un énorme travail en harmonisant certains standards afin d'améliorer le niveau de concurrence et de décourager les efforts individuels de certains pays membres qui voudraient protéger leur propre industrie et leur propre secteur de services. Le résultat est déjà évident avec des entreprises allemandes qui exploitent des services de téléphonie mobile en Grande-Bretagne, des Anglais qui exploitent des lignes aériennes en Belgique et des services de distribution d'eau français qui opèrent dans différents pays européens.

Un autre pas important économiquement, facilitant les échanges paneuropéens, est l'union monétaire. En janvier 1999, la valeur d'échange de onze monnaies européennes a été liée à l'euro qui les a remplacées en 2002. Le prix des services s'exprime maintenant en euros de la Finlande au Portugal. D'autres pays européens comme la Grande-Bretagne et la Suède y adhéreront probablement plus tard.

Malgré le potentiel commercial pour les services, dans une Europe qui croît rapidement, un certain nombre de pays n'adhèrent pas à l'Union. Certains, comme la Suisse ou la Norvège, se réjouissent de relations commerciales plus étroites avec des pays à l'intérieur de l'Union. Pourtant les « États-Unis d'Europe » restent une issue improbable et contestée. Du point de vue du marketing des services, l'Union européenne se rapproche toutefois de plus en plus du modèle US en termes de taille et de liberté de mouvements.

d'internationalisation cherchent prioritairement à standardiser et à simplifier leurs relations avec leurs fournisseurs, démarche qui facilite les transactions, l'implantation et accélère l'implantation et le développement. À titre d'exemple, les grands groupes internationaux cherchent à réduire le nombre de cabinets d'audit auxquels ils font généralement appel, préférant contracter avec les grands cabinets d'audit internationaux (*Big Four*) dont les représentants locaux appliquent les mêmes approches partout dans le monde (bien qu'adaptées à la réglementation de chaque pays). Un autre exemple est la tendance à une gestion mondiale des télécommunications, comme nous le démontre l'offre d'AT&T et BT avec leur service « concert », qui permet aux multinationales de sous-traiter la gestion de leurs télécommunications internationales.

Les banques d'affaires, les compagnies d'assurances et les cabinets de conseil en sont d'autres exemples. Dans une même optique, les voyageurs d'affaires internationaux, mais aussi les touristes, préfèrent recourir à des compagnies aériennes et des hôtels internationaux qui garantissent une qualité constante sans surprise partout dans le monde. En outre, le développement des compétences en logistique internationale de groupes tels que DHL, FedEx et UPS ont incité de nombreux industriels à sous-traiter tous les aspects de leur logistique à une seule entreprise qui ensuite se chargera de la coordination de l'ensemble des activités de transport et de stockage.

Les facteurs liés à la concurrence

La concurrence étrangère, l'interdépendance des pays et la politique transnationale des concurrents eux-mêmes font partie des moteurs concurrentiels clés qui influencent considérablement la progression des firmes de services dans un environnement international. Pour l'ensemble de ces raisons, certaines entreprises sont obligées de suivre leurs concurrents sur de nouveaux marchés dans le but de protéger leur positionnement et positions acquises sur d'autres territoires. Suivant la même logique, dès qu'un acteur majeur décide de s'attaquer à un nouveau marché à l'étranger, une bataille peut s'ensuivre pour ce territoire avec les principaux concurrents, surtout si l'expansion se fait de préférence en rachetant les entreprises locales les plus performantes ou en passant des accords de licence avec elles.

Les facteurs liés aux progrès technologiques

L'amélioration des performances des télécommunications, de l'informatique, des logiciels, de la miniaturisation des équipements et de l'avènement de l'ère digitale par le son, la vidéo et le texte, permet sans quasiment aujourd'hui aucune limite, le stockage des informations qui peuvent être retransmises par voie numérique. Pour les services fondés sur l'information ou ceux à fort contenu informationnel, les canaux de télécommunications à haut débit pouvant transporter des données à grande vitesse mais aussi Internet, jouent un rôle majeur dans l'ouverture de nouveaux marchés à l'international. Les entreprises « informationnelles » ont dorénavant la possibilité de faire des économies considérables d'implantation et de développement en mettant en place des « nœuds d'information » par continent ou même au niveau mondial. Elles font ainsi des économies considérables sur les frais de personnel, d'expatriation et sur les taux de change avantageux en centralisant la gestion de services annexes (comme les réservations) tout comme leurs opérations de *back office* (comme la comptabilité) dans un seul ou un nombre limité de pays prédéterminés. Nous ne comptons plus aujourd'hui le nombre d'entreprises de services, toutes activités confondues qui ont développé des *call centers* à l'étranger, et ce, aux quatre coins de la planète, bénéficiant ainsi d'un coût de la main-d'œuvre moins élevé. Les décalages horaires leur permettent au moindre coût toujours d'offrir un service 24 h sur 24 h.

De plus, les avancées technologiques qui rendent plus rapides et moins coûteux les transports, y compris de matériel et d'énergie, ont aussi l'avantage de réduire les distances et de rapprocher les pays[14].

Les facteurs liés à la réduction des coûts

Être grand et gros est parfois intéressant du point de vue des coûts. En effet, avoir une activité internationale ou même mondiale peut faciliter l'obtention d'économies d'échelle et le rendement des approvisionnements lorsque les conditions logistiques sont favorables et les prix au plus bas dans certains pays. D'autre part, la réduction des coûts de télécommunications et de transport dynamise et accélère l'entrée sur les marchés internationaux. L'incidence de ces facteurs varie bien évidemment selon le niveau et le montant de charges fixes nécessaires à l'entrée dans une nouvelle activité et avec l'aptitude de l'entreprise à profiter de ces économies potentielles. Les barrières à l'entrée qui découlent du coût initial des équipements et des installations peuvent être minimisées par le recours au crédit-bail (pour les compagnies aériennes), la recherche d'installations comme les hôtels appartenant déjà à des investisseurs avec qui il est possible de négocier un contrat de gestion, ou la concession de franchises à des entrepreneurs locaux. En revanche, ces facteurs de coûts s'appliquent moins pour les entreprises de services qui privilégient l'apport personnel. Mais dès lors que la plupart des éléments qui constituent le système de fabrication du service doivent être reproduits sur plusieurs sites/pays, les économies d'échelles deviennent moins importantes et la courbe d'expérience moins prononcée.

Les facteurs liés aux incitations gouvernementales

Les politiques gouvernementales peuvent tout aussi bien encourager mais aussi décourager le développement d'une entreprise à l'international. Parmi les facteurs qui favorisent les échanges internationaux, il faut compter l'existence de normes techniques compatibles et une réglementation commerciale commune. Les actions entreprises par la Commission européenne qui visent à créer un marché unique à travers l'UE favorisent l'adoption de stratégies de services paneuropéennes pour beaucoup de secteurs industriels. Dans une optique plus mondiale, on peut s'attendre à ce que les dynamiques gouvernementales soient plus favorables aux services qui s'adressent aux personnes et aux biens des clients, ces derniers ayant l'avantage d'exiger une forte présence locale et de créer des emplois nouveaux.

Par ailleurs, l'Organisation mondiale du commerce qui met l'accent sur la globalisation des services a incité les gouvernements à libéraliser leur environnement réglementaire vis-à-vis de stratégies transnationales de services. L'influence des incitations à l'internationalisation peut être observée dans l'exemple de l'arrivée à Hongkong de la compagnie aérienne Qantas (voir Questions de services 4.1).

Mais les facteurs qui favorisent l'internationalisation et l'adoption de stratégies transnationales incitent également certaines entreprises locales à obtenir une dimension nationale. Les marchés, les coûts, les forces technologiques et concurrentielles qui encouragent la création d'entreprises de services ou de chaînes de franchises nationales sont souvent les mêmes qui, par la suite, mèneront ces entreprises vers une activité transnationale.

Vol pour Hongkong : un aperçu de la globalisation

Après un vol de dix heures en provenance d'Australie, un Boeing 747 rouge et blanc reconnaissable au kangourou volant représentant la Qantas vire au-dessus du port de Hongkong. Une fois à terre, l'avion passe devant un kaléidoscope de queues d'avions peintes aux couleurs d'une dizaine de pays différents. Un exemple du nombre de transporteurs qui desservent cette ville.

Les passagers sont aussi bien des résidents que des touristes ou des hommes d'affaires. Qu'apportent les voyageurs d'affaires à cette région administrative particulière de la Chine ? Beaucoup viennent négocier des contrats de fourniture de produits manufacturés comme des vêtements, des jouets, des composants informatiques tandis que d'autres tentent de vendre leurs propres marchandises ou services aussi bien dans le domaine des télécommunications que des loisirs. Le propriétaire d'une grande agence de voyages australienne est venu négocier un « package » de vacances au Queensland sur la fameuse Côte d'Or. Le partenaire canadien basé à Bruxelles d'une des « Big Four » est à mi-chemin de son périple autour du monde pour persuader les agences d'un conglomérat international de renforcer les audits avec son seul cabinet dans une optique de globalisation. Un cadre américain et son collègue anglais travaillant pour le compte d'un partenariat américano-européen dans le domaine des télécoms, espèrent vendre à une multinationale locale le management de toutes ses activités de télécommunications à travers le monde et enfin plusieurs passagers travaillent pour le compte de banques et de services financiers et viennent à Hongkong, l'une des places financières mondiales parmi les plus dynamiques, pour rechercher des financements pour leurs propres affaires.

Dans le fret du Boeing, il n'y a pas seulement les bagages des voyageurs mais aussi des marchandises pour Hongkong et d'autres destinations chinoises (du courrier, du vin australien et des pièces de rechange pour un ferry australien, un container de brochures et affiches sur le tourisme australien et toutes sortes de marchandises). Attendent à l'aéroport l'arrivée de l'avion, le personnel local de la compagnie Qantas, les bagagistes, les mécaniciens et personnels techniques, les personnels de ménage, la douane, la police aux frontières et ceux qui viennent accueillir des passagers. Peu sont australiens, la majorité sont des Chinois de Hongkong qui n'ont jamais voyagé bien loin. Ils sont clients des banques, des fast-foods, des compagnies d'assurance, etc., dont les noms de marques sont promus par de grandes campagnes de publicité internationales. Ils regardent CNN sur le câble, écoutent la BBC à la radio, téléphonent grâce à « Hong Kong Telecom » et regardent les films hollywoodiens en anglais ou doublés en chinois. Bienvenue dans le monde global du marketing des services !

6.4. Comment la nature du service affecte les opportunités d'internationalisation

Certains types ou catégories de services sont-ils plus simples à internationaliser que d'autres ? Ou, en d'autres termes, certains services sont-ils plus « globalisables » ou globalisés que d'autres ? Comme le montre le tableau 4.2, notre travail suggère que c'est encore le cas aujourd'hui.

Tableau 4.2 : L'impact des facteurs de la globalisation sur les différentes catégories de services

Facteurs de globalisation	Catégorie de services		
	Services aux personnes	Services aux biens	Services basés sur l'information
Concurrence	La simultanéité de production et de consommation limite l'effet de levier de l'avantage concurrentiel que créent les implantations à l'étranger. L'entreprise de services, mais davantage dans les systèmes de gestion, peut être une base pour la globalisation.	Le rôle de leader de la technologie crée un moyen de conduire à la globalisation des concurrents avec l'industrie de pointe (par exemple les services techniques de Singapore Airlines sous-traitent pour d'autres transporteurs aériens.	Très vulnérables à la domination des concurrents possédant le monopole ou un avantage concurrentiel dans l'information (par exemple, BBC, Hollywood, CNN), sauf restrictions gouvernementales.
Marché	Les individus sont économiquement et culturellement différents, donc les besoins en services et leurs possibilités financières peuvent varier. La culture et l'éducation peuvent influencer la volonté d'utiliser le libre-service.	Moindre variation pour le service aux biens, mais le niveau de développement économique a de l'impact sur la demande de services s'adressant aux biens personnels.	La demande pour de nombreux services est dérivée, à un degré significatif, des niveaux d'économie et de formation. Les problèmes culturels peuvent affecter la demande de produits de divertissements.
Technologie	L'utilisation des technologies de l'information pour délivrer des services supplémentaires est fonction du degré de familiarisation avec la technologie, y compris les télécommunications et les terminaux intelligents.	Le besoin de systèmes de livraison de services fondés sur la technologie est fonction des types de biens qui demandent un service, des coûts de substitution de main-d'œuvre.	La capacité à livrer des services de base à travers des terminaux éloignés peut être fonction des investissements dans l'informatique, de la qualité de l'infrastructure des télécommunications et des niveaux de formation.
Coûts	Les taux variables de main-d'œuvre peuvent avoir un impact sur la fixation des prix dans les services à main-d'œuvre intensive (prendre en compte le libre-service sur les localisations où les coûts sont élevés).	Les taux variables de main-d'œuvre peuvent favoriser les localisations à bas coût si les coûts de transport n'annulent pas l'avantage. (Considérer l'équipement de substitution pour remplacer la main-d'œuvre.)	Les éléments majeurs du coût peuvent être centralisés et les éléments mineurs délocalisés.
Gouvernement	Les politiques sociales (par exemple la santé) varient largement et peuvent affecter le coût du travail, le rôle des femmes dans les emplois de contact avec le client, et les horaires pendant lesquels le travail peut être effectué.	Les lois sur les taxes, les réglementations sur l'environnement, et les standards techniques peuvent diminuer/augmenter les coûts, et encourager/décourager certains types d'activité.	Les règles de formation, de censure, de propriété des communications et des infrastructures peuvent avoir un impact sur l'offre et la demande et sur la tarification.

Le service s'appliquant aux personnes

Le fournisseur du service doit préserver une présence géographique locale, en positionnant le personnel, les installations, les équipements et les locaux à une distance raisonnable du client ciblé. Ce n'est que dans le cas où le client est lui-même mobile (touristes et voyageurs d'affaires) que celui-ci est à même de suivre l'offre d'un même groupe sur divers sites et de les comparer.

Le service s'appliquant aux biens des clients

Ce type de services génère très souvent des contraintes géographiques. En effet, une présence locale est nécessaire lorsqu'il est question de se rendre chez le client pour effectuer une réparation ou faire l'entretien d'installations chez le client. Néanmoins, de petits objets transportables peuvent être acheminés vers un centre de services distant, même si les frais de transports, de douanes, et les réglementations gouvernementales sont des freins au transport à longue distance ou au travers des frontières. D'autre part, les technologies modernes permettent à certains services d'être gérés à distance grâce au diagnostic électronique et à la transmission de réparations à distance.

Le service informationnel

C'est peut-être le type de services le plus intéressant pour l'adoption d'une stratégie internationale, car il dépend de la transmission et du traitement de données. L'avènement des télécommunications modernes à un niveau mondial, reliant des ordinateurs perfectionnés et « intelligents » à de puissantes bases de données, rend de plus en plus facile la livraison de services fondés sur l'information partout dans le monde. Des entreprises telles que les banques, les assurances, la presse, le divertissement mais aussi l'éducation, l'enseignement, le consulting, l'audit et bien d'autres encore, sont toutes potentiellement candidates à la globalisation de leur « distribution ». Beaucoup d'universités ont déjà des campus internationaux, des sites d'*e-learning*, un corps enseignant international et des programmes internationaux en ligne ou *in situ*. À titre d'exemple, l'université de Phoenix Arizona aux États-Unis et l'Open University du Royaume-Uni sont les leaders nationaux incontestés dans la distribution électronique de programmes. Une offre de services globalisée semble la prochaine étape. Les besoins en présence locale peuvent être limités à un terminal (téléphone, fax, ordinateur ou encore à un équipement plus sophistiqué comme un distributeur de billets automatique) lui-même connecté à une installation de télécommunication fiable. Si l'infrastructure locale est insuffisante en termes de qualité, alors l'utilisation d'un « mobile » ou de communication par satellite est un moyen de résoudre le problème.

Conclusion

Où, quand et comment ? Les réponses à ces trois questions forment la base de la stratégie de livraison d'un service. La façon dont le service sera perçu par le client dépendra de la qualité du service lui-même mais aussi de la manière dont il est délivré.

« Où ? » a trait, bien sûr, au lieu où le client prend livraison du service de base, d'un ou de plusieurs services périphériques, ou d'une offre unique qui englobe le tout. Dans ce chapitre, nous avons présenté un découpage par catégories pour permettre de mieux cerner les possibilités en matière de stratégie de localisation, que ce soit le client qui se rende sur le lieu de services ou qu'il se déplace chez le prestataire, ou enfin que diverses solutions comportent des opérations effectuées à distance, qu'elles soient d'ordre physique ou électronique.

« Quand ? » porte sur les décisions qui concernent les horaires de livraison du service. La plus grande commodité réclamée par la clientèle pousse de nombreux prestataires vers l'élargissement des heures et des jours d'ouverture, le summum en matière de flexibilité étant le service 24 h/24, tous les jours de l'année.

« Comment ? » porte sur les canaux et les procédures utilisés pour délivrer les services de base et périphériques. Les avancées technologiques ont un impact déterminant sur les disponibilités et modalités et sur leurs aspects économiques. Pour répondre à plus de flexibilité de la part du consommateur, beaucoup d'entreprises proposent plusieurs moyens et canaux de distribution qui ne se concurrencent pas forcément mais, au contraire, concourent à offrir un large spectre de services dont la complexité varie en fonction des canaux dans lesquels ils sont offerts. Les moins complexes sont proposés dans les canaux à distance, les plus complexes dans les canaux traditionnels.

Bien que le secteur tertiaire ait généralement plus tendance à contrôler ses canaux de distribution que le secteur industriel, les intermédiaires peuvent aussi jouer un rôle important dans la livraison soit du service de base (franchise), soit des services périphériques (agents de voyages).

De plus en plus de prestataires proposent leurs services au-delà des frontières de leur pays. Il y a cinq moteurs clés qui poussent les sociétés à développer des stratégies transnationales (ou qui les freinent) : le marché, la réduction des coûts, les progrès technologiques, la politique gouvernementale et la concurrence. Cependant, il existe une différence importante dans l'impact de ces facteurs suivant qu'ils s'appliquent aux personnes, à leurs biens, ou aux services à forte intensité informationnelle.

Activités

Questions de révision

1. Pourquoi est-il important de faire la différence entre la livraison du service de base et celle des services périphériques ?

2. Quels sont les risques (et opportunités) qu'encoure une entreprise de vente au détail qui ajoute des canaux électroniques (a) parallèlement aux canaux physiques ; (b) en remplacement des canaux physiques ? Donnez des exemples.

3. Pour quelles raisons les nouvelles technologies impactent le marketing des services ?

4. Quels sont les facteurs qui accroissent la globalisation des services ?

5. De quelle manière la nature du service peut affecter les opportunités de globalisation ?

Exercices d'application

1. Choisissez une entreprise de services et analysez en quoi l'utilisation de la technologie facilite la livraison du service. Y a-t-il d'autres occasions de bénéficier des apports de la technologie ? Quelles sont-elles ?

2. Identifiez trois situations dans lesquelles vous utilisez un canal à distance. Quelle est votre motivation pour utiliser cette approche plutôt qu'une autre ?

3. Pensez à trois services que vous achetez ou utilisez exclusivement par Internet. Quelle est pour vous la valeur de ce canal comparé aux autres canaux (téléphone, mails, agence…) ?

4. Sélectionnez deux exemples de franchise (excepté dans le domaine des fast-foods), l'un ciblant prioritairement le marché grande consommation et le second, le *B to B*. Décrivez le profil de chacun, leur stratégie et évaluez leur positionnement concurrentiel.

Notes

1. Éric Vernette, « La méthode Delphi : une aide à la prévision marketing », *Décisions marketing*, n° 1, 1994, pp. 97-101.

2. Études fondées sur les recherches suivantes : Nancy Jo Black, Andy Lockett, Christine Ennew, Heidi Winklhofer et Sally McKechnie, « Modelling Consumer Choice of Distribution Channels : An Illustration from Financial Services », *International Journal of Bank Marketing*, 20, n° 4, 2002, pp. 161-173 ; Jinkook Lee, « A Key to Marketing Financial Services : The Right Mix of Products, Services, Channels and Customers », *Journal of Services Marketing*, 16, n° 3, 2002, pp. 238-258 ; Leonard L. Berry, Kathleen Seiders et Dhruv Grewal, « Understanding Service Convenience », *Journal of Marketing*, 66, n° 3, juillet 2002, pp. 1-17.

3. Jean-Paul Flipo, « Automatisation des services : de la technologie au marketing », *Décisions marketing*, n° 14, 1998, pp. 55-61.

4. Anne-Sophie Cases et Christophe Fournier, « L'achat en ligne : utilité et/ou plaisir, le cas de Lycos France », *Décisions marketing*, n° 32, 2003, pp. 83-96.

5. P. K. Kannan, « Introduction to the Special Issue : Marketing in the E-Channel », *International Journal of Electronic Commerce*, 5, n° 3, 2001, pp. 3-6.

6. Inge Geyskens, Katrijn Gielens et Marnik G. Dekimpe, « The Market Valuation of Internet Channel Additions », *Journal of Marketing*, 66, n° 2, avril 2002, pp. 102-119.

7. Katherine N. Lemon, Frederick B. Newell et Loren J. Lemon, « The Wireless Rules for e-Service », *New Directions in Theory and Practice*, Roland T. Rust et P. K. Kannan (éd.), New York, Armonk, M. E. Sharpe, 2002, pp. 200-232.

8. Frances Cairncross, *The Company of the Future*, Boston, Harvard Business School Press, 2002.

9. James Cross et Bruce J. Walker, « Addressing Service Marketing Challenges Through Franchising », *Handbook of Services Marketing & Management*, Teresa A. Swartz et Dawn Iacobucci (éd.), Thousand Oaks, Sage Publications, 2000, pp. 473-484.

10. Scott Shane et Chester Spell, « Factors for New Franchise Success », *Sloan Management Review*, printemps 1998, pp. 43-50.

11. Gérard Cliquet, « Les réseaux mixtes franchise/succursalisme : apports de la littérature et implications pour le marketing des réseaux de points de vente », *Recherche et applications en marketing*, vol. 17, n° 1, 2002, pp. 57-73.

12. Ce terme a été inventé par Curtis P. McLauglin et James A. Fitzsimmons, « e-Service : Strategies for Globalizing Service Operations », *International Journal of Service Industry Management*, 7, n° 4, 1996, pp. 43-57.

13. Johny K. Johansson et George S. Yip, « Exploiting Globalization Potential : US and Japanese Strategies », *Strategic Management Journal*, octobre 1994, pp. 579-601 ; Christopher H. Lovelock et George S. Yip, « Developing Global Strategies for Service Businesses », *California Management Review*, 38, hiver 1996, pp. 64-86 ; Rajshkhar G. Javalgi et D. Steven White, « Strategic Challenges for the Marketing of Services Internationally », *International Marketing Review*, 19, n° 6, 2002, pp. 563-581 ; May Aung et Roger Heeler, « Core Competencies of Service Firms : A Framework for Strategic Decisions in International Markets », *Journal of Marketing Management*, 17, 2001, pp. 619-643.

14. Frances Cairncross, *The Death of Distance* (édition révisée), Boston, Harvard Business School Press, 2001.

Chapitre 5

Explorer les « business models » : le prix et le *yield management*

> « Qu'est-ce qu'un cynique ? Un homme qui connaît le prix de tout et la valeur de rien. » – Oscar Wilde

> « Il y a deux excès sur un marché : un qui demande trop et l'autre qui ne demande pas assez. » – Proverbe russe

Ce chapitre aborde les questions suivantes

- Quelles sont les trois principales approches pour déterminer le prix d'un service ?
- Pourquoi la détermination du prix fondé sur les coûts est si difficile pour les entreprises de services et comment l'*Activity-Based Costing* (méthode ABC : mesure des coûts de chaque activité) facilite la détermination des coûts ?
- Quelles sont les stratégies clés pour augmenter la valeur nette auprès des consommateurs ? En quoi les coûts non monétaires sont liés à la valeur des services ?
- En quelles circonstances les marchés de services sont-ils moins sensibles à la concurrence au niveau des prix ?
- En quoi le management des revenus peut-il radicalement améliorer la rentabilité ? Comment proposer des prix différents à des segments différents sans que le consommateur ait l'impression d'être abusé ?
- Quelles sont les sept questions auxquelles les marketeurs doivent répondre lors de la mise au point d'un barème de prix ?

Déterminer le prix d'un service est chose complexe. Les entreprises de services le savent bien. Avez-vous déjà fait attention au nombre de termes différents que les entreprises de services utilisent pour nommer leurs prix ? Dans les grandes écoles, on parle de frais de scolarité, dans les universités, de droits d'inscription, les professions libérales font payer des honoraires, les banques demandent des commissions, les courtiers en Bourse ont des frais de courtage, les sociétés d'autoroutes prélèvent un péage, les services publics fixent des tarifs, les compagnies d'assurance parlent de primes et la liste est encore longue…

Une stratégie de prix efficace doit conduire à l'obtention de revenus qui permettent d'atteindre les objectifs de rentabilité de l'entreprise. Pour cela, celle-ci doit avoir une bonne connaissance de ses coûts, de la valeur qu'elle crée et des prix proposés par ses concurrents. Ce constat paraît simple, mais c'est un véritable défi dans les entreprises de services, là où la détermination du coût unitaire peut être difficile et l'allocation des frais fixes complexe tant l'offre de services est multiple et complexe. La valeur d'un service pour les clients peut être différente selon les segments et parfois dans le temps à l'intérieur d'un même segment. Pour compliquer les choses, la demande peut considérablement varier, tandis que la capacité (de production) est le plus souvent fixe. De plus, les prix des concurrents ne peuvent être comparés à l'euro près, tant les services sont spécifiques d'un point de vue géographique et temporel.

Dans ce chapitre, nous allons passer en revue le rôle de la détermination du prix dans le domaine des services et proposer des éléments d'actions qui permettent de développer une stratégie de prix efficace.

1. L'établissement du prix : condition essentielle au succès économique[1]

Le marketing est la seule fonction qui procure des revenus à l'entreprise. Toutes les autres fonctions du management créent des coûts. La fixation du prix est le mécanisme grâce auquel les ventes sont transformées en recettes. Dans beaucoup de secteurs d'activité de services, le prix est traditionnellement établi dans une perspective comptable et financière qui, le plus souvent, est fondée sur une surévaluation des coûts. Les barèmes de prix sont souvent encadrés par des réglementations gouvernementales et c'est encore souvent le cas. Cependant, encore beaucoup d'entreprises jouissent d'une totale liberté dans la fixation des prix et ont une bonne connaissance des prix pratiqués par la concurrence et de la valeur des produits, d'où des systèmes de tarification astucieux et innovants et des systèmes de yield management (management des revenus) sophistiqués.

La détermination du prix est toujours plus complexe dans les services que dans le secteur industriel. Parce que le service échappe au concept de propriété, il est difficile pour les responsables de déterminer les coûts financiers de la création d'un processus ou de ses performances. De plus, l'impossibilité de stocker les services oblige à accorder une plus grande importance à l'équilibre entre l'offre et la demande, une tâche dans laquelle le prix joue un rôle clé. L'importance du facteur temps dans la livraison du service fait que la rapidité de la livraison et donc l'absence d'attente augmentent le plus souvent sa valeur. Avec une hausse de la valeur, les consommateurs sont prêts à payer plus pour le service.

Qu'apporte une perspective marketing à la détermination du prix ? Les stratégies de prix cherchent à accroître (voire maximiser) le niveau des revenus, en faisant la distinction entre les divers segments de marché selon leur perception de la valeur, leur solvabilité et entre différentes périodes basées sur les variations de la demande dans le temps.

2. Objectifs et bases de la détermination des prix

Toute stratégie de prix doit être établie sur une connaissance claire et précise des objectifs de prix de l'entreprise. Les objectifs prix les plus courants sont liés aux revenus et profits, à la clientèle, à la part de marché et au taux de pénétration (voir tableau 5.1).

2.1. Générer des profits

Avec certaines limites, les entreprises qui recherchent prioritairement le profit visent à maximiser les revenus et les bénéfices sur le long terme. Les dirigeants peuvent être impatients d'atteindre un objectif financier précis ou bien chercher un certain pourcentage de retour sur investissement. Les sources de revenus peuvent être altérées en raison de la dispersion géographique des unités, des types de services, et même des différents

Tableau 5.1 : Objectifs alternatifs pour la détermination du prix

---

Objectifs de revenu et de profit

Rechercher le profit

- Faire le plus de bénéfices possible.
- Atteindre un objectif déterminé, sans chercher à maximiser les profits.
- Maximiser les profits à partir d'une capacité de production fixe en faisant varier dans le temps les prix et les segments ciblés, en utilisant le plus souvent les principes du yield management.

Couvrir les coûts

- Couvrir en totalité les coûts alloués (y compris les frais institutionnels).
- Couvrir les coûts de fourniture d'un service donné (à l'exclusion de tout autre coût).
- Couvrir les coûts incrémentaux pour vendre une unité de service supplémentaire ou à un client particulier.

Objectifs de gestion de la base de clientèle

Établir la demande

- Maximiser la demande (lorsque la capacité n'est pas une contrainte), sous réserve d'atteindre un niveau minimum de revenu.
- Atteindre une capacité maximale d'utilisation, en particulier lorsque cette forte capacité d'utilisation ajoute de la valeur pour les clients (une salle comble augmente l'intérêt d'une pièce de théâtre ou d'un match de basket-ball).

Construire une base de clientèle

- Encourager les essais pour faire adopter le service. Cela est particulièrement valable pour de nouveaux services avec des coûts d'infrastructure élevés, et pour des services où l'on retrouve la notion d'adhésion et qui génèrent un certain niveau de revenu grâce à une utilisation permanente des services (abonnement à un service de téléphonie mobile, contrats d'assurance).
- Accroître sa part de marché ou sa base d'utilisateurs, en particulier si de grosses économies d'échelle peuvent procurer un avantage sur les coûts par rapport à ceux de la concurrence (si le niveau de développement ou les frais fixes sont élevés).

---

segments de consommateurs pouvant remettre en cause les objectifs prévisionnels. C'est pourquoi il est nécessaire d'avoir une bonne connaissance des coûts, de la concurrence, de l'élasticité prix/marché et de la perception de la valeur pour fixer les prix. Nous en discuterons ultérieurement dans ce chapitre.

Lorsque la capacité de production est limitée, la réussite financière de l'entreprise est souvent conditionnée par son utilisation optimale à n'importe quel moment. Les hôtels, par exemple, cherchent à remplir leurs chambres, dans la mesure où une chambre vide représente un actif non productif. Parallèlement, les entreprises veulent que leurs employés soient occupés. Ainsi, lorsque le niveau de la demande est faible, elles peuvent proposer des rabais ou remises pour attirer des clients supplémentaires. À l'inverse, lorsque la demande est supérieure à la capacité, elles augmentent leurs prix et se concentrent sur les segments de clientèle qui sont prêts à payer plus cher. Nous reparlerons de ces pratiques dans la partie concernant le management des revenus (*yield management*).

2.2. Consolider la demande

Dans certaines situations, étendre la clientèle, sous réserve d'atteindre un niveau minimum de profits, peut être plus important que maximiser les profits. Faire salle comble dans un théâtre, un stade ou sur un circuit, entraîne en général une émotion qui enrichit l'expérience du client. Cela crée aussi une image de succès propice à l'attraction de nouveaux clients.

Attirer de nouveaux clients

Dans les secteurs d'activité où il existe une relation contractuelle avec les clients sous forme d'abonnements et où de lourds investissements d'infrastructure doivent être réalisés (téléphonie mobile ou service à grande échelle), il est vital de conquérir un certain nombre de clients rapidement. Être leader sur un marché signifie souvent un faible coût par utilisateur, et c'est ce qui permet de générer des revenus suffisants pour couvrir les investissements futurs. Il existe cependant des limites à de telles pratiques : générer de l'infidélité. En effet, de nos jours, les entreprises de téléphonie mobile se livrent une lutte acharnée pour prendre les clients des concurrents en proposant des rabais et l'offre de portable à l'abonnement. Devant la complexité des offres et le peu d'attractivité d'une offre par rapport à une autre, les clients n'hésitent plus à s'abonner chez un concurrent pour bénéficier d'un portable gratuit. C'est souvent le résultat des politiques de conquête de clients à « tous prix ». La guerre des prix dans les services est souvent une grave erreur. Nous aurons l'occasion d'y revenir plus dans le détail dans ce chapitre.

Les nouveaux services ont la particularité d'avoir du mal à attirer de nouveaux clients. Aussi, il est important que l'entreprise donne l'impression de réaliser un gros volume d'affaires avec les bons clients, tout en améliorant son image. Des rabais sur les prix de lancement peuvent être mis en place pour stimuler des essais et démonstrations et attirer des clients, souvent à travers des actions promotionnelles comme des remises, des cadeaux ou des concours[2].

2.3. Les trois piliers de la stratégie de prix

Les fondements sous-tendant une stratégie de prix s'inscrivent dans un triangle : les coûts, la concurrence et la valeur pour le client. Les coûts, qui doivent être couverts, définissent la limite inférieure du prix (prix plancher) qui peut être demandé pour un produit donné ; la valeur du produit aux yeux des clients définit, elle, la limite supérieure (prix plafond) ; le prix fixé par la concurrence pour des produits semblables, ou de substitution, peut déterminer, entre ces prix plancher et plafond, le niveau du prix qui devrait raisonnablement être fixé.

3. Les coûts du service

Il est plus complexe de déterminer les coûts d'une performance intangible que d'identifier le travail, les matériaux, la capacité des machines, la capacité de stockage et les frais

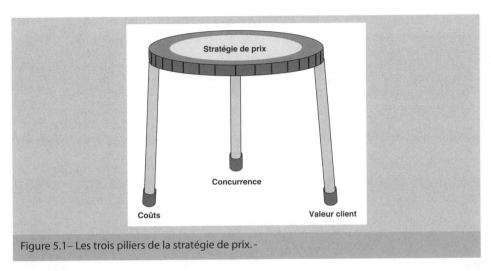

Figure 5.1– Les trois piliers de la stratégie de prix. -

de transport liés à la production d'un bien matériel. Cependant, sans une bonne connaissance des coûts, comment un manager peut-il fixer un prix de manière qu'il apporte une certaine marge de profit ? La main-d'œuvre et les infrastructures nécessaires font qu'un grand nombre d'entreprises de services ont des coûts fixes supérieurs aux coûts variables.

3.1. Le coût de la livraison du service

Le mémo 5.1 explique comment le prix des services peut être estimé, en utilisant les coûts, fixes, variables ou semi-variables, ainsi que les notions de contribution à la marge et d'analyse du seuil de rentabilité. Ces approches traditionnelles de comptabilité des coûts sont efficaces pour des entreprises de services avec des coûts semi-variables ou variables significatifs (comme c'est le cas de nombreux services professionnels).

Pour des unités de production de services complexes où les infrastructures sont partagées (produits vendus aux guichets des banques par exemple), il est peut-être plus judicieux d'utiliser la méthode d'*Activity-Based Costing* (ABC).

Comprendre les coûts, la contribution à la marge et l'analyse du seuil de rentabilité

Coûts fixes. Souvent comparés aux frais généraux. Ce sont les coûts qu'un fournisseur peut supporter (du moins à court terme) même si aucun service n'est vendu (loyers, dépréciation du matériel, impôts, assurances, salaires des managers et des employés des services fonctionnels, sécurité, intérêts des emprunts).

Coûts variables. Ceux associés à la réalisation d'une vente supplémentaire, comme une nouvelle transaction bancaire ou la vente d'un siège supplémentaire sur un vol. Dans beaucoup de services, ils ont tendance à être très faibles. Par exemple, le transport d'un passager supplémentaire demande peu de kérosène ou de main-d'œuvre en plus.

☞

Mémo 5.1

Comprendre les coûts, la contribution à la marge et l'analyse du seuil de rentabilité *(suite)*

Dans un théâtre, ce coût additionnel est proche de zéro. Les coûts variables significatifs sont associés aux activités liées à la distribution de nourriture et de boissons, ou à l'installation de nouvelles pièces lors d'une réparation, sachant que cela entraîne le stockage de biens matériels coûteux en plus de la main-d'œuvre. Ce n'est pas parce qu'une entreprise a vendu un service à un prix excédant ses coûts variables qu'elle est bénéficiaire, car il y a des coûts fixes et semi-variables à intégrer.*Coûts semi-variables.* Ils se situent entre les coûts fixes et les coûts variables. Ils représentent les dépenses qui augmentent ou diminuent en fonction de la hausse ou de la baisse du niveau d'activité. Par exemple, l'ajout d'un vol supplémentaire pour faire face à la hausse de la demande sur un trajet particulier ou l'embauche d'un employé à temps partiel dans un restaurant lors des week-ends chargés.

La contribution à la marge. C'est la différence entre le coût variable lié à la vente d'une unité de service supplémentaire et le prix facturé à l'acheteur. Cette contribution sert à équilibrer les coûts fixes et semi-variables avant de créer du profit.

Déterminer et allouer les coûts financiers. Une tâche difficile dans certaines opérations de service à cause de la difficulté à allouer et répartir les coûts fixes dans un ensemble multiservices, comme un hôpital. Certains coûts fixes sont associés à la gestion du service des urgences, mais il y a aussi des coûts fixes qui proviennent de la gestion de l'hôpital auquel il est rattaché. Quel montant de coûts fixes l'hôpital doit-il allouer aux urgences ? Le calcul peut s'effectuer en se fondant sur : (1) la surface qu'occupe le service des urgences ; (2) le pourcentage des heures de travail des employés ou de la masse salariale du service par rapport au reste de l'hôpital ; (3) le nombre total d'heures de contact avec les patients. Chacune de ces méthodes produira une allocation des frais fixes totalement différente : l'une trouvera la salle des urgences très profitable alors que l'autre la montrera comme un gouffre financier.

Analyse du seuil de rentabilité des coûts du service. Les responsables doivent savoir à partir de quel niveau de vente un service devient rentable. Cela s'appelle le seuil de rentabilité. Il faut diviser le total des frais fixes plus les coûts semi-variables par l'unité de contribution obtenue sur chaque unité de service. Par exemple, si un hôtel de 100 chambres a besoin de couvrir des coûts fixes et semi-variables de deux millions d'euros par an, et que la contribution pour une nuit soit en moyenne de 100 euros, l'hôtel devra vendre 20 000 « nuits » pendant l'année pour une capacité annuelle de 36 500 « nuits ». Si les prix baissent en moyenne de 20 euros par nuit (ou si les coûts variables augmentent d'autant), la contribution va chuter à 80 euros par nuit et le seuil de rentabilité atteindra 25 000 « nuits ». Le volume de ventes peut alors être relié à la sensibilité aux prix (les clients seront-ils disposés à payer autant ?), à la taille du marché (le marché est-il assez vaste pour ce niveau de clientèle, après avoir pris en considération la concurrence ?), à la capacité maximale (l'hôtel dans notre exemple possède une capacité de 36 500 « nuits » à l'année, si et seulement si aucune des chambres ne doit subir des travaux d'entretien).

3.2. La méthode « *Activity-Based Costing* » dite ABC

Un nombre grandissant d'entreprises ont réduit leur dépendance vis-à-vis des systèmes de comptabilité des coûts traditionnels et développé un système de gestion en fonction des coûts (ABC) qui établit que virtuellement toutes les activités ayant lieu au sein de l'entreprise peuvent supporter directement ou indirectement la production, le marketing et la livraison des biens et des services. Cette méthode, la plus compatible avec une entreprise de services, affecte les dépenses à la variété et à la complexité des produits et pas seulement au volume produit. Une activité est un ensemble de tâches qui, combinées, créent le processus ayant pour objectif la livraison du service. Chaque étape représentée dans un logigramme constitue une activité à laquelle des coûts peuvent être associés.

L'approche ABC bien mise en place donne des informations relativement précises sur les coûts des activités et des processus, sur les coûts liés à la création de services spécifiques, à l'exploitation d'activités déplacées dans d'autres lieux (même dans différents pays), ou relatives à des clients particuliers[3]. Le résultat est un outil de gestion qui peut aider les entreprises à repérer la rentabilité des différents services, canaux de livraison, segments de marchés et clients individuels.

Il est essentiel de faire la distinction entre les activités qui sont nécessaires aux opérations liées à un service et celles qui sont discrétionnaires. L'approche traditionnelle du contrôle des coûts a souvent pour résultat une réduction de la valeur créée pour les clients, car l'activité qui est supprimée est en fait indispensable pour assurer un certain niveau de qualité de service. Par exemple, un grand nombre d'entreprises se sont elles-mêmes créé des problèmes marketing lorsqu'elles essayaient de faire des économies en licenciant un grand nombre d'employés du service après-vente. Cette stratégie s'est souvent traduite par un déclin rapide du niveau de service obligeant les clients mécontents à aller voir ailleurs. (Pour plus de détails sur la méthode ABC, voir le Mémo 5.2).

3.3. Les implications de la détermination du prix sur l'analyse des coûts.

Réaliser des bénéfices implique de fixer un prix de vente suffisamment élevé pour couvrir les frais de marketing et de production d'un service, puis d'ajouter une marge suffisante pour atteindre le niveau de bénéfice souhaité, et ce, en fonction de la prévision d'un certain volume de vente. Les entreprises de services ayant des coûts fixes élevés sont celles qui ont des infrastructures très coûteuses (hôpitaux ou universités), ou une flotte d'appareils (compagnies aériennes ou entreprises de transport routier), ou un réseau (les télécommunications, un réseau ferré ou un gazoduc). Pour ce type de services, les coûts variables liés au service d'un client supplémentaire peuvent être minimes.

Dans ces conditions, les responsables peuvent avoir l'impression qu'ils ont une flexibilité sur les prix importante et être tentés de fixer des prix très bas afin de réaliser des ventes supplémentaires. Certaines entreprises parlent de *loss leaders*, qui sont des services vendus moins chers qu'ils ne coûtent afin d'attirer les clients qui seront ensuite enclins à acheter des services à des prix rentables à la même entreprise. Cependant, les bénéfices à la fin de l'année seront nuls car les coûts n'auront pas été couverts. Beaucoup d'entreprises ont mis la clé sous la porte par ignorance de cette logique. De plus, les entreprises concurrentes qui pratiquent

Activity-Based Costing

Dans la détermination du prix, les systèmes de coûts traditionnels apportent des données utiles lorsqu'une seule opération crée un produit homogène pour des clients qui se comportent tous de la même manière. Cependant, quand les entreprises de services rencontrent une grande diversité d'*inputs* ou *outputs*, il est irrationnel d'affecter une même proportion de coûts indirects à chaque unité d'*output*. Les clients eux aussi varient en termes de demande vis-à-vis de l'entreprise.

Selon Cooper et Kaplan, respectivement professeur de management à la Claremont Graduate School et professeur de comptabilité à la Harvard Business School, les coûts ne sont pas intrinsèquement fixes ou variables* :

> *Un grand nombre de produits, de marques, de clients, de canaux de distribution créent un nombre de demandes différentes aux ressources d'une entreprise. L'analyse ABC autorise les contrôleurs de gestion à découper le marché de différentes manières, par rapport à un produit ou à des groupes de produits semblables, par rapport à un client isolé ou à des groupes de clients, ou par rapport à un canal de distribution, leur donnant une vue précise de la tranche d'activité prise en considération. L'analyse ABC montre aussi quelles activités sont en relation avec telle ou telle source de revenu et comment elles contribuent à la génération de revenu et à la consommation de ressources.*

Au lieu de se concentrer sur les catégories de dépenses, l'analyse ABC s'intéresse d'abord à l'identification des différentes activités développées par l'entreprise et détermine ensuite le coût de chacune en relation avec chaque catégorie de dépense. Quand les contrôleurs de gestion isolent les activités de cette façon, une hiérarchie des coûts apparaît, montrant le niveau à partir duquel le coût est engagé.

D'autres types d'activités donnent la possibilité à une entreprise de produire un type de service différent [mettre en place des standards de performance dans la gestion du compte client, de communiquer sur les gammes de produit (publicité), de gérer ses infrastructures (l'entretien des immeubles, l'assurance)]. Les dépenses sont liées à chaque activité en fonction des estimations du temps passé, par les employés pour les différentes tâches et du pourcentage d'autres ressources (consommation d'électricité) prélevé par chaque activité.

En bref, la hiérarchie ABC est une approche structurée par la relation entre les activités et les ressources qu'elles consomment. Toute la question est de savoir si chaque activité prise en compte ajoute de la valeur aux services que l'entreprise vend.

Déterminer la rentabilité du client est une question essentielle pour un grand nombre d'entreprises. L'analyse traditionnelle des coûts a tendance à aboutir à l'affectation des frais généraux aux clients. Cela laisse supposer qu'un plus grand

---

* Robin Cooper et Robert S. Kaplan, « Profit Priorities from Activity-Based Costing », *Harvard Business Review*, 69, n° 3, mai-juin 1991, 130-135.

☞

Mémo 5.2

nombre d'acheteurs est plus rentable. À l'inverse, l'analyse ABC peut faire ressortir des différences de coûts selon les clients, pas seulement par identification des types d'activité associés à chacun d'eux, mais aussi en déterminant le montant que chaque activité demande.

Par exemple, un client qui achète en grande quantité, mais qui est extrêmement exigeant sur le montant et le niveau d'assistance, peut en réalité être moins rentable qu'un petit consommateur qui n'a besoin que d'une faible assistance.

Source : Robin Cooper et Robert S. Kaplan, « Profit Priorities from Activity-Based Costing », *Harvard Business Review,* mai-juin, 1991 ; Robert S. Kaplan, *Introduction to Activity-Based Costing,* note #9-197-076, Boston, Harvard Business School Publishing, 1997 ; Jerold L. Zimmerman, *Accounting for Decision Making and Control*, 3e éd., McGraw-Hill, 2000.

un faible niveau de prix doivent avoir une bonne connaissance de leurs coûts de structure et des volumes nécessaires afin d'atteindre leur seuil de rentabilité.

Idéalement, toutes les activités et les coûts engendrés créent de la valeur pour le client. Les responsables doivent cesser de percevoir les coûts d'un point de vue purement comptable. Ils devraient voir les coûts comme une part intégrante des efforts de l'entreprise pour créer de la valeur pour les clients. Carù et Cugini, toutes deux professeurs à l'université de Bocconi à Milan, expliquent les limites des systèmes traditionnels de mesure des coûts. Elles recommandent de relativiser les coûts de n'importe quelle activité en fonction de la valeur qu'ils génèrent :

> *Les coûts n'ont aucun rapport avec la valeur qui, elle, est déterminée par le marché et au final par le degré d'acceptation du client. A priori, le client n'est pas intéressé par le coût d'un produit… mais par sa valeur et son prix…*
>
> *Le contrôle de gestion qui se limiterait à la surveillance des coûts sans s'intéresser à la valeur est inutile… Le problème des entreprises n'est pas tant un contrôle des coûts qu'un abandon des activités à forte valeur des autres activités. Les entreprises qui ont des activités non rentables sont destinées à être rachetées par des concurrents qui se sont déjà séparés de ces activités[4].*

4. Les prix fondés sur la valeur

Personne n'accepte de payer un service qu'il considère comme mauvais. C'est pourquoi les marketeurs doivent déterminer comment les clients perçoivent le service afin de lui donner un prix adéquat. Gerald Smith (professeur associé à Boston College) et Thomas Nagle (président du Strategic Pricing Group) insistent sur l'importance de la compréhension de la valeur de la plus-value créée par un service, une tâche qui requiert souvent une recherche marketing poussée, surtout sur les marchés *B to B*[5].

4.1. Comprendre la valeur nette

Lorsque les clients achètent un service, ils pèsent le pour (les bénéfices obtenus par l'achat du service) et le contre (les coûts de l'achat). En tant que client, vous jugez les bénéfices que vous êtes censé recevoir en contrepartie de l'évaluation de votre investissement en temps et en effort. La plupart des gens sont prêts à payer plus pour gagner du temps, réduire un effort trop important, obtenir plus de confort. En d'autres termes, ils sont prêts à payer plus pour réduire les coûts non monétaires d'un produit ou d'un service.

Reconnaître les différents arbitrages que les clients sont prêts à faire entre ces différents coûts conduit certaines entreprises à créer différents niveaux de service. Par exemple, les compagnies aériennes et chaînes hôtelières proposent des « classes » de services différentes, offrant ainsi au client la possibilité de payer plus pour des services supplémentaires. Les clients qui se rendent dans un hôtel Formule 1 renoncent au confort et aux services qui augmentent la valeur d'un séjour dans un hôtel 3*** de la même chaîne qui, évidemment, coûte plus cher. En parallèle, une entreprise qui commande des logiciels et du matériel de la catégorie « argent » de chez Sun Microsystems ne pourra pas compter sur la rapidité de réponse, les heures de service et les avantages supplémentaires dont bénéficient les clients de la catégorie « platine » (voir figure 3.6).

Une recherche de Valarie Zeithaml montre que la définition qu'un client donne à la valeur peut être très personnelle et subjective. Quatre façons d'exprimer la valeur émanent de sa recherche :

1. la valeur est un prix faible ;

2. la valeur est tout ce que je veux dans un service ;

3. la valeur est la qualité que j'obtiens pour le prix que je paie ;

4. la valeur est ce que j'ai pour ce que je donne[6].

Dans ce livre, nous fondons notre définition de la valeur sur cette quatrième catégorie et utilisons le terme de *valeur nette* : c'est la somme de tous les bénéfices perçus moins la somme de tous les coûts. Plus la différence (positive) entre les deux est grande, plus la valeur nette est importante. Les économistes utilisent le terme de *surplus consommateur* pour définir la différence entre le prix que le consommateur paie et celui qu'il aurait été prêt à payer pour bénéficier d'un produit/service spécifique.

Si les coûts perçus d'un service sont supérieurs aux bénéfices perçus, alors le service aura une valeur nette négative, et le consommateur n'achètera pas. On peut ainsi comparer les calculs que le consommateur fait dans sa tête aux poids et produits de chaque côté de la balance : d'un côté les avantages et de l'autre les coûts (voir figure 5.1). Quand les consommateurs comparent les services, ils comparent leurs valeurs nettes.

4.2. Améliorer la valeur brute

Hermann Simon, consultant international, estime que les stratégies de prix de services sont souvent un échec car il n'y a aucune association claire entre le prix et la valeur[7]. Comme nous l'avons mentionné dans le chapitre 3, un marketeur peut augmenter la valeur brute d'un service en ajoutant des avantages au noyau du produit/service et en améliorant les services supplémentaires. Il existe quatre stratégies différentes, néanmoins en relation, pour attirer l'attention et communiquer sur la valeur d'un service : la réduction de l'incertitude, l'amélioration du relationnel, le leadership sur les coûts, le management de la valeur perçue[8].

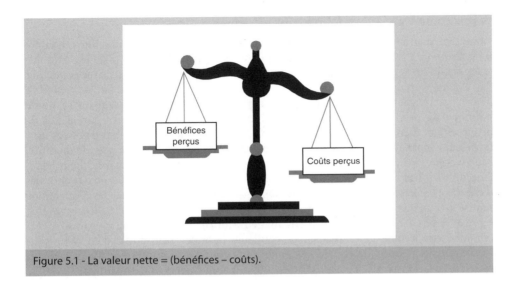

Figure 5.1 - La valeur nette = (bénéfices – coûts).

Réduire l'incertitude

Si les consommateurs ne sont pas sûrs de la valeur qu'ils sont prêts à attribuer à un service, ils demeurent avec leur fournisseur habituel ou ils n'achètent pas. Pour réduire cette incertitude, on peut avoir recours à un prix proportionnel aux bénéfices perçus ou à un taux fixe.

Prix calculés en fonction des bénéfices. Il s'agit de déterminer le prix des aspects du service qui bénéficient directement au consommateur (cela oblige les marketeurs à rechercher les aspects du service que les consommateurs apprécient le plus et le moins). Par exemple, le prix des services d'information sur le Net est souvent calculé en fonction de la durée de connexion, mais la personne attribuera une plus grande valeur à l'information qu'elle trouvera et retiendra. Les sites Internet mal conçus font perdre leur temps aux clients car la navigation y est difficile et l'utilisateur a du mal à trouver ce qu'il recherche. Le résultat est que la création de valeur et le prix sont en décalage. Quand ESA-IRS, un fournisseur européen de services sur le Web, a mis en place une nouvelle stratégie de prix baptisée « prix à payer pour l'information » fondée sur l'information extraite, l'entreprise s'est aperçue que les consommateurs étaient plus enclins à utiliser une fonctionnalité coûteuse en temps appelée ZOOM. Cette dernière permet d'effectuer des recherches d'une grande précision simultanément dans plusieurs bases de données relativement complexes. Ainsi, les consommateurs restèrent connectés plus longtemps, et l'utilisation de ZOOM tripla car les consommateurs effectuaient des recherches de plus en plus précises. L'objectif marketing passa de la vente de temps à la vente d'information.

Prix fixes. Il s'agit de déterminer un prix fixé avant la livraison du service afin d'éviter les surprises. Dans ce cas, le risque est transféré du client au fournisseur si le délai de livraison ou les coûts sont supérieurs aux prévisions. Les prix fixes peuvent être rassurants dans les situations où les fournisseurs ont peu de visibilité sur leurs coûts et la vitesse de production.

Le prix comme variable relationnelle

Comment la stratégie de prix permet-elle de développer et de maintenir une relation à long terme avec le client ? Faire des rabais n'est généralement pas la meilleure des solutions lorsqu'on lance un nouveau produit et que l'entreprise cherche à attirer et fidéliser des clients. Certaines recherches montrent que ceux qui sont attirés par des prix bas peuvent se tourner très rapidement vers un autre concurrent qui pratique lui aussi une politique de prix bas[9]. Des stratégies plus innovantes se concentrent sur le fait de proposer aux clients aussi bien une incitation monétaire que non monétaire pour consolider leurs échanges avec un seul fournisseur. Dans le cas d'achats en grande quantité, cette volonté de baisser les prix peut être profitable aux deux parties, car le client bénéficie de prix bas et le fournisseur de coûts variables plus faibles dus aux économies d'échelle réalisées. Une alternative au rabais grâce au volume acheté est d'offrir une remise aux clients lorsque plusieurs services sont achetés ensemble. Plus le nombre de services différents achetés par un client au même fournisseur est grand, plus forte sera la relation entre les deux. Une relation de confiance permet à l'entreprise d'en savoir plus sur ses clients et donc de rendre le service de façon plus personnalisée. Pour le client, traiter avec la concurrence présente alors plus d'inconvénients que d'avantages.

Le leadership fondé sur des prix bas

Les services à faible prix attirent les clients qui ont des budgets limités et peuvent aussi intéresser ceux qui achètent en grande quantité. Il faut alors faire comprendre au consommateur qu'il ne doit pas associer prix et qualité, et qu'il tirera une bonne valeur du service. Il faut aussi s'assurer que les coûts liés à l'achat permettent de retirer des bénéfices. Certaines entreprises de services ont développé toute leur stratégie sur un leadership fondé sur des prix bas : Southwest Airlines aux États-Unis propose des prix équivalents à ceux des cars, du train ou de la voiture. Cette stratégie a été étudiée partout dans le monde et a maintenant de nombreux imitateurs : Ryanair et Easyjet en Europe, Westjet au Canada.

Gérer la perception de la valeur

La valeur est quelque chose de subjectif et peu de consommateurs sont des experts dans l'art d'apprécier et de justifier la qualité et la valeur qu'ils reçoivent. Cela est particulièrement vrai pour les services à forts attributs de croyance, où le client ne peut juger de la qualité même après consommation. Pensez à une opération chirurgicale, à un conseil juridique ou de gestion[10]. L'invisibilité d'un travail de *back office* rend difficile au consommateur l'évaluation de ce qu'il obtient pour le prix qu'il paie. Par exemple, un particulier appelle un électricien pour qu'il vienne réparer un dommage. Cette réparation demande vingt minutes et quelques jours plus tard le client reçoit une facture de 90 euros, liée aux frais de main-d'œuvre.

C'est une somme qui peut paraître élevée. Mais ce serait oublier tous les frais fixes que le fournisseur de services doit couvrir : le bureau, le téléphone, l'essence, l'assurance, le véhicule, les outils, etc. Les coûts variables de la visite sont supérieurs à ce qu'ils paraissent. Aux vingt minutes passées dans la maison, il faut ajouter les trente minutes de l'aller et retour, plus dix minutes pour charger et décharger les outils dans le véhicule. Le temps effectif de travail est donc de soixante minutes pour cette intervention. À cela l'entreprise doit ajouter une marge afin de dégager des bénéfices.

Les consommateurs ont souvent le sentiment d'avoir été abusés. Une communication efficace et des explications personnalisées sont nécessaires pour leur permettre de se rendre compte de la valeur réelle du service. Les marketeurs des sociétés de conseil doivent également trouver des arguments forts pour justifier le temps, la recherche et l'expertise professionnelle qui ont été nécessaires à la réalisation du projet.

4.3. Réduire les coûts monétaires et non monétaires

Du point de vue du client, le prix pratiqué par le fournisseur correspond à une partie des coûts liés à l'achat et à l'utilisation du service. Il existe d'autres coûts : les coûts financiers et les coûts non monétaires.

Parmi les coûts financiers d'un service, il y a les dépenses occasionnées par la recherche, l'achat et/ou l'utilisation d'un service. Par exemple, le coût d'une séance de cinéma pour un couple avec des enfants en bas âge dépasse largement le prix des deux billets. Il faut en effet prendre une baby-sitter, payer le parking et l'essence, la nourriture et les boissons.

Les coûts non monétaires reflètent le temps, l'effort et l'inconfort associés à la recherche, l'achat et l'utilisation du service. Les clients qualifient ces coûts « d'effort » ou de « tracas ». L'entreprise MMA a parfaitement compris l'importance de ces coûts en en ayant fait son slogan publicitaire « MMA, zéro tracas, zéro blabla ».

Ces coûts ont tendance à être plus élevés quand le client est directement impliqué dans la production du service (services s'adressant aux personnes et libre services), notamment lorsqu'ils doivent se déplacer, attendre le service, en comprendre le mode de livraison et participer à sa « fabrication ». Les services qui nécessitent un gros savoir-faire peuvent entraîner des coûts psychologiques, comme l'anxiété. Les coûts non monétaires peuvent être regroupés en quatre catégories :

1. *Les coûts en temps* sont inhérents à la distribution d'un service. Pour les clients, il y a un coût d'opportunité qui est fonction du temps passé pour obtenir un service, ce dernier pouvant être consacré à d'autres activités. Les internautes sont souvent frustrés par le temps nécessaire pour trouver une information spécifique sur un site Web. Un grand nombre de personnes hésitent à aller faire faire leur passeport ou leur permis de conduire non pas à cause des coûts mais de l'attente. Le temps passé à attendre n'est en général pas agréable et augmente considérablement les coûts perçus, si élevés que parfois le client préfère ne pas acheter. De plus, ces coûts liés au temps ont souvent lieu à des moments peu pratiques (horaires de travail).

2. *Les coûts liés aux efforts physiques* peuvent être nécessaires pour obtenir certains services, surtout si le client doit se rendre dans les locaux de l'entreprise fournissant le service ou si sa distribution est en libre service.

3. *Les coûts psychologiques* comme un effort intellectuel, un risque perçu, un sentiment d'incompétence ou même de peur, sont parfois liés à l'achat et à l'utilisation de certains services.

4. *Les coûts sensoriels* font référence à des sensations désagréables affectant l'un des cinq sens comme des bruits, des odeurs désagréables, une chaleur ou un froid excessif, des sièges inconfortables, un environnement, voire des goûts désagréables.

Comme mentionné dans la figure 5.3, les consommateurs peuvent être confrontés à des coûts lors des trois phases du processus d'achat et les entreprises doivent prendre en compte (1) les coûts de recherche ; (2) les coûts d'achat et d'utilisation et (3) les coûts postérieurs à la consommation. Quand vous recherchiez une université ou une école, combien de temps et d'argent étiez-vous prêt à dépenser pour savoir où vous alliez déposer un dossier ? Combien de temps et d'efforts seriez-vous prêt à mettre dans la recherche d'une nouvelle banque ou d'un nouvel opérateur de téléphonie mobile ?

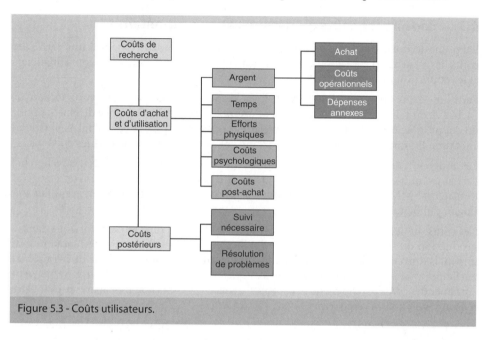

Figure 5.3 - Coûts utilisateurs.

D'un point de vue managérial, chercher à minimiser ces coûts non monétaires et moné-taires pour augmenter la valeur attribuée par le consommateur est une bonne idée. Plusieurs approches sont possibles :

- réduire les coûts liés à la durée de l'achat, sa livraison et sa consommation ;

- minimiser les coûts psychologiques superflus lors de chaque étape du processus en éliminant ou en réorganisant les étapes désagréables du processus ;

- éliminer les coûts physiques superflus subis par le client, en particulier lors des phases de recherche et de livraison ;

- faire baisser les coûts sensoriels en créant des environnements visuels plus attractifs, en réduisant les bruits, en installant du mobilier plus agréable, plus confortable, etc. ;

- identifier clairement les autres coûts monétaires et préciser comment les réduire ou proposer des alternatives (par exemple, gestion des comptes bancaires en ligne *via* Internet pour éviter les déplacements).

Les perceptions de la valeur nette peuvent varier entre les clients et d'une situation à une autre pour le même client. L'une des façons de segmenter un marché est de le faire par la sensibilité aux gains de temps et à la praticité[11] en opposition à la sensibilité au prix. Dans la figure 5.4, une personne doit choisir entre trois cliniques afin d'y effectuer une radio des poumons. En plus des différences de prix possibles, il faut prendre en compte les coûts temporels et d'efforts liés à l'utilisation de chaque service. Les coûts non monétaires peuvent être, pour un client donné, aussi importants que les coûts monétaires.

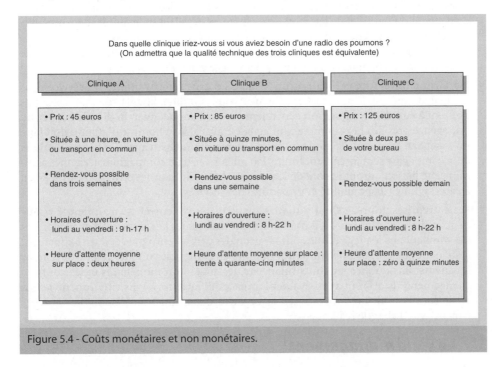

Figure 5.4 - Coûts monétaires et non monétaires.

5. Les prix fondés sur la concurrence

Des entreprises offrant des services peu différenciés de ceux de leurs concurrents ont intérêt à aligner leurs prix sur ceux-ci, les clients achetant de préférence le moins cher. Dans cette situation, l'entreprise qui peut pratiquer les prix les plus bas possède un sérieux avantage marketing sur ses concurrentes. Elle fixe un prix de référence sur lequel les autres se calquent. On peut observer ce phénomène à l'échelon local lorsque plusieurs stations-service sont en concurrence sur le prix de l'essence. Dès qu'une station baisse ses prix, toutes celles qui sont à proximité suivent[12].

La concurrence sur les prix augmente avec (1) le nombre de concurrents ; (2) la hausse du nombre d'offres de substitution ; (3) l'existence d'un réseau de distributeurs des concurrents important ; et (4) l'accroissement de la capacité de production dans le secteur concerné. Même si certains services peuvent se livrer une concurrence féroce (compagnies aériennes, services bancaires en ligne, téléphonie mobile), la majorité des autres le font beaucoup moins, surtout lorsque l'une des situations suivantes fait baisser la concurrence par les prix :

- **Coûts non monétaires plus importants que le prix.** Lorsque la réduction de temps et d'effort est égale ou supérieure à l'impact du prix lors du choix d'un fournisseur.

- **Personnalisation, sur mesure et coûts de changement significatifs.** Dans les services hautement personnalisés ou sur mesure, comme la coiffure, le conseil, les soins, la relation est fondamentale entre le fournisseur et le client, n'incitant pas celui-ci à se tourner vers la concurrence. Dans d'autres types de services, les coûts de changement demandant du temps et de l'argent. Les opérateurs de téléphonie mobile demandent le plus souvent à leurs clients des engagements allant de un à deux ans, les « menaçant » de pénalités financières relativement élevées s'ils venaient à rompre le contrat avant sa date d'expiration. Les banques pratiquent également ce genre de straégie.

- **Horaires d'ouverture et localisation.** Quand les gens veulent utiliser un service dans un lieu donné ou à une certaine heure (voire simultanément), peu de solutions s'offrent à eux. Ainsi, choisit-on généralement une banque qui a un distributeur et/ou une agence près de chez soi ou de son lieu de travail. Si un homme d'affaires doit faire un trajet San Francisco – Séoul sans escale mercredi prochain après 20 heures, le choix de la compagnie sera forcément limité. Par ailleurs, peu de compagnies aériennes assurant cette liaison auront encore de la place sur leur vol. Internet offre un nouvel enjeu à l'accessibilité (disponibilité et proximité) des services.

- Les entreprises qui réagissent toujours aux prix des concurrents encourent le risque de fixer des prix plus bas qu'il n'est vraiment nécessaire. Les responsables ne doivent pas tomber dans le piège d'une comparaison des prix à l'euro près et d'un alignement systématiquement. Ils doivent plutôt prendre en compte le coût de chaque offre pour les clients sans oublier les coûts financiers, les coûts non monétaires et les coûts de changement. Ils doivent aussi évaluer l'impact des facteurs de distribution, de temps et de localisation ainsi qu'estimer la capacité de production disponible de leurs concurrents à chaque instant.

6. Le *yield management*[13]

Un grand nombre d'entreprises de services se concentrent aujourd'hui sur des stratégies leur permettant de maximiser le revenu qui peut être généré par la capacité disponible à tout moment. Le management du revenu (aussi appelée *yield management*) est une forme perfectionnée de la gestion de l'offre et de la demande. Les compagnies aériennes, les hôtels et les loueurs de voitures en sont devenus de fervents adeptes en faisant varier leurs tarifs en fonction de la sensibilité au prix des différents segments de marché, à différents moments du jour, de la semaine ou de la saison. Le défi auquel elles ont à faire face est de concrétiser un nombre suffisant d'affaires afin de rentabiliser au mieux la capacité de livraison de service sans pour autant refuser les clients qui sont prêts à payer plus cher.

6.1. Comment fonctionne le *yield management*[14] ?

Dans la pratique, le management du revenu consiste à fixer des prix en fonction du niveau de la demande des différents segments du marché. Le segment le moins sensible au prix se voit tout d'abord attribuer une capacité au prix le plus élevé, suivi du segment un peu plus sensible mais à un prix moindre et ainsi de suite. Comme les segments qui paient le plus cher achètent au plus près de la date de consommation, les entreprises doivent réserver une partie de leur capacité de production et ne pas réagir en permanence dans une logique de premier venu, premier servi. Par exemple, les hommes d'affaires réservent le plus souvent leurs chambres d'hôtel, billets d'avion ou voitures de location au dernier moment, alors que les touristes le font plusieurs mois à l'avance.

Un bon système de *yield management* est capable de déterminer à l'avance et avec précision le nombre de clients qui voudront utiliser un service précis à un moment donné et ainsi bloquer la capacité nécessaire à chaque niveau.

Réserver une part de la capacité aux clients à fort potentiel

Des logiciels complexes permettent aux entreprises de mettre en place des modèles mathématiques très sophistiqués pour analyser le *yield management*. Dans une compagnie aérienne, ces modèles prennent en compte des bases de données qui intègrent l'historique des passagers et la prévision de la demande pour chaque vol et ce presque un an à l'avance. À intervalles fixes, le responsable observe la vitesse des réservations et la comparera avec les prévisions. Indirectement, cette pratique prend en compte les prix des concurrents. S'il y a une grosse différence entre la demande réelle et la demande prévisionnelle, des ajustements sont réalisés et ce, en rééchelonnant les « allocations prévisionnelles ».

Par exemple, si le rythme de réservations pour un segment à prix élevé est plus important que prévu, une capacité supplémentaire, déduite des segments les moins rentables sera allouée à ce segment. L'objectif est d'avoir un vol complet, chaque place ayant été vendue au prix le plus élevé. Idéalement, aucune des personnes prêtes à payer cher (hommes d'affaires payant plein tarif) ne doit être refusée et si le vol est complet, seuls les clients voulant payer le moins cher possible seront mis en attente. L'encadré Meilleures pratiques 5.1 montre comment la méthode du *yield management* a été mise en place chez American Airlines, un leader dans ce domaine[15]. Ce système est plus efficace s'il est appliqué à des opérations ayant une capacité relativement fixe, des coûts de structure élevés, un stock périssable, une demande variable et incertaine et une sensibilité prix du consommateur variable (compagnies aériennes, loueurs de voitures, hôtels et récemment les hôpitaux, les restaurants, les clubs de golf et les associations à but non lucratif[16]).

Comment le prix des concurrents affecte le *yield management* ?

Par le biais des systèmes de *yield management* qui observent le rythme des réservations, le prix des concurrents est indirectement relevé. Si une entreprise propose des prix trop bas, elle va connaître un rythme de réservation très élevé, et ses places les moins chères seront vite vendues. C'est en général mauvais signe car certains clients qui réservent à la dernière minute, le plus souvent à plein tarif, n'auront pas de confirmation pour leur siège et iront voir la concurrence. Si le prix de départ est trop élevé, les réservations à un prix élevé seront peu nombreuses et l'on se retrouvera dans la situation où des sièges seront vendus à la dernière minute à des prix cassés afin de couvrir tout de même les frais fixes.

6.2. L'élasticité prix[17]

Pour que le système de *yield management* fonctionne efficacement, il faut avoir deux segments ou plus qui attribuent une valeur différente à un service et avec des élasticités prix différentes. Le manager doit déterminer la sensibilité de la demande par rapport au prix et les revenus nets générés à des prix différents pour chaque segment. Le concept d'élasticité décrit le degré de réaction de la demande aux changements de prix. On le calcule de la façon suivante :

$$\text{Élasticité prix} = \frac{\text{Pourcentage de variation de la demande}}{\text{Pourcentage de variation du prix}}$$

Tarification des sièges sur le vol AA 2015

Les services en charge du *yield management* utilisent des logiciels sophistiqués et de puissants ordinateurs pour prévoir, suivre et gérer chaque vol séparément. Prenons l'exemple du vol American Airlines 2015, qui relie Chicago à Phœnix dans l'Arizona et décolle chaque jour à 17 h 30 pour un trajet long de 2 200 km.

La classe économique comprend 125 sièges divisés en sept catégories de prix, appelées en yield management des « buckets ». Le prix des billets varie énormément entre les différentes catégories : 238 dollars pour un aller-retour bon marché (avec des restrictions et des frais d'annulation) jusqu'à 1 404 dollars pour un billet sans restrictions. Des places sont aussi disponibles en première classe à des prix supérieurs. Scott McCartney nous explique comment une analyse informatique continue change l'allocation des sièges entre les sept catégories de prix en classe économique :

> *Dans les semaines précédant le vol entre Chicago et Phœnix d'un jour donné, nos ordinateurs ajustent en permanence le nombre de sièges disponibles dans chaque catégorie, en prenant en compte le nombre de billets vendus, l'historique du vol, et en ajoutant sur ce vol les gens qui l'utiliseront comme l'une des étapes d'un voyage.*

> *Si les réservations sont faibles, nous ajoutons des sièges dans les catégories à faible prix. Si des hommes d'affaires achètent des billets sans restriction plus tôt que prévu, l'ordinateur enlève des sièges dans les catégories les moins chères et les garde pour les hommes d'affaires qui les achètent, selon les prévisions, au dernier moment.*

> *Récemment, soixante-neuf des cent vingt-cinq sièges de la classe économique avaient déjà été vendus quatre semaines à l'avance. On commença à limiter le nombre de sièges à bas prix. Et une semaine après on ne vendait plus de billets pour les trois dernières catégories, dont les prix sont inférieurs à trois cents dollars. Pour un habitant de Chicago cherchant une place bon marché, le vol était complet.*

> *Un jour avant le départ, cent trente personnes avaient réservé pour cent vingt-cinq sièges disponibles, mais nous proposions toujours cinq billets plein tarif car d'après l'ordinateur, dix passagers en moyenne ne se présenteraient pas à la porte d'embarquement ou prendraient un autre vol. Au final, l'avion était complet et personne ne resta à Chicago.*

Toutes les données de ce vol particulier sont de surcroît stockées dans la mémoire du programme de *yield management* pour permettre à la compagnie d'être encore plus efficace dans le futur.

Source : Scott McCartney, « Ticket Shock : Business Fares Increase Even as Leisure Travel Keeps Getting Cheaper », *The Wall Street Journal,* 3 novembre 1997, pp. A1, A10.

Si l'élasticité des prix est proche de 1, les ventes de services augmentent ou diminuent du même pourcentage que les prix montent ou baissent. Quand un petit changement de prix a un grand effet sur les ventes, la demande pour ce produit est dite « élastique » par rapport au prix. Mais lorsqu'un changement de prix a peu d'effet sur les ventes, la demande est décrite comme « inélastique » (voir figure 5.5).

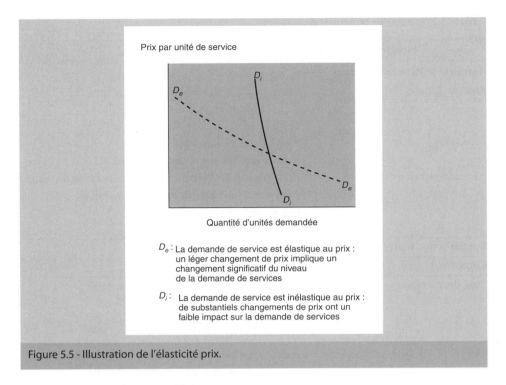

Figure 5.5 - Illustration de l'élasticité prix.

6.3. Les barrières tarifaires

Le concept de prix « sur mesure » est propre au *yield management* : on fait payer à chaque client un prix différent pour le même produit. Hermann Simon (P.-D.G. de la société de conseil en stratégie et marketing Simon, Kutcher & Partner) et Robert Dolan (professeur d'administration des affaires à la Harvard Business School) l'expliquaient de la façon suivante :

> *L'idée de base de prix personnalisable est simple : faire payer aux gens le prix correspondant à la valeur qu'ils attribuent à un produit. On ne peut évidemment pas afficher un panneau disant : « Payez ce que vous pensez que ça vaut » ou « C'est 80 euros si vous pensez que ça vaut ce prix-là, sinon c'est 40 euros ». Vous devez trouver un moyen de segmenter les consommateurs par la valeur qu'ils donnent au produit. Dans un sens, il faut mettre une barrière entre ceux qui lui donnent une valeur faible et ceux qui lui donnent une valeur élevée, afin que ces derniers ne tirent pas avantage d'une situation où les prix sont faibles[18].*

Les barrières peuvent être matérielles ou non matérielles. Les premières font référence à des différences tangibles entre les services par rapport à des prix différents, comme le prix d'un billet de théâtre ou la taille et l'équipement d'une chambre d'hôtel. Les secondes se réfèrent à la consommation, à la transaction ou aux caractéristiques de l'acheteur. Par exemple, la durée du séjour à l'hôtel, une partie de golf un après-midi de semaine, les frais d'annulation ou de changement, la réservation longtemps à l'avance. Le tableau 5.2 montre des exemples de barrières tarifaires.

Tableau 5.2 : Principales catégories de barrières

Barrières	Exemples
Barrières matérielles	
Produit de base	• Classe sur un vol (économique ou affaires)
	• Taille et équipement d'une chambre d'hôtel
	• Emplacement du siège dans un théâtre
Privilèges	• Petit déjeuner offert dans un hôtel
	• Voiture gratuite sur un terrain de golf
Niveau de service	• Priorité sur liste d'attente, comptoirs sans file d'attente
	• Augmentation du poids de bagages autorisés
	• Ligne téléphonique directe
	• Équipe de vente dédiée
Barrières non matérielles	
Caractéristiques des transactions	
Date de réservation	• Conditions requises pour achat à l'avance
	• Tarif réglé deux semaines avant le départ
Lieu de réservation	• Les passagers qui réalisent le même voyage ne paient pas le même tarif selon le pays
Flexibilité d'utilisation d'un billet	• Frais d'annulation et de changement, pouvant aller jusqu'à l'annulation totale du prix du billet
Caractéristiques de consommation	
Date et durée d'utilisation	• Dîner avant 20 h 00 dans les restaurants
	• Obligation de rester la nuit du samedi pour bénéficier d'un tarif avantageux pour une compagnie aérienne, un hôtel
	• Obligation de rester cinq nuits
Lieu de consommation	• Le prix dépend de la localité de départ, en particulier pour les vols internationaux
	• Les prix varient selon le lieu (entre les villes, entre le centre-ville et la périphérie)
Caractéristiques de l'acheteur	
Volume et fréquence de consommation	• Les partenaires privilégiés (carte Platine) ont des prix avantageux, des rabais, etc.
Appartenance à un club	• Réductions pour les étudiants, enfants, personnes âgées
	• Affiliation à certaines associations (anciens élèves)
Taille du groupe	• Rabais en fonction de la taille du groupe

Les barrières physiques reflètent des différences palpables dans le service (il est plus agréable de voler en classe affaires qu'en économique), alors que les barrières non matérielles font référence au même service de base (qu'une personne achète son ticket de classe économique sur Internet à moitié prix ou qu'une autre l'achète plein tarif, le résultat est le même, elles obtiendront toutes les deux le même service).

En résumé, le *yield management* requiert une connaissance parfaite des besoins et des préférences du consommateur, et de ses dispositions à payer. Ainsi le chef de produit et le « revenu manager » peuvent créer des offres de services combinant un service de base avec ses caractéristiques et particularités matérielles et des caractéristiques non matérielles gravitant autour. Ensuite, une bonne connaissance de la courbe de la demande est nécessaire afin que les buckets puissent être alloués aux différentes catégories de produits et de prix. La figure 5.6 montre un exemple dans le transport aérien. La conception de systèmes de *yield management* nécessite, à l'évidence, la présence de garde-fous pour les consommateurs[19].

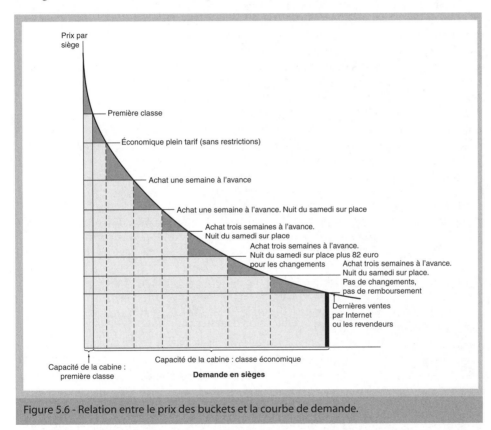

Figure 5.6 - Relation entre le prix des buckets et la courbe de demande.

7. Principes éthiques et honnêteté des politiques de prix dans les services

Les consommateurs ont parfois du mal à évaluer ce que va coûter l'utilisation d'un service. De plus, ils ne sont pas sûrs à l'avance de ce qu'ils vont recevoir. Il y a une règle implicite pour les clients : un service coûteux doit être plus bénéfique et de meilleure qualité qu'un service moins cher. Par exemple, un professionnel aux honoraires élevés, comme un avocat, est supposé être plus qualifié qu'un autre moins cher. Alors que le prix peut servir de gage de qualité, il est parfois difficile d'être sûr que la valeur supplémentaire est réelle.

7.1. La complexité des barèmes de prix dans les services

Ils ont tendance à être complexes, voire incompréhensibles, et les comparaisons entre les fournisseurs passent par des tableaux sophistiqués et des formules mathématiques. C'est le cas par exemple pour les opérateurs de téléphonie mobile (voir Questions de services 5.1).

Questions de services 5.1

La complexité des prix d'un service de téléphonie mobile

Ces dernières années ont vu se développer rapidement l'accès aux services de téléphonie mobile. Des avancées technologiques ont permis d'augmenter les capacités de ces produits, par exemple la possibilité d'envoyer des images, de se connecter à son ordinateur, d'avoir un GPS intégré, etc. Ce n'est donc pas une surprise si la demande a explosé et que la concurrence soit devenue si féroce dans un bon nombre de pays. En novembre 2007, il y avait autant de Français que de téléphones portables (53 millions), dynamique portée par les 12-24 ans. Ce n'est donc pas une surprise si la demande a explosé et que la concurrence soit devenue féroce dans un bon nombre de pays.

Pour adapter leurs services aux besoins des différents segments du marché, les entreprises de téléphonie mobile ont mis en place un nombre stupéfiant d'abonnements qui empêchent toute comparaison facile entre les fournisseurs. Ces abonnements peuvent être internationaux, européens, nationaux. Leur prix varie est fonction du nombre de minutes ou d'heures du forfait, avec une tarification heures pleines/heures creuses tous les jours. Les minutes hors forfait et les appels vers d'autres opérateurs sont alors plus chers. Quelques abonnements permettent une consommation illimitée pendant les heures creuses. Les abonnements destinés aux familles permettent aux parents et enfants d'utiliser leur forfait sur plusieurs téléphones à condition que le total des communications n'excède pas le quota mensuel. Une alternative est l'abonnement prépayé, qui donne la possibilité au consommateur d'acheter un téléphone ainsi que le crédit temps dont il a besoin. La durée de la communication peut être calculée à la seconde près ou non avec une part initiale indivisible. Les messages SMS peuvent être inclus ou non dans le forfait !

De nombreuses enquêtes menées dans différents pays ont dénombré bon nombre de clients insatisfaits. Le site ConsumerReports.org affirme qu'un utilisateur sur trois aux États-Unis a l'intention de changer d'opérateur de téléphonie mobile. Ceux qui avaient déjà changé expliquaient qu'ils recherchaient un service plus adéquat et des prix plus avantageux.

En plus d'une qualité de réception souvent mauvaise, d'appels interrompus, de services inaccessibles, les clients font aussi référence aux prix et facturations excessifs, en particulier des « texto », aux erreurs de facturation, etc. Ce qui aggrave le problème est la difficulté de changer d'opérateur. En général, le client signe un contrat de un ou deux ans qui mentionne des frais d'annulation.

Les associations de défense du consommateur demandent un contrôle plus strict de l'industrie de la téléphonie mobile afin de protéger les clients contre les pratiques abusives, et ce par le biais d'un standard de présentation des offres, abonnements et frais agréés par les gouvernements.

Beaucoup de gens ont du mal à évaluer et à décrire leur profil d'utilisateur avec précision, ce qui rend difficile les comparaisons de prix quand les fournisseurs fondent les leurs sur une variété de facteurs d'utilisation. Ce n'est pas une coïncidence si l'humoriste Scott Adams (le père de Dilbert) n'utilisait dans ses dessins que des exemples de services lorsqu'il qualifiait le futur des prix de « confusiologie ». Il faisait remarquer que les compagnies de télécommunications, les banques, les compagnies d'assurance et autres fournisseurs de services proposaient pratiquement le même genre de services :

> *Vous pourriez croire que cela engendrerait une guerre des prix et mettrait les prix au niveau de leurs coûts, mais cela ne se passe pas comme çà. Les entreprises créent des confusiopôles afin que le consommateur ne puisse pas déterminer qui a les prix les plus bas. Les entreprises ont appris à utiliser les complexités de la vie comme un outil économique*[20].

Un des rôles d'une réglementation efficace serait de décourager cette tendance à aller vers des « confusiopôles ».

Préoccupations éthiques et honnêteté de tarification sont essentielles, en particulier dans les activités de conseil où il est difficile d'évaluer les bénéfices et la qualité de la prestation, même après la « livraison ».

Quand les consommateurs ne savent pas ce qu'ils obtiennent du fournisseur, quand ils ne sont pas présents lorsque le travail est réalisé, qu'ils n'ont pas les qualités techniques suffisantes pour juger de la bonne réalisation d'une opération, ils se retrouvent dans une situation où ils peuvent se sentir floués.

Compte tenu de la complexité des listes de prix, un comportement antiéthique est facile pour les entreprises. Ainsi, aux États-Unis, le secteur de la location de voitures avait amélioré ses chiffres grâce à de la publicité sur des locations bon marché. Mais, lorsque le client se présentait au comptoir, on lui expliquait que les frais liés au risque d'accident et l'assurance personnelle étaient obligatoires. Les équipes de vente n'expliquaient pas non plus le coût élevé du kilométrage parcouru au-delà du faible kilométrage offert… En fait, on pouvait ironiser : « La voiture est gratuite, il faut juste payer pour les clés ».

Dans un contexte de *yield management*, la surdépendance des *outputs* vis-à-vis des modèles économiques informatiques peut entraîner des politiques de prix encadrés de règles, de réglementations, de frais d'annulation et des stratégies cyniques de surbooking sans aucune considération pour le client. Le *yield management* doit être utilisé lorsque l'entreprise peut proposer différents niveaux de prix sans susciter et générer chez le consommateur une perception d'inégalité de traitement. Par exemple, les augmentations de prix en périodes pleines sont souvent vues comme injustes, alors que les remises et promotions en périodes creuses modifient souvent les références des clients en matière de prix et rendent injustes les prix pratiqués en période normale. De même, il n'est pas rare de se voir infliger dans certaines chaînes d'hôtels aux États-Unis, des surtaxes au seul prétexte que vous êtes touriste, ou que vous n'êtes pas ressortissant américain. De même si l'on fait une réservation à caractère professionnel, on paiera plus que si l'on effectue une réservation pour sa famille. Ces pratiques sont très discutables[21] mais malheureusement courantes.

7.2. Intégrer justice et honnêteté dans la stratégie de prix

Les listes de prix doivent être conçues avec en mémoire la perception de ce que le client considère comme juste. De même, une bonne stratégie de *yield management* ne signifie pas maximisation aveugle et court terme du revenu. Les approches suivantes peuvent aider à réconcilier les tarifications et le *yield management* avec la satisfaction des clients et le maintien du capital confiance[22] :

- *Concevoir des tarifs, des barrières claires, logiques et justes.* Les entreprises doivent annoncer spontanément les prix, dépenses, etc. à l'avance de sorte qu'il n'y ait ni surprises ni problèmes. Une autre approche est de mettre en place une structure de prix simple que le client peut comprendre facilement ainsi que les implications financières spécifiques à sa situation. Pour qu'un prix barrière soit juste, il doit être visible, transparent, compréhensible par le consommateur, logique et difficile à contourner. Les entreprises doivent aussi mettre en place des politiques de prix moins complexes. Les plaisanteries abondent, concernant les fréquentes dépressions nerveuses des agents de voyage qui, chaque fois qu'ils interrogent une compagnie aérienne, se voient fournir un tarif différent accompagné d'offres spéciales et de conditions d'exclusions.

- *Utiliser les prix affichés et les barrières comme des rabais.* Les prix barrières censés offrir des gains de consommation (rabais) sont en général perçus comme plus justes que ceux représentant des pertes de consommation (tarification), même si le contexte économique est instable. Par exemple, un client qui fréquente un gymnase le samedi est prêt à accepter un prix plus élevé le week-end, si le gymnase annonce celui-ci comme prix d'appel et offre une réduction pour une fréquentation en semaine. De plus, afficher un tarif élevé permet d'augmenter le prix de référence et donc la perception de qualité, en plus du sentiment de faire une bonne affaire en semaine.

- *Annoncer aux consommateurs les avantages dus au* yield management. La communication marketing doit positionner le *yield management* comme une situation gagnant gagnant. Donner des prix différents et mettre en valeur la différence permet à un plus grand nombre de clients de se segmenter et d'apprécier le service. Par exemple, le fait que les sièges les mieux placés dans un théâtre soient vendus plus cher indique que certains clients sont prêts à payer plus pour une meilleure vue et rend possible la vente d'autres places à un prix plus bas[23].

- *Utiliser le* bundling *pour dissimuler des rabais.* Si l'on inclut le service dans un package, on rend le rabais moins « visible ». Lorsqu'une croisière prend en compte dans son prix global le trajet en avion ou les déplacements en voiture, on ne connaît pas le prix de chacun des composants. Le *bundling* rend la comparaison entre les différents packages et leurs composants impossibles, ce qui évite le sentiment d'injustice et la réduction des prix de référence.

- *Prendre soin des clients les plus fidèles.* Pour maintenir un climat de confiance et bâtir un bon relationnel avec ses clients, l'entreprise doit mettre en place des stratégies pour garder ceux qui procurent le plus de valeur, au point même parfois de ne pas leur faire payer le prix normal lors d'une transaction. Un système de *yield management* mis en place sans discernement risque de s'intéresser aux clients qui paient le plus, mais pas forcément aux plus fidèles. Cela peut entraîner frustration et colère chez ces derniers et remettre en jeu leur fidélité. Il faut donc programmer les systèmes de *yield management* pour prendre en compte des « paramètres de fidélité » et que les logiciels de réservation donnent des accès privilégiés aux clients réguliers, les traitent mieux, même s'ils ne paient pas le prix fort.

- *Utiliser le* recovery *pour compenser le surbooking.* Chaque entreprise, dans sa politique de *yield management*, utilise le surbooking pour compenser d'éventuelles annulations de dernière minute ou la non-présentation de personnes (« *no show* »). Par ce système, la diminution du « gaspillage de stocks » augmente les revenus, mais aussi le risque que l'entreprise ne puisse honorer les réservations de ses clients. Ceci peut entraîner une chute de la fidélité et même porter préjudice à la réputation de l'entreprise. Il faut donc mettre en place des procédures de réparation si l'entreprise se retrouve dans une situation de surbooking :

1. donner le choix au consommateur de garder sa réservation ou d'être déplacé avec une compensation financière pour la gêne occasionnée ;

2. informer suffisamment à l'avance afin que le consommateur puisse envisager d'autres solutions ;

3. si possible, offrir un service de substitution qui satisfasse le consommateur.

Une station de sport d'hiver qui se retrouve parfois dans une situation de surventes a découvert qu'elle pouvait libérer de la capacité en offrant à ses clients qui partent le lendemain une nuit dans un hôtel de luxe à proximité de l'aéroport ou dans le centre-ville. La gratuité de la chambre, le surclassement du service et une nuit en ville après des vacances à la neige ont eu de très bons échos. Du point de vue de la station de ski, cela coûte moins cher de loger un client pour une nuit dans un hôtel de luxe que de perdre un client qui arrive le même jour et qui a l'intention de rester plusieurs jours.

8. Mettre en pratique le prix des services

Une autre décision doit être prise en matière de fiation de prix du service : celle de savoir combien l'entreprise doit facturer. Le tableau 5.3 résume les questions que les marketeurs doivent se poser lorsqu'ils mettent au point une stratégie de prix. Regardons les une par une.

Tableau 5.3 : Quelques questions concernant les prix

1. Combien doit-on facturer ce service ?
• Quels coûts l'entreprise essaye-t-elle de couvrir ?
• L'entreprise essaye-t-elle de réaliser une marge bénéficiaire fixée ou un retour sur investissement en vendant ce service ?
• Quelle est la sensibilité aux prix de la clientèle ?
• Combien facturent les concurrents ?
• Quel(s) rabais peut-on proposer sur les prix de base ?
• Des prix « magiques » (4,95 € au lieu de 5 €) sont-ils une habitude ?

Tableau 5.3 : Quelques questions concernant les prix *(suite)*

---

2. Quelles doivent être les bases de facturation ?
- L'exécution d'une tâche spécifique
- L'accès à un service
- L'unité de temps (heure, semaine, mois, année)
- Une commission en pourcentage de la valeur d'une transaction
- Les ressources physiques utilisées
- La distance géographique parcourue
- Le poids ou la taille des objets
- Chaque constituant du service doit-il être facturé séparément ?
- Un prix unique doit-il être facturé pour un ensemble de services

3. Qui doit encaisser les paiements ?
- L'organisation qui fournit le service
- Un intermédiaire spécialisé (agent de change, banque, revendeur, etc.)
- Comment l'intermédiaire doit-il être rétribué pour son travail : fixe ou commission en pourcentage ?

4. Où les paiements doivent-ils être effectués ?
- Sur le lieu où le service est fourni
- À un détaillant aisément accessible ou un intermédiaire financier (par exemple, une banque)
- Au domicile de l'acheteur (par courrier ou téléphone)

5. Quand le paiement doit-il être fait ?
- Avant ou après la fourniture du service ?
- À quel moment du jour ?
- Quel jour de la semaine ?

6. Comment le paiement doit-il être effectué ?
- En espèces (montant exact ou non ?)
- Cartes privatives
- Chèques (comment contrôler ?)
- Transfert électronique de fonds
- Cartes de paiement (crédit ou débit)
- Compte chez le fournisseur de service
- Bons
- Paiement à un tiers (compagnie d'assurance)

7. Comment les prix doivent-ils être communiqués au marché ?
- Par quels moyens de communication (publicité, panneau électronique, vendeurs, service clientèle, étiquettes) ?
- Contenu du message (quelle importance doit-on donner au prix ?)

8.1. Combien doit-on facturer ?

Le triangle des prix dont nous avons parlé nous donne un point de départ. Les coûts économiques que l'on doit couvrir selon différents niveaux de vente doivent d'abord être fixés puis, si possible, la marge qui permet de fixer le prix plancher.

Ensuite, on évalue la sensibilité du marché avec différents prix qui prennent en compte, à la fois, la valeur que les clients accordent au service aussi bien que leur capacité financière. Cette étape détermine le prix plafond pour n'importe quel segment du marché. Il est essentiel d'évaluer, à ce stade, les volumes de vente par niveau de prix.

Le prix de la concurrence fournit une troisième donnée. Plus le nombre d'offres semblables est grand, plus la pression sur le management commercial pour maintenir les prix au même niveau ou plus bas que la concurrence est grande. Rappelez-vous cependant les raisons pour lesquelles la concurrence est réduite sur certains marchés de service, une comparaison des prix à l'euro près est à proscrire[24].

Il faut aussi convenir de la façon dont on va présenter le prix au client. Doit-il être arrondi ou donner l'impression qu'il est légèrement inférieur à ce qu'il est réellement ? Si les concurrents proposent 5,95 € ou 9,95 €, un prix fixe à 6 € ou 10 € peut véhiculer l'image d'un coût un peu plus élevé qu'il ne l'est réellement. En revanche, des prix arrondis peuvent paraître plus simples et plus pratiques (avantages qui peuvent être appréciés à la fois des consommateurs et des vendeurs). Une question éthique concerne également les promotions dont le prix ne prend pas en compte la TVA et d'éventuels autres frais. C'est trompeur si le client s'attend à un prix TTC.

8.2. Quelles bases prendre pour élaborer le prix du service ?

Il n'est pas toujours facile de définir une unité de service. Le prix doit-il être fondé sur l'exécution d'une tâche spécifique comme nettoyer un vêtement ou réaliser une coupe de cheveux ou donner un cours ? Être un droit d'admission à un service tel qu'un programme de formation, un film, un concert ou un événement sportif ? Être fondé sur le temps, comme c'est souvent le cas pour la réparation automobile, l'occupation d'une chambre d'hôtel, la location d'une voiture, l'abonnement au câble ? Être lié à la valeur, comme lorsqu'une compagnie d'assurances fixe le montant de la prime en fonction de la valeur de la couverture fournie, ou qu'un agent immobilier perçoit une commission en pourcentage du prix de vente d'une maison ?

Le prix de certains services dépend de la consommation de certaines ressources physiques comme la nourriture, la boisson, l'électricité ou le gaz. Plutôt que de facturer l'utilisation d'une table, de deux chaises, de la vaisselle, les restaurants préfèrent augmenter fortement les prix de la nourriture et des boissons consommées. Dans certains pays, on ajoute au prix du repas une taxe qui couvre les différents frais fixes, comme une nappe propre pour chaque service. Un niveau de consommation minimum peut être exigé au-dessous duquel des frais fixes seront ajoutés. Les entreprises de transport facturent habituellement en fonction de la distance, mais utilisent pour le transport de fret une combinaison entre le poids, le volume et la distance pour établir leurs tarifs. Une telle politique a le mérite d'être cohérente et de refléter le calcul du prix moyen au kilomètre. Mais la recherche de simplicité peut favoriser la mise en place d'un taux unique par tranche de poids comme pour l'affranchissement du courrier, ou la mise en place de zones géographiques.

Certains services ont des coûts séparés pour leur accès et leur utilisation. Des recherches récentes montrent que des droits d'accès, d'adhésion, de souscription sont des éléments importants de conquête et de fidélisation des clients alors qu'une facturation à l'utilisation répond davantage à une utilisation courante.

Les prix groupés (*bundling*)[25]

Une importante particulière est mise dans ce livre sur l'offre globale de services (service de base et services périphériques). Les repas et le bar dans une croisière en sont un exemple, comme le service des bagages à la descente de l'avion. Ces services doivent-ils être facturés ensemble ou chaque service doit-il être isolé et facturé séparément ? Les prix groupés sont un avantage car faciles à mettre en place, si on admet l'idée que les gens n'aiment pas faire de petits (et nombreux) paiements. Cependant, c'est préférable de faire payer au client les services séparément s'il a le sentiment de payer pour des activités qu'il ne pratique pas.

Les prix groupés pour un ensemble de services offrent à l'entreprise une garantie de revenu pour chaque client tout en lui indiquant à l'avance quel sera le montant de sa facture. En revanche, les prix non groupés permettent au client de choisir et donc de payer « à la carte ».

Les rabais

Ce point avait été évoqué dans le contexte du *yield management*. Les rabais destinés à des segments de marché spécifiques peuvent attirer de nouveaux clients et remplir une capacité non utilisée. Sans barrières de prix, cette stratégie doit être employée avec précaution : elle aurait pour effet de réduire le prix, donc les revenus, et l'entreprise ne récupérerait que des clients cherchant toujours les prix les plus bas. Les rabais sur les volumes sont destinés à s'assurer de la fidélité des gros acheteurs et des clients fidèles afin d'éviter qu'ils répartissent leurs achats entre différents fournisseurs.

8.3. Qui doit encaisser les paiements ?

Dans le chapitre 3, nous avons vu que les services périphériques comprenaient l'information, la prise de commande, la facturation et le paiement. Les clients apprécient qu'une entreprise donne des informations sur ses prix et les possibilités de réservation. Ils s'attendent aussi à recevoir des factures claires. Souvent, les entreprises délèguent ces tâches à des intermédiaires (agences de voyage et divers points de vente de billetterie) qui perçoivent le paiement et encaissent une commission. Cela représente en général une économie importante sur les coûts administratifs et donne au client une plus grande souplesse en termes de lieu et de moyen de paiement. Aujourd'hui, certaines entreprises utilisent Internet, évitant ainsi le paiement de commissions.

8.4. Où le paiement doit-il avoir lieu ?

Les lieux de livraison de service sont parfois mal situés, loin du lieu d'habitation ou de travail de la clientèle. Lorsque les clients doivent payer un service avant de l'utiliser, ils doivent pouvoir utiliser des intermédiaires mieux placés ou payer par chèque, virement bancaire ou courrier. Aujourd'hui, de plus en plus d'entreprises acceptent les paiements par carte bancaire, Internet ou téléphone.

8.5. Quand le paiement doit-il être effectué ?

Il existe deux possibilités : payer avant l'utilisation (billet d'avion ou timbre-poste) ou après (l'addition au restaurant ou une facture de réparation). Parfois, un prestataire de services peut demander un paiement initial (acompte) avant la livraison du service. Cette approche est assez répandue pour des travaux coûteux, quand l'entreprise (surtout si elle est petite) doit commander et régler à l'avance des fournitures pour un montant élevé.

Demander au client d'acquitter un service à l'avance signifie qu'il paie avant de l'utiliser et d'en recevoir les bénéfices. Cela peut être un avantage aussi bien pour le client que pour le fournisseur. En effet, il est parfois peu pratique de payer chaque fois qu'on utilise un service (La Poste, les transports publics…). Pour gagner du temps, les clients préfèrent acheter un carnet de timbres ou une carte mensuelle de transport. Les entreprises artistiques avec des moyens financiers limités et de lourds investissements initiaux offrent souvent des abonnements à prix réduits.

8.6. Comment les paiements doivent-ils être effectués ?

Comme le montre le tableau 5.3, il y a beaucoup de formes de paiement différentes. Le paiement en espèces peut sembler la méthode la plus simple mais soulève le problème de la sécurité, tout en étant peu pratique quand il faut introduire une somme exacte pour faire fonctionner une machine. Le paiement par chèque (à l'exception des petits achats) est maintenant généralisé et présente des avantages pour le client comme pour le fournisseur, bien que cela nécessite un contrôle pour éliminer les chèques sans provision.

Les cartes de crédit et les cartes bancaires sont utilisées pour de nombreux types d'achats et sont de plus en plus souvent acceptées. Leur utilisation est de plus en plus répandue, mettant en position concurrentielle désavantageuse les commerces qui les refusent. Certaines entreprises offrent aux clients un crédit en comptabilisant leurs achats périodiques en échange d'un règlement à périodicité fixe (créant ainsi un lien dépendance entre le client et l'entreprise).

D'autres modes de paiement peuvent être mentionnés comme les bons en complément (ou en remplacement) d'espèces (Ticket-Restaurant), ou l'envoi de la facture à un tiers pour le paiement (ce qui est souvent le cas pour diverses réparations). Des jetons dont la valeur a été prédéterminée peuvent faciliter le paiement dans les transports en commun aux péages et aux stations de lavage de voiture. Les badges émetteurs du système automatique de péage Liber-t de l'ensemble des autoroutes françaises, collés sur les pare-brise des voitures, permettent de s'acquitter du péage. Des coupons, des bons, peuvent parfois être fournis par des organismes sociaux. Ils offrent les mêmes bénéfices que le rabais, mais évitent de rendre public un ensemble de prix différents.

Les systèmes de prépaiement fondés sur des cartes qui enregistrent un montant sur une piste magnétique, ou une puce, deviennent d'un usage de plus en plus fréquent. Les entreprises qui acceptent ce mode de paiement doivent cependant installer des lecteurs de cartes. Les marketeurs doivent se souvenir que plus le paiement est simple et rapide, plus la perception d'un service de qualité sera grande chez le consommateur.

8.7. Comment communiquer les prix aux marchés cibles ?

Lorsque tous les problèmes de détermination du prix ont été résolus, il reste à choisir la façon dont la politique de prix de l'entreprise sera communiquée aux marchés cibles. Les individus doivent connaître le prix des services proposés bien avant l'achat ; ils peuvent aussi désirer savoir où et quand ce prix est en vigueur. Cette information doit être présentée de manière non ambiguë afin de ne pas dérouter les clients et mettre en doute la déontologie de l'entreprise[26].

Les responsables doivent décider d'inclure ou non des informations sur les prix dans la publicité du service. Il peut être adroit de mentionner un prix pour que le consommateur le compare à celui des concurrents. Les vendeurs et les responsables de clientèle doivent être capables de donner des réponses rapides et précises aux questions des clients concernant les prix, le paiement et le crédit. Une bonne signalétique sur le point de vente donne une bonne information du consommateur et évite ainsi au personnel de devoir répondre à des questions élémentaires sur les prix.

Enfin, si le prix est présenté avec des explications détaillées, les marketeurs doivent s'assurer qu'il est exact et compréhensible. Les factures d'établissements hospitaliers qui parfois tiennent sur plusieurs pages sont souvent difficilement déchiffrables (mal présentées et avec des libellés énigmatiques[27]). La clarté des prix, des consommations effectuées, leur facilité de compréhension sont des facteurs déterminants dans le capital confiance du client vis-à-vis de son prestataire de services.

Conclusion

Pour mettre en place une stratégie de prix efficace, une entreprise doit connaître ses coûts, la valeur créée pour les clients et les prix pratiqués par la concurrence. Les coûts dans les services sont plus difficiles à définir que dans la production de produits manufacturés. Faute de les appréhender, les responsables ne peuvent pas savoir si les prix pratiqués couvrent les prix engagés par l'entreprise.

L'autre défi est de mettre en rapport la perception de la valeur du service des clients, avec le prix qu'ils s'attendent à payer. Cette étape nécessite une bonne connaissance des autres coûts que le client peut rencontrer, comme l'effort à fournir ou la durée de la transaction, c'est-à-dire les coûts non financiers. Les responsables doivent aussi prendre en compte le fait que tous les consommateurs n'évaluent pas la valeur d'un service de la même façon.

Les prix de la concurrence ne doivent pas être comparés à l'euro près. Les services tendent à être spécifiques en fonction du lieu, de l'heure, et les concurrents ont leurs propres coûts monétaires et non monétaires, au point que le prix peut devenir secondaire lorsqu'on compare les entreprises.

Une stratégie de prix doit soulever la question centrale qui est : « Quel prix doit-on demander pour vendre une unité de service à un moment donné ? » Parce que les services sont composés de multiples éléments, les stratégies de prix doivent être créatives et innovantes. Enfin, les entreprises doivent veiller à rendre leurs tarifs clairs et transparents pour permettre aux clients une comparaison aisée. Une politique délibérée de complexité tarifaire et de dissimulation de frais n'apparaissant qu'au moment du règlement peut conduire à des manquements relatifs à l'éthique commerciale, une perte de confiance et un mécontentement du client.

Activités

Questions de révision

1. Comment les trois approches de la détermination du prix d'un service peuvent être utilisées pour l'établissement du bon prix ?

2. Comment une entreprise peut-elle informatiser ses coûts pour déterminer le prix ? Comment la capacité d'utilisation prévue affecte les coûts unitaires et la rentabilité ?

3. Pourquoi le prix pratiqué par l'entreprise n'est pas le seul composant et souvent pas le plus important des coûts à la charge du client ? Quand faut-il réduire les coûts qui n'ont pas d'incidence directe sur les prix, même si cela peut entraîner un prix plus élevé ?

4. Pourquoi ne peut-on pas comparer à l'euro près les prix entre les concurrents ?

5. Quels types d'opérations de services bénéficient le plus de systèmes de yield management et pourquoi ?

6. Comment peut-on faire payer des prix différents selon les segments sans que le client ne se sente lésé ? Comment peut-on faire payer à ce même client un prix différent à un moment différent ou lors d'occasions différentes, tout en préservant une certaine justice ?

Exercices d'application

1. Du point de vue du client, qu'est-ce qui permet de définir la valeur des services suivants :

   a. un salon de coiffure ;

   b. un cabinet comptable et juridique ;

   c. une discothèque.

2. Prenez une entreprise de services de votre choix et analysez sa politique de prix. Est-ce différent de ce qui a été expliqué dans ce chapitre ? Si oui expliquez pourquoi

3. Regardez vos dernières factures de téléphone, d'électricité, etc. Comparez-les en fonction des critères suivants : (a) apparence générale et clarté de présentation ; (b) compréhension facile des délais et conditions de paiement ; (c) absence de termes complexes ; (d) niveau de détail adéquat ; (e) absence de frais non prévus ; (f) précision ; (g) facilité d'accès au service ; (h) relations clients en cas de litige.

4. Comment le management du revenu peut-il être appliqué à : un cabinet conseil, un restaurant, un club de golf ? Quelles barrières de prix utiliseriez-vous et pourquoi ?

5. Prenez les tarifs de trois opérateurs de téléphonie mobile. Comparez : la durée du forfait, les frais d'abonnement, les minutes offertes, les coûts à la minute ou à la seconde, le prix de la minute si dépassement du forfait, etc., et comparez les niveaux de prix. Déterminez les forfaits les plus appropriés pour différents segments cibles (un jeune cadre en entreprise, un étudiant, etc.). Enfin, proposez des solutions à

l'opérateur le plus petit afin qu'il redéfinisse son barème de prix pour qu'il soit plus attractif pour l'un des segments choisis.

6. Quelles sont les réponses probables des consommateurs à des barèmes de prix trop complexes ? Comment peut-on améliorer l'honnêteté perçue des tarifs et qu'impliquent ces recommandations ?

7. Prenez le service de votre choix et mettez en place un barème de prix. Répondez aux sept questions que le marketeur se pose lorsqu'il met en place un barème de prix.

Notes

1. Christian Dussart, « Questions de prix », *Décisions marketing*, n° 6, 1995, pp. 23-32.

2. Brigitte Misse, « Promotion et prix », *Décisions marketing*, n° 6, 1995, pp. 129-137.

3. Daniel J. Goebel, Greg W. Marshall et William B. Locander, « Activity Based Costing : Accounting for a Marketing Orientation », *Industrial Marketing Management*, 27, n° 6, 1998, 497-510 ; Thomas H. Stevenson et David W. E. Cabell, « Integrating Transfer Pricing Policy and Activity-Based Costing », *Journal of International Marketing*, 10, n° 4, 2002, pp. 77-88.

4. Antonella Carù et Antonella Cugini, « Profitability and Customer Satisfaction in Services : An Integrated Perspective between Marketing and Cost Management Analysis », *International Journal of Service Industry Management*, 10, n° 2, 1999, pp. 132-156.

5. Gerald E. Smith et Thomas T. Nagle, « How Much Are Customers Willing to Pay ? », *Marketing Research*, hiver 2002, pp. 20-25.

6. Valarie A. Zeithaml, « Consumer Perceptions of Price, Quality, and Value : A Means-End Model and Synthesis of Evidence », *Journal of Marketing*, 52, juillet 1988, pp. 2-21.

7. Hermann Simon, « Pricing Opportunities and How to Exploit Them », *Sloan Management Review*, 33, hiver 1992, pp. 71-84.

8. Cette discussion s'appuie sur : Leonard L. Berry et Manjit S. Yadav, « Capture and Communicate Value in the Pricing of Services », *Sloan Management Review*, 37, été 1996, pp. 41-51.

9. Frederick F. Reichheld, *The Loyalty Effect*, Boston, Harvard Business School Press, 1996, pp. 82-84.

10. Anna S. Mattila et Jochen Wirtz, « The Impact of Knowledge Types on the Consumer Search Process – An Investigation in the Context of Credence Services », *International Journal of Service Industry Management*, 13, n° 3, 2002, pp. 214-230.

11. Pour une excellente synthèse et un cadre conceptuel pour comprendre la commodité des services, se référer à Leonard L. Berry, Kathleen Seiders et Dhruv Grewal, « Understanding Service Convenience », *Journal of Marketing*, 66, juillet 2002, pp. 1-17.

12. Voir notamment Jordan Hamelin, « Le prix de référence : un concept polymorphe », *Recherche et applications marketing*, vol. 15, n° 3, 2002, pp. 75-88.

13. Voir notamment Véronique Guilloux, « Le yield en marketing : concept, méthodes et enjeux stratégiques », *Recherche et applications marketing*, vol. 15, n° 3, 2000, pp. 55-73.

14. Voir notamment Pierre-Louis Dubois et Marie-Christine Frendo, « Yield management et marketing des services », *Décisions marketing*, n° 4, 1995, pp. 47-54.

15. Voir notamment Jean-Marc Lehu, « Internet comme outil de yield marketing dans le tourisme », *Décisions marketing*, n° 19, 2000, p. 19.

16. Pour s'informer sur les travaux récents en matière de yield management dans le transport aérien, l'hôtellerie et la location de voitures, consulter : Sheryl E. Kimes, « Revenue Management on the Links : Applying Yield Management to the Golf Industry », *Cornell Hotel and Restaurant Administration Quarterly*, 41, n° 1, 2000, pp. 120-127 ; Sheryl E. Kimes et Jochen Wirtz, « Perceived Fairness of Revenue Management in the US Golf Industry », *Journal of Revenue and Pricing Management*, 1, n° 4, 2003, pp. 332-344 ; Sheryl E. Kimes et Jochen Wirtz, « Has Revenue Management Become Acceptable ? Findings from an International Study and the Perceived Fairness of Rate Fences », *Journal of Service Research*, 6, novembre 2003 ; Richard Metters et Vicente Vargas, « Yield Management for the Nonprofit Sector », *Journal of Service Research*, 1, février 1999, pp. 215-226 ; Anthony Ingold, Una McMahon-Beattie et Ian Yeoman (éd.), *Yield Management Strategies for the Service Industries*, 2ᵉ éd., Londres, Continuum, 2000.

17. Voir notamment Christophe Bénavent, « Élasticité-prix et structure concurrentielle », *Décisions marketing*, n° 6, 1995, pp. 119-128.
18. Hermann Simon et Robert J. Dolan, « Price Customization », *Marketing Management*, automne 1998, pp. 11-17.
19. Pour des compléments d'information sur les stratégies de yield management, vous pouvez consulter Sheryl E. Kimes et Richard B. Chase, *The Strategic Levers of Yield Management*.
20. Scott Adams, *The Dilbert™ Future-Thriving on Business Stupidities in the 21st Century*, New York, Harper Business, 1997, p. 160.
21. Sheryl E. Kimes, « A Retrospective Commentary on Discounting in the Hotel Industry : A New Approach », *Cornell Hotel and Restaurant Administration Quarterly*, 43, août 2002, pp. 92-93.
22. Certaines parties de cette section sont fondées sur Jochen Wirtz, Sheryl E. Kimes, Jeannette P. T. Ho et Paul Patterson, « Revenue Management : Resolving Potential Customer Conflicts », *Working Paper Series*, 9 mars 2002, Ithaca, The Center for Hospitality Research, Cornell University.
23. Peter J. Danaher, « Optimal Pricing of New Subscription Services : An Analysis of a Market Experiment », *Marketing Science*, 21, printemps 2002, pp. 119-129 ; Gilia E. Fruchter et Ram C. Rao, « Optimal Membership Fee and Usage Price Over Time for a Network Service », *Journal of Services Research*, 4, 2001, pp. 3-15.
24. Voir notamment Nicolas Gueguen et Patrick Legoherel, « Encodage numérique et prix à terminaison "9" : l'effet d'un contraste sur la perception de remise », *Actes de l'Association française de marketing*, vol. 17, Congrès de Deauville, 2001.
25. Yann Dufresnne, ATER à l'EREM, réalise sa thèse sur le bundle et offres liées (projet de communication en cours).
26. « Needed : Straight Talk about Cellphone Calling Plans », *Consumer Reports*, février 2003, p. 18.
27. Voir, par exemple, Anita Sharpe, « The Operation Was a Success ; The Bill Was Quite a Mess », *Wall Street Journal*, 17 septembre 1997, p. 1.

Celui qui exécute de bonne grâce les ordres échappe au côté pénible de la soumission :
faire ce qui nous rebute. » – Sénèque

« Je déteste les discussions : elles vous font parfois changer d'avis. » – Oscar Wilde

« C'est encore peu de vaincre, il vaut savoir séduire. » – Voltaire

Ce chapitre aborde les questions suivantes

- Quelles sont les particularités de la communication dans les services ?
- Quels sont les différents éléments du mix de communication marketing et quelles sont leurs forces et leurs faiblesses dans le contexte des services ?
- Comment le degré de contact avec le client affecte-t-il la stratégie de communication ?
- Comment définir les objectifs de communication marketing ?
- Quelle est la valeur potentielle d'Internet comme canal de communication ?

La communication est la plus visible, la plus perceptible, voire la plus envahissante de toutes les activités marketing. Cependant, sa valeur reste limitée si elle n'est pas intelligemment coordonnée avec les autres. Un vieil adage dit que le moyen le plus rapide de « tuer » un produit déjà pas très bon est de le promouvoir à outrance. De la même façon, une stratégie marketing cohérente et planifiée, visant par exemple à introduire un service Internet à bas prix, aura toutes les chances d'échouer si les consommateurs ne savent comment y accéder ou l'futiliser.

Par le biais de la communication, les marketeurs informent les clients actuels ou potentiels des caractéristiques et avantages du service proposé, de ses différents coûts, de ses canaux de distribution et de sa disponibilité géographique et temporelle.

La communication marketing reste un domaine confus. Certains la définissent encore comme le simple recours à l'achat d'espaces publicitaires dans les médias, aux relations publiques et à l'action de commerciaux bien formés, mais c'est négliger bien d'autres moyens. L'emplacement et l'atmosphère des locaux, l'identité visuelle et graphique de l'entreprise, l'apparence et le comportement des employés ou la conception du site Internet sont autant de facteurs d'influence sur l'impression laissée au client. Celle-ci renforce ou contredit alors les messages diffusés par les moyens de communication plus classiques.

1. Le rôle clé de la communication marketing

Pour les services, les outils de communication marketing sont particulièrement importants : ils aident à créer des images puissantes et à construire de la crédibilité et de la confiance. Une communication marketing efficace, quelle que soit sa forme, est essentielle au succès de l'entreprise. Sans elle, les clients potentiels ignorent l'existence de l'entreprise et ce qu'elle leur offre et les clients actuels peuvent être attirés par une entreprise concurrente et en devenir de nouveaux clients.

La communication marketing ne peut plus être définie aussi restrictivement que par le passé[1]. Entre une entreprise de services et ses clients, elle emprunte aujourd'hui des formes et des canaux multiples. L'entreprise peut informer les clients des caractéristiques et des avantages des services qu'elle propose, des prix pratiqués et des différents types d'interaction. Les marketeurs doivent définir et mettre au point les arguments de nature à faire préférer telle ou telle marque. Les communications impersonnelles (mailings ou e-mailing) et les interactions personnelles (télémarketing et phoning) peuvent permettre de développer et maintenir des relations effectives avec les consommateurs.

1.1. Le contenu crée de la valeur client

Comme nous l'avons vu dans le chapitre relatif à l'offre globale de services, l'information et le conseil permettent d'ajouter de la valeur au service de base et à l'offre globale de services en général. Mais les entreprises utilisent également la communication marketing pour persuader leurs cibles que leurs services correspondent bien à leurs attentes, notamment en comparaison des offres concurrentes.

Quant aux efforts de communication destinés à construire une relation durable avec les clients, ils reposent sur une base de données complète, mise à jour régulièrement et pouvant être utilisée de manière personnalisée. Le mailing, le phoning et autres formes de télécommunication (le fax, l'e-mail, les sites Internet) sont des techniques privilégiées de maintien et de renforcement des relations avec les clients et de développement de leur fidélité. Les médecins, les dentistes, les laboratoires d'analyses médicales et les services de maintenance d'équipements domestiques comme les chaudières ou les alarmes, envoient régulièrement à leur clientèle des rappels pour des rendez-vous annuels de maintenance. Certaines enseignes envoient même des cartes d'anniversaire à leurs meilleurs clients (souvent accompagnées d'offres de réduction). De leur côté, les banques joignent souvent une lettre d'information aux relevés de compte de leurs clients. Elles vont même jusqu'à leur transmettre des offres personnalisées pour tenter de leur vendre d'autres prestations. L'encadré Meilleures pratiques 6.1 présente par exemple la campagne agressive d'un courtier en ligne.

1.2. La communication interne pour mobiliser le personnel

La communication marketing est aussi utilisée pour correspondre et communiquer avec les employés. Elle joue un rôle primordial dans la construction et le développement d'une culture d'entreprise fondée sur les valeurs spécifiques du service. Un marketing interne de qualité est particulièrement nécessaire dans les grandes entreprises de services dont l'activité est dispersée géographiquement. Même très éloignés de la maison mère, les employés doivent être tenus au courant des nouvelles procédures et spécificités relatives au service et à l'attitude de service requise. La communication peut également encourager l'esprit d'équipe et rappeler les objectifs de l'entreprise. Dans les entreprises où se côtoient des employés de cultures et de langues différentes devant travailler ensemble, comme HSBC, Air France, Accor ou Starbucks par exemple, la tâche peut être plus compliquée.

Une communication interne efficace permet de délivrer des prestations satisfaisantes et de maintenir des relations productives et harmonieuses tout en renforçant la confiance, le respect et la fidélité des employés. Elle se fait en général par le biais de journaux internes, de vidéos, de réunions, de l'Intranet (réseau interne à l'entreprise) ou encore de campagnes internes.

Stimuler les comptes inactifs par une promotion ciblée

Des systèmes de CRM (*Customer Relationship Management*) bien gérés donnent aux entreprises *une vue globale du client* qui permet la mise au point de stratégies de promotion et de communication très ciblées*. Voici un exemple développé par des consultants d'Accenture :

Jetez un coup d'œil au minimessage que vous venez de recevoir sur votre téléphone mobile. Il provient de votre courtier en ligne. Alors que vous êtes sur le point de l'effacer, croyant qu'il s'agit encore d'un message envoyé par erreur, vous vous rendez compte qu'il est personnalisé, vous offrant la gratuité des frais de courtage sur votre prochaine transaction. Il est impossible que ce message ait été envoyé à la totalité des clients ; cela aurait coûté beaucoup trop cher ! Il semble que votre courtier ait remarqué la faible activité de votre compte titres depuis son ouverture. Cette offre vous donne envie d'agir immédiatement. Rétrospectivement, vous vous rendez compte que ce ne sont pas les quelques euros d'économie qui vous ont fait réagir, mais le constat amer que votre portefeuille ne vous a rien rapporté depuis son ouverture.

Cette campagne a recueilli un taux de réactions de 30 % à 40 %. Parmi les clients qui ont réagi, 20 % à 30 % ont passé des ordres juste après la réception de l'offre promotionnelle. La plupart de ces comptes auraient sans doute été fermés sans cette campagne de réactivation. La valeur et le succès de cette opération en termes de précision et de réduction des coûts sont directement imputables à cette fameuse *vue globale du client*.

Source : Kevin N. Quiring, K. Mullen, « More Than Data Warehousing : An Integrated View of the Customer », *The Ultimate CRM Handbook – Strategies & Concepts for Building Enduring Customer Loyalty & Profitability*, John G. Freeland, éd., New York, McGraw-Hill, 2002, p. 102.

* Voir notamment Anne Julien, *Marketing Direct et Relation client,* éditions Demos, 2004.

Meilleures pratiques 6.1

2. Les défis et les opportunités de la communication des services

Les stratégies conventionnelles de communication marketing ont été mises au point à partir du marketing des produits manufacturés. Elles sont utilisées dans le marketing des services mais adaptées aux nombreuses différences entre services et produits[2]. Il faut particulièrement tenir compte des conséquences de l'intangibilité dans la performance du service, de l'implication du client dans la production, de l'importance du contact avec le client, de la difficulté à évaluer nombre de services et du besoin d'équilibrer l'offre et la demande.

2.1. Surmonter les problèmes liés à l'intangibilité[3]

Les services étant des performances et non des produits, il est difficile de communiquer sur leurs avantages. Banwari Mittal, professeur de management et de marketing à l'université du Kentucky, identifie quatre problèmes liés à l'intangibilité des services : l'abstraction, la généralité, l'impossibilité d'examen et la difficulté de représentation[4]. Tout en affirmant que les marketeurs de services doivent mettre au point des messages clairs sur les caractéristiques intangibles des services, Banwari Mittal et Julie Baker expliquent les implications de chacun de ces problèmes[5] et proposent des stratégies de communication adaptées (voir tableau 6.1).

Tableau 6.1 : Diverses stratégies publicitaires pour surmonter l'intangibilité

Problème d'intangibilité	Stratégie publicitaire	Description
Immatérialité du service	Représentation physique	Montrer les composants physiques du service
Généralité		
• Pour une distinction objective	Documentation système	Document objectif montrant les capacités du système
	Documentation performance	Document donnant des statistiques sur les performances
• Pour distinction subjective	Épisode sur la performance du service	Présenter un incident de fonctionnement du service
Impossibilité d'examen	Documentation sur la consommation	Obtenir et présenter le témoignage d'un client
Abstraction	Documentation sur la réputation	Citer une source indépendante de mesure de la performance
	Épisode de consommation du service	Montrer un client type bénéficiant du service
Difficulté de représentation	Épisode de processus de service	Présenter une documentation vivante sur le processus de service, étape par étape
	Épisode de consommation par un client	Présenter un exemple récent de ce que peut faire l'entreprise pour un client
	Anecdote d'utilisation	Raconter ou décrire l'expérience subjective d'un client

Source : Banwari Mittal et Julie Baker, « Advertising strategies for hospitality services », *Cornell Hotel and Restaurant Administration Quarterty*, 43, 2002, pp. 53-71.

L'abstraction. Les marketeurs peuvent avoir des difficultés à relier leurs services avec des concepts abstraits comme la sécurité financière, les avis d'experts ou encore la sécurité des transports, qui n'ont pas de correspondance directe avec des objets physiques.

La généralité fait référence aux services fondés sur des types d'objets, personnes ou événements qui présentent de fortes similitudes et sont déjà connus des consommateurs – par exemple les sièges d'avion, les stewards et le service en cabine. Toute la difficulté pour les marketeurs est de communiquer ce qui différencie et valorise l'offre par rapport à la concurrence.

L'impossibilité d'examen découle directement de l'intangibilité des services qui ne peuvent être évalués avant d'être achetés. Les caractéristiques physiques d'un service – son apparence par exemple (les appareils de musculation d'un club de sport) – peuvent être vérifiées à l'avance, mais le travail effectué avec les entraîneurs ne peut être évalué que par une expérience concrète.

La difficulté de représentation. Beaucoup de services sont suffisamment complexes, pluridimensionnels et novateurs pour que les consommateurs, et plus particulièrement les prospects, rencontrent des difficultés à comprendre leur utilisation et à évaluer leurs avantages.

Les stratégies publicitaires alors utilisées font appel à des combinaisons d'éléments concrets, particulièrement pour les services à faible contact qui n'incluent que quelques éléments tangibles[6]. Le recours à une communication plus spectaculaire, qui capte l'attention et réveille les sens, est également plus pertinent, notamment dans le cas de services complexes et abstraits[7].

Dans un autre exemple, la SSII Steria, comme beaucoup d'autres sociétés de conseil, matérialise le service par la présence d'individus extrêmement expressifs sur ses publicités. Dans le même registre, des publicités « Mastercard » montrent un ensemble de produits concrets pouvant être achetés avec la carte. Chaque produit est accompagné de son prix exact tout en étant associé à une expérience vécue « qui n'a pas de prix » (un exemple intelligent et qui a fait date dans l'adaptation à l'intangibilité).

Certaines entreprises ont recours à des slogans « réalistes » pour faciliter la communication sur les avantages d'une offre de service, notamment les compagnies ou mutuelles d'assurance : la Macif clame « Près de vous, loin de vous, nous sommes prêts » et les AGF « Faire face avec nous ».

2.2. Utiliser des métaphores pour montrer la valeur du service

Ainsi, autant que possible, les messages publicitaires doivent informer sur la manière dont les avantages du service sont fournis[8]. Certaines entreprises de services ont imaginé des métaphores tangibles par nature pour faciliter et expliciter les avantages et la valeur de l'offre globale de services.

Intéressons-nous à une campagne publicitaire de Trend Micro pour un nouvel antivirus dédié aux réseaux d'entreprise. La plupart des publicités se concentrent sur une représentation physique des virus (en diablotins ou en méchants insectes) sans communiquer sur les dégâts qu'ils peuvent engendrer ni sur le fonctionnement de l'antivirus. Dans le contexte très technique des logiciels antivirus, ce n'est certes pas toujours facile d'expliquer clairement le problème et ses solutions aux dirigeants d'une entreprise. La brillante solution de Trend Micro fut d'utiliser une analogie avec les dispositifs de sécurité antiterrorisme déployés dans les aéroports. La publicité met en scène un avion (légendé « c'est votre entreprise »), une valise contenant une bombe (« c'est un virus ») et deux agents de sécurité contrôlant le bagage aux rayons X (« c'est Trend Micro »).

Chubb a employé de son côté l'effrayante mais humoristique métaphore du baigneur inconscient sur le point de se faire happer par un tourbillon pour matérialiser les risques judiciaires encourus par les chefs d'entreprise qui n'auraient pas souscrit un contrat d'assurance efficace.

DHL, l'entreprise internationale de livraison, voulait montrer l'efficacité de son service. Elle communiqua en montrant un énorme nœud d'un côté, illustrant la complexité à laquelle doivent faire face ses concurrents, et de l'autre côté, une corde lisse (sans nœud) dont la légende est « DHL Import Express ».

2.3. Faciliter la participation du client dans la production

Lorsque les clients participent à la prestation de service, ils ont besoin d'une formation qui les aide à être aussi performants que les employés. Cependant les objectifs fixés ne seront pas atteints si les clients restent réticents face aux installations basées sur les nouvelles technologies et aux offres de libre-service. Contre ce risque, les marketeurs doivent en quelque sorte se transformer en formateurs à leur service. Des spécialistes en publicité ont proposé comme solution de montrer le déroulement d'une prestation[9]. La télévision est un bon support pour cela puisqu'elle permet de montrer et d'enchaîner plusieurs séquences visuelles sans coupure. Certains dentistes montrent ainsi à leurs patients l'intervention qu'ils sont sur le point de subir. Cette « initiation » aide le patient à se préparer psychologiquement en lui expliquant quel sera son rôle.

Dans le cadre de services à contact fort, les clients s'inquiètent souvent des risques financiers, psychologiques ou de nature physique, associés à la prestation du service. C'est le cas dans beaucoup d'activités sportives et de plein air comme l'escalade, le ski et le rafting. Les prestataires de services ont alors une responsabilité légale et morale de bien informer leurs clients. Si les risques relatifs à l'activité, (par exemple le retournement du raft dans une zone dangereuse de rapides) sont bien expliqués, les risques d'accident seront limités et l'expérience n'en sera que plus appréciée. Les informations élémentaires des brochures ou des panneaux d'affichage peuvent être renforcées par des briefings personnalisés dispensés par les employés.

La publicité peut aussi avertir les clients des changements de caractéristiques ou de livraison du service. Les marketeurs utilisent souvent des opérations promotionnelles pour convaincre leurs clients d'acheter. Ils les incitent à changer de comportement, mettent en avant par exemple des baisses de prix pour promouvoir le libre-service ou le recours aux guichets automatiques. Enfin, des clients entraînés et bien formés peuvent donner ou prendre en charge la formation de nouveaux clients pour les aider à s'adapter aux nouvelles procédures.

2.4. Aider le client à comprendre l'offre de services

Même si les clients comprennent ce que le service peut leur apporter, ils peuvent rencontrer des difficultés à différencier une entreprise d'une autre et leur niveau de performance relatif. Des preuves concrètes des performances du prestataire peuvent alors être données, mettant en avant la qualité des installations et des équipements, et en s'appuyant sur la qualité des employés (qualification, expérience, engagement, professionnalisme).

Certaines caractéristiques relatives au niveau de performance se prêtent mieux à la publicité que d'autres. Les compagnies aériennes voulant mettre en avant la ponctualité peuvent utiliser des statistiques provenant d'organismes indépendants. En revanche, elles n'aiment pas s'attarder sur les procédures de sécurité au-delà de ce qu'imposent les réglementations car le simple fait d'envisager un problème suffit à rendre les passagers anxieux. Elles préfèrent rassurer indirectement le passager en vantant l'expérience de leurs pilotes, la qualité de leurs appareils et les compétences de leurs mécaniciens. Pour illustrer la qualité et la ponctualité de ses livraisons de petits colis, FedEx a présenté au travers de publicités les médailles de meilleur transporteur aérien, maritime et terrestre que lui a décernées J. D. Power and Associates, une agence de notation réputée pour ses recherches en matière de satisfaction client dans de nombreux secteurs.

Dans le cadre de services *low contact* où l'expertise de la société n'est que peu perceptible, les entreprises peuvent présenter l'équipement, les procédures et les employés qui agissent en *back office*. Comment des clients potentiels peuvent-ils par exemple apprécier la valeur réelle d'un contrat d'assurance ? Une possibilité serait de présenter les techniques utilisées par l'entreprise pour réduire les pertes dues aux accidents ou les coûts. L'assureur Liberty Mutual a utilisé des publicités accrocheuses comme celle montrant un spécialiste des accidents de la route, à l'allure sinistre, s'efforçant de limiter ceux causés par l'assoupissement des conducteurs, avec le slogan « Réveillez-vous, vous êtes mort ». Dans le même registre, la publicité « J'aime disséquer les humains » montrait un expert décrivant son travail de détection et de prévention des fraudes aux assurances et signalait l'ampleur de ces pratiques dans l'industrie américaine (avec un total de 25 milliards de dollars par an environ).

2.5. Stimuler ou ralentir la demande pour s'ajuster à la capacité

De nombreux services délivrés pour un moment précis, comme une place de théâtre le vendredi soir ou une coupe de cheveux le mardi matin, dépendent principalement de leurs horaires et ne peuvent être stockés pour être revendus à une date ultérieure. La publicité peut permettre au client de changer son horaire habituel et ainsi d'adapter la demande à la capacité disponible à un moment donné. Les stratégies de gestion de la demande optimisent la livraison du service en réduisant l'utilisation en période de pointe et en le stimulant en périodes creuses. Une faible demande hors des périodes de pointe pose de sérieux problèmes aux entreprises de services, dont les immobilisations coûtent cher si elles ne sont pas occupées et/ou utilisées – comme les hôtels ou les parcs d'attraction. La stratégie peut alors consister à lancer des offres promotionnelles (surclassement, petit déjeuner offert) pour tenter d'augmenter la demande sans pour autant devoir diminuer le prix. Lorsque la demande augmente, les offres promotionnelles peuvent être diminuées, voire supprimées.

2.6. Mettre en évidence la contribution du personnel

Comme nous l'avons vu précédemment, dns le cas des services dits *high contact*, le personnel en contact joue un rôle capital. Sa présence rend le service plus tangible et souvent plus personnalisé. Une publicité montrant des employés au travail aide les clients éventuels à comprendre la nature du service proposé et leur donne une garantie de l'attention personnalisée qu'ils peuvent s'attendre à recevoir.

La publicité et les brochures peuvent également montrer aux clients le travail effectué en coulisses pour assurer la bonne prestation du service. Mettre en valeur l'expertise et l'engagement des employés que les clients ne rencontrent jamais peut accroître la confiance dans les compétences de l'entreprise et dans son engagement à maintenir une bonne qualité de service. Les publicitaires doivent cependant rester réalistes dans leur description du personnel car leur message a forcément un impact sur les attentes des clients. Si les brochures et les publicités d'une entreprise montrent des employés radieux et accueillants, mais qu'en réalité, la plupart sont mélancoliques, indifférents ou même grossiers, la déception sera probablement encore plus grande. C'est pourquoi il faut associer le personnel à la construction de l'image de l'entreprise et l'informer des campagnes publicitaires en cours.

3. Élaborer les objectifs de la communication marketing

Quel rôle doit jouer la communication dans la réalisation des objectifs marketing d'une entreprise ? Les cinq questions ci-après (connues sous le nom de « cinq W ») sont incontournables, même si elles ne sont pas la garantie d'une communication efficace. Les réponses manquantes ou approximatives seront à coup sûr les germes d'une communication inappropriée.

- Quelle est notre cible ? (Who)
- Que devons-nous communiquer ? (What)
- Comment devons-nous le communiquer ? (HoW)
- Où devons-nous le communiquer ? (Where)
- Quand doit avoir lieu la communication ? (When)

Considérons d'abord les difficultés à définir précisément la cible et à spécifier les objectifs de communication. Ensuite, nous recenserons les différents outils à la disposition des marketeurs. Les problèmes relatifs au planning des opérations de communication, dépendant essentiellement de situations particulières, ne seront pas traités ici.

3.1. L'audience cible

Les audiences cibles peuvent être réparties sommairement en trois grandes catégories : les clients potentiels, les utilisateurs et les employés. Les marketeurs ne connaissent pas les clients potentiels à l'avance. Ils doivent donc utiliser un mix de communication classique utilisant la publicité dans les médias, les relations publiques et des bases de données pour les mailings courriers personnalisés et le télémarketing.

Ces moyens contrastent avec d'autres procédés plus économiques qui s'appuient principalement sur les efforts commerciaux, la mise en valeur des points de vente et les informations fournies au client lors de la prestation. Si l'entreprise possède un club d'utilisateurs ou de membres et détient une base de données clients, elle peut envoyer une information ciblée par l'intermédiaire de courriers, d'e-mails ou d'appels téléphoniques. Ces moyens peuvent compléter et renforcer des canaux de communications plus globaux et même les remplacer. Les employés sont considérés comme une cible secondaire dans le cadre des campagnes de communication dans les médias. Une campagne efficace, ciblant les clients ou les prospects, voire les deux, peut également être source de motivation pour les employés, notamment pour ceux qui jouent un rôle important. Elle peut ainsi les aider à adapter leur comportement lorsque le contenu des publicités présente ce qui est promis aux clients. Une publicité récente pour les hôtels Sheraton montrait des employés promettant explicitement aux clients qu'ils ne seraient pas déçus.

Néanmoins, il y a le risque que les employés perçoivent mal ces publicités ou ne se démotivent si le niveau de performance promis leur paraît trop élevé et irréaliste. Comme on l'a vu précédemment, les communications qui leur sont spécifiquement destinées font plus généralement partie de campagnes marketing utilisant des canaux propres à l'entreprise et ne sont alors pas vues par les clients.

3.2. Les objectifs de la communication[10]

Ces objectifs doivent être clairs, sinon il sera difficile de les formuler en points précis et de choisir les messages et les outils de communication les plus appropriés pour les atteindre. Le tableau 6.2 présente une liste d'objectifs informatifs et promotionnels. Ils peuvent intégrer la formation et la gestion du comportement des clients à différentes phases du processus de consommation : préachat, découverte du service ou post-utilisation (voir chapitre 2).

Tableau 6.2 : Objectifs informatifs et promotionnels classiques dans un environnement de services

- Créer une image mémorisable de l'entreprise et de ses marques
- Développer la notoriété et l'intérêt d'un service ou d'une marque peu familiers
- Développer la préférence en communiquant les forces et les avantages d'une marque spécifique
- Comparer un service avec l'offre concurrente et contrer l'argumentation de la concurrence
- Repositionner un service en fonction de l'offre concurrente
- Stimuler la demande en période creuse et la stabiliser en période de pointe
- Encourager la découverte du service par des offres promotionnelles
- Réduire l'incertitude et le risque perçus en fournissant des informations et des conseils
- Générer la réassurance (en mettant en avant la garantie du service)
- Familiariser les clients avec le service en amont de son utilisation
- Apprendre aux clients à utiliser le service et à profiter de ses avantages
- Identifier et récompenser les bons clients et les employés performants

Pour illustrer les spécificités de développement d'une campagne pour un service, intéressons-nous au cas d'une entreprise de location de voitures. Cette campagne a pour objectif d'augmenter le taux de renouvellement d'achats effectués par des hommes d'affaires.

Pour cela, l'entreprise décide d'offrir systématiquement un surclassement aux utilisateurs qui n'en sont pas à leur première location et de mettre en place un système de prise en charge et de retour automatisé dans certaines agences. Pour que le programme fonctionne, il faut que les clients soient avertis de son existence et qu'ils sachent comment, où et quand ils pourront en bénéficier. Les objectifs de communication pourraient alors être :

1. créer la notoriété de la nouvelle offre auprès des clients existants ;

2. attirer l'attention de clients potentiels sur le segment des hommes d'affaires, les informer des nouvelles caractéristiques du service et leur apprendre comment les utiliser efficacement ;

3. stimuler la demande et augmenter les préréservations ;

4. générer une augmentation spécifique des utilisations récurrentes de 20 % après six mois.

3.3. Le planning

La planification d'une campagne de communication marketing doit refléter la compréhension du service et une connaissance des possibilités d'évaluation avant achat pour les clients. Il est donc essentiel de considérer les segments cibles par rapport à leur exposition aux différents médias, et d'évaluer la notoriété du service et son effet sur l'attitude des consommateurs. Il faut également déterminer le contenu, la structure et le style des messages qui seront communiqués, leur présentation, et le média le plus susceptible d'atteindre l'audience ciblée. Enfin il faut prendre en compte le budget disponible pour l'exécution de la campagne, les phases temporelles (définies par la saisonnalité, les opportunités sur le marché et l'anticipation des activités concurrentes), et les méthodes de mesure et d'évaluation la performance.

4. Le mix de la communication marketing

La plupart des marketeurs de services ont accès à de nombreuses formes de communication, généralement regroupées sous l'appellation de mix de la communication marketing. Les différents éléments de la communication ont des capacités distinctes en fonction du message qu'ils peuvent transmettre ou des segments auxquels ils sont exposés. Comme le montre la figure 6.1, le mix regroupe le contact personnel, la publicité et les relations publiques, les offres promotionnelles, les moyens d'information et le style de l'entreprise.

Les spécialistes en communication font une différence entre la *communication personnelle* (colonne de gauche dans la figure 6.1) qui implique des messages personnalisés, bidirectionnels (entre les deux parties, le vendeur et le client), comme la vente personnalisée, le télémarketing, la formation des clients, le service clients et le bouche à oreille, et les *communications impersonnelles* dans lesquelles les messages se déplacent seulement dans une seule direction et ciblent généralement un groupe important de clients plutôt qu'une personne en particulier.

La technologie a cependant créé une zone floue entre les communications personnelles et impersonnelles. Par exemple, les entreprises combinent souvent le traitement de texte avec les informations d'une base de données pour donner une impression de relation personnelle. Référez-vous aux courriers et aux e-mails reçus, contenant une formule de politesse personnalisée et peut-être même des références à votre situation ou à l'utilisation d'un produit particulier. De la même manière, les logiciels interactifs, les technologies de reconnaissance vocale et les discussions poursuivies sur les forums *via* Internet

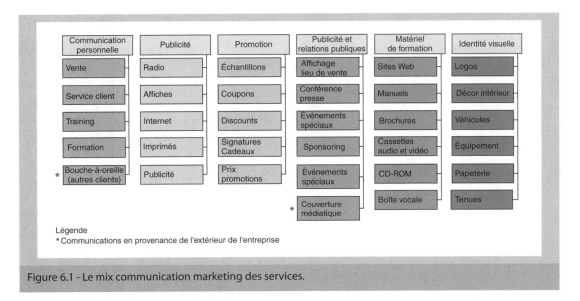

Figure 6.1 - Le mix communication marketing des services.

peuvent simuler une conversation bidirectionnelle. De plus en plus d'entreprises utilisent des « agents Internet » qui peuvent bouger sur l'écran, parler et même changer de visage. C'est ce que fait La Poste notamment. Ce type de communication a considérablement rajeuni son image et suggéré encore plus de proximité client.

4.1. Les communications proviennent de sources différentes

Les messages transmis via les canaux de production

Il est important de clarifier l'origine des communications. Comme le montre la figure 6.2, tous les messages de communications reçus par une audience cible ne proviennent pas uniquement du prestataire de services. Ainsi, le bouche à oreille et les articles dans les médias sont issus de sources extérieures à l'entreprise et échappent à son contrôle. Les messages provenant d'une source interne doivent être distincts selon qu'ils proviennent des canaux de production ou marketing.

Dans cette catégorie, on trouve les communications développées à l'intérieur même de l'entreprise et transmises par les services de production nécessaires à la prestation du service, destinés aux employés en *front office* et éventuellement aux différentes agences. Si l'entreprise sous-traite la prestation du service, il faudra considérer une sous-division supplémentaire.

Le service clients et les employés de *front office*

Les employés de *front office* servent les clients en interface directe ou par téléphone. Ils sont responsables de la prestation principale et peuvent également être en charge d'une multitude d'autres services périphériques, comme l'apport d'informations, la prise de rendez-vous, le paiement et la résolution de problèmes. Les nouveaux clients, en particulier, y sont sensibles.

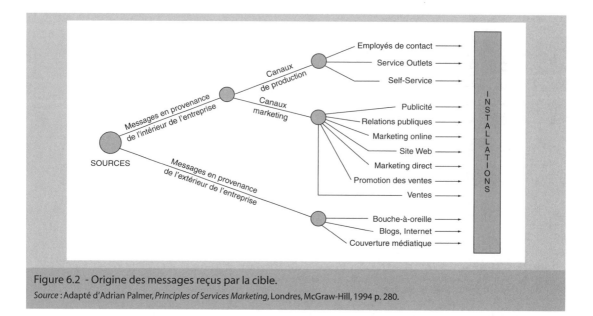

Figure 6.2 - Origine des messages reçus par la cible.

Source : Adapté d'Adrian Palmer, *Principles of Services Marketing*, Londres, McGraw-Hill, 1994 p. 280.

Lorsque plusieurs produits/services différents sont proposés, les entreprises encouragent leurs employés à vendre d'autres services (*up selling*). Néanmoins, cette méthode risque d'échouer si les stratégies de communication ne sont pas parfaitement planifiées et exécutées avec efficacité[11]. L'apparition des nouvelles technologies, par exemple, a obligé les banques, un marché de plus en plus concurrentiel, à se diversifier pour tenter d'augmenter leur profitabilité. Dans la plupart des cas, les employés, initialement chargés des opérations des clients, ont désormais pour mission de promouvoir et de vendre les nouveaux services. Bien que formés, nombreux sont ceux qui ne se sentent pas à l'aise dans cette tâche et ne sont pas aussi performants que les commerciaux. Dans ce cas de figure, les clients ne comprendront pas pourquoi ce qu'ils entendent, lisent ou voient n'est pas réalisé sur le terrain.

La formation client

Certaines entreprises, en particulier celles qui vendent des services *B to B* complexes, proposent des formations à leurs clients afin de les familiariser avec le service et à en tirer le maximum. Cette formation peut être prise en charge par le personnel de *front office* qui se charge de la prestation.

Les locaux

Planifiés ou non, les messages atteignent les clients dans l'environnement du service lui-même. Des messages impersonnels peuvent être transmis par des affiches, des panneaux d'information, des brochures, des écrans vidéo et des annonces audio. L'apparence physique du service transmet également des messages aux clients[12]. Des designs d'entreprise particulièrement élaborés peuvent, grâce à un agencement interne ou externe spécifique, véhiculer des messages. Ces agencements complètent et renforcent le positionnement d'une entreprise et rendent le service proposé attirant pour le client.

4.2. Les messages transmis via les canaux marketing

Comme nous l'avons vu à la figure 6.1, les marketeurs ont à leur disposition une large gamme d'outils de communication.

La vente

Les rencontres interpersonnelles durant lesquelles les efforts visent à éduquer le client et à promouvoir sa préférence pour une marque ou un produit en particulier relèvent de la catégorie « vente personnelle » (de personne à personne). De nombreuses entreprises, en particulier celles spécialisées en services *B to B*, conservent une force de vente spécialisée ou sous-traitent la prise en charge de la vente personnelle. Pour des services utilisés ponctuellement (agences immobilières, compagnies d'assurance, pompes funèbres), le représentant de l'entreprise tient aussi un rôle de consultant en aidant le client à faire son choix.

Les stratégies de marketing relationnel s'appuient souvent sur des programmes de gestion de compte. Un gestionnaire, intermédiaire entre client et fournisseur, intervient. Ces programmes de gestion de compte sont plus fréquents dans les entreprises industrielles qui proposent des services relativement complexes, nécessitant un haut degré d'information et de conseil. La plupart des programmes de gestion de comptes pour particuliers se rencontrent dans les assurances, la gestion financière et les services médicaux.

Cependant, vendre en face à face à de nouveaux clients coûte cher. Le télémarketing, fondé sur le démarchage des prospects par téléphone, constitue une alternative moins onéreuse. En 2005, en France, le chiffre d'affaires de la vente à distance a bondi de 48 % sachant qu'en 2004, il avait augmenté de 53 % (chiffres communiqués par la FEVAD). Chez les particuliers se développe toutefois un sentiment d'agacement dû à la nature intrusive de ces appels le soir et le week-end.

Les salons

Sur le marché des services *B to B*, les salons sont une forme appréciée de communication et présentent également d'importantes occasions de vente personnelle[13]. Dans beaucoup de secteurs d'activité, ils bénéficient d'une importante couverture médiatique et permettent aux clients professionnels de découvrir un grand nombre de fournisseurs. Les prestataires de services matérialisent les possibilités de leurs produits et services par des démonstrations, présentations, échantillons et brochures informatives. Le salon est un outil marketing très puissant puisque c'est l'une des seules situations dans laquelle les prospects viennent au marketeur/commercial, et non l'inverse. Un commercial, qui réussit en général à contacter quatre ou cinq clients potentiels par jour, peut espérer le même résultat sur un salon en seulement une heure. Le salon des vins organisé par les supermarchés Match en est un exemple. Sur invitation personnalisée, les clients sont conviés à une dégustation et une rencontre avec les producteurs. Ils peuvent commander sur le salon ou acheter les vins lors de leur prochaine visite au supermarché (les producteurs ne peuvent pas vendre directement). Ce salon est très communicant : relayé dans la presse, soutenu par les producteurs, il joue sur le bouche à oreille.

La publicité

En tant que principal moyen de communication marketing, la publicité est souvent le point de départ de la relation entre le marketeur (mais aussi la firme) et ses clients.

Elle développe la notoriété, informe, persuade et remémore. Elle a un rôle primordial dans la diffusion d'informations relatives aux caractéristiques et capacités d'un produit. Pour démontrer ce rôle, Grove, Pickett et Laband ont réalisé une étude comparant la publicité dans les journaux et à la télévision pour les biens et les services[14]. De l'analyse de 11 543 publicités télévisuelles sur dix mois et de 30 940 annonces publicitaires dans des journaux sur douze mois, ils ont conclu que les publicités pour les services contenaient souvent davantage d'informations factuelles sur le prix, les garanties, les performances et la disponibilité du service (ou, quand et comment se le procurer) que les produits.

L'une des difficultés des publicitaires est de trouver comment mettre en évidence leurs messages. Les émissions de télévision et de radio sont entrecoupées de publicités, alors que les pages des journaux renferment parfois plus de publicités que de réelles informations. Que peut alors faire une entreprise pour sortir du lot ? Des publicités plus longues, plus bruyantes ou de plus grandes tailles ne sont pas forcément une bonne solution. Certains publicitaires se démarquent en employant des designs accrocheurs ou très différents des standards habituels. Pour capter l'attention du lecteur, la Ligue des droits de l'homme utilisait le dessin noir et blanc d'un petit chiot attendrissant dans un magazine où toutes les publicités étaient en couleur.

Une large gamme de médias publicitaires est disponible : les émissions (télévision et radio), la presse (magazines et journaux), les cinémas et tous les supports extérieurs (panneaux d'affichage, panneaux électroniques, transports publics, etc.). Certains médias sont plus focalisés que d'autres, visant des secteurs géographiques spécifiques ou des audiences qui ont un intérêt particulier. Les messages publicitaires transmis au travers de médias de masse sont souvent renforcés par des outils de marketing direct.

Le marketing direct

Cette catégorie regroupe des outils tels que le mailing, les messages téléphoniques préenregistrés, les fax, les e-mails et la télévision. Ces canaux permettent d'envoyer des messages personnalisés à des microsegments très ciblés. Les stratégies directes ont plus de chances de succès lorsque les marketeurs disposent d'une base de données de clients et de prospects[15].

La promotion des ventes[16]

La promotion des ventes peut être assimilée à une communication avec incitation à l'achat[17]. Elle est généralement spécifique à une période, un prix ou un groupe de clients et, quelquefois, aux trois à la fois. Son objectif est d'accélérer l'intention d'achat des clients ou de les motiver à utiliser un service plus rapidement, en plus grande quantité à chaque achat ou plus fréquemment. Dans les entreprises de services, elle peut prendre la forme de bons de réduction et autres rabais, de cadeaux, de jeux concours. Utilisée sous ces formes, elle crée de la valeur ajoutée, donne un avantage concurrentiel, augmente les ventes en périodes creuses, accélère l'introduction et l'assimilation de nouveaux services et pousse généralement les clients à « consommer » le service plus rapidement[18].

Il y a quelques années, SAS International Hotels conçut une promotion des ventes ciblant les personnes âgées. Si l'hôtel n'était pas complet, les clients de plus de 65 ans pouvaient obtenir une réduction en corrélation avec leur âge (pour une personne de 75 ans, 75 % moins cher que le tarif normal). Cette offre connut un certain succès jusqu'au jour où un client suédois âgé de 102 ans réclama au SAS de Vienne qu'on lui reverse 2 % du prix de la chambre. Sa requête fut satisfaite, tout comme sa proposition de match de tennis face au directeur de l'hôtel. Ce genre d'événement fait rêver les spécialistes des relations publiques. Dans ce cas précis, une promotion savamment menée s'est transformée en histoire drôle qui a fait le tour des hôtels de la chaîne.

Les relations publiques

Les relations publiques (RP) consistent à stimuler un intérêt positif pour une entreprise et ses produits en publiant des informations récentes, en tenant des conférences de presse, en organisant des événements extraordinaires ou en sponsorisant des activités médiatiques. Leur élément de base est la préparation et la distribution de communiqués de presse (comprenant photos et vidéos) qui relatent des histoires en rapport avec l'entreprise, ses produits et ses employés. Les responsables des relations publiques peuvent également organiser des conférences de presse et distribuer des dossiers de presse lorsqu'une histoire leur paraît particulièrement importante. Ils peuvent aussi préparer les chefs d'entreprises de services à répondre avec adresse et élégance aux questions pièges.

Les autres techniques souvent employées sont par exemple l'organisation de prix et la remise de récompense, la recherche de témoignages de personnes célèbres, une implication dans des œuvres de charité. Ces outils sont de nature à favoriser le développement d'une opinion favorable de l'entreprise *via* des événements exceptionnels et peuvent l'aider à asseoir sa réputation et sa crédibilité, à former des liens solides avec ses employés, ses clients et l'opinion publique.

Les entreprises peuvent également profiter d'une bonne exposition médiatique dans le cadre de sponsoring d'événements sportifs où bannières, emblèmes et autres éléments visuels offrent une visibilité continue du nom de l'entreprise et de son logo. Par exemple, le service postal aux États-Unis (US Postal) est le sponsor principal d'une formation cycliste participant au Tour de France. Cet événement est l'occasion d'une véritable flambée publicitaire et de relations publiques grâce à l'édition de timbres, des articles de presse, des informations diffusées à la télévision et des photos de l'équipe cycliste arborant des maillots « US Postal Service ». US Postal a acquis une notoriété mondiale grâce aux succès du leader de l'équipe : Lance Armstrong.

Les clubs nautiques inscrits pour l'America's Cup font généralement appel au sponsoring pour couvrir les frais de participation, qui sont très lourds. La plupart des clubs ont plusieurs sponsors, dont les noms et logos apparaissent bien en évidence sur les voiles et coques des bateaux. Lorsque le bateau suisse *Alinghi* remporta contre toute attente sa série en Nouvelle-Zélande, son principal sponsor, la grande banque suisse UBS, profita d'une remarquable publicité. Même si les sponsors des bateaux perdants n'eurent pas autant de chance, ils bénéficièrent malgré tout de l'exposition médiatique de leurs marques pendant de nombreux mois.

Des activités inhabituelles peuvent permettre à une entreprise de promouvoir son expertise. FedEx bénéficia d'une publicité très favorable lorsque ses avions transportèrent deux pandas géants de Chengdu en Chine au zoo de Washington. Les pandas furent déplacés dans des containers spéciaux à bord d'avions MD 11 rebaptisés pour l'occasion « FedEx PandaOne ». En plus des communiqués de presse, l'entreprise présenta cette livraison particulière sur son site Internet.

4.3. Les messages en provenance de l'extérieur de l'entreprise

Certains des messages les plus efficaces d'une entreprise sur ses produits et/ou services sont externes et non contrôlés par les marketeurs[19].

Le bouche-à-oreille[20]

Les recommandations d'autres clients sont généralement mieux perçues que les activités promotionnelles générées par l'entreprise et peuvent avoir une forte influence sur les décisions des personnes pour faire acheter (ou ne pas acheter) un service. En effet, plus le risque associé à un achat est élevé, plus les acheteurs potentiels essaient *via* le bouche à oreille d'en savoir davantage sur le service[21]. Les clients qui connaissent peu un service s'appuient davantage sur ce mode d'information que les clients bien informés[22]. Son efficacité pousse les marketeurs à employer des stratégies qui encouragent des commentaires positifs[23]. Ces stratégies peuvent :

- Se fonder sur d'autres acheteurs qui connaissent le produit : « Nous avons fait du bon travail pour l'entreprise ABC. Si vous voulez, vous pouvez contacter M. Martin, leur responsable des systèmes d'informations, qui supervisait le projet. »

- Lancer des campagnes promotionnelles qui encouragent les gens à discuter du service que l'entreprise propose. Virgin Atlantic et Air France (slogan « Le ciel est le plus bel endroit de la terre », accompagné d'une musique du groupe « Chemical brothers ») ont lancé plusieurs campagnes qui donnèrent lieu à de nombreux commentaires et discussions.

- Développer un système de parrainage offrant aux clients existants des remises ou des cadeaux pour les remercier d'amener de nouveaux clients à l'entreprise.

- Faire des promotions qui encouragent les clients à convaincre d'autres personnes d'utiliser le service, comme « amener deux amis au restaurant et le troisième mange gratuitement ».

- Présenter et publier des témoignages qui encouragent le bouche à oreille. Les publicités et les brochures diffusent ainsi parfois les commentaires de clients satisfaits.

Des recherches effectuées aux États-Unis et en Suède montrent que l'ampleur et le contenu du bouche à oreille sont corrélés au niveau de satisfaction. Des clients qui ont une opinion favorable sur le service sont plus enclins à parler de leurs expériences que ceux qui ont une opinion plus neutre. Les clients les moins satisfaits se manifestent généralement plus que les clients très satisfaits[24]. En remarquant l'importance du rôle que jouent les employés de service dans la satisfaction du client, Gremler, Gwinner et Brown[25] suggèrent que l'amélioration de la qualité des interactions clients-employés pourrait être une stratégie appropriée à la stimulation de bouche-à-oreille positif. Il est intéressant de noter que même les clients qui sont initialement insatisfaits du service peuvent transmettre un message positif s'ils apprécient la manière dont l'entreprise a résolu le problème[26]. Avec le développement d'Internet, la diffusion des opinions personnelles s'est accrue, engendrant même un phénomène de « marketing viral » que les entreprises ne peuvent ignorer[27]. C'est d'ailleurs devenu une activité à part entière[28]. Des start-up comme Epinions.com ont développé leurs concepts et leurs sites Internet sur le bouche à oreille entre clients[29].

La couverture éditoriale

Bien que la couverture médiatique des entreprises et de leurs services soit souvent assurée par des activités de RP, les chaînes de télévision et les éditeurs de presse peuvent s'en charger. En plus des reportages sur une entreprise et ses services, la couverture éditoriale peut prendre plusieurs aspects. Des reporters peuvent effectuer des enquêtes approfondies sur telle ou telle entreprise, surtout s'ils pensent qu'elle met en danger la vie de ses clients, si elle les bafoue, si elle fait de la publicité mensongère ou si elle les exploite. Certains organes de presse sont spécialisés dans la protection et l'assistance aux clients qui n'ont pu obtenir réparation directement auprès de l'entreprise.

Les journalistes en charge des rubriques « consommation » ou « nouveaux produits » comparent souvent les différentes offres proposées, identifient leurs points forts et leurs points faibles et donnent leur avis sur le meilleur produit à acheter. Plus spécialisés, *Que choisir ?* ou *60 millions de consommateurs*, en France, évaluent régulièrement les services proposés à l'échelle nationale, comme les télécommunications ou les services financiers. Ces magazines ont récemment étudié en détail le secteur de la téléphonie mobile, en indiquant les forces et faiblesses des différents opérateurs et en essayant de déterminer le coût réel de leurs abonnements aux tarifs souvent confus[30].

Ils ont aussi révélé les tarifs souvent abusifs des banques françaises relatifs aux dits « frais bancaires » et agios en pratique. L'issue a bien souvent été positive : certains clients n'ont pas hésité à faire un recours en justice et avoir gain de cause.

4.4. Éthique et communication[31]

Certains aspects du marketing se prêtent volontiers aux abus comme la publicité, la vente et la promotion des ventes. La difficulté des clients à évaluer les services les rend encore plus dépendants de la communication marketing pour obtenir conseils et informations. Lorsque des promesses sont faites à la légère, les clients sont désappointés et très déçus dès lors que le prestataire n'a pas répondu à leurs attentes[32]. Leur déception et leur colère seront d'autant plus grandes s'ils ont gaspillé de l'argent, du temps et des efforts sans obtenir quoi que ce soit en retour. Les employés peuvent aussi être déçus et frustrés d'entendre les clients se plaindre de promesses non tenues.

Certaines promesses irréalistes résultent souvent d'une mauvaise communication interne entre les équipes techniques et marketing quant au niveau de performance que les clients peuvent espérer. Dans d'autres cas, des publicitaires et vendeurs malhonnêtes font volontairement des promesses irréalistes pour assurer leur niveau de ventes. Enfin, il existe des offres qui trompent les clients sur leurs chances réelles de remporter des prix lors de jeux et concours. Heureusement, de nombreuses autorités sont en charge de la surveillance de ces pratiques marketing douteuses. On y retrouve les associations de défense du consommateur, des organismes professionnels et des journalistes qui enquêtent suite aux plaintes de clients floués et rendent publiques les fraudes et les abus[33]. L'intrusion des marketeurs dans la vie personnelle des clients et des prospects soulève un autre problème éthique. Le télémarketing et les courriers publicitaires, en forte croissance, entraînent l'agacement de ceux qui les reçoivent. Comment réagissez-vous lorsque vous recevez, au moment du dîner, un appel d'un inconnu qui essaye de vous vendre un service dont vous n'avez que faire ? Même si vous êtes intéressé, vous percevez cet appel comme une violation de votre vie privée. Des dispositifs particuliers permettent aux consommateurs de retirer leurs noms des listes de télémarketing et des courriers.

5. Les marques dans les services

Bien que la stratégie de marque ait longtemps été plutôt associée aux produits manufacturés, elle prend une importance croissante dans les services. Leonard Berry dit que la gestion de la marque (le *branding*) joue un rôle particulier dans les entreprises de services car des marques fortes augmentent la confiance des clients dans l'achat « en aveugle[34] ».

5.1. Les marques d'entreprise

La gestion des marques de services commence avec la marque de la société. C'est un savant mélange :

– 1) *de la marque entreprise* : comment l'entreprise se présente au travers de sa propre communication ;

– 2) *des communications externes de la marque* : non contrôlées par les marketeurs de l'entreprise, il s'agit principalement du bouche à oreille et de la couverture médiatique dans les émissions radio, télé et dans la presse ; et

– 3) *de la signification de la marque*, qui renvoie à la perception de la marque et aux associations effectuées par le client.

La communication marketing joue un rôle primordial dans le développement de la notoriété des marques. Celle-ci correspond à la capacité du client à reconnaître la marque et à se rappeler des informations et des associations qui distinguent l'entreprise de ses concurrentes. Une image de marque forte et positive est principalement une promesse de satisfaction future et de fidélité.

5.2. Les sous-marques

Les entreprises de services ont tendance à appliquer les principes de la gestion de marques (*branding*) à des services spécifiques, pour distinguer les offres de l'entreprise et les différencier de la concurrence. Les packages bancaires, les classes dans le transport aérien, les contrats de maintenance sont autant d'exemples de ce qui peut être assimilé à des sous-marques (voir chapitre 7). En général, la marque d'entreprise sert d'ombrelle aux sous-marques et leur est associée sur les publicités et autres communications. Singapore Airlines ne se contente pas d'associer une marque à sa classe affaires, qu'elle appelle « Classe Raffles », mais a déposé la marque « SpaceBed », le siège transformable en lit par les passagers lorsqu'ils veulent dormir.

5.3. Le rôle du design de l'entreprise

Beaucoup d'entreprises de services adoptent une apparence visuelle unique et distinctive pour tous leurs éléments tangibles pour en faciliter la reconnaissance et renforcer l'image de marque. Le design de l'entreprise est généralement mis au point par des spécialistes extérieurs et sert à identifier les brochures, documents promotionnels et autres supports écrits, intégrant des associations de couleurs pour identifier également les points de vente, les tenues, les véhicules, les équipements et l'intérieur des bâtiments. L'objectif est de créer un thème unificateur et reconnaissable rassemblant toutes les opérations de l'entreprise sous une marque de service au travers d'éléments physiques.

Le design est particulièrement important pour les entreprises qui opèrent sur des marchés très concurrentiels où il est nécessaire, pour se distinguer, de sortir du lot et d'être immédiatement reconnaissable dans différents endroits. Par exemple, les stations essence ont des différences de design très marquées : de l'étincelant vert et jaune de BP à la coquille jaune bordée de rouge de Shell en passant par le bleu et jaune d'Elf.

Les entreprises du secteur très concurrentiel de la livraison rapide utilisent de plus en plus leur nom comme élément central de leur design d'entreprise. Lorsque Federal Express a fait évoluer son nom vers le plus moderne « FedEx », il a également changé son logo pour mettre en valeur son nouveau nom. Ce nouveau design fut décliné sous différentes formes pour être utilisé sur des supports allant des cartes de visite aux emballages en carton, en passant par les casquettes des employés et le fuselage des avions. Lorsque FedEx décida de relancer la marque d'un service de livraison qu'il venait d'acheter, il choisit le nom « FedEx Ground » et mit au point une association de couleurs différentes, conservant le logo classique. Son but était de transmettre à ce nouveau service de livraison terrestre peu coûteux l'image positive des transports aériens : un service fiable et respectant les délais. Le service aérien fut renommé FedEx Express. D'autres sous-marques forment ce qu'on appelle « la famille des entreprises FedEx » : FedEx Freight (transport régional de forte charge), FedEx Custom Critical (livraisons urgentes porte-à-porte) et FedEx Trade Networks (courtage, expédition internationale et assistance à l'import-export). L'entreprise a également créé FedEx Services qui regroupe les services commerciaux, marketing et technologiques venant en aide à la « famille » d'entreprises.

Beaucoup d'entreprises utilisent des symboles déposés, et notamment leur logo[35], plutôt que des noms. Shell « joue » de son nom anglais en le remplaçant par ce coquillage jaune entouré de rouge. Cela a l'avantage de rendre ses véhicules et stations-service immédiatement identifiables quels que soient la langue ou le pays. Les « arches dorées » de Mc Donald's sont supposées être le symbole le plus connu dans le monde. Néanmoins, les multinationales doivent choisir leur logo avec précaution pour éviter de transmettre un message culturellement inapproprié à cause d'un mauvais choix de noms, couleurs ou images.

À un moindre degré, certaines entreprises ont réussi à créer des symboles tangibles et reconnaissables qui s'associent à la marque de l'entreprise. Les motifs d'animaux sont des symboles classiques pour les services : le cheval de Déméco (déménagement), l'hippopotame d'Hippopotamus, le kangourou de la compagnie aérienne Qantas, l'aigle d'United States Postal Services, le taureau de Merrill Lynch, le lion des fonds Dreyfus, de la Banque Royale du Canada, du Crédit Lyonnais, le dragon chinois de Dragonair (compagnie aérienne de Hong Kong), l'écureuil de la Caisse d'Épargne, le chat de Feu Vert. Facilement identifiables, les symboles d'entreprise sont particulièrement importants lorsque les services sont proposés sur des marchés où la langue principale n'utilise pas l'alphabet romain ou lorsqu'une partie de la population est illettrée.

6. La communication marketing via Internet

Internet joue un rôle de plus en plus important dans la communication marketing. Les entreprises sans site Internet sont de moins en moins nombreuses, et une véritable industrie est née pour mettre au point et développer des activités marketing fondées sur ce mode de communication. L'aspect le plus extraordinaire d'Internet est sans doute son ubiquité : un site hébergé dans n'importe quel pays peut être visité depuis quasiment n'importe où dans le monde, ce qui constitue la forme la plus aisée d'entrée sur le marché international. Comme le souligne Christian Grönroos, « l'entreprise ne peut éviter de générer de l'intérêt pour son offre en dehors de son marché local ou national[36] ». Néanmoins, créer un accès international et développer une stratégie internationale sont deux choses différentes.

6.1. Les applications Internet

Les marketeurs utilisent Internet pour promouvoir l'intérêt du consommateur, fournir des informations, faciliter la communication bilatérale avec les clients grâce aux e-mails et aux forums de discussion, encourager l'essai du produit ou du service, permettre aux clients de commander et mesurer l'efficacité de campagnes promotionnelles et de publicité spécifiques[37]. Les entreprises peuvent vendre sur leur propre site Web et diffuser des publicités sur d'autres. La publicité sur Internet permet aux entreprises de remplacer ou de compléter les canaux classiques de communication à un coût raisonnable. Mais comme les autres éléments du mix de communication marketing, elle doit être partie intégrante d'une stratégie de communication savamment élaborée.

Beaucoup de sites Internet précurseurs n'étaient ni plus ni moins que des brochures électroniques, remplies de graphismes attractifs trop longs à télécharger. À l'opposé, les sites Web interactifs permettent aux clients de dialoguer avec une base de données et d'obtenir une information personnalisée. Les entreprises de transport comme les compagnies aériennes et ferroviaires proposent sur des sites interactifs aux voyageurs d'évaluer les trajets à des dates spécifiques, de télécharger des informations et de réserver leurs billets en ligne. Certains sites proposent même des rabais sur des chambres d'hôtels et sur des billets d'avion si les réservations sont effectuées en ligne, une méthode utilisée pour éloigner les clients des intermédiaires comme les agences de voyage.

La nature interactive d'Internet augmente considérablement le degré d'implication du client. Le Web crée un marketing libre-service dans lequel les clients contrôlent la nature et l'amplitude de leur contact avec le site qu'ils visitent. Beaucoup de banques permettent à leurs clients de payer leurs factures électroniquement, de faire une demande de prêt par Internet et d'accéder au solde de leurs comptes. Au Canada, une station de ski se sert de son site Web pour promouvoir les préventes en ligne de forfaits à un meilleur prix, tout en répondant aux questions les plus fréquentes.

Permettre aux marketeurs de communiquer et d'établir un rapport individualisé avec des clients est l'une des grandes forces d'Internet. Ses caractéristiques se prêtent à une nouvelle stratégie de communication appelée *permission marketing*[38], qui s'oppose au principe d'interruption de la publicité traditionnelle. En effet, un spot publicitaire de trente secondes interrompt le programme favori d'un téléspectateur, un appel de télé-marketing interrompt un repas et une publicité dans la presse interrompt le flux de lecture d'un article. Dans le modèle du *permission marketing*, le but est de convaincre le consommateur de prêter volontairement son attention. En clair, les clients sont encouragés à « lever la main » et à accepter d'apprendre davantage sur une entreprise et ses produits en acceptant de recevoir une information ou un élément auquel ils accordent de la valeur.

Aux États-Unis, l'institut de recherche en communication sur la santé offre des cartes téléphoniques dans les hôpitaux et cabinets médicaux pour mesurer la satisfaction des patients. Ceux-ci téléphonent à un service automatique qui enregistre leurs avis sur l'intervention subie et l'hospitalisation. En remerciement, le patient reçoit trente minutes gratuites de communications longue distance[39].

6.2. Le design des sites Web[40]

En termes de communication, un site Web doit présenter des informations que les clients ciblés par l'entreprise trouveront intéressantes et utiles[41]. Les utilisateurs d'Internet espèrent un accès rapide, une navigation aisée et un contenu à la fois approprié et mis à jour.

Les entreprises de services doivent concevoir précisément leur site Web. Doit-il être un canal de promotion, une possibilité de libre-service qui peut remplacer le personnel, un espace où l'on trouve des informations sur l'entreprise et ses produits ? Certaines entreprises mettent l'accent sur un contenu promotionnel (éclairage favorable des produits) ; d'autres considèrent que leur site doit être formateur, encourageant les visiteurs à chercher des informations et fournissant des liens vers des sites traitant de thèmes similaires.

Les entreprises innovantes cherchent toujours à améliorer l'attractivité et l'utilité de leur site. Le message émis varie beaucoup d'un type de service à l'autre. Un site *B to B* va offrir à ses visiteurs un accès à une bibliothèque d'informations techniques alors qu'un hôtel montrera des photos de son cadre, voire de courtes vidéos présentant les activités possibles. Dans le même temps, une station de radio pourra afficher les photos de ses employés célèbres, des informations sur son programme, des renseignements complétant les émissions et un accès aux programmes *via* un Web radio.

Les marketeurs doivent également être attentifs à certains problèmes comme la vitesse de téléchargement du site qui affecte directement son taux de fréquentation. Un site interactif et attractif incite les internautes à revenir et encourage donc les achats. Une adresse Internet mémorisable aide également à attirer les visiteurs sur le site. À la différence des numéros de téléphone et de fax, l'adresse Internet d'une entreprise peut parfois être devinée, particulièrement lorsqu'elle est simple et reprend le nom ou l'activité de l'entreprise. Néanmoins, les entreprises arrivant tard sur le Web ne peuvent pas toujours utiliser le nom qu'elles souhaitaient, ce dernier étant déjà utilisé et donc déposé. Les sites Internet doivent être activement promus s'ils doivent jouer un rôle important dans la stratégie de communication et de prestation de service. Cela implique la mention systématique sur les cartes de visite, les en-têtes, les catalogues, les publicités, le matériel promotionnel, voire sur les véhicules de fonction.

6.3. La publicité sur Internet[42]

Internet est devenu en peu de temps un vecteur important des campagnes de publicité. Après un démarrage rapide, le volume de publicités en ligne a fortement diminué. Les sites Web offrent cependant aux publicitaires des avantages bien distinctifs[43].

Beaucoup d'entreprises paient pour avoir des bannières publicitaires sur des portails comme Yahoo, Netscape ou sur les sites Web d'autres entreprises, afin d'orienter le trafic des internautes vers leur propre site Web. Dans beaucoup de cas, les sites affichent les messages publicitaires de sociétés proposant des services complémentaires mais pas concurrents. La page de cotations boursières de Yahoo, par exemple, compte bon nombre de publicités pour des prestataires de services financiers. De la même manière, beaucoup de pages Web dédiées à un sujet en particulier contiennent un petit message d'Amazon.fr invitant les lecteurs à cliquer sur le lien vers la librairie en ligne pour y chercher des ouvrages sur le sujet. Dans ce cas, le publicitaire peut facilement mesurer combien de connexions à son propre site ces liens ont généré.

Pourtant, Internet ne se révèle pas aussi efficace qu'on avait pu le prévoir. L'expérience montre que le temps d'affichage des bandeaux et des bannières publicitaires sur une page n'a pas forcément d'impact sur la notoriété, la préférence ou les ventes. Le fait que les internautes cliquent sur le lien et se connectent au site ne garantit pas non plus la vente. Par conséquent, les entreprises se montrent moins intéressées par l'achat de bannières publicitaires et davantage friandes d'informations sur les comportements des internautes.

Certaines entreprises pratiquent le *marketing réciproque* : un magasin en ligne permet à ses clients de recevoir des messages d'un autre magasin et inversement[44]. Le site de l'entreprise RedEnvelope.com, dont l'activité porte sur la réalisation de cadeaux publicitaires personnalisés, offrait à ses visiteurs des bons de réduction pour Starbucks la célèbre chaîne de cafés américaine récemment implantée en France ; en échange, Starbucks.com proposait un lien publicitaire pour inciter les siens à se connecter au site RedEnvelope.com.

Conclusion

La stratégie de communication marketing pour les services diffère de celle développée pour vendre des produits. Les tâches de communication incombant aux marketeurs de services doivent s'attacher particulièrement à mettre en évidence les éléments concrets du service difficiles à évaluer, clarifier la nature et le déroulement de ce service, valoriser le contact avec le client et le former en vue d'une meilleure participation à la réalisation du service.

De nombreux éléments de communication sont à la disposition des entreprises pour se positionner sur le marché et atteindre les clients potentiels. Ces différentes options du mix communication marketing sont la communication interpersonnelle comme la vente directe et le service clients, la communication impersonnelle comme la publicité, la promotion des ventes, les relations publiques, l'identité visuelle de l'entreprise et les éléments concrets qui distinguent le lieu de prestation du service. Les supports d'information, des brochures aux sites Web, jouent souvent un rôle important pour aider les clients à faire les bons choix et à tirer le meilleur parti du service acheté. Les nouvelles technologies, Internet en particulier, sont en train de bouleverser l'aspect de la communication marketing notamment en rendant le client plus acteur (les *chats*, les témoignages) et en mettant en scène des personnages et des scénarios pour montrer la valeur du service.

Activités

Questions

1. En quoi les objectifs de communication des services diffèrent-ils de ceux de produits manufacturés ?

2. Quels éléments du mix communication marketing utiliseriez-vous pour chacun des scénarios suivants ? Justifiez vos réponses.

   a. Un salon de coiffure récemment ouvert dans un centre commercial de banlieue.

   b. Un restaurant qui perd des clients à cause de nouveaux concurrents.

   c. Un grand cabinet d'experts comptables, situé dans une grande ville, composé principalement d'une clientèle d'entreprises.

3. Quels rôles jouent la vente directe, la publicité et les relations publiques dans l'attraction et la captation de nouveaux clients ?

4. Décrivez le rôle de la vente directe dans la communication des services. Donnez des exemples de trois situations dans lesquelles vous y avez été confronté.

5. Comparez l'efficacité relative de brochures et de sites Web pour la promotion (a) d'une station de ski, (b) d'une école de commerce, (c) d'un club de sport, (d) d'un courtier en ligne.

6. Pourquoi le bouche à oreille est-il si important dans le marketing des services ? Comment un prestataire, leader en termes de qualité sur son marché, pourrait-il le stimuler et le gérer ?

Exercices d'application

1. Identifiez une publicité (ou un autre moyen de communication) visant à modifier le comportement du consommateur au cours des phases de (a) sélection, (b) consommation et (c) post-consommation d'un service. Expliquez comment elle essaie d'atteindre ses objectifs et évaluez son efficacité.

2. Expliquez la signification des attributs d'examen, d'expérience et de croyance dans la stratégie de communication d'un prestataire de services, en faisant l'hypothèse que l'objectif de cette stratégie est d'attirer de nouveaux clients.

3. Identifiez une publicité qui risque d'attirer à l'entreprise de services des segments de clientèle partiellement imbriqués. Comment cela peut-il se produire et quelles en seront les conséquences ?

4. Analysez plusieurs actions de relations publiques menées par des entreprises de services.

5. Quels éléments concrets une école de plongée et un cabinet dentaire pourraient-ils mettre en avant pour se positionner haut de gamme ?

6. Visitez les sites Web d'une entreprise de conseil en management, d'un commerçant en ligne et d'une compagnie d'assurances. Pour chacun d'entre eux, analysez et critiquez la facilité de navigation, le contenu et le design. Que changeriez-vous sur ces différents sites ?

Notes

1. Voir notamment Christian Michon, « La double mutation de la communication publicitaire », *Actes de l'Association française du marketing*, vol. 16, Congrès de Montréal, 2000.
2. Voir Kathleen Mortimer et Brian P. Mathews, « The Advertising of Services : Consumer Views v. Normative Dimensions », *The Service Industries Journal*, vol. 18, juillet 1998, pp. 14-19.
3. Voir notamment Jean-Marc Décaudin et Denis Lacoste, « La communication de service : entre théorie et pratique », *Actes de l'Association française de marketing*, vol. 16, Congrès de Montréal, 2000.
4. Banwari Mittal, « The Advertising of Services : Meeting the Challenge of Intangibility », *Journal of Service Research*, 2, août 1999, pp. 98-116.
5. Banwari Mittal et Julie Baker, « Advertising Strategies for Hospitality Services », *Cornell Hotel and Restaurant Administration Quarterly*, 43, avril 2002, pp. 51-63 (Julie Baker est professeur associé de marketing à l'université du Texas).
6. William R. George et Leonard L. Berry, « Guidelines for the Advertising of Services », *Business Horizons*, juillet-août 1981.
7. Donna Legg et Julie Baker, « Advertising Strategies for Service Firms », in C. Surprenant (éd.), *Add Value to Your Service*, Chicago, American Marketing Association, 1987, pp. 163-168.
8. Banwari Mittal, « The Advertising of Services : Meeting the Challenge of Intangibility », *Journal of Service Research*, vol. 2, août 1999, pp. 98-116.
9. Legg et Baker, *op. cit.*, D. J. Hill et N. Gandhi, « Services Advertising : A Framework for Effectiveness », *Journal of Services Marketing*, vol. 3, automne 1992, pp. 63-76.
10. C. Derbaix, J. Brée, S. Masson, A. Amine, F. Graby et B. Heilbrunn, « Communication : du cognitif à l'affectif », *Actes de l'Association française de marketing*, vol. 10, Congrès de Paris, 1994.
11. David H. Maister, « Why Cross Selling Hasn't Worked », *True Professionalism*, New York, The Free Press, 1997, pp. 178-184.
12. Mary Jo Bitner, « Servicescapes : The Impact of Physical Surroundings on Customers and Employees », *Journal of Marketing*, vol. 56, avril 1992, pp. 57-71.
13. Dana James, « Move Cautiously in Trade Show Launch », *Marketing News*, 20 novembre 2000, pp. 4 et 6 ; Elizabeth Light, « Tradeshows and Expos – Putting Your Business on Show », *Her Business*, mars-avril 1998, pp. 14-18 ; Susan Greco, « Trade Shows versus Face-to-Face Selling », *Inc.*, mai 1992, p. 142.
14. Stephen J. Grove, Gregory M. Pickett et David N. Laband, « An Empirical Examination of Factual Information Content among Service Advertisements », *The Service Industries Journal*, vol. 15, avril 1995, pp. 216-233.
15. J. Brohier et F. Salerno, « Bases et mégabases de données : la nouvelle force des marques », *Décisions marketing*, n° 7, 1996, pp. 37-45.
16. Voir notamment Jean Pierre Bernardet, Pierre Chandon, Pierre Desmet, Florence Fargette, Francis Guilbert, Laurent Gilles, Claude Oustlant, Michel Toporkoff, Pierre Volle, « La promotion des ventes en France : évolution et révolution », *Décisions marketing*, n° 12, 1997, p. 21.
17. Laurent Gilles, « Richesse de la communication promotionnelle », *Actes de l'Association française de marketing*, vol. 14, congrès de Bordeaux, 1998, pp. 1-3.
18. Ken Peattie et Sue Peattie, « Sales Promotion – a Missed Opportunity for Service Marketers », *International Journal of Service Industry Management*, vol. 5, n° 1, 1995, pp. 6-21 ; Paul W. Farris et John A. Quelch, « In Defense of Price Promotion », *Sloan Management Review*, automne 1987, pp. 63-69.
19. Voir notamment Jean-Louis Moulins, « De la communication interpersonnelle à la fidélité à la marque : essai de modélisation », *Recherche et applications marketing*, vol. 13, n° 3, 1998, pp. 21-42.

20. Voir notamment P. Bourgne, « Le développement des entreprises de services industrielles par le recours aux vendeurs, au réseau de distribution et à l'exploitation du "bouche à oreille" sur les marchés », *Actes de l'AFM*, vol. 12, 1996, congrès de Poitiers, pp. 79-92.

21. Harvir S. Bansal et Peter A. Voyer, « Word-of-Mouth Processes Within a Services Purchase Decision Context », *Journal of Service Research*, 3, n° 2, novembre 2000, 166-177.

22. Anna S. Mattila et Jochen Wirtz, « The Impact of Knowledge Types on the Consumer Search Process – An Investigation in the Context of Credence Services », *International Journal of Research in Service Industry Management*, 13, n° 3, 2002, 214-230.

23. Jochen Wirtz et Patricia Chew, « The Effects of Incentives, Deal Proneness, Satisfaction and Tie Strength on Word-of-Mouth Behaviour », *International Journal of Service Industry Management*, 13, n° 2, 2002, 141-162.

24. Eugene W. Anderson, « Customer Satisfaction and Word of Mouth », *Journal of Service Research*, vol. 1, août 1998, pp. 5-17 ; Magnus Soderlund, « Customer Satisfaction and Its Consequences on Customer Behaviour Revisited : The Impact of Different Levels of Satisfaction on Word of Mouth, Feedback to the Supplier, and Loyalty », *International Journal of Service Industry Management*, vol. 9, n° 2, 1998, pp. 169-188 ; Srini S. Srinivasan, Rolph Anderson et Kishore Ponnavolu, « Customer Loyalty in e-Commerce : An Exploration of its Antecedents and Consequences », *Journal of Retailing*, 78, n° 1, 2002, 41-50.

25. Dwayne D. Gremler, Kevin P. Gwinner et Stephen W. Brown, « Generating Positive Word-of-Mouth Communication through Customer-Employee Relationships », *International Journal of Service Industry Management*, 12, n° 1, 2000, 44-59.

26. Jeffrey G. Blodgett, Kirk L. Wakefield et James H. Barnes, « The Effects of Customer Service on Consumers Complaining Behavior », *Journal of Services Marketing*, 9, n° 4, 1995, 31-42 ; Jeffrey G. Blodgett et Ronald D. Anderson, « A Bayesian Network Model of the Consumer Complaint Process », *Journal of Service Research*, 2, n° 4, mai 2000, 321-338.

27. Sandeep Krishnarmurthy, « Viral Marketing : What Is It and Why Should Every Service Marketer Care ? », *Journal of Services Marketing*, 15, 2001.

28. Voir notamment Brodin Oliviane, « Les communautés virtuelles : un potentiel marketing peu exploré », *Décisions marketing*, n° 21, 2000, pp. 47-56.

29. Renee Dye, « The Buzz on Buzz », *Harvard Business Review*, novembre-décembre 2000, 139-146.

30. « Three Steps to Better Cellular », *Consumer Reports*, février 2003, 15-27.

31. Voir notamment Jean Jacques Nilles, « Pour une approche pragmatique de l'éthique dans la vente », *Décisions marketing*, n° 22, 2001, pp. 65-72.

32. Louis Fabien, « Making Promises : The Power of Engagement », *Journal of Services Marketing*, vol. 11, n° 3, 1997, pp. 206-214.

33. Voir notamment Richard Ladwein, *Le Comportement du consommateur et de l'acheteur*, Paris, éditions Economica, 1999, pp. 16-20.

34. Leonard L. Berry, « Cultivating Service Brand Equity », *Journal of the Academy of Marketing Science*, 28, n° 1, 2000, 128-137.

35. Abbie Griffith, « Product Decisions and Marketing's Role in New Product Development »," *Marketing Best Practices*, Orlando, The Dryden Press, 2000, p. 253.

36. Christian Grönroos, « Internationalization Strategies for Services », *The Journal of Services Marketing*, vol. 13, n° 4/5, 1999, pp. 290-297.

37. J. William Gurley, « How the Web Will Warp Advertising », *Fortune*, 9 novembre 1998, pp. 119-120.

38. Seth Godin et Don Peppers, *Permission Marketing : Turning Strangers into Friends and Friends into Customers*, New York, Simon & Schuster, 1999.

39. Kathleen V. Schmidt, « Prepaid Phone Cards Present More Info at Much Less Cost », *Marketing News*, 14 février 2000, p. 4.

40. Voir notamment Michel Kalika et Stéphane Bourliataux-Lajonnie, « L'analyse des comportements de navigation d'un site marchand », *Recherche et applications marketing*, vol. 16, n° 2, 2001, pp. 79-86.

41. Donald Emerick, Kim Round et Susan Joyce, *Web Marketing and Project Management*, Upper Saddle River, Prentice Hall, 2000, pp. 27-54.

42. Voir notamment Carole Onwein-Bonnefoy, « Les bandeaux publicitaires sur Internet : mesures d'efficacité », *Décisions marketing*, n° 11, 1997, pp. 87-92.

43. Heather Green et Ben Elgin, « Do e-Ads Have a Future ? », *Business Week E.Biz*, 22 janvier 2001, EB44-49.

44. Dana James, « Don't Wait – Reciprocate », *Marketing News*, 20 novembre 2000, 13-17.

Chapitre 7

Positionner les services dans un environnement concurrentiel

« Pour réussir dans notre société de communication, une entreprise doit se créer une position dans l'esprit des prospects, une position qui prend en considération, non seulement les forces et les faiblesses de l'entreprise mais aussi celles de ses concurrents. » – Al Ries et Jack Trout

« L'essence de la stratégie est de choisir de performer de façon très active différemment de ses concurrents. » – Michael Porter

Ce chapitre aborde les questions suivantes

- Pourquoi les entreprises de services doivent-elles adopter des stratégies spécifiques et concentrées sur des choix de marchés et de services ?
- Quelle est la distinction entre les attributs importants et déterminants dans la décision du consommateur de services ?
- Quels sont les concepts clés de la stratégie de positionnement dans les services ?
- Quand faut-il repositionner une offre de services ?
- Dans quelles mesures les cartes de positionnement permettent de mieux comprendre et de mieux répondre aux dynamiques et environnements compétitifs ?

« Quel est votre meilleur atout face à la concurrence ? » Posez cette question à un groupe de managers issus du secteur des services. Dans la plupart des cas, ils vous répondront « le service ». Ceux qui approfondiront leur réponse ajouteront « le rapport qualité/prix (la rentabilité) », « la qualité de service », « le personnel » ou encore « la facilité d'utilisation ».

Pour rendre opérationnelles ces orientations marketing et en faire des avantages concurrentiels distinctifs qui apportent de la valeur au client, une identification pertinente des éléments du service attractifs pour le client est nécessaire. Pour cela, le « marketeur » dispose d'un ensemble de caractéristiques propres au service vis-à-vis desquelles le consommateur réagit positivement. Nous pouvons d'ores et déjà citer des facteurs tels que : la vitesse d'exécution du service, la qualité relationnelle, la diversité et la pertinence des services annexes/périphériques qui gravitent autour du service principal/base, la praticité et la facilité d'accès au service, l'étendue, la diversité et la pertinence des canaux de distribution.

En effet, dans un environnement concurrentiel où la présence des acteurs et des offres est forte, l'absence de différenciation entre les produits et les services amène souvent le consommateur à choisir en fonction du critère prix. Une telle orientation est dangereuse pour la rentabilité de la firme et handicape la construction d'un lien durable entre l'entreprise et ses clients, ces derniers ne réagissant qu'aux stimuli monétaires. Pour rétablir ce lien, l'entreprise doit décider de placer son offre de façon différente par rapport à ses concurrents : suggérer et proposer des univers de consommation, d'usage et de valeur distinctifs. C'est ce que nous appelons : le positionnement.

Une stratégie de positionnement consiste donc à créer des avantages concurrentiels visibles et à maintenir ces différences dans l'esprit du client pour développer et renforcer le lien entreprise-client sur le long terme. Un positionnement réussi nécessite de la part des managers une connaissance approfondie des préférences de leurs clients ainsi que des offres concurrentes.

Dans ce chapitre, nous montrons la nécessité pour les entreprises de services de prendre en compte l'environnement concurrentiel dans lequel elles évoluent avant d'établir leur stratégie de positionnement. Une attention particulière sera portée aux divers problèmes pouvant survenir lors de l'élaboration de cette même stratégie.

1. La recherche d'avantages concurrentiels

Au fur et à mesure que la concurrence s'intensifie dans le secteur des services, les entreprises de services doivent impérativement s'attacher à différencier leurs offres de façon significative. Dans les pays fortement développés, la croissance des activités de services telles que la banque, les assurances, le tourisme et la formation ralentissent. Par conséquent, les entreprises concernées ne pourront prospérer qu'en prenant des parts de marché aux concurrents locaux ou en prenant des orientations d'internationalisation. Mais quels que soient les choix effectués, ces entreprises doivent sélectionner de la façon la plus précise possible leurs clients et se distinguer des concurrents. En somme, opter pour une stratégie concurrentielle qui peut revêtir diverses formes. Comme Georges Day, professeur à la Wharton School of Business de l'université de Pennsylvania, le fait remarquer :

> La diversité des chemins qu'une entreprise peut emprunter pour asseoir son/ses avantage(s) concurrentiel(s) résiste à toute généralisation comme aux prescriptions faciles… La première chose qu'une entreprise se doit de faire est de se différencier de la concurrence. Pour réussir, elle doit s'identifier et se faire connaître comme étant le fournisseur de services le plus approprié pour le consommateur ciblé[1].

En bref, les responsables doivent recenser l'ensemble des facettes du ou des services qu'ils proposent et mettre clairement en évidence les avantages concurrentiels de chacune d'elles aux yeux des clients du/des segment(s) cible(s).

Une entreprise ne peut pas attirer tous les acheteurs potentiels d'un marché, ces derniers ayant nécessairement des besoins et des habitudes d'achat et de consommation différents. Chaque entreprise doit donc concentrer ses efforts sur les clients qu'elle est la plus apte à servir. En termes marketing, la focalisation consiste à délivrer un mix produit relativement étroit à un segment particulier/groupe d'acheteurs ayant des caractéristiques, des besoins, des habitudes d'achat et de consommation communs et homogènes. Ce concept se trouve au cœur de la stratégie de toutes les entreprises qui ont identifié les éléments importants de leurs services et concentré leurs ressources pour y parvenir.

Il se décline à deux niveaux : *focalisation sur le marché* et *focalisation sur le service*[2]. La première représente la taille et le nombre de marchés qu'une entreprise va servir. La seconde est la capacité d'une entreprise à offrir un plus ou moins grand nombre de services. Le croisement de ces deux dimensions définit les quatre stratégies de base de focalisation qu'illustre la figure 7.1.

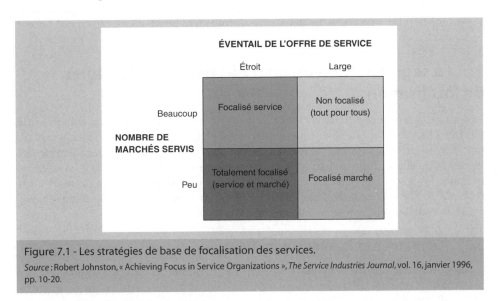

Figure 7.1 - Les stratégies de base de focalisation des services.

Source : Robert Johnston, « Achieving Focus in Service Organizations », *The Service Industries Journal*, vol. 16, janvier 1996, pp. 10-20.

Une entreprise *totalement focalisée* sur ses activités n'offre que très peu de services (voire qu'un service de base) et s'adresse à un segment étroit et spécifique. Une entreprise *focalisée sur le marché* va avoir une activité fondée sur un petit segment du marché, mais aura un large éventail de services. Les entreprises *focalisées sur les services* offrent peu de services à un marché assez large. Enfin, beaucoup d'entreprises de services appartiennent à une catégorie *non focalisée*, puisqu'elles essaient de servir de nombreux et vastes marchés avec un grand nombre de services.

Adopter une stratégie de focalisation totale présente à la fois des risques et des opportunités. Développer une expertise reconnue au sein d'une niche très spécifique peut protéger l'entreprise de ses concurrents potentiels et lui permettre de fixer des prix haut de gamme. En contrepartie, elle risque de se retrouver sur un marché trop étroit pour générer un volume de ventes suffisant pour lui assurer le succès financier. D'autres risques peuvent provenir de la substitution de ses services par des services alternatifs génériques ou encore de l'exposition de ses clients à une récession économique. L'une des solutions consiste à être active sur plusieurs segments (*focalisation des services*) par la création d'un portefeuille de clients qui permet de réduire ce risque. Cependant, le nombre d'activités augmentant, l'entreprise aura besoin de développer en parallèle des expertises supplémentaires. Cela entraînera nécessairement des efforts de vente accrus ainsi que des investissements en marketing et communication plus importants (particulièrement dans un contexte de *B to B*).

Offrir une grande quantité de produits à un segment très spécifique paraît souvent attrayant, car cela implique la vente potentielle de multiples services à un seul acheteur. Toutefois, avant d'adopter une telle stratégie, les responsables doivent s'assurer des capacités opérationnelles de leur entreprise à livrer les services sélectionnés de façon irréprochable. Ils doivent aussi comprendre les habitudes d'achat et les préférences des clients. Dans un contexte *B to B*, beaucoup d'entreprises n'ont pas le succès escompté dans la vente multiservice à un client, les décideurs à convaincre peuvent être plus nombreux et dépendre de services différents de l'entreprise cliente.

2. La segmentation du marché : base des stratégies de focalisation

La capacité à satisfaire différents types de clients varie énormément d'une entreprise de services à l'autre. Avant de se lancer sur un marché global avec des concurrents plus puissants, l'entreprise doit adopter une stratégie de segmentation de marché et identifier les segments qu'elle peut le mieux servir. Une entreprise dont les services sont en adéquation avec les besoins des clients peut adopter une approche de segmentation fondée sur ces besoins. Elle se concentrera alors sur les clients qui attachent beaucoup d'importance à certains attributs du service qu'elle lui offre.

2.1. Le marché et la microsegmentation

Chaque individu, chaque acheteur en entreprise, présente des caractéristiques distinctives (parfois uniques). Par conséquent, chacun devient potentiellement un « segment » cible différent. Traditionnellement, les entreprises avaient pour objectif de faire des économies d'échelle en proposant aux clients appartenant à des segments spécifiques un service unique. Une stratégie de *mass customization*[3] (ou sur mesure de masse) offrant un service plus ou moins individualisé à un grand nombre de clients, à bas prix, pouvait être mise en place : offrir un produit de base standard avec, en parallèle, des services supplémentaires individualisés. La création de bases de données clients et de logiciels d'analyse sophistiqués (notamment en statistiques) permet aujourd'hui aux entreprises d'adopter des stratégies de *microsegmentation*. Celles-ci visent de petits groupes de clients partageant des caractéristiques communes à un moment précis (voir la stratégie employée par la Banque Royale du Canada, dans l'encadré Meilleures pratiques 7.1).

2.2. Identifier et sélectionner les segments cibles

Un *segment de marché* est composé de groupes d'acheteurs potentiels qui partagent des caractéristiques sociodémographique, géographique, etc., des besoins, des habitudes d'achat et de consommation communs, voire homogènes. Une segmentation efficace devrait regrouper les acheteurs présentant les traits majeurs les plus semblables et les segments devraient être vraiment différents les uns par rapport aux autres.

Un *segment cible* est sélectionné par une entreprise parmi tous ceux identifiés sur un marché. Il peut être défini par rapport à différentes variables. Par exemple, un supermarché dans une ville donnée peut cibler les résidents de la ville (segmentation géographique), ayant des revenus d'un certain niveau (segmentation démographique), habitués

Meilleures pratiques 7.1

Segmentation continue à la Banque Royale du Canada

Au moins une fois par mois, les analystes de la Banque Royale du Canada (la plus importante banque du pays) basée à Toronto utilisent des logiciels de modélisation de données pour segmenter leurs 10 millions de clients. Les variables prises en compte incluent le risque crédit, la profitabilité présente et future, l'âge, la possibilité de quitter la banque, le canal de distribution préféré (par exemple, le client préfère utiliser les guichets, les distributeurs automatiques, le centre d'appel ou Internet), l'activation du produit (combien de temps faut-il au client pour utiliser le produit qu'il vient d'acheter ?) et la possibilité d'acheter un nouveau produit (potentiel pour *cross-selling*). Comme l'explique le vice-président, « Le temps où nous avions des paniers entiers de clients prêts à recevoir le même traitement ou la même offre mois après mois est révolu. Notre stratégie marketing est (maintenant) beaucoup plus personnalisée. Bien entendu, cela n'a été rendu possible que grâce à la technologie. »

La source principale de données est le dossier d'informations marketing, qui enregistre le type de services utilisés par les clients, leurs canaux de distribution privilégiés, leurs réponses face aux campagnes publicitaires passées, leur type de transactions.

La base de données de l'entreprise est une autre source importante d'informations qui stocke les éléments de facturation et les informations que tout client ou prospect remplit lors de chaque entrevue.

Les analystes de la Banque Royale créent des modèles, s'appuyant sur des algorithmes très complexes, qui peuvent découper l'immense base de données de clients en microsegments. Ceux-ci ont été définis préalablement à l'aide de nombreuses variables telles que la probabilité qu'un client « cible » réponde positivement à une offre particulière. Des programmes marketing personnalisés peuvent être développés pour chaque microsegment, offrant l'apparence d'une offre personnelle pour chaque client. Ces données peuvent aussi être utilisées pour améliorer les performances de la banque (identification des comptes peu profitables auxquels sont proposés des canaux moins chers).

L'un des objectifs les plus importants de la Banque Royale est de maintenir et mettre en valeur les relations profitables avec certains de ses clients. Elle s'est aperçue que ceux qui ont souscrit à des packages de services sont plus profitables que les autres et restent fidèles en moyenne trois ans de plus. Grâce à des pratiques de segmentation très sophistiquées, elle a augmenté le taux d'efficacité de ses programmes de marketing direct de 3 à 30 %.

Source : Meredith Levinson, « Slices of Lives », *CIO Magazine*, 15 août 2000.

à recevoir les services d'un personnel qualifié et peu sensibles à la variable prix (segmentation selon les attitudes exprimées et les intentions comportementales).

Les concurrents de la même ville cibleront probablement les mêmes consommateurs, donc le supermarché devra créer des avantages distinctifs (mettre en valeur une catégorie de produits, un grand choix au sein de cette catégorie, des services supplémentaires comme la livraison à domicile, les facilités de paiement, le remboursement intégral sans justificatif et sans condition, etc.). Les consommateurs peuvent aussi être segmentés selon leur degré de compétences et la facilité avec laquelle ils utilisent les systèmes de livraison high-tech.

Pour les entreprises, les segments cibles doivent offrir de meilleures opportunités que d'autres : compatibilité des savoir-faire, rentabilité, expertise, importance (nombre de clients), durée de vie, attractivité commerciale et marketing, pouvoir d'achat, etc. Ils devraient être sélectionnés non seulement par rapport à leur aptitude à dégager du profit, mais aussi à celle de l'entreprise à égaler ou dépasser les offres de la concurrence. Les recherches montrent que, parfois, certains segments de marché sont « sous-servis » et que leurs besoins ne sont pas satisfaits. De tels marchés sont souvent très larges et peuvent constituer des segments cibles.

Dans de nombreux pays aux économies émergentes, il existe un très grand nombre de consommateurs dont les revenus sont trop faibles pour attirer l'attention des entreprises de services, habituées à concentrer leurs activités sur les besoins de consommateurs plus aisés. Cependant, les petits revenus représentent en général un très gros marché et sont susceptibles d'offrir un potentiel supérieur dans le futur, la majorité d'entre eux progressant vers des statuts de classe moyenne. L'encadré Meilleures pratiques 7.2 décrit une approche innovatrice pour délivrer des services financiers aux foyers mexicains ayant des revenus modestes.

Meilleures pratiques 7.2

Banco Azteca s'occupe des « petites gens »

Banco Azteca, créée en 2002, est la première nouvelle banque mexicaine depuis presque une décennie. Elle cible les seize millions de foyers du pays qui gagnent entre 250 et 1 300 dollars par mois (chauffeurs de taxi, ouvriers, enseignants…). Malgré leur revenu total de 120 milliards de dollars, ces personnes avec ces petits comptes n'intéressaient aucune banque. Un Mexicain sur douze seulement dispose d'un compte épargne.

Banco Azteca est l'enfant spirituel de Ricardo Salinas Pliego, P.-D.G. d'un empire de commerces de détail, médias et télécommunications incluant Grupo Elektra, le plus gros vendeur d'appareils électroniques au Mexique. Les guichets de la Banco Azteca se trouvent dans les magasins Elektra et sont aux couleurs du drapeau mexicain vert, blanc et rouge. Ils cherchent à créer une atmosphère accueillante et les murs portent des affiches au slogan de la banque, qui se traduit : « Une banque sympathique et qui vous traite bien ». Les prêts sont souvent consentis en contrepartie d'une garantie sur les biens déjà acquis des clients.

Azteca s'appuie sur les cinquante années de données cumulées sur l'état des finances des clients d'Elektra. Cette société a une bonne expérience de la vente à crédit (70 % de ses produits sont vendus à crédit), avec un taux de remboursement de 97 % et une base de données très riche sur l'historique des clients à crédit. Ses responsables ont pensé que convertir le département crédit dans chaque magasin Elektra en guichet Azteca offrirait ainsi un plus grand nombre de services. La nouvelle banque a investi lourdement dans les technologies de l'information (notamment des lecteurs d'empreintes digitales, qui évitent au client de présenter chaque fois une pièce d'identité). Azteca délivre aussi ses services directement chez le client grâce à un corps de 3 000 agents motorisés.

Source : Geri Smith, « Buy a Toaster, Open a Banking Account », *Business Week*, 13 janvier 2003, p. 54.

2.3. Attributs importants et attributs déterminants

D'une façon très générale, les consommateurs font leur choix sur la base des différences qu'ils perçoivent mais aussi sur les attributs effectifs du service. Mais les attributs qui distinguent un service d'un service identique d'un concurrent ne sont pas toujours perceptibles ni aussi saillants. Par exemple, beaucoup de voyageurs placent la sécurité au premier plan pour les transports aériens. Ils préféreront éviter les compagnies qu'ils ne connaissent pas ou celles à la réputation douteuse. Les compagnies restant en lice pour un voyage vers une destination donnée seront donc celles dont l'aspect « sécurité » sera perçu de la même façon.

Les *attributs déterminants*, comme le nom l'indique, sont ceux que le consommateur juge incontournables, essentiels, voire prioritaires et vis-à-vis desquels il attribue des différences significatives par rapport aux offres concurrentes. À titre d'exemple, pour la clientèle affaires d'une compagnie aérienne, il convient de citer : la fréquence des horaires de départ et d'arrivée, la possibilité de cumuler des miles, de bénéficier de certains privilèges, la qualité de la nourriture et des boissons à bord ou la commodité des réservations. En revanche, pour la clientèle tourisme, le prix aura la plus grande importance.

Pour bénéficier d'une plus grande attractivité vis-à-vis de leurs clients mais aussi du marché sur lequel elles évoluent, les spécialistes marketing des entreprises de services doivent identifier auprès des clients du segment cible, l'importance relative des différents attributs et ceux qui ont été déterminants lors de récentes décisions. Ils doivent aussi connaître les niveaux de satisfaction requis sur chaque attribut de service et les mettre en rapport avec la performance des services sur ces attributs. Les résultats de ces recherches constitueront la base du développement d'une campagne de positionnement (ou de repositionnement)[4].

La problématique réside dans le fait que certains attributs sont facilement quantifiables alors que d'autres le sont moins car purement qualitatifs et reposant fortement sur le jugement mais aussi la perception. Le prix, par exemple, est une mesure totalement quantifiable de même que la ponctualité qui peut être exprimée en termes de pourcentages de trains, bus ou avions arrivant en retard. Cependant, des caractéristiques telles que la qualité du personnel ou le luxe d'un hôtel sont qualitatives et donc moins quantifiables et/ou mesurables et donc sujettes à l'interprétation des individus, même si, dans le cas des hôtels, le voyageur peut avoir confiance en des services d'évaluation indépendants tels que le *Guide Michelin*.

3. Le positionnement ou comment distinguer une marque de ses concurrentes

La stratégie de positionnement concurrentiel (concept émanant du marketing des produits) s'appuie sur l'établissement et le maintien d'une place distinctive sur le marché de l'entreprise et/ou de ses offres produit. Jack Trout, consultant de « Trout et Partners » a traduit l'essence du positionnement en quatre principes[5] :

1. Une entreprise doit établir une position dans l'esprit des clients cibles
2. La position doit être singulière, avec un message simple et cohérent
3. La position doit différencier l'entreprise de ses concurrents
4. L'entreprise ne peut pas tout proposer à tout le monde. Elle doit focaliser ses efforts.

Ces principes s'appliquent à n'importe quel type d'entreprise en situation de concurrence, cherchant à gagner des clients.

Comprendre les principes du positionnement est essentiel pour développer une position efficace et concurrentielle. Cela apporte des éclairages aux responsables des entreprises de services, par l'analyse des offres existantes, et donne des réponses spécifiques aux questions suivantes :

- Comment l'entreprise est-elle perçue par les clients actuels et potentiels ?
- Quels clients servons-nous maintenant et quels sont ceux que nous voudrions servir à l'avenir ?
- Quelles sont les caractéristiques de nos offres de services actuelles (service de base et services supplémentaires/périphériques), et à quels segments de marché s'adressent-elles ?
- En toutes circonstances, en quoi nos offres se différencient-elles de celles de la concurrence ?
- Comment les clients des différents segments perçoivent-ils nos offres et comment répondent-elles à leurs besoins ?
- Quels sont les changements nécessaires dans nos offres pour renforcer notre position concurrentielle au sein du/des segment(s) de marché qui nous intéresse(nt).

Dans le domaine des marques par exemple, le choix des clients reflète le souvenir de celles qu'ils connaissent, mais aussi la façon dont elles sont positionnées dans leur esprit. Les personnes prennent leur décision en fonction de la perception de la réalité et non de la réalité elle-même.

Beaucoup de marketeurs associent le positionnement aux éléments de communication du marketing mix, notamment la publicité, la promotion et les relations publiques dans le but de créer des images et des associations pour des produits sensiblement identiques dans l'esprit des consommateurs et, ainsi, les distinguer. Cette approche est communément appelée « positionnement comparatif ». Un exemple classique est le cow-boy Marlboro créé pour une grande marque de cigarettes. L'image n'a rien à voir avec les qualités intrinsèques du tabac ; c'est juste une façon de se différencier et d'ajouter du glamour à ce qui n'est qu'un simple produit de consommation. Mahajan et Wind affirment que les consommateurs qui tirent une satisfaction émotionnelle d'une marque prêteraient moins attention au prix[6]…

Quelques exemples illustrent comment l'image d'une marque peut être utilisée, avec pour objectifs un positionnement dans le secteur des services :

- Pour paraître sympathique aux enfants, McDonald's met en avant le clown Ronald McDonald.
- Une marque peut développer une réputation sur le long terme grâce au cumul des associations. Ainsi, des recherches ont montré que Virgin, l'une des marques britanniques les plus connues, est associée à l'amusement, la qualité, la confiance et l'innovation[7].
- Pour différencier l'entreprise de ses concurrents, certains slogans promettent un bénéfice spécifique. C'est le cas du slogan de Maximo : « Faire ses courses en ligne est mieux que faire la queue », Stanford Executive Program : « Idées puissantes, pratiques innovantes » ou du crédit Suisse First Boston : « Vision globale. Le savoir-faire européen ». « MMA 0 blabla, 0 tracas », « SNCF, prenez le temps d'aller vite », « Quick, nous c'est le goût ! »…

Cependant, comme Sally Dibb et Lyndon Simkin, professeurs à l'université de Warwick, le soulignent :

> *L'évidence de l'importance de certaines marques dans le secteur des services ne s'arrête pas à ce genre de phrases d'accroche. [Les entreprises leader dans différents*

secteurs] ont déjà une image de marque dans le sens où les consommateurs savent généralement précisément ce qu'elles représentent. Elles sont déjà clairement positionnées dans l'esprit des consommateurs[8].

Le rôle du positionnement dans l'élaboration de la stratégie marketing de développement des services, au-delà de l'image ou de vagues promesses, implique de décider quels attributs sont importants pour les consommateurs, sont liés à la performance du produit, à son prix et à son accessibilité. Pour accroître l'attrait d'un service sur un segment précis, il peut être nécessaire de changer la performance de certains attributs, en réduisant son prix, en modifiant les temps et endroits de disponibilité ou les formes de livraison offertes. Dans de tels cas, la tâche première de la communication est de s'assurer que les clients potentiels connaissent les nouveaux positionnements du service. Un intérêt supplémentaire peut être créé en évoquant, à travers la publicité, certaines images, mais celles-ci ne joueront probablement qu'un rôle secondaire dans la prise de décision du consommateur, sauf si les services concurrents sont perçus de la même façon en termes de performance, prix et disponibilité.

3.1. Le rôle du positionnement dans la stratégie marketing

Le positionnement a un rôle pivot, car il lie les analyses du marché, de la concurrence et les analyses internes à l'entreprise. De ces trois analyses peut résulter une proposition de positionnement qui permettra à l'entreprise de services de répondre aux questions suivantes : « Quel est notre produit (ou concept de service), que voulons-nous qu'il devienne et quelles actions doivent être prises pour que nous y arrivions ? » Le tableau 7.1 résume les principales utilisations pouvant être faites de l'analyse du positionnement, véritable outil de diagnostic.

Selon le type d'entreprise, le positionnement pourra être développé à différents niveaux. Pour les entreprises de services ayant plusieurs succursales et plusieurs services, il concernera l'entreprise dans sa globalité, une succursale précise ou un service particulier offert dans une succursale. Avoir une certaine adéquation entre le positionnement de différents services offerts en un même endroit est primordial, car l'image de l'un peut affecter celle des autres. Par exemple, si un hôpital a une excellente réputation pour ses services obstétriques, cela peut être perçu comme un gage de qualité pour les services de gynécologie, de pédiatrie, de chirurgie, etc. Par contre, le positionnement conflictuel de deux services se fera au détriment des deux.

Du fait de la nature intangible de nombre de services et de l'expérience que le client peut en avoir, une stratégie de positionnement explicite aidera les consommateurs à se faire une idée précise du produit. Une erreur de positionnement sur le segment cible peut avoir des conséquences néfastes :

- L'entreprise (ou l'un de ses services) est amenée dans une position où elle est confrontée à une concurrence très vive (exemple : lorsqu'une banque grand public et d'État revendique le fonctionnement et les conditions de traitement d'une banque privée ou d'affaires).
- L'entreprise (ou le service) a une position que personne ne convoite, car la demande est trop faible (exemple : lorsqu'une banque de masse convoite une clientèle haut de gamme).
- Les clients ne différencient pas le service ou l'entreprise de ses concurrents et ne se sentent alors pas concernés.
- L'entreprise (ou le service) n'a pas de position sur le marché car personne n'en a jamais entendu parler.

Tableau 7.1 : Les principales utilisations de l'analyse de positionnement comme outil de diagnostic

1. Définir et comprendre les relations entre services et marchés :

• Quelles comparaisons peut-on établir entre le service offert et les offres concurrentes sur des éléments spécifiques ?

• La performance du service correspond-elle aux besoins et attentes du consommateur sur des critères de performance spécifiques ?

• Quel est le niveau de consommation prévu pour un service accompagné d'un ensemble de caractéristiques proposé à un prix donné ?

2. Identifier les opportunités du marché pour :

a. Présenter de nouveaux services

• Quels segments cibler ?

• Quels éléments proposer par rapport à la concurrence ?

b. Redéfinir (repositionner) les produits existants

• Compter sur les mêmes segments ou en attirer d'autres ?

• Quels éléments ajouter, enlever ou modifier ?

• Quels éléments accentuer dans la publicité ?

c. Éliminer les services

• Quels sont ceux qui ne satisfont pas les besoins des consommateurs ?

• Quels produits font face à une concurrence excessive ?

3. Prendre d'autres décisions de marketing mix pour devancer ou répondre à certains mouvements de la concurrence :

a. Stratégies de distribution

• Où proposer les services (endroits, types de débouchés) ?

• Quand rendre les services disponibles ?

b. Stratégies de prix

• Quel prix fixer ?

• Quelles procédures de facturation et de paiement employer ?

c. Stratégies de communication

• Quelles firmes/enseignes sont plus facilement convaincues que tel ou tel service offre un avantage concurrentiel significatif ?

• Quel(s) message(s), quels attributs doivent être mis en valeur et quels concurrents (s'il y en a) doivent être retenus comme base de comparaison pour ces éléments ?

• Quels moyens de communication : vente à domicile contre plan média ? (Sélectionnés non seulement pour leur capacité à véhiculer le message vers le public cible, mais également pour leur capacité à renforcer l'image du produit.)

L'analyse interne, le marché et l'analyse de la concurrence. Les recherches et analyses qui sous-tendent le développement d'une stratégie de positionnement efficace ont pour but de mettre en valeur les opportunités et les menaces d'une entreprise sur un marché concurrentiel, en prenant en compte les concurrents offrant des produits génériques ou de substitution. La figure 7.2 identifie les étapes à suivre dans le processus d'identification d'une position adaptée sur le marché, ainsi que celles à suivre pour atteindre cette position.

L'analyse du marché. Cette analyse prend en compte des facteurs tels que le niveau général de la demande, ses fluctuations et sa répartition géographique. La demande augmente-t-elle ou diminue-t-elle ? Varie-t-elle selon la localisation (régionale, internationale…) ? D'autres hypothèses de segmentation du marché devraient-elles être prises en considération, au même titre qu'une approximation de la taille et du potentiel de ces divers segments de marché ? Des recherches approfondies peuvent être nécessaires pour avoir une meilleure approche, non seulement des besoins et préférences des clients au sein de chaque segment, mais aussi de la façon dont chacun perçoit la concurrence.

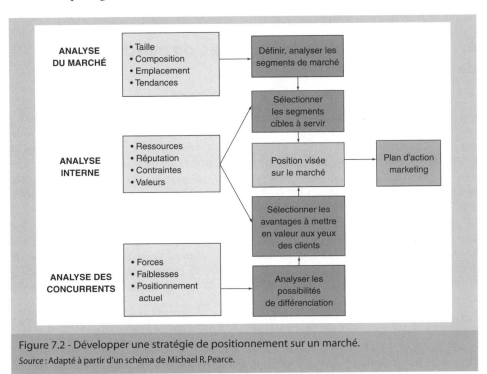

Figure 7.2 - Développer une stratégie de positionnement sur un marché.
Source : Adapté à partir d'un schéma de Michael R. Pearce.

L'analyse interne de l'entreprise. L'objectif ici est d'identifier les ressources de l'entreprise (capitaux, personnel, savoir-faire et biens), ses limites ou contraintes, ses objectifs (profitabilité, croissance, préférences professionnelles, etc.), et la façon dont les valeurs qu'elle véhicule détermineront la manière dont elle va gérer son activité. En se servant des informations fournies par cette analyse, les responsables doivent être capables de sélectionner un nombre limité de segments cibles sur le marché, qui pourront les intéresser pour des services nouveaux ou existants.

L'analyse concurrentielle. L'identification et l'analyse des concurrents quantitative (évolutions de chiffres clés comme la part de marché, le CA en chiffre et en volume, la largeur et la profondeur des gammes de services) et qualitative (analyse du mix des concurrents, perception de la marque et des services offerts par les concurrents…) aideront les marketeurs à évaluer leurs forces et faiblesses. Cela doit leur permettre de définir les axes de différenciation possibles sur le marché dans lequel les entreprises évoluent. Ces informations serviront dans l'analyse interne de l'entreprise qui permet de mieux comprendre et d'appréhender quels types de différenciation et d'avantages concurrentiels sont viables et, par conséquent, ceux à retenir et à mettre en valeur pour chaque segment cible. Cette analyse doit prendre en compte la concurrence directe et indirecte.

La formulation du positionnement. Le résultat de l'intégration de ces trois formes d'analyse est une formulation qui va définir la position que l'entreprise voudrait avoir sur le marché (et, si elle le désire, la position de chaque composant des services qu'elle offre). Grâce à cela, les marketeurs seront capables de développer un plan d'action spécifique. Le coût de l'implantation de ce plan doit bien entendu être mis en balance avec les retombées financières espérées.

4. Réaliser des analyses internes, du marché, de la concurrence

4.1. Anticiper la réponse de la concurrence

Avant de se lancer dans un plan d'action spécifique, les responsables doivent prendre en compte l'éventualité qu'un ou plusieurs concurrents visent la même position sur le marché. Une entreprise de services concurrente a peut-être mené les mêmes analyses et est arrivée aux mêmes conclusions ? Ou un concurrent peut se sentir menacé par une nouvelle stratégie et essaie de repositionner ses services ? Un nouvel entrant sur le marché peut aussi suivre le leader et être capable d'offrir un service de plus grande qualité sur plusieurs attributs et/ou à plus bas prix.

La meilleure façon d'anticiper est d'identifier tous les concurrents (existants ou potentiels), et de tenter de se mettre à la place de leurs responsables en faisant une analyse interne de chacun d'entre eux[9]. En mêlant les informations issues de l'analyse de données existantes concernant le marché et l'analyse concurrentielle, les responsables auront une bonne idée de la façon dont les concurrents sont susceptibles d'agir et sauront alors s'il est judicieux de reconsidérer la situation.

Certaines entreprises développent des modèles de simulation sophistiqués pour analyser l'impact potentiel des mouvements de la concurrence. Quels effets une baisse des prix soudaine pourrait-elle avoir sur la demande, les parts de marché et les profits ? Comment les consommateurs appartenant à différents segments sont-ils susceptibles de répondre à une hausse ou baisse de qualité d'un attribut de service spécifique ? Combien de temps cela prendrait-il aux clients pour répondre à une nouvelle campagne publicitaire dont le but est de changer leur perception des services ?

4.2. Le positionnement évolutif

Les positions sont rarement statiques et définitives. En effet, elles évoluent dans le temps en réponse aux changements de structure des marchés, de la technologie, de l'activité concurrentielle et de l'évolution de l'entreprise elle-même. Beaucoup d'entreprises adoptent une stratégie dite de repositionnement évolutif, qui vise à ajouter ou à supprimer des services mais aussi des segments cibles. Certaines entreprises sont contraintes ou choisissent de diminuer leurs offres pour rester le plus possible sur leurs activités principales (exemple : l'abandon par Casino de son site Internet de commande et de livraison à domicile). D'autres, au contraire, ont étendu leur offre dans l'espoir d'augmenter leurs ventes et d'attirer de nouveaux consommateurs (exemple : Carrefour avec le développement du voyage, de la banque, de l'assurance). Par exemple, les stations-service ont installé de petites supérettes dont les horaires d'ouverture sont très pratiques. En parallèle, des supermarchés et commerces ont créé des services bancaires. Les avancées technologiques offrent la possibilité d'introduire beaucoup de nouveaux services ou de nouveaux systèmes de livraison.

Une entreprise dont la marque connaît un franc succès et en laquelle les consommateurs ont confiance, peut étendre sa position, fondée sur la qualité perçue d'un service précis, à une variété de services associés sous cette marque ombrelle. L'encadré Meilleures pratiques 7.3 présente l'exemple de Bouygues, un fournisseur de services diversifié, qui a su tirer avantage de la tendance croissante du développement de services à la fois *B to B* et grand public.

Bouygues : positionner une marque à travers de multiples services

Depuis sa création en 1952, le groupe Bouygues a beaucoup évolué. Centrées, à l'origine, sur le bâtiment en Île-de-France, ses activités se sont rapidement étendues à certaines activités de services comme l'immobilier. Grâce à une croissance importante dans le bâtiment et les travaux publics dans les années 1970, le groupe Bouygues a engagé une politique ambitieuse de diversification dans les services et est maintenant présente dans plus de 80 pays avec à son actif de prestigieux chantiers comme le pont de l'île de Ré, le musée d'Orsay, la Grande Arche de la Défense.

En 1987, Bouygues devient opérateur de télévision avec TF1, la première chaîne de télévision française et, en 1996, lance Bouygues Telecom, son service de téléphonie. La société a construit un réseau en un temps record et connaît un succès commercial impressionnant (notamment avec son offre multimédia mobile i mode). TF1, alliée à des partenaires majeurs, lance en 1996 le bouquet numérique par satellite TPS. La chaîne développe plusieurs chaînes thématiques dont Eurosport et LCI, première chaîne d'informations en continu. La profitabilité de l'entreprise a augmenté fortement d'années en années.

Selon Martin Bouygues son P.-D.G. :

> *Nous sommes fidèles à nos valeurs, celles qui ont fait la réussite et le développement de notre groupe depuis plus de cinquante ans. Elles s'expriment par un comportement d'entrepreneur prudent dans ses choix, créatif dans ses propositions et responsable dans ses engagements. Nous sommes en effet soucieux de la satisfaction de nos clients, condition de la satisfaction de nos actionnaires. Leur confiance dépend de la capacité de nos équipes à travailler harmonieusement pour répondre davantage à leurs attentes. C'est cette forte culture d'entreprise, partagée par tous nos métiers, qui a fait la force du groupe.*

Meilleures pratiques 7.3

Bouygues : positionner une marque à travers de multiples services (*suite*)

L'essence du succès de Bouygues réside en sa capacité à positionner chacune de ses nombreuses activités et chacun de ses services commerciaux de manière à mettre en évidence les valeurs de la marque, qui sont cohérentes avec la nature et la qualité du service fourni. Dans le cas d'acquisitions, l'amélioration des résultats exige souvent le repositionnement des attributs du service nouvellement acquis, afin de refléter ces valeurs de marque ; les stratégies qui s'y rapportent visant en particulier à tirer profit des économies d'échelle, des qualités techniques et managériales.

Source : Site Internet www.bouygues.fr.

5. Utiliser des cartes de positionnement pour établir une stratégie concurrentielle

Développer une carte de positionnement ou une cartographie perceptuelle est une façon simple de traduire la perception qu'ont les consommateurs de certains services. Comme son nom l'indique, une carte est souvent limitée à deux attributs (bien que des modèles tridimensionnels existent). Lorsque plus de trois dimensions sont nécessaires pour décrire la performance/qualité/spécificité d'un service sur un marché donné, pour une meilleure visualisation, nous suggérons de réaliser une série de graphiques distincts.

Les informations concernant un service (ou la position relative de l'entreprise par rapport à un attribut) peuvent être soit déduites des données du marché, soit dérivées des estimations des consommateurs représentatifs ou les deux. Si les perceptions des caractéristiques du service par le consommateur diffèrent trop de la « réalité » définie par les responsables de l'entreprise, alors des efforts de vente devront être entrepris pour changer ces perceptions.

5.1. Un exemple de carte de positionnement appliqué à l'industrie de l'hôtellerie

L'hôtellerie est un secteur d'activité très concurrentiel, particulièrement lorsque l'offre excède la demande. Au sein de chaque catégorie d'hôtels, les clients vont avoir un vaste choix. Les niveaux de luxe et de confort seront des critères de sélection. Des recherches ont montré que certains voyageurs d'affaires sont sensibles non seulement au confort et à l'équipement de leur chambre (où ils veulent à la fois dormir et pouvoir travailler), mais aussi à d'autres lieux comme le hall de réception, les salles de réunion, le centre d'affaires, les restaurants, les piscines et salles de sport.

La qualité et la gamme de services offerts par le personnel de l'hôtel sont d'autres critères décisifs : le client peut-il bénéficier d'un service d'étage 24/24 h ? Y a-t-il une blanchisserie ? Un réceptionniste ? Un WiFi ? L'ambiance de l'hôtel peut également constituer un critère (architecture et décor…). Des caractéristiques comme le calme, la sécurité, la propreté, la mise à disposition d'une place de parking et les cadeaux aux clients fidèles sont aussi pris en compte.

Imaginons un hôtel 4****, très réputé, le *Palace*, situé dans une grande ville que nous appellerons Belleville et dont les managers sont parvenus à mieux saisir les menaces susceptibles d'affecter leur position sur le marché, grâce au développement d'un *mapping* de positionnement de leur hôtel et des concurrents.

Développer la carte de positionnement

Implanté en périphérie du quartier financier, le *Palace* était un hôtel élégant, rénové et modernisé il y a quelques années. Il avait pour concurrents huit hôtels 4****, et un 5*****, le *Grand Hôtel*, l'un des plus anciens de la ville. Chaque année, le *Palace* enregistrait un très bon taux de fréquentation. Il était complet en semaine, plusieurs mois par an, preuve de sa grande attractivité auprès des voyageurs d'affaires, plus disposés que les touristes ou congressistes à payer une chambre plus chère. L'avenir s'annonçait cependant incertain : des permis de construire venaient juste d'être octroyés à quatre grands nouveaux hôtels tandis que le *Grand Hôtel* entrait dans des travaux de rénovation et d'agrandissement, prévoyant la construction d'une aile nouvelle.

Les managers du *Palace* ont fait appel à un consultant pour élaborer des graphiques montrant la position de leur hôtel sur le marché des voyageurs d'affaires avant et après l'arrivée des nouveaux concurrents. Quatre attributs furent retenus pour l'étude : le prix des chambres, le niveau de luxe, celui des services personnels et l'emplacement. Plutôt que de faire des recherches sur de nouveaux clients potentiels, les responsables ont préféré construire la perception des clients à partir des informations dont ils disposaient, des données émanant de recherches passées, des dossiers d'agences de voyages et des informations collectées auprès du personnel en contacts réguliers avec les clients. Les renseignements sur l'emplacement des hôtels concurrents furent évidemment faciles à obtenir. Les forces de vente se tenaient informées des politiques de prix pratiquées par la concurrence ainsi que de leurs promotions. Pour évaluer le niveau de service, c'est le nombre de chambres par employé qui a servi de mesure. Le ratio était simple à calculer grâce aux chiffres des statistiques officielles. Les indices portant sur la qualité du personnel ont été fournis par les agences de voyage.

Pour chaque attribut, des échelles furent créées. L'attribut prix était simple, car le montant moyen d'une chambre simple standard pour voyageur d'affaires était connu. Le ratio de chambres par rapport au nombre d'employés formait la base de l'échelle du niveau de service, qui a été légèrement modifiée par la suite, à la lumière de ce qui était déjà connu concernant la qualité de service réellement fournie. Le niveau de luxe était plus subjectif. Les managers estimèrent que l'hôtel le plus luxueux était le *Grand Hôtel* et que l'hôtel 4**** le moins luxueux était l'*Airport Plaza*. Tous les autres hôtels 4**** ont alors vu leur niveau évalué à partir de ces deux repères.

Les emplacements furent classés selon leur proximité avec la Bourse, au cœur du quartier financier. Les études montraient que la majorité des clients du *Palace* appréciaient cette proximité. L'échelle d'emplacement positionnait donc chaque hôtel en fonction de son éloignement par rapport à la Bourse. Les dix hôtels en concurrence s'étendaient sur un rayon de 6 km, qui allait de la Bourse à la banlieue proche et à l'aéroport voisin en passant par le quartier commerçant de la ville (où se trouvait aussi le Palais des congrès). Deux mappings de positionnement ont été créés pour matérialiser la situation concurrentielle existante. Le premier (figure 7.3) montrait les dix hôtels par rapport à leur prix et leur niveau de service ; le second (figure 7.4) les montrait par rapport à leur emplacement et leur degré de sophistication.

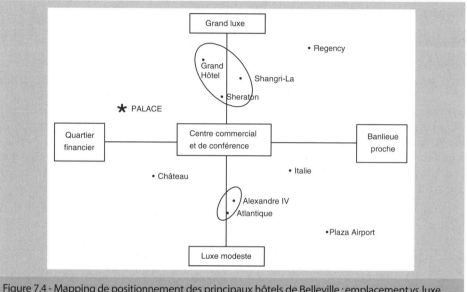

Figure 7.4 - Mapping de positionnement des principaux hôtels de Belleville : emplacement *vs.* luxe.

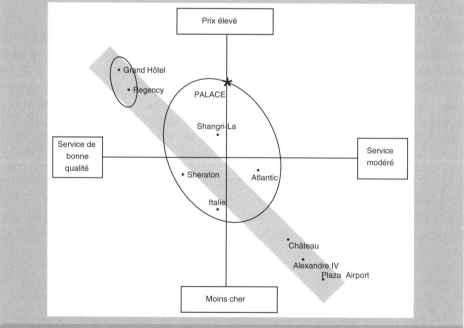

Figure 7.3 - Mapping de positionnement des principaux hôtels de Belleville : niveau de service *vs.* prix.

Un rapide coup d'œil à la figure 7.3 montre une corrélation évidente entre le prix et le niveau de service. Les hôtels offrant le plus haut niveau de service étaient les plus chers. La barre grisée, partant du coin haut gauche du schéma et allant jusqu'au coin droit inférieur du schéma, met en valeur cette corrélation qui n'est pas surprenante (et est censée se prolonger diagonalement vers le bas pour les 3*** et autres hôtels de rang inférieur). D'autres analyses montrent qu'il existe deux groupes d'hôtels au sein de ce marché très haut de gamme. En haut à gauche, le 4**** *Regency* est proche du 5***** *Grand Hôtel* ; au milieu, le *Palace* est groupé avec quatre autres hôtels et en bas à droite, il y a un autre groupe de trois hôtels. L'un des éléments surprenants est que le *Palace* apparaît comme pratiquant des prix élevés (sur une base relative) par rapport à son niveau de service.

Sur la figure 7.4, nous voyons comment le *Palace* est positionné par rapport à son emplacement et son degré de sophistication. En toute logique, ces deux variables ne sont pas liées. Le *Palace* occupe un emplacement vide de la carte. C'est le seul hôtel dans le quartier financier, ce qui justifie les prix pratiqués par rapport à son niveau de service (ou son degré de luxe). Il y a deux groupes d'hôtels dans le quartier commerçant et proches du Palais des congrès : un groupe luxueux de trois hôtels, mené par le *Grand Hôtel*, et un second groupe de deux hôtels offrant un degré de luxe modéré.

Réaliser la carte des scénarios futurs pour identifier les réponses à la compétition

Que se passera-t-il dans le futur ? L'objectif suivant pour les responsables était d'anticiper la position des quatre nouveaux hôtels construits à Belleville, par rapport à celle du *Grand Hôtel* repositionné (voir les figures 7.5 et 7.6). Les sites de construction sont déjà connus ; deux d'entre eux seront dans le quartier financier et les deux autres proches du Palais des congrès, lui-même en pleine expansion. Les communiqués de presse du *Grand Hôtel* indiquent déjà les intentions de ses managers : il sera non seulement plus grand mais les rénovations le rendront encore plus luxueux. De nouveaux services seront aussi créés.

Prévoir le positionnement des quatre nouveaux hôtels n'était pas difficile. Cependant, les managers étaient conscients que les clients auraient du mal à estimer le niveau de performance de chacun des attributs, en particulier s'ils n'étaient pas familiers avec ces chaînes d'hôtels. Des détails concernant les nouveaux hôtels avaient déjà été publiés. Les propriétaires de deux d'entre eux visaient le statut de 5*****, malgré les années de démarches nécessaires pour y parvenir. Trois des nouveaux venus seraient des filiales de chaînes internationales. Leurs stratégies pouvaient être devinées en examinant les hôtels récemment ouverts dans d'autres villes par ces mêmes chaînes.

Les prix étaient également faciles à prévoir. Les nouveaux hôtels appliquaient des prix fixes (ceux normalement pratiqués pour une nuit en semaine en haute saison). Ce tarif était lié au coût moyen de construction d'une chambre. Ainsi, un hôtel de 200 chambres coûtant 25 millions d'euros à la construction (coût comprenant le terrain), soit un coût moyen par chambre de 125 000 euros, devrait demander 125 euros par nuit et par chambre. À partir de cette formule, les directeurs du *Palace* ont conclu que les quatre nouveaux hôtels auraient des tarifs sensiblement plus élevés que le *Grand Hôtel* ou le *Regency*, créant ce que les acheteurs appellent une « ombrelle de prix » au-dessus des prix existants. Cela donne alors l'occasion à l'ensemble des concurrents d'augmenter leurs

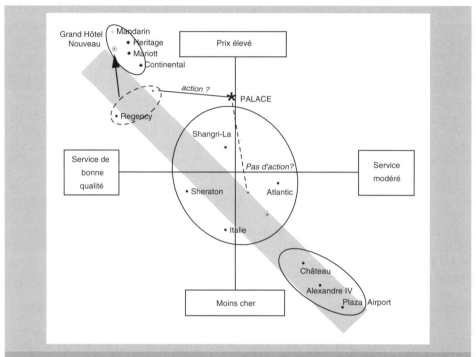

Figure 7.5 - Mapping prévisionnel du positionnement des hôtels de Belleville : niveau de service *vs.* prix.

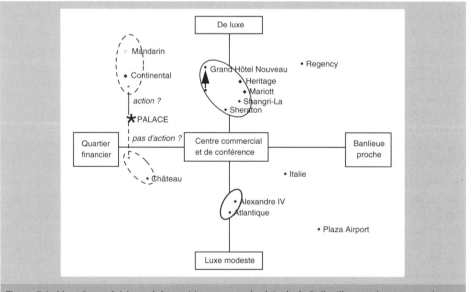

Figure 7.6 - Mapping prévisionnel du positionnement des hôtels de Belleville : emplacement *vs.* luxe.

propres prix. Les nouveaux hôtels devraient en contrepartie offrir à leurs clients un niveau très élevé de service et de luxe, tandis que le nouveau *Grand Hôtel* devrait augmenter ses propres prix pour amortir ses travaux (voir figure 7.5).

L'impact des nouveaux arrivants semblait constituer une menace significative pour le *Palace*, qui risquait de perdre son avantage géographique unique et d'être relégué au même rang que les autres futurs hôtels proches du quartier financier (voir figure 7.6). La force de vente pensait que beaucoup de clients « business » du *Palace* seraient attirés par le *Continental* et le *Mandarin* et disposés à payer plus pour obtenir des services supplémentaires. Les deux autres nouveaux venus paraissaient plus menaçants pour le *Shangri-La*, le *Sheraton* et le *Grand Hôtel* dans le quartier commercial et près du Palais des congrès. Parallèlement, le *Grand Hôtel* et les nouveaux venus allaient créer un groupe caractérisé par un haut niveau de service et des prix élevés (et un haut niveau de luxe) à l'extrémité supérieure du marché, laissant le *Regency* à l'écart.

5.2. Utiliser les cartes de positionnement pour mieux visualiser la stratégie

L'exemple du *Palace* met en évidence l'intérêt de la visualisation de situations concurrentielles. L'un des défis pour les stratèges est de s'assurer que tous les dirigeants comprennent clairement la situation de leur entreprise avant de discuter de changements stratégiques. Chan Kim, consultant au prestigieux Boston Consulting Group, et Renée Mauborgne, professeur associé de stratégie et management à l'Insead, affirment que les représentations graphiques du profil stratégique d'une entreprise et du positionnement sont nettement plus faciles à comprendre que des tableaux de données quantitatives et la prose qui, en général, les accompagne. Les logigrammes et les cartes facilitent ce qu'ils appellent « l'éveil visuel », en permettant aux managers de comparer leur entreprise avec celles de leurs concurrents et de comprendre la nature des menaces et opportunités. Les présentations visuelles soulignent les écarts entre la manière dont les clients (ou éventuels clients) perçoivent l'entreprise et la vision que la direction en a. Ainsi, il sera possible de confirmer ou d'infirmer le fait qu'un service ou une entreprise occupe une certaine niche sur le marché[10].

En anticipant la modification de la carte de positionnement, la direction du *Palace* a pu se rendre compte que celui-ci n'aurait plus le même positionnement une fois l'avantage géographique perdu. N'ayant pas prévu d'améliorer son niveau de service et de luxe (et donc pas augmenté ses tarifs pour financer de telles améliorations), l'hôtel était en passe de se retrouver dans une fourchette de prix assez basse. Cela risquait de rendre difficile le maintien du niveau de service et celui de l'aspect physique de l'établissement.

6. Changer le positionnement concurrentiel

Les entreprises doivent parfois changer de façon radicale leur positionnement. Une telle stratégie, connue sous le nom de *repositionnement*, peut engendrer une révision des caractéristiques du service ou la redéfinition des segments ciblés sur le marché. Au niveau de l'entreprise, cela peut induire l'abandon de certains services et le retrait complet sur certains marchés.

6.1. Changer les perceptions à travers la publicité

Améliorer les perceptions négatives d'une marque peut nécessiter une refonte complète du cœur du service et de ses services supplémentaires. Pourtant, bien souvent, les faiblesses sont parfois plus perceptuelles que réelles. Ries et Trout relatent le cas de la Long Island Trust, la première banque de l'histoire à servir cette vaste banlieue située à l'est de la ville de New York[11].

Lorsque les banques ont eu le droit d'avoir des antennes à travers l'État de New York, beaucoup de grands établissements de Manhattan se sont installés dans Long Island. Des études ont montré que Long Island Trust était moins évaluée que des banques telles que Chase Manhattan, Citibank…) sur des critères tels que le nombre d'agences, la gamme de services proposés, la qualité de service et les ressources en capital. Néanmoins, Long Island Trust était reconnue pour être la première à aider les résidents de Long Island et à soutenir l'économie de l'île.

L'agence publicitaire de la banque développa une campagne publicitaire qui mettait en avant « la position de Long Island », en insistant sur ses forces, au lieu de tenter d'améliorer la perception d'attributs mal perçus. La teneur de la campagne peut être saisie *via* l'extrait suivant de la publicité :

> *Pourquoi envoyer votre argent vers la ville si vous vivez sur l'île ? Il paraît intelligent de garder votre argent près de chez vous. Pas dans une banque de ville, mais à Long Island Trust. Où votre argent peut travailler en faveur de l'économie de Long Island. Après tout, nous concentrons nos efforts pour développer Long Island. Pas l'île de Manhattan ou une île au large du Koweït…*

D'autres publicités de cette campagne ont promu des thèmes similaires tels que « la ville de New York est un superbe endroit à visiter, mais voudriez-vous y avoir votre banque ? ».

Lorsque la même étude fut répétée quinze mois plus tard, la position de Long Island Trust s'était très nettement améliorée, tous attributs confondus. La campagne avait réussi à redresser l'image de marque, en déplaçant le cadre de référence des clients d'une perspective globale vers une perspective locale. Même si la société n'avait pas changé son cœur de service ou ses services complémentaires, le fait d'être perçue comme une banque de Long Island pour les habitants de Long Island avait créé un effet de halo très positif sur tous ses autres attributs.

Conclusion

La plupart des entreprises de services font face à une concurrence active. Les marketeurs doivent trouver les moyens de créer un avantage concurrentiel pour leurs produits. Idéalement, une entreprise doit cibler des segments qu'elle peut satisfaire mieux que d'autres fournisseurs, en proposant un niveau plus élevé de performance sur les attributs importants pour le client. La nature des services offre un grand nombre de possibilités de se différencier de la concurrence, parmi lesquels : le lieu, l'organisation temporelle, la rapidité de livraison, la qualité du personnel… et toute une gamme d'options impliquant le client dans le processus de production.

Le concept de positionnement a une grande valeur. Il pousse à l'identification explicite de tous les attributs inclus dans le concept de service et met l'accent sur le besoin, pour les marketeurs, de déterminer ceux qui influencent le choix du client. Les cartes de positionnement sont une manière visuelle de résumer les résultats d'études et de montrer comment différentes entreprises sont perçues les unes par rapport aux autres, en fonction d'attributs clés. Lorsqu'on leur ajoute des données sur les préférences de divers segments et sur le niveau de demande qui peut être anticipé, elles peuvent montrer les occasions de création de nouveaux services ou de repositionnement de ceux qui existent déjà pour tirer parti des besoins insatisfaits sur les marchés.

Activités

Questions de révision

1. Pourquoi les entreprises de services doivent-elles concentrer leurs efforts ? Décrivez les options de focalisation de base et illustrez-les par des exemples.

2. Quelle est la distinction entre les attributs importants et les attributs déterminants dans le choix des consommateurs ? Quel type de recherche peut vous aider à faire la différence entre ces deux notions ?

3. Décrivez la stratégie de *positionnement* et les concepts marketing qui la sous-tendent

4. Identifiez les circonstances dans lesquelles il conviendrait de repositionner un service existant.

5. Comment les cartes de positionnement peuvent-elles aider les responsables à mieux comprendre les dynamiques concurrentielles et à y répondre ?

Exercices d'application

1. Trouvez des exemples d'entreprises qui illustrent chacune des quatre stratégies de concentration vues au début de ce chapitre.

2. Choisissez une industrie que vous connaissez bien (comme la restauration rapide, les chaînes de télévision, etc.) et créez une carte perceptuelle montrant les positions de différents concurrents de l'industrie, en utilisant des attributs que vous considérez comme des clés dans les critères de choix des consommateurs.

3. Le secteur des agences de voyages perd des parts de marché par rapport aux réservations en ligne proposées sur les sites Internet de compagnies aériennes. Identifiez quelques stratégies de concentration que les agences de voyages peuvent adopter pour compenser ce manque à gagner.

4. Imaginez que vous êtes consultant au *Palace Hôtel*. Considérez les options de l'hôtel selon les quatre attributs des diagrammes de positionnement (figures 7.3 et 7.4). Quelles actions pouvez-vous recommander dans ces circonstances ? Justifiez vos recommandations.

Notes

1. George S. Day, *Market Driven Strategy*, New York, The Free Press, 1990, p. 164.
2. Robert Johnston, « Achieving Focus in Service Organizations », *The Service Industries Journal*, vol. 16, janvier 1996, pp. 10-20.
3. B. Joseph Pine, II, « Mass customizing products and services », *Strategy & Leadership*, 21, juillet-août 1993, pp. 6-13 ; Francis Salerno, « Personnalisation et connexion identitaire dans la relation du consommateur à l'organisation de service », *Acte de l'AFM Deauville*, 2001 ; Jerry Wind et Arvind Rangaswany, « Customerization : The Next Revolution in Mass-customization », *Marketing Science Institute Working Paper No 00-108*, Cambridge, Marketing Science Institute, 2000, pp. 13-32 ; Deborah A. Leishman, « Solution Customization », *IBM Systems Journal*, 38, 1, 1999, pp. 76-91.
4. Pour des informations complémentaires sur la modélisation de multiples attributs, voir William D. Wells et David Prensky, *Consumer Behavior*, New York, John Wiley & Sons, 1996, pp. 321-325.
5. Jack Trout, *The New Positioning : The Latest on the World's #1 Business Strategy*, New York, McGraw-Hill, 1997.
6. Vijay Mahajan et Yoram (Jerry) Wind, « Got Emotional Product Positioning ? », *Marketing Management*, maijuin, 2002, pp. 36-41.
7. Richard Branson, « Why We Stretch the Virgin Brand », *Evening Standard*, Londres, 4 août 1997.
8. Sally Dibb et Lyndon Simkin, « The Strength of Branding and Positioning in Services », *International Journal of Service Industry Management*, vol. 4, n° 1, 1993, pp. 25-35.
9. Pour des approches plus détaillées, voir Michael E. Porter, *Competitive Strategy*, chapitre 3, « A Framework for Competitor Analysis », New York, The Free Press, 1980, pp. 47-74.
10. W. Chan Kim et Renée Mauborgne, « Charting Your Company's Future », *Harvard Business Review*, 80, juin 2002, pp. 77-83.
11. Al Ries et Jack Trout, *Positioning : The Battle for Your Mind*, 1re édition révisée, New York, Warner Books, 1986.

Un modèle d'analyse de la dynamique de l'innovation dans les services : le cas des services de types architecturaux[1]

Faridah Djellal et Faïz Gallouj[2],
Clersé, Ifrési-CNRS

Cet article est consacré à la question de l'innovation dans un groupe particulier de services : les services architecturaux ou d'assemblage, comme l'hôtellerie, la grande distribution, l'hôpital, les parcs d'attraction, etc. Il s'agit de services complexes qui sont le fruit de l'association d'un nombre variable d'autres services élémentaires. En articulant certains résultats de l'économie des services et de l'économie de l'innovation, nous commençons par proposer une grille d'analyse simple du « produit » des services architecturaux, dans laquelle le service principal offert est inséré dans un système complexe d'autres services élémentaires qui mobilisent différents types de technologies et de compétences. Nous utilisons ensuite cette grille pour mettre en évidence les différentes logiques d'innovation à l'œuvre dans ce type de services.

Les services constituent une famille (nombreuse) d'activités économiques dont les liens de parenté ne sont pas toujours faciles à établir. La génétique traditionnelle des services fondée sur les critères d'immatérialité, d'interactivité et d'immédiateté est régulièrement prise en défaut. En effet, que ce soit dans le commerce, la restauration, le transport, les exemples ne manquent pas, de services qui entretiennent des rapports étroits avec la matérialité, qui sont faiblement

interactifs ou qui peuvent prétendre à une certaine forme de stockabilité en particulier sous l'influence grandissante des technologies de l'information et de la communication. À l'inverse, l'immatérialité et surtout l'interactivité (la relation de service ou servuction) s'insinuent au cœur de la production industrielle, pour brouiller les frontières traditionnelles. Ainsi, et ce n'est pas le plus souvent une simple figure de rhétorique, nombreux sont les producteurs de biens, qu'il s'agisse de pomme de terre, de bâtiments, de textile ou d'automobiles, à définir leur activité comme une production dominée par l'immatériel et la relation de service [Zarifian (1987), Nahon et Néfussi (2002), Bougrain et Carassus (2003), Lenfle et Midler (2003)]. C'est ainsi l'hétérogénéité qui est probablement la caractéristique la plus saillante et la plus durable du secteur des services, et l'entreprise de définition des services, initiée par les économistes classiques (voir sur ce point Delaunay et Gadrey (1987)) est loin d'être épuisée comme en témoignent les débats théoriques récents [Hill (1999), Gadrey (2000)].

Cette hétérogénéité a probablement joué un rôle non négligeable dans la diversité des manières d'aborder la problématique de l'innovation dans les services. En effet, les bilans de la littérature rendent généralement compte de cette diversité en distinguant les approches technologistes (qui mettent l'accent sur l'adoption d'innovations technologiques par les firmes de services), les approches servicielles (qui s'efforcent de mettre en évidence les spécificités de l'innovation dans les services) et les approches intégratrices dont l'ambition est de proposer des modèles

1. Paru dans *Économies et Sociétés*, série EGS, n° 7, 11-12/2005, p. 1973-2010.

2. Centre lillois d'études et de recherches sociologiques et économiques, Université de Lille 1.

nouveaux applicables à tous les secteurs économiques et à toutes les formes d'innovation [Gallouj (1994)].

Cet article est consacré à l'innovation dans un groupe de services particuliers, que l'on propose d'appeler les services architecturaux ou d'assemblage. Il s'agit de services complexes, qui sont constitués de l'assemblage d'un nombre variable d'autres services. Tel est le cas, par exemple, des services hospitaliers, des services hôteliers, de la grande distribution, du tourisme, des services de parc d'attraction, du transport aérien, etc. La question de l'innovation s'y pose de manière particulière, dans la mesure où elle revêt une dimension systémique : elle concerne à la fois les différents services-composants et l'assemblage ou « package ».

En nous appuyant sur un certain nombre de résultats récents de l'économie des services et l'économie évolutionniste de l'innovation, nous proposons un modèle simple d'analyse du produit des services architecturaux définis comme l'agrégation de services élémentaires, eux-mêmes envisagés à travers leur décomposition fonctionnelle et technologique (section 1). La mise en œuvre dynamique de ce modèle permet de proposer une grille d'analyse systématique des logiques d'innovation dans ce type d'activités (section 2). Ces différentes logiques sont ensuite abondamment illustrées par des exemples issus à la fois d'investigations empiriques personnelles et de la recension de la littérature professionnelle (section 3). L'approche proposée est ainsi à la fois servicielle, dans la mesure où elle s'intéresse aux spécificités d'un groupe particulier de services, mais aussi intégratrice, tout au moins sous l'angle de la diversité des formes de l'innovation, dans la mesure où elle s'efforce de rendre compte de l'innovation, quelle que soit sa nature.

1. Les services architecturaux : un modèle d'analyse du produit

Les services architecturaux peuvent être définis comme l'offre articulée ou intégrée (selon différentes modalités) d'un assemblage de services divers et en nombre variable, assemblage qui accède à une visibilité institutionnelle, de sorte qu'il ne se réduit pas à la somme de ses composantes. Il s'agit ici, d'une part, de mettre en évidence l'intérêt et les difficultés théoriques de la mise en œuvre d'un tel niveau d'analyse, et, d'autre part, de proposer un modèle d'analyse simple de ce produit particulier.

1.1. Les services architecturaux comme catégorie analytique pertinente

Bressand et Nicolaïdis (1988) utilisent le néologisme « compack » (« complex package ») pour désigner ces services architecturaux. Comme nous l'avons souligné, si les services architecturaux se réduisaient à la somme de leurs composantes, cette catégorie analytique aurait peu d'intérêt. Les services architecturaux ne doivent pas être envisagés en termes strictement mécaniques. L'ensemble est plus que la somme des composantes. Autrement dit, l'assemblage de service élémentaire au sein d'un niveau architectural donné contribue à un supplément de produit, ou à l'identification d'un autre produit. Par exemple, en se contentant, d'un cas déjà ancien, le « produit » Club Med ne se réduit pas à un assemblage mécanique de services élémentaires de transport, restauration, loisir, etc. La combinatoire de ces services introduit un supplément, qui lisse les jointures entre les différents services élémentaires, et qui confère à ce compack le statut d'autre produit.

Ce niveau d'analyse ne va pas de soi. Il soulève de nombreuses difficultés. On pourrait être tenté de considérer que toute activité de service est architecturale dans la mesure où elle fournit une gamme diversifiée de « produits-services ». Tel n'est pas le cas. Ainsi, le service hospitalier est un service architectural (médecine, nettoyage, restauration etc.), mais pas le service de conseil. La notion de service architectural est par conséquent une construction sociale. Elle est subjective et conventionnelle. Les services architecturaux sont des assemblages de services élémentaires ayant généralement une existence historique et institutionnelle (dans la mesure, par exemple, où ils sont identifiés dans les typologies usuelles, les nomenclatures comptables).

Les services architecturaux posent la question de la frontière du produit complexe. Cette frontière est en effet poreuse et mouvante. Elle relève aussi de la convention. Ainsi, le service architectural « transport aérien » comprend à la fois les différents services élémentaires du transport, mais aussi les services élémentaires des aéroports, etc. Une autre difficulté est celle du choix du niveau d'analyse. Ainsi le transport aérien peut être envisagé comme un service architectural. Mais le tourisme est un autre service architectural qui englobe le précédent.

Les critères techniques de qualification du service (immatérialité, interactivité, immédiateté) ne sont pas en mesure de définir ces services architecturaux car chaque service élémentaire constitutif de l'assemblage peut être caractérisé différemment au regard de ces critères.

De même, l'image du triangle des services [Gadrey (1996)] peut être utilisée pour définir chaque service élémentaire (ou chaque composante d'un service élémentaire), mais le service architectural dans son ensemble est une combinatoire complexe de triangles de services plus ou moins interconnectés, selon des procédures différentes (succession dans le temps, réalisation en parallèle, etc.). Ainsi, la prestation de service architectural est caractérisée par sa diversité : diversité des supports du service, diversité des acteurs, des relations de service, des régimes d'appropriation. Elle est également caractérisée par cette contradiction fondamentale (cette relation dialectique) entre la diversité et la construction ou le maintien d'une entité unique.

Les services architecturaux sont également un objet particulièrement complexe dans la mesure où ils ne se réduisent pas à une seule logique de service conformément à la définition de Gadrey (2000), mais qu'ils combinent l'ensemble des logiques existantes : logique d'aide ou d'intervention, logique de mise à disposition de capacités techniques entretenues (que le client ou l'usager peut utiliser en cas de besoin moyennant paiement), logique de représentation humaine ou de spectacle vivant.

1.2. Un modèle d'analyse du « produit » des services architecturaux

Une définition « arithmétique » du service architectural comme l'agrégation d'autres services n'est pas suffisante pour réaliser notre objectif à savoir fournir une grille d'analyse la plus complète possible de l'innovation. Il est nécessaire d'entrer dans la boîte noire de chaque service élémentaire. C'est ce que nous proposons d'entreprendre en nous appuyant sur les travaux de Hill (1977, 1999) et de Gadrey (1996, 2000) évoqués précédemment, articulés à une conception lancastérienne du service envisagé en termes de caractéristiques [Gallouj et Weinstein, (1997), Gallouj (2002)].

La prestation de service architectural est une activité complexe dont on peut rendre compte en articulant les quatre variables suivantes (cf. Tableau 2) :

1. les prestations de services élémentaires (S_i) qui la composent,

2. les supports ou cibles de la prestation de service,

3. les caractéristiques de service ou utilités obtenues ou recherchées,

4. les compétences des prestataires.

Les prestations de services élémentaires (S_i)

On peut s'appuyer ici sur la distinction fréquemment utilisée en sciences de gestion entre services de base et services périphériques. Le service de base est celui qui définit fondamentalement le service architectural. Ce sera le service de soins médicaux pour l'hôpital, la nuitée pour les services hôteliers, le transport pour le service aérien, l'attraction pour le service des parcs d'attraction, la vente de biens pour la grande distribution, etc. Mais la prestation de service architectural ne se réduit pas à ces services de base. Elle comporte de nombreux autres services (cf. Tableau 1). Ces services périphériques ont l'objectif de valoriser le service de base ou d'en faciliter l'accès, sans pour autant, le plus souvent justifier, à eux seuls la venue du client. Certains auteurs distinguent, par ailleurs, les services péri-phériques liés (nécessaires à la mise en œuvre du service de base) et les services périphériques de complément (qui ne sont pas nécessaires à sa réalisation). Dans le cas de l'hôpital, par exemple, l'hôtellerie-restauration et l'accueil-réception relèvent des services périphériques liés, alors que le commerce, les crèches et les activités de loisir peuvent être considérés comme des services périphériques de complément.

Tableau 1 : Service architectural et services élémentaires

Service architectural	Services élémentaires de base	Services élémentaires périphériques (quelques exemples)
Hôpital	Médecine, soins	Hôtellerie, maintenance, accueil-réception, transport, gestion-administration, restauration, crèche, buanderie, loisirs, funérarium, commerce, nettoyage, traitement de déchets
Parc d'attraction	Attractions, spectacles, parades	Restauration, transport et circulation (interne et externe), hôtellerie, cinémas, discothèques, accueil de congrès et conférences, commerces-boutiques, nettoyage, etc.
Grande distribution	Vente de biens	Agences de voyage, services bancaires, services d'assurance, services photographiques, services de traiteur, services de livraison, parking, gardiennage, service après-vente, etc.
Hôtellerie	Nuitée	Restauration, loisirs, parking, congrès, blanchisserie, sécurité, etc.
Transport aérien	Transport	Restauration, commerce, loisirs, télécommunications, services religieux, etc.

La cible principale de la prestation de service

Conformément à la représentation du triangle du service (Gadrey, 1996), la prestation de service consiste en un ensemble d'opérations de traitement affectant différents supports ou cibles (selon le terme de Bancel-Charensol et Jougleux, 1997) : la matière (M), l'information (I), la connaissance (K) ou l'individu (R).

Ces cibles permettent d'identifier quatre groupes d'opérations [Gadrey (1991), Gallouj (1999)] qui se combinent dans des proportions diverses (variables selon le service et selon le moment) dans chaque prestation de service élémentaire (S_i) :

- Les opérations de logistique et de transformation de la matière (M), qui consistent à traiter des objets tangibles, c'est-à-dire à les transporter, les transformer, les entretenir, les réparer.

- Les opérations de logistique et traitement de l'information (I), qui consistent à collecter et traiter de l'information codifiée, c'est-à-dire à la produire, la saisir, la transporter, l'archiver, la mettre à jour…

- Les opérations de traitement intellectuel des connaissances (K) par des méthodes, des routines codifiées, des techniques immatérielles.

- Les opérations de service en contact ou relationnelles (R) dans lesquelles le support dominant est le client, et qui consistent en un service direct en contact plus ou moins interactif avec le client.

Mais cette décomposition fonctionnelle du produit est aussi une décomposition scientifique et technologique. Ainsi, aux trois premiers groupes d'opérations correspondent, respectivement, des technologies de traitement de la matière (robotique, productique…) ; des technologies de traitement de l'information (informatique, télécommunication…) ; des technologies de traitement des connaissances (techniques immatérielles, méthodes…) ; et, dans chacun de ces cas, les disciplines scientifiques et techniques correspondantes. Quant à la composante R (opérations relationnelles), elle occupe une position particulière dans la mesure où les sciences et technologies de traitement de la relation ou du service en contact peuvent emprunter à chacune des disciplines précédentes et à d'autres, en particulier les Sciences Humaines et Sociales.

Les caractéristiques de service élémentaires ou valeurs d'usage (Y)

Ces caractéristiques décrivent les utilités (au sens de la théorie économique) dérivées de la mobilisation (dans le cadre des différents types d'opérations constitutives de la prestation) des composants techniques internes et/ou des compétences. Elles se situent « en aval » de notre décomposition du produit.

Ces caractéristiques de service sont envisagées du point de vue de l'usager ou utilisateur. Dans le domaine des services (contrairement aux biens), leur identification et leur désignation peuvent constituer un exercice plus ou moins difficile selon le type de service élémentaire envisagé. Quoi qu'il en soit, la pertinence théorique de cette catégorie ne peut être remise en cause, dans la mesure où, comme les biens, les services rendent des services. On pourrait ajouter à ces fonctions ou caractéristiques de service (voulues), des fonctions ou caractéristiques de service involontaires, qui sont des effets pervers ou des externalités négatives. C'est le cas, par exemple, de la contraction de maladies nosocomiales à l'hôpital, des phénomènes d'engorgement dans

les hypermarchés et les parcs d'attraction, des grèves et des retards dans le transport aérien ou ferroviaire, etc.

Il ne faut pas confondre, ces utilités ou caractéristiques de services (Y) avec les prestations de services élémentaires (S_i). Ainsi, chaque prestation de service élémentaire S_i mobilise des compétences et des technologies différentes pour réaliser un nombre variable d'opérations de traitement sur des supports différents. Si l'on se contente du cas de l'hôpital, l'ensemble de ces compétences, technologies et activités concourent à la production d'utilités pour le client (guérison, par exemple, dans le cas du service élémentaire « soins » ; propreté, dans le cas du service élémentaire « nettoyage »).

Les compétences des prestataires (C)

Les *compétences du prestataire* se rapportent ici à l'individu ou à un collectif restreint (l'équipe ou les équipes impliquées dans la réalisation de la prestation). Ces compétences sont issues de sources diverses : la formation initiale, la formation continue, les expériences, et plus généralement les interactions diverses, sources d'apprentissage. Elles peuvent être reconnues par un Ordre professionnel ou un autre système de vérification des qualifications. En ce qui concerne leur nature et leur forme, ces compétences peuvent être codifiées, c'est-à-dire réductibles à des messages diffusables à coût nul [Foray (1994)], mais elles sont également, souvent, tacites c'est-à-dire faiblement articulées, difficilement transférables, indissociables de l'individu. Qu'elles soient codifiées ou tacites, ces compétences peuvent être d'ordre scientifique et technique (compétences cognitives ou professionnelles), relationnelles internes et externes (selon qu'il s'agit de relations au sein de l'équipe ou avec le client et les autres intervenants de la prestation), combinatoires ou créatives (c'est-à-dire aptitude à combiner des caractéristiques techniques en ensembles et sous ensembles cohérents), opératoires (manuelles).

Ces compétences se situent « en amont » de notre décomposition du service. Il peut s'agir de compétences sur les techniques et les différents types d'opérations réalisées ou de compétences mobilisées directement (sans médiation technique) pour produire des utilités (Y). Dans ce dernier cas, la prestation peut être représentée par la formule heuristique suivante : C(Y), qui désigne en quelque sorte une situation de « service pur ».

En fonction du service élémentaire envisagé et par conséquent du type de prestataire considéré, ces compétences sont d'une extrême diversité, en particulier en ce qui concerne leurs composants scientifiques et techniques. Tout comme la variable précédente (à savoir l'utilité), les compétences sont des caractéristiques difficiles à identifier et à désigner. Cette difficulté est variable en fonction du service élémentaire et du type de prestataire envisagés.

Tableau 2 : Une grille d'analyse du produit ou de la prestation de service architectural

Prestations de services élémentaires	Compétences mobilisées	Support du service, opérations ou fonctions correspondantes et technologies associées					Caractéristiques ou fonctions (« externes ») d'usage, finales ou de services
S_i	C	M	I	K	R		Y
	Compétences sur les technologies (leur usage) ou compétences mobilisées directement	Opérations matérielles	Opérations informationnelles	Opérations méthodologiques	Opérations de service en contact ou relationnelles		Fonctions et caractéristiques de service (+ disciplines correspondantes)
		(+ sciences et technologies correspondantes)	(+ sciences et technologies correspondantes)	(+ sciences et technologies correspondantes)	(+ sciences et technologies correspondantes)		
S_1 (si1, si2… sij… sim)							
S_2							
S_3							
…							
S_i							
…							
S_n							

Le tableau 2 fournit ainsi une représentation relativement simple du « produit d'un service architectural », dans toute sa diversité fonctionnelle et technologique. Ainsi, la prestation de service architectural peut être représentée simplement comme l'agrégation de services élémentaires de différents types (S_i). Chacun de ces S_i peut lui-même être envisagé comme la combinaison, à des degrés divers, d'opérations élémentaires portant sur des objets, de l'information, de la connaissance ou des individus. Les colonnes du tableau, autrement dit, les variables C, Y et le groupe (M, I, K et R) ne se situent pas au même niveau analytique. En effet, M, I, K et R sont des fonctions ou des composantes « internes » du produit, tandis que C se situe en quelque sorte en amont de la prestation et Y en aval (il s'agit de fonctions externes). Ceci signifie que les compétences concourent à la mise en œuvre des opérations et des technologies correspondantes, qui se traduisent par la fourniture de caractéristiques de services.

On notera que la grille d'analyse proposée peut être utilisée à différents niveaux analytiques, selon les besoins et les caractéristiques du service architectural envisagé. Cette grille d'analyse s'applique en effet au niveau organisationnel ou institutionnel (par exemple, un établissement hospitalier ou hôtelier dans son ensemble, un hypermarché, un parc d'attraction), mais aussi aux niveaux intra-organisationnels et interorganisationnels.

Ainsi, au niveau intra-organisationnel, si le service envisagé est un assemblage d'assemblages de services élémentaires, un « package de packages », chaque S_i peut lui-même être décomposé en un ensemble de services élémentaires s_{ij}, qui peuvent constituer des unités d'analyse autonomes. Ainsi, dans le cas de l'hôpital, la prestation de service élémentaire générique « médecine-soins » (S_i) peut être envisagée comme un assemblage de services élémentaires (s_{ij}), qui pourraient être, par exemple, les soins, les analyses, la radiologie, la chirurgie, la rééducation, l'anesthésiologie, les consultations, etc. Dans un hypermarché, on peut de même décomposer le service élémentaire de base « mise à disposition de biens » en de nombreux autres services, ne serait-ce qu'en distinguant les différents rayons spécialisés.

Le niveau interorganisationnel rend compte quant à lui de la mise en relation de différentes organisations, elles-mêmes éventuellement définies comme des packages de services élémentaires : par exemple, l'établissement de relations diverses entre un hôpital et d'autres établissements de soin, la médecine de ville, les associations ou la municipalité, ou l'établissement de liens entre un hypermarché, ses fournisseurs, des transporteurs, ou encore entre un parc d'attraction, des agences de voyages, des tour-opérateurs ou des comités d'entreprise, etc.

La grille analytique générale, que nous avons ainsi esquissée dans le Tableau 2 nous semble être un outil utile, tout d'abord, pour tenter d'analyser, de manière fine, les différentes dimensions du produit des services architecturaux, et ensuite pour envisager, d'une manière structurée et systématique, la question de ses évolutions et de ses transformations, c'est-à-dire la question de l'innovation.

2. Une grille d'analyse de l'innovation dans les services architecturaux

La représentation générale du produit architectural proposée précédemment constitue une effraction dans « la boîte noire » de cette famille de services. Elle est en mesure de nous fournir une grille d'analyse générale de l'innovation dans ce type d'activité. Cette grille permet de mettre en évidence, d'une manière analytique, la diversité des formes d'innovation dans les services architecturaux. Cette diversité est d'autant plus grande, qu'on peut, comme nous l'avons suggéré précédemment, envisager plusieurs niveaux de lecture du produit (et donc de l'innovation) : les niveaux organisationnels, intra-organisationnels et interorganisationnels. Mais, au-delà de l'extrême diversité des types d'innovation, il est possible, sur la base de cette grille, de mettre en évidence un nombre restreint de *logiques d'innovation* à l'œuvre. Il s'agit, comme nous le verrons, des logiques de l'innovation extensive, régressive, intensive et combinatoire.

2.1. Les logiques d'innovation extensive et régressive

Nous présentons ensemble la logique d'innovation régressive et la logique d'innovation intensive, dans la mesure où ces deux logiques participent de la même substance. Il s'agit dans les deux cas d'une action sur les lignes du tableau.

Si l'on retient le niveau d'analyse organisationnel, la logique de « l'innovation extensive » va consister en quelque sorte (« toutes choses égales par ailleurs ») à « ajouter des lignes au tableau ». C'est l'adjonction de services élémentaires (S_i) au service de base ou plus généralement au service existant (qui est la combinaison de services de base et de services périphériques).

La logique de l'innovation régressive (encore une fois quel que soit le niveau analytique retenu) est une logique de suppression de services élémentaires, c'est-à-dire de suppression de « lignes » du tableau. Les sciences de gestion n'hésitent pas à utiliser l'expression de « stratégie d'épuration », pour désigner une telle logique de réduction sensible de l'offre par rapport à une offre de référence. Il peut paraître paradoxal d'associer ainsi les termes innovation et régression (ou épuration). Il n'en demeure pas moins que, dans de nombreuses activités de services, les processus d'innovation peuvent suivre une trajectoire de réduction *du ou des* services.

Le modèle d'innovation extensif s'inscrit, dans une certaine mesure, dans les stratégies de différenciation, qui consistent à enrichir l'offre de référence par l'ajout de caractéristiques nouvelles valorisées par les clients-usagers. L'élargissement de la palette des spécialités et des services offerts et la compétition par la gamme de services semblent être des éléments importants de la stratégie des prestataires de services architecturaux.

Si l'on change de perspective d'analyse, le champ de manœuvre de la logique d'innovation extensive se trouve extrêmement élargi. On peut ainsi, non seulement envisager l'adjonction de services génériques nouveaux S_i, mais aussi, au sein de chacun de ces services génériques, l'adjonction de services élémentaires s_{ij} (niveau intra-organisationnel). Autrement dit, selon le principe des poupées gigognes, chaque ligne du tableau peut être envisagée comme un nouveau tableau, qui peut lui-même être enrichi de nouvelles lignes (logique d'innovation extensive). Ce processus itératif s'achève lorsque les unités organisationnelles incorporant le produit s'estompent, et que le service élémentaire ne se définit plus par d'autres services élémentaires, mais par un ensemble d'utilités ou caractéristiques de services (Y).

On peut également envisager, dans une perspective interorganisationnelle, l'adjonction (logique de l'innovation extensive externe) d'un service élémentaire ou d'un groupe de services élémentaires extérieur au package de référence.

2.2. La logique d'innovation intensive

La logique d'innovation intensive va consister, pour un service élémentaire S_i donné, à intervenir sur une des différentes composantes internes ou externes du produit, soit en ajoutant des compétences et/ou des technologies (matérielles ou immatérielles) nouvelles (ce qui peut se traduire par la suppression des compétences et/ou des technologies anciennes), soit en augmentant (parfois en réduisant) le poids (la valeur) des compétences et/ou des technologies existantes. Ainsi, la logique de l'innovation intensive se traduit par une action (positive ou négative) sur les « colonnes » de notre grille analytique.

La logique d'innovation intensive s'exprime ainsi à la fois par la mobilisation (création ou adoption) d'innovations matérielles ou immatérielles et par la mise en œuvre de phénomènes d'apprentissage sous différentes formes : *learning by doing, by using, by trying, by interacting,* etc.

Cette logique de l'innovation intensive s'exprime selon cinq trajectoires différentes, qui peuvent être envisagées dans le cadre d'un service élémentaire S_i (un niveau intra-organisationnel) donné ou pour la prestation de service architectural dans son ensemble : une trajectoire de logistique et transformation matérielle, une trajectoire de logistique et de traitement de l'information, une trajectoire méthodologique, une trajectoire « servicielle » pure, et enfin une trajectoire relationnelle.

1. La trajectoire de logistique et transformation matérielle

La trajectoire de logistique et transformation matérielle est à l'œuvre dans la composante du service relevant de la logistique et de la transformation matérielle. Cette trajectoire traduit les évolutions technologiques relatives au transport et à la transformation de la matière qu'elle soit humaine ou physique (systèmes de transport des individus ou des biens, systèmes de cuisson et de réfrigération, systèmes de nettoyage, distributeurs de produits variés, attractions, innovations biomédicales ou biopharmacologiques…). Cette trajectoire est souvent désignée comme une trajectoire « naturelle » au sens de Nelson et Winter (1982), c'est-à-dire une trajectoire de mécanisation croissante et d'exploitation d'économies d'échelle.

2. La trajectoire de logistique et de traitement de l'information

Cette trajectoire prend forme dans la composante informationnelle du produit. Elle correspond bien évidemment à la dynamique des systèmes d'information et de communication. Elle est orientée notamment vers une tendance à la réduction des coûts de communication, à la mise en réseau et à la production de nouvelles informations et de nouvelles utilisations de l'information.

3. La trajectoire méthodologique

Cette trajectoire rend compte de la production et de l'évolution de méthodes formalisées de traitement de la connaissance. Elle joue un rôle extrêmement important dans les services intensifs en connaissances (conseil, ingénierie). Cependant, elle n'est pas absente d'un certain nombre de services opérationnels, comme le nettoyage ou le transport (Djellal, 2000 ; 2002).

4. La trajectoire « servicielle » pure

La trajectoire d'innovation servicielle décrit la mise en œuvre et l'évolution d'innovations de service indépendamment de tout support technique (matériel ou immatériel). Ces innovations de service s'appuient sur la mobilisation directe de compétences (C) pour fournir les fonctions ou caractéristiques de service (Y). Elles peuvent s'incarner dans une organisation particulière et sont donc en partie des innovations organisationnelles (dans lesquelles les systèmes techniques ne sont pas importants). La trajectoire d'innovation servicielle relève ainsi de l'idéal-type (dans la mesure où il est rare qu'une technique, même rudimentaire, ne soit pas utilisée dans la réalisation d'une prestation donnée). On remarquera qu'il n'y a pas de différence entre, d'une part, les innovations alimentant une trajectoire « servicielle » pure dans le cadre d'une logique d'innovation intensive, et, d'autre part, l'adjonction d'un service élémentaire « pur » dans le cadre d'une logique d'innovation extensive. Autrement dit, il n'y a pas de différence entre le renforcement d'une (ou deux) colonne(s) (C(Y)) et l'adjonction d'une ligne S_i.

Compte tenu de la nature de notre décomposition fonctionnelle (distinguant des composants internes et des fonctions externes), le service pur représenté heuristiquement par la relation C(Y) est identique à un S_i dépourvu de technologies.

5. Une trajectoire relationnelle ?

La composante « service en contact » d'un service architectural est, elle aussi, le champ d'une dynamique d'innovation. Cette dynamique (ou trajectoire) d'innovation décrit l'introduction de fonctions ou de caractéristiques de service en contact ou de nouvelles modalités de mise en relation du client et du prestataire ainsi que leur évolution dans le temps. Cette trajectoire introduit une rupture analytique avec les quatre précédentes. En effet, l'évolution de l'interface ou des opérations de service en contact peut s'opérer en s'appuyant sur des compétences exclusivement ou sur des technologies de traitement de la matière, de l'information ou de la connaissance (par des méthodes). Ainsi, la trajectoire relationnelle peut difficilement être dissociée respectivement de la trajectoire servicielle pure et des trajectoires matérielles, informationnelles ou méthodologiques.

2.3. La logique d'innovation combinatoire

Comme nous l'avons déjà souligné, les logiques extensives, régressives et intensives sont des idéaux-types. En tant que logiques pures (ou logiques élémentaires), il n'est pas toujours aisé d'en donner des exemples (épurés). Elles constituent néanmoins des heuristiques intéressantes pour comprendre la diversité des formes d'innovation dans les services architecturaux.

L'innovation combinatoire ou architecturale constitue la quatrième logique de l'innovation dans les services architecturaux. Cette logique d'innovation, dont certains travaux [Hendersen et Clark (1990), Foray, (1994)] mettent en lumière l'importance dans le domaine de la microélectronique et des biotechnologies, constitue une logique

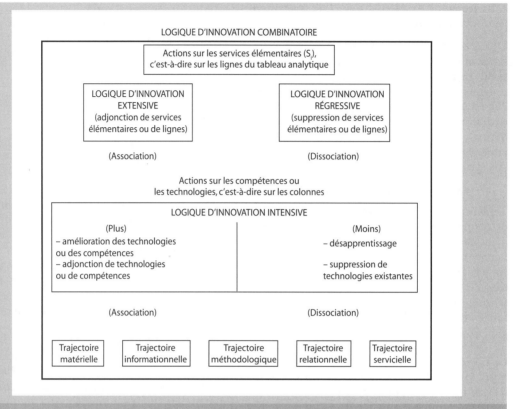

Figure 1 - La logique d'innovation combinatoire comme mise en œuvre (sous des configurations multiples) des logiques pures.

d'innovation encore plus fondamentale dans les activités de service, en particulier, dans les services de type assemblage d'assemblages. La logique combinatoire constitue la forme technique, la modalité opératoire la plus fréquente et la plus concrète. En effet, la prestation de service architectural ne peut pas (ou ne doit pas) être « coupée en tranches ». Partout, existent des liens et des relations, qu'il ne faut pas trancher sous peine d'appauvrir l'analyse. Autrement dit, il faut éviter que les modèles idéal-typiques précédents (logiques extensive, régressive, intensive) entretiennent une conception émiettée de la prestation architecturale et de l'innovation au sein de cette prestation. La logique combinatoire s'appuie sur les mécanismes élémentaires purs précédents, qu'elle articule selon des modalités

multiples. Elle se manifeste ainsi par la mise en œuvre répétée et conjointe des différentes logiques pures (cf. Figure 1) :

- l'adjonction et/ou la suppression (l'association ou la dissociation) de services élémentaires (action sur les lignes du tableau analytique),

- l'intensification technologique et/ou son inverse (action sur les colonnes du tableau analytique). Cette logique se traduit concrètement, de la même manière que précédemment, par l'adjonction et/ou la suppression (l'association et/ou la dissociation) de technologies ou de compétences. Ces mécanismes peuvent s'exprimer au sein d'un domaine technologique donné ou mobiliser plusieurs champs (colonnes).

Dans notre grille d'analyse du produit des services architecturaux (Tableau 2), cette logique combinatoire n'affecte pas une ligne ou une colonne particulière, mais plusieurs lignes et/ou plusieurs colonnes, qu'elle associe et/ou dissocie pour élaborer une innovation. Le processus d'innovation s'apparente ici à un jeu de puzzle où l'on combine différentes cases de la grille pour obtenir un service nouveau. Cette logique combinatoire peut-être envisagée aux niveaux organisationnels, intra-organisationnels et interorganisationnels.

Les exemples d'innovation issus de cette logique combinatoire sont particulièrement nombreux. Le processus architectural ou combinatoire peut-être plus ou moins vaste et complexe (couvrir un nombre plus ou moins important de cases du tableau analytique). Mais la logique combinatoire peut s'exprimer à d'autres niveaux. Ainsi, des technologies différentes (colonnes du tableau) et les trajectoires correspondantes peuvent être associées de différentes manières. Elles peuvent être utilisées ensemble, tout en restant « séparées », pour produire des caractéristiques de service données. Les trajectoires technologiques sont alors indépendantes les unes des autres. La logique combinatoire se traduit simplement par une coexistence séparée au sein d'une même organisation ou d'un même département. Mais les technologies (colonnes du tableau) et les trajectoires correspondantes peuvent également s'hybrider. La logique combinatoire se traduit alors par l'existence d'une seule technologie qui est le fruit de l'hybridation de technologies (et de trajectoires) différentes.

3. Quelques illustrations

Les grilles d'analyse du produit et de l'innovation élaborées précédemment ont une portée générale. Elles ont vocation à s'appliquer à l'ensemble des services de type architecturaux. Dans ce dernier paragraphe, nous proposons, pour un nombre réduit de services de ce type,

d'en fournir quelques illustrations plus détaillées issues à la fois d'investigations empiriques réalisées dans les organisations correspondantes et d'un bilan de la littérature professionnelle. Nous retenons les trois cas suivants : l'hôpital, la grande distribution et les parcs de loisirs.

3.1. L'hôpital

Notre conception de l'hôpital en tant que service de type architectural relâche la perspective technicienne pour lui substituer une perspective de service et de relation de service (interne et externe) dans le traitement de la problématique de l'innovation. Le patient n'est pas seulement un malade qu'il faut soigner, mais aussi le client d'une prestation de service complexe et multiforme, client qu'il faut s'efforcer de satisfaire et dont il faut également s'efforcer de satisfaire les proches. Ainsi, l'innovation à l'hôpital n'est pas une boîte noire (hôpital-fonction de production). Elle n'est pas non plus seulement une somme de technologies médicales plus ou moins élaborées et spectaculaires conçues et/ou utilisées par une certaine aristocratie médicale (hôpital-plateau technique et biopharmacologique). Elle ne se résume pas non plus à un système d'information sophistiqué et tentaculaire (hôpital-système d'information). Pour être appréhendée dans sa globalité, l'innovation hospitalière nécessite une effraction dans la boîte noire de l'organisation. Cette effraction permet de mettre en valeur des acteurs de l'innovation et des fonctions-support (hôtellerie, restaurant, blanchisserie, transport…) également négligés. Cette multiplicité des formes et des acteurs de l'innovation peut être appréhendée à travers les logiques d'innovation mises en évidence par notre grille d'analyse[3].

La logique d'innovation extensive

Les services élémentaires ajoutés, dans cette logique de l'innovation extensive, peuvent appartenir a priori à n'importe lequel des

---

3. Pour une analyse plus détaillée de l'innovation hospitalière, cf. Djellal et al. (2004) et Djellal et Gallouj (2005).

principaux groupes de services du package hospitalier : 1) les services de type médical et paramédical, 2) les services de type hôtellerie-restauration-commerce, 3) les services de type administration-gestion. Les efforts d'innovation au sein des hôpitaux (et les efforts de recherche sur l'innovation entrepris par les sciences sociales) ont tendance à porter sur le premier groupe au détriment des autres. Mais le potentiel des autres groupes en matière d'expression de l'innovation extensive est important. Il ne faut pas le négliger, de même qu'il ne faut pas négliger les opportunités d'innovation offertes par d'autres familles de services (loisirs, récréation, etc.).

Les innovations relevant de cette logique de l'innovation extensive sont particulièrement nombreuses. On peut citer, parmi d'autres, en se contentant des services non médicaux les exemples suivants :

- L'ouverture d'hôtels hospitaliers ou de maisons familiales hospitalières destinés à accueillir les malades en soins ambulatoires et/ou les familles, l'offre de suites hospitalières de luxe, la création d'un restaurant pour les résidents et leur famille.

- L'introduction de diverses formes de commerce hospitalier. Swindley et Thompson (1992) citent les exemples suivants : la librairie, la boutique de cadeaux, le mini-supermarché, le fleuriste, le magasin de jouets, la banque, le cordonnier, le nettoyage à sec, l'agence de voyage, la cellule de conseil juridique, le photographe, le salon de coiffure, la pharmacie, les services postaux, la confiserie, le magasin de nourriture diététique…

- La mise en place d'activités récréatives pour enfants hospitalisés ou des services de remise en forme (fitness) pour adultes.

- L'ouverture d'un service de garde d'enfants.

- L'offre (en particulier aux États-Unis) de formations dans différents domaines allant de la médecine préventive à des domaines plus étranges comme la réparation de bicyclette, la danse, les techniques du clown, la gestion du divorce [Sasaki (2003)].

- La création d'un département de contrôle de gestion, d'une direction de la communication, d'une direction de la qualité.

La logique d'innovation régressive

Elle se manifeste, dans une certaine mesure, dans l'opposition entre l'hôpital local et le CHR et/ou le CHU. L'offre par les hôpitaux locaux d'un plateau technique minimal peut, en effet, s'apparenter à une logique de suppression de nombreux services élémentaires présents dans les CHRU. C'est la même logique du « service minimum » que l'on retrouve, par exemple, dans la restauration rapide (par opposition à la restauration traditionnelle) ou dans les vols charters ou les « low cost companies » (par opposition aux vols réguliers ou aux compagnies traditionnelles) ou encore dans le « hard discount » (cf. paragraphe 3.3) ou l'hôtellerie économique (de type « Formule 1 ») par opposition, respectivement, à la grande distribution et à l'hôtellerie traditionnelles.

Elle est également à l'œuvre dans la création d'établissements hospitaliers étroitement spécialisés, qu'il s'agisse de la chirurgie de la main ou de la prise en charge des lésions des pieds chez les diabétiques. Teboul (1999) fournit également l'exemple d'un établissement privé qui traite exclusivement des patients souffrant d'une hernie inguinale, et qui a poussé la spécialisation (autrement dit, la logique d'innovation régressive) à un tel degré, qu'il refuse, par exemple, les obèses souffrant d'une hernie ou les patients déclarant des antécédents cardiaques. Une autre illustration est donnée par le développement aux États-Unis du concept MinuteClinic. Il s'agit d'un établissement médical qui traite (sans rendez-vous et en s'engageant sur un délai d'attente de moins de quinze minutes) un nombre limité d'affections d'ordre oto-rhino-laryngologiques.

La logique d'innovation intensive

Les exemples d'innovation appartenant à la *trajectoire matérielle* sont nombreux. En ce qui concerne les technologies de traitement (médical) de la matière humaine, il s'agit, par exemple, de l'introduction de nouveaux systèmes techniques ou de petits matériels (exemple : le remplacement des bistouris électriques par des dissecteurs ultrasoniques), mais aussi de l'introduction de médicaments nouveaux ou améliorés sur le plan thérapeutique dans le cadre d'une maladie donnée. En ce qui concerne les technologies du « traitement » (non médical) de la matière physique ou humaine, on peut citer les exemples des lits motorisés, des nouveaux systèmes de transport de la nourriture, des véhicules multifonctionnels adaptés aux multiples usages de la logistique hospitalière, des nouveaux matériels de traitement des déchets hospitaliers. On peut également citer, dans le cas des services de blanchisserie, l'introduction (en leur temps) d'engageuses automatiques, d'empileurs automatiques et de tunnels de finition [Sachot (1989)].

La *trajectoire informationnelle* quant à elle est bien entendu particulièrement présente dans les services (élémentaires) de gestion et d'administration des flux informationnels. On peut citer, à titre d'exemple, l'encaissement des recettes hospitalières par bornes automatiques de paiement[4] [Viguier (1994), Viguier et al. (1994)] ; la mise au point d'un système (interactif) d'aide à la confection des plannings d'infirmièr(e)s dans les divers services et cliniques d'un hôpital universitaire [Courbon (1995)] ; l'installation de centres ultra-perfectionnés de traitement et de régulation des appels d'urgence [Gilibert et Fabretti (1998)]. Mais cette trajectoire informationnelle pénètre, de plus en plus, également, les services de gestion des flux matériels (gestion des stocks, des cuisines, etc.) et les services médicaux (la télémédecine étant l'exemple le plus significatif).

Dans le cas de l'hôpital, les *trajectoires méthodologiques* concernent, de nouveau, à la fois les services médicaux et tout le spectre des services non médicaux. En ce qui concerne les services médicaux, à proprement parler, ces trajectoires désignent la mise au point et l'amélioration des protocoles de diagnostic, des protocoles de soins, des stratégies thérapeutiques, des protocoles de maintien de l'hygiène (et de lutte contre les maladies nosocomiales). On peut citer, à titre d'exemple, la mise au point par les sages-femmes de cycles de préparation à l'accouchement [Carricaburu (1994)], et, pour les infirmières, la légitimation des pratiques sur des savoir-faire scientifiquement validés [Feroni (1992), Hesbeen, (1997)]… En ce qui concerne maintenant les services non médicaux, s'inscrivent dans cette trajectoire, par exemple, la mise au point de protocoles de nettoyage adaptés à l'hôpital (en particulier, les protocoles de traitement des déchets toxiques), la mise en place d'une démarche qualité au sein des équipes de brancardiers [Bernardy-Arbuz, Bannier, (1999)], la mise au point de dispositifs de lutte contre les falsifications d'ordonnances médicales (Gestions Hospitalières, 1994) ou encore la conception de tableaux de bord de la gestion de la qualité et des risques [Bonhomme et al., (1994)].

La *trajectoire servicielle* peut se manifester à n'importe quel niveau de l'organisation. Mais elle semble particulièrement vigoureuse dans les activités de front-office, en contact direct avec les clients-usagers (services d'accueil, admissions, etc.). On trouve dans la littérature de nombreux exemples, comme les services d'accueil destinés à des publics spécifiques tels que les patients en situation de précarité ou de nationalité étrangère… [Diebolt et al. (1995), Lebas (1995)].

Les *trajectoires relationnelles* sont souvent indissociables des autres. Ainsi, l'expérience de la cellule d'accueil des étrangers relève aussi d'une trajectoire relationnelle. Il en va de même de la mise en place de services mobiles d'urgence psychiatrique (qui relève d'une logique d'innovation extensive) ou encore de l'implantation à titre expérimental d'antennes administratives

---

4. On remarquera que cette trajectoire est également relationnelle.

(pour l'accueil du patient dans sa globalité) dans les services de soins [cf. Ponchon (1999)]. Toutes les démarches de fidélisation (en particulier, dans les cliniques privées) relèvent à la fois de trajectoires méthodologiques et relationnelles. Il est probable que les innovations dans les systèmes de transport interne ou externe des biens et des personnes (véhicules automobiles, chaises roulantes, robots) relèvent à la fois des trajectoires matérielles et relationnelles. Les expériences de mise en place de bornes interactives de communication ou de paiement menées par de nombreux hôpitaux [Argacha (1991), Viguier (1994), Viguier et al. (1994)] nous semblent relever de cette trajectoire relationnelle en même temps qu'elles contribuent, compte tenu des technologies mobilisées, à la trajectoire informationnelle. Les différentes stratégies de réduction des temps d'attente des patients relèvent des trajectoires relationnelles dans la mesure où elles aboutissent à une plus grande satisfaction des clients. Mais elles s'appuient sur des méthodes, une certaine organisation du travail et relèvent donc aussi des trajectoires méthodologiques.

La logique d'innovation combinatoire

La création d'une organisation hospitalière nouvelle (par exemple, à Lille, l'hôpital Jeanne de Flandre) obéit à cette logique combinatoire et couvre une surface importante du tableau (sinon toute la surface, dans la mesure où un établissement complètement nouveau, y compris sur le plan architectural, voit le jour). En effet, une organisation hospitalière nouvelle, c'est une combinaison de services élémentaires (S_i), de technologies (M, I, K) et de compétences C.

Un autre exemple est celui de la création récente d'hôpitaux dits digitaux, fortement automatisés, dans lesquels l'usage du papier est fortement réduit et l'informatique partout présente (à commencer par le chevet du malade) et totalement intégrée.

À l'hôpital, les exemples sont extrêmement nombreux d'hybridation de trajectoires logistiques matérielles et informationnelles. En effet, la microélectronique et l'informatique ont progressivement envahi toutes les opérations de logistique matérielle, qu'il s'agisse de l'instrumentation médicale ou des systèmes de transport de la matière ou des malades, qui sont dès aujourd'hui (et sans doute demain davantage encore) étroitement liés au transport de l'information.

Parmi les exemples de technologies médicales hybrides (c'est-à-dire qui combinent des NTIC avec des technologies plus traditionnelles de traitement de la matière), on peut citer le diagnostic assisté par ordinateur, la surveillance médicale, l'équipement de diagnostic automatisé, la vidéo-chirurgie apparue au début des années quatre-vingt-dix, qui peut être définie comme une extension de la cœlioscopie (originaire de la gynécologie) aux interventions abdominales (appendicectomie, hystérectomie, etc.). La vidéo-chirurgie est l'hybridation de la robotique (la main est remplacée par un instrument) et des NTIC (l'œil est remplacé par une caméra). L'imagerie (l'imagerie par résonance magnétique, la scanographie, la vidéo-endoscopie, la médecine nucléaire en particulier la scintigraphie) est souvent considérée comme la technologie médicale qui a le plus profité des progrès de l'informatique (traitement du signal), de l'automatique et de la vidéo.

La plupart des expériences de type réseau (réseaux ville-hôpital, réseaux de soins coordonnés…) s'inscrivent dans une logique d'innovation combinatoire et naturellement la perspective analytique est ici une perspective interorganisationnelle. En effet, les adjonctions de services élémentaires (externes) sont multiples et souvent associées à des approfondissements et des articulations multiples de trajectoires d'innovations. Les expériences de réseaux sont diverses en fonction du nombre d'acteurs impliqués, de la nature de ces acteurs, des objectifs visés, des éventuelles technologies mobilisées.

Les ancêtres des réseaux « ville-hôpital » sont probablement constitués par les réseaux gérontologiques et les réseaux VIH établis au début des années quatre-vingt, et associant essentiellement des médecins libéraux et des médecins hospitaliers. D'autres réseaux se sont constitués autour d'autres domaines médicaux ou médicosociaux : le diabète, l'hépatite C, la précarité, la périnatalité. Ces réseaux peuvent se constituer à l'intersection de différentes problématiques : c'est le cas, par exemple, des réseaux articulant les problématiques de la périnatalité et de la précarité dans le domaine de la prise en charge des femmes enceintes toxicomanes et de leurs enfants.

Les réseaux sont plus ou moins élaborés. Ils peuvent aller de la simple coacquisition de matériels lourds par plusieurs établissements, ou de la convention de coutilisation des matériels (scanner, IRM) à des formules plus complexes telles que la fusion d'hôpitaux, l'absorption d'un établissement par un autre ou la création, au sein des hôpitaux ou à proximité d'eux, d'entités visant à établir des liens avec des généralistes : antennes géronto-sociales confiées à des généralistes et des assistantes sociales extérieures à l'établissement, « maisons médicales d'urgence » (pour les petites urgences) dont le fonctionnement et la gestion sont assurés par des praticiens extérieurs.

Les multiples modalités de mobilisation de la recherche par les associations de malades relèvent également de cette logique combinatoire, qui implique l'hôpital, dans une perspective interorganisationnelle [Rabeharisoa et Callon (1998)]. L'hospitalisation à domicile (HAD) obéit également à cette logique, puisqu'il s'agit d'associer la sphère hospitalière et la sphère domestique, en s'appuyant sur un certain nombre de technologies et de méthodes [Mehlman et Youngner (1991), Arras (1995), Bentur (2001)].

3.2. La grande distribution

Le service de base de la grande distribution est la mise à disposition de biens. Mais, le propre de la grande distribution est d'offrir un assemblage de multiples autres services élémentaires (restauration, logistique, loisirs, services bancaires, services d'assurance, etc.). Il s'agit donc bien d'un service de type architectural dans lequel les différentes logiques d'innovation mises en évidence par notre modèle analytique sont à l'œuvre[5].

La logique d'innovation extensive

La logique d'innovation extensive, qui consiste à ajouter des services élémentaires Si à un package donné, ou à ajouter des services (sij) au sein de ce service élémentaire, peut être illustrée par de très nombreux exemples. Au niveau intra-organisationnel, c'est-à-dire celui du service élémentaire (et en retenant le service élémentaire de base à savoir la distribution de biens) on peut citer les exemples suivants : l'ensachage en caisse, la livraison à domicile, la multiplication des rayons et des services individualisés. Au niveau organisationnel ou interorganisationnel, on peut citer les exemples de l'introduction de la garde d'enfants, du développement de services financiers et d'assurance, de l'ouverture d'agences de voyage ou de stations d'approvisionnement en essence… La logique d'innovation extensive se manifeste fréquemment dans les hypermarchés, qui s'appuient sur elle pour conquérir et fidéliser les clients, mais aussi pour intégrer des secteurs où les marges sont plus élevées que dans la distribution classique (radiotéléphonie, produits culturels, parapharmacie, services financiers, voyages, etc.).

La logique d'innovation régressive

La logique d'innovation régressive consiste à l'inverse à supprimer des services élémentaires. C'est cette logique qui est à l'origine de la création du « hard discount » par opposition au supermarché traditionnel. De même que les cliniques hyperspécialisées (évoquées précédemment), on peut considérer que l'ouverture en 1999 (par le groupe Auchan) de la première grande surface consacrée exclusivement à la

---

5. Une analyse détaillée et abondamment illustrée de la dynamique de l'innovation dans la grande distribution est proposée par C. Gallouj (2005), cf. aussi M. Dupuis (1998, 2002).

vente de liquides (« La Cave d'Auchan ») ou le lancement l'année suivante de « l'hyper drive-in » (« Auchan Express ») relèvent de cette logique [Gallouj (2004)]. Les logiques d'innovation régressive et extensive sont au cœur de certaines théories de l'innovation commerciale bien connues, en particulier les théories de la roue de la distribution (McNair, 1958) et de l'accordéon [Hollander (1966)], qui décrivent la dynamique historique des formats de magasins selon une dialectique de « trading up » (élargissement des assortiments et augmentation des services) et de « trading down » (restriction forte des assortiments et réduction des services).

La logique d'innovation intensive

La logique d'innovation intensive peut être envisagée à l'échelle historique. Ainsi, les supermarchés ont été, à partir des années quarante et cinquante aux États-Unis, des années soixante-dix en France, portés par une trajectoire technologique naturelle de mécanisation croissante et d'économies d'échelle basée sur deux innovations fondamentales : le self-service et l'organisation en chaînes. Le modèle d'innovation à l'œuvre a longtemps porté, pour l'essentiel, sur la fonction logistique matérielle du produit (M) (introduction de systèmes logistiques fordistes) et sur le renforcement de la relation de self-service (R), puis, dans un second temps, sur la fonction logistique informationnelle (I).

Au-delà de la dimension historique, on peut illustrer de manière plus systématique l'existence des cinq trajectoires d'innovation qui s'inscrivent dans cette logique d'innovation intensive.

La littérature professionnelle rend ainsi régulièrement compte d'innovations relevant de la *trajectoire matérielle*, introduites dans la grande distribution. Dans ce domaine, les innovations les plus spectaculaires échappent le plus souvent à l'œil du consommateur. Il s'agit des technologies relatives à la logistique de la grande distribution, par exemple, l'automatisation et la robotisation des stocks, des réserves (utilisation de palettes et robots de manutention, implantation de plates-formes de stockage…). Il s'agit

également des technologies de conservation et de respect de la chaîne du froid, des technologies de cuisson, des technologies de découpes, des technologies de nettoyage des surfaces. On peut ajouter également des technologies plus ou moins sophistiquées qui relèvent davantage du front office : c'est le cas, par exemple, de l'introduction de nouveaux types de caddies (adaptés aux gros volumes, au transport d'enfants en bas âge, motorisés pour les personnes à mobilité réduite, etc.).

La *trajectoire informationnelle* occupe une place de plus en plus importante dans la grande distribution. Les innovations correspondantes qui se sont développées initialement sur le terrain fertile des services élémentaires d'administration et de gestion se sont peu à peu diffusées à toutes les dimensions du commerce, en amont (relations avec les fournisseurs) et en aval (relation avec les clients). Les exemples sont ainsi nombreux de nouvelles techniques informationnelles au service du commerce [Zeyl et Zeyl (1996), Keh (1998), Jimenez-Martinez et Polo-Redondo (1998), Gallouj (2004)] : générateurs d'informations (terminal point de vente), outils d'aide à la décision (bornes conseils, étiquettes, etc.), outils de gestion du point de vente (« back office »), kiosques de vente informatisée, système de paiement par lecture de l'empreinte digitale, self-scanning, mannequins virtuels qui permettent l'essayage virtuel de vêtements, le cadoscope, borne interactive qui, moyennant un certain nombre d'informations permettant de cerner la personnalité du destinataire, aide le consommateur dans le choix d'un cadeau et dans la localisation de celui-ci dans le magasin. L'EDI et l'ECR constituent probablement les exemples les plus connus des technologies relevant de cette trajectoire informationnelle.

La grande distribution fournit également des exemples d'innovation relevant de la *trajectoire méthodologique*. Elle est en effet un terrain propice au développement de nouvelles techniques et méthodes de vente, à la mise en place de démarches spécifiques de créativité, etc. Certains groupes de la grande distribution ont également créé des filiales spécialisées dans les prestations de conseil dans le domaine du commerce, filiales qui sont en mesure d'investir des trajectoires méthodologiques identiques à celles de tous les consultants.

La *trajectoire servicielle* pure est un idéal-type, qu'il est difficile d'illustrer, d'autant plus que la frontière entre la trajectoire servicielle (logique d'innovation intensive) et certaines formes d'innovation relevant de la logique extensive, est, comme nous l'avons déjà souligné, relativement conventionnelle. Gallouj (2004) cite les exemples suivants : l'introduction de l'ensachage en caisse, l'organisation de soirées privées d'achat, l'aide à la constitution d'une garde-robe en fonction de la personnalité ou de l'activité du client, L'organisation de « boutiques service », qui dans le cadre de politiques de lutte contre l'exclusion fournissent de nombreux services payants confiés à des entreprises d'insertion (employant des chômeurs de longue durée, des jeunes peu qualifiés, etc.) : livraison à domicile, retouches de vêtement, lavage de voiture, repassage, etc.

Si pendant longtemps, la grande distribution a été portée par une trajectoire de réduction des contacts avec les clients (intensification du self-service), on peut dire, qu'au contraire désormais, la tendance est à la multiplication des services directs au client, des contacts et des occasions de contact. Ainsi, l'innovation dans la grande distribution emprunte également des directions qui relèvent d'une *trajectoire relationnelle* (R). C'est le cas, par exemple, de toutes les stratégies d'amélioration des « relations sociales » de service par la mise en place de cartes de fidélité, de crédit, d'avantages consentis aux clients fidèles, de l'intégration de « greeters » (salariés dans la mission consiste tout simplement à saluer le client à l'entrée du magasin[6]), etc. On peut également citer au titre de cette trajectoire le lancement récent en France de l'« hyper drive-in ». Mais, comme on le verra dans le point suivant, la trajectoire relationnelle est souvent

associée aux autres trajectoires et difficilement dissociables d'elles.

La logique combinatoire

La logique combinatoire est de loin la logique dominante. Les différentes trajectoires envisagées précédemment, même si elles constituent des niveaux analytiquement intéressants, sont souvent remises en cause par l'analyse attentive de cas précis d'innovation. L'hybridation sous des formes multiples est partout à l'œuvre.

Ainsi, les trajectoires matérielles et informationnelles, s'entrecroisent de plus en plus pour donner le jour à des configurations hybrides. L'EDI et plus récemment l'ECR (Efficient Consumer Response) jouent un rôle important dans cette hybridation. Un exemple simple de l'hybridation entre les trajectoires matérielles et informationnelles est fourni par ce que l'on appelle le « chariot intelligent ». Il s'agit d'un chariot équipé d'un écran tactile, qui peut afficher le plan du magasin, la position du chariot, et un certain nombre d'informations générales comme les offres promotionnelles du moment, par exemple.

Mais cette hybridation est encore plus marquée entre la trajectoire relationnelle et les deux autres trajectoires, dans la mesure où de nombreux nouveaux services en contact sont incorporés ou étroitement liés à des systèmes techniques de logistique matérielle ou informationnelle, et ne peuvent être envisagés en dehors d'eux : tel est le cas des bornes interactives d'information et d'orientation, des nouveaux services de télécopie, de la télévente ou du téléachat, du supermarché à domicile qui s'appuie sur le Minitel, le fax, le téléphone ou internet, de la vente par distributeur automatique, le self-scanning, etc.

La logique combinatoire se manifeste également dans le lancement de nouveaux concepts d'hypermarché. Un exemple récent est fourni par l'ouverture de l'hypermarché Auchan de Marne la Vallée (baptisé H3M : hypermarché du troisième millénaire), qui combine des innovations organisationnelles (univers de consommation), architecturales, technologiques et de service

---

6. Cette pratique, qui se développe aux États-Unis est relativement répandue au Japon.

pour expérimenter le nouveau paradigme informationnel de la relation commerciale qui cherche à réconcilier bas prix et niveau de service élevé [pour une analyse approfondie, cf. Gallouj, 2005]. De même, cette logique combinatoire se manifeste (au niveau interorganisationnel) dans toutes les stratégies (nouvelles) d'ouverture de l'hypermarché sur son environnement : industriels, fournisseurs, prestataires de services divers, etc. Ainsi les techniques du « co-branding » (marques cogérées), de gestion partagées des approvisionnements (GPA) (entre l'industriel et le distributeur), de « cross-docking » (c'est-à-dire de report sur le fournisseur de la préparation des commandes pour chaque point de vente) ou encore certains partenariats noués entre les distributeurs et des opérateurs de téléphonie ou des institutions financières relèvent de cette logique. La constitution de ce qu'on appelle désormais des « conglomerchants » pour désigner des conglomérats multiformats et diversifiés relève également de cette logique.

3.3. Les parcs de loisir

Cette troisième illustration de notre modèle s'appuie essentiellement sur une investigation empirique réalisée à Eurodysneyland, groupe multinational du secteur des loisirs et du tourisme, d'origine américaine, qui possède de nombreux parcs d'attraction dans le monde et est fortement présent dans l'industrie cinématographique et télévisuelle. L'activité d'un parc d'attraction est la combinaison de différentes prestations de services traditionnelles : les attractions, les spectacles, les cinémas, les discothèques, mais aussi l'hôtellerie, la restauration, le transport et la circulation (interne ou externe), les commerces, l'organisation de congrès, le nettoyage, la sécurité, etc. Le parc parisien de ce groupe, qui est la première destination touristique européenne, comporte plus d'une quarantaine d'attractions organisés selon cinq « destinations » ou « lands » à thèmes : Adventureland, Discoveryland, Fantasyland, Frontierland et Main Street USA, sept hôtels organisés autour de l'évocation de lieux célèbres. Il existe dans cette entreprise un groupe chargé de la conception

de nouvelles attractions pour les parcs. Par exemple, lorsqu'un nouveau film doit paraître dont on anticipe le succès, ce groupe s'interroge sur la manière de le décliner en une nouvelle attraction.

On trouve dans cette entreprise une grande diversité de types d'innovations et de formes de R-D ou d'activités voisines dont notre grille peut rendre compte de manière à la fois descriptive et prospective.

Les logiques d'innovation extensive et régressive s'exercent sur les lignes du tableau. Elles consistent à ajouter (ou à soustraire) des services élémentaires dans une perspective organisationnelle, intra- ou interorganisationnelle. On peut citer l'adjonction de nouveaux spectacles, de nouvelles attractions, etc., les nouveaux services élémentaires se substituant bien souvent à d'autres. Ainsi, les logiques de l'innovation extensive et intensive vont de pair.

La logique d'innovation intensive s'exprime par l'introduction de différents types de technologies dans les différentes activités de services élémentaires considérées. Il s'agit d'une action sur les colonnes du tableau.

Cette logique d'innovation intensive peut suivre une *trajectoire matérielle*. C'est de cette trajectoire que relèvent les différents exemples suivants :

- La mise au point de moyens de transport interne adaptés.

- La mise au point de feux d'artifice non polluants, qu'il s'agisse de pollutions chimiques ou de pollutions sonores. L'objectif est de trouver des substituts aux explosifs (lancement pneumatique) et des systèmes de colorations non polluants.

- Les recherches consacrées à l'allongement des durées de vie des matériels des parcs. Des réflexions sont ainsi entreprises sur le thème de la longévité des peintures des différents matériels (par exemple, les barres d'appui), leur résistance aux différents types de climats : soleil, humidité… Ainsi, en France les principaux problèmes sont les mousses et les algues en raison de l'humidité du climat. Ces recherches doivent résoudre à la fois des problèmes techniques, mais aussi des problèmes de cohérence dans « l'histoire racontée ». Ainsi, un environnement tel que celui de « Frontierland », qui simule le sud-ouest du désert de l'Arizona, doit nécessairement être très sec.

- Les recherches dans le domaine de la chimie visant à élaborer des matériaux de nettoyage plus efficaces et écologiques.

- L'amélioration, en particulier sous l'angle chimique, de la figure « animatronics » mise au point dès les années cinquante par Walt Disney. Il s'agit d'un robot qui ressemble à un véritable être humain, mu par des technologies hydrauliques et doté d'une peau flexible, qui peut être peinte et modifiée. Des efforts de recherche sont réalisés pour augmenter la durée de vie de cette peau artificielle, qui a tendance à se détériorer rapidement.

La logique intensive peut également suivre une *trajectoire informationnelle* : systèmes de réservation dans l'hôtellerie ou le transport ; systèmes informatiques de gestion des files d'attente dans les attractions, systèmes électroniques portables de guidage et d'information des clients à l'intérieur des parcs, etc. On peut citer, de manière plus précise, les exemples suivants :

- Les innovations dans les matériels de projection (matériels « art tech »). En effet, une partie importante de l'activité d'un parc d'attraction s'appuie sur des vidéos et des projecteurs. La nouvelle génération de projecteur est digitale : elle améliore la qualité tout en réduisant les coûts de maintenance.

- La mise au point de nouvelles générations de haut-parleur. Il s'agit de hauts parleurs en cours d'expérimentation dans les laboratoires de Walt Disney Imagineering (WDI), dont la spécificité est de produire un bruit homogène au cours d'une parade, quelle que soit la localisation de l'auditeur.

- Les recherches sur le thème des technologies Internet et des technologies larges bandes. La finalité ici est d'améliorer la communication avec l'environnement extérieur. Cependant, ce domaine de recherche concerne avant tout l'activité télévisuelle et cinématographique du groupe. On trouve également, dans ce programme, et plus directement liés à l'activité des parcs, des travaux sur les technologies de type « palm reader ». Les palm readers sont en effet de plus en plus utilisés dans le domaine de la maintenance (en particulier, dans le groupe appelé SQS : Show Quality Standards) afin de disposer d'une base de données portable, comportant toutes les informations nécessaires relatives à la maintenance.

- La mise au point et le lancement d'un jeu vidéo interactif de masse : « Disney Quest ». Disney Quest, qui semble être à l'avant-garde des jeux vidéo est caractérisé par sa très forte interactivité et la possibilité offerte à une grande quantité de personnes de jouer simultanément. Cette attraction a nécessité un important investissement de R-D dans le domaine des NTIC.

- Fast-Pass qui est considéré comme la plus grande innovation dans ce secteur d'activité depuis plusieurs années. C'est un système informatique de gestion des files d'attente, qui fonctionne comme un système de réservation. Les clients introduisent le ticket reçu à l'entrée du parc dans la borne correspondant à une attraction donnée. Cette borne leur délivre un nouveau ticket qui leur propose une tranche horaire au cours de laquelle ils pourront accéder à l'attraction en question par une entrée privilégiée (entrée Fast-Pass) contournant la file d'attente. Fast-Pass est une prestation gratuite qui a plusieurs objectifs ou conséquences : 1) tout d'abord, bien entendu, elle réduit les engorgements, 2) elle draine les clients vers les attractions plus modestes, qui sont souvent délaissées au profit des attractions les plus spectaculaires,

3) elle les draine vers les restaurants et les commerces.

L'innovation peut également suivre une *trajectoire méthodologique* : elle consiste alors en l'introduction de technologies immatérielles, celles qu'on qualifie parfois de technologies « invisibles » : il s'agit de l'organisation, des méthodes, des scripts. Ce dernier terme ne convient pas seulement aux activités de spectacles, mais aussi à toutes les autres activités de service élémentaire : l'hôtellerie, la restauration, etc., dans la mesure où elles sont conçues comme de véritables « représentations ». Parmi ces innovations méthodologiques, on peut citer un modèle de gestion décentralisé intitulé « Small Worlds ». Le parc est en effet géré selon le principe des « Small Worlds », c'est-à-dire des centres de profit autonomes (par exemple, un bar, un restaurant, une réception, une gouvernante, un chef de cuisine, etc.). Chacun des Small World Managers doit gérer son activité selon trois objectifs qui sont déclinés à tous les niveaux de l'organisation jusqu'au vice-président : objectifs financiers, objectifs qualitatifs, objectifs de management.

On notera que le groupe Show Quality Standards (SQS) évoqué précédemment est chargé de la maintenance des technologies immatérielles, ce qui signifie le respect des « scripts », c'est-à-dire des rôles de chacun dans la représentation : les clients (« guests »), mais aussi les membres de la troupe, autrement dit les employés (« cast members »). Le groupe SQS est garant du maintien des principes fondamentaux du produit. Il est chargé d'éviter les « dérives » de l'attraction au cours du temps ou en fonction du changement de « cast members », etc. Il constitue une forme de mémoire organisationnelle (mémoire de l'histoire, mémoire de la manière dont elle a été conçue et des raisons de sa conception). Cependant, le groupe SQS a un certain degré de liberté dans l'amélioration de certains produits. Pour maintenir la mémoire, le groupe SQS possède une importante documentation constituée de textes, de dessins, de plans, de photos, de films, d'enregistrements, etc. au sein du parc, et il

peut solliciter la mémoire principale localisée aux États-Unis. Cet exercice de « maintien » et d'enrichissement de la mémoire se fait en collaboration avec Disney University.

La *trajectoire relationnelle* est quant à elle, comme bien souvent, associée à d'autres. Ainsi, les recherches et les innovations liées aux problèmes environnementaux visent clairement un objectif relationnel de fidélisation de la clientèle et de création d'une relation de confiance. Les innovations technologiques de gestion des listes d'attentes obéissent également à cette logique relationnelle.

Bien entendu, le plus souvent, l'innovation, dans ce type d'activité, obéit à une logique combinatoire des différents types de technologies et de différents types d'activités de service élémentaires. Ainsi, l'introduction d'une nouvelle attraction signifie à la fois l'introduction de nouveaux systèmes techniques et la conception de nouveaux scripts pour les prestataires (ou acteurs) de l'attraction, mais aussi pour les autres : ceux qui vendent les produits ou services dérivés correspondants.

La création d'un nouveau parc relève de la logique combinatoire. Une telle création peut prendre des formes différentes. Il peut s'agir de la simple reproduction et combinaison d'attractions existant ailleurs. C'est le cas, par exemple, du parc de Hong Kong dont l'essentiel des attractions proviennent d'autres parcs, mais dont la nouveauté réside dans l'habillage social et culturel. Il a en effet fallu résoudre de nombreux problèmes culturels (flux de trafic, habitudes alimentaires, besoins spécifiques) qui ont nécessité des études sociologiques et psychologiques. Le parc de Tokyo, en revanche, qui est consacré au thème de l'eau et de l'océan est un projet totalement inédit. La plupart des attractions sont sorties des laboratoires de l'entreprise. Le développement de ce projet a nécessité de nombreuses années de collaborations avec les Japonais.

À un autre niveau d'analyse (le niveau intra-organisationnel), les attractions élémentaires elles-mêmes revêtent le plus souvent cette dimension combinatoire, comme on peut le constater à travers les exemples suivants.

« Space Mountain » est une attraction née dans le parc de Floride. Elle est lancée en 1995 à Paris. Le Space Mountain de Paris est très différent de celui de Floride. La différence ne réside pas dans les systèmes techniques utilisés (catapultes), mais dans l'habillage. Alors qu'en Floride, l'attraction se réduit à une simple catapulte, en France, elle « raconte une histoire », celle du livre de Jules Vernes « De la terre à la lune ». Les clients sont préparés à la fois par les décors, les équipements (catapultes dans ce cas), la musique, à faire un voyage sur la lune. Ainsi, l'attraction (et sa conception) ne se réduit pas à des catapultes, c'est-à-dire des systèmes techniques. Ce qui importe davantage, pour l'histoire, c'est la conception de l'organisation, des scripts, des rôles de chacun. Ainsi, tous les « cast members » qui travaillent à Space Mountain ont des tenues vestimentaires inspirées de l'œuvre de Jules Vernes, utilisent un vocabulaire particulier, et ont une manière spécifique de s'adresser au client. Cette organisation est particulièrement complexe. Elle est le fruit d'une activité intellectuelle intense, qui se situe à mi-chemin entre la création artistique (pièce de théâtre) et la recherche ou la conception-développement [Djellal et al. 2003]. Les aspects techniques, organisationnels, comportementaux sont étroitement imbriqués. Ces principes ne valent pas seulement pour les attractions, mais aussi pour les prestations hôtelières et de restauration. Ainsi, au Cheyenne, l'hôtel du Far-West, on s'adresse au client à la manière des cow-boys. De même, le directeur est habillé en sherif. L'hôtel New York est celui des années trente, de style « Arts déco », etc. Chaque cast-member possède un petit livre contenant des photos, des références, etc., sur lesquelles il doit s'appuyer. Les différents scripts (ceux des hôtels et ceux des attractions) sont écrits par les équipes de WDI et sont formalisés dans des ouvrages et des documents. De nouveau, y compris pour les hôtels et les restaurants, la philosophie générale est qu'on ne gère pas des hôtels ou des restaurants, mais qu'on raconte des histoires.

4. Conclusion

La grille que nous avons proposée dans ce travail a une portée générale. Bien que nous l'ayons illustrée essentiellement par des exemples issus du secteur hospitalier, de la grande distribution et des parcs d'attraction, elle a vocation à s'appliquer à l'ensemble des services architecturaux ou d'assemblage, voire à certaines activités comme la construction et les travaux publics [Carassus (2002), Bougrain et Carassus (2005), Bröchner (2005), Wara (2005)].

Cette grille permet une lecture de l'innovation à différents niveaux : organisationnel, intra-organisationnel ou interorganisationnel. Elle peut être utilisée à la fois comme un outil d'audit de l'existant et comme un instrument de prospective en matière d'innovation.

Elle permet ainsi de rendre compte de la multiplicité des formes de l'innovation dans les services architecturaux, et en particulier de rompre avec ce biais analytique fréquent (qui traduit les rapports de force et de pouvoir au sein des organisations), qui consiste à circonscrire le potentiel d'innovation aux services de base et à leurs acteurs. La grille permet ainsi de constater que l'innovation n'est pas le domaine réservé d'une fonction particulière (et des professionnels attachés à cette fonction), et qu'elle ne se manifeste pas uniquement sous des formes technologiques tangibles et spectaculaires. L'innovation couvre non seulement la totalité de la surface tracée par notre grille analytique, mais elle peut également modifier la taille de cette surface, en fonction du type de logique d'innovation mise en œuvre : logique d'innovation extensive ou régressive, qui consistent, respectivement, à ajouter ou à supprimer un nouveau service élémentaire ; logique de l'innovation intensive, qui consiste à approfondir ou améliorer une composante technologique donnée du produit ; logique combinatoire, enfin, plus fréquente, qui articule les différentes logiques précédentes, et génère de l'innovation en combinant (associant et/ou dissociant) différents services élémentaires et/ou différentes technologies.

Notre grille d'analyse ne doit pas néanmoins induire une vision émiettée et mécanique de l'organisation et de l'innovation. Les décompositions suggérées constituent selon nous des heuristiques utiles, mais elles risquent d'appauvrir l'analyse si elles ne sont utilisées que dans une logique de « mécano », qui vide les organisations de leur substance sociale.

Références bibliographiques

ARGACHA J. P., « Borne interactive de communication », *Gestions Hospitalières*, n° 311, décembre 1991, pp. 910-912.

ARRAS J.D. (éd.), *Bringing the Hospital Home*, Baltimore, John Hopkins University Press, 1995.

BANCEL-CHARENSOL L., JOUGLEUX M., « Un modèle d'analyse des systèmes de production dans les services », *Revue française de gestion*, mars-avril-mai 1997, pp. 71-81.

BENTUR N., « Hospital at home : what is its place in the health system ? », *Health Policy*, 55, 2001, pp. 71-79.

BERNARDY-ARBUZ M.-A. et BANNIER M.-F., « La démarche qualité au service des Trans'comm », *Gestions hospitalières*, n° 333, février 1994, pp. 98-101.

BONHOMME D., ASTIC M.-R., ANHOURY P., MAZÉ M.-C. et MERCATELLO A., « Pour une dynamique de la gestion de la qualité et des risques à l'hôpital », *Gestions hospitalières*, n° 334, mars 1994, pp. 208-212.

BOUGRAIN F. et CARASSUS J., *Bâtiment : de l'innovation de produit à l'innovation de service*, Plan urbanisme construction architecture, Rapport, avril 2003.

BOUGRAIN J., et CARASSUS J., *Innovation in the construction, management and operation of non residential buildings : elements to analyse and evaluate innovations*, Swedish and French Seminar « Service Innovation Theories and Construction », Paris, 21 novembre 2005.

BRESSAND A. et NICOLAÏDIS K., « Les services au cœur de l'économie relationnelle », *Revue d'économie industrielle*, 48, 1988, pp. 141-163.

Bröchner J., *Innovation among construction contractors : theoretical foundations of empirical surveys*, Swedish and French Seminar « Service Innovation Theories and Construction », Paris, 21 novembre 2005.

Carassus J., *Construction : la mutation : de l'ouvrage au service*, Paris, Presses des Ponts et Chaussées, 2002.

Carricaburu D., *Les sages-femmes face à l'innovation technique*, in Aïach P. et Dassin D. (éd.), *Les métiers de la santé*, Paris, Anthropos, 1994, pp. 231-308.

COURBON T.C., « Recherche-action et conception évolutive des systèmes d'information : deux aspects d'une même démarche », *Cahiers de Recherche*, IAE de Paris, Grégore, 1995.

DELAUNAY J.-C. et GADREY J., *Les enjeux de la société de services*, Paris, Presses de La Fondation nationale des sciences politiques, 1987.

DIEBOLT J.M., DELOCHE A. et WILLI J., « La cellule "accueil étrangers" de l'hôpital Broussais », *Techniques hospitalières*, n° 595, avril 1995, pp. 61-64.

DJELLAL F., « The Rise of Information Technologies in "Non-informational" Services », *Vierteljahrshefte zur Wirtschaftsforschung*, 4-69, 2000, pp. 646-656.

DJELLAL F., « Le secteur du nettoyage face aux nouvelles technologies », *Formation Emploi*, n° 77, 2002, pp. 37-49.

DJELLAL F., FRANCOZ D., GALLOUJ F., GALLOUJ C. et JACQUIN Y., « Revising the definition of research and development in the light of the specificities of services », *Science and Public Policy*, vol 30, n° 6, décembre 2003, pp. 415-430.

DJELLAL F., GALLOUJ C., GALLOUJ F. et GALLOUJ K., *L'hôpital innovateur : de l'innovation médicale à l'innovation de service*, Paris, Éditions Masson, 2004.

DJELLAL F. et GALLOUJ F., « Mapping Innovation Dynamics in Hospitals », *Research Policy*, 2005.

DUPUIS M., « L'innovation dans la distribution, ses implications dans les rapports industrie-commerce », *Décision Marketing*, n° 15, 3, 1998, pp. 29-41.

DUPUIS M., « Innovation dans la distribution, le paradoxe de la prospective », *Revue française du Marketing*, n° 188, 3, 2002, pp. 61-68.

FERONI I., « La recherche infirmière : construire scientifiquement la prestation soignante », *Gestions hospitalières*, n° 320, novembre 1992, pp. 731-734.

FORAY D., « Les nouveaux paradigmes de l'apprentissage technologique », *Revue d'économie industrielle*, n° 69, 3e trimestre 1994, pp. 93-104.

GADREY J., « Le service n'est pas un produit : quelques implications pour l'analyse économique et pour la gestion », *Politiques et Management public*, vol. 9, n° 1, mars 1991, pp. 1-24.

GADREY J., *L'économie des services*, Paris, Repères, La découverte (2e édition), 1996.

GADREY J., « The Characterization of Goods and Services : an Alternative Approach », *The Review of Income and Wealth*, series 46, n° 3, septembre 2000, pp. 369-387.

GALLOUJ C., « Innovation et trajectoires d'innovation dans le grand commerce : une approche lancastérienne », *Innovations, Cahiers d'économie de l'innovation*, n° 19, 2004, pp. 75-99.

GALLOUJ C., *Socioéconomie de l'innovation : une application au grand commerce*, document non publié, 2005.

GALLOUJ F., *Économie de l'innovation dans les services*, Paris, L'Harmattan, 1994.

GALLOUJ F., « Les trajectoires d'innovation dans les services : vers un enrichissement des taxonomies évolutionnistes », *Économies et Sociétés*, série EGS, n° 1, 1999, pp. 143-169.

GALLOUJ F., *Innovation in the Service Economy : the New Wealth of Nations*, Cheltenham, UK, Northampton MA, USA, Edward Elgar Publishers, 2002.

GALLOUJ F. et WEINSTEIN O., « Innovation in services », *Research Policy*, 26, 1997, pp. 537-556.

Gestions hospitalières, *Le prix de l'innovation hospitalière 1994*, n° 334, mars 1994.

GILIBERT P. et FABRETTI A.-M., « Le centre de traitement et de régulation des appels d'urgence de Haute-Savoie », *Gestions hospitalières*, supplément au n° 378, août-septembre 1998, pp. 577-581.

HENDERSON R.M. et CLARK K.B., « Architectural Innovation : the Reconfiguration of Existing Product Technologies and the failure of Established Firms », *Administrative Science Quarterly*, vol. 35, n° 1, mars 1990, pp. 9-30.

HESBEEN W. [1997], *Prendre soin à l'hôpital : inscrire le soin infirmier dans une perspective soignante*, InterÉditions et Masson, Paris.

HILL T.P., « On Goods and Services », *The Review of Income and Wealth*, 4-23, 1977, pp. 315-338.

HILL T.P., « Tangibles, Intangibles and Services : a New Taxonomy for the Classification of Output », *Canadian Journal of Economics*, vol. 32, n° 2, avril 1999, pp. 426-444.

HOLLANDER S. C., « Notes on the Retail Accordion », *Journal of Retailing*, vol. 42, n° 2, 1966, pp. 24-34.

JIMENEZ-MARTINEZ J. et POLO-REDONDO Y., « International diffusion of a new tool : the case of electronic data interchnage (EDI) in the retailing sector », *Research Policy*, 26, 1998, pp. 811-827.

KEH H.T., « Technological innovations in grocery retailing : retrospect and prospect », *Technology in Society*, 20, 1998, pp. 195-209.

LEBAS J., « L'espace "Baudelaire" de l'hôpital Saint-Antoine (AP-HP) », *Techniques hospitalières*, n° 595, avril 1995, pp. 58-61.

LENFLE S. et MIDLER C., « Innovation in automative telematic services : characteristics of the field and management principles », *International Journal of Automative Technology and Management*, vol. 3, n° 1/2, 2003, pp. 144-159.

McNair M.P., *Significant Trends and Developments in the Postwar Period*, in Smith A.B. (éd.), *Competitive distribution in a free high level economy and its implication for the university*, Pittsburgh, University of Pittsburgh Press, 1958, pp. 1-25.

MEHLMAN M. J. et YOUNGNER S. J. (éd.), *Delivering High technology Home care*, New York, Springer, 1991.

NAHON D. et NEFUSSI J., *Les services au cœur de l'innovation dans la production agricole : l'exemple de la pomme de terre*, in Djellal F. et Gallouj F. (éd.), *Nouvelle économie des services et innovation*, Paris, L'Harmattan (« Économie et Innovation »), 2002, pp. 285-300.

NELSON R. et WINTER S., *An Evolutionnary Theory of Economic Change*, Cambridge, Mass. et Londres, Belknap Harvard, 1982.

PONCHON F., « Des antennes dans les services de soins », *Gestions hospitalières*, n° 383, février 1999, pp. 96-98.

RABEHARISOA V. et CALLON M., « L'implication des malades dans les activités de recherche soutenues par l'association française contre les myopathies », *Sciences sociales et Santé*, 16(3), 1998, pp. 41-64.

SACHOT E., « La productique entre à l'hôpital », *Politique industrielle*, hiver 1989, pp. 135-141.

SASAKI L., « Hospital Offer unconventional services in hopes of attracting future patients », *Hospital Quarterly*, Spring, 6(3), 2003, pp. 85-86.

SWINDLEY D. et Thompson C., « Hospital Retailing », *The Service Industries Journal*, 12(2), avril 1992, pp. 210-219.

TEBOUL J., *Le temps des services*, Paris, Les Éditions d'Organisation, 1999.

VIGUIER J.-M., « L'implantation d'un système d'encaissement des recettes hospitalières par borne monétique », *Gestions hospitalières*, n° 334, mars 1994, pp. 199-202.

VIGUIER J.-M., MARRE D. et LAMBEA M., « Bornes automatiques de paiement : expérience d'encaissement au CHU de Toulouse », *Revue hospitalière de France*, n° 4, juillet-août 1994, pp. 326-335.

WARA F., *Public Procurement Incentives for Construction Innovation*, Swedish and French Seminar « Service Innovation Theories and Construction », Paris, 21 novembre 2005.

ZARIFIAN P., *La production industrielle comme production de services*, Colloque *Dynamique des services et théorie économique*, Université de Lille 1, janvier 1987.

ZEYL A., *Le trade marketing ou la nouvelle logique des échanges producteurs-distributeurs*, Paris, Vuibert, 1996.

Troisième partie

Gérer l'interface client

La troisième partie de l'ouvrage s'intéresse à la gestion de l'interface entre les clients et l'organisation eu service. Elle commence avec la conception d'un processus efficace de distribution des services, en précisant comment les systèmes d'exploitation et de distribution sont liés pour créer la proposition de valeur promise. Les clients sont souvent activement impliqués dans la création de services, en particulier s'ils agissent en coproducteurs, et que le processus devient leur propre expérience. Sur des marchés où les demandes sont largement fluctuantes, une tâche subséquente est d'équilibrer le niveau et le timing de la demande des clients par rapport à la capacité productive disponible.

Les environnements physiques contribuent à l'expérience du service aux clients et à fournir des clés pour le positionnement stratégique et la qualité de service. Le facteur humain est un élément déterminant. Un management efficace des employés de terrain est indispensable pour générer la satisfaction du client, la productivité et les avantages compétitifs.

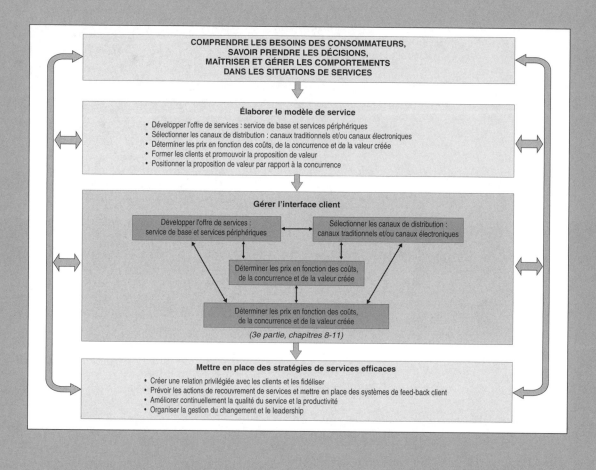

**COMPRENDRE LES BESOINS DES CONSOMMATEURS,
SAVOIR PRENDRE LES DÉCISIONS,
MAÎTRISER ET GÉRER LES COMPORTEMENTS
DANS LES SITUATIONS DE SERVICES**

Élaborer le modèle de service

- Développer l'offre de services : service de base et services périphériques
- Sélectionner les canaux de distribution : canaux traditionnels et/ou canaux électroniques
- Déterminer les prix en fonction des coûts, de la concurrence et de la valeur créée
- Former les clients et promouvoir la proposition de valeur
- Positionner la proposition de valeur par rapport à la concurrence

Gérer l'interface client

Développer l'offre de services :
service de base et services périphériques

Sélectionner les canaux de distribution :
canaux traditionnels et/ou canaux électroniques

Déterminer les prix en fonction des coûts,
de la concurrence et de la valeur créée

Déterminer les prix en fonction des coûts,
de la concurrence et de la valeur créée

(3e partie, chapitres 8-11)

Mettre en place des stratégies de services efficaces

- Créer une relation privilégiée avec les clients et les fidéliser
- Prévoir les actions de recouvrement de services et mettre en place des systèmes de feed-back client
- Améliorer continuellement la qualité du service et la productivité
- Organiser la gestion du changement et le leadership

Chapitre 8

Dessiner et manager les processus de services

*« En fin de compte, une seule chose compte vraiment dans le contact client :
ce que le client a perçu de ce qui s'est passé. »*
– Richard C. Chase et Sriram Dasu

Ce chapitre aborde les questions suivantes

- Comment utiliser la méthode du *blueprint* pour concevoir et créer une expérience satisfaisante pour les clients ?
- Comment réduire les échecs pendant la livraison du service ?
- Comment la redéfinition du service peut-elle améliorer tant la qualité que la productivité ?
- Dans quelles circonstances les clients doivent-ils être perçus comme coproducteurs du service, et quelles en sont les implications ?
- Pour quelles raisons les clients adoptent ou rejettent les nouvelles technologies de libre-service ?
- Que devraient faire les responsables pour contrôler les clients abusifs ou récalcitrants ?

Les processus sont l'architecture des services. Ils décrivent la méthode et les étapes selon lesquelles les systèmes de services fonctionnent, ainsi que la façon dont ils s'articulent et interagissent pour créer l'expérience de service et le résultat final soumis à l'évaluation des clients. Dans le cas de services qui requièrent un niveau élevé de contacts, la clientèle elle-même devient une partie intégrante de cette opération. Les clients sont insatisfaits lorsque les processus sont mal conçus, car ils doivent faire face à une livraison lente et frustrante d'un service de mauvaise qualité. De même, les processus inadaptés empêchent le personnel en contact de mener à bien les tâches qu'ils doivent réaliser entraînant *de facto*, une baisse de productivité et un accroissement du risque d'échec dans la livraison du service.

De nombreux services se distinguent par la façon dont le client est impliqué dans la création et la livraison. Trop souvent, la conception du service et son exécution opérationnelle ignorent la perspective du client : chaque étape du processus est présentée comme un événement distinct au lieu d'être intégrée dans un processus fluide.

Dans ce chapitre, nous mettrons l'accent sur l'importance, pour les marketeurs des services, de comprendre comment les processus fonctionnent et comment les clients sont impliqués dans l'opération.

1. « Blueprinting » : pour créer des opérations de services productives

Concevoir un service n'est pas une tâche facile[1], en particulier si celui-ci doit être fourni en temps réel et en présence des clients. Pour que les services donnent toute satisfaction aux clients, les marketeurs et les spécialistes des opérations doivent travailler ensemble. Dans le cas de services à haut niveau de contact, où les employés interagissent directement avec les clients, il est souhaitable d'impliquer des experts en ressources humaines. Pour mettre au point un processus de services, le *blueprint*, version plus sophistiquée du logigramme (voir chapitre 2), se révèle être un outil particulièrement utile.

Les plans d'un nouveau bâtiment ou d'un bateau sont traditionnellement reproduits sur un papier spécial où annotations et dessins apparaissent en bleu. Baptisés *blueprints*, ces modèles montrent à quoi le produit devrait ressembler et détaillent les spécificités auxquelles il devrait se conformer. Contrairement aux immeubles, aux bateaux ou aux machines, les processus de services ont une structure intangible, et sont donc plus difficiles à visualiser. C'est également vrai pour les processus comme la logistique, l'ingénierie industrielle, les théories de la décision et l'analyse des systèmes d'information, qui emploient tous des techniques semblables au *blueprint* pour décrire les processus qui impliquent des flux, un ordre, des relations et des dépendances[2].

1.1. Concevoir un blueprint

Comment devrait-on concevoir le *blueprint* d'un service ? Dans un premier temps, il faut identifier toutes les activités et transactions impliquées dans la création et la livraison du service, puis spécifier les liens qui existent entre elles[3]. À ce stade, mieux vaut regrouper largement les activités afin de dégager une image globale. Une activité donnée, déjà matérialisée par le *blueprint*, peut être redessinée afin d'obtenir un niveau de détail plus élevé. Dans le cadre d'une compagnie aérienne, par exemple, embarquer à bord de l'avion peut être décomposé en plusieurs étapes : attendre l'appel de sa rangée de siège ; présenter sa carte d'accès au personnel d'embarquement pour vérification ; franchir la passerelle ; entrer dans l'avion ; présenter de nouveau sa carte d'embarquement ; trouver son siège ; ranger ses bagages ; s'asseoir.

Le *blueprint* matérialise la distinction faite entre ce que les clients expérimentent (*front stage*) et les activités qu'ils ne voient pas (*back stage*). Entre les deux se situe ce que l'on appelle la ligne de visibilité. Les entreprises plutôt orientées vers l'opérationnel focalisent souvent leur *blueprint* sur la gestion des activités de base arrière et négligent trop souvent la perception du client sur les activités au-delà de la ligne de visibilité. Les cabinets comptables, par exemple, ont des procédures documentées et élaborées ainsi que des standards qui décrivent la bonne manière de conduire un audit, mais reconnaissent avoir des lacunes dans leur façon d'accueillir les clients pour une réunion, ou de leur répondre au téléphone.

Les *blueprints* mettent en évidence les interactions entre employés et clients, les processus opérationnels et les technologies de l'information. Ils peuvent au sein de l'entreprise faciliter les interactions entre la fonction marketing, la gestion des opérations et de la ressource humaine. Il n'y a pas une seule et unique façon de concevoir un *blueprint*, mais il est recommandé d'adopter une approche adaptée à chaque entreprise. Nous verrons un peu plus loin dans ce chapitre un exemple de *blueprint* en adaptant et simplifiant une approche proposée par Jane Kingman-Brundage[4], présidente de Kingman-Brundage Inc.

Le *blueprint* donne également aux responsables l'opportunité d'identifier les points de défaillance potentiels dans le processus qui sont susceptibles de porter atteinte à la qualité du service. Les étapes du processus qui entraînent régulièrement une attente pour les clients peuvent être identifiées avec précision. Des standards peuvent alors être développés pour l'exécution de chaque activité, en prenant en compte le temps nécessaire à l'accomplissement d'une tâche et le temps d'attente maximal entre deux tâches. Des scénarios pour guider les interactions entre les membres de l'équipe et les clients peuvent être définis. Cette connaissance leur permet d'élaborer des procédures pour limiter les risques ou mettre au point des plans d'urgence (voire les deux) et/ou des actions de *service recovery* si nécessaire.

1.2. Créer un script pour les employés et les clients

Un script bien conçu et bien planifié décrit de façon précise et exhaustive la rencontre de service dans son intégralité et a pour but d'identifier les problèmes potentiels ou réels qui peuvent subvenir durant le déroulement de son processus. Soit le script d'un examen et d'une séance d'hygiène dentaire impliquant trois personnes, le patient, la secrétaire et le dentiste. Chacun a un rôle spécifique à jouer. Dans ce cas, le script est dicté par le besoin d'exécuter une tâche technique avec compétence et en toute sécurité.

En examinant les scénarios existants, les protagonistes en question peuvent découvrir des moyens de modifier la nature des rôles des clients et des employés afin d'améliorer la livraison du service, d'augmenter la productivité et de parfaire la nature de l'expérience du client. Chacun peut être amené à revoir le script en repérant des étapes superflues, en changeant l'ordonnancement des actions à mener ou en identifiant si le recours à des technologies ou des informations de nature dentaire ou hygiénique peuvent améliorer le service rendu mais également l'efficacité du processus global.

1.3. Le blueprint d'une visite au restaurant : une performance en trois actes

Pour illustrer le *blueprint* d'un service de traitement à la personne ayant un niveau de contact élevé, examinons l'expérience d'un dîner en tête-à-tête dans un restaurant haut de gamme, « Chez Jean », qui améliore son service de base de restauration par un ensemble de services périphériques (voir figure 8.1). Dans un restaurant offrant un service complet, l'une des règles fondamentales est que le coût d'achat des aliments représente environ 20 à 30 % du prix du repas. Le reste peut être vu comme le coût de ce que le client est prêt à payer pour louer une table et des sièges dans un endroit agréable, profiter du savoir-faire de cuisiniers expérimentés ainsi que des équipements de leur cuisine, et disposer de personnel à l'intérieur et à l'extérieur de la salle à manger.

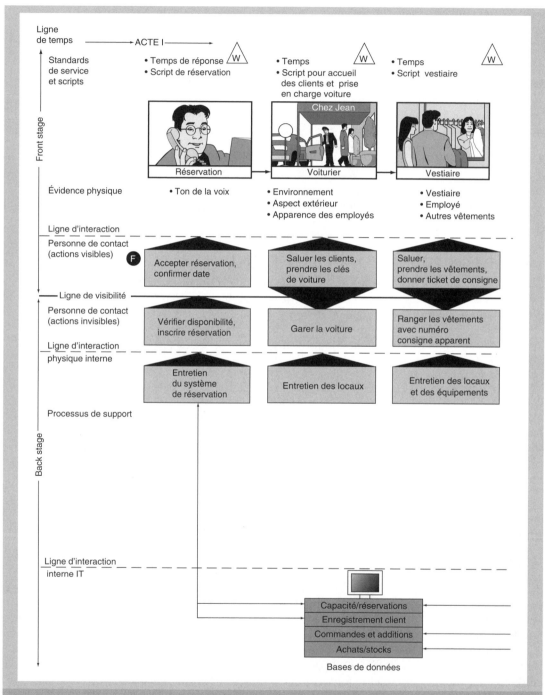

Figure 8.1 (a) - Le blueprint complet d'un dîner au restaurant.

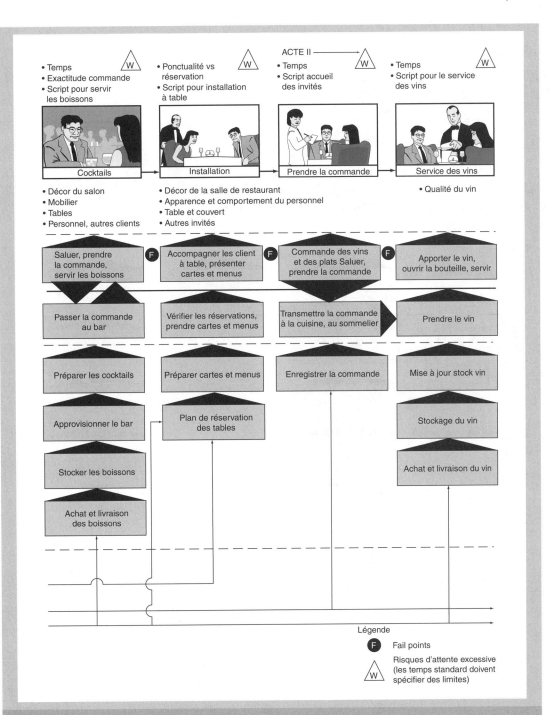

Figure 8.1 (b) - Le blueprint complet d'un dîner au restaurant (suite).

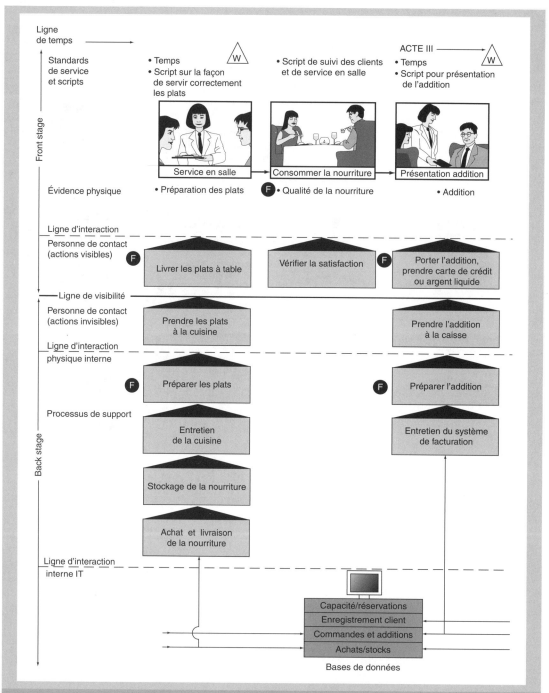

Figure 8.1 (c) - Le blueprint complet d'un dîner au restaurant (suite).

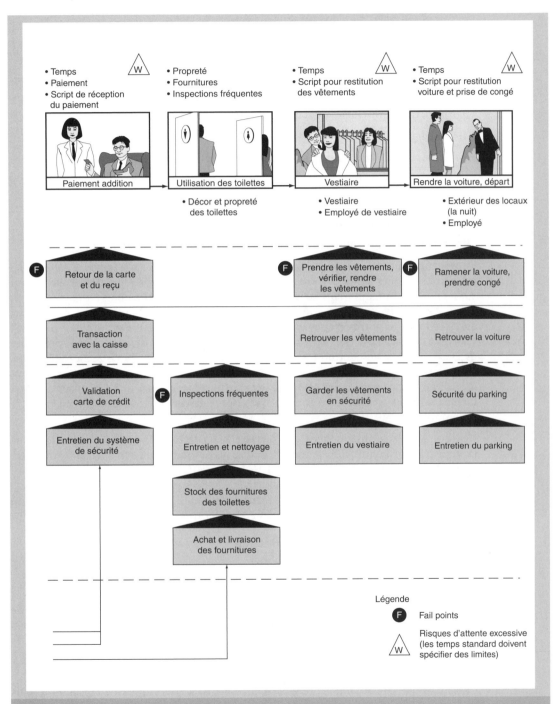

Figure 8.1 (d) - Le blueprint complet d'un dîner au restaurant (suite).

Les composants clés du *blueprint* sont (de haut en bas) :

1. la définition de standards pour chaque activité de *front stage* (seuls quelques exemples sont présentés sur la figure 8.1) ;

2. les évidences physiques pour les activités de *front stage* (spécifiées pour chaque étape) ;

3. les actions principales des clients (illustrées par des schémas) ;

4. une ligne d'interaction ;

5. les actions de *front stage* par le personnel de contact ;

6. une ligne de visibilité ;

7. les actions de *back stage* lorsque le client contacte le personnel ;

8. les processus de soutien impliquant d'autres membres du personnel de services ;

9. les processus de soutien impliquant les technologies de l'information.

Lu de gauche à droite, le *blueprint* décrit l'ordre des actions dans le temps et rappelle les évocations de rôles tenus au théâtre qui ont déjà été faites dans cet ouvrage. Pour insister sur les facteurs humains dans la livraison du service, chacune des quatorze étapes principales pour nos deux clients est illustrée par de petites images, de la réservation au départ après le repas (d'autres étapes encore ne sont pas montrées). Comme de nombreux services à contact élevé qui mettent en œuvre des transactions discrètes, et à la différence des services livrés en continu (assurances par exemple), la pièce « visite au restaurant » peut être divisée en trois « actes », représentant les activités qui ont lieu avant que le service ne soit fourni, la livraison du service (le repas), ainsi que les autres activités lorsque le client est encore en contact avec le fournisseur du service, en l'occurrence, le restaurant.

L'endroit où se déroule la pièce, « la serviscène », comprend aussi bien l'extérieur que l'intérieur du restaurant. Les actions de *front stage* se situent dans un environnement très visuel ; les restaurants agissent souvent de façon tout à fait théâtrale dans l'utilisation d'éléments physiques (tels que l'ameublement, le décor, les uniformes, l'éclairage et la décoration des tables), et peuvent également diffuser une musique de fond pour créer un environnement thématique correspondant à leur positionnement sur le marché.

Acte I – Prologue et scènes d'introduction

Dans cette pièce de théâtre particulière, l'acte I commence par une réservation : une interaction qui est effectuée par téléphone avec un employé invisible et a souvent lieu des heures ou même des jours avant l'acte principal. On pourrait comparer cette conversation téléphonique à une pièce jouée à la radio, avec des impressions créées par la voix de l'interlocuteur, la vitesse de la réponse et le style de la conversation. À l'arrivée des clients au restaurant, un voiturier prend en charge leur véhicule, leurs manteaux sont déposés au vestiaire et le bar les accueille pour un verre le temps que leur table soit prête. L'acte I se termine quand un serveur les conduit à la table et les y installe.

Ces cinq étapes constituent la première expérience de la performance du restaurant pour le client, impliquant chaque fois une interaction avec un employé (au téléphone ou en face à face). Avant que les clients n'arrivent à leur table dans la salle de restaurant, ils ont été exposés à plusieurs services périphériques et ont également rencontré un certain nombre de personnes, cinq membres du personnel ou plus et d'autres clients.

On peut définir des standards pour chaque activité, mais il convient de bien connaître les attentes des clients. Au-dessous de la ligne de la visibilité, le *blueprint* identifie les différentes actions nécessaires, pour s'assurer que chaque étape de *front stage* est exécutée de façon à répondre à ces attentes. Ces actions incluent les réservations, le vestiaire, la livraison et la préparation de la nourriture, l'entretien des locaux, l'équipement, la formation et la répartition du personnel pour chaque tâche ainsi que l'utilisation des technologies de l'information pour obtenir, rentrer, stocker et transférer les données adéquates.

Acte II – Livraison du service de base

Lorsque le rideau se lève sur l'acte II, nos clients sont sur le point de faire l'expérience du service pour lequel ils sont venus. Pour simplifier, nous avons condensé le repas en seulement quatre scènes. Dans la pratique, passer en revue le menu et passer la commande sont deux activités séparées ; en même temps, on considérera que le service du repas a lieu sur une base active et rapide. Il faut s'assurer que tout se déroule parfaitement, que les deux clients font un excellent repas, sans doute accompagné d'un vin fin dans une atmosphère plaisante. Mais si le restaurant ne satisfait pas les attentes des clients pendant l'acte II, les choses peuvent se compliquer et engendrer de sérieux problèmes. En effet, les points d'échec potentiels sont nombreux. L'information donnée par le menu est-elle complète ? Est-elle compréhensible ? Tous les plats annoncés sont-ils disponibles ? Les explications et conseils seront-ils fournis d'une façon polie, sans condescendance ni impatience vis-à-vis des questions des clients ou de leur hésitation dans le choix du vin ?

Une fois le choix fait, les clients confient leur commande au serveur, qui doit alors en transmettre le détail au personnel de cuisine, au bar et à la caisse. Les erreurs dans la transmission de l'information à ce niveau sont une cause fréquente des échecs de qualité. Une mauvaise écriture ou des commandes verbales peu claires peuvent entraîner la livraison de mauvais plats ou de bons plats préparés de la mauvaise manière.

Dans les scènes suivantes de l'acte II, nos clients évalueront non seulement la qualité de la nourriture et des boissons, mais également la vitesse (un service trop rapide pourrait suggérer des aliments surgelés réchauffés au micro-ondes) et le style du service. Une performance techniquement correcte de la part du serveur peut se trouver dévalorisée par des erreurs humaines telles que le désintérêt, le manque de chaleur humaine ou des manières par trop désinvoltes.

Acte III – Conclusion et dénouement de la pièce

Le repas terminé, il se passe encore beaucoup de choses tant en *front stage* qu'en *back stage* avant que la pièce ne touche à sa fin. Le service a été fourni, et nous supposerons que nos clients sont heureux. L'acte III devrait être court. L'action dans chacune des scènes restantes devrait se passer sans à-coup, rapidement, et agréablement, sans mauvaises surprises. Les espérances de la plupart des clients tiendraient probablement dans ce qui suit :

• Une facture précise et compréhensible présentée dès que le client la demande.

- Un encaissement prompt et aimable (cartes de crédit acceptées) ; des remerciements et une invitation à revenir.

- Des toilettes propres et bien équipées.

- Les manteaux déposés au vestiaire préparés pendant que les clients sont aux toilettes.

- La voiture mise à disposition devant la porte du restaurant.

1.4. Identifier les points d'échec (fail points)

Diriger un bon restaurant est une affaire complexe et les points d'échec potentiels sont nombreux. Un bon *blueprint* devrait attirer l'attention sur les points à risque. Les plus sérieux, marqués dans notre modèle par un *F* dans un cercle, sont ceux qui auront pour conséquence l'impossibilité d'obtenir ou d'apprécier le produit central. Ils comprennent la réservation (le client a-t-il pu la faire par téléphone ? Une table était-elle disponible à l'heure et à la date voulues ? La réservation a-t-elle été enregistrée correctement ?) et l'allocation des places (la table promise était-elle disponible ?).

Puisque la livraison du service a lieu dans le temps, il y a également des risques de retard – et donc d'attente pour les clients – entre certaines actions (points identifiés par un W dans un triangle). Les attentes trop longues gêneront les clients. Dans la pratique, chaque étape dans le processus, tant en *front stage* qu'en *back stage*, présente un certain risque pour que des échecs et des retards se produisent. En fait, les échecs entraînent souvent et directement des retards, reflétant des ordres qui n'ont jamais été transmis, ou le temps dépensé à corriger des erreurs.

C'est à David Maister, autrefois professeur d'administration des affaires à la Harvard Business School et maintenant président de Maister Associates, auteur du best-seller *Practice What you Preach* (Free Press, 2001), que l'on doit le sigle OTSU (*Opportunity To Screw Up*, « occasion de tirer vers le haut ») pour pointer tout ce qui est susceptible de mal se passer lors de la livraison d'un type particulier de service[5]. En identifiant tous les OTSU du processus de livraison, les responsables de services peuvent élaborer un système qui permette d'anticiper et d'éviter les problèmes.

1.5. Fixer des standards de service

Par le biais d'études et d'expériences de terrain, les responsables peuvent cerner les espérances des clients à chaque étape du processus. Comme nous l'avons vu au chapitre 2, ces espérances couvrent un spectre assez large – la zone de tolérance –, qui va du service souhaité (un idéal) au service adéquat (voir figure 2.4). Les fournisseurs de services devraient concevoir des standards suffisamment élevés et précis pour chaque étape pour satisfaire au mieux les clients, voire de dépasser leurs attentes. Ces standards peuvent inclure des paramètres de temps, un scénario conçu pour une exécution techniquement correcte, des recommandations concernant le style et le comportement approprié. Ils doivent être exprimés de manière à permettre une mesure objective.

Les scènes d'ouverture d'une pièce sont primordiales car les premières impressions des clients affectent l'évaluation de la qualité des étapes suivantes, leurs expériences de service tendant à être cumulatives. En d'autres termes : si dès le début, les choses se passent mal, les clients peuvent tout simplement s'en aller. En revanche, s'ils restent, ils peuvent par la suite être plus critiques et chercher à relever d'autres points de dysfonctionnement. À l'inverse, si les premières étapes se passent bien, leur zone de tolérance augmente, de sorte qu'ils sont ensuite plus disposés à ne pas s'attarder sur des erreurs mineures. Les recherches effectuées par les hôtels Marriott indiquent que quatre des cinq plus importants facteurs contribuant à la fidélité des clients apparaissent pendant les dix premières minutes de la livraison du service[6]. D'autres résultats mettent également l'accent sur l'importance d'une finition de qualité. Ils révèlent qu'un service qui est mal perçu lorsqu'il débute mais qui s'améliore au fur et à mesure de son déroulement sera mieux évalué qu'un service qui commence bien mais dont la qualité décline et qui se termine mal[7].

À titre d'exemple, la recherche sur la conception des bureaux de médecins ainsi que sur les procédures employées prouve que de mauvaises impressions initiales peuvent amener des patients à annuler leurs rendez-vous ou même à changer de médecin[8].

Nos propres enquêtes ont établi que la source de mécontentement la plus souvent citée par rapport aux restaurants est la lenteur de la facturation (alors que le repas est fini et que les clients souhaitent partir). Cet échec, mineur en apparence, indépendant du service de base, peut néanmoins laisser un goût amer au client, et modérer l'expérience globale du dîner, même si tout s'est bien passé par ailleurs. Quand les clients sont pressés, les faire attendre inutilement à une étape quelconque du processus est particulièrement malvenu.

L'exemple du restaurant a été choisi pour illustrer un service humain à haut niveau de contact. Pour les services orientés vers le traitement des biens (réparation, entretien, etc.) et le traitement de l'information (assurances, comptabilité, etc.), les contacts humains sont moins importants puisqu'une grande partie de l'action se déroule en *back office*, mais le moindre faux pas dans les contacts avec le client peut être extrêmement préjudiciable.

1.6. Améliorer la fiabilité des processus à partir de l'étude des défauts

L'analyse soigneuse et méthodique des raisons d'échecs dans le processus de services révèle les moyens d'atténuer cet échec, voire de l'éviter. Les méthodes « anti-échec » doivent être conçues non seulement pour les employés mais aussi pour les clients, particulièrement dans les services où ces derniers participent de façon active aux processus de création et de livraison du service.

Des méthodes pour le personnel en contact

La mission des responsables de services consiste à éviter les erreurs suivantes : mauvaise manière d'exécuter certaines tâches, erreur dans l'ordre d'exécution, lenteur, exécution de tâches inutiles, etc. Les solutions dépendent beaucoup du secteur d'activité. Par exemple, dans un restaurant de type fast-food, on peut installer des microphones pour mieux entendre les clients ainsi que les appels des serveurs, apposer des touches de couleurs différentes sur les caisses enregistreuses pour un repérage plus facile. Dans les hôpitaux, les plateaux pour les instruments chirurgicaux disposent d'emplacements spécifiques pour chaque instrument, et tous les instruments nécessaires à une opération doivent être présents sur le plateau. Le chirurgien est alors assuré d'avoir sous la main tout ce qu'il lui faut, et un éventuel oubli d'instrument dans le corps d'un patient serait détecté sur-le-champ.

Parmi les erreurs les plus fréquentes qui se passent durant l'interface personnel en contact/client, on trouve l'absence de courtoisie et de professionnalisme – par exemple, ne pas reconnaître le client, ne pas l'écouter, ou ne pas réagir convenablement. En ce qui concerne les éléments physiques du service, parmi les mesures préventives qui permettent d'éviter des erreurs, nous trouvons l'existence de normes pour le nettoyage des équipements et des uniformes, le contrôle permanent du niveau de bruit, des odeurs, de la lumière et de la température. Pour l'édition de documents imprimés, il existe des logiciels qui corrigent les fautes d'orthographe, et détectent les erreurs de présentation et de calcul. Autre mesure, l'installation de miroirs à des endroits stratégiques permet aux employés de vérifier leur aspect avant de saluer un client. Un exemple hôtelier : les serviettes sont souvent entourées de bandes de papier pour aider le personnel de ménage à repérer rapidement celles qui ont été utilisées et qu'il faut remplacer et celles qui n'ont pas été utilisées et qui peuvent rester en place.

Des méthodes pour le client

Les erreurs du client peuvent se produire durant la phase de préparation du service, bien avant sa livraison du service. La communication marketing aide à informer le client sur la façon d'accéder correctement au service. Par exemple, les marketeurs de la division services d'un fabricant d'ordinateurs fournissent des consignes simples sur la meilleure manière d'accéder aux services de dépannage par téléphone. En guidant les clients par un jeu de questions fermées, ils les préparent à donner les informations nécessaires pour être rapidement orientés vers le technicien approprié.

Les erreurs des clients pouvant aussi se produire pendant la livraison du service. Ce type d'erreur ralentit les processus de services, fait perdre du temps aux employés, et peut gêner les autres clients. Par exemple, le fait d'oublier les différentes étapes d'un processus de services, de ne pas suivre les étapes dans le bon ordre, d'ignorer les instructions, ou de ne pas exprimer des besoins suffisamment clairs peut relever d'un manque d'attention, de compréhension, ou simplement d'un trou de mémoire. Des instructions claires dans des endroits fortement visibles et des annonces enregistrées sont deux manières de rappeler aux clients ce qu'ils doivent faire.

Parmi les dispositifs susceptibles de contrôler le comportement des clients, on trouve des bandes pour former et guider les files d'attente, des portes de toilettes équipées de serrures reliées à l'éclairage et au voyant libre/occupé à l'extérieur, des toises pour vérifier la taille (et la sécurité) des enfants dans les parcs de loisirs. Les instruments de mesure et les balances dans les aéroports permettent aux passagers de contrôler le volume de leur bagage de cabine, et les signaux sonores des distributeurs automatiques rappellent aux clients de retirer leur carte et leurs billets de la machine.

Les clients peuvent également commettre des erreurs lors de la rencontre de services. Par exemple, dans certains centres de pédiatrie, les formes des jouets sont reproduites sur les murs ou le sol pour montrer aux enfants où ils doivent être rangés. Dans les restaurants de type fast-food et les cantines d'école, des affichettes rappellent aux clients de rapporter leur plateau. Dans nombre d'hôtels, les badges qui ouvrent les chambres doivent être insérés dans une prise spéciale pour enclencher l'électricité. En partant, plus de risque de laisser une lampe allumée...

2. Le redesign des processus de services

Le *redesign* des processus de services s'impose lorsqu'ils vieillissent, ne conviennent plus et deviennent obsolètes pour la firme mais aussi pour les clients. Cela ne signifie pas nécessairement que les processus ont été mal conçus au départ, mais que des changements technologiques, de nouveaux dispositifs, de nouvelles offres ou de nouvelles attentes de la part des clients remettent en question les processus préalablement établis[9]. Mitchell T. Rabkin MD, ancien président de l'hôpital de Beth Israël de Boston, nomme ce problème la « rouille institutionnelle » : « Les institutions sont comme l'acier ; elles rouillent. Ce qui était par le passé lisse, brillant et beau tend à devenir rouillé[10]. » Il évoque deux raisons principales à cette situation. La première concerne les changements de l'environnement externe, qui rendent des pratiques existantes désuètes et nécessitent une nouvelle conception du processus fondamental, ou même la création d'un processus nouveau, pour que l'organisation reste cohérente et réactive. Les facteurs environnementaux dans le domaine de la santé incluent des changements d'activité, de législation, de technologie, de politique d'assurance maladie et des besoins des clients.

La seconde cause de la rouille institutionnelle est intérieure et reflète souvent une détérioration naturelle des processus internes, une bureaucratie rampante ou une application de standards non officiels et/ou erronés. Ainsi, l'échange intensif d'informations, la redondance des données, un nombre d'activités de contrôle trop élevé, l'augmentation de la mise en place de processus d'exception et l'accroissement des plaintes des clients relatives à l'existence de procédures inutiles, indiquent souvent qu'un ou plusieurs processus en place ne fonctionnent pas bien et qu'ils requièrent une nouvelle conception.

Examiner les *blueprints* de services existants peut aussi suggérer des possibilités d'améliorations : modification des systèmes de livraison, ajout ou suppression d'éléments spécifiques, repositionnement du service pour faire appel à d'autres segments. Par exemple, les Canadian Pacific Hotels (qui font à présent partie de la chaîne Fairmont Hotels) ont décidé de remodeler leurs services hôteliers. Ils avaient déjà réussi avec les clients « conventions », « réunions de travail », « voyages de groupes », mais ont voulu établir une plus grande fidélité à la marque parmi les voyageurs d'affaires. La compagnie a donc entièrement modelé l'« expérience de l'hôte » de l'arrivée à l'hôtel à la récupération des clés de voiture en partant. Pour chaque rencontre, les Canadian Pacific Hotels ont défini un niveau de service souhaité, basé sur l'expérience de la clientèle et ont créé des systèmes pour surveiller l'exécution du service. Ils ont également remodelé quelques processus de services pour fournir aux clients un service plus personnalisé. Le résultat de la mise en application de cette nouvelle conception a été une augmentation de 16 % du nombre de voyageurs d'affaires en seule année.

Les responsables en charge des projets de *redesign* des processus de services ne souhaitent généralement pas allouer trop de budget même pour obtenir une qualité meilleure. Ils cherchent plutôt à augmenter la productivité tout en maintenant la qualité même si nous savons que la restructuration ou la remodélisation des façons dont les tâches sont accomplies augmente de manière significative le rendement dans nombre de tâches en *back stage*[11]. Les efforts de *redesign* consistent avant tout à remplir les critères de performance suivants :

1. réduire le nombre d'échecs dans les processus de services ;

2. réduire la durée du cycle de production d'un processus de services entre son initialisation par le client et son accomplissement ;

3. augmenter la productivité ;

4. accroître la satisfaction du client.

Dans le meilleur des cas, les efforts de *redesign* devraient permettre d'accomplir ces quatre objectifs simultanément.

Le *redesign* des processus de services comprend la reconstitution, la remise en ordre, ou la substitution des processus de services[12]. Ces efforts peuvent être regroupés en plusieurs catégories :

- *Élimination des étapes qui n'ajoutent pas de valeur.* Souvent, des activités ayant lieu au début et à la fin des processus de services peuvent être améliorées. Le but est de se concentrer sur la partie bénéfice et production de chaque service. Par exemple, un client qui veut louer une voiture n'est pas très intéressé par les formulaires à remplir ou la vérification de l'état du véhicule à la restitution. La nouvelle conception du service améliore ces tâches en essayant d'éliminer les étapes qui n'ajoutent pas de valeur. Les résultats sont une croissance de la productivité et de la satisfaction du client.

- *Évolution vers le libre-service.* Une productivité significative et parfois même des gains de qualité de service peuvent être réalisés en augmentant la part laissée au libre-service. FedEx, par exemple, a réussi à déplacer plus de 50 % des transactions de ses centres d'appel vers son site Web, réduisant ainsi de façon sensible ses coûts liés au centre d'appel.

- *Offre d'un service direct.* Cette nouvelle conception implique de porter le service vers le client au lieu d'amener le client vers la société de services. Ceci améliore les aspects pratiques pour le client, mais peut également avoir comme conséquence des gains de productivité si les compagnies font l'économie d'emplacements et de locaux onéreux.

- *Groupement de services (bundling).* Il s'agit d'élaborer une offre de services multiples en se concentrant sur un segment bien défini de clients. Le groupement de services peut aider à augmenter la productivité (l'offre est déjà conçue pour un segment particulier, ce qui rend la transaction plus rapide, et les frais de commercialisation de chaque service sont souvent réduits), alors qu'en même temps on améliore la valeur ajoutée vis-à-vis du client en réduisant le coût de la transaction.

- Redesign *des aspects physiques des processus de services.* Le *redesign* physique se concentre sur les éléments tangibles d'un processus de services. Il inclut le changement des infrastructures et des équipements à destination du client pour améliorer son expérience. Si le *redesign* permet de gagner en fonctionnalité, alors la satisfaction des clients comme du personnel en *back stage* peut augmenter tout comme la productivité.

Le tableau 8.1 récapitule les cinq types de *redesign*, fournit une vue d'ensemble de leurs avantages potentiels pour l'entreprise et ses clients et met en exergue les défis ou limites potentielles. Il est important de noter que ces nouveaux types de *redesign* sont souvent employés en association. Par exemple, la base du succès d'Amazon.com est la combinaison du libre-service, du service marchand et de la minimisation des étapes qui n'ajoutent pas de valeur au service par la mémorisation des préférences du client, des conditions d'expédition et des moyens de paiement.

Tableau 8.1 : Cinq types de remodélisation du service

Approche et Concept	Bénéfices potentiels pour l'entreprise	Bénéfices potentiels pour le client	Défis/Limites
Élimination des étapes : n'ajoutant pas de valeur ; améliore toutes les étapes impliquées dans la transaction du service de l'achat au paiement	• Améliore l'efficacité • Augmente la productivité • Augmente la capacité d'adapter le service aux besoins du client • Différencie l'entreprise	• Augmente la vitesse du service • Améliore l'efficacité • Transfère les tâches du client à l'entreprise de service • Sépare la mise en route du service de la livraison • Adapte le service aux besoins du client	• Exige de fournir une meilleure information au client ainsi qu'une meilleure formation du personnel pour le mettre en application sans à-coup et efficacement
Libre-service : le client joue un rôle de producteur	• Coûts plus faibles • Améliore la productivité • Améliore la réputation de la technologie • Différencie l'entreprise	• Augmente la vitesse du service • Améliore l'accès • Économise de l'argent • Augmente la sensation de contrôle	• Nécessite une préparation du client sur son rôle • Limite les interactions et le face à face • Crée des difficultés pour obtenir des informations de la part des clients • Crée des difficultés pour établir une fidélité de la part des clients
Service direct : le service est livré au client là où il se trouve	• Élimine les inconvénients liés aux emplacements commerciaux • Augmente la base clientèle • Différencie l'entreprise	• Améliore la praticité • Améliore l'accès	• Impose des contraintes logistiques • Peut nécessiter des investissements coûteux • Nécessite de la crédibilité et de la confiance
Bundling : combine plusieurs services dans une seule offre	• Différencie l'entreprise • Aide à retenir les clients • Augmente l'utilisation du service par personne	• Améliore la praticité • Personnalise le service	• Nécessite une grande connaissance des clients ciblés • Peut être perçu comme du gaspillage
Service physique : manipulation d'éléments tangibles associés au service	• Améliore la satisfaction des employés • Améliore la productivité • Différencie l'entreprise	• Améliore la praticité • Améliore la fonctionnalité • Cultive l'intérêt	• Facile à imiter • Nécessite des dépenses pour le maintenir efficace • Augmente l'attente des clients vis-à-vis du service

Source : Adapté de « Teaching an Old Service New Tricks : The Promise of Service Redesign », de Leonard L. Berry et Sandra K. Lampo, *Journal of Service Research* 2, n° 3, 2000, pp. 265-275.

3. Le client coproducteur du service

Le *blueprint* aide à préciser le rôle des clients dans la livraison du service et à identifier l'ampleur du contact entre eux et les fournisseurs de services. Il indique également si le rôle du client dans un processus donné est plutôt passif ou plutôt actif.

3.1. Les niveaux de participation du client

La participation du client se réfère aux actions et aux ressources fournies par les clients pendant la production et/ou la livraison du service et inclut les caractéristiques mentales, physiques et même émotives du client[13]. Un certain degré de participation du client dans la livraison du service est inévitable dans des services de traitement des personnes et dans n'importe quel service qui implique un contact en temps réel entre clients et fournisseurs. Dans nombre de cas, l'expérience et les résultats reflètent tout à la fois les interactions entre les clients, les équipements, les employés et les systèmes. Cependant, le niveau de cette participation peut changer considérablement selon le type de services. Le tableau 8.2 regroupe le niveau de participation des clients dans trois catégories[14].

Tableau 8.2 : Niveau de participation des clients selon différents types de services

Bas (présence du client nécessaire pendant la livraison du service)	Modéré (informations du client nécessaires pour la création du service)	Élevé (le client coproduit le service)
Services standardisés	Les informations du client personnalisent le service	La participation active du client guide la personnalisation du service
Le service est fourni indépendamment des achats	La fourniture du service nécessite l'achat du client	Le service ne peut être créé indépendamment de l'achat du client et de sa participation active
Exemples de grande consommation		
Trajet en bus	Coiffeur	Mariage
Séjour à l'hôtel	Examen de santé annuel	Entraînement personnel
Pièce de théâtre	Restaurant	Cure d'amaigrissement
Exemples Business to Business		
Nettoyage industriel	Agence de publicité	Mission de conseil
Contrôle sanitaire	Établissement de la paie	Séminaire de formation
Entretien de plantes d'intérieur	Transport de marchandise	Installation d'un réseau nformatique

Source : Adapté de Leonard L. Berry et Sandra K. Lampo, « Teaching an Old Service New Tricks : The Promise of Service Redesign », *Journal of Service Research 2*, n° 3, 2000, pp. 265-275.

Niveau bas de participation

Dans ce cas de figure, le personnel en contact et les employés d'une façon générale ainsi que les systèmes d'information effectuent tout le travail. Les services tendent à être normalisés et sont fournis indépendamment de l'achat. Le paiement peut être le seul acte exigé du client. Dans les situations où les clients viennent sur le site de production du service, tout ce qui est exigé d'eux est leur présence physique. Se rendre dans un cinéma pour voir un film en est un exemple. Dans des services à processus de traitement des biens tels que le nettoyage ou l'entretien, les clients peuvent ne pas être impliqués dans le processus, et doivent juste faciliter l'accès aux fournisseurs de services et effectuer le paiement.

Niveau modéré de participation

Dans ce cas de figure, le client doit fournir un certain nombre d'informations pour aider l'entreprise à créer et à fournir le service en apportant un certain degré de personnalisation. Il peut s'agir de transmettre des données, de fournir un effort personnel, de manipuler des objets ou d'être physiquement sollicité. À titre d'exemple, chez un coiffeur, le client doit expliquer ce qu'il souhaite et coopérer pour se faire laver et couper les cheveux. Autre exemple : si la déclaration de revenus est confiée à un comptable, le client doit d'abord rassembler les informations ainsi que toute la documentation nécessaires.

Niveau élevé de participation

Dans ce cas de figure, les clients travaillent activement avec le fournisseur pour coproduire le service. Le service ne peut pas être créé indépendamment de l'achat et de la participation active du client. Ici, si les clients n'assument pas ce rôle efficacement et s'ils n'accomplissent pas certaines tâches obligatoires de production, ils compromettent la qualité du service et/ou la réalisation effective du service. Quelques services relatifs à la santé entrent dans cette catégorie, particulièrement ceux qui sont liés à l'amélioration de l'état physique du patient, tels que la rééducation ou la perte de poids, où les clients travaillent sous une surveillance professionnelle. La livraison réussie de beaucoup de services en *B to B* exige des clients et des fournisseurs qu'ils travaillent étroitement ensemble.

3.2. Les technologies de libre-service[15]

Le degré ultime de participation dans la production de services est celui où les clients entreprennent eux-mêmes une activité spécifique, en utilisant les équipements ou des systèmes mis en place par le fournisseur de services. Le temps et les efforts du client remplacent alors ceux d'un employé de l'entreprise. Dans le cas des services délivrés par téléphone ou *via* Internet, les clients fournissent même leurs propres équipements.

Le concept du libre-service n'est pas nouveau. La variation la plus radicale dans l'histoire de la vente au détail s'est peut-être produite avec la création des supermarchés dans les années 1930. Pour la première fois, des clients ont été invités à choisir et à prendre leurs achats dans les rayons, à les mettre dans un chariot, et à les transporter à la caisse. Clients et détaillants ont vu les avantages de la coproduction. Le concept s'est développé, s'élargissant par la suite à d'autres types d'activités de vente au détail.

Néanmoins, les premiers essais de scanner en libre-service aux caisses des supermarchés ont échoué, à cause de la résistance des consommateurs. Ce n'est qu'au début des années 2000 qu'un nombre significatif de supermarchés ont commencé, aux États-Unis, à proposer à leurs clients d'effectuer leur paiement en employant une caisse enregistreuse en libre-service, où ils pourraient scanner et régler leurs achats. Ce développement est non seulement le reflet de l'amélioration de la technologie et de la fiabilité des processus, mais également de la différence croissante entre le coût de ces systèmes de libre-service (peu élevé) et celui du travail. Les clients de supermarché semblent désormais plus disposés à accepter cette approche, ce qui reflète leur plus grande familiarité avec la technologie[16]. Aujourd'hui, des supermarchés proposent des caisses en libre-service. Les clients effectuent eux-mêmes le scanning des articles, la mise en sachet et le paiement par carte bancaire. Ce système est préféré au scanning dans l'enceinte du magasin.

Les consommateurs ont aujourd'hui un choix important de technologies en libre-service (SST en anglais : *Self Service Technologies*) qui leur permettent de produire un service en totale autonomie, sans la présence d'employés[17]. Les SST incluent les terminaux bancaires, les pompes à essence, les systèmes automatisés par téléphone tels que les dispositifs permettant les opérations bancaires, le contrôle d'entrée dans les hôtels, et les nombreux services *via* Internet. Les services basés sur la fourniture et le traitement des informations se prêtent particulièrement bien à l'utilisation des SST et incluent non seulement des services périphériques comme l'obtention d'informations diverses, le passage de commandes, la réservation et les paiements, mais également l'accès aux services de base dans des domaines aussi variés que la banque, la recherche, l'industrie du divertissement et la formation. L'une des innovations les plus significatives de l'ère d'Internet a été le développement des ventes aux enchères en ligne, mené par eBay, qui supprime les intermédiaires entre l'acheteur et le vendeur.

Facteurs psychologiques et participation du client

La logique du libre-service est historiquement fondée sur un raisonnement économique qui privilégie les gains de productivité et les économies générées par la prise en charge totale de la réalisation du service par le client. Dans nombre de cas, une partie des économies réalisées est partagée avec les clients sous forme de rabais pour les inciter à changer leurs comportements. Cependant, les chercheurs Neeli Bendapudi et Robert Leone, tous deux professeurs en marketing à l'université de l'État de l'Ohio, estiment que les réponses psychologiques des clients à la participation et à la production du service devraient être étudiées dans des environnements de libre-service, en particulier leur tendance à accepter les récompenses pour des succès mais pas les blâmes pour des échecs[18]. Leur recherche a révélé que cette tendance faiblit quand les clients ont le choix de participer ou non à la production de services.

L'investissement en temps et en argent nécessaire pour concevoir, mettre en application et faire fonctionner les SST étant important, il est nécessaire pour les marketeurs des services de comprendre si les clients décideront d'employer une option de SST ou s'ils continueront de préférer l'interface humaine. Les SST présentent des avantages et des inconvénients. Au-delà des bénéfices tels que des économies de temps et d'argent, plus de flexibilité, de confort, de practité et de personnalisation, les clients peuvent trouver cela amusant[19]. Cependant, pour ceux qui ne sont pas familiarisés avec les SST, ces dernières peuvent être synonymes d'inquiétude et de stress[20]. En effet, certains consommateurs conçoivent la rencontre de service comme une expérience sociale et préfèrent avoir affaire à des personnes, alors que d'autres cherchent à éviter les contacts, notamment s'ils ont une mauvaise image des employés de l'entreprise.

Les recherches menées par James Curran, Matthew Meuter et Carol Surprenant (professeurs au Bryant College, à l'université de Chico en Californie et à l'université de Rhode Island) ont révélé que de multiples attitudes peuvent inciter ou non les clients à employer une SST spécifique, notamment les attitudes globales à l'encontre des technologies de services, de l'entreprise de services elle-même et de ses employés[21]. D'autres recherches montrent que l'adoption des SST passe aussi par les conséquences positives des effets intergénérationnels : les enfants aident les parents à adopter les technologies.

Les clients ne sont pas égaux face à la volonté de participation. Si chez certains, il y a une volonté proactive de participation et de contrôle, chez d'autres la tendance est à la délégation. L'entreprise doit avoir une approche segmentée de la clientèle sur la base de leurs intentions et/ou de leurs capacités et expertises de participation[22].

Ce que les clients apprécient ou pas dans le recours aux STT (Self Service Technologies)

La recherche met en évidence les situations dans lesquelles les clients aiment ou détestent les SST[23]. Ils apprécient les SST quand celles-ci les sortent de situations difficiles, par exemple, les distributeurs automatiques qui sont accessibles 24 h/24 et 7 j/7 contrairement aux agences en dur soumises aux horaires d'ouverture de bureau. Les clients aiment également les SST quand elles sont plus efficaces qu'un employé de services, lorsqu'elles permettent d'obtenir des informations détaillées et de faire des transactions complètes plus rapidement qu'ils ne le pourraient par un contact en tête à tête ou par téléphone. Beaucoup sont admiratifs devant les possibilités étendues de la technologie… quand elle fonctionne bien. Ainsi, de nombreuses chaînes d'hôtels en France proposent d'économiser le temps de l'enregistrement et des formalités de sortie. Il suffit lorsque l'on se présente d'introduire dans l'automate une carte de crédit et vous obtenez en retour le numéro de votre chambre, le code d'accès et votre facture.

De même, la SNCF a installé dans presque toutes les gares des automates qui permettent d'obtenir des billets de train instantanément, sans avoir à faire la queue au guichet. Dans les grandes villes, ces distributeurs ont même été installés dans des grands magasins (Monoprix notamment).

A contrario, les clients détestent les SST quand la technologie est défaillante. Les utilisateurs se fâchent lorsqu'ils constatent que les machines sont hors-service, que leurs numéros de code ne sont pas reconnus, que les sites Web ne fonctionnent pas ou que le téléchargement des pages est démesurément long, que le suivi des transactions n'est pas assuré ou que les produits ne sont pas acheminés comme prévu. Même lorsque cela fonctionne, les clients sont frustrés par les technologies mal conçues qui rendent les processus de services difficiles à comprendre et à employer. Un système de navigation peu ergonomique est un sujet fréquent de plainte à propos des sites Web. Les utilisateurs sont également frustrés quand ils perdent du temps sur des problèmes comme l'oubli du mot de passe, l'incapacité à fournir les informations demandées, ou simplement le fait de se tromper de bouton. Le libre-service implique que les clients peuvent être eux-mêmes à l'origine de leur mécontentement.

Cependant, même si la faute leur revient, les clients peuvent en partie blâmer le fournisseur de services de ne pas proposer un système plus simple et plus facile à utiliser. Ils peuvent alors préférer revenir au contact humain traditionnel.

Concevoir un site Web sans défaut n'est pas une tâche facile et peut se révéler très coûteux. Pourtant, c'est grâce à de tels investissements que les entreprises fidélisent les utilisateurs. L'encadré Meilleures Pratiques 8.1 décrit l'accent mis par TLContact sur la facilité d'emploi de son site.

Meilleures Pratiques 8.1

TLContact.com crée une expérience d'utilisateur exceptionnelle

Quand son neveu âgé de cinq jours a dû subir une lourde opération du cœur dans le Michigan, début 1998, Mark Day, étudiant en technologies, se trouvait à Stanford, à des milliers de kilomètres. Se sentant isolé, ne connaissant rien aux problèmes cardiaques et voulant se rendre utile, il a cherché des renseignements sur Internet alors en plein développement. En quelques jours, il a créé un site Web auquel la famille et les amis pouvaient accéder. Il a regroupé toute l'information recueillie et l'a mise en ligne sur le site, avec des bulletins concernant l'état du petit Matthew et ses réactions au traitement. Mark a raconté plus tard : « Le site était très simple, si j'avais payé quelqu'un pour le faire, cela n'aurait probablement pas coûté plus de quelques centaines de dollars. » Afin de communiquer avec plus d'efficacité que par courrier électronique, Mark avait ajouté un forum où chacun pouvait laisser un message.

À la surprise de tous, le site est devenu particulièrement populaire. Les nouvelles étaient diffusées par le bouche à oreille et le site a enregistré des centaines de visites quotidiennes, avec plus de deux cents personnes différentes laissant des messages pour la famille. Des personnes qui ont admis qu'elles n'avaient jamais utilisé Internet auparavant ont trouvé la manière d'accéder au site, de suivre les progrès de Matthew et de lui envoyer des messages.

Deux ans et trois opérations plus tard, Matthew était un petit enfant en bonne santé et heureux. Ses parents, Eric et Sharon Langshur, ont décidé de créer une entreprise, TLContact.com, pour faire du concept de Mark un service aux patients et à leurs familles. Ils ont invité Mark à se joindre à eux en tant que directeur technique. Pour assurer le contrôle de qualité et garder un capital intellectuel, Mark a décidé de créer les systèmes de logiciels nécessaires au sein de l'entreprise, plutôt que de sous-traiter la tâche à des fournisseurs extérieurs. Il a engagé une équipe de techniciens, de programmeurs et de concepteurs.

Comprenant que les sites des patients de TLC, baptisés *CarePages*, seraient consultés par un grand nombre d'individus, dont la plupart seraient sous l'effet du stress ou feraient leur première expérience d'Internet, Mark et son équipe se sont concentrés sur la facilité d'utilisation, un objectif pourtant ambitieux : « Il est très difficile de créer un logiciel qui soit vraiment facile à utiliser. Il faut une quantité incroyable de compétences, d'efforts et d'heures pour développer un produit fonctionnel et évolutif. » Le coût de création du site Web initial était de près d'un demi-million de dollars.

☞

Au fil du développement de l'entreprise, les investissements ont été continus afin d'améliorer la fonctionnalité du service pour les patients, les visiteurs et les hôpitaux commanditaires, d'éliminer tous les problèmes que les utilisateurs avaient signalés, et d'augmenter le capital de sympathie des utilisateurs. Les perfectionnements incluaient une option pour obtenir des informations sur les utilisateurs, l'ajout d'un service de mailing pour annoncer de nouvelles mises à jour sur une *CarePage*, et la possibilité d'accéder aux *CarePages* à partir du site Web de l'hôpital. Informé de ce que de nombreux utilisateurs avaient du mal à saisir le nom exact de la CarePage et donc n'y accédaient pas, TLC a ajouté un logiciel de logique pour relever les erreurs les plus fréquentes, ce qui a du coup réduit le volume des requêtes au service clients. En 2003, TLC continuait à se développer rapidement. Les remerciements réconfortants des utilisateurs satisfaits affluaient. Mais le travail s'est poursuivi de façon à augmenter l'expérience CarePage, avec des changements de logiciel et des améliorations toutes les six à huit semaines. Pour cela, la société a investi plus de deux millions de dollars dans la technologie.

Source : Christopher Lovelock, « TLContact.com », étude de cas, 2003.

Meilleures Pratiques 8.1

Le principal problème avec les SST est que trop peu d'entre elles intègrent un système de sauvegarde. Dans trop de cas, quand le processus échoue, il n'y a aucune manière simple de récupérer les informations. De façon générale, les clients sont forcés de téléphoner ou de se déplacer en personne pour résoudre le problème, ce qui peut être exactement ce qu'ils essayaient d'éviter au départ ! Mary Jo Bitner, qui enseigne le marketing des services et dirige le centre de recherches de cette discipline à l'université de l'État d'Arizona, propose que les responsables des entreprises mettent les SST de leurs entreprises à l'essai en se posant les questions de base suivantes[24] :

- *La SST fonctionne-t-elle de manière fiable ?* Elle doit fonctionner comme prévu, être fiable et facile d'utilisation. Les services de billetterie en ligne de la compagnie aérienne Southwest Airlines présentent un niveau élevé de simplicité et de fiabilité. La compagnie revendique le pourcentage le plus élevé de ventes en ligne de billets de toutes les compagnies aériennes.

- *La SST est-elle meilleure que la solution traditionnelle ?* Si elle ne permet pas de gagner du temps, de l'argent, ou si elle n'est pas particulièrement facile d'accès, alors les clients continueront d'employer les processus qui leur sont familiers, en l'occurrence, le canal traditionnel et l'interface directe. Le succès d'Amazon.com s'explique par son offre fortement personnalisée et très efficace par rapport au déplacement dans une librairie.

- *Si la SST échoue, quels systèmes sont mis en place pour récupérer l'information ?* Il est dramatique pour des sociétés de fournir des systèmes, des structures et des technologies de sauvegarde qui ne garantissent pas un rétablissement rapide du service quand il se produit une défaillance. Aux États-Unis, quelques banques ont un téléphone près de chaque distributeur automatique, permettant aux clients un accès direct à un centre de services à la clientèle disponible 24 h/24. Les supermarchés qui ont installé des caisses enregistreuses en libre-service affectent d'ordinaire un employé à la surveillance du bon déroulement des opérations ; cette pratique combine la sécurité, la participation du client et une bonne productivité. Dans les entreprises qui recourent au réseau téléphonique, les annonces enregistrées des répondeurs incluent en général une option pour que les clients puissent joindre un représentant du service clientèle. Dans un tout autre domaine, le système de péage automatique « liber-t » sur l'ensemble du réseau autoroutier français permet le franchissement des barrières de péage sans avoir à s'arrêter, grâce au badge collé sur le pare-brise du véhicule. Si le capteur qui permet de relever les caractéristiques du voyageur ne fonctionne pas, vous avez toujours la possibilité de vous rendre à un poste de péage différent où, grâce à votre carte de crédit ou à de l'argent liquide, vous pourrez continuer votre route.

3.3. L'entreprise de services doit former ses clients

Bien que les fournisseurs de services essaient de connaître et d'appliquer le niveau idéal de participation du client dans le système de livraison du service, en réalité ce sont les actions des clients qui déterminent le niveau réel de participation. Un manque de participation diminue souvent les bénéfices de l'expérience de service (par exemple, un étudiant qui ne travaille pas apprendra moins, une personne qui ne suit pas son régime correctement perdra probablement moins de poids). En revanche, un excès de participation peut détourner les employés de leur tâche et modifier la forme initiale du service (pensez aux conséquences sur la productivité d'un fast-food si chaque client insiste pour faire modifier son hamburger). Les entreprises de services doivent enseigner et montrer à leurs clients les rôles qu'ils doivent jouer ainsi que les tâches qu'ils doivent accomplir pour obtenir le service et optimiser leur niveau de participation pendant la production et la consommation du service.

Plus on attend des clients qu'ils effectuent un travail, plus grand est leur besoin d'informations. La formation nécessaire peut être fournie de nombreuses manières. Les brochures et les instructions affichées sont deux méthodes largement répandues. Les machines automatisées contiennent souvent des consignes d'utilisation et des procédures détaillées (malheureusement pas toujours compréhensibles). Les publicités pour de nouveaux services dispensent souvent une initiation à ces services. Beaucoup de sites Web incluent une rubrique rassemblant les questions les plus fréquemment posées et leurs réponses. Le site d'eBay (www.ebay.fr) fournit des instructions détaillées pour démarrer, notamment sur la façon de mettre un article aux enchères et de surenchérir pour un article intéressant. La rubrique d'aide se présente sous forme d'un index des thèmes de A à Z, avec de nombreux conseils pour résoudre les problèmes liés aux transactions.

Dans beaucoup d'entreprises, les clients s'adressent aux employés pour obtenir des conseils et de l'aide et sont frustrés, voire mécontents, s'ils ne les obtiennent pas. Dans les entreprises de services, le personnel en contact – vendeurs, employés au service clientèle, stewards, infirmières… – doit être préparé à remplir ces fonctions de « formateurs ». Les clients peuvent aussi se tourner vers d'autres clients pour obtenir de l'aide, lorsque cela est possible, et mieux encore, lorsque l'entreprise l'organise. À titre d'exemple, le centre d'aide d'eBay propose une rubrique « Demandez aux membres d'eBay », qui précise que les membres de la communauté eBay sont toujours heureux de s'entraider. On y trouve un centre de réponse (« Obtenez les réponses de la communauté des membres, rapidement ») et des groupes de discussion (« Partagez vos centres d'intérêt, obtenez de l'aide des membres de la Communauté, ou aidez-en d'autres[25] »).

Les chercheurs Benjamin Schneider et David Bowen (respectivement professeur en psychologie à l'université du Maryland et doyen de l'école de management international de Thunderbird) suggèrent de donner aux clients une vision réaliste du service avant sa livraison pour leur apporter une image claire de leur rôle dans la coproduction du service[26]. L'entreprise peut par exemple montrer une vidéo aux clients afin qu'ils comprennent bien leur rôle dans un processus spécifique de services. Cette technique est notamment employée par quelques dentistes pour familiariser les patients avec les interventions qu'ils sont sur le point de subir, leur expliquer comment ils doivent coopérer et contribuer ainsi à ce que tout se passe le mieux possible.

3.4. Considérer les clients comme employés temporaires

Certains chercheurs suggèrent de considérer les clients comme des employés à temps partiel, ce qui peut influencer la productivité et la qualité des processus et des résultats des services[27]. Pour Schneider et Bowen, cette approche exige un changement de mentalité chez les managers :

> *Si vous pensez aux clients en tant qu'employés temporaires, vos attentes seront très différentes. Non seulement ils continueront d'apporter leurs attentes et leurs besoins, mais ils devront également remplir leur rôle d'employés en ayant des compétences en production de services. Le défi du management des services devra donc s'adapter en conséquence[28].*

Les chercheurs estiment que les clients à qui on offre une participation active sont plus facilement satisfaits, et ce, qu'ils choisissent ou non d'accepter ce rôle, la satisfaction découlant prioritairement de la liberté de choisir.

Le management des clients, comme des employés temporaires, implique d'adopter les mêmes principes de gestion des ressources humaines que pour les salariés de l'entreprise. Il devrait suivre ces quatre étapes :

1. Réaliser une « analyse des postes de travail » dans lesquels les clients jouent un rôle, et comparer cette analyse avec les rôles que la société voudrait qu'ils jouent.

2. Déterminer si les clients savent ce que l'on attend d'eux et connaissent les qualifications requises pour exécuter les tâches qu'on leur demande.

3. Motiver les clients en s'assurant qu'ils seront récompensés s'ils exécutent bien leur tâche (par exemple, par la satisfaction gagnée d'une meilleure qualité de service et d'un rendement plus personnalisé, par le plaisir de participer au processus, par la conviction que leur propre productivité accélère le processus et réduit les coûts).

4. Évaluer régulièrement la performance des clients. Si elle est insuffisante, chercher à changer les rôles et les procédures dans lesquels ils sont impliqués. Ou alors, « éliminer » ces clients (avec tact, bien sûr !) et en chercher de nouveaux.

Une gestion efficace des ressources humaines commence dès le recrutement. Il devrait en être de même pour les « employés temporaires ». La coproduction nécessitant certaines qualifications, les entreprises devraient cibler leurs efforts marketing sur le recrutement de clients disposant de ces qualifications[29].

4. Les problèmes de comportement du client

Les clients qui agissent de manière peu coopérative ou abusive sont un problème pour n'importe quelle entreprise. Mais ils ont un plus grand potentiel de nuisance dans les entreprises de services, en particulier celles dans lesquelles le client vient à l'usine de production du service. Comme vous l'avez probablement expérimenté vous-même, le comportement des autres clients peut affecter le plaisir que vous retirez d'un service. Si vous aimez la musique classique et assistez à des concerts, vous vous attendez à ce que les membres de l'assistance se taisent pendant la représentation, plutôt que de gâcher la musique en parlant, téléphonant ou en toussant fort. En revanche, une assistance silencieuse serait mortelle pendant un concert de rock ou un événement sportif, où la participation active de l'assistance ajoute à l'excitation. Il y a cependant une frontière étroite entre l'enthousiasme des spectateurs et le comportement abusif des supporters des équipes sportives rivales. Les sociétés qui ne traitent pas efficacement les risques de mauvais comportement des clients détériorent leurs rapports avec les autres.

4.1. Que faire avec les clients malhonnêtes ou indisciplinés (jaycustomers) ?

Les Américains ont un terme spécifique pour décrire les personnes qui traversent les rues aux endroits non autorisés ou d'une façon dangereuse : « jaywalkers ». Le préfixe « jay » vient de l'argot du 19e siècle et désigne une personne stupide. Il se prête à une infinité de combinaisons. Pourquoi alors ne pas parler de « jaycustomer » pour désigner quelqu'un qui utilise un service de façon malhonnête ou consomme de façon anormale un produit physique[30] ? Nous définissons un jaycustomer comme une personne qui agit d'une manière irréfléchie ou abusive, causant des problèmes à l'entreprise, à ses employés et à d'autres clients.

Chaque service a sa part de jaycustomers, mais les avis sur le sujet semblent se polariser autour de deux visions contradictoires. L'une proclame : « Le client est roi et ne peut rien faire de mal. » L'autre voit la masse des clients comme une population où les personnes malintentionnées, au comportement peu digne de confiance, et manquant de respect aux individus sont surreprésentées. Le premier point de vue a bénéficié d'une large publicité dans les ouvrages de gung-ho et dans les séminaires de motivation des employés. Mais le second point de vue est plus dominant parmi les responsables et les employés qui ont été exposés à un certain degré à des comportements indélicats de la part de clients. Les deux visions ont leur part de vérité. Ce qui est clair, cependant, c'est qu'aucune entreprise ne souhaite entretenir de rapports avec un client abusif. Comme le remarquent Lloyd Harris et Kate Reynolds, respectivement professeur et chercheur à l'université de Cardiff, le comportement des clients a des conséquences sur les employés, les autres clients et l'organisation du service lui-même[31].

4.2. Les clients indésirables : les jaycustomers

Les *jaycustomers* sont indésirables. Au pire, une entreprise doit contrôler ou empêcher leur comportement abusif. Au mieux, elle cherchera d'abord à ne pas les attirer. Comme définir un problème est toujours la première étape à franchir pour le résoudre, commençons par définir les différents segments de *jaycustomers* qui s'attaquent aux entreprises de biens et de services. Nous avons identifié six catégories et leur avons donné des noms génériques, mais de nombreuses personnes au contact des clients ont proposé leurs propres termes. Vous en trouverez certainement d'autres vous-même.

Le voleur

Ce *jaycustomer* n'a aucune intention de payer et vole des marchandises et des services (il permute des étiquettes de prix, conteste les factures sans raison valable, etc.). Le vol à l'étalage est un problème important dans les magasins de vente au détail. C'est ce que les détaillants appellent par euphémisme « la démarque inconnue » et qui leur coûte chaque année des sommes astronomiques. Beaucoup de clients se prêtent à d'intelligents strata- gèmes pour éviter de payer. Pour ceux qui ont des connaissances techniques, il est parfois possible d'avoir l'électricité gratuite, d'accéder sans frais aux lignes téléphoniques ou de détourner le réseau normal du câble. Prendre les transports en commun sans billet, « resquiller » dans les cinémas, ou « oublier » de régler son repas au restaurant sont des pratiques assez fréquentes. Sans omettre l'utilisation frauduleuse des moyens de paie- ment tels que les cartes de crédit volées ou les chèques sans provision. Découvrir comment les gens volent un service est le premier pas pour empêcher les abus ou attraper les coupables, en les poursuivant le cas échéant. Cependant, les responsables doivent faire en sorte de ne pas pénaliser les clients honnêtes. Des dispositions particu- lières doivent être prises pour ceux qui sont distraits mais pas malhonnêtes.

Celui qui ne respecte pas les règles

De la même façon que les autoroutes imposent des règles de sécurité (ne pas les traverser à pied, par exemple), beaucoup d'entreprises de services doivent établir des règles de comportement pour que les employés puissent guider et servir sans risques les clients au travers des différentes étapes du service. Pour des raisons d'hygiène et de sécurité, certaines de ces règles sont dictées par des organismes gouvernementaux. Ainsi, les employés dans la restauration doivent porter des toques et des gants pour manipuler la nourriture. Les voyages en avion fournissent le meilleur des exemples de soumission à de règles strictes conçues pour assurer la sécurité.

En dehors d'imposer des règles de comportement, les entreprises établissent souvent des règles particulières pour garantir que les opérations se déroulent sans heurts, pour éviter que les clients n'aient des exigences irraisonnables vis-à-vis des employés, pour empê- cher la mauvaise utilisation des produits et des équipements, pour se protéger légalement et pour décourager certains clients de mal se conduire. Les responsables de stations de sports d'hiver, par exemple, sont de plus en plus sévères avec les skieurs négligents qui mettent leur vie et celle des autres en danger[32]. Les équipes de surveillance des pistes doivent rester vigilantes et parfois même jouer un rôle de maintien de l'ordre : de la même façon qu'un conducteur dangereux peut perdre son permis, un skieur dangereux peut perdre ses forfaits de remontées mécaniques.

Comment une société devrait-elle traiter ceux qui ne respectent pas les règles ? Tout dépend des règles qui ont été transgressées. Dans le cas de transgressions tombant sous le coup de la loi (vol, créances non recouvrables, tentative d'embarquement en avion avec une arme, etc.), les lignes de conduite doivent être claires pour protéger les employés, et punir ou décourager les actes répréhensibles des clients. Les cas de transgressions des règles de l'entreprise sont plus délicats. Avant tout, ces règles sont-elles vraiment néces- saires ? Si ce n'est pas le cas, l'entreprise devrait s'en débarrasser. Sont-elles liées à la santé ou à la sécurité ? Si oui, former les clients sur ces règles devrait réduire le besoin de prendre des mesures de coercition. C'est également vrai pour les règles destinées à garantir le confort et le plaisir de tous les clients. Il y a des normes sociales non écrites, telles que « ne pas dépasser les autres clients dans une file d'attente », et on peut souvent compter sur les clients eux-mêmes pour aider le personnel de services à faire respecter les règles qui concernent tout le monde.

Imposer des règles présente aussi certains risques. Celles-ci peuvent donner de l'entreprise une image bureaucratique et insupportable. Elles transforment parfois les employés, qui devraient être au service des clients, en officiers de police qui considèrent (ou à qui l'on demande de considérer) que leur principale tâche est de faire respecter toutes les règles. Moins il y a de règles et plus celles qui sont essentielles trouvent leur légitimité.

Le querelleur

Vous avez probablement déjà vu dans un magasin, un aéroport, un hôtel, un restaurant un homme ou une femme, le visage rouge, hurlant de colère, ou peut-être l'air calme et glacial, proférant des insultes, des menaces, et jurant du bout des lèvres[33]. Les choses ne se passent pas toujours comme elles le devraient : les machines tombent en panne, le service est maladroit, des clients sont ignorés, un vol est retardé, une commande est inexacte, des membres du personnel sont inutiles, une promesse n'est pas tenue. Ou peut-être le client en question n'apprécie-t-il pas de devoir respecter des règles. Le personnel de services est souvent maltraité, même lorsqu'il n'est pas à blâmer. Si l'employé n'a pas les moyens de résoudre le problème, le belligérant peut devenir plus agressif, voire en venir aux gestes. L'abus d'alcool ou de drogue entraîne des complications supplémentaires. Les entreprises qui prennent soin de leurs employés font en sorte de les préparer à affronter ces situations difficiles. Les séances de formation basées sur la participation des employés à des jeux de rôles aident souvent à développer la confiance en soi et l'autorité nécessaire pour faire face à des clients énervés et agressifs. Les employés doivent également apprendre à faire tomber la colère, à calmer l'inquiétude, et à réconforter les personnes qui ne se sentent pas bien (en particulier quand il y a une bonne raison pour que le client soit énervé par la performance de l'organisation).

Depuis quelques années, le problème de la « rage de l'air » retient toute l'attention des autorités, car il met en danger la vie d'innocents. Depuis les attentats du 11 septembre 2001, aux États-Unis, les passagers violents sont considérés comme le problème numéro 1 pour la sécurité des passagers en avion (voir Questions de services 8.1).

Que devrait faire un employé lorsqu'un client agressif repousse toutes les tentatives d'apaisement de la situation ? Dans un lieu public, la priorité devrait être d'éloigner la personne indisciplinée des autres clients. Parfois, les chefs de services peuvent avoir à arbitrer des conflits entre les clients et les membres du personnel ; le reste du temps, ils doivent se tenir en retrait derrière les employés. Si un client a physiquement agressé un employé, alors il peut être nécessaire d'appeler le service de sécurité ou les forces de l'ordre. Certaines sociétés tentent de cacher de tels événements, craignant une mauvaise publicité. Mais d'autres prendront publiquement la défense de leurs employés. Le gérant d'un Body Shop, par exemple, a prié un client désagréable de sortir du magasin, en lui disant : « Je ne tolérerai pas votre grossièreté envers mon personnel. ».

Rage de l'air : les passagers indisciplinés posent un problème croissant

Après l'invention en 1988 de l'expression « road rage » (rage de la route) pour décrire le comportement de conducteurs énervés et agressifs qui menacent les autres usagers de la route, l'expression « air rage » (rage de l'air) est apparue à son tour. Les personnes atteintes de la rage de l'air sont des passagers violents et indisciplinés qui mettent en danger le personnel de vol et les passagers. Les incidents liés à la rage de l'air sont commis par une fraction infime de passagers – environ 5 000 par an –, mais chaque incident dans le ciel peut affecter le confort et la sécurité de centaines d'autres. Bien que le terrorisme reste une menace réelle, les passagers incontrôlables constituent eux aussi une sérieuse menace. Sur un vol d'Orlando (Floride) à Londres, un passager ivre brise un écran vidéo et tente de défoncer une fenêtre, hurlant aux passagers qu'ils vont être aspirés et mourir. L'équipage parvient à le maîtriser, le ligote et l'avion fait un atterrissage imprévu à Bangor (Maine), où des officiers de police arrêtent cet « enragé de l'air ». Autre cause d'atterrissage forcé, toujours à Bangor : le débarquement d'un convoyeur de drogue entre la Jamaïque et les Pays-Bas. Rendu fou furieux par la rupture d'un sachet de cocaïne dans son estomac, le passager enfonce la porte des toilettes et agresse une passagère en la prenant à la gorge. Sur un vol de Londres vers l'Espagne, un homme déjà ivre à l'embarquement devient brusquement furieux quand un membre du personnel de vol le prie de ne pas fumer dans les toilettes et refuse de lui servir une autre boisson. Le passager casse une bouteille de vodka (achetée en duty-free) sur la tête du steward avant d'être maîtrisé par d'autres passagers (dix-huit points de suture pour le steward). Lors d'un incident à l'issue tragique, un passager violent est attaché puis bâillonné après qu'il a donné un coup de pied dans la porte du cockpit d'un avion de ligne vingt minutes avant l'atterrissage à Salt Lake City. Divers incidents dangereux se produisent régulièrement : boissons chaudes renversées sur le personnel de vol ; pilotes frappés à la tête, intrusion de force dans le cockpit, personnel de vol bousculé dans les rangées de sièges par un passager qui tente d'ouvrir une issue de secours en plein vol. Un nombre croissant de compagnies aériennes traîne les furieux de l'air devant les tribunaux. La Northwest Airlines a interdit de manière permanente à trois voyageurs agressifs d'embarquer sur ses avions. British Airways inflige des « cartes d'avertissement » aux passagers devenant dangereusement incontrôlables. Les célébrités ne sont pas immunisées contre la rage de l'air. Plusieurs vedettes bien connues du cinéma ou de la chanson française ont eu à répondre devant les tribunaux de leur attitude violente et inconvenante en avion, pouvant aller jusqu'à gifler une hôtesse ! Certaines compagnies prévoient à bord les moyens de neutraliser physiquement les passagers incontrôlables jusqu'à ce qu'ils puissent être remis aux autorités d'un aéroport.

En avril 2000, aux États-Unis, le Congrès a fait passer l'amende pour actes de « rage de l'air » de 1 100 dollars à 25 000 dollars. Des peines allant de 10 000 dollars à vingt ans d'emprisonnement peuvent également être appliquées pour les incidents les plus sérieux. Des passagers français en ont fait récemment la cruelle expérience. Certaines compagnies se refusent à diffuser l'information, de crainte de perdre des clients. Cependant, l'augmentation évidente des dispositifs antiterrorisme rend plus acceptable l'application de procédures destinées à contrôler et à punir la rage de l'air.

☞

Rage de l'air : les passagers indisciplinés posent un problème croissant

Quelles sont les causes de la rage de l'air ? Les chercheurs estiment que les voyages en avion sont devenus de plus en plus stressants en raison du manque de place et de la durée allongée des vols ; les compagnies ont contribué au problème en rapprochant trop les sièges les uns des autres et en n'expliquant pas les raisons des retards. Les résultats suggèrent que l'anxiété et une personnalité colérique sont des facteurs favorables à la rage de l'air. Ils prouvent également que les déplacements sur des itinéraires peu familiers augmentent le stress. L'interdiction de fumer peut être aussi un facteur de risque, mais l'abus d'alcool reste la cause principale de la majorité des incidents.

Les compagnies forment leurs employés à repérer les passagers risquant de poser des problèmes et à contrôler les individus violents. Quelques transporteurs donnent des conseils aux voyageurs sur la façon de se détendre pendant les vols de longue durée. D'autres offrent des patches à la nicotine aux fumeurs en manque.

Sources : Basé sur des informations issues de sources multiples, dont : « Acting Up in the Air », de Daniel Eisenberg, paru dans le *Time* du 21 décembre 1998 ; « Air Rage Capital : Bangor Becomes Nation's Flight Problem Drop Point », paru dans *The Baltimore Sun*, en septembre 1999 ; « Airlines Strangely Mum About New Fine », paru dans *The Omaha World-Herald* le 25 septembre 2000 ; « Passenger's Death Prompts Calls for Improved "Air Rage" Procedures », de Melanie Trottman et Chip Cummins, paru dans *The Wall Street Journal*, le 26 septembre 2000.

La grossièreté au téléphone pose un problème différent. Le personnel de services est réputé pour raccrocher au nez des clients énervés, mais cela ne résout pas le problème. Les clients des banques, par exemple, ont tendance à s'énerver lorsqu'ils apprennent que leurs chèques n'ont pas été payés parce qu'ils étaient à découvert (ils avaient donc enfreint les règles), ou qu'une demande de prêt leur a été refusée. Pour contrôler les clients qui se répandent en remontrances par téléphone, l'employé peut suggérer avec fermeté que la conversation ne mène nulle part et proposer de rappeler le client un peu plus tard, lorsque l'effet de la nouvelle se sera estompé. Dans beaucoup de cas, une pause consacrée à la réflexion est exactement la bonne réponse.

La famille en conflit

Lorsque les incidents impliquent des clients qui sont les membres d'une même famille en pleine conversation ou en pleine altercation, l'intervention des employés peut calmer la situation ou, au contraire, l'aggraver. Certaines situations exigent une analyse détaillée et une réponse soigneusement mesurée. D'autres, comme le cas de clients qui se lancent dans une bataille de nourriture dans un restaurant chic, exigent une réponse instantanée. Les responsables de services qui se trouvent dans de telles situations doivent avoir les pieds sur terre et être préparés à agir rapidement.

Le vandale

Les dégradations physiques que des personnes indisciplinées commettent sur des infrastructures et des équipements de services sont très diverses : liquides versés dans des distributeurs automatiques de billets ; graffitis à l'intérieur et à l'extérieur des locaux ;

brûlures de cigarettes sur les tapis, nappes et dessus-de-lit ; sièges d'autobus lacérés ; mobilier d'hôtel détérioré ; combinés de téléphone cassés ou volés ; voitures d'autres clients abîmées, verres brisés, tissus déchirés… la liste est sans fin. Naturellement, les dommages ne sont pas toujours imputables aux clients, on a déjà vu des employés contrariés commettre des sabotages. Les gens ivres ou qui tout simplement sont désœuvrés se trouvent à la source de la plupart des actes de vandalisme extérieurs. L'abus d'alcool et de drogues est souvent en cause, auquel on peut ajouter les problèmes psychologiques, la négligence, le mécontentement, le désir de vengeance…

La meilleure parade contre le vandalisme est la prévention. Une sécurité améliorée, un bon éclairage peuvent aider à décourager les vandales. Les entreprises peuvent choisir d'utiliser des surfaces résistantes, de protéger les équipements et d'installer du mobilier très solide. Expliquer aux clients comment utiliser correctement les équipements (plutôt que de se battre avec eux) et signaler les objets fragiles contribue à réduire les risques d'abus ou de manipulations négligentes. Les sanctions économiques sont également envisageables : dépôts de garanties ou accords signés dans lesquels les clients s'engagent à payer pour les dommages qu'ils pourraient causer.

Que doit faire le chef d'entreprise qui subit des dommages ? Si le vandale est attrapé, il faut d'abord établir si l'acte était volontaire ou involontaire. Les sanctions pour des dommages délibérés peuvent aller du simple avertissement aux poursuites judiciaires. En ce qui concerne la réparation des dommages physiques, il est préférable de procéder rapidement (dans le respect des contraintes imposées par la loi ou les polices d'assurance). Le directeur général bien inspiré d'une compagnie d'autobus déclare :

> *Si l'un de nos autobus est saccagé, si une fenêtre est cassée, un siège détruit, ou s'il y a un graffiti sur le plafond, nous le retirons aussitôt du service, et ainsi personne ne s'en rend compte. Sinon, vous suggérez la même idée à cinq autres personnes qui étaient trop stupides pour y penser seules[34] !*

L'exploiteur

Sans compter les clients qui n'ont jamais eu l'intention de payer (voir plus haut la section « Le voleur »), de nombreuses raisons font que le service reçu n'est pas payé. Là aussi, la prévention reste la meilleure des tactiques. Un nombre croissant d'entreprises exige un paiement anticipé. Toutes les formes de vente de billets en sont un bon exemple. Les entreprises de vente en ligne demandent un numéro de carte de crédit à la commande, de même que la plupart des hôtels à la réservation. Dans les autres cas, le mieux est de présenter au client une facture immédiatement après la consommation du service. Si la société doit expédier la facture par la poste, elle doit le faire très vite, tant que le souvenir du service est encore frais dans l'esprit du client.

Tous les clients en situation irrégulière ne sont pas forcément des exploiteurs enragés. Certains peuvent avoir de bonnes raisons pour un retard de paiement, et des arrangements sont toujours possibles. La question clé est de savoir si une approche plus personnalisée est justifiée en termes de coûts, notamment par rapport aux résultats obtenus en sous-traitant la tâche à une société de recouvrement. D'autres éléments entrent aussi en ligne de compte. Si les problèmes du client sont seulement provisoires, quelle est la valeur à long terme du maintien de la relation ? Apporter une aide au client créera-t-il un sentiment et un bouche à oreille positifs pour l'entreprise ? Tout dépend de la valeur que l'entreprise accorde à la création et au maintien de relations durables.

Conclusion

Ce chapitre a souligné l'importance de la conception des processus et du management des services, qui sont au cœur du produit et forment de manière significative l'expérience du client. Nous avons étudié en détail l'intérêt du *blueprint* pour comprendre, rendre tangible, analyser et améliorer les processus de services. Le *blueprint* aide à identifier et à réduire les risques d'échec du service, et fournit des indications précieuses pour la conception de nouveaux processus de services.

Une part importante de la conception du processus consiste à définir les rôles que les clients devraient jouer dans la production des services. Le niveau de participation que l'on attend d'eux doit être évalué, et les clients doivent être informés et motivés pour bien jouer leur rôle dans la livraison du service.

Activités

Questions de révision

1. Quel est le rôle du *blueprint* dans la conception, la gestion et le *redesign* des processus de services ?

2. Comment des procédures fiables peuvent-elles réduire les échecs du service ?

3. Décrivez comment le *blueprint* aide à identifier les rapports entre le service de base et les services supplémentaires.

4. Comment la création et l'évaluation d'un *blueprint* de services peut-il aider les responsables à comprendre le rôle du temps dans la livraison du service ?

5. Pourquoi un *redesign* périodique du processus est-il nécessaire, et quels sont les principaux types de *redesign* de processus de services ?

6. Pourquoi le rôle du client en tant que coproducteur doit-il être déterminé dans les processus de services ? Quelles sont les implications du fait de considérer les clients comme des employés temporaires ?

7. Expliquez les facteurs qui font que les clients détestent ou apprécient les technologies de libre-service.

8. Quels sont les différents types de jaycustomers, et comment une société de services peut-elle faire face au comportement de tels clients ?

Exercices d'application

1. Passez en revue le *blueprint* du dîner au restaurant sur la Figure 8.1. Identifiez plusieurs OTSU possibles pour chaque étape du processus de *front stage*. Considérez les causes fondamentales de chaque échec potentiel et suggérez des façons d'éliminer ou de réduire au minimum ces problèmes.

2. Préparez le logigramme d'un service qui vous est familier. Recherchez (a) quels sont les indicateurs de qualité du point de vue du client d'après la ligne de visibilité, (b) si toutes les étapes du processus sont nécessaires, (c) les séquences où la standardisation est possible dans l'ensemble du processus, (d) les points d'échecs potentiels et comment ils pourraient être éliminés ou faire l'objet de procédures particulières, (e) quelles sont les mesures potentielles de la performance du processus.

3. Choisissez un site Web particulièrement facile à utiliser et un autre qui ne l'est pas. Quels éléments conduisent à une utilisation satisfaisante dans le premier cas et à une frustration dans le second ? Faites des recommandations portant sur des améliorations pour le second site Web.

4. Choisissez un service et identifiez le comportement potentiel de jaycustomers. Comment le processus de services peut-il être conçu pour réduire au minimum ou contrôler le comportement de ces jaycustomers ?

Notes

1. Véronique Cova, « Le design des services », *Décisions marketing*, n° 34, avril-juin 2004, pp. 29-40.

2. G. Lynn Shostack, « Understanding Services Through Blueprinting », *in* T. Schwartz et al., *Advances in Services Marketing and Management, 1992*. CT : JAI Press, Greenwich, 1992, pp. 75-90.

3. G. Lynn Shostack, « Designing Services That Deliver », *Harvard Business Review*, janvier-février 1984, pp. 133-139.

4. Jane Kingman-Brundage, « The ABCs of Service System Blueprinting », in M.J. Bitner and L.A. Crosby, eds, *Designing a Winning Service Strategy.* American Marketing Association, Chicago, 1989.

5. David Maister, président de Maister Associates, a inventé le terme OTSU lorsqu'il était professeur à la Harvard Business School, dans les années 1980.

6. « How Marriott Makes a Great First Impression », *The Service Edge*, vol. 6, mai 1993, p. 5

7. David E. Hansen et Peter J. Danaher, « Inconsistent Performance during the Service Encounter : What's a Good Start Worth ? », *Journal of Service Research,* vol. 1, février 1999, pp. 227-235 ; Richard B. Chase and Sriram Dasu, « Want to Perfect Your Company's Service ? Use Behavorial Science », *Harvard Business Review 79*, 2001, pp. 78-85.

8. Lisa Bannon, « Plastic Surgeons Are Told to Pay More Attention to Appearances », *Wall Street Journal*, 15 mars 1997.

9. Jochen Wirtz et Monica Tomlin, « Institutionalizing Customer-driven Learning Through Fully Integrated Customer Feedback Systems », *Managing Service Quality*, n° 4, 2000, pp. 205-215.

10. Mitchell T. Rabkin, MD, cité in Christopher H. Lovelock, *Product Plus*, McGraw-Hill, New York, 1994, pp. 354-355.s

11. Voir, par exemple, Michael Hammer and James Champy, *Reeingineering the Corporation*, Harper Business, New York, 1993.

12. Cette section est en partie basée sur Leonard L. Berry et Sandra K. Lampo, « Teaching an Old Service New Tricks – The Promise of Service Redesign », *Journal of Service Research 2*, n° 3, février 2000, pp. 265-275. Berry et Lampo identifient les cinq concepts de redesign des services suivants : libre service, service direct, pré-service, bundle, service physique. Nous élargissons certains de ces concepts de façon à intégrer quelques-uns des aspects permettant d'améliorer la productivité, comme l'élimination des tâches sans valeur ajoutée tout au long du processus de livraison des services.

13. Amy Risch Rodie et Susan Schultz Klein, « Customer Participation in Services Production and Delivery », in T. A. Schwartz et D. Iacobucci, *Handbook of Service Marketing and Management*, Thousand Oaks, Sage Publications, Californie, 2000, pp. 111-125.

14. Mary Jo Bitner, William T. Faranda, Amy R. Hubbert, et Valarie Zeithaml, « Customer Contributions and Roles in Service Delivery 3 », *International Journal of Service Management 8*, n° 3, 1997, pp. 193-205.

15. Deny Belisle, Line Ricard, « L'impact du degré d'utilisation des technologies bancaires libre-service sur la perception des jeunes consommateurs du niveau relationnel de leur banque », Acte du congrès de l'AFM, vol. 18, Lille, 2002.

16. Pratibha A. Dabholkar, L. Michelle Bobbitt, et Eun-Ju Lee, « Understanding Consumer Motivation and Behavior Related to Self-Scanning in Retailing », *International Journal of Service Industry Management 14*, n° 1, 2003, pp. 59-95.

17. Matthew L. Meuter, Amy L. Ostrom, Robert I. Roundtree et Mary Jo Bitner, « Self-Service Technologies : Understanding Customer Satisfaction with Technology-Based Service Encounters », *Journal of Marketing 64*, juillet 2000, pp. 50-64.

18. Neeli Bendapudi et Robert P. Leone, « Psychological Implications of Customer Participation in Co-Production », *Journal of Marketing 67*, janvier 2003, pp. 14-28.

19. Curran J. M. & Meuter M. L., 2007, « Encouraging Customers to Switch to Self Service Technologies : Put a Little Fun in Their Lives », *Journal of Marketing Theory and Practice*, vol. 15, n° 4, fall, pp. 283-298.

20. David G. Mick et Susan Fournier, « Paradoxes of Technology : Consumer Cognizance, Emotions, and Coping Strategies », *Journal of Consumer Research 25*, septembre 1998, pp. 123-143.

21. James M. Curran, Matthew L. Meuter et Carol G. Surprenant, « Intentions to Use Self-Service Technologies : A Confluence of Multiple Attitudes », *Journal of Service Research 5*, février 2003, pp. 209-224.

22. Annabel Salerno, « Personnalisation et connexion identitaire dans la relation du consommateur à l'organisation de service », *Acte de l'AFM de Deauville*, 2001.

23. Meuter et al. 2000 ; Mary Jo Bitner, « Self-Service Technologies : What Do Customers Expect ? », *Marketing Management*, 2001, pp. 10-11.

24. Bitner, 2001, *op. cit.*

25. www.ebay.com, avril 2003.

26. Benjamin Schneider et David E. Bowen, « Winning the Service Game », *Harvard Business School Press*, Boston, 1995, p. 92.

27. David E. Bowen, « Managing Customers as Human Resources in Service Organizations », *Human Resources Management*, vol. 25, n° 3, 1986, pp. 371-383.

28. Benjamin Schneider et David E. Bowen, *op cit*, p. 85.

29. Bonnie Farber Canziani, « Leveraging Customer Competency in Service Firms », *International Journal of Service Industry Management*, vol. 8. n° 1, 1997, pp. 5-25.

30. Cette section est adaptée de Christopher Lovelock, *Product Plus*, McGraw-Hill, New York, 1994, chapitre 15.

31. Lloyd C. Harris et Kate L. Reynolds, « The Consequences of Dysfunctional Customer Behavior », *Journal of Service Research*, 6 novembre 2003, pp. 144-161.

32. Basé sur Rob Ortega et Emily Nelson, « Skiing Deaths May Fuel Calls for Helmets », *Wall Street Journal*, 7 janvier 1998.

33. Pour une description amusante et explicite de différents types de querelleurs, voir Ron Zemke et Kristin Anderson, « The Customers from Hell », *Training*, vol. 26, février 1990, pp. 25-31.

34. hristopher Lovelock, *Product Plus*, McGraw-Hill, New York, 1994, p. 236.

Chapitre 9

Équilibrer la demande et la capacité de production

« Équilibrer la demande et la fourniture de services n'est pas facile. C'est sur ce point qu'un manager qui y parvient fait la différence. » – Earl Sasser

« Ils servent aussi ceux qui sont là et attendent. » – John Milton

Ce chapitre aborde les questions suivantes

- Que signifie le terme « capacité » dans l'univers des services et comment est-elle mesurée ?
- Peut-on prévoir les fluctuations de la demande et identifier leurs causes ?
- Comment les techniques de gestion de la capacité peuvent-elles être utilisées pour être en adéquation avec les variations de la demande ?
- Quelles stratégies marketing les entreprises de services peuvent-elles utiliser afin d'atténuer les fluc tuations de la demande ?
- Si les clients doivent attendre pour obtenir un service, comment peut-on rendre cette attente moins ennuyeuse ?
- Que doit-on prendre en compte dans la mise en place d'un système de réservation efficace ?

F aire face aux variations de la demande est un défi auquel les différents types d'entreprises de services doivent faire face. Ces fluctuations, qui peuvent avoir différentes fréquences (une saison, une heure…), désorganisent de façon significative l'entreprise et empêchent l'utilisation efficace des actifs de production. En travaillant étroitement avec les collaborateurs des opérations et des ressources humaines, les marketeurs peuvent mettre en place des stratégies d'équilibrage de la demande et de la capacité de production, afin qu'elles génèrent des bénéfices aussi bien pour les clients que pour les fournisseurs de service.

1. Les fluctuations de la demande menacent la productivité des services

Contrairement aux biens manufacturés, les services sont périssables et ne peuvent être stockés pour être vendus à une date ultérieure. Cela est un problème pour tout service possédant une capacité de production limitée et devant faire face à des variations de la demande. La question se pose le plus souvent dans les services relatifs au traitement des personnes ou des biens, comme dans les transports, le logement, la restauration, l'entretien et la réparation, les divertissements et la santé. Cela touche aussi les services à forte main-d'œuvre et les services de traitement de l'information, qui rencontrent des modifications cycliques de la demande. La comptabilité et la fiscalité en sont deux exemples.

L'utilisation efficace des capacités de production est la clé du succès dans ce type d'activités. Le but n'est pas d'utiliser au maximum le personnel, la main-d'œuvre ou les machines, mais de maximiser leur productivité. Cette recherche de productivité ne doit pas être faite aux dépens de la qualité, ni entraîner une dégradation de l'expérience du consommateur.

1.1. D'une demande excessive à une capacité excessive

Le cas est fréquent. Un directeur explique : « Pour nous, c'est soit un festin, soit la famine. Lors des périodes de pic, nous refusons des clients. Quand l'activité baisse, nos installations fonctionnent en sous régime, nos employés s'ennuient et nous perdons de l'argent. » À n'importe quel moment, un service à capacité de production fixe peut faire face à quatre situations :

- *Une demande excessive :* le niveau de demande excède la capacité disponible, entraînant le refus de servir des consommateurs et parfois la perte d'affaires.
- *Une demande supérieure à la capacité optimale :* tout le monde est servi, mais chacun est susceptible de ressentir une détérioration de la qualité du service.
- *Un équilibre entre demande et capacité au niveau de capacité optimal :* le personnel et les installations tournent à plein régime, sans pour autant être débordés, et les clients reçoivent des services de qualité sans délai.
- *Une capacité supérieure à la demande :* la demande est inférieure à la capacité optimale, et des ressources de production restent sous-utilisées ; l'entreprise court le risque (dans certains cas) de voir ses clients déçus et émettre des doutes quant à la viabilité et la pertinence du service.

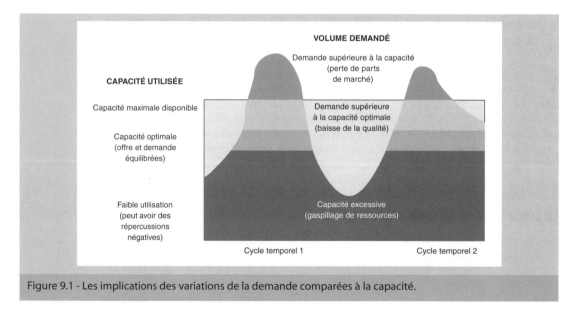

Figure 9.1 - Les implications des variations de la demande comparées à la capacité.

Parfois, les capacités optimales et maximales se rejoignent. Dans une situation où la performance est immédiate, comme dans un théâtre ou un stade, une occupation maximale est exceptionnelle. Elle stimule les acteurs et crée une atmosphère d'excitation et d'interactivité qui améliore la qualité du service. Avec d'autres services, on peut penser que la qualité sera au rendez-vous si l'entreprise n'opère pas à plein rendement. La qualité de la restauration, par exemple, se détériore souvent lorsque la salle est pleine, car le personnel est surchargé, ce qui entraîne un plus grand nombre d'erreurs et des délais allongés. Dans un avion, on est plus à l'aise lorsque le siège à côté du sien est vide. Quand les agendas des ateliers de réparation sont pleins, il en résulte souvent des délais supplémentaires si des ajustements du système pour gérer les difficultés inattendues n'ont pas été prévus.

Il existe deux approches possibles au problème des fluctuations de la demande. L'une est d'ajuster la capacité afin de supporter les variations de la demande. Cette approche nécessite de bien connaître ce qui compose la capacité de production et de savoir comment elle peut être augmentée ou diminuée. La seconde approche consiste à gérer le niveau de la demande en utilisant des stratégies marketing pour lisser les pics et combler les creux dans le but de créer une demande constante pour ce service. Un grand nombre d'entreprises utilisent un mix des deux approches[1].

2. Un grand nombre d'entreprises de services ont des capacités de livraison limitées

À un moment donné, les entreprises se retrouvent limitées quant à leur capacité de traiter un client supplémentaire. Ces entreprises peuvent également se trouver dans l'impossibilité de réduire leur capacité de production lorsque la demande est faible. En général, les entreprises de services basées sur le traitement des personnes ou des biens sont plus exposées aux situations de contraintes que celles qui utilisent des processus basés sur l'information.

2.1. Définition de la capacité de production

Que voulons-nous dire par capacité de production ? Nous faisons ici référence aux ressources que l'entreprise doit mobiliser pour créer des biens et/ou des services. Dans le contexte des services, cette capacité peut prendre plusieurs formes :

- *Les installations physiques destinées à recevoir des personnes :* les hôtels, les cliniques, les avions, les salles de classe. La première contrainte repose sur les fournitures : lits, sièges ou chambres disponibles. Dans certains cas, des règles peuvent fixer une capacité maximale de places pour respecter des impératifs de sécurité ou d'hygiène.

- *Les installations physiques destinées à stocker ou à produire des biens* appartenant aux clients ou qui leur sont proposés : les oléoducs, les hangars, les parkings ou le transport ferroviaire de marchandises.

- *Les équipements physiques utilisés pour traiter les informations, les biens ou les personnes elles-mêmes* sont divers et très nombreux : les détecteurs d'armes dans les aéroports, les péages, les distributeurs de billets font partie des éléments qui en nombre trop faible peuvent amener le service à un arrêt total.

- *Le travail est* un des éléments clés de la capacité de production des services à contact humain élevé, même s'ils représentent une infime partie du service. Afin de faire face à la demande, le nombre de serveurs dans un restaurant ou d'infirmières dans un hôpital doit être suffisant, sinon l'attente du client est trop longue ou le service de faible qualité. Les services aux entreprises dépendent d'équipes hautement qualifiées qui mettent en place des services de grande valeur. Abraham Lincoln disait : « L'expertise et le temps sont les atouts d'un avocat lors d'un échange. »

- *Les infrastructures :* beaucoup d'entreprises dépendent d'un accès suffisant à des infrastructures publiques ou privées pour apporter à leurs clients un service de qualité. Les problèmes de capacité s'illustrent dans le cas d'un trafic aérien encombré qui entraîne des restrictions de vol, des bouchons sur les autoroutes et des coupures d'électricité.

La mesure de l'utilisation de la capacité de production prend en compte, d'une part, le nombre d'heures disponibles ou le pourcentage de la durée d'utilisation, donc de la rentabilité des installations et des équipements, et d'autre part, le pourcentage d'espace physique (par exemple : sièges ou volume de fret) réellement utilisé durant les opérations. Contrairement aux équipements, les êtres humains sont beaucoup moins aptes à maintenir sur le long terme un niveau de production constant. Un employé fatigué ou peu qualifié affecté à un poste dans une chaîne de production comme une cafétéria peut ralentir l'ensemble du service.

Un grand nombre de services dans le secteur médical, les réparations ou la maintenance consistent en un ensemble d'actions effectuées séquentiellement. Cela veut dire que la capacité d'une entreprise de services à donner satisfaction est limitée par ses infrastructures, ses équipements, son personnel et par le nombre de services proposés. Dans une société de services bien organisée et bien gérée, la capacité des installations et des équipements est en adéquation avec le personnel. De même, l'ordonnancement en séquences des opérations doit être organisé afin de minimiser les risques de goulot d'étranglement à tout moment durant le processus.

La réussite financière dans une activité à capacité limitée est dans une large mesure fonction de la capacité du management à utiliser un personnel, des équipements et des installations productives de la façon la plus efficiente et la plus profitable possible. Toutefois, cette situation idéale peut se révéler difficile à atteindre. Le niveau de demande n'est pas le seul à varier sur la durée (le plus souvent aléatoirement), le temps et l'effort requis pour traiter chaque personne ou objet peuvent également varier à tout moment du processus. En général, les temps de traitement sont plus variables pour les personnes (tempéraments coopératifs ou pas, besoins de préparation différents, etc.) que pour les objets. De plus, les tâches des services ne sont pas forcément homogènes. Dans les services techniques et les services de réparation, les délais de diagnostic et de traitement varient en fonction de la nature du problème rencontré par le client.

2.2. Augmenter ou réduire la capacité

Certaines capacités sont élastiques et capables d'absorber la demande. Un wagon de métro, par exemple, peut offrir 40 places assises et 60 places debout en trafic normal. Néanmoins, aux heures de pointe, ou lorsque des retards ont lieu sur la ligne, on peut quand même y faire entrer 200 personnes. Dans certains cas, le personnel de service peut augmenter son niveau d'efficacité sur de courtes périodes, mais la conséquence directe sera une fatigue accrue et très certainement un service de qualité inférieure.

Quand la capacité est fixe, par exemple lorsqu'elle est liée au nombre de sièges, il est toujours possible de la faire varier en rajoutant des sièges aux heures de pointe. Certaines compagnies aériennes augmentent la capacité de leurs avions en réduisant l'écart entre deux sièges dans toute la cabine, ce qui leur permet d'obtenir deux rangs supplémentaires. De même, un restaurant peut rajouter des tables et des chaises. Ces pratiques sont souvent limitées par des consignes de sécurité et par la capacité des services annexes, comme les cuisines.

Une autre stratégie pour augmenter la capacité consiste à utiliser les installations sur des périodes plus longues : par exemple, proposer des dîners à des horaires tardifs ou mettre en place des sessions de cours durant l'été ou en soirée.

En général, le temps moyen passé par les clients (ou leurs biens) lors du processus peut-être réduit, notamment par une réduction du délai d'attente par exemple lorsque l'addition est rapidement présentée aux clients une fois le repas terminé. Cette diminution des délais peut être atteinte en réduisant le service : par exemple en proposant un menu plus simple lors des heures d'affluence.

2.3. Ajuster la capacité pour répondre à la demande

Une autre solution réside dans la possibilité d'adapter le niveau global des capacités de production aux variations de la demande. Pour cela, les responsables peuvent prendre plusieurs dispositions[2] :

- *Programmer l'entretien et la maintenance des équipements pendant les périodes de faible demande.* Afin de garantir la disponibilité de 100 % de la capacité durant les pics d'activité, il faut gérer les activités de réparation et de maintenance quand la demande est faible. Il convient également que les employés prennent leurs congés pendant cette période.

- *Employer du personnel à temps partiel.* Beaucoup d'entreprises ont recours au service de travailleurs extérieurs à l'entreprise quand elles sont confrontées à des pics d'activité : postiers, commerçants pendant la période de Noël, hôtels et restaurants pendant les périodes de vacances ou lors de manifestations importantes.

- *Louer ou cogérer des équipements ou installations supplémentaires.* Pour limiter ses investissements, une société de services peut avoir recours à la location de locaux ou de machines supplémentaires lors de périodes de forte activité. Des entreprises dont les segments de demande sont complémentaires peuvent ainsi conclure des accords de cogestion formels.

- *Polyvalence des employés.* Même lorsque le système de production de services semble opérer à plein rendement, certains éléments physiques, mais aussi les employés qui y sont affectés, peuvent demeurer sous-employés. Si les compétences des employés sont diversifiées, ils peuvent être redirigés en fonction des besoins vers les postes où leur savoir-faire est utile, ce qui augmente la capacité totale du système. Dans les supermarchés, par exemple, le responsable peut affecter des employés de rayons aux caisses lorsque les files d'attente deviennent trop longues. De même, durant les périodes calmes, les caissiers peuvent être amenés à aider dans les rayons et vice versa.

Parfois, le problème ne réside pas dans le niveau de capacité globale mais dans le mix en place pour répondre aux besoins des différents segments du marché. Par exemple, sur un vol donné, une compagnie peut avoir un nombre trop faible de sièges libres en classe économique, même s'il y a des sièges vides en classe affaires ; ou bien un hôtel peut se retrouver en manque de suites alors que des chambres standard sont encore à disposition. Une solution passe par la mise en place d'installations flexibles. Des hôtels possèdent des chambres communicantes. Si l'hôtelier condamne la porte entre les deux pièces, il peut vendre deux chambres ; à l'inverse, l'une des deux chambres peut servir de salon et permettre ainsi de mettre une suite à disposition.

En pleine concurrence avec Airbus Industries, Boeing a reçu ce qui fut décrit comme des demandes excessives de la part de clients se renseignant sur le B 777. Les compagnies voulaient un avion où les cuisines et les toilettes pouvaient être déplacées, tuyauterie comprise, et ce, en quelques heures. Boeing a résolu le problème. Les compagnies peuvent désormais reconfigurer la cabine du « Triple 7 » en peu de temps, en affectant le nombre de sièges voulu dans chacune des trois classes selon leurs souhaits.

Toute la capacité de production non vendue n'est pas forcément gaspillée. Un grand nombre d'entreprises ont une approche stratégique d'anticipation de la surcapacité, l'allouant à l'avance afin de créer des relations avec les clients, les fournisseurs, les employés et les intermédiaires. Des essais gratuits pour les clients ou les intermédiaires, des récompenses pour les employés et l'échange de capacité avec les fournisseurs de l'entreprise peuvent être des solutions positives[3]. Les services les plus échangés sont l'espace publicitaire, le temps d'antenne, les sièges d'avion et les chambres d'hôtel.

3. Modèles et déterminants de la demande

Regardons maintenant de l'autre côté de l'équation. Afin de contrôler les variations de la demande pour un service donné, les responsables doivent connaître les facteurs qui influencent cette demande.

3.1. Comprendre les modèles de demande

Répondre à la série de questions proposées dans le tableau 9.1 permet de comprendre les modèles de demande et de mieux y faire face.

Tableau 9.1 : Questions en relation avec les modèles de demande et leurs causes[4]

> **1. Le niveau de demande suit-il un cycle prévisible ?**
>
> Si c'est le cas, le cycle dure-t-il :
> - un jour (variations en heures) ;
> - une semaine (variations en jours) ;
> - un mois (variations en jours ou en semaines) ;
> - une année (variations en mois ou saisons, ou encore en fonction des vacances scolaires) ;
> - toute autre périodicité.
>
> **2. Quelles sont les causes qui sous-tendent ces variations cycliques ?**
> - le calendrier des embauches ;
> - le paiement des impôts et taxes ;
> - les échéances de paiement des salaires ;
> - les vacances et horaires scolaires ;
> - les modifications saisonnières du climat ;

Tableau 9.1 : Questions en relation avec les modèles de demande et leurs causes[4] *(suite)*

> • les jours fériés ou fêtes religieuses ;
> • les cycles naturels, comme les marées.
>
> **3. Les niveaux de demande changent-ils aléatoirement ?**
>
> Si c'est le cas, les causes peuvent-elles être :
> • des changements météorologiques quotidiens ;
> • des événements liés à la santé que l'on ne peut exactement prévoir ;
> • des accidents, des incendies et certaines activités délictueuses ;
> • les catastrophes naturelles, comme les tremblements de terre, les tempêtes ou les éruptions volcaniques.
>
> **4. La demande pour un service particulier peut-elle se modifier dans le temps à cause des changements de comportement de certains segments de marché ?**
>
> L'accent sera mis sur des composantes comme :
> • les comportements de consommation par un type particulier de client ou dans un but particulier ;
> • les variations de bénéfices nets pour chaque affaire menée à terme.

Les causes de variation de la demande peuvent être extrêmement aléatoires. À titre d'exemple, réfléchissez à quel point la pluie ou la neige peuvent avoir de l'influence sur l'utilisation de terrains couverts ou ouverts ou pour des services de loisirs, par exemple un camping. Imaginez le travail d'un pompier, d'un policier ou d'un médecin urgentiste qui ne savent jamais d'où viendra le prochain appel ni quelle sera la nature de l'intervention.

Enfin, pensez aux conséquences d'une catastrophe naturelle, tremblement de terre, tornade, inondation, sur les services d'urgence comme sur les compagnies d'assurances, les écoles, etc. Dans le domaine de la santé, il existe des logiciels basés sur des modèles prédictifs améliorés par l'enrichissement continu des bases de données qui permettent aux urgences et aux services de santé de faire le lien entre les pics de naissances et les pleines lunes. Les compagnies d'assurances utilisent ce type de logiciels pour tenter de réduire le risque lui-même.

La plupart des variations cycliques de la demande pour un service particulier se produisent sur une durée qui va de 1 jour à 12 mois. L'impact des changements saisonniers est bien connu et influence la demande d'un grand nombre de services. La faible demande lors des périodes hors saison est un problème pour les offices de tourisme.

Dans beaucoup de cas, plusieurs cycles ont lieu en même temps. Par exemple, la demande en transports en commun varie en fonction de l'heure (au plus haut aux heures d'ouverture et de fermeture des bureaux), du jour de la semaine (départs en week-end), et de la saison (plus de touristes en été). Autrement dit, la demande pour ce type de service un vendredi soir en période estivale aura tendance à être supérieure à celle d'un lundi après-midi en hiver.

3.2. Analyser les moteurs de la demande

Aucune stratégie pour lisser la demande ne peut être un succès si elle n'est pas basée sur la connaissance et la motivation des clients d'un segment de marché spécifique. Il est difficile pour les hôtels de convaincre leur clientèle d'affaires de rester les samedis, sachant que peu de professionnels voyagent le week-end. À l'inverse, ils devraient faire plus de publicité sur la possibilité d'utiliser leurs installations pour des conférences ou bien en tant que lieu de détente le week-end. Essayer de faire voyager les gens en dehors des périodes de pointe serait un échec, car ces périodes sont déterminées par leurs horaires de travail. On pourrait cependant essayer de convaincre les employeurs de rendre leurs horaires plus flexibles. Les entreprises concernées admettent que des prix faibles en basse saison ne permettent pas à l'activité de se développer, mais qu'il peut être profitable de développer d'autres activités. Les stations balnéaires, par exemple, peuvent mettre en place des activités telles que la marche, la découverte de la faune et de la flore ou les visites de musées lors des saisons « creuses », comme le printemps et l'automne. Elles changent alors le mix et l'objectif des services pour cibler différents types de clientèles.

Garder une trace des transactions passées peut être aussi utile pour mieux étudier les facteurs déterminants de la demande. Il existe des systèmes sophistiqués qui permettent de déterminer différents modèles de consommation des clients en fonction de la date et du moment de la journée. Enregistrer les conditions météorologiques et tout facteur susceptible d'influencer la demande (une grève, un accident, une exposition en ville, un changement de prix, le lancement d'un service concurrent, etc.) peut également être instructif.

3.3. Répartir la demande en fonction des segments de marché

Les fluctuations aléatoires trouvent généralement leurs causes hors du champ du management. Mais l'analyse révèle parfois qu'un cycle de demande prévisible valable pour un segment dissimule un ensemble plus aléatoire. D'où la nécessité de détailler la demande segment par segment. Par exemple, le responsable d'une entreprise de réparation et de maintenance d'équipements électriques industriels peut avoir une certaine part de son travail alimentée par une série de contrats de maintenance préventive. En parallèle, il peut gérer des affaires « imprévues » et des réparations d'urgence.

Bien qu'il puisse sembler difficile de prévoir ou de contrôler le temps et le volume des imprévus, des analyses plus poussées peuvent montrer qu'ils sont plus fréquents certains jours de la semaine, ou encore que les réparations d'urgence sont souvent nombreuses après un orage ou une tempête (événements plutôt saisonniers qui peuvent souvent être anticipés un jour ou deux jours à l'avance). Toutes les demandes urgentes ne sont d'ailleurs pas désirables. Certaines demandes de services sont mal formulées et il est difficile de répondre correctement aux besoins pourtant légitimes des clients. Comme le relate l'encadré Meilleures Pratiques 9.1, un grand nombre d'appels vers les centres d'urgence 15, 17 ou 18 ne nécessitent pas l'envoi du SAMU, des pompiers ou de la police. Décourager ces demandes indésirables à travers des campagnes publicitaires ou des systèmes de filtrage ne réduira pas les fluctuations aléatoires de la demande, mais permettra de réduire les pics d'activité et de les rapprocher des capacités des entreprises.

Les efforts marketing peuvent-ils aplanir les variations aléatoires de la demande ? La réponse est le plus souvent négative, puisque ces fluctuations se trouvent en général hors du contrôle des sociétés de services. L'analyse révèle cependant qu'un cycle de demande prévisible pour

Décourager les appels non urgents

Vous êtes-vous déjà interrogé sur le travail des centres de secours 15, 17 ou 18 ? La nature des urgences diffère selon les personnes.

Au standard téléphonique de la police parisienne, un employé de permanence répond à une femme qui appelle parce que son chat est perché sur un arbre et qu'elle a peur qu'il ne sache pas descendre : « Madame, avez-vous déjà vu le squelette d'un chat dans un arbre ? » lui demande-t-il. « Tous les chats descendent à un moment ou un autre, non ? » La femme raccroche et le policier se retourne vers un visiteur : « Ce genre d'appel se produit tout le temps. Qu'est-ce qu'on peut y faire ?» Le problème est que lorsque des gens appellent pour des soirées trop bruyantes, des chats perchés, ou bien des fuites d'hydrocarbures, ils empêchent parfois de répondre à des appels concernant des incendies, des arrêts cardiaques ou bien des crimes.

À New York, la situation était tellement critique que les hauts responsables ont dû mettre en place une campagne visant à décourager le recours au 911 (numéro d'appel d'urgence) pour ce type d'appels. Le problème est qu'un chat perché ou bien une soirée qui dérange le sommeil d'un voisin ne représentent pas une situation vitale du ressort des services d'urgence de la ville. La campagne de communication, relayée dans différents médias et affichée sur les bus et dans les stations de métro, avait pour objectif de sensibiliser les gens à n'appeler que si l'urgence était vitale (ou vraiment grave). Dans le cas contraire, ils étaient incités à appeler le commissariat le plus proche ou les autres services de la ville.

un segment se trouve perdu dans un ensemble plus grand, apparemment aléatoire. Par exemple, un magasin peut avoir des fluctuations de revenu quotidiennes, mais constater qu'un noyau dur de clients est passé tous les jours et a acheté des journaux ou des confiseries.

C'est la nature des enregistrements conservés par la société de services qui conditionne la facilité avec laquelle on peut prévoir la demande. Si chaque commande de client est conservée séparément, et documentée par des notes détaillées (comme lors d'une consultation médicale ou d'un bilan comptable), cela simplifie grandement la compréhension de la demande. Dans les services par abonnement, lorsque l'identité de chaque client est connue et que des factures spécifiques lui sont envoyées mensuellement, les responsables peuvent accéder à certaines informations concernant leurs habitudes de consommation. Certains services, comme la téléphonie, peuvent même déterminer les habitudes de consommation des abonnés en fonction de l'heure. Bien que ces données ne fournissent pas toujours les renseignements spécifiques que l'on recherche, il est souvent possible d'en tirer des conclusions quant au volume de ventes généré par les différents groupes d'utilisateurs.

4. Il est possible de gérer la demande[5]

Il existe cinq approches traditionnelles pour gérer la demande. La première, qui n'a que l'avantage de la simplicité, implique de *ne conduire aucune action et de laisser la demande se stabiliser toute seule*. Les clients finiront bien par apprendre avec l'expérience ou grâce au bouche à oreille quand ils doivent s'attendre à faire la queue et quand le service est rapidement disponible. Le seul problème, c'est qu'ils peuvent également apprendre à s'adresser à la concurrence pour obtenir satisfaction, et qu'une sous-utilisation des capacités de production ne peut être enrayée sans rien faire. Des approches plus interventionnistes cherchent à influencer le niveau de la demande soit pour la *réduire* en période pleine, soit pour l'*augmenter* en période creuse. Deux autres approches impliquent, elles, de faire l'inventaire de la demande jusqu'à l'indisponibilité des capacités de production. Cela peut être accompli en mettant en place un *système de réservation* qui assure aux clients un accès au service en temps voulu, ou alors *en créant un système formalisé de liste d'attente* (les deux pouvant être combinés).

Le tableau 9.2 rapproche les cinq possibilités aux deux problèmes liés à un excès de demande et un excès de capacité. Il est accompagné de commentaires stratégiques. Un certain nombre de sociétés de services rencontrent ces deux situations à un moment du cycle de la demande et doivent, dans la mesure du possible, utiliser les approches interventionnistes décrites et suggérées ci-dessus.

Tableau 9.2 : Stratégies de gestion de la demande selon les différents niveaux de capacité

Approche pratiquée pour gérer la demande	Capacité insuffisante (demande en excès)	Capacité excessive (demande insuffisante)
Aucune réaction.	Attente désorganisée. (Peut irriter les clients et les décourager pour de futures affaires.)	Capacité sous-employée. (Les clients peuvent être déçus, par exemple au théâtre.)
Réduire la demande.	Augmenter les prix fera croître les bénéfices. On peut utiliser la communication pour encourager une utilisation différente dans le temps. (Cet effort peut-il être centré sur des segments moins porteurs ?)	Aucune action (voir ci-dessous).
Augmenter la demande.	Aucune mesure à prendre, à moins que des segments porteurs ne puissent être stimulés.	Fixer des prix relativement bas (éviter la cannibalisation des autres produits ; s'assurer que le seuil de rentabilité est atteint). Utiliser la promotion et les variations entre produits et distribution (mais attention aux coûts supplémentaires et s'assurer d'un compromis entre parts de marché et rentabilité).
Inventorier la demande par un système de réservations.	Considérer le système le mieux adapté aux segments importants. Déplacer les autres clients vers les périodes creuses ou des pics à venir.	Bien montrer que des places sont disponibles et qu'aucune réservation n'est nécessaire.
Inventorier la demande par une liste d'attente formelle.	Penser à ne cibler éventuellement que les segments les plus porteurs. Chercher à occuper et à mettre à l'aise les clients durant l'attente. Essayer de donner un ordre d'idées concernant l'attente.	Inapplicable.

4.1. Les stratégies marketing pour remodeler la demande

Certains éléments du mix marketing jouent un rôle dans la stimulation de la demande ou la diminution des capacités de production quand elles sont trop importantes. Le prix est souvent la variable mise en avant lorsqu'il faut équilibrer la demande et l'offre, mais des modifications du produit, de la stratégie de distribution et de la communication peuvent également jouer un rôle important. Bien que chaque élément soit déterminé séparément, des efforts efficaces de gestion de la demande nécessitent des changements simultanés de deux ou plusieurs de ces variables.

Utilisation du prix et des coûts pour influencer la demande

La manière la plus simple pour réduire l'excédent de demande lors des périodes de forte activité est d'augmenter le prix du service durant ces périodes. D'autres coûts pour le client peuvent avoir des effets similaires. Par exemple, si en plus du prix le temps d'attente augmente lors des périodes de forte activité, les plus impatients seront probablement découragés. De même, des prix bas et l'absence d'attente peuvent encourager certains clients à modifier leur comportement, que ce soit pour du shopping, un voyage ou la visite d'un musée.

Pour que les prix soient efficaces en tant qu'outil de gestion de la demande, le marketeur doit avoir une certaine idée de la forme et de la pente de la courbe de demande de service, c'est-à-dire de la manière dont le volume de services demandé répond aux augmentations et diminutions du prix à l'unité, à un moment donné (voir la figure 9.2). Il est important de déterminer si la courbe de la demande d'un service spécifique varie beaucoup d'une période à une autre (le client est-il prêt à payer plus pour une nuit de week-end à Biarritz en été qu'en hiver ?). Si c'est le cas, des systèmes de tarification variables peuvent se révéler nécessaires pour utiliser pleinement la capacité, quelle que soit la période. Pour compliquer encore les choses, on peut rencontrer des courbes de demande distinctes pour différents segments à l'intérieur de chaque période (les professionnels, lors de leurs déplacements, sont moins sensibles aux prix que les vacanciers).

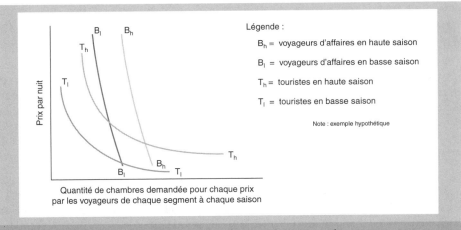

Figure 9.2 - Courbes de demande d'un hôtel en fonction du segment de consommateur et de la saison.

L'une des tâches les plus ardues pour les experts en marketing est la détermination de la nature de ces différentes courbes de demande. Les études, les expériences et l'analyse de situations semblables ou de services comparables sont tous des moyens valables pour parvenir à comprendre la situation. Beaucoup de sociétés de services reconnaissent explicitement l'existence de différentes courbes de demande pour différents segments sur la même période en établissant des catégories de services, chacune ayant un prix sur la courbe de demande d'un segment particulier. En fait, chaque segment reçoit une variation du produit de base, qui comprend un service de base assorti de services supplémentaires différents de façon à attirer les segments les plus porteurs. Par exemple, dans les entreprises d'informatique, le « plus produit » prend la forme d'un temps de retour sur investissement plus rapide ; et dans les hôtels, les chambres sont différenciées par leur taille, leurs aménagements et leurs vues.

Dans tous les cas, l'objectif est de maximiser les revenus sur chaque segment. Toutefois, lorsque la capacité est limitée, une entreprise à but lucratif veut s'assurer que ce sont les segments porteurs qui utilisent la majorité des capacités de production. Les compagnies aériennes, par exemple, disposent d'un certain nombre de places plein tarif pour les professionnels et imposent des conditions de restriction sur les voyages touristiques (comme payer à l'avance ou bien rester la nuit du samedi) afin de décourager les professionnels de profiter des offres pour touristes et de remplir au mieux les avions. Ces stratégies de prix sont connues sont le nom de *yield management* et ont été abordées au chapitre 5.

Modifications du service

Bien que la fixation du prix reste la méthode d'équilibrage de l'offre et de la demande la plus courante, elle n'est pas aussi efficace pour les services que pour les biens. Un exemple évident est le cas des problèmes respectifs d'un fabricant de skis et d'un organisme gérant de stations de sports d'hiver en été. Le premier peut soit produire pour stocker, soit essayer de vendre des skis à bas prix en été. Si ses articles sont suffisamment bon marché, certains clients les achèteront avant la haute saison de façon à faire une bonne affaire. Toutefois, en l'absence de possibilité de skier, aucun skieur ne voudra payer un forfait de remonte-pente à quelque prix que ce soit en été. Ainsi, pour encourager l'utilisation des installations en montagne l'été, l'opérateur doit modifier son offre de produit (voir Meilleures pratiques 9.2).

Des raisonnements semblables sont transposables à un grand nombre d'activités saisonnières. Les cabinets comptables et fiscaux proposent des services de comptabilité ou de conseil lors des périodes de faible activité, les écoles et universités proposent des cours d'été pour les adultes ou les personnes âgées, et les petits bateaux de plaisance proposent des croisières en été et des événements le long des quais en hiver. Toutes ces entreprises reconnaissent que des prix bas ne permettent pas de développer l'activité mais que de nouvelles idées ciblant des segments divers le peuvent.

Beaucoup de propositions de services demeurent inchangées tout au long de l'année, pendant que d'autres subissent des modifications importantes en fonction de la saison. C'est le cas des hôpitaux, qui proposent les mêmes services toute l'année. Certains hôtels touristiques, au contraire, changent sensiblement leur manière de procéder et se concentrent sur les services périphériques comme la restauration, les loisirs et le sport pour s'adapter aux préférences des clients selon les saisons.

L'été sur les pistes de ski

Il fut un temps où les stations de ski fermaient quand la neige avait fondu et que les pistes étaient devenues impraticables. Les télésièges s'arrêtaient, les restaurants et les volets des chalets se fermaient jusqu'à l'approche de l'hiver suivant et des premières chutes de neige. Certains ont compris pourtant que la montagne offrait également des plaisirs en été et ont laissé chalets et restaurants ouverts pour les randonneurs et les promeneurs. Les stations ont créé des pistes artificielles et des toboggans sinueux où l'on s'amusait avec une luge sur roues, créant ainsi une demande pour les remontées mécaniques. Avec la construction d'ensembles résidentiels, la demande d'activités estivales a augmenté puisque les propriétaires s'y rendaient pendant l'été et au début de l'automne.

L'engouement pour le VTT a amené les adeptes à acheter des forfaits ou bien à louer du matériel. Dans plusieurs stations des Alpes, on encourage les gens à monter en altitude, à profiter de la vue et à manger au restaurant du sommet. Aujourd'hui, les stations engrangent des bénéfices supplémentaires en louant des vélos et certains accessoires (casques). Au pied des pistes, le client a maintenant à sa disposition des rangées de vélos et non plus de skis. Des équipements spéciaux permettent aux cyclistes d'amener leur vélo au sommet, puis de descendre par des chemins balisés ou des pistes aménagées à cet effet. Le randonneur prend le chemin inverse, tout en évitant les cyclistes qui descendent, se désaltère au restaurant et redescend à la station par télésiège. Certains essaient parfois de monter jusqu'au sommet à vélo !

La plupart des grandes stations de ski cherchent de nouvelles façons d'attirer les clients dans leurs hôtels ou dans leurs résidences pendant l'été. Le mont Tremblant, au Québec, est situé à côté d'un lac sublime. En dehors des activités aquatiques, la station propose un terrain de golf, des courts de tennis, de pistes de rollers et un centre d'activités pour enfants. Et randonneurs et cyclistes viennent emprunter les remontées… (voir figure 9.3).

Figure 9.3 - À la station du mont Tremblant, les remontées mécaniques servent aussi aux randonneurs et aux cyclistes.

Modifications du moment et du lieu de livraison du service

Au lieu de modifier la demande pour un service toujours localisé au même endroit au même moment, certaines sociétés s'adaptent aux besoins du marché en changeant le moment ou le lieu de la livraison. Trois options sont alors possibles.

La première représente une stratégie de *statu quo* : quel que soit le niveau de demande, on continue à délivrer le service au même moment et au même endroit. La deuxième implique au contraire de *varier les moments de disponibilité* du service afin de suivre les changements de préférences de la clientèle selon les jours et les saisons. Les théâtres proposent souvent des représentations en matinée pendant les week-ends, lorsque les gens ont du temps libre dans la journée. Pendant l'été, sous les climats chauds, les banques ferment en début d'après-midi, à l'heure de la sieste, mais restent ouvertes tard le soir en même temps que d'autres commerces restent actifs.

La dernière stratégie consiste à proposer le service à un nouvel endroit. Il est possible de mettre en place des unités mobiles qui livrent le service aux clients plutôt que d'attendre que ces derniers se déplacent jusqu'à lui. Les bibliobus, le nettoyage de voiture à domicile, la livraison de nourriture et les unités hospitalières mobiles sont des exemples qui peuvent être reproduits dans d'autres secteurs. Une société de nettoyage et d'entretien qui désire faire des affaires en période creuse peut proposer des ramassages de vieux papiers et d'encombrants. Parallèlement, des sociétés de services dont les moyens de production sont mobiles peuvent décider de suivre le marché lorsque lui aussi est mobile. Ainsi, certaines sociétés de location de voitures établissent des bureaux saisonniers dans les lieux touristiques. Elles modifient alors les horaires de travail de même que certaines caractéristiques de son offre pour se conformer aux besoins spécifiques et préférences locales.

Communication et éducation du client

Même si les autres variables du mix marketing demeurent inchangées, la communication à elle seule peut aider à aplanir la demande. La signalisation, l'affichage et les messages de promotion peuvent rappeler aux clients d'une part les périodes de pic, d'autre part qu'ils peuvent utiliser le service sans affluence aux périodes creuses dans des conditions plus rapides ou plus confortables. Quelques exemples : les offres « postez vos vœux de Noël en avance » des services postaux ; les messages des transports en commun, qui incitent les usagers occasionnels, comme les touristes ou ceux qui font du lèche-vitrine, à éviter les conditions pénibles des heures de pointe ; Disneyland Paris, qui propose un ticket à l'entrée spécifiant l'heure de passage aux diverses attractions surtout les plus populaires (les clients qui acceptent sont prioritaires à l'heure prévue de leur passage à l'attraction ; ainsi il y a une régulation et un raccourcissement du temps d'attente – maximum 15 minutes au lieu d'une heure, parfois plus). De plus, la direction peut avoir recours à des catégories de personnel hors entreprise (des intermédiaires tels que des agences de voyages) pour encourager la clientèle à souscrire à des programmes sélectifs qui favorisent la fréquentation en période creuse.

Les modifications du niveau du prix, des caractéristiques de l'offfre et de la distribution doivent être clairement communiquées. Si la firme cherche à obtenir une réponse particulière aux variations des éléments du mix marketing, elle doit bien sûr fournir aux clients une information complète sur les possibilités offertes. Comme nous l'avons vu au chapitre 6, les promotions à court terme, qui combinent des éléments du prix et des éléments de communication, voire d'autres récompenses, peuvent constituer des motivations suffisamment attrayantes pour que les clients utilisent différemment le service.

5. Inventorier la demande grâce aux files d'attente et aux réservations

Les services ne peuvent être stockés. Un coiffeur ne peut préparer la veille une coupe pour le lendemain : elle doit être faite en temps réel. Dans un monde parfait, personne ne devrait attendre l'exécution et/ou la livraison d'un service. Mais comme nous l'avons vu les entreprises ne peuvent se permettre d'avoir une capacité de production à moitié utilisée et il existe différents processus pour équilibrer l'offre et la demande. Cependant, quelles sont les mesures qu'un manager doit prendre lorsque toutes les possibilités pour quantifier la demande ont été utilisées sans pour autant atteindre un équilibre entre offre et demande ? Ne rien faire et laisser les clients se débrouiller par eux-mêmes n'est pas souhaitable en termes de qualité de service et de satisfaction de la clientèle. Plutôt que de tomber dans une situation incontrôlable, les entreprises doivent développer des stratégies de maintien de l'ordre, d'équité et de prévision.

Pour les services où la demande est régulièrement supérieure à l'offre, les responsables peuvent prendre la décision de recenser la demande. Cela peut se faire de deux façons : (1) en demandant aux clients de se mettre en file d'attente sur la base du « premier arrivé, premier servi » ; (2) en offrant la possibilité de réserver à l'avance.

5.1. L'attente est un phénomène universel

Selon le *Washington Post*[6], les Américains passent 37 milliards d'heures dans l'année à faire la queue (soit, en moyenne, 150 heures par personne), attente « durant laquelle ils s'agitent, s'impatientent et sont de mauvaise humeur ». Ce genre de situation se rencontre partout. Le professeur Richard Larson du MIT explique que si l'on cumule tous les facteurs d'attente, une personne passe en moyenne 30 minutes par jour à faire la queue, ce qui représente près de 20 mois sur une vie de 80 ans[7].

Personne n'aime attendre. C'est ennuyeux, fait perdre du temps, et est parfois physiquement inconfortable. Et pourtant, les sociétés de services sont pour ainsi dire toutes confrontées au problème des files d'attente à un moment ou un autre de leur fonctionnement. Les gens sont mis en attente au téléphone, font la queue aux caisses des supermarchés et attendent l'addition au restaurant. Ils sont assis dans leur voiture à attendre qu'une place de lavage manuel se libère ou bien pour payer le péage.

Des éléments concrets attendent eux aussi d'être traités. Par exemple, les e-mails des clients patientent dans les boîtes mails des employés, les appareils électriques attendent d'être réparés, les chèques attendent d'être encaissés, l'appel d'un client est placé en attente jusqu'à ce que la ligne d'un responsable clientèle se libère. Dans chacun de ces cas, un client attend le dénouement d'une situation, d'un travail, la réponse à un e-mail, le fonctionnement d'une machine, l'encaissement d'un chèque ou un entretien avec un employé du service clientèle.

5.2. Pourquoi y-a-t-il des files d'attente ?

Les files d'attente se forment dès que le nombre d'« arrivants » sur un lieu excède la capacité maximale du système mis en place pour s'occuper d'eux. En bref, une file résulte d'une mauvaise gestion de la capacité d'accueil. Les théories sur les files d'attente remontent à 1917, lorsqu'un ingénieur en télécommunications fut chargé de déterminer quel devait être le temps d'attente raisonnable pour entrer en communication avec son interlocuteur[8].

Toute file d'attente n'est pas physique. Quand les clients sont en relation avec des fournisseurs éloignés *via* des systèmes d'information, ils appellent de chez eux, de leur bureau ou de l'université en utilisant des canaux de télécommunications comme le téléphone ou Internet. Les appels étant pris en fonction de leur heure d'arrivée, ceux qui patientent forment alors une file virtuelle. Parfois, les files physiques sont géographiquement dispersées.

Certains sites Internet permettent aux individus de faire les choses par eux-mêmes, comme obtenir des informations ou faire des réservations qui nécessitaient auparavant un coup de téléphone ou bien un déplacement. Les entreprises utilisent souvent la notion de gain de temps comme outil de promotion. Même si la connexion à Internet est parfois lente, le client est au moins confortablement installé et peut faire ou penser à autre chose en attendant.

Mettre à la disposition des clients plus de guichetiers pour augmenter sa capacité d'accueil fut l'une des résolutions de la banque de Chicago. Mais augmenter le nombre de serveurs dans un restaurant n'est pas forcément la meilleure solution lorsque l'on met en balance satisfaction du client et coûts supplémentaires. Comme dans cette banque, les managers doivent réfléchir à diverses solutions :

- repenser le système d'attente ;

- réfléchir à une réduction de la durée de chaque opération ;

- comprendre les comportements des clients et leur perception de l'attente ;

- mettre en place un système de réservation.

5.3. Les différentes formes de files d'attente

Il existe différents types de files d'attente et le travail du responsable est de déterminer laquelle fera patienter le moins longtemps le client. La figure 9.4 illustre au travers de diagrammes les différents types de files que vous avez sûrement déjà dû rencontrer vous-même. *En file indienne,* les clients passent par différents points comme dans un libre-service. Des goulots d'étranglement peuvent avoir lieu aux étapes qui sont moins rapides que les autres. Beaucoup de cafétérias ont des files d'attente aux caisses, car cela prend plus de temps pour calculer le prix de votre plateau et vous rendre la monnaie que pour préparer votre assiette en cuisine.

Des lignes parallèles menant à plusieurs interlocuteurs permettent au client de faire son choix de file. Les guichets des banques ou les salles de concert en sont des exemples parfaits. Dans les fast-foods, on retrouve plusieurs files aux heures de pointe, chacune proposant tous les menus. Un système en parallèle peut lui aussi avoir une ou plusieurs étapes. L'inconvénient est que toutes les files n'avanceront pas à la même vitesse. Combien de fois avez-vous pensé avoir choisi la file la plus rapide et regardé avec frustration les files voisines avancer plus vite car l'un des clients devant vous avait une longue opération à effectuer ? Une solution est de mettre en place *une seule file vers plusieurs guichets* (ou « serpent »). On retrouve le plus souvent cette configuration au bureau de poste ou bien dans les aéroports pour l'enregistrement.

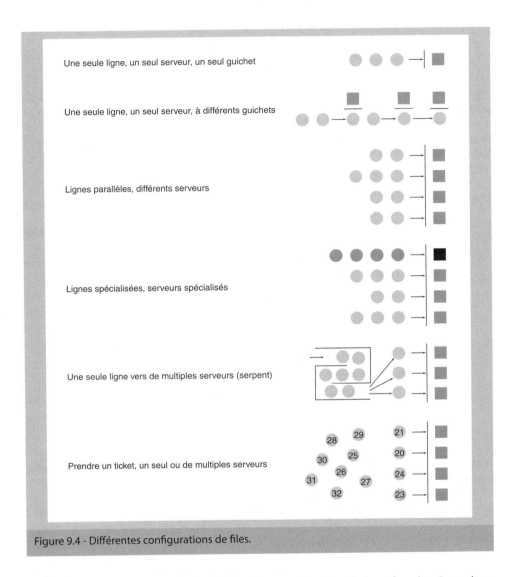

Une seule ligne, un seul serveur, un seul guichet

Une seule ligne, un seul serveur, à différents guichets

Lignes parallèles, différents serveurs

Lignes spécialisées, serveurs spécialisés

Une seule ligne vers de multiples serveurs (serpent)

Prendre un ticket, un seul ou de multiples serveurs

Figure 9.4 - Différentes configurations de files.

Les lignes personnalisées répartissent les clients en fonction de leurs besoins. Les caisses « moins de 10 articles » dans les supermarchés en sont un exemple, tout comme la séparation entre les classes Économique, Affaires et Première dans les aéroports. *Prendre un numéro* épargne au client de faire la queue, car il sait qu'il sera appelé. Ce système lui permet de s'asseoir, de se détendre (si des sièges sont disponibles) ou bien de calculer le temps qu'il aura à patienter et d'envisager de faire autre chose entre-temps, mais au risque de perdre sa place s'il s'absente trop longtemps et que les opérations des clients le précédant soient vite expédiées. Ce système est en place dans les agences de voyages, les organismes publics (impôts, préfecture, Sécurité sociale) ou dans les rayons boucherie et boulangerie des supermarchés.

Il existe également des configurations hybrides. On retrouve par exemple des cafétérias avec une file indienne se terminant par deux caisses. L'enseigne Auchan de Villeneuve-d'Ascq propose une file d'attente pour quatre caisses, permettant ainsi un gain de temps pour les clients. Les études montrent que le choix du type de file est important pour la satisfaction du client. Rafaeli, Barron et Haber, chercheurs au Technion Institute of Technology (Israël), ont prouvé que l'agencement d'une salle d'attente peut parfois provoquer un sentiment d'injustice ou d'inégalité chez les clients. Ainsi, les clients patientant en lignes parallèles sont plus agités et plus insatisfaits que ceux qui patientent en file indienne (« serpent ») vers plusieurs guichets, et ce, même si le temps d'attente est le même et le traitement des opérations identique[9].

5.4. Adapter le système de file d'attente selon le segment du marché

Bien que la règle de base des files d'attente soit « premier arrivé, premier servi », toutes ne fonctionnent pas de cette façon. La segmentation du marché est parfois utilisée pour élaborer des stratégies de gestion des délais d'attente, posant des priorités différentes selon les différents types de clients. Les files peuvent être adaptées sur les bases suivantes :

- *Urgence du travail à effectuer.* Au services des urgences des hôpitaux, les médecins et infirmières décident quels patients doivent être traités immédiatement, et quels sont ceux qui peuvent sans risque attendre un peu.

- *Durée de l'opération.* Les supermarchés et les banques comptent parmi les services qui proposent des « couloirs express » pour les clients désirant effectuer des transactions rapides.

- *Paiement.* Les compagnies aériennes proposent des enregistrements séparés pour les passagers voyageant en première classe ou en classe économique, avec un ratio de personnel par passager supérieur en première classe, entraînant un temps d'attente minime pour ceux qui ont payé plus.

- *Importance du client.* Dans les aéroports, on retrouve des emplacements réservés aux Grands Voyageurs, des salons privés, qui proposent des journaux et des boissons gratuites.

6. Minimiser la perception du temps d'attente

Des recherches montrent que les gens pensent souvent avoir attendu plus longtemps qu'ils ne l'ont réellement fait. Des investigations sur les transports, par exemple, ont montré que les voyageurs perçoivent le temps d'attente d'un bus ou d'un train comme une fois et demie à sept fois plus long que le temps passé dans leur véhicule[10]. Les gens n'aiment pas plus perdre leur temps dans des activités improductives qu'ils n'aiment perdre de l'argent. L'insatisfaction engendrée par les délais peut stimuler fortement les émotions des gens, en particulier leur colère[11].

6.1. Les éléments psychologiques de l'attente

Le philosophe William James a observé que « l'ennui résulte de l'attention que l'on porte au temps qui passe ». Des marketeurs expérimentés ont remarqué que les clients vivent le temps d'attente différemment en fonction des circonstances. Le tableau 9.3. énonce dix principes psychologiques liés aux files d'attente.

Tableau 9.3 : Les éléments psychologiques de l'attente – dix principes[12]

1. Le temps inoccupé fait paraître le temps d'attente plus long que le temps occupé. Quand vous attendez assis sans rien faire, le temps vous paraît toujours plus long. Le défi pour les entreprises de services est donc de procurer une occupation aux clients qui attendent.

2. Les attentes qui précèdent et qui suivent l'activité semblent plus longues que celle qui jalonne cette activité. Il y a une différence entre attendre pour acheter un billet d'entrée dans un parc d'attractions et attendre de pratiquer une activité lorsque vous y êtes entré. De même qu'il y a une différence entre attendre son café à la fin du repas et attendre l'addition avant de pouvoir quitter le restaurant.

3. L'inquiétude rend l'attente plus longue. Lorsque vous attendez quelqu'un avec qui vous avez rendez-vous et que l'heure de la rencontre est dépassée, vous vous demandez si vous êtes au bon endroit, si l'heure est correcte. En particulier si le lieu est peu sécurisé, sombre et froid.

4. Les délais d'attente incertains sont plus longs que les délais connus et définis. Alors que toute attente est frustrante, on peut se contrôler si l'on connaît la durée de celle-ci. C'est l'inconnu qui nous frustre. Imaginez que vous attendiez un avion en retard sans que l'on vous informe du délai de l'attente. Vous ne savez pas si vous avez le temps d'aller vous promener dans le terminal ou si vous devez rester devant la porte d'embarquement parce que ce dernier va commencer dans la minute qui suit. C'est aussi la raison pour laquelle, sur la plupart des autoroutes de France, la durée du parcours est indiquée sur des panneaux lumineux bien visibles.

5. Les attentes inexpliquées sont plus longues que celles qui sont justifiées. Vous êtes-vous déjà retrouvé bloqué dans un ascenseur ou dans le métro entre deux stations sans que personne ne vous informe du problème ? Non seulement vous ne savez pas combien de temps cela va durer, mais il y a l'anxiété sur la nature du problème. Y a-t-il un accident sur les voies ? Devrons-nous rejoindre les quais à pied dans le noir ? L'ascenseur est-il en panne ? Serez-vous coincé pendant des heures avec des personnes étrangères à vos côtés ?

6. Les attentes injustes semblent plus longues que celles qui sont équitables. L'interprétation de ce qui est juste et de ce qui ne l'est pas diffère selon les cultures. Dans les pays anglo-saxons, les gens attendent sagement dans leur file et sont très irrités lorsque quelqu'un passe devant, quelle qu'en soit la raison. Chez le médecin, si un visiteur médical attend dans la même salle que les patients, il y a un sentiment d'injustice car, pour le patient, la santé passe avant les rendez-vous d'affaires.

7. Plus le service a de valeur, plus les personnes attendront. Les gens sont capables d'attendre pendant des heures dans des conditions particulièrement inconfortables pour assister à un concert exceptionnel ou pour visiter une exposition très intéressante.

8. Attendre seul est plus long qu'en groupe. Attendre avec une ou plusieurs personnes que l'on connaît est rassurant. La discussion entre amis peut faire passer le temps, mais cela peut être parfois difficile de parler avec un étranger !

9. L'attente dans des conditions inconfortables semble plus longue. « J'ai mal aux pieds ! » est l'un des commentaires les plus entendus dans les files d'attente. Et assis ou non, l'attente est un calvaire s'il fait trop chaud ou trop froid, s'il y a du vent ou si l'air est sec, et s'il n'y a pas de protection contre la pluie ou la neige.

10. L'attente paraît plus longue aux nouveaux clients qu'aux habitués. Les habitués d'un service savent à quoi s'attendre, tandis que les nouveaux clients essaient de deviner combien de temps ils auront à patienter et ce qui va ensuite se passer.

Pour répondre au problème de l'attente, il est souvent conseillé de chercher à mieux occuper et à mieux informer le client. Mais la mise en œuvre de ces recommandations ne donne pas toujours les résultats escomptés. Agnès Durrande-Moreau, maître de conférences à l'université de Savoie, propose alors de considérer l'attente comme un acte plutôt que simplement comme un temps vide. Cet acte est vécu par une personne qui interprète les situations et anticipe leur déroulement[13].

Lorsqu'elles ne peuvent pas augmenter la capacité de production, les entreprises de services doivent réfléchir à des moyens d'attentes plus agréables pour les clients. Les médecins et les dentistes mettent des magazines à disposition dans leur salle d'attente, les garagistes, un poste de télévision, et certains coiffeurs offrent à leurs clients du café ou des boissons fraîches.

Lorsque la Boston Bank a fait installer des bornes d'information afin de fournir aux clients une occupation pendant l'attente, des études ont montré que cette mesure n'a pas réduit la perception qu'avaient les clients[14] de l'attente aux guichets, mais leur a tout de même procuré une plus grande satisfaction. Les restaurants gèrent le problème de l'attente en invitant les clients à boire un verre au bar jusqu'à la libération d'une table (cette approche rapporte de l'argent à l'établissement tout en donnant une occupation au client). De même, des personnes faisant la queue pour un spectacle dans un casino peuvent patienter dans un couloir où se trouvent des machines à sous. Autre exemple, le portier d'un hôtel Marriot avait pris l'initiative d'accrocher chaque jour un baromètre/thermomètre près de l'entrée, à portée de vue des clients attendant un taxi ou leur voiture[15].

6.2. Expliquer aux clients les raisons de l'attente

Cela change-t-il quelque chose de dire au client combien de temps il devra patienter ? Logiquement, oui, car celui-ci peut alors décider d'attendre ou de revenir ultérieurement ou de partir. Cela lui permet aussi d'utiliser son temps d'attente pour faire autre chose.

Au Canada, une étude expérimentale a été menée auprès d'une population étudiante sur leur attente lors d'opérations *via* Internet[16]. L'étude portait sur l'analyse de l'insatisfaction pour des attentes de 5, 10 et 15 minutes dans trois situations : (1) aucune information, (2) indication d'un temps d'attente approximatif et (3) attribution d'un numéro dans la file d'attente. D'après les résultats, pour une attente de 5 minutes et moins, il n'est pas nécessaire de donner des informations afin d'améliorer la satisfaction. Pour des attentes plus longues, les chercheurs pensent qu'il est plus intéressant de renseigner en permanence sur la façon dont la position du client évolue dans la file que sur le temps restant avant que l'on s'occupe de lui. Conclusion : les gens préfèrent voir (ou sentir) que la file d'attente avance plutôt que de regarder le temps s'écouler.

7. Mise en place d'un système de réservations efficace

Lorsque l'on évoque la réservation, on pense en général aux avions, aux hôtels, aux restaurants, aux agences de location de voitures et aux théâtres. Et lorsque l'on parle de « rendez-vous » ou d'« enregistrements », on pense plutôt aux coiffeurs, aux cabinets médicaux, aux agences de locations de vacances et aux appels pour la réparation d'équipements électroménagers ou informatiques.

Les réservations sont censées apporter aux clients la certitude que le service sera disponible au moment convenu. Les systèmes varient d'un agenda tenu chez le médecin à un système informatique complexe pour une banque ou une compagnie aérienne. Lorsqu'un bien nécessite une réparation, les propriétaires ne veulent pas s'en séparer trop longtemps. Les familles n'ayant qu'un véhicule, par exemple, ne peuvent souvent pas se permettre de s'en passer plus d'un jour ou deux. Un système de réservation peut donc se révéler nécessaire pour les sociétés de services dans des secteurs tels que la réparation et la maintenance. En prenant des réservations pour les maintenances de routine, la direction pourra libérer certaines plages horaires pour traiter les problèmes urgents à des prix supérieurs avec une marge bien plus importante.

HotelClub : hausse des ventes grâce à un nouveau programme

Le site de réservation d'hôtels HotelClub (*www.HotelClub.fr*) a annoncé le lancement d'un nouveau concept, le programme d'hôtels recommandés (« Recommended hotels »). Conçu dans le but d'apporter des avantages supplémentaires aussi bien aux hôtels partenaires qu'aux clients d'HotelClub, le programme a été lancé avec 600 hôtels partenaires dans le monde entier. Il permet de renforcer la relation privilégiée qu'entretient HotelClub avec ses hôtels partenaires clés et ses clients. En contrepartie de leur participation, les hôtels se verront attribuer des bénéfices ciblés visant à augmenter le volume de leurs ventes, parmi lesquels : une position privilégiée sur le listing d'HotelClub, des opportunités marketing supplémentaires auprès des 850 000 membres d'HotelClub, ainsi qu'un accès aux statistiques sur les réservations.

Le programme sera limité à environ 10 % des hôtels partenaires d'HotelClub, de façon à rendre son exclusivité plus avantageuse. Les hôtels participants sont sélectionnés sur la pertinence du rapport Qualité-Prix qu'ils offrent aux clients, le nombre d'étoiles pouvant varier en vue d'offrir une large sélection d'hôtels recommandés aux clients. Ce programme a déjà remporté un franc succès auprès des hôtels. Ainsi, les réservations pour des hôtels participant au programme « Recommended hotels » à Paris ont augmenté de 105 % (pour la première semaine d'activité, comparée à la semaine précédant le lancement de l'opération).

Chloé Lim, directrice marketing de Fairview Travel, explique que le logo du programme « Recommended Hotels » (symbole du pouce levé) apparaît à côté du nom de tous les hôtels participants, afin de signaler aux clients leur implication dans le programme. « Pour nos clients, le programme "Recommended hotels" est associé aux meilleurs tarifs et services. Nous travaillons en étroite collaboration avec les partenaires de notre programme pour apporter aux clients la garantie du tarif le plus bas ainsi qu'une confirmation instantanée de leur réservation sur HotelClub. Cette initiative devrait apporter une hausse significative des ventes pour tous les partenaires ».

HotelClub possède actuellement 7 000 hôtels dans 37 pays, et accueille 3,5 millions clients par mois. Il offre ses services complets dans 7 langues.

Source : www.HotelClub.fr *et* www.fairview.com.

Meilleures pratiques 9.3

Les systèmes de réservation qui concernent les personnes sont utilisés par les compagnies aériennes, les restaurants, les médecins, les dentistes, les coiffeurs et les hôtels. Cela permet de gérer la demande de manière convenable. La récolte d'informations lors des réservations permet aussi aux entreprises de faire des projections de chiffre d'affaires.

Prendre des réservations consiste aussi à « pré-vendre » un service, à informer le client de ce qu'il va avoir. Toute réservation doit permettre au client d'éviter la file d'attente puisqu'on lui garantit la disponibilité du service à un moment donné. Elle permet également à la société d'ajuster sa capacité. La demande peut-être transférée d'un moment d'affluence importante vers des plages disponibles avant ou après, voire vers un autre lieu. Toutefois, des problèmes peuvent survenir lorsque les clients ne se présentent pas ou que le cahier de réservation est plein. Pour gérer ces problèmes opérationnels, certaines stratégies marketing consistent à exiger un acompte pour toutes les réservations, à annuler les réservations restées impayées après un certain temps, et à fournir des compensations aux clients refusés à cause d'un *overbooking*.

Le système de réservation doit être simple pour le personnel comme pour les clients. Un grand nombre d'entreprises offrent à leurs clients la possibilité de faire leur réservation en ligne, une pratique largement utilisée aujourd'hui. Qu'ils soient en contact avec l'employé en charge des réservations ou réservent en ligne, les clients veulent une réponse rapide sur la disponibilité du service au moment choisi. Ils apprécient aussi le fait que le système de réservation leur donne des informations complémentaires sur le type de service qu'ils sont en train de réserver. Par exemple, le client veut-il une vue sur le lac ou sur la montagne ou sur le parking ?

7.1. Concentrer la stratégie de réservation sur le rendement

Pour mesurer l'efficacité opérationnelle, les entreprises de services utilisent généralement le taux de capacité vendue. Les transports parlent de « facteur de charge » atteint, les hôtels de « taux d'occupation », et les hôpitaux de « lits occupés ». Les professions libérales calculent la part de chiffre d'affaires générée par les heures « facturables » des employés ou associés, et les ateliers de réparation observent l'utilisation du matériel et de la main-d'œuvre. Seuls et utilisés isolément, ces pourcentages apportent pourtant peu d'informations sur l'attractivité du service. En effet, quel sens faut-il donner à un taux d'utilisation élevé qui résulte d'une politique de prix bas ou de réductions immédiates ?

De façon générale, les entreprises regardent le « rendement », c'est-à-dire, le bénéfice moyen de chaque unité de capacité. Le but est de maximiser le rendement pour améliorer la rentabilité. Comme nous l'avons vu au chapitre 5, les stratégies de prix qui sont mises en place pour atteindre ce but sont couramment utilisées dans les services à capacité limitée : les hôtels, les avions et les locations de voitures. Les systèmes de gestion de rendement, basés sur des modèles mathématiques, sont d'une grande aide pour les entreprises qui ne peuvent modifier leur capacité de production mais encourent de faibles coûts pour la vente d'une unité supplémentaire de la capacité disponible[17]. Le degré de fluctuation de la demande, la possibilité de segmenter les marchés par la sensibilité au prix et la vente de services à l'avance sont autant de caractéristiques incitatives au recours à de tels systèmes.

L'analyse des rendements oblige les responsables à calculer le coût lié à la décision d'allouer de la capacité de production à un client ou à un segment de marché quand un autre segment peut avoir un niveau de rendement plus élevé. Examinons les problèmes que peuvent rencontrer les responsables de différents types de services à capacité limitée :

- Un hôtel doit-il prendre la réservation d'un voyagiste pour 200 chambres à 80 euros la nuit, tout en sachant que ces mêmes chambres peuvent être vendues 140 euros la nuit à des hommes d'affaires, qui eux préviendront à la dernière minute ?

- Une compagnie de chemin de fer qui a à sa disposition 30 wagons de fret vides doit-elle accepter tout de suite un chargement pour 900 euros par voiture ou bien attendre qu'une cargaison plus lucrative se présente quelques jours plus tard ?

- Combien de sièges une compagnie aérienne doit-elle vendre à des voyagistes ou à des passagers qui bénéficient de réductions ?

- Une entreprise de maintenance et de réparation doit-elle garder chaque jour une certaine capacité de production pour faire face aux urgences, ou doit-elle au contraire s'assurer que son personnel sera toujours occupé à plein temps ?

- Une imprimerie doit-elle raisonner sur la base du premier arrivé, premier servi, avec chaque fois un temps de livraison identique, ou bien doit-elle faire payer plus cher les travaux urgents, quitte à faire attendre les commandes ordinaires ?

Ces questions doivent être mûrement pesées. Les responsables doivent déterminer la probabilité d'obtenir une affaire plus rentable s'ils choisissent d'attendre. Une bonne connaissance des expériences passées doublée d'une bonne compréhension du marché et d'un bon sens du marketing sont essentiels. La décision d'accepter ou de refuser des commandes doit être basée sur une estimation réelle des probabilités d'obtenir une commande plus rentable, tout en maintenant de bonnes relations avec tous les clients. Le plan d'action doit découler de l'analyse des performances passées et des données actuelles du marché, et préciser quelle capacité doit être affectée à telle date, pour tel type de client et à tel prix. Sur cette base pourront être dégagées des cibles de vente sélectives pour les départements publicité et commercial. Enfin, la force de vente ne doit surtout pas encourager l'achat de « capacité » par les segments sensibles aux prix quand les estimations prévoient une forte demande de la part de clients prêts à payer plein tarif. Malheureusement, dans certains secteurs, les clients des entreprises qui proposent des tarifs très bas réservent leurs places très en avance : les voyagistes paient moins cher une chambre qu'un touriste, mais réservent aux compagnies aériennes et aux hôtels des places plus d'un an à l'avance.

La figure 9.5 montre les différentes affectations de la capacité d'un hôtel dont la demande des différents types de client ne varie pas seulement en fonction des jours de la semaine mais aussi des saisons. Ces décisions d'affectation par segment, récoltées sur des bases de données accessibles partout dans le monde, renseignent les employés chargés des réservations sur les meilleures périodes pour bloquer les réservations à tel prix, même si un grand nombre de chambres restent vides. Les clients fidèles, en général des hommes d'affaires, sont bien sûr un segment très recherché.

Des tableaux similaires peuvent être mis en place pour la plupart des services ayant une capacité de production limitée. Dans certains cas, la capacité est mesurée pour une performance donnée en fonction du nombre de sièges, de chambres par nuit, ou de sièges par kilomètre ; dans d'autres, cela peut être en fonction du temps-machine, du temps de main-d'œuvre, des heures facturables, de la capacité de stockage, selon le type de ressource limitée. La planification des allocations doit se faire par unité géographique de production, car il est parfois difficile de passer d'une installation à une autre s'il n'y a plus de place. Ainsi, chaque hôtel, chaque entreprise de réparation et de maintenance ou chaque entreprise d'informatique doit avoir son propre plan. *A contrario*, les camions de transport ont une capacité mobile qui peut être allouée sur toute une zone géographique.

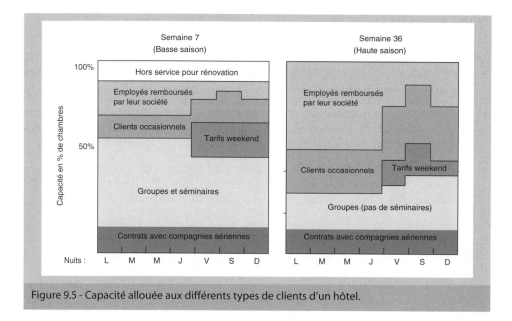

Figure 9.5 - Capacité allouée aux différents types de clients d'un hôtel.

Dans les grandes entreprises (compagnies aériennes ou chaînes d'hôtels, par exemple), le marché est dynamique et la situation économique change souvent. La demande de séjours touristiques et professionnels reflète le climat économique du moment ou même, parfois, l'anticipe. Même si beaucoup d'hommes d'affaires ne sont pas sensibles aux prix pratiqués, nombre d'entreprises recherchent en permanence les meilleurs prix pour rester dans leurs budgets. Les touristes, eux, sont sensibles aux prix pratiqués ; une promotion sur les vols et les chambres d'hôtel peut les encourager à faire un voyage qu'ils n'auraient pas entrepris si l'offre n'avait pas été aussi intéressante.

Pour une compagnie aérienne ou un hôtel, la concurrence peut avoir un effet dévastateur sur les prévisions de bénéfices. Imaginez-vous propriétaire d'un hôtel et qu'un concurrent ouvre un établissement de l'autre côté de la rue avec une offre de base très alléchante. Quel impact cela va-t-il avoir sur votre activité ? Une compagnie aérienne peut aussi choisir d'ouvrir un vol sans escale entre deux villes, ou réduire le nombre de ses vols vers une autre destination. Les agences de voyages et les clients astucieux sautent sur ce genre d'occasion, tout en annulant une réservation (même si cela leur coûte un supplément) pour bénéficier du meilleur prix ou d'horaires plus acceptables.

7.2. Le poids de l'information dans la gestion de la demande et de la capacité de production

Les responsables d'entreprises de services ont besoin d'informations substantielles pour pouvoir développer des stratégies efficaces de gestion de la demande, et évaluer la performance en termes de parts de marché. Le tableau 9.4 récapitule ces informations capitales.

Tableau 9.4 : Informations nécessaires à l'élaboration des stratégies de gestion de la demande et de la capacité

> - *Des données historiques* qui résument le niveau et la composition de la demande dans le temps, dont les réponses aux changements de prix et autres variables marketing.
> - *Des estimations* sur le niveau de la demande pour chaque segment majeur.
> - *Des données segment par segment* pour évaluer l'impact des cycles périodiques et des fluctuations aléatoires de la demande.
> - *Des données sur les coûts* pour permettre à l'entreprise de distinguer les coûts fixes et les coûts variables, afin de déterminer la rentabilité relative marginale par segment et par prix.
> - *Dans les organisations multisites*, l'identification des variations significatives dans les niveaux de demande et la composition de la demande site par site.
> - *Les attitudes des clients* confrontés à l'attente dans diverses situations.
> - *L'opinion des clients* sur la façon dont la qualité du service rendu varie selon les différents niveaux d'utilisation des capacités.

Où l'entreprise peut-elle obtenir ces informations ? Les entreprises qui ont une capacité de production fixe coûteuse disposent de systèmes de management du revenu, comme nous l'avons vu en détail au chapitre 5. Pour celles qui sont dépourvues de ce type de système, la plupart des données se trouvent déjà au sein de la société, même si ce n'est pas forcément au sein du service marketing. Un flux d'information important émane de l'environnement de l'entreprise lorsqu'on étudie les multiples transactions individuelles menées par l'organisation. Les bons de commande à eux seuls fournissent bon nombre de détails. La plupart des sociétés de services collectent des informations détaillées dans des buts opérationnels ou comptables. Bien que certaines n'enregistrent pas les détails des transactions individuelles, la plupart ont la capacité d'associer des clients spécifiques à des transactions données. Malheureusement, la valeur marketing de ces données est souvent sous-estimée et celles-ci ne sont pas toujours enregistrées pour permettre l'extraction et l'analyse dans une optique marketing. Pourtant, il est souvent aisé de rassembler et de stocker les données des transactions clients, notamment celles des segments ayant répondu par le passé à des changements dans certaines variables. Le service marketing obtient alors une partie des informations dont il a besoin.

Les sondages d'opinion et l'analyse de cas analogues peuvent fournir d'autres informations utiles. D'autre part, une veille concurrentielle continue est indispensable, car les modifications de la capacité ou de la stratégie des concurrents peuvent nécessiter une action corrective.

Pour étudier plusieurs stratégies, les chercheurs mettent au point des modèles de simulation avec les effets de différentes variables. Une telle approche est particulièrement utile dans une situation de « réseau », comme les parcs d'attractions et les stations de ski, où le client a le choix entre plusieurs activités dans un même lieu. Madeleine Pullman et Gary Thompson, tous deux professeurs en management des opérations, ont modélisé le

316 Marketing des services

comportement des clients d'une station de ski, où les skieurs avaient le choix entre différentes remontées mécaniques et différentes pistes (plus ou moins longues et difficiles). Cette analyse leur a permis de déterminer l'impact futur d'une augmentation de la capacité des remontées, de l'extension du domaine skiable, d'une croissance de cette industrie, des variations de prix au jour le jour, de l'attitude des clients face aux informations sur le temps d'attente au pied des remontées, et des changements dans le mix marketing[18].

Conclusion

Pour nombre de sociétés de services, les capacités sont limitées et les frais fixes sont lourds. Même de modestes améliorations dans l'utilisation de la capacité peuvent, pour ces entreprises, avoir des incidences sensibles sur le résultat financier. Nous avons vu dans ce chapitre que les responsables peuvent transformer des coûts fixes en coûts variables, à travers la location d'installations ou l'embauche de personnel à temps partiel. Une approche plus flexible de la capacité de production permet à une entreprise d'adopter une stratégie qui mette en adéquation sa capacité et la demande pour améliorer, *in fine*, sa productivité.

Les décisions concernant *le lieu et le moment* sont liées à l'équilibrage de la demande avec la capacité. La demande dépend souvent de la date et du lieu de l'offre du service. Comme nous l'avons vu dans l'exemple des stations de ski, l'attractivité d'une destination varie en fonction des saisons. Les stratégies marketing utilisant le service, le prix, la publicité et la formation (autour du service) sont souvent utiles dans la gestion du niveau de demande d'un service à un lieu et moment donnés.

La nature temporelle des services est aujourd'hui une question vitale, d'autant que les clients deviennent de plus en plus sensibles au gain de temps et sont plus conscients de leurs propres contraintes de temps et de leur disponibilité. Les services où le client est acteur sont les premiers à faire subir à leurs clients des attentes pénibles, sachant que ceux-ci ne peuvent éviter de venir sur le lieu de production pour bénéficier du service. Un système de réservation permet d'estimer les heures d'arrivée ou de départ, mais, parfois, les files d'attente sont inévitables. Les responsables qui parviennent à réduire l'attente de leurs clients (ou faire en sorte que l'attente se passe de manière plus agréable) donnent un avantage à leur entreprise face à la concurrence.

Activités

Questions de révision

1. Pourquoi la gestion des capacités est-elle primordiale pour les entreprises ?

2. Que signifie « stock » dans les entreprises de services et pourquoi celui-ci est-il périssable ?

3. En quoi une utilisation optimale de la capacité diffère d'une utilisation maximale ? Donnez des exemples de situations où les deux peuvent être identiques et d'autres où ce n'est pas le cas.

4. Choisissez une entreprise et identifiez ses différents types de demande en vous reportant à la check-list du tableau 9.1.

   a. Quelle est la nature de l'approche de cette entreprise en termes de gestion de sa capacité et de la demande ?

   b. Quelles sont vos recommandations sur la gestion de sa capacité et de la demande ? Justifiez votre réponse.

5. Pourquoi les marketeurs des services doivent-ils se sentir concernés par le temps passé par les clients (a) avant le service, (b) pendant le service et (c) après le service ?

6. Quels sont, selon vous, les avantages et les inconvénients des différents types de files d'attente pour une entreprise accueillant un grand nombre de clients ?

Exercices d'application

1. Relevez des exemples d'entreprises dans votre environnement qui ont changé leur variable produit et/ou leur mix marketing afin d'augmenter leurs bénéfices en période de faible activité.

2. Donnez des exemples, en fonction de votre propre expérience, d'un système de réservation efficace et d'un système non efficace. Identifiez et évaluez les raisons du succès et de l'échec de ces systèmes. Quelles recommandations auriez-vous à faire à ces entreprises afin de perfectionner leur système de réservation ?

3. Revoyez les dix éléments psychologiques de l'attente. Quels sont les plus importants dans les cas suivants : (a) un arrêt de bus, le soir, en hiver, (b) l'enregistrement dans un aéroport, (c) un cabinet médical où les clients sont assis et (d) une file d'attente pour acheter une place à un match de football qui risque d'être complet.

Notes

1. Kenneth J. Klassen et Thomas R. Rohleder, « Combining Operations and Marketing to Manage Capacity and Demand in Services », *The Service Industries Journal* 21, avril 2001, pp. 1-30.
2. Fondé pour l'essentiel sur James A. Fitzsimmons et M.J. Fitzsimmons, « Service Management: Operations, Strategy, and Information Technology », 3e édition, New York, Irwin McGraw-Hill, 2000 et W. Earl Sasser, Jr., « Match Supply and Demand in Service Industries », *Harvard Business Review*, novembre-décembre 1976.
3. Irene C.L. Ng, Jochen Wirtz et Khai Sheang Lee, « The Strategic Role of Unused Service Capacity », *International Journal of Service Industry Management* 10, n° 2, 1999, pp. 211-238.
4. Christopher H. Lovelock, « Strategies for Managing Capacity-Constrained Service Organisations », *Service Industries Journal*, novembre 1984, pp. 12-30.
5. Véronique Guilloux, « Le *yield* en marketing : concepts, méthodes et enjeux stratégiques », Recherche et applications marketing, vol. 15, n° 3, 2000, pp. 55-73.
6. Malcolm Galdwell, « The Bottom Line for Lots of Time Spent in America », *The Washington Post*, février 1993.
7. Dave Wielenga, « Not So Fine Lines », *Los Angeles Times*, 28 novembre 1997.
8. Richard Saltus, « Lines, Lines, Lines, Lines… The Experts Are Trying to Ease the Wait », *Boston Globe*, 5 octobre 1992.
9. Anat Rafaeli, G. Barron, et K. Haber, « The Effects of Queue Structure on Attitudes », *Journal of Service Research* 5, novembre 2002, pp. 125-139.
10. Jay R. Chernow, « Measuring the Values of Travel Time Savings », *Journal of Consumer Research*, vol. 7, mars 1981, pp. 360-371.
11. Ana B. Casado Diaz et Francisco J. Más Ruiz, « The Consumer's Reaction to Delays in Service », *International Journal of Service Industry Management* 13, n° 2, 2002, pp. 118-140.

12. Basé sur David H. Maister, « The Psychology of Waiting Lines », *in* J.A. Czepiel, M.R. Solomon, et C.F. Surprenant, *The Service Encounter* (Lexington, MA: Lexington Books/D.C. Heath, 1986, pp. 113-123) ; M.M. Davis et J. Heineke, « Understanding the Roles of the Customer and the Operation for Better Queue Management », *International Journal of Service Industry Management* 7, n° 5, 1994, pp. 21-34, Peter Jones et Emma Peppiat, « Managing Perceptions of Waiting Times in Service Queues », *International Journal of Service Industry Management* 7, n° 5, 1996, pp. 47-61.

13. Agnès Durrande-Morreau, « L'attente d'un service : quelles recommandations ? », *Décisions marketing*, n° 11, 1997, pp. 69-79.

14. Karen L. Katz, Blaire M. Larson, et Richard C. Larson, « Prescription for the Waiting-in-Line Blues : Entertain, Enlighten, and Engage », *Sloan Management Review*, 1991, pp. 44-53.

15. Bill Fromm et Len Schlesinger, « The Real Heroes of Business and Not a CEO Among Them », New York, Currency Doubleday, 1994, p. 7.

16. Michael K. Hui et David K. Tse, « What to Tell Customers in Waits of Different Lengths : An Integrative Model of Service Evaluation », *Journal of Marketing*, vol. 80, n° 2, avril 1996, pp. 81-90.

17. Sheryl E. Kimes et Richard B. Chase, « The Strategic Levers of Yield Management », Journal of Service Research 1, novembre 1998, pp. 156-166 ; Anthony Ingold, Una McMahon-Beattie et Ian Yeoman, « Yield Management Strategies for the Service Industries », 2ᵉ édition, Londres, Continuum, 2000.

18. Madeleine E. Pullman et Gary M. Thompson, « Evaluating Capacity and Demand Management Decisions at a Ski Resort », Cornell Hotel and Restaurant Administration Quarterly 43, décembre 2002, pp. 25-36 ; Madeleine E. Pullman et Gary Thompson, « Strategies for Integrating Capacity with Demand in Service Networks », *Journal of Service Research* 5, février 2003, pp. 169-183.

Chapitre 10

Penser et créer l'environnement de service

« Les managers... ont besoin de développer une meilleure compréhension de l'interface
entre les ressources à leur disposition et l'expérience qu'ils veulent créer pour les clients. »
– Jean-Charles Chebat et Laurette Dubé

« L'agencement et le design sont devenus tout comme le menu, la nourriture et le vin,
un élément déterminant du succès d'un restaurant. » – Danny Meyer

Ce chapitre aborde les questions suivantes

- Quel est le rôle de l'environnement du service ?
- Quels sont les différents effets que peut avoir l'environnement du service sur les individus ?
- Quelles sont les théories relatives aux réactions des individus ?
- Quelles sont les dimensions de l'environnement du service ?
- Comment construire une serviscène et obtenir les effets désirés ?

Le décor et l'environnement matériels jouent un rôle important dans la formation de l'expérience que vit un client et sa satisfaction, surtout lorsqu'il s'agit de services de type « high contact ». Le décor est source de satisfaction. Les parcs à thèmes de Disney sont souvent cités comme des exemples probants de lieux de services où le client se sent un peu « chez lui » lui procurant une grande satisfaction et lui laissant une impression durable. En fait, toutes les entreprises de services, hôpitaux, hôtels, restaurants, bureaux d'études, en sont venues à admettre que le cadre dans lequel se déroule leur activité est un élément important de la valeur globale de leur offre.

L'environnement de service et tous les éléments matériels qui le composent communiquent et déterminent le positionnement de l'entreprise de services, façonnent et déterminent la productivité des clients et du personnel en contact et constituent un avantage compétitif important.

Dans ce chapitre, qui nous renvoie au chapitre 2, où nous associions le service à une forme de théâtre, nous étudierons l'importance d'une élaboration soigneuse du cadre dans lequel se déroule l'activité de service. Ce cadre participe de façon plus substantielle à la formation de l'expérience de service, est un support de l'image que l'entreprise souhaite véhiculer, suscite des comportements et attitudes de la part des clients mais aussi du personnel en contact, facilite la réalisation des opérations et soutient la productivité.

1. Quel est le rôle de l'environnement de service ?

L'environnement d'une entreprise de services, également appelé la « serviscène[1] » est l'ensemble des éléments qui déterminent le style de l'entreprise et crée une atmosphère particulière pour le client (voir la section 2.2 pour une explication du mot).

Créer cet environnement du service est un art qui demande beaucoup de temps, des efforts considérables, et peut coûter très cher. Une fois conçus et créés, ces décors ne sont pas toujours faciles à modifier. Examinons pourquoi de nombreuses entreprises de services rencontrent tant de difficultés à créer le décor dans lequel leurs clients et leur personnel vont interagir.

1.1. Image, positionnement et différenciation

Pour les entreprises qui délivrent un service à contact élevé, l'environnement physique et la façon dont les opérations sont effectuées par le personnel de *front office* jouent un rôle essentiel dans la création d'une image institutionnelle spécifique, et dans l'élaboration de l'expérience que va vivre le client. L'environnement du service en lui-même et l'atmosphère qui lui est associée ont un impact considérable sur le comportement d'achat et ce, à trois niveaux :

1. **En tant que support d'un message,** au moyen de signes symboliques destinés à un public ciblé pour communiquer la nature et la qualité du service proposé.

2. **En tant que capteur de l'attention,** afin que la serviscène de l'entreprise se démarque de celle des établissements concurrents et attire les clients du segment ciblé.

3. **En tant que « stimulus »,** à travers l'utilisation de couleurs, de matières, de parfums, grâce à un aménagement de l'espace qui accentue l'effet voulu, ou met en avant certains produits ou services.

La serviscène fait partie de l'expérience de services

Comme nous l'avons vu, les services sont intangibles et leur qualité est difficile à évaluer pour le client. L'intangibilité du service renforce l'importance de l'environnement de service pour le client, souvent considéré comme un gage de qualité et une promesse. L'environnement de service rassure ou au contraire inquiète. Pour ces raisons, les entreprises de services tentent de faire de gros efforts pour renforcer la qualité des éléments tangibles de l'offre pour véhiculer la meilleure image d'elles-mêmes. Songeons, par exemple, au hall d'accueil des grandes entreprises comme les banques d'investissements ou les cabinets de conseil, où la décoration et les meubles se veulent élégants et impressionnants.

Dans le secteur de la distribution, l'atmosphère du magasin modifie la perception de la qualité de la marchandise. Le client attribue une qualité supérieure aux produits s'ils sont disposés dans un univers véhiculant une image de luxe, plutôt que dans un univers véhiculant une image de discount[2].

Beaucoup de serviscènes sont purement fonctionnelles. Les entreprises de services qui souhaitent donner l'image d'une offre à prix peu élevés s'implanteront dans des banlieues modestes, et s'installeront dans des locaux simples et pratiques. L'espace sera rentabilisé au maximum et les vêtements du personnel sont achetés à bas prix. Cependant, les serviscènes n'orientent pas toujours les perceptions du client comme l'auraient souhaité leurs créateurs. Véronique Cova remarque que les clients utilisent souvent les espaces et les objets de façon originale et à des fins très différentes de celles pour lesquelles ils ont été conçus[3]. Par exemple, les hommes d'affaires peuvent occuper la table d'un restaurant comme un bureau temporaire, éparpillant des papiers, installant leur ordinateur portable et leur téléphone, combattant pour un peu d'espace entre boissons et nourriture. Les designers sont toujours attentifs à de pareilles tendances, qui peuvent conduire à un nouveau concept de services.

Des entreprises de services sont connues pour avoir su mettre en scène leur offre et proposer, *in fine*, à leurs clients de véritables expériences de services. Citons à titre d'exemple F.A.O. Schartz qui a su faire de son enseigne un véritable temple du jouet. Des attractions sont proposées, des peluches grandeur nature sont exposées et en mouvement, des odeurs et une musique très particulière accompagnent et enchantent l'environnement de service.

Dans un domaine tout autre, il faut citer le magasin Prada Epicenter à New York (ou Los Angeles) qui propose un environnement de service hors du commun. De l'espace en hauteur (une vraie cathédrale), à la surface au sol, le tout en bois naturel. Le concept du PradaEpicenter est de présenter tous les articles de la marque sur des marches d'escaliers, que les clients montent et descendent à leur gré : le magasin devient musée. Les dirigeants de Prada ayant compris que les consommateurs étaient las de déambuler et d'acheter dans des magasins ennuyeux qui se ressemblent tous. Le design et la conception des lieux ont coûté plus de 40 millions de dollars et l'ascenseur vitré, 900 000 dollars.

La serviscène fait partie intégrante de la valeur offerte au client

Le cadre matériel permet de susciter chez un client, comme chez le personnel, certaines sensations mais aussi les réactions appropriées. Observons comment les parcs d'attractions utilisent efficacement le concept de la serviscène pour mettre en avant leur offre de services. Les espaces bien entretenus de Disneyland ou de Legoland au Danemark, les costumes colorés du personnel… tout contribue au plaisir et à l'excitation que ressent chaque visiteur à son arrivée et tout au long de sa visite[4].

L'exemple des hôtels de loisirs montre aussi que la serviscène est un élément central de la valeur de l'offre, car ils font de l'expérience de service une expérience de vie. Les villages du Club Med[5], aménagés pour créer une atmosphère d'insouciance et de détente totale, sont peut-être à l'origine des univers de vacances « dépaysants ». Les nouvelles destinations de vacances ne sont pas simplement plus luxueuses que celles du Club Med, mais elles s'inspirent des parcs à thème et créent des univers fantastiques, aussi bien dans leur enceinte qu'aux alentours. C'est peut-être à Las Vegas que l'on en trouve les exemples les plus extrêmes. Face à la concurrence de nombreux casinos installés dans d'autres localités, Las Vegas a choisi de se repositionner par rapport à son image de « Sodome et Gomorre électrisante » – ainsi que l'a qualifiée un journaliste londonien – réservée aux adultes, pour devenir une sorte de destination de vacances sympas pour toute la famille. Le jeu est toujours là, bien sûr, mais plusieurs grands hôtels, récemment construits (ou reconstruits), se sont transformés en d'époustouflants parcs de loisirs, offrant des attractions comme des volcans en éruption, des batailles navales, des reproductions de Venise et de ses canaux, ou de Paris et de ses monuments.

1.2. La serviscène facilite la rencontre de service et améliore la productivité

Les décors des entreprises de services sont souvent élaborés de façon à faciliter les contacts avec le client et à améliorer la productivité de l'entreprise. Chase et Stewart, qui enseignent tous deux le management des opérations à la School of Business Administration de l'université de Southern California, ont souligné la façon dont les méthodes de sécurité intégrées à l'environnement de service permettaient de réduire les erreurs et pouvaient constituer le support d'un processus de fonctionnement rapide et souple[6]. Par exemple, un système de codes de couleurs sur les caisses permet aux caissiers d'identifier les chiffres et les codes produits auxquels correspond chaque bouton. Peindre les étages d'un parking de couleurs différentes permet aux clients de mieux se souvenir de l'emplacement de leur voiture et leur évite de se tromper et de bloquer inutilement une place de parking. Un autre exemple tout aussi intéressant est le musée Guggenheim à New York configuré de telle sorte que le client y déambule sans effort physique, sans se tromper et sans ressentir de fatigue. Les clients arrivent par le haut du musée et font leur visite en descendant une pente douce. Les clients ne se croisent pas (ou si peu) et leur colonne vertébrale est parfaitement positionnée par rapport au sol pour minimiser les souffrances lombaires causes de la fatigue. Les clients sont efficaces et, en plus, éprouvent du plaisir.

Une enseigne française telle que l'enseigne La Cure Gourmande est un bel exemple de serviscène qui améliore la rencontre de service et la productivité. Les stocks de bonbons et de friandises sont disposés sur des étagères en bois le long des murs offrant ainsi une impression de choix et d'opulence. Les couleurs vives attirent l'œil du client, attisent la convoitise et déclenchent l'achat tant l'attraction est forte. Des stands de gâteaux « maison » sont mis à disposition des clients en libre service avec des gants en plastique à disposition. Un environnement aux couleurs chaudes (jaune provençal), des matériaux chauds et des emballages façon « vieille France » suggèrent une sorte de « caverne d'Ali Baba » dont on a pu rêver dans notre plus tendre enfance.

2. Comprendre le consommateur dans l'environnement de service

La psychologie environnementale étudie les réactions des individus dans leur environnement[7]. Les chercheurs en marketing des services utilisent ces théories pour mieux comprendre et gérer les réactions des clients par rapport au décor choisi et mis en scène par les entreprises de services.

2.1. Sensations et émotions dictent le comportement des clients dans l'environnement de service

Le modèle de Mehrabian-Russell (réponse au stimulus)

La figure 10.1 présente un modèle simple mais fondamental de la façon dont les individus réagissent à leur environnement. Le modèle est emprunté à la psychologie environnementale et il soutient que l'environnement et la perception qu'en a un individu, consciemment et inconsciemment, influencent ses sensations et ses émotions. Les sensations orientent à leur tour les réactions de l'individu[8], elles sont au cœur du modèle, qui considère que celles-ci, plus que les perceptions ou les pensées, orientent le comportement. Ainsi, nous n'allons pas nous éloigner d'un endroit simplement parce qu'il y a beaucoup de monde autour de nous mais parce que nous serons repoussés par la sensation désagréable d'être au milieu d'une foule, entourés de gens qui nous barrent le passage, par le manque de contrôle et l'impossibilité d'obtenir ce que nous voulons aussi vite que nous le désirons.

En psychologie environnementale, la variable classique qui ressort le plus souvent est celle de l'attirance ou de la répulsion par rapport à l'environnement ou au milieu.

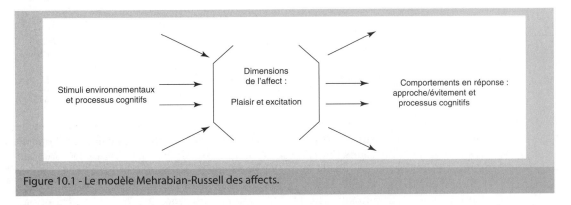

Figure 10.1 - Le modèle Mehrabian-Russell des affects.

Pour Bonnin[9], ce modèle ne prend pas en compte le processus d'appropriation qui est fondamental dans l'expérience de l'espace. Il ne rend compte du rôle de l'aménagement spatial que de façon incomplète. Ainsi l'auteur étudie le rôle de l'aménagement spatial d'un magasin de grande distribution sur les stratégies d'appropriation des consommateurs. Les résultats démontrent deux aménagements différents (fonctionnel et divertissant) qui favorisent le développement de deux stratégies d'appropriation (stratégie ludique active et stratégie fonctionnelle).

Le modèle des affects de Russell

Étant donné que les affects, ou sensations, sont au cœur de la réponse des individus à leur environnement, il est nécessaire de mieux comprendre la formation de ces sensations. Le modèle des affects de Russell est très souvent utilisé pour comprendre comment se forment les sensations au sein de l'environnement de service[10]. Comme le montre la figure 10.2, le modèle propose de décrire les réponses affectives à un environnement grâce à deux dimensions : le plaisir et l'excitation. Le plaisir est une réponse directe et subjective à un environnement, selon que l'individu aime ou n'aime pas cet environnement. L'excitation se rapporte à l'état de stimulation dans lequel se trouve un individu, état qui va du sommeil profond – l'état le plus bas d'activité interne – au taux le plus élevé d'adrénaline lorsque, par exemple, on fait un saut à l'élastique – l'état le plus élevé d'activité interne.

Le niveau d'excitation est beaucoup moins subjectif que le niveau de plaisir. Le niveau d'excitation dépend en grande partie de la quantité d'information ou de la pression d'un environnement. Ainsi, des milieux sont stimulants si l'on y trouve beaucoup d'informations, s'ils sont complexes, s'il y a du mouvement, des changements, des éléments nouveaux et surprenants. Un milieu qui a un faible taux d'excitation et qui est relaxant présente des caractéristiques tout à fait opposées.

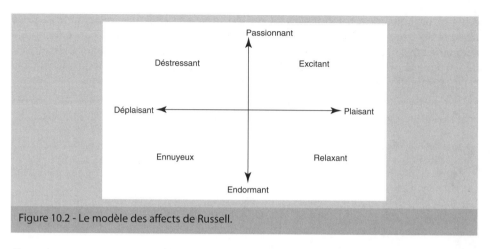

Figure 10.2 - Le modèle des affects de Russell.

Comment peut-on comprendre nos sentiments et nos émotions à partir de deux dimensions uniquement ? Russell distingue la partie cognitive ou réflexive de nos émotions de ces deux sous-dimensions (l'éveil/l'excitation et le plaisir et la pénibilité). Dès lors, un sentiment de colère, qui résulte d'une erreur dans le déroulement du service, peut se traduire par une excitation élevée et un mécontentement élevé, ce qui le situerait dans l'aire « pénible » de notre modèle, le tout combiné à un processus cognitif d'attribution.

L'avantage du modèle des affects de Russell réside dans sa simplicité, car il permet de définir immédiatement ce que les clients ressentent quand ils sont dans un environnement donné. Les entreprises peuvent cibler des états affectifs particuliers. Ainsi une entreprise de saut à l'élastique ou un manège de montagnes russes peuvent souhaiter que leurs clients se sentent stimulés. Le directeur d'une boîte de nuit ou d'un parc à thème peut souhaiter que ses clients soient euphoriques (dans un cadre très stimulant, en lien avec le plaisir), une banque cherchera à rassurer ses clients, une station thermale souhaitera qu'ils se sentent détendus, et une compagnie aérienne assurant un très long vol de nuit tiendra compte de la fatigue de ses passagers après le dîner. Nous verrons plus loin dans ce chapitre comment on peut créer un décor destiné à répondre aux attentes des clients.

Les déterminants de l'affect

Les affects sont causés par des perceptions et des processus cognitifs complexes. Cependant, plus le processus cognitif est complexe, plus l'impact sur l'affect est important. Ainsi, l'effet d'un processus cognitif simple, comme la perception inconsciente d'une musique de fond agréable, ne peut compenser la déception d'un client, contrarié par la qualité du service et de la nourriture dans un restaurant. Cette déception résulte d'un processus cognitif complexe, qui établit une comparaison entre la perception de la qualité du service et les attentes antérieures par rapport à ce service. Ce qui ne veut pas dire que de tels processus, si simples soient-ils, ne sont pas importants.

Dans les faits, la plupart des services font partie de notre quotidien et n'entraînent que peu de processus cognitifs complexes. Nous avons plutôt tendance à nous placer en mode « pilotage automatique » et à suivre un scénario bien rôdé quand nous effectuons des actions telles que prendre le métro, entrer dans un fast-food ou dans une banque.

Dans ces cas qui sont les plus fréquents, c'est un processus cognitif simple qui détermine la façon dont une personne se sent dans le décor de l'entreprise de services. Cela inclut les perceptions conscientes et inconscientes de l'espace, des couleurs, des parfums, etc. Cependant, si ce sont des processus cognitifs complexes qui sont déclenchés, à travers, par exemple, des éléments surprenants dans le décor, c'est ensuite l'interprétation que fera l'individu de ce sentiment de surprise qui déterminera ses sensations[11].

Les conséquences comportementales des affects

De façon très simple, des décors agréables se traduisent par de l'attirance, et des décors désagréables par de la répulsion. Des actes d'excitation amplifient l'effet premier d'attirance. Si le décor est agréable, élever l'état d'excitation conduit à l'enthousiasme, qui entraîne une réponse positive de la part du client. À l'inverse, si l'environnement n'est pas agréable, il faut éviter d'augmenter les niveaux d'excitation, qui conduiraient les clients dans la zone de pénibilité. Ainsi, diffuser très fort une musique très rythmée augmenterait le niveau de stress de clients faisant leurs courses essayant de fendre la foule de clients, dans une allée, un vendredi soir, la veille de Noël.

Les clients ont des attentes affectives fortes par rapport à certains types de services. Songeons à un dîner aux chandelles dans un restaurant, à une cure thermale relaxante ou à un moment d'euphorie dans un stade ou en boîte de nuit. Dans ce type de situations, il est important d'aménager l'espace afin de satisfaire ces attentes[12].

Enfin, les différentes sensations que va éprouver un client au cours du déroulement de la rencontre de service auront un impact sur sa fidélité. Ainsi, un affect positif favorisera l'émergence de valeurs hédonistes, qui à leur tour stimuleront des actes d'achats répétés, alors que des affects négatifs réduiront la valeur à des achats utilitaires et, de ce fait, réduiront la consommation du client[13].

2.2. La serviscène : un modèle intégratif du comportement du client sur le lieu de service

À partir des modèles classiques de la psychologie environnementale, Mary Jo Bitner a développé un modèle détaillé qu'elle appelle « servicescape[14] » et que nous avons traduit par le néologisme « serviscène ». La figure 10.3 expose les principales dimensions qu'elle a identifiées dans l'environnement des services.

Il s'agit de l'atmosphère générale, de l'espace et de la fonctionnalité des signes, des symboles et des artefacts. Parce que les individus ont tendance à percevoir ces dimensions de façon holistique, la clé d'un décor efficace réside dans l'adéquation des dimensions les unes avec les autres.

Le modèle explique ensuite qu'il existe des modérateurs aux réponses des clients et du personnel. Ce qui signifie que le même décor peut avoir des effets différents selon les clients. Ces effets dépendent du client lui-même et de ce qu'il aime ; la beauté est subjective et est dans les yeux de celui qui regarde. Le rap peut être un véritable plaisir pour certains et une torture pour d'autres.

L'un des apports majeurs du modèle de Bitner est qu'il étudie et valide les réactions du personnel au contact du décor et de l'environnement de service. Le personnel passe en effet beaucoup plus de temps sur le lieu des interactions que les clients, et il est vital que les designers mesurent à quel point un environnement peut augmenter (ou du moins ne pas réduire) la productivité du personnel de *front office* et la qualité du service qu'il fournit.

Les réactions intérieures des clients et des employés peuvent être classées en trois catégories :

- réactions cognitives (perception de la qualité, certitudes) ;
- réactions émotionnelles (sentiments, humeurs) ;
- réactions psychologiques (douleur, confort).

Ces réactions intérieures se traduisent par des comportements extérieurs, comme éviter un supermarché parce qu'il y a foule ou avoir une attitude positive dans un environnement relaxant, en restant plus longtemps et en dépensant plus d'argent sur des achats d'impulsion. Il est important de comprendre que les réactions comportementales des clients, comme celles du personnel en contact, doivent être orientées dans un souci d'amélioration de la production et de la qualité du service. Il suffit de constater à quel point les résultats varient selon que les clients et le personnel sont agités et stressés, ou, au contraire, détendus et de bonne humeur.

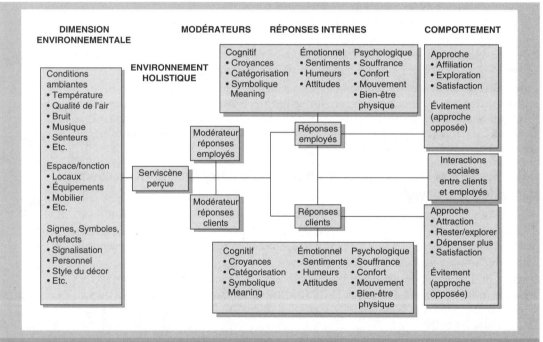

Figure 10.3 - Le modèle de la serviscène.

Source : Mary Jo Bitner, « Servicescapes : The Impact of Physical Surroundings on Customers and Employees », *Journal of Marketing* 56, avril 1992, pp. 57-71.

3. Les dimensions de l'environnement de service

Les environnements de services sont complexes et constitués de multiples éléments. Le tableau 10.1 offre un aperçu de tous les éléments du design que l'on peut rencontrer dans un magasin. Dans cette partie, nous nous concentrerons sur les dimensions principales de l'environnement de service, tels qu'ils sont présentés dans le modèle de la serviscène : atmosphère générale, espace et fonctionnalité, signes, symboles et artefacts[15].

Tableau 10.1 : Éléments du design d'un magasin

Dimensions	Éléments du design	
Éléments extérieurs	• Style architectural • Hauteur du bâtiment • Largeur du bâtiment • Couleur du bâtiment • Murs extérieurs et signes extérieurs • Façade du magasin • Auvent • Pelouses et jardins	• Disposition des fenêtres • Entrées • Visibilité • Originalité • Magasins proches • Espaces proches • Parking et facilités d'accès • Encombrement
Éléments intérieurs	• Sols et revêtements de sol • Combinaisons des couleurs • Éclairage • Parfums • Odeurs (tabac, fumée…) • Sons et musiques • Installations techniques • Composition des murs • Revêtement (papier peint, peinture…) • Composition des plafonds	• Température • Propreté • Largeur des allées • Rayonnage • Cabines d'essayage • Accès aux étages • Espace perdu • Merchandising • Niveau de prix et étiquetage • Emplacement des caisses • Modernité /technologie
Aménagement du magasin	• Répartition des espaces : vente, marchandise, personnel et clients • Disposition des marchandises • Regroupement de marchandises • Emplacement des postes de travail • Emplacement des équipements • Emplacement des caisses	• Zones d'attente • Flux • Files d'attente • Mobilier • Emplacement des rayons • Organisation au sein des départements
Décoration intérieure	• Point de vente • Affiches, panneaux, cartes • Images et décorations • Décoration des murs • Thème • Vue d'ensemble	• Mise en rayon • Affichage des prix • Bacs à légumes • Cageots cassés et poubelles
Dimension humaine	• Caractéristiques du personnel • Tenues du personnel • Nombre d'employés	• Caractéristiques des clients • Intimité – respect • Libre service

Sources : adaptés de Barry Berman et Joel R. Evans, « Retail Management – A Strategic Approach », 8e édition, Upper Saddle River, New Jersey, Prentice Hall, Inc., 2001, p. 604 ; L.W. Turley et Ronald E. Milliman, « Atmospheric Effects on Shopping Behavior : A Review of the Experimental Literature », *Journal of Business Research* 49, 2000, pp. 193-211.

Figure 10.4 - Aménagement intérieur d'un hôtel Formule 1.
Source : Groupe ACCOR. Droits réservés.

3.1.   Les effets de l'atmosphère générale

L'atmosphère générale d'un lieu est constituée de l'ensemble des éléments qui sont perçus par nos cinq sens. Même s'ils ne sont pas consciemment perçus, ils ont un effet sur le bien-être des individus, leurs perceptions, leurs attitudes et leur comportement[16]. La notion d'atmosphère est un concept gestaltiste, constitué d'une multitude de détails et d'éléments du design qui doivent fonctionner ensemble sur le lieu de l'activité de l'entre-prise pour créer l'environnement de service voulu[17]. L'atmosphère qui en résulte est à l'origine d'un état d'esprit qui est perçu et interprété par le client[18]. Ces éléments – l'éclai-rage, la combinaison des couleurs, les dimensions, les formes, les bruits, la musique, la température et les parfums – sont perçus à la fois de façon globale et de façon distincte. Une structuration intelligente de tous ces éléments peut susciter, chez le client, les réactions recherchées par les entreprises.

Observons, avec Meilleures pratiques 10.1, la théorie que sous-tend une nouvelle mode qui transforme des cabinets dentaires en centres relaxants de soins dentaires.

Musique

Associée à un décor, la musique peut avoir de puissants effets sur les perceptions et les comportements, même si elle est presque inaudible. Ainsi que le montre le modèle de la serviscène, les éléments caractéristiques d'une musique, comme son tempo, son volume ou son harmonie, sont perçus de façon holistique, et leurs effets sur les réactions inté-rieures ou comportementales sont tempérés par les caractéristiques de celui qui écoute. Par exemple, les jeunes gens ont tendance à aimer un certain type de musique, et, à l'écoute d'un même morceau, leurs réactions seront différentes de celles de personnes âgées[19]. De nombreuses études ont montré qu'un tempo accéléré et un volume élevé augmentent l'état d'excitation des individus[20], ce qui peut pousser les gens à marcher plus

Supprimer le facteur « peur » chez le dentiste

Rares sont ceux qui attendent avec impatience d'aller chez le dentiste. Certains patients trouvent cela simplement désagréable, plus encore s'ils doivent rester sur le fauteuil pour un long moment. Beaucoup redoutent la douleur associée à certaines opérations. D'autres, enfin, prennent des risques pour leur santé en évitant d'aller chez le dentiste. Mais quelques praticiens se sont tournés vers le « dentaire-relax », où jus de fruits, massage du cou et des pieds, bougies parfumées et bruitages du vent sont utilisés pour bercer les patients et les distraire des indispensables soins qui doivent être opérés dans leur bouche.

« Ce n'est pas simplement pour les distraire », explique Timothy Dotson, propriétaire du *Perfect Teeth Dental Spa* de Chicago, pendant qu'un de ses patients aspire un oxyde d'azote parfumé à la fraise, « c'est se comporter avec les patients comme ils le désirent, et cela aide beaucoup de gens à surmonter leur peur. » Ses patients semblent l'approuver : « Personne n'aime aller chez le dentiste, mais, comme ça, c'est tellement plus facile ! » raconte une patiente qui attend sa couronne, tandis qu'un coussinet chauffant lui masse le dos.

Tout un ensemble d'attentions– serviettes chaudes, massages, aromathérapie, café, pain frais, vin blanc et limonade – reflètent l'effort que font les dentistes pour s'adapter à l'évolution des attentes de leurs clients, tout particulièrement à une période où les demandes de soins esthétiques explosent (dents blanches et bien implantées pour un sourire parfait). L'objectif est de séduire les patients qui trouvent la visite chez le dentiste trop stressante. La plupart des praticiens qui offrent des services de relaxation le font gratuitement et expliquent que le coût est largement absorbé par une augmentation du nombre et de la fréquence des visites.

À Houston, Max Greenfield a orné son *Image Max Dental Spa* de fontaines et d'œuvres d'art contemporaines. Les patients enfilent un peignoir, essaient huit sortes d'oxygènes aromatisés et méditent dans la salle de relaxation, reproduction d'un jardin japonais. Les centres dentaires utilisent aujourd'hui des fauteuils en cuir d'agneau, des serviettes chaudes parfumées selon les principes de l'aromathérapie, et un système baptisé « massage-jet-chewing-gum » qui utilise l'air et l'eau pour le nettoyage des dents.

Bien que des cabinets de dentistes de New York et Los Angeles utilisent ces méthodes, la question se pose de savoir si cette approche « délicate et raffinée » relève d'un soin dentaire de qualité ou s'il s'agit simplement d'un effet de mode. « Je ne peux tout simplement pas concevoir ces deux métiers ensemble », confie le doyen d'une faculté de soins dentaires.

Source : « *Dentists Offer New Services to Cut the Fear Factor* », Chicago Tribune *syndicated article, février 2003.*

vite, à parler avec précipitation, ou à se presser de manger dans un restaurant[21]. Volontairement ou non, les gens ont tendance à ajuster leur rythme à celui de la musique. Les restaurateurs peuvent donc accélérer le service et servir un plus grand nombre de repas, en accélérant le rythme et en amplifiant le volume de la musique ; ou bien ralentir le rythme des repas grâce à une musique moins rapide et moins forte, de sorte que les clients restent plus longtemps et consomment plus de boissons.

Une étude réalisée par un restaurant sur plus de huit semaines a montré que le chiffre d'affaires sur les boissons augmentait de 41 % et la marge totale de 15 % lorsqu'on diffusait une musique lente, plutôt qu'une musique rythmée. Les clients qui dînent en écoutant une musique lente restent en moyenne quinze minutes de plus que ceux qui dînent au son d'une musique très rythmée[22]. De la même manière, ceux qui font du shopping marchent plus lentement sur une musique lente et augmentent leurs achats d'impulsion[23]. Il est prouvé qu'une musique connue dans un magasin stimule le consommateur et, de ce fait, diminue son temps d'hésitation, alors qu'une musique moins familière l'incitera à rester plus longtemps[24]. Durant les moments d'attente, la musique peut être un outil très efficace pour atténuer l'impression d'attente et augmenter la satisfaction du client[25]. Une musique relaxante diminue les états de stress dans la salle d'attente des urgences d'un hôpital[26] et une musique agréable peut même améliorer la perception que les clients ont du personnel et de l'attitude qu'ils ont à son égard[27].

Autre exemple : Ben Dahmane Mouheli et Touzani, tous deux chercheurs à l'unité de recherche de marketing URM et enseignants à l'institut supérieur de gestion de Tunis, ont mis en évidence que la diffusion d'une musique connue (par opposition à une musique inconnue) a un effet positif sur le nombre d'articles achetés et le nombre d'achats imprévus dans un magasin de produits cosmétiques[28].

Tableau 10.2 : L'impact de la musique sur les dîners dans un restaurant

Comportement des clients dans le restaurant	Fond musical : musique très rythmée	Fond musical : musique lente	Différence entre les deux milieux : musique rythmée et musique lente	
			Différence absolue	Différence en pourcentage
Temps que les clients passent à table	45 min	56 min	+ 11 min	+ 24 %
Dépenses en nourriture	55,12 $	55,81 $	+ 0,69 $	+ 1%
Dépenses en boissons	21,62 $	30,47 $	+ 8,85 $	+ 41 %
Total des dépenses	76,74 $	86,28 $	+ 9,54 $	+ 12 %
Estimation de la marge	48,62 $	55,82 $	+ 7,20 $	+15 %

Source : Ronald E. Milliman, « Using Background Music to Affect the Behavior of Supermarket Shoppers », *Journal of Marketing* 56, n° 3, 1982, pp. 86-91.

Parfums et senteurs

Un parfum d'ambiance n'est pas lié à un produit en particulier. Il baigne dans un environnement donné, et est, consciemment ou non, perçu par les clients. Nous pouvons faire l'expérience du pouvoir d'un parfum quand nous avons faim et que nous parvient l'odeur de croissants chauds, tout juste sortis du four. Ce parfum nous fait prendre conscience de notre faim et nous montre du doigt la solution (dans le cas présent, marcher jusqu'à la boulangerie d'où émane ce parfum et y acheter quelque chose). Cela vaut également pour les rôtisseries, les pizzerias et autres enseignes du même type. On peut aussi prendre l'exemple de Main Street dans les parcs Disney, où le parfum des cookies qui sortent du four est utilisé pour détendre les clients et leur procurer un sentiment de bien-être ; ou encore celui des pressings, où l'odeur de pot-pourri rappelle celle des anciennes armoires à linge de nos grands-mères[29]. La présence d'un parfum influe fortement sur nos humeurs, nos réactions affectives, nos perceptions, voire sur nos intentions d'achat et notre comportement dans un magasin[30]. Le tableau 10.3 montre les effets d'un parfum sur la façon dont les clients perçoivent un magasin et la qualité de la marchandise.

Tableau 10.3 : Les effets d'un parfum sur la façon dont on perçoit un magasin

Évaluation	Évaluation des environnements sans parfum	Évaluation des environnements parfumés	Différence entre les environnements non parfumés et les environnements parfumés
Évaluation du magasin			
• Négative/positive	4,65	5,24	+ 0,59
• Image démodée/branchée	3,76	4,72	+ 0,96
Décor du magasin			
• Attirant/repoussant	4,12	4,98	+ 0,86
• Terne/coloré	3,63	4,72	+ 1,09
• Ennuyeux/stimulant	3,75	4,40	+ 0,65
Marchandises			
• Démodées/branchées	4,71	5,43	+ 0,72
• Inadaptées/adaptées	3,80	4,65	+ 0,85
• Mauvaise/bonne qualité	4,81	5,48	+ 0,67
• Prix bas/prix élevé	5,20	4,93	− 0,27

Note : les évaluations sont basées sur une échelle de 1 à 7.
Source : Eric R. Spangenberg, Ayn E. Crowley et Pamela W. Henderson, « Improving the Store Environment: Do Olfactory Cues Affect Evaluations and Behaviors? », *Journal of Marketing* 60, avril 1996, pp. 67-80.

Le spécialiste de l'olfaction Alan R. Hirs de la *Smell and Taste Treatment and Research Foundation* de Chicago est convaincu que dans les dix prochaines années, nous en saurons assez pour utiliser les parfums afin de modifier de façon efficace les comportements des individus[31]. Les départements marketing sont très intéressés de savoir comment provoquer la faim ou la soif dans un restaurant, comment détendre les individus dans la salle d'attente d'un médecin ou comment vous donner de l'énergie pour que vous accé-lériez votre rythme dans une salle de gym. Le chercheur en parfums Bryan Raudenbush a montré que lorsqu'on faisait de la gym, inhaler un parfum de menthe poivrée n'augmentait pas la vigueur d'une personne, mais qu'en revanche les huiles aromatiques créent un sentiment de bien-être et, de ce fait, poussent les gens à prolonger l'entraînement[32]. Selon les principes de l'aromathérapie, les caractéristiques spécifiques des parfums peuvent être utilisées pour susciter un certain type de réactions émotionnelles, psychologiques ou comportementales.

Le tableau 10.4 montre les effets que l'on attend de tel ou tel parfum, d'après l'aromathé-rapie. En ce qui concerne les installations de services, les études ont montré que les parfums ont un impact significatif sur les perceptions, les attitudes et les comportements des clients. Par exemple :

- Lorsqu'un casino de Las Vegas a diffusé un parfum agréable dans ses murs, le nombre de jetons glissés dans les machines à sous a augmenté de 45 %. En intensi-fiant ce parfum, le nombre de jetons augmentait de 53 %[33]. Imaginez les répercus-sions que cela peut avoir sur les bénéfices, quand on sait qu'un casino n'a presque essentiellement que des coûts fixes !

- Dans un magasin Nike, les clients avaient davantage envie d'acheter des baskets et étaient prêts à les payer plus cher lorsqu'ils essayaient leurs chaussures dans des pièces où flottait un parfum floral. On a observé le même comportement lorsque le parfum était si léger que les clients ne pouvaient pas le percevoir : le parfum était perçu inconsciemment[34].

- De plus en plus de restaurants servent du pain à l'ail à l'apéritif et la recherche montre qu'ils ont raison de le faire. Une étude récente a montré que le fait de sentir et de manger du pain à l'ail au cours d'un repas réduisait en moyenne de 0,17 inci-dent le nombre d'interactions négatives ou de 23 % le nombre d'incidents par membre de la famille et par minute, tout en augmentant de 0,25 incident le nombre d'interactions positives par membre de la famille et par minute[35]. Cela favorise et préserve des moments de partage en famille et fait d'un repas dans un restaurant une expérience beaucoup plus satisfaisante.

Tableau 10.4 : Aromathérapie. L'effet des fragrances sur les individus.

Fragrance	Type d'arôme	Aromathérapie	Utilisation classique	Impact psychologique potentiel sur les individus
Orange	Agrume	Calmant	Apaisant, astringent	Apaise les nerfs, a un effet relaxant et calmant. Particulièrement bon pour les gens nerveux et agités
Bergamote	Agrume	Calmant, équilibrant	Apaisant, déodorant, antiseptique, calmant, équilibrant	A un effet apaisant et calmant, aide à se détendre
Mimosa	Floral	Calmant, Équilibrant	Relaxant musculaire, apaisant	Aide à la relaxation, rend les gens détendus et calmes. Crée un sentiment d'harmonie et d'équilibre

Tableau 10.4 : Aromathérapie. L'effet des fragrances sur les individus. *(suite)*

Fragrance	Type d'arôme	Aromathérapie	Utilisation classique	Impact psychologique potentiel sur les individus
Poivre noir	Épicé	Équilibrant, apaisant	Relaxant musculaire, aphrodisiaque	Aide à tempérer les émotions des individus et stimule les capacités sexuelles.
Lavande	Herbacé	Calmant, équilibrant, apaisant	Relaxant musculaire, apaisant, astringent, crème de soin pour la peau.	Relaxant et calmant, permet de créer un sentiment de bien-être, l'impression d'être chez soi
Jasmin	Floral	Inspirant, équilibrant	émollient, aphrodisiaque, antiseptique, apaisant	Aide les individus à se sentir joyeux, à l'aise et sexuellement excités
Pamplemousse	Agrume	Énergétique	Astringent, apaisant, crème de soin pour la peau	Stimulant, rafraîchissant, revivifiant, améliore la clarté et la vivacité d'esprit, peut même stimuler l'énergie et la force physique.
Citron	Agrume	Énergétique	Antiseptique, Apaisant.	Stimule l'énergie et aide à se sentir joyeux et régénéré
Menthe poivrée	Mentholé	Énergétique et stimulant	Repousse les insectes, antiseptique, nettoyant peau	Augmente le degré d'attention et stimule l'énergie
Eucalyptus	Camphré	Tonique et stimulant	Déodorant, antiseptique, apaisant, dissipe les odeurs et nettoyant pour la peau	Stimulant, énergétique, aide à créer un équilibre, et un sentiment de propreté et d'hygiène

Sources : http://www.fragrant.demon.co.uk, et *http://www.naha.org/WhatisAromatherapy* ; Dana Butcher, « Aromatherapy – Its Past and Future », *Drug and Cosmetic Industry* 16, n° 3, 1998, pp. 22-24 ; Shirley Price et Len Price, « Aromatherapy For Health Professionals », 2e édition, New York, Churchill Livingstone, 1999, pp. 145-160 ; Anna S. Mattila et Jochen Wirtz, « Congruency of Scent and Music as a Driver of In-Store Evaluations and Behavior », *Journal of Retailing* 77, 2001, pp. 273-289.

Pour terminer, citons l'enseigne anglaise Lush qui vend au poids des savons et des produits cosmétiques pour le visage et le corps, et qui sait parfaitement utiliser les odeurs de ses produits pour attirer les clients. Les odeurs s'évacuent sur le trottoir dans le but d'attirer les clients, les diriger, leur suggérer d'acheter ou simplement leur rappeler qu'ils doivent acheter des produits cosmétiques.

Couleur

La couleur est stimulante, apaisante, expressive, perturbante, impressionnante, culturelle, exubérante, symbolique. Elle fait partie de tous les aspects de notre vie, elle embellit notre quotidien, donne de la beauté et un aspect théâtral aux objets de notre vie de tous les jours[36]. Des chercheurs ont montré que la couleur avait un fort impact sur les sensations des individus[37]. Le système utilisé par la recherche en psychologie est celui de Munsell, qui décompose une couleur en trois dimensions : teinte, valeur et chromie[38]. La teinte correspond au pigment de la couleur (c'est le nom de la couleur : rouge, orange, jaune, vert, bleu, violet). La valeur est le degré de clarté ou d'opacité de la couleur, sur une échelle qui va du blanc au noir. La « chromie » correspond à l'intensité de la teinte, à sa saturation ou à sa brillance. De fortes « chromies » ont un taux de pigmentation élevé et sont perçues comme riches et chatoyantes, alors que de faibles « chromies » sont perçues comme ternes.

Les teintes sont classées en deux catégories (couleurs chaudes : rouge, orange, jaune, etc.) et couleurs froides (bleu et vert) ; l'orange est considéré comme la couleur la plus chaude, tandis que le bleu est considéré comme la plus froide. Ces couleurs peuvent être utilisées pour contrôler ou influencer la chaleur qui se dégage d'un endroit. Par exemple, si un mauve est trop chaleureux, il est possible de l'atténuer en diminuant la teneur en rouge. Si le rouge est trop froid, on peut le rehausser en y ajoutant une touche d'orange[39]. Les couleurs chaudes sont associées à des états d'exaltation et d'excitation, mais également à des moments de forte anxiété, alors que des couleurs plus douces diminuent le niveau d'excitation et font naître un sentiment de paix et de calme[40]. Le tableau 10.5 présente les associations sentiments-couleurs les plus fréquentes et les réactions qu'elles entraînent.

Tableau 10.5 : Associations fréquentes et réactions humaines aux couleurs

Couleur	Degré de chaleur	Symbole naturel	Fréquentes associations et réactions humaines
Rouge	Chaud	La Terre	Véhicule beaucoup d'énergie et de passions Capacité à exciter, à stimuler et à augmenter l'état d'excitation et la pression sanguine
Orange	Couleur la plus chaude	Coucher de soleil	Véhicule émotion, expressivité et chaleur Remarqué pour sa capacité à favoriser l'expression verbale des émotions
Jaune	Chaud	Le Soleil	Véhicule optimisme, clarté et abstraction Remarqué pour sa faculté à stimuler la bonne humeur
Vert	Froid	Croissance, herbe et arbres	Véhicule nutrition, guérison et amour inconditionnel
Bleu	Couleur la plus froide	Ciel et océan	Véhicule relaxation, sérénité, fidélité Diminue la pression sanguine. Couleur qui apaise les désordres nerveux et soulage les maux de tête grâce à ses vertus calmantes et relaxantes.
Indigo	Froid	Coucher de soleil	Véhicule méditation et spiritualité
Violet	Froid	La violette	Véhicule la spiritualité Diminue le stress et peut créer un sentiment de calme intérieur

Sources : Sara O. Marberry et Laurie Zagon, « The Power of Color – Creating Healthy Interior Spaces », New York, John Wiley & Sons, 1995, p. 18 ; Sarah Lynch, « Bold Colors For Modern Rooms: Bright Ideas For People Who Love Color », Rockport Publishers, Gloucester, 2001, pp. 24-29.

Des recherches liées à l'environnement de service montrent qu'au-delà des préférences de couleurs, qui peuvent varier, les individus ont généralement tendance à se tourner vers les couleurs chaudes. Cependant, les résultats montrent que des atmosphères très rouges sont perçues de façon négative, elles sont perçues comme stressantes et beaucoup moins attirantes que des atmosphères plus claires[41]. Les couleurs chaudes encouragent les prises de décisions rapides, et, en ce qui concerne l'industrie des services, sont plus pertinentes dans des circonstances d'achat d'impulsion ou lorsque les prises de décisions impliquent peu l'individu. On préférera les couleurs froides lorsque les clients ont besoin de temps pour effectuer des achats qui les impliquent beaucoup[42].

Bien que nous ayons une connaissance globale de l'impact des couleurs, leur utilisation dans un contexte particulier doit se faire avec précaution. Ainsi, lors d'une campagne de communication écologiste, une compagnie de transport en Israël a décidé de peindre ses bus en vert. De façon surprenante, différents groupes de personnes ont réagi de façon négative à cet acte apparemment simple. Pour certains usagers, la couleur verte diminuait la qualité du service, car les bus verts se fondaient dans le décor et étaient moins faciles à repérer. Pour d'autres, le vert était associé à des valeurs repoussantes comme le terrorisme, ou une équipe sportive adverse. Enfin, cette couleur peu séduisante se révélait inappropriée sur le plan esthétique[43].

Afin de faire prendre conscience de l'importance des couleurs, un nouveau restaurant qui vient d'ouvrir à Paris vous plonge dans le noir pendant toute la durée du repas. Cela vous permet également de vous concentrer sur la mise en alerte de tous les autres sens afin de suppléer cette absence de lumière et donc de couleurs.

Le centre Georges Pompidou, à Paris, offre un bon exemple de l'utilisation des couleurs pour intensifier l'expérience vécue. Il combine une architecture très futuriste et colorée, avec un spectre complet de couleurs provoquant des lumières étonnantes, pour créer un décor insolite et joyeux. À l'intérieur, les murs sont mis en valeur par l'originalité de l'architecture, ils sont balayés par des arcs-en-ciel de couleurs, grâce à une combinaison de lampes à forte intensité et de décomposition de la lumière extérieure.

3.2. Organisation spatiale et fonctionnalité

Puisque le cadre de l'entreprise de services doit généralement répondre à des objectifs spécifiques et aux besoins des clients, la disposition spatiale et la fonctionnalité du cadre sont particulièrement importantes. L'organisation spatiale est liée aux éléments tels que la taille et la forme des meubles, les comptoirs, les machines éventuelles et l'équipement, ainsi qu'à la façon dont les éléments sont disposés les uns par rapport aux autres. La fonctionnalité se rapporte à la capacité de tous ces éléments à soutenir l'efficacité du déroulement des opérations. L'organisation spatiale et la fonctionnalité d'un lieu influencent le comportement d'achat du client, son niveau de satisfaction et, en conséquence, la performance globale du service.

3.3. Signes, symboles et artefacts

Beaucoup d'éléments de l'environnement de service ont pour rôle explicite ou implicite de véhiculer l'image de l'entreprise, de permettre au client de s'orienter (certains guichets, comptoirs, panneaux de sortie) et d'indiquer les règles à suivre (espace fumeur/non-fumeur, ou façon de faire la queue). Plus particulièrement, les clients qui viennent pour la première fois vont automatiquement chercher des informations dans les signes, les symboles et les artefacts. Ils essaieront de faire parler cet environnement pour se former une opinion sur le type et le niveau de service qu'ils peuvent attendre et pour s'orienter sur les lieux et tout au long du déroulement de la prestation de service. Si les clients ne peuvent obtenir des messages clairs de la serviscène, ils se sentent perdus. Il en résulte de l'inquiétude et de l'angoisse : le client ne sait comment se comporter, ni comment obtenir le service qu'il désire. Des clients qui n'ont pas l'habitude ou qui viennent pour la première fois sur un lieu de services peuvent très facilement se sentir déroutés et ressentir de la colère et de la frustration. Songez à la dernière fois où, pressé, vous avez essayé de vous orienter dans un hôpital, un centre commercial, ou un aéroport qui vous étaient peu familiers et où la signalétique ne vous était pas immédiatement parlante.

Utiliser les signes, symboles et artefacts pour guider de façon claire les clients tout au long de la procédure d'obtention du service est le défi que doivent relever les designers de la serviscène. Cette tâche revêt une importance toute particulière dans des situations où la majeure partie des clients sont de nouveaux clients ou bien des clients peu réguliers ou encore dans des situations de quasi-libre-service. Les signes, symboles et artefacts doivent communiquer et expliquer de façon aussi intuitive que possible la procédure à suivre. Dans beaucoup de cas, le premier contact des clients avec l'entreprise de service est probablement l'endroit où ils garent leur voiture, et les principes d'un décor efficace s'appliquent même dans le plus banal des endroits.

3.4. Les individus comme partie intégrante de l'environnement de service

L'apparence et le comportement du personnel et des clients peuvent renforcer ou détraquer l'impression que crée l'environnement de service. Dans les limites des contraintes légales et des compétences requises, les entreprises de services doivent chercher à recruter un personnel qui remplit un rôle spécifique, le vêtir d'uniformes en accord avec la serviscène au sein de laquelle il travaillera, et préparer son discours et ses mouvements.

De la même manière, les supports de communication marketing ne doivent pas uniquement chercher à attirer les clients qui apprécieront l'atmosphère créée par l'entreprise de services, mais aussi ceux qui viendront activement la renforcer. Dans le cas de services d'hébergement ou de vente, les nouveaux venus font une rapide évaluation de la clientèle existante avant d'accorder leur confiance à l'établissement.

La figure 10.5 montre les intérieurs de deux restaurants dont les atmosphères sont très différentes.

4. Assembler tous les éléments

Bien que les individus ne perçoivent souvent que certains aspects ou détails des éléments de l'environnement, c'est la configuration globale de tous ces éléments qui détermine les réactions du client. Ce dernier perçoit l'environnement d'une activité de service de façon holistique, et ses réactions à un environnement physique dépendent d'un ensemble d'effets ou de configurations[44].

4.1. Créer de façon holistique

Savoir si un parquet ciré en bois sombre est le revêtement de sol idéal dépend du reste de l'environnement de service, et, entre autres, des meubles, de leur style, de leur matière et

Figure 10.5 - De la disposition des tables aux meubles et à la décoration, tout concourt dans l'un et l'autre de ces restaurants à susciter des attentes client très différentes.

de leur couleur, de l'éclairage, de la signalisation, de la perception de la marque en général et du positionnement de l'entreprise. La serviscène doit être considérée de façon holistique, ce qui veut dire qu'aucun des éléments du design ne peut être considéré indépendamment des autres, car chaque élément dépend de tous les autres.

Le caractère holistique d'un environnement fait de la création des environnements des activités de services un art, à tel point que des designers professionnels ont tendance à en faire une spécialité. Par exemple, une poignée de designers célèbres ne fait rien d'autre que créer des halls d'hôtels dans le monde entier. De la même manière, il existe des designers experts qui ne travaillent que pour des restaurants, des bars, des boîtes de nuit, des cafés et des bistrots, des grandes surfaces, des services médicaux[45].

Nous pouvons citer à titre d'exemples des noms célèbres tels que Rem Koolhass de l'Office of Metropolitan Architecture à New York, designer des magasins de New York, ou Herzog et De Meuron qui ont conçu le magasin Prada à Tokyo.

4.2. Concevoir l'environnement de service dans une optique client

Beaucoup d'entreprises de services créent leur environnement en mettant l'accent sur l'esthétique. Les designers oublient souvent de tenir compte du facteur le plus important lors de la création d'un environnement : les clients qui vont l'utiliser. Ron Kaufman, consultant et formateur, spécialiste de l'excellence des services, a remarqué les points faibles suivants dans l'environnement de deux entreprises de services haut de gamme :

- Un nouvel hôtel Sheraton venait tout juste d'ouvrir ses portes en Jordanie, sans signalétique claire pour guider les hôtes aux toilettes. Les panneaux, qui existaient en réalité, étaient gravés en or pâle sur des piliers de marbre noir. Des signes plus évidents auraient apparemment été inappropriés dans un décor si élégant. Certes, ils étaient très discrets et très élégants, mais à qui étaient-ils destinés ?

- Dans la salle d'attente de la compagnie aérienne Dragon Air du nouvel aéroport de Hong Kong, il y avait, du sol au plafond, toute une cloison de verres colorés. Au moment où je suis entré, mes bagages ont légèrement effleuré la cloison. Celle-ci s'est ébranlée et plusieurs panneaux sont tombés (Dieu merci, sans aucune casse). Un membre du personnel est accouru et a commencé à rassembler avec soin les panneaux. Je me suis excusé mille fois. « Ne vous inquiétez pas, cela arrive tout le temps ! », a-t-elle répondu.

Le salon de l'aéroport est un lieu de passage intense, les allées et venues sont permanentes. Ron Kaufman s'interroge : « À quoi pensaient les designers ? Pour qui ont-ils créé cela ? »

« Je suis souvent très étonné par des conceptions « dernier cri » qui sont de toute évidence hostiles aux consommateurs », déclare Kaufman. D'énormes investissements de temps et d'argent, mais à quelles fins ? À quoi pensaient les architectes ? Aux dimensions ? À la grandeur ? À un exercice physique ? Pour qui l'ont-ils créé ? » Il en tire la leçon suivante : « Il est très facile de se laisser entraîner par de nouvelles créations esthétiques ou grandioses. Mais si vous ne gardez pas, du début à la fin, votre client en tête, vous pourriez vous retrouver avec un investissement qui n'en est pas un[46]. »

Dans une étude récente, Alain d'Astous a cherché quels étaient les aspects d'un environnement qui énervent les consommateurs. Ces résultats mettent en avant les points suivants :

1. Atmosphère générale (par ordre d'importance)
   - le magasin n'est pas propre
   - il fait trop chaud (dans le magasin)
   - la musique est trop forte
   - l'odeur est désagréable (dans le magasin)

2. Éléments du design
   - pas de miroir dans la cabine d'essayage
   - impossible de trouver ce que l'on cherche
   - les consignes sont inadaptées
   - la disposition des produits a été modifiée
   - le magasin est trop petit
   - difficile de trouver son chemin dans ce grand centre commercial[47]

L'encadré Meilleures pratiques 10.2 montre un environnement particulier.

Le décor du Royaume Magique de Disney

Walt Disney était un champion incontestable de la création d'environnements de services des entreprises. Sa traditionnelle organisation, incroyablement soignée jusque dans les moindres détails, est devenue l'un des cachets de son entreprise et est partout visible dans ses parcs d'attractions. Ainsi, Main Street, à l'entrée du Royaume Magique, est orientée de façon qu'elle semble plus large qu'elle ne l'est en réalité. Aux côtés d'une myriade d'équipements, d'attractions orientées de façon stratégique et situées de part et d'autre de la rue, cela donne envie au visiteur de faire la promenade, relativement longue, jusqu'au Château. Par ailleurs, si le visiteur jette un œil sur cette pente douce, du haut du château, vers l'entrée du parc, Main Street donne alors l'impression d'être moins longue qu'elle ne l'est vraiment, diminuant ainsi l'impression de fatigue. C'est une invitation à la flânerie, destinée à réduire le nombre de personnes qui empruntent le bus et à éliminer les risques d'encombrements.

De multiples attractions, de part et d'autre des rues serpentantes, donnent l'impression aux visiteurs d'être sans cesse divertis, et par les attractions qui leur sont offertes et par le spectacle des autres. Les poubelles sont nombreuses et toujours visibles, afin de signifier qu'il est interdit de jeter les déchets par terre. L'entretien des équipements est une procédure routinière, qui témoigne d'un haut degré de maintenance et de propreté. La servi-scène de Disney crée et maintient une structure qui permet de maîtriser les expériences vécues par les visiteurs. Elle leur procure plaisir et satisfaction, non seulement dans le parc, mais aussi sur les bateaux de croisière et dans les châteaux.

Sources : Lewis P. Carbone et Stephen H. Haeckel, « Engineering Customer Experiences », *Marketing Management,* n° 3, 1994, pp. 10-11 ; Kathy Merlock Jackson, « Walt Disney, A Bio-Bibliography », *Greenwood Press*, Westport, 1993, 3, pp. 36-39 ; Andrew Lainsbury, « Once Upon An American Dream : The Story of Euro Disneyland », University Press of Kansas, 2000, pp. 64-72.

4.3. Utiliser les outils aident à la création de la serviscène

Comment pouvons-nous savoir ce qui énerve nos clients, et comment pouvons-nous potentiellement développer les aspects positifs de la serviscène ? Parmi les outils que l'on peut utiliser pour mieux comprendre les perceptions des clients et leurs réactions par rapport à l'environnement des services, on trouve :

- **L'observation fine** du comportement et des réactions du client vis-à-vis de l'environnement par le management, les chefs d'équipe, les directeurs de succursale et le personnel en relation directe avec les clients.

- **Le *feedback* et les idées du personnel de *front office* et des clients :** grâce à un éventail large d'outils de recherche, de boîtes à idées, d'entretiens de groupe et individuels.

- **Les expériences de terrain**, qui peuvent être utilisées pour manipuler des éléments spécifiques dans un milieu. On peut en observer les effets, par exemple, on peut faire des expériences avec plusieurs types de musique et de parfum, et mesurer le temps que passent les clients dans les locaux, l'argent qu'ils y dépensent et leur niveau de satisfaction. Des expériences de laboratoire utilisant des diapositives, des films, ou d'autres moyens techniques qui permettent de recréer l'univers d'un environnement de service (par exemple, un ordinateur simulant une visite virtuelle) peuvent être utilisées de façon efficace pour mesurer l'impact de modifications de certains éléments du design. En effet, ceux-ci ne peuvent être manipulés facilement dans un champ expérimental, par exemple, des essais successifs de couleurs, de disposition spatiale, ou de différents styles de meubles.

- **Un *blueprint* ou une cartographie du service** (voir le chapitre 8) peuvent aller jusqu'à inclure une représentation physique de l'environnement. Des éléments de design et des panneaux concrets peuvent renseigner le client à chaque étape, tout au long de la procédure d'obtention du service. Des photos et des vidéos peuvent compléter la carte pour la rendre plus vivante encore.

Le tableau 10.6 récapitule une étude menée sur un client qui se rend au cinéma. À chaque étape, on identifie comment les différents éléments de l'environnement dépassent ses attentes ou ne parviennent pas à les atteindre. La procédure du service a été découpée en succession d'étapes, de décisions, de devoirs et d'activités, toutes faites pour accompagner le client tout au long de son interaction avec l'activité de service. Plus une entreprise de services peut voir, comprendre et vivre les mêmes expériences que son client, mieux elle sera armée pour mettre au jour les défauts de son environnement et améliorer toujours plus ce qui fonctionnait déjà bien.

Tableau 10.6 : Aller au cinéma – Le décor des services, selon les clients

Le design de l'environnement de service		
Étape	**Attentes dépassées**	**Attentes déçues**
Trouver une place de parking	Beaucoup d'espace dans un endroit très éclairé, près de l'entrée et un vigile qui veille sur les voitures	Pas assez de place, si bien que les clients doivent se garer à un autre endroit
Faire la queue pour obtenir des billets	Emplacement stratégique : des miroirs et des posters des films qui sortent Informations intéressantes qui agrémentent l'attente Horaire des films facilement repérables Communication claire de la disponibilité des billets	Une longue file d'attente et un temps d'attente excessif Difficile de voir rapidement quels sont les films programmés, leurs horaires et le nombre de places restantes
Vérification des billets à l'entrée de la salle	Un hall très bien entretenu, des indications claires jusqu'à la salle et des affiches du film qui stimulent les clients	Un hall sale, des déchets au sol, et des indications confuses et désorientantes jusqu'à la salle
Aller aux toilettes avant le film	Propres, spacieuses, bien éclairées, des sols secs, décor agréable, miroirs, le tout nettoyé régulièrement	Sales, odeur intolérable, toilettes cassées, pas de serviettes pour les mains, ni de savon, ni de papier toilette, beaucoup de monde, des miroirs sales.
Entrer dans la salle et trouver une place	Extrêmement propre, joli décor, des sièges en bon état, beaucoup de places, des fauteuils spacieux, confortables, et une température agréable.	Déchets au sol, sièges cassés, sols sales, pas assez de lumière, sombre, panneaux de sortie de secours en panne.

Tableau 10.6 : Aller au cinéma – Le décor des services, selon les clients *(suite)*

Le design de l'environnement de service		
Regarder le film	Excellente qualité du son et de l'image, public sympa, un divertissement agréable, un bon souvenir dans l'ensemble	Qualité médiocre du son et de l'équipement du cinéma, public désagréable qui parle
Quitter le cinéma et retourner à son véhicule	Un personnel agréable, qui salue les clients lorsqu'ils partent, un chemin facile et bien éclairé vers la sortie, une aire de parking sûre et un retour à son véhicule grâce aux emplacements bien signalés	Un périple difficile, puisque tous se pressent vers le chemin étroit de la sortie, impossible de retrouver son véhicule, du fait de l'absence ou de l'insuffisance de l'éclairage.

Source : adapté de Steven Albrecht, « See Things from the Customer's Point of View — How to Use the "Cycles of Service" to Understand What the Customer Goes Through to Do Business With You », *World's Executive Digest,* décembre 1996, pp. 53-58.

Conclusion

L'environnement des entreprises de services joue un rôle fondamental dans l'élaboration de la perception de l'image de l'entreprise et de son positionnement. Étant donné que la qualité d'un service est souvent difficile à apprécier de façon objective, les clients considèrent l'environnement comme un indicateur important de qualité. En conclusion, un décor bien conçu procure du plaisir aux clients, augmente leur niveau de satisfaction et accroît la productivité.

Les fondements théoriques qui permettent de comprendre les effets du décor des entreprises de services sont empruntés aux textes de la psychologie environnementale. Le modèle de stimulus-réaction de Mehrabian-Russell soutient que le milieu influence les états affectifs des gens (ou sentiments), qui, en retour, influencent les comportements dans ce milieu. Les affects peuvent être décomposés en deux dimensions clés : le plaisir et l'excitation, qui déterminent ensemble l'envie qu'ont les gens de s'arrêter à un endroit, d'y passer du temps et d'y dépenser de l'argent. Le modèle de la serviscène, élaboré à partir de ces théories, développe un cadre détaillé et explique comment les clients et le personnel réagissent à l'environnement.

Les principales dimensions de l'environnement de service des entreprises sont l'atmosphère générale (qui comprend la musique, les parfums et les couleurs), la disposition spatiale, la fonctionnalité des équipements, les signes, symboles et artefacts. Chaque dimension peut avoir des effets importants sur les réactions du client. Par exemple, la présence ou l'absence d'une musique de fond, le type même de la musique, y compris son tempo et son volume, ont un effet significatif sur la satisfaction du client, sa perception de la qualité et sur des comportements tels que le temps qu'il passe et l'argent qu'il dépense. Les autres variables du design peuvent avoir des effets similaires.

Il est difficile d'isoler séparément tous ces éléments, puisque l'environnement est perçu de façon holistique. Ce qui signifie qu'aucun des éléments singuliers ne peut être amélioré sans considérer tous les autres. C'est ce qui fait du design de l'environnement un art et amène des designers professionnels à se consacrer au design d'environnements spécifiques : halls d'hôtels, restaurants, boîtes de nuit, cafés, magasins, centres médicaux… Qui plus est, si l'on met de côté l'aspect esthétique, les meilleurs environnements doivent être conçus dans une perspective client. L'environnement doit permettre de suivre et de faciliter, en douceur, la procédure d'obtention du service.

Activités

Questions de révision

1. Comparez les rôles stratégiques et fonctionnels de l'environnement au sein d'une entreprise de service.

2. Que sont les attentes émotionnelles ? Quels rôles jouent-elles dans la satisfaction du client par rapport au service ?

3. Quelle est la relation entre le modèle des affects de Russell et le modèle de la servi-scène de Bitner ?

4. Pourquoi est-il probable que différents types de clients et de personnel réagissent différemment à un même environnement ?

5. Décrivez les dimensions de l'atmosphère générale et la façon dont elle influence les réactions du client face à l'environnement.

6. Quel est le rôle des signes, symboles et artefacts ?

7. Quelles sont les conséquences de la conception holistique de l'environnement de service ?

8. Quels sont les outils que l'on peut utiliser pour mieux comprendre les réactions des clients, pour guider la création et améliorer les environnements de services ?

Exercices d'application

1. Trouvez des entreprises, appartenant à trois secteurs différents de services, où l'environnement est un élément fondamental de la valeur globale de l'offre. Analysez et expliquez de façon détaillée quelle valeur est offerte à travers l'environnement.

2. Rendez-vous dans une entreprise de service et observez. Faites l'expérience de cet univers, et notez comment les différents éléments du design orientent vos sensations et comment vous vous comportez dans cet environnement.

3. Rendez-vous dans un lieu de libre-service et déterminez les éléments du design qui vous orientent tout au long de la procédure. Qu'est-ce qui vous est le plus utile, et qu'est-ce qui vous semble le moins efficace ? Comment pourrait-on améliorer cet environnement afin de permettre au client de trouver son chemin plus facilement encore ?

Notes

1. Le mot « serviscène » est un néologisme inventé par Christopher Lovelock et Denis Lapert pour traduire le plus fidèlement possible *Serviscape*, terme créé par Mary Jo Bitner dans « Serviscape : The Impact of Physical Surroundings on Customers and Employees », *Journal of Marketing*, n° 56, avril 1992, pp. 57-71.

2. Julie Baker, Dhruv Grewal et A. Parasuraman, « The Influence of Store Environment on Quality Inferences and Store Image », *Journal of the Academy of Marketing Science 22*, n° 4, 1994, pp. 328-339.

3. Véronique Aubert-Gamet, « Le design d'environnement commercial dans les services : appropriation et détournement par le client », thèse soutenue en 1996 sous la direction d'Éric Langeard.

4. Leonard L. Berry et Neeli Bendapudi, « Clueing in Customers », *Harvard Business Review 81*, février 2003, pp. 100-107.

5. Richard Ladwein, « Voyage à Tikidad : de l'accès à l'expérience de consommation », *Décisions marketing*, n° 28, 2002, pp. 53-64.

6. Richard B. Chase et Douglas M. Stewart, « Making Your Service Fail-Safe », *Sloan Management Review 35*, 1994, pp. 35-44.

7. N.G. Fischer, *La psychologie de l'espace*, Paris, PUF, 1981.

8. Robert J. Donovan et John R. Rossiter, « Store Atmosphere : An Environmental Psychology Approach », *Journal of Retailing 58*, n° 1, 1982, pp. 34-57.

9. Gaël Bonnin, « La mobilité du consommateur en magasin : une étude exploratoire de l'influence de l'aménagement spatial sur les stratégies d'appropriation des espaces de grande distribution », *Recherche et applications en marketing*, vol. 18, n° 3, 2003, pp. 7-29.

10. James A. Russell, « A Circumplex Model of Affect », *Journal of Personality and Social Psychology 39*, n° 6, 1980, pp. 1161-1178.

11. Jochen Wirtz et John E.G. Bateson, « Consumer Satisfaction with Services : Integrating the Environmental Perspective in Services Marketing into the Traditional Disconfirmation Paradigm », *Journal of Business Research 44*, n° 1, 1999, pp. 55-66.

12. Jochen Wirtz, Anna S. Mattila et Rachel L.P. Tan, « The Moderating Role of Target-Arousal on the Impact of Affect on Satisfaction – An Examination in the Context of Service Experiences », *Journal of Retailing 76*, n° 3, 2000, pp. 347-365.

13. Barry J. Babin et Jill S. Attaway, « Atmospheric Affect as a Tool for Creating Value and Gaining Share of Customer », *Journal of Business Research 49*, 2000, pp. 91-99 ; Jean-François Lemoine et Véronique Plichon, « Le rôle des facteurs situationnels dans l'explication des réactions affectives du consommateur à l'intérieur d'un point de vente », *Actes du congrès de l'Association française de marketing*, Montréal, 2002.

14. Mary Jo Bitner, « Service Environments : The Impact of Physical Surroundings on Customers and Employees », *Journal of Marketing 56*, avril 1992, pp. 57-71.

15. Pour une revue sur les études expérimentales des effets de l'atmosphère, voir L.W. Turley et Ronald E. Milliman, « Atmospheric Effects on Shopping Behavior : A Review of the Experimental Literature », *Journal of Business Research 49*, 2000, pp. 193-211.

16. Bruno Dauce et Sophie Rieunier, « Le marketing sensoriel du point de vente », *Recherche et applications en marketing*, vol. 17, n° 4, 2002, pp. 46-65.

17. Patrick M. Dunne, Robert F. Lusch et David A. Griffith, *Retailing*, 4ᵉ édition, Orlando, Floride, Hartcourt, 2002, p. 518.

18. Barry Davies et Philippa Ward, « Managing Retail Consumption », West Sussex, G.B., John Wiley & Sons, 2002, p. 179.

19. Steve Oakes, « The Influence of the Musicscape Within Service Environments », *Journal of Services Marketing 14*, n° 7, 2000, pp. 539-556.

20. Morris B. Holbrook et Punam Anand, « Effects of Tempo and Situational Arousal on the Listener's Perceptual and Affective Responses to Music », *Psychology of Music 18*, 1990, pp. 150-162 ; S.J. Rohner et R. Miller, « Degrees of Familiar and Affective Music and Their Effects on State Anxiety », *Journal of Music Therapy 17*, n° 1, 1980, pp. 2-15.

21. Ronald E. Milliman, « The Influence of Background Music on the Behavior of Restaurant Patrons », *Journal of Consumer Research 13*, 1986, pp. 286-289.

22. Clare Caldwell et Sally A. Hibbert, « The Influence of Music Tempo and Musical Preference on Restaurant Patrons' Behavior », *Psychology and Marketing 19*, n° 11, 2002, pp. 895-917.

23. Ronald E. Milliman, « Using Background Music to Affect the Behavior of Supermarket Shoppers », *Journal of Marketing 56*, n° 3, 1982, pp. 86-91.

24. Richard F. Yalch et Eric R. Spangenberg, « The Effects of Music in a Retail Setting on Real and Perceived Shopping Times », *Journal of Business Research 49*, 2000, pp. 139-147.

25. Michael K. Hui, Laurette Dube et Jean-Charles Chebat, « The Impact of Music on Consumers Reactions to Waiting for Services », *Journal of Retailing 73*, n° 1, 1997, pp. 87-104. Pour une synthèse des études sur la musique, lire : Sophie Rieunier (1998), « L'influence de la musique d'ambiance sur le comportement du client », revue de littérature, défis méthodologiques et voies de recherche, *Recherche et applications en marketing*, vol. 13, n° 3, pp. 57-78. Pour une étude de l'influence de la musique sur le comportement d'un utilisateur d'un site Web, lire : Jean-Philippe Galan, « La musique comme élément de conception des sites Web commerciaux : influence sur le comportement de l'utilisateur », *Actes du congrès de l'Association française de marketing*, Montréal, 2000 ; Céline Jacob et Nicolas Guéguen, « Variations du volume d'une musique de fond et effets sur le comportement de consommation : une évaluation en situation naturelle », *Recherche et applications en marketing*, vol. 17, n° 4, 2002, pp. 35-43.

26. David A. Tansik et Robert Routhieaux, « Customer Stress-Relaxation : The Impact of Music in a Hospital Waiting Room », *International Journal of Service Industry Management 10*, n° 1, 1999, pp. 68-81.

27. Laurette Dubé et Sylvie Morin, « Background Music Pleasure and Store Evaluation Intensity Effects and Psychological Mechanisms », *Journal of Business Research 54*, 2001, pp. 107 113.

28. Ben Dahmane Mouheli Norchène et Touzani Mourad, « Les réactions des consommateurs à la notoriété et au style de musique diffusée au sein du point de vente », *Actes du congrès de l'Association française de marketing*, Lille, 2002.

29. Patrick M. Dunne, Robert F. Lusch et David A. Griffith, *Retailing*, p. 520 ; Laure Jacquemier, « L'étude de la perception des odeurs : le cas d'une société de transport en commun », *Décisions marketing*, n° 22, 2001, pp. 33-41 ; Virginie Maille, « L'influence des stimuli olfactifs sur le comportement du consommateur : un état des recherches », *Recherche et applications en marketing*, vol. 16, n° 2, 2001, pp. 51-75.

30. Paula Fitzerald Bone et Pam Scholder Ellen, « Scents in the Marketplace : Explaining a Fraction of Olfaction », *Journal of Retailing 75*, n° 2, 1999, pp. 243-262.

31. Alan R. Hirsch, « Dr. Hirsch's Guide to Scentsational Weight Loss », Harper Collins, G.B., janvier 1997, pp. 12-15.

32. Mike Fillon, « No Added Pep in Peppermint », *WebMD Feature*, 22 septembre 2000, sur le site *http://mywebmd.com/health_and_wellness/living-better/default.htm*.

33. Alan R. Hirsch, « Effects of Ambient Odors on Slot Machine Usage in a Las Vegas Casino », *Psychology and Marketing 12*, n° 7, 1995, pp. 585-594.

34. Alan R. Hirsch et S.E. Gay, « Effect on Ambient Olfactory Stimuli on the Evaluation of a Common Consumer Product », *Chemical Senses*, 1991, pp. 535.

35. Alan R. Hirsch, « Effects of Garlic Bread on Family Interactions », *Journal of American Psychosomatic Society 62*, n° 1, 2000, p. 1434.

36. Linda Holtzschuhe, « Understanding Color – An Introduction for Designers », 2ᵉ édition, New York, John Wiley & Sons, Inc., 2002, p. 1.

37. Gerald J Gorn, Chattopadhyay Amitava, Tracey Yi et Darren Dahl, « Effects of Color as an Executional Cue in Advertising: They're in the Shade », *Management Science 43*, n° 10, 1997, pp. 1387-1400 ; Ayn E. Crowley, « The Two-Dimensional Impact of Color on Shopping », *Marketing Letters 4*, n° 1, 1993, pp. 59-69.

38. Albert Henry Munsell, « A Munsell Color Product », New York, Kollmorgen Corporation, 1996.

39. Linda Holtzschuhe, « Understanding Color – An Introduction for Designers », p. 51.

40. Heinrich Zollinger, « Color: A Multidisciplinary Approach », *Verlag Helvetica Chimica Acta* (VHCA), Weinheim, Zurich, Wiley-VCH, 1999, pp. 71-79.

41. Joseph A. Bellizzi, Ayn E. Crowley et Ronald W. Hasty, « The Effects of Color in Store Design », *Journal of Retailing 59*, n° 1, 1983, pp. 21-45.

42. John E.G. Bateson et K. Douglas Hoffman, « Managing Services Marketing », 4ᵉ édition, Orlando, Floride, The Dryden Press, 1999, p. 143.

43. Anat Rafaeli et Iris Vilnai-Yavetz, « Discerning organizational boundaries through physical artifacts », *Managing boundaries in organizations: Multiple perspectives*, N. Paulsen et T. Hernes (éd.), Basingstoke, Hampshire, G.B., Macmillan, 2003. Pour une synthèse des recherches sur les effets de la couleur, lire : Ronan Divard et Bertrand

Urien, « Le consommateur vit dans un monde en couleurs », *Recherche et applications en marketing*, vol. 16, n° 1, 2001, pp. 9-24.

44. Anna S. Mattila et Jochen Wirtz, « Congruency of Scent and Music as a Driver of In-store Evaluations and Behavior », *Journal of Retailing 77*, 2001, pp. 273-289.

45. Christine M. Piotrowski et Elizabeth A. Rogers, *Designing Commercial Interiors*, New York, John Wiley & Sons, Inc., 1999 ; Martin M. Pegler, *Cafes & Bistros*, New York, Retail Reporting Corporation, 1998 ; Paco Asensio, *Bars & Restaurants*, New York, HarperCollins International, 2002 ; Bethan Ryder, *Bar and Club Design*, Londres, Laurence King Publishing, 2002.

46. Ron Kaufman, « Service Power : Who were They Designing it For ? », Newsletter, mai 2001, http://Ron Kaufman.com.

47. Alan d'Astous, « Irritating Aspects of the Shopping Environment », *Journal of Business Research 49*, 2000, pp. 149-156.

« Le vieil adage : "Les gens sont la valeur la plus précieuse", est faux.
Les gens compétents sont votre valeur la plus précieuse. » – Jim Collins

« La satisfaction client résulte de la réalisation
d'un niveau de valeur supérieur à celui de la concurrence.
La valeur étant créée par des employés motivés, compétents et productifs. »
– James L. Heskett, Earl Sasser, Jr, et Leonard L. Schlesinger

Ce chapitre aborde les questions suivantes

- Pourquoi le contact client est-il si important dans la réussite d'une entreprise de services ?
- Pourquoi le travail du personnel est-il si exigeant et parfois si difficile ?
- Quels sont les cycles d'échec, de médiocrité et de réussite humaine dans les entreprises de services ?
- Comment bien faire ? Comment attirer, choisir, former, motiver et retenir les bons éléments ?
- Quel est le rôle d'une culture du service et du leadership au profit de l'excellence ?

P armi les emplois de services, les plus exigeants sont ceux en contact direct avec le client, en raison des rôles souvent contradictoires qui leur sont alloués : servir les intérêts du client mais aussi ceux de l'entreprise. Tant que les managers en charge des opérations et ceux en charge de la relation client et du marketing n'auront pas statué sur un compromis entre les intérêts opérationnels et les intérêts marketing, le personnel en contact devra trouver par lui-même les attitudes et les réponses génèrant le moins de stress. On attend de ce personnel non seulement qu'il soit rapide et efficace dans l'exécution des opérations, mais également courtois et dévoué lors de son interaction avec les clients. En fait, le personnel de contact est un élément essentiel de la qualité de la livraison du service et demeure encore aujourd'hui un avantage concurrentiel certain dans beaucoup de concepts de services. Dans les entreprises de services dites « *high contact* », le personnel en contact est la pierre angulaire de l'offre, en raison de ses rôles et de ses responsabilités. En revanche, dans le cas d'entreprises de services dites « *low contact* », bien que le personnel en contact soit le plus souvent joint par mail ou par téléphone, et rarement ou très rapidement vu par le client, il joue un rôle clé dans le construit de la confiance client et dans le maintien de sa fidélité. Pour toutes ces raisons, le personnel en contact avec les clients constitue un élément essentiel du marketing des services.

Les entreprises de services qui réussissent placent au centre de leurs préoccupations, le management de la ressource humaine et plus spécifiquement le personnel en contact avec le client en veillant à mettre en place un recrutement pertinent, une sélection rigoureuse, une formation suivie et instaurer des méthodes de motivation efficaces pour le fidéliser. Les entreprises qui affichent haut et fort ces engagements se caractérisent par une culture particulière de leadership et d'exemplarité du top management. Il est sûrement plus difficile pour les concurrents d'imiter un niveau de performance humain que n'importe quelle autre ressource.

1. Le personnel en contact est crucialement important

Quasiment tout le monde peut raconter une histoire lamentable vécue avec une entreprise de services, aussi bien qu'une très bonne interaction de service. Les employés sont souvent à l'origine de ces récits. Ils peuvent avoir été incompétents, indifférents, peu aimables ou, à l'opposé, des héros qui se sont démenés pour leur client en anticipant ses besoins et en résolvant ses problèmes d'une manière empathique et efficace. Pour l'entreprise, le personnel est crucial puisqu'il peut être un facteur déterminant dans la fidélité de la clientèle. Aussi joue-t-il un rôle important dans la chaîne de profit des services.

1.1. Le personnel en contact : source de fidélité et d'avantage concurrentiel

Du point de vue du client, la rencontre avec le personnel en contact est probablement l'aspect le plus important du service. Du point de vue de l'entreprise, les niveaux des services et la manière dont ils sont délivrés sont d'importantes sources de différenciation et d'avantages concurrentiels. De plus, la force du lien entre le client et le personnel de contact est souvent un facteur de fidélité[1]. Ces constatations permettent de dire que le personnel de contact :

- **Est une partie essentielle de l'offre de service.** C'est souvent l'élément le plus visible du service, qu'il délivre et dont il détermine sa qualité.

- **Est l'entreprise de service.** Il représente l'entreprise. Du point de vue du client, il *est* l'entreprise.

- **Est la marque.** Le personnel et le service constituent souvent une partie essentielle de la marque. C'est le personnel qui détermine si la promesse de la marque est délivrée ou non.

De plus, le personnel de contact joue un rôle clé dans l'anticipation des besoins de la clientèle, dans la personnalisation de la livraison et dans la création de liens relationnels avec les clients, ce qui, à terme, conduit à leur fidélité. Ceci est illustré dans l'exemple suivant. Steve Posner, un vieux valet de chambre du Ritz-Carlton, avoue essayer en permanence d'anticiper les désirs des clients. Il met davantage de couverts sur la table : « Ce peut être pour un enfant, aussi je mets une petite cuillère pour la soupe. » Il ajoute systématiquement la sauce barbecue aux commandes de steaks ou de hamburgers : « Il se peut qu'ils n'aient pas pensé à en demander, alors ils sont contents d'en trouver. » Il met une assiette de rondelles de citron à côté d'un Coca-Cola : « Il faut toujours donner plus que vous pensez qu'il est nécessaire pour satisfaire les besoins du client. » L'objectif n'est pas de disposer la table d'une certaine manière, mais de s'assurer que les désirs et les besoins des clients sont satisfaits avant qu'ils ne les expriment. « En tant que serveur, vous êtes le préclient. Vous vous devez de penser de la même façon que lui[2]. »

Ce type d'employés faisant des efforts discrétionnaires est à la base de l'excellence du service. Ils sont de plus en plus une variable clé dans la création et le maintien d'un positionnement et d'un avantage concurrentiel.

L'importance intuitive de l'impact du personnel sur la fidélité de la clientèle a été intégrée et formalisée par Heskett et ses collègues de la Harvard Business School dans leur célèbre article « Putting the Service Profit Chain to Work[3] ». Les auteurs montrent comment la satisfaction de ces employés, leur fidélité et leur productivité influent sur la valeur d'un service et la fidélité de la clientèle. Contrairement au personnel de fabrication de produits manufacturés, les employés sont en contact permanent avec les clients, et nous avons la preuve que leur satisfaction et celle des clients sont étroitement liées[4]. Ce chapitre s'intéressera aux moyens de maintenir un personnel en contact satisfait, fidèle et productif[5].

1.2. Le personnel en contact dans les services « low contact »

La plupart des recherches publiées dans le domaine du management des services, ainsi que de nombreux exemples dans ce chapitre sont issus de services à contact fort. Ce n'est pas surprenant, puisque les personnes qui exercent ces emplois sont forcément visibles, et apparaissent sur le devant de la scène pour servir les clients. Néanmoins, de plus en plus de clients et ce, quels que soient les services, ont tendance à recourir à des canaux de livraison à faible contact comme les centres d'appel. On constate aussi que de nombreuses transactions, qualifiées de routinières, sont effectuées sans impliquer de personnel en contact, comme c'est le cas pour les sites Web, les distributeurs automatiques et les serveurs vocaux. Le contact est-il donc si important ?

Bien que la qualité de l'interface technologique soit le point central de la livraison du service, la qualification du personnel en contact reste cruciale. Même si plupart des gens ont très peu d'occasions de rencontrer le personnel en contact de ces canaux à distance, ces « moments de vérité » sont déterminants et agissent sur la perception du client de l'entreprise de services. De plus, il est probable que ces interactions ne soient pas liées à des transactions routinières, mais plutôt à des problèmes de service et à des demandes particulières. Ces contacts peu fréquents déterminent néanmoins ce que pensent les clients.

La différenciation d'une entreprise de services repose sur ces quelques moments de vérité, puisque la technologie est relativement standardisée. Ainsi, le service délivré par le personnel en contact, que ce soit par le bouche à oreille ou par mail, et non plus en face-à-face, est toujours très visible et important aux yeux du client.

Des recherches menées par McKinsey & Co. en Europe et aux États-Unis confirment l'importance de ces moments de vérités rendus à distance. Beaucoup d'entreprises, disent Marc Beaujean, Jonathan Davideson et Stacey Madge, consultants, commettent l'erreur de trop investir dans les contacts en face-à-face au détriment des contacts à distance laissés pour compte et qui sont pourtant essentiels pour réaliser certaines transactions. Le service, qu'il soit rendu en face-à-face ou à distance, par mail ou par téléphone, est hautement visible par les clients, et une composante critique de la stratégie marketing des sociétés de services.

2. Le travail du personnel en contact est difficile et stressant

La chaîne de profit des services requièrt des employés très performants et satisfaits pour pouvoir atteindre l'excellence en termes de qualité de service et de fidélité de la clientèle. Ces employés occupent souvent les postes les plus exigeants et les plus difficiles. Nous allons analyser pourquoi ces emplois sont si difficiles.

2.1. Les interfaces

La littérature sur les comportements organisationnels décrit le personnel en contact comme étant des « passe-frontières » permanents car ces derniers relient les parties internes de l'entreprise au monde extérieur, opérant à la frontière de l'entreprise et transférant l'information du monde intérieur vers l'extérieur (le client). À cause du poste qu'il occupe, le personnel en contact a souvent des rôles conflictuels puisqu'il doit atteindre des objectifs à la fois opérationnels et marketing. Il doit faire plaisir aux clients et, en même temps, être rapide et efficace dans l'exécution de ses tâches. De plus, on attend souvent de lui qu'il fasse de la vente, en particulier additionnelle (« Nous avons de merveilleux desserts pour compléter le plat principal », ou « Il serait temps d'ouvrir un compte séparé pour prévoir la formation de vos enfants. »).

En bref, le personnel en contact d'avant-scène a parfois jusqu'à trois rôles : la responsabilité de la qualité de service, la productivité et la vente. La multiplicité de ces tâches engendre souvent des conflits de rôles et génère du stress parmi les employés[6].

2.2. Les sources de conflit

Il existe trois causes principales de stress dans les postes de contact : employé/rôle, entreprise/client et les conflits interclients[7].

Le conflit employé/rôle

Les employés ressentent des conflits entre les fonctions occupées, les attitudes requises et leur propres perceptions et croyances. Par exemple, ils sont obligés d'être aimables même avec les clients les plus désagréables, alors qu'ils voudraient pouvoir dire ce qu'ils pensent. V. S. Mahesh et Anand Kasturi, tous deux consultants internationaux auprès d'entreprises de services de renom, ont relevé qu'une majeure partie des personnels en contact rencontrés au cours de leurs missions ont tendance à décrire le client de façon négative, employant souvent des termes tels que « le client en demande toujours trop » ou « le client n'est pas raisonnable » ou « le client ne veut pas écouter » ou «le client veut tout immédiatement » ou «le client est arrogant ».

En fait, pour que la qualité de service soit irréprochable, il est nécessaire que le personnel ait une personnalité indépendante, chaleureuse et amicale. On trouve ces dispositions de caractère en majorité chez les personnes ayant une grande estime d'elles-mêmes. Néanmoins, de nombreux emplois de contact sont perçus (est-ce une perception ou une pratique abusive de certaines entreprises ?) comme étant au bas de l'échelle de responsabilité et de salaire, nécessitant peu d'années d'études, mal payés et promettant peu d'avenir. Une entreprise doit être capable de professionnaliser et valoriser ces emplois de contact, et d'éliminer une telle image, sous peine d'engendrer des conflits employé/rôle.

Le conflit entreprise/client

Les employés de service font souvent face à ce dilemme : vaut-il mieux suivre les règles de l'entreprise ou satisfaire les demandes des clients ? Ce conflit est également appelé le « dilemme des deux patrons » et apparaît lorsque les clients demandent des services supplémentaires, des extras ou quand ils ne sont pas en accord avec les règles de l'entreprise. C'est surtout visible dans les entreprises qui ne sont pas orientées client. Le personnel doit faire face à des besoins et demandes conflictuelles, ainsi qu'à des règles, procédures et conditions de productivité. L'encadré « Échos de la recherche 11.1 » montre comment le personnel de centres d'appel subit la tension entre qualité et productivité.

Productivité et qualité de service du personnel de contact

Quels mécanismes régissent la productivité et la qualité du personnel de contact dans les services ? La tension née des demandes conflictuelles des clients et de l'entreprise engendre-t-elle des dysfonctionnements ? Quelles ressources permettent d'atténuer les effets de dysfonctionnements ? À la recherche de réponses, le professeur Jagdip Singh, de l'université de Case Western Reserve, a effectué une enquête auprès d'employés à plein temps d'un centre d'appel pour une entreprise de services financiers. Il va sans dire que ces personnes étaient en contact permanent avec la clientèle.

La nature de leur emploi les obligeait à coordonner leurs tâches avec celles de leurs collègues et à recevoir régulièrement des directives de leur management. On attendait de ces employés qu'ils atteignent leur quota quotidien d'appels et ils étaient régulièrement soumis à des tests de qualité de service. Leur travail contenait toutes les caractéristiques d'un environnent épuisant : de longues heures de tension, un manque d'autonomie, des ressources insuffisantes et des objectifs croissants.

Les trois cent six employés ont reçu un questionnaire d'enquête à leur domicile, avec une lettre d'explication, une lettre d'approbation du président de l'entreprise, et une enveloppe affranchie pour renvoyer le dossier. L'anonymat des réponses était clairement mentionné. Le taux de réponse a atteint 30 %.

Plusieurs points étaient considérés et certains mesuraient l'ambiguïté perçue par le personnel de contact concernant :

- Les facteurs de stress générés par l'entreprise (tels que la flexibilité, les priorités, la charge de travail et les promotions).

- Les facteurs de stress générés par les clients (la nature des interactions, la quantité de services offerts, la manière de gérer les objections et les critiques, la présentation des forces de l'entreprise).

- Les facteurs de stress dans le cas de conflits de rôle (satisfaction de demandes ne correspondant pas à la formation ; manque de ressources).

- Les tendances à l'épuisement professionnel ont été mesurées par les comportements affectifs à l'encontre du management (désarroi, aliénation, épuisement émotionnel dû à l'effort fourni pour répondre aux attentes), et des clients (la contrainte, l'indifférence, la surcharge de travail). ☞

Échos de la recherche 11.1

Productivité et qualité de service du personnel de contact

- Le contrôle des tâches et le soutien du management ont été mesurés par la capacité perçue par les employés à influencer le contenu de leurs tâches et les décisions affectant leurs emplois, ainsi que leur perception de l'équité du management, de son soutien et ses compétences.

- Le contenu des emplois a été mesuré par le niveau d'engagement des employés et leur probabilité de démission.

- La productivité et la qualité ont été examinées. La productivité concernait à la fois les résultats des contacts (temps de contact client, mesuré automatiquement ; réalisation des objectifs en respectant les procédures) et le travail en *back office* (accomplissement précis des travaux administratifs selon les règles de l'entreprise). La qualité incluait l'établissement de relations de confiance avec les clients, la personnalisation client, la capacité à outrepasser ses domaines de responsabilité, même au détriment des objectifs de productivité pour résoudre des problèmes clients et fournir en permanence une information précise.

Les résultats ont montré que la productivité n'était pas affectée par l'épuisement professionnel mais plutôt par les conflits entre ressources et demandes, et par le rôle ambigu envers les clients. Singh pense que les employés cherchent à maintenir leur productivité, même en cas d'épuisement, car les indicateurs de productivité sont visibles et surtout liés à la rémunération et à la stabilité de l'emploi, au contraire de la qualité de service qui est moins quantifiable et moins visible. Un résultat inattendu était la corrélation négative entre l'engagement envers la société et la qualité de service, indiquant que les employés de contact qui sont plus engagés envers l'entreprise pourraient l'être moins envers les clients, et *vice versa*. Davantage de contrôle des tâches et de soutien du management protège les employés du stress, tout en améliorant leurs attitudes positives.

Source : Jagdip Singh, « Performance Productivity and Quality of Frontline Employees in Service Organizations », *Journal of Marketing*, 64, avril 2000, 15-34.

Le conflit interclients

Les conflits entre les clients ne sont pas très courants (par exemple, fumer dans des zones non fumeurs, contourner des files d'attente, téléphoner au cinéma), mais le personnel en contact doit parfois servir d'intermédiaire pour faire valoir les droits du client dérangé. C'est une tâche difficile, stressante et peu plaisante, puisqu'il est parfois impossible de satisfaire les deux parties.

2.3. Le travail émotionnel

Le terme « travail émotionnel » est apparu dans le livre *The Managed Heart*[8] d'Arlie Hochschild, professeur à l'université de Berkeley, Californie. Le travail émotionnel apparaît lorsqu'il y a une divergence entre les sentiments éprouvés réellement par le personnel en contact et les émotions qu'il doit véhiculer et laisser transparaître dans l'exercice de ses fonctions (la gestuelle ou les mots). Par exemple, être rassurant, compatissant et modeste. Certaines entreprises de services font l'effort de recruter du personnel en contact ayant naturellement ces prédispositions comportementales et caractérielles pour justement limiter ces conflits de rôles. Le stress du travail émotionnel et du conflit de rôle est bien illustré dans l'histoire, sûrement apocryphe, suivante : un passager s'approcha d'une hôtesse de l'air et lui dit : « Un sourire, s'il vous plaît. » L'hôtesse répondit : « D'accord, mais vous souriez d'abord et ensuite je souris, ça vous va ? » Il sourit. « Parfait, dit-elle. Maintenant, retenez ce sourire pendant quinze heures… », et elle s'en alla[9].

Le travail émotionnel est un problème réel auquel le personnel en contact doit faire face. De plus en plus d'entreprises prennent des mesures pour aider leur personnel en ce sens. Par exemple, en raison de la réputation d'excellence de Singapore Airlines (SIA), les clients ont souvent des attentes élevées et sont très exigeants, mettant la pression sur le personnel. Le directeur de la formation commerciale de la compagnie expliquait :

> *Nous avons récemment effectué une enquête externe où il apparaît que la majorité des « clients exigeants » choisissent SIA. Ainsi, le personnel est sous forte pression. Nous avons une devise : « Si SIA ne peut pas le faire pour vous, aucune autre compagnie ne le pourra. » Nous encourageons nos employés à essayer, tant bien que mal, de satisfaire les demandes des clients. Ils sont très fiers et défendent l'entreprise. Nous devons les aider à affronter le trouble émotionnel induit par la satisfaction de la clientèle, tout en essayant de ne pas leur infliger le sentiment d'être exploités. Le défi est d'aider notre personnel à savoir réagir lors de situations difficiles. Cela constituera le prochain effort de nos programmes de formation[10].*

Les entreprises doivent tenir compte du stress émotionnel permanent et trouver des moyens de le soulager, notamment par des formations.

2.4. Le service, un travail d'esclave ?

Le développement rapide des technologies de l'information permet aux entreprises de services d'améliorer radicalement les processus et même de réorganiser complètement leurs opérations. Parfois, ces développements engendrent des changements brutaux pour les employés sur la nature de leur travail. À une époque où les contacts en face-à-face sont remplacés de plus en plus souvent par Internet ou des services téléphoniques, les entreprises ont redéfini ou déplacé leurs emplois, créé de nouveaux critères de recrutement et embauché des employés avec des qualifications différentes.

L'évolution des services à contact élevé vers des services à contact faible fait qu'un nombre croissant d'employés travaillent par téléphone ou par mail, sans jamais rencontrer les clients. Par exemple, plus de 3 % de la population active américaine travaille, aujourd'hui, dans des centres d'appel comme chargés de clientèle ou CSR[11].

Lorsqu'ils sont bien mis en œuvre, de tels emplois peuvent entraîner de grandes satisfactions. Ils peuvent également offrir aux mères de familles et aux étudiants des possibilités d'emploi avec des horaires très flexibles (à peu près 50 % des employés de centres d'appel sont des mères seules ou des étudiants)[12]. En effet, des recherches récentes ont montré que les employés à mi-temps sont plus satisfaits de leurs emplois de chargés de clientèle que ceux qui travaillent à plein-temps ; leurs performances sont aussi bonnes[13]. Dans les « centres de contact » (terme souvent employé pour décrire les centres d'appel) les mieux gérés, le travail est intense. Les chargés de clientèle doivent répondre à deux coups de téléphone à la minute (en incluant les pauses y compris les toilettes). Le tout sous une surveillance très étroite.Comme nous allons le voir, s'assurer que le candidat sait se présenter au téléphone et qu'il a le potentiel pour apprendre, accompagné d'une formation rigoureuse et de la mise à disposition d'un cadre de travail agréable, constitue la clé de la réussite dans ce domaine.

3. Cycles d'échec, de médiocrité et de succès

Trop souvent, de mauvaises conditions de travail ont des répercussions néfastes sur la qualité du service rendu, les employés traitant alors les clients de la manière dont les traite leur patron (mal). Les entreprises qui ont un turnover d'employés très important sont souvent enfermées dans ce que l'on appelle le « cycle de l'échec ». D'autres entreprises, offrant une meilleure sécurité d'emploi mais peu d'initiatives laissées au personnel en contact, souffrent d'un cycle aussi indésirable que le précédent, et qui a été baptisé « cycle de médiocrité ». Si l'entreprise est bien gérée, elle a les potentialités de ce que l'on appelle le « cycle du succès[14] ».

Les centres d'appel connaissent depuis quelques années une croissance sans précédent. L'un des principaux problèmes à gérer est le turnover du personnel en contact avec le client. Christophe Fournier propose une analyse de la rotation des téléacteurs par l'intermédiaire de la méthodologie des analyses de durée. Cette technique permet de souligner les périodes critiques durant lesquelles sont constatées les démissions. Les entreprises peuvent alors développer des dispositifs managériaux destinés à limiter le turnover[15].

3.1. Le cycle de l'échec

Dans de nombreuses entreprises de services, et ce, quelle que soit la nature de l'activité exercée, la recherche de productivité est primordiale. Une solution consiste à simplifier les séquences de travail et à embaucher de la main-d'œuvre peu coûteuse, capable d'effectuer des tâches répétitives qui demandent peu, voire pas de formation. Parmi les services rendus au consommateur, les grandes surfaces, la restauration rapide et les centres d'appel sont souvent cités comme étant les secteurs où sont majoritairement adoptées ces dispositions. Le cycle d'échec représente bien les effets d'une telle stratégie, avec ses deux cycles concentriques mais interactifs : l'un représente les problèmes avec les employés, l'autre avec les clients (voir figure 11.1).

Le *cycle d'échec de l'employé* se traduit par un emploi nécessitant peu de connaissances ou un faible niveau d'études, où le règlement domine le service et où la technologie contrôle la qualité. Une stratégie de bas salaires est en général accompagnée d'un effort minimal dans la sélection ou la formation. Il s'ensuit inéluctablement un profond ennui de la part des employés (tâches routinières, pas de marge de manœuvre ni de liberté pour répondre aux clients…), néfaste pour l'enthousiasme et l'empathie requis pour satisfaire les attentes du client. Le résultat pour l'entreprise est l'apparition d'un service de faible qualité et un turnover des employés très important. Les marges de profit étant faibles, le cycle s'aggrave

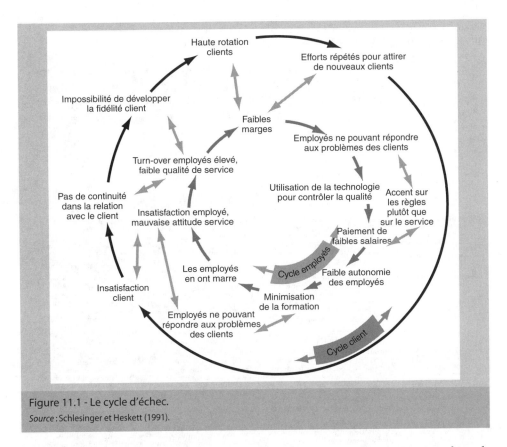

Figure 11.1 - Le cycle d'échec.
Source : Schlesinger et Heskett (1991).

avec l'embauche d'employés encore plus faiblement rémunérés, dans une atmosphère de travail peu motivante qui peut entraîner un véritable « sabotage » du service de la part du personnel en contact comme décrit dans les Échos de la recherche 11.2.

Le sabotage du service par le personnel en contact

La prochaine fois que nous serons insatisfaits par la prestation fournie par un employé dans un restaurant, par exemple, nous devrons réfléchir aux conséquences qu'engendrerait une plainte. On peut devenir la victime d'un cas de sabotage du service (comme l'ajout d'un élément non alimentaire dans la nourriture !).

Étonnant : le taux de risque de sabotage par le personnel en contact est plutôt élevé. Lloyd Harris et Emmanuel Ogbonna (professeurs à la Cardif Business School) ont étudié l'attitude de cent quatre-vingt-deux personnes en contact[16]. 90 % d'entre elles ont admis avoir quotidiennement l'intention d'altérer le service.

☞

Échos de la recherche 11.2

Le sabotage du service par le personnel en contact

Lloyd Harris et Emmanuel Ogbonna classifient le sabotage de service selon deux dimensions : ouverte/sournoise, occasionnelle/régulière. Les comportements sournois sont cachés aux clients, tandis que ceux ouverts sont intentionnellement affichés aux collègues et, parfois, aux clients. Les comportements réguliers sont inscrits dans la culture, tandis que les occasionnels sont moins courants.

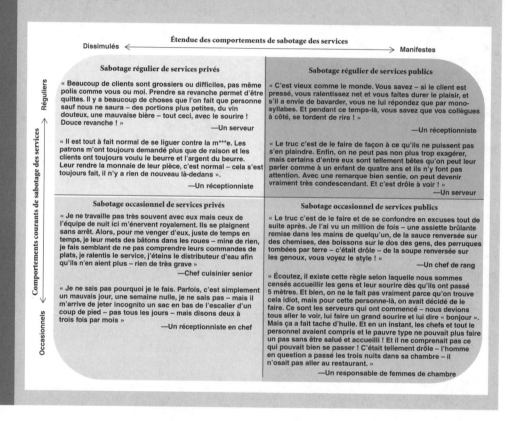

Étendue des comportements de sabotage des services

Dissimulés ←————————————————————————————→ Manifestes

Comportements courants de sabotage des services

Réguliers

Sabotage régulier de services privés

« Beaucoup de clients sont grossiers ou difficiles, pas même polis comme vous ou moi. Prendre sa revanche permet d'être quittes. Il y a beaucoup de choses que l'on fait que personne sauf nous ne saura – des portions plus petites, du vin douteux, une mauvaise bière – tout ceci, avec le sourire ! Douce revanche ! »

—Un serveur

« Il est tout à fait normal de se liguer contre la m***e. Les patrons m'ont toujours demandé plus que de raison et les clients ont toujours voulu le beurre et l'argent du beurre. Leur rendre la monnaie de leur pièce, c'est normal – cela s'est toujours fait, il n'y a rien de nouveau là-dedans ».

—Un réceptionniste

Sabotage régulier de services publics

« C'est vieux comme le monde. Vous savez – si le client est pressé, vous ralentissez net et vous faites durer le plaisir, et s'il a envie de bavarder, vous ne lui répondez que par mono-syllabes. Et pendant ce temps-là, vous savez que vos collègues à côté, se tordent de rire ! »

—Un réceptionniste

« Le truc c'est de le faire de façon à ce qu'ils ne puissent pas s'en plaindre. Enfin, on ne peut pas non plus trop exagérer, mais certains d'entre eux sont tellement bêtes qu'on peut leur parler comme à un enfant de quatre ans et ils n'y font pas attention. Avec une remarque bien sentie, on peut devenir vraiment très condescendant. Et c'est drôle à voir ! »

—Un serveur

Occasionnels

Sabotage occasionnel de services privés

« Je ne travaille pas très souvent avec eux mais ceux de l'équipe de nuit ici m'énervent royalement. Ils se plaignent sans arrêt. Alors, pour me venger d'eux, juste de temps en temps, je leur mets des bâtons dans les roues – mine de rien, je fais semblant de ne pas comprendre leurs commandes de plats, je ralentis le service, j'éteins le distributeur d'eau afin qu'ils n'en aient plus – rien de très grave »

—Chef cuisinier senior

« Je ne sais pas pourquoi je le fais. Parfois, c'est simplement un mauvais jour, une semaine nulle, je ne sais pas – mais il m'arrive de jeter incognito un sac en bas de l'escalier d'un coup de pied – pas tous les jours – mais disons deux à trois fois par mois »

—Un réceptionniste en chef

Sabotage occasionnel de services publics

« Le truc c'est de le faire et de se confondre en excuses tout de suite après. Je l'ai vu un million de fois – une assiette brûlante remise dans les mains de quelqu'un, de la sauce renversée sur des chemises, des boissons sur le dos des gens, des perruques tombées par terre – c'était drôle – de la soupe renversée sur les genoux, vous voyez le style ! »

—Un chef de rang

« Écoutez, il existe cette règle selon laquelle nous sommes censés accueillir les gens et leur sourire dès qu'ils ont passé 5 mètres. Et bien, on ne le fait pas vraiment parce qu'on trouve cela idiot, mais pour cette personne-là, on avait décidé de le faire. Ce sont les serveurs qui ont commencé – nous devions tous aller le voir, lui faire un grand sourire et lui dire « bonjour ». Mais ça a fait tache d'huile. Et en un instant, les chefs et tout le personnel avaient compris et le pauvre type ne pouvait plus faire un pas sans être salué et accueilli ! Et il ne comprenait pas ce qui pouvait bien se passer ! C'était tellement drôle – l'homme en question a passé les trois nuits dans sa chambre – il n'osait pas aller au restaurant. »

—Un responsable de femmes de chambre

Le *cycle d'échec du client* s'explique par la volonté de l'entreprise d'attirer de nouveaux clients sans tenir compte des capacités du personnel en contact à absorber cette demande supplémentaire. Les clients sont alors déçus par la performance de ces derniers et le manque de suivi induit par les changements de personnel. En conséquence, ils ne sont pas fidèles à l'entreprise et changent de fournisseur de service aussi rapidement que le personnel. Cela implique, pour l'entreprise, une conquête permanente de nouveaux clients pour maintenir le volume des ventes.

Les responsables peuvent invoquer des excuses et des justifications pour expliquer ce cycle :

- « De nos jours, il est très difficile de recruter les bonnes personnes. »
- « Aujourd'hui, les gens ne veulent pas travailler. »
- « Se procurer de bons éléments serait trop coûteux et il est impossible de faire subir ces coûts supplémentaires aux clients. »

- « Ce n'est pas la peine de former le personnel de contact puisqu'il s'en va rapidement. »
- « Un turnover important est inévitable dans notre secteur d'activité. Il faut apprendre à faire avec[17]. »

Trop de responsables ont une vision à court terme et une mauvaise évaluation des effets financiers de la stratégie : salaire faible = turnover élevé. Trois variables clés du coût sont souvent oubliées : les coûts de recrutement (autant temporels que financiers), d'embauche et de formation ; la faible productivité des employés inexpérimentés ; le coût de la conquête permanente de nouveaux clients (nécessitant beaucoup de frais de publicité et de rabais promotionnels). Deux variables sont aussi souvent oubliées : les revenus perdus pendant les nombreuses années durant lesquelles les clients sont allés se procurer un meilleur service ailleurs ; et les revenus des clients potentiels qui sont également perdus à cause des commentaires négatifs véhiculés par le bouche à oreille. Enfin, il y a des coûts moins facilement quantifiables, tels que le manque à gagner lorsque les postes ne sont pas pourvus ou la perte des connaissances et de l'expérience que possèdent les employés concernant les habitudes des clients.

3.2. Le cycle de la médiocrité

Un autre cycle d'emploi très vicieux est le « cycle de médiocrité » (voir figure 11.2). On peut le rencontrer dans de grandes entreprises parfois bureaucratiques ou dans des services administratifs, dans lesquels la possibilité d'améliorer la performance est quasi inexistante et où, éventuellement, la peur des syndicats peut décourager les responsables d'adopter des pratiques innovantes.

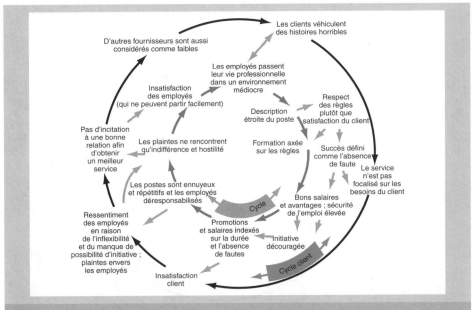

Figure 11.2 - Le cycle de médiocrité.

Source : Christopher Lovelock, « Managing Services : The Human Factor », dans *Understanding Service Management*, W. J. Glynn et G. Barnes (éd.), Chichester, John Wiley, 1995, p. 228.

Dans de tels environnements, les normes et standards de livraison de service sont plutôt régies par des réglementations très rigides, orientées vers la standardisation des services, l'efficacité des opérations et la prévention de la fraude des employés et du favoritisme envers certains clients. Les responsabilités ont tendance à être étroitement définies, catégorisées par grade et niveau, voire rigidifiées. Les augmentations de salaires et les promotions sont fondées sur l'ancienneté dans l'entreprise. Puisqu'il y a peu de flexibilité ou d'initiative des employés, les postes sont plutôt ennuyeux et répétitifs. Néanmoins, en contraste avec ceux du cycle d'échec, la plupart sont correctement rémunérés.

Les clients peuvent être frustrés par les contacts dans de telles entreprises. Que se passe-t-il lorsqu'il n'y a pas de concurrence (monopole ou autres acteurs du marché aussi mauvais, voire pires) ? Face aux problèmes bureaucratiques, au manque de flexibilité du service, ils risquent d'éprouver du ressentiment et de montrer de l'hostilité envers les employés qui sont enfermés dans leur travail et dans l'impossibilité d'améliorer la situation. Les employés, eux, peuvent se protéger grâce à des mécanismes tels que l'indifférence, l'application stricte du règlement, ou en contrant l'agressivité par l'agressivité. Le résultat est donc un cycle vicieux dans lequel les clients mécontents se plaignent en permanence aux employés, induisant chez ces derniers un manque d'implication et de motivation.

3.3. Le cycle du succès

Certaines entreprises rejettent les règles qui caractérisent les cycle d'échec ou de médiocrité. Au contraire, elles adoptent une vision à long terme de leur performance financière, en investissant dans leurs employés pour créer un « cycle de succès » (voir figure 11.3).

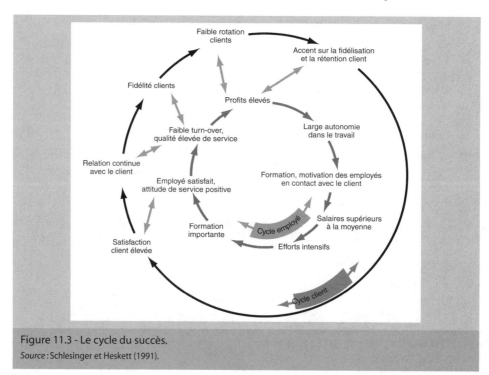

Figure 11.3 - Le cycle du succès.
Source : Schlesinger et Heskett (1991).

À l'instar du cycle d'échec et de médiocrité, le cycle de succès s'applique aussi bien aux employés qu'aux clients. Ces entreprises, dans le long terme, proposent des salaires attrayants pour le personnel. Aux vastes domaines de responsabilité des emplois s'ajoutent la formation et la responsabilisation liées à la motivation et à la compétence, qui permettent au personnel d'agir sur le contrôle de la qualité. Avec un recrutement plus ciblé, davantage de formation et de meilleurs salaires, les employés sont satisfaits de leur travail et fournissent une meilleure qualité de service. Les clients apprécient aussi la continuité des relations de service due à un faible turnover et ont tendance à être fidèles. Les marges sont souvent plus élevées. L'entreprise peut centrer ses efforts marketing sur la fidélité des clients grâce à des stratégies de rétention, habituellement plus profitables que la recherche de nouveaux clients. Depuis peu, même les entreprises de services publics essaient de mettre en place des cycles de succès. Elles offrent souvent à leurs utilisateurs une bonne qualité de service à un moindre coût[18].

4. Pour une bonne gestion des ressources humaines

Nous analysons ici les stratégies de DRH qui aident les entreprises de services à se diriger dans cette direction. Nous verrons, en particulier, comment elles peuvent embaucher, motiver et retenir les employés qui ont la volonté et la capacité d'effectuer leur travail, selon les trois dimensions déjà évoquées : livraison d'un service excellent, satisfaction de la clientèle et productivité.

Cependant, il serait naïf de penser qu'il suffit de contenter les employés pour qu'ils soient performants. La satisfaction de l'employé est nécessaire mais pas suffisante pour accroître sa performance. Une étude récente montre que les efforts des employés sont une forte composante de la satisfaction de la clientèle[19]. Jim Collins a dit : « Le vieux proverbe "Les personnes sont l'atout le plus important" est faux. Les bonnes personnes sont votre atout le plus important[20]. » Et nous voulons ajouter à cela : « … Et les individus peu performants sont un problème. » Le succès commence dès l'embauche avec de bons professionnels.

Cora Griffith, une serveuse hors du commun

Cora Griffith, une serveuse au Orchard Café à l'hôtel Appleton dans le Wisconsin, est parfaite dans son rôle, appréciée par les clients, célèbre pour avoir des clients fidèles et plébiscitée par ses coéquipiers. Cora adore son métier et cela se voit. Confortable dans ses rôles et attributions, elle suit neuf règles que voici :

1. Traiter les clients comme de la famille. Les clients ne doivent pas avoir l'impression qu'ils sont des étrangers même lorsqu'ils sont sont servis pour la première fois dans l'établissement. Gaie et proactive, Cora sourit, discute avec ses clients en les faisant tous participer à la conversation. Elle est aussi respectueuse avec les enfants qu'avec les adultes et tâche de se souvenir des noms de ses clients. « Je veux que les clients aient l'impression qu'ils sont assis à ma table, chez moi. Je veux qu'ils sentent qu'ils sont les bienvenus, qu'ils peuvent se relaxer et se sentir bien. Je ne sers pas seulement les clients, je les chouchoute ».

☞

Meilleures pratiques 11.1

Cora Griffith, une serveuse hors du commun

2. Écouter en premier. Cora a développé ses capacités d'écoute au point qu'elle n'écrit que très rarement la commande des clients. Elle écoute soigneusement et se câle sur ce qu'ils décident : sont-ils pressés ? Suivent-ils des régimes alimentaires spécifiques ? Veulent-ils que les mets commandés soient préparés de façon spéciale ?

3. Anticiper les demandes des clients. Cora remplit bien les verres et apporte toujours du pain et du beurre en supplément. Pour les clients fidèles, par exemple qui aiment le miel avec leur café, elle le leur apporte sans qu'ils ne le demandent. « Je ne veux pas que mes clients me demandent quoi que ce soit. Donc, j'essaie de me souvenir et d'anticiper ce qu'ils désirent ».

4. Des choses simples font la différence. Elle attache beaucoup d'importance aux détails et donne beaucoup d'attention à la propreté de ses ustensiles et à leur bon emplacement. Par exemple, le serveur d'assiettes en papier doit être à portée de main. Elle vérifie chaque plat en cuisine avant qu'il ne soit servi en salle. Elle donne des crayons aux petits enfants pour qu'ils puissent faire des dessins en attendant d'être servis. « Ce sont les petites choses et les détails qui plaisent aux clients ».

5. Travailler fûté. Cora regarde toutes les tables et voit si elle ne peut pas combiner des tâches. « Ne jamais faire juste une seule chose à la fois. Et ne jamais aller de la cuisine à la salle à manger les mains vides. Prendre du café, du thé glacé ou de l'eau avec vous ».

6. Continer d'apprendre. Cora ne cesse de maintenir ses efforts pour continuer d'entrenir ses compétences et en obtenir de nouvelles.

7. Le succès est là où vous le trouvez. Cora est satisfaite de son travail. Elle trouve du plaisir en donnant satisfaction à ses clients. Elle prend également du plaisir à aider ses collègues. Son attitude positive est une force pour le restaurant et l'ensemble de l'équipe. « Si des clients arrivent de mauvaise humeur dans le restaurant, j'essaie de faire en sorte qu'ils sortent avec le sourire ». Sa définition du succès. « Être heureuse dans la vie ».

8. Un pour tous, tous pour un. Cora travaille avec les mêmes collègues depuis plus de huit ans. Les membres de l'équipe s'entraident dans les situations difficiles comme, par exemple, quand arrivent 300 congressistes en même temps au petit-déjeuner. Tout le monde fonce, aide et met la main à la pâte : les managers dressent les tables, les chefs garnissent les plats. « Nous sommes comme une petite famille. Nous nous connaissons très bien et nous nous entraidons. Lorsque nous avons des coups de bourre, je vais en cuisine et dis à toute l'équipe "Hé les gars, je suis juste fière de vous. Nous avons vraiment bien travaillé aujourd'hui" ».

9. Soyez fiers de votre travail. Cora croit en l'importance de son travail et veut le faire bien. « Je ne me vois pas comme simple serveuse. J'ai choisi d'être serveuse. Je le fais au mieux que je peux et je donne ce que j'ai de meilleur. Je dis à celui ou celle qui commence ce job : soyez fiers du travail que vous faites. Vous n'êtes jamais "une petite chose", qu'importe ce que vous faites mais faites-le bien et avec fierté. »

4.1. Embaucher les bonnes personnes

Une bonne embauche inclut la capacité à recevoir de bons dossiers émanant des meilleurs employés du secteur. Ensuite, il suffit de sélectionner.

Être l'employeur préféré

Pour pouvoir être embauchés, les meilleurs professionnels doivent d'abord postuler et ensuite accepter votre offre (ils sont souvent sélectionnés par plusieurs entreprises !). Cela signifie qu'une entreprise doit d'abord être reconnue sur le marché[21], ce que McKinsey & Company nomme : « La guerre pour le talent[22]. » Pour une entreprise, être compétitive sur le marché du travail signifie avoir une valeur attractive pour ceux qui recherchent un emploi, et également des facteurs tels qu'une bonne image, une livraison de produits/services de haute qualité, qui fait la fierté de ses employés.

Évidemment, le salaire et les divers avantages ne peuvent être au-dessous de la moyenne. D'expérience, il faut proposer un salaire se situant entre 65 et 80 % de la limite supérieure des offres pour attirer les meilleurs employés. Il ne faut pas nécessairement proposer le salaire le plus élevé du moment si d'autres aspects de la valeur de l'offre sont attractifs. En bref, il faut comprendre les besoins et motivations des employés ciblés pour ne pas se tromper dans la valeur de la proposition.

Sélectionner les bonne personnes

L'employé parfait n'existe pas. Les postes sont souvent mieux tenus par des personnes ayant des connaissances, styles et personnalités diverses. Par exemple, Walt Disney juge ses employés en fonction de leur potentiel à travailler en *front office* ou *back office*. Les employés de contact que l'on connaît sous le nom de *cast members* sont affectés à des rôles qui correspondent bien à leur apparence, leur personnalité et leurs aptitudes. Aussi, Robert Levering et Milton Moskowitz remarquent :

> *Aucune entreprise n'est parfaite pour tout le monde. C'est particulièrement vrai dans les bonnes entreprises, puisque ces sociétés ont une vraie personnalité… leur propre culture. Les entreprises qui ont des personnalités fortes ont tendance à attirer et à repousser certains types d'individus[23].*

Qu'est-ce qui rend les employés de service exceptionnels si importants ? Ce sont souvent les choses qui *ne peuvent pas* être enseignées, des qualités intrinsèques aux individus, qu'ils portent en eux et mettent à disposition de n'importe quel employeur. Une étude sur les profils des meilleurs employés a conclu :

> *L'énergie… ne peut être enseignée, elle doit être embauchée. La même chose est vraie pour le charme, pour le sens du détail, pour l'éthique et pour la propreté. Certains de ces éléments peuvent être améliorés avec des formations… des encouragements… mais en majeure partie, de telles qualités sont inculquées à l'individu très jeune[24].*

De plus, les responsables de DRH ont constaté que si certains aspects peuvent être enseignés, la chaleur humaine ne peut pas l'être. Il faut donc favoriser les candidats présentant cette qualité naturellement. Jim Collins met l'accent sur le fait que « Les bons profils sont ceux qui font preuve des comportements requis, en tant que prolongement naturel de leur caractère et de leur attitude, quel que soit le système d'encouragement et de contrôle[25]. »

La conclusion logique est que les entreprises de services devraient porter beaucoup plus d'attention à l'embauche de bons candidats. L'encadré Meilleures pratiques 11.2, à travers le point de vue de Jacques Séguela, montre à quel point la personnalité du candidat est importante.

Meilleures pratiques 11.2

On a les collaborateurs que l'on mérite

« L'enthousiasme communicatif, c'est le carburant de demain », proclame Jacques Séguela. La communication et l'écoute sont pour lui les moteurs des entreprises performantes. Le « fils de pub » le plus célèbre de France fait de la communication le cheval de toutes ses batailles. Interrogé par le magazine *Challenge*, il n'hésite pas à affirmer en parlant du talent : « On reconnaît le talent à la passion. Les gens de talent ont un certain regard. Ils ont une âme et ils la portent sur leur visage. Dès qu'on aborde leur terrain de créativité, ils s'illuminent. J'appelle cela le regard instantané et c'est à lui que je me fie lorsque j'engage mes collaborateurs. À l'agence, nous sommes mille deux cents personnes. Celles que j'ai choisies, je les ai choisies d'un regard. Certes, je me suis souvent trompé. Mais finalement moins que par le système des interviews qui lamine tout ! Et j'ai gagné tellement de temps… La seconde reconnaissance du talent, c'est que les gens s'expriment et l'expriment dans toute leur communication. Dans les lettres qu'ils vous envoient, dans leur façon de dire au revoir, dans leur façon de s'habiller, en harmonie avec ce qu'ils sont. Chacun à sa manière. »

Au passage, l'inventeur de la « force tranquille » égratigne ceux qui sont en charge du recrutement dans les entreprises : « L'embauche se fait à reculons. Elle est confiée à des directeurs du personnel qui sont souvent payés moins cher que les gens qu'ils engagent. Pis, ils ne recrutent pas le talent, ils recrutent la sécurité ! Ils veulent être sûrs, s'ils engagent quelqu'un, qu'il ne fera pas de vague, qu'il ne partira pas avec la caisse et qu'il a déjà fait ce qu'on lui demande de venir faire. Dès lors, tout nouveau venu apporte avec lui un *back ground*. À peine installé dans sa fonction, il reproduit son passé au lieu de s'inventer son avenir. Seconde embûche : importer une science apprise et qui ne peut pas correspondre à l'âme de l'entreprise. Ces "sergents recruteurs" sans talent eux-mêmes, comment voulez-vous qu'ils en décèlent d'autres ? Moralité : on a les collaborateurs qu'on mérite. Il faut les recruter soi-même. »

Source : Philippe Bloch, Ralph Hababou, Dominique Xardel, « Service compris », *JCL L'Expansion*, Hachette.

4.2. Comment identifier les meilleurs candidats

Il y a de nombreuses façons pour les entreprises de services d'identifier les meilleurs candidats : observation des comportements, passage de tests de personnalité, entretiens et description réaliste de l'emploi en question[26].

Observer le comportement

Prendre la décision d'embaucher en fonction du comportement que vous observez et non des mots que vous entendez. Comme John Wooden l'a dit : « Montrez-moi ce que vous pouvez faire, ne me dites pas ce que vous pouvez faire. Trop souvent, ceux qui parlent trop sont ceux qui en font le moins[27]. » Le comportement peut être directement ou indirectement observé en utilisant des simulations comportementales ou des tests d'évaluation. Cela permet d'identifier les candidats adaptés aux clients de l'entreprise. De plus, le comportement passé est la meilleure prévision du comportement futur : embaucher de préférence la personne qui est régulièrement élue « meilleur employé du mois », qui a reçu de nombreuses lettres de compliment, etc.

Faire passer des tests de personnalité

Utiliser des tests de personnalité qui sont pertinents pour un poste en particulier. Par exemple, la volonté de traiter clients et collègues avec courtoisie, considération et tact, la perception des besoins des clients, la capacité à communiquer clairement et agréablement peuvent être mesurés. Ces tests sont généralement fiables.

Prenons, par exemple, le groupe Ritz-Carlton. Depuis dix ans, il utilise des profils de personnalité pour chaque poste à pourvoir. Des caractéristiques telles que sourire, volonté d'aider les autres, capacité à effectuer de multiples tâches sont aussi importantes que le niveau de connaissances. Une candidate a commenté son expérience lors d'entretiens pour un poste de concierge junior au Ritz-Carlton Millenia de Singapour. Son meilleur conseil : dire la vérité ! « Ce sont des experts ; ils sauront si vous mentez. Le jour J, ils m'ont demandé si j'aimais aider autrui, si j'étais une personne organisée et si j'aimais beaucoup sourire. Oui, oui, oui, j'ai répondu. Mais je devais prouver ces réponses par des exemples concrets. Par moment, tout cela me paraissait plutôt indiscret. Pour répondre à la première question, j'ai dû parler d'une personne que j'avais aidée, expliquer pourquoi elle avait besoin d'aide. Le test m'a forcée à me rappeler de certains aspects parfois insignifiants, tels qu'apprendre à dire bonjour dans différentes langues, ce qui leur a permis de décrypter mon caractère[28]. »

Hormis les tests psychologiques, des programmes d'évaluation sur Internet, peu coûteux, sont disponibles. Dans ce cas, les candidats répondent à un questionnaire informatisé et l'employeur reçoit l'analyse, la valeur du candidat par rapport aux exigences de l'entreprise et une recommandation d'embauche. Pour vous documenter sur ce marché de tests sur Internet, rendez-vous à l'adresse du groupe SHL, www.shlgroup.com/shl/fr. Par ailleurs, d'une manière générale, les personnes ont des prédispositions à être positives et heureuses ou négatives et malheureuses[29]. Il est préférable, pour être sûr de satisfaire les clients, d'embaucher des personnes réactives et heureuses[30].

Faire passer plusieurs entretiens structurés

Pour améliorer les décisions d'embauche, les recruteurs organisent des entretiens structurés autour des connaissances requises pour un poste et conduits par plusieurs interviewers, plus attentifs dans leurs jugements quand ils ne sont pas seuls à évaluer le même candidat. Par ailleurs, on réduit le risque du biais « semblable à moi ». Nous aimons tous les individus qui nous ressemblent.

Donner aux candidats une vision réaliste[31]

Pendant le processus de recrutement, l'entreprise doit donner le plus d'informations possible sur la réalité de l'emploi. Cela permet au candidat de juger si le poste lui correspond ou non et, le cas échéant, de renoncer. En même temps, l'entreprise peut gérer plus facilement les attentes des nouveaux employés. Cette approche est de plus en plus souvent adoptée. Par exemple, une chaîne de pâtisseries-boulangeries française, *Au Bon Pain*, permet aux candidats de travailler pendant deux jours rémunérés avant le dernier entretien de sélection. Dans ce cas-là, les responsables peuvent observer les candidats en action, et ces derniers juger si le travail et l'environnement leur conviennent[32].

4.3. Former efficacement le personnel en contact

Lorsqu'une entreprise possède de bons éléments, les investissements en formation peuvent générer des résultats extraordinaires. Les meilleures entreprises de services valorisent la formation avec des mots, de l'argent et des actions. Selon Benjamin Schneider et David Bowen (respectivement professeur de psychologie à l'université du Maryland et doyen de l'école de management international de Thunderbird), cela se traduit par : « Attirer des candidats différents et compétents, utiliser les techniques les plus efficaces pour embaucher les meilleurs et ensuite les former le mieux possible, pour obtenir une équipe redoutable sur n'importe quel marché[33]. »

Les employés du service doivent apprendre :

- **La culture organisationnelle : raison d'être et stratégie.** Il faut faire en sorte que les nouveaux employés adhèrent émotionnellement à la stratégie de l'entreprise. Il faut également qu'ils mettent en avant les valeurs de la société, que les managers doivent enseigner en se focalisant sur le « quoi », le « pourquoi » et le « comment » plutôt que sur les particularités du poste[34]. Par exemple, les nouvelles recrues de Disneyland participent à « l'université Disney ». Cela commence par une présentation détaillée de l'histoire et de la philosophie de l'entreprise, des normes de service attendues (« cast members »), et d'un tour complet de Disneyland[35].

- **Les compétences interpersonnelles et techniques.** Les compétences interpersonnelles sont plutôt génériques et se rapportent à l'utilisation de la communication visuelle, l'écoute attentive, au langage corporel et même aux expressions faciales. Les compétences techniques englobent toutes les connaissances liées au processus de service (comment effectuer un retour de marchandise), aux machines (comment utiliser une caisse enregistreuse), et les règles liées au processus de service en rapport avec la clientèle. Ces compétences sont *nécessaires* mais l'une ou l'autre seule ne *suffit* pas pour une performance optimale[36].

- **La connaissance des produits et services.** La connaissance des produits par le personnel est un aspect essentiel de la qualité de service. Le personnel doit être en mesure d'expliquer les caractéristiques du produit et de le positionner convenablement par rapport aux produits concurrents.

Bien sûr, une formation doit engendrer des changements tangibles dans le comportement. Si les membres du personnel n'appliquent pas ce qu'ils ont appris, l'investissement est perdu. Apprendre, cela doit leur permettre de changer de comportement et d'améliorer leur prise de décision. Pour réussir, ils doivent s'entraîner. Le rôle des superviseurs est de faire le suivi des objectifs d'apprentissage.

La formation et l'apprentissage professionnalisent le personnel de contact et réduisent son sentiment d'exercer un emploi peu qualifié. Un serveur qui connaît la nourriture, la cuisine, les vins, et qui a une interaction efficace avec les clients (même ceux qui se plaignent) se sent professionnel, a une forte estime de lui et est respecté par ses clients. La formation contribue à réduire le stress employé/rôle.

Coaching chez Dial-A-Mattress

« Coaching » est une méthode communément employée par les entreprises de services leaders pour former et développer les compétences de leur personnel. Jennifer Gassamo est consultante trois jours par semaine chez Dial-A-Mattress. Elle s'occupe essentiellement du personnel dont les performances et les résultats varient ou baissent. Le premier travail de Jennifer Gassamo est de les écouter parler au téléphone avec leurs clients. Elle les écoute durant une heure environ et prend des notes sur un cahier à chaque coup de fil. Elle comprend très vite que les appels et conversations téléphoniques ne sont pas préparés ni monitorés. Qu'il n'y a pas de « feuille de route et de suivi » ou de consignes particulières. Ensuite, Jennifer Gassamo conduit une réunion avec les membres du personnel, au cours de laquelle elle recueille des propositions et des avis sur les pistes d'amélioration. Elle sait à quel point il est difficile de maintenir un niveau d'énergie constant et de faire preuve du même enthousiasme lorsque le personnel reçoit et traite 60 appels téléphoniques par jour. Elle aime suggérer de nouvelles tactiques ou phrases d'accroche pour dynamiser leur présentation. « Les clients sont à votre merci lorsqu'ils achètent une literie. Ils ne connaissent pas les différences techniques entre un matelas et un autre. C'est comme si je devais acheter un carburateur pour ma voiture. Je ne sais même pas à quoi cela ressemble. Nous devons employer des mots et des termes très descriptifs pour aider les clients à choisir la literie qui leur convient le mieux. Dites aux clients que plus le matelas est cher, plus le remplissage est riche en laine et en soie. Ne dites pas simplement que le matelas a plus de couches de superposition et est plus rembourré ». Deux mois après la première séance de coaching, Jennifer Gassamo a réuni l'équipe. Elle a comparé les performances avant et après la séance, et a constaté que les performances s'étaient améliorées. L'expérience de Jennifer Gassamo, ainsi que ses résultats, en font une consultante émérite et connue. « Si je n'ai pas de résultats effectifs, alors qui suis-je pour me qualifier de coach ? Je serais très certainement moins efficace si j'étais « entraîneur » à plein temps. Elle aime par-dessus tout partager sa connaissance et transmettre les ficelles de son métier ».

4.4. Responsabiliser le personnel en contact

Presque toutes les entreprises de services audacieuses ont des histoires légendaires d'employés qui ont pu rattraper des affaires perdues, qui se sont mis en quatre pour satisfaire un client ou éviter une catastrophe[37]. Pour agir ainsi, les employés doivent avoir liberté et autonomie. Nordstrom, une boutique de prêt-à-porter et accessoires, qui totalise un chiffre d'affaires de 6,7 milliards de dollars par an, forme ses employés à la prise de décision. Le manuel des employés de Nordstrom stipule : « Utilise tes facultés de jugement en toutes circonstances. »

L'autonomie des employés s'accroît de plus en plus, surtout dans les entreprises de services, car ils sont souvent livrés à eux-mêmes face au client. Cela complique la tâche des responsables qui doivent guider leur comportement[38]. Les recherches montrent un lien fort entre délégation et responsabilité du personnel et satisfaction de la clientèle[39].

Dans de nombreux cas, laisser davantage de pouvoir aux employés (et les former à cela) peut engendrer une meilleure livraison de service. Ils ne perdent pas de temps à demander l'autorisation à un supérieur hiérarchique. L'accroissement de pouvoir leur permet de trouver des solutions aux problèmes et de prendre les décisions adéquates. La réussite dépend de ce que l'on appelle parfois « l'habilitation », donnant aux employés la formation, les outils et les ressources dont ils ont besoin pour assumer leurs nouvelles responsabilités.

Responsabiliser le personnel en contact est-il toujours pertinent ?

Certains pensent que l'accroissement des responsabilités est susceptible de motiver les employés et de satisfaire les clients davantage que la « chaîne de production », dans laquelle le management met au point un système standardisé qui force les employés à exécuter des tâches selon des règles strictes.

Cependant, David Bowen et Edward Lawler (université de Southern California) pensent que différentes situations donnent lieu à différentes solutions. Ils affirment que : « Les deux approches ont leurs avantages… et… chacune d'entre elles correspond à un type de situation. La clé est de choisir l'approche qui répond au mieux aux attentes des employés et des clients[40]. » Les employés ne souhaitent pas tous obtenir davantage de pouvoir, s'accroître, et certains préfèrent travailler selon des règles bien précises. Une étude a déterminé les caractéristiques des entreprises favorisant la responsabilisation des employés :

- La stratégie de l'entreprise est fondée sur la différenciation concurrentielle et sur la livraison d'un service personnalisé.

- L'approche client s'appuie sur des relations à long terme plutôt qu'à court terme.

- L'entreprise utilise des technologies complexes et non routinières.

- L'environnement est imprévisible et des surprises peuvent survenir.

- Les managers laissent leurs employés travailler de façon indépendante, au service de l'entreprise et de ses clients.

- Les employés ressentent le besoin d'améliorer leurs compétences. Ils éprouvent un intérêt à travailler en groupe et ont des qualités interpersonnelles qui le leur permettent.

Bowen et Lawler mettent en garde les entreprises à propos des stratégies de « rattrapage » (*recovery*) si cela doit avoir des effets sur la fiabilité de la livraison du service. Ils remarquent que : « Il est possible de confondre un bon service avec des histoires d'employés qui ont l'art de rattraper des situations compromises grâce à leur liberté d'action[41]. » De plus, Chris Argyris (autrefois professeur à Yale) remarque que de nombreux employés sont sceptiques et cyniques à propos de cette prétendue délégation de responsabilité et d'autonomie. Beaucoup pensent que les paroles de la direction ne sont que du « bla-bla ». Alors que les managers considèrent qu'ils donnent du pouvoir à leurs employés, ceux-ci n'en sont pas convaincus compte tenu du fait qu'on se passe de leur avis pour les décisions importantes[42].

Responsabilisation chez Nordstrom

Van Mensah, un vendeur au rayon homme chez Nordstrom, a reçu un lettre très perturbante d'un client fidèle. L'homme en question a acheté pour 2 000 dollars de chemises et cravates à Mensah, et a malencontreusement lavé les chemises dans de l'eau chaude. Elles ont toutes rétréci. Il a donc écrit à Mensah pour avoir un avis professionnel sur la démarche à suivre pour résoudre ce problème (le client ne s'est pas plaint et a avoué que la faute lui incombait).

Immédiatement, Mensah a appelé son client et lui a proposé de remplacer les chemises. Il a demandé au client de poster les chemises à son attention, à la charge de Nordstrom. « Je n'ai pas eu à demander la permission de qui que ce soit pour effectuer cet échange, » a dit Mensah. « Nordstrom préfère me laisser libre choix pour décider de la solution adéquate. » Middlemas, un ancien de chez Nordstrom dit aux employés, « Vous ne serez jamais critiqués pour en avoir trop fait pour le client. En revanche, vous serez critiqués pour en avoir fait trop peu. Si vous avez un quelconque doute sur les mesures à prendre, prenez toujours une décision en faveur du client avant celle de l'entreprise. » Le guide de l'entreprise confirme cela. On peut y lire :

Bienvenue chez Nordstrom,

Nous sommes heureux de vous compter parmi nous.

Notre objectif premier est de fournir une excellente qualité de service.

Placez la barre de vos objectifs personnels et professionnels bien haute.

Nous avons une grande confiance dans vos capacités à les atteindre.

Les Règles de Nordstrom :

Règle n°1 : utilisez votre jugement dans toutes situations.

Il n'y aura pas d'autres règles.

Vous êtes libre de poser des questions à tout moment à votre responsable de rayon, de magasin ou au manager régional.

Source : Robert Spector et Patrick D. McCarthy, *The Nordstrom Way*. New York : John Wiley & Sons, Inc., 2000, pp. 15-16, 95.

Contrôle versus implication

Dans le cas d'une chaîne de production l'approche, pour diriger des personnes, est fondée sur le modèle bien connu de « contrôle ». Il y a des rôles très clairement définis pour chacun, des systèmes de contrôle « top-down », des structures pyramidales hiérarchiques, et l'affirmation que le management sait ce qui est le plus approprié. Au contraire, l'élargissement du champ de décision s'appuie sur le modèle « d'implication ou d'engagement », qui suppose que la plupart des employés savent prendre de bonnes décisions et peuvent avoir de bonnes idées pour gérer les affaires, s'ils sont correctement formés et informés. Ce modèle suppose également que les employés sont motivés par leur propre performance, qu'ils sont capables d'avoir une conduite personnelle claire et définie. Les technologies de l'information permettent aux employés de travailler chez eux, reliés au réseau de l'entreprise, et engendrent de nouvelles approches du management fondées sur la cohésion des équipes et la responsabilité personnelle.

Schneider et Bowen insistent sur le fait que « l'accroissement de responsabilité n'est pas seulement un acte de libération du personnel de contact ou une façon de se débarrasser des manuels de procédures. Il nécessite également une redistribution systématique de quatre ingrédients clés à travers l'entreprise, du haut vers le bas[43] ».

- *Le pouvoir* de prendre des décisions qui influencent les procédures de travail et l'organisation (grâce à des cercles de qualité et des équipes qui s'autogèrent…).

- *L'information* concernant la performance organisationnelle (les résultats opérationnels et les ratios de performance par rapport à la concurrence…).

- *Les récompenses* selon la performance organisationnelle (les bonus, le partage des bénéfices et les stock-options…).

- *Les connaissances* permettant aux employés de comprendre et de contribuer à la performance de l'entreprise (en matière de résolution de problèmes…).

Dans le modèle de contrôle, ces quatre caractéristiques sont concentrées en haut de la hiérarchie, tandis que dans le modèle participatif, elles sont dispersées à travers tous les niveaux de l'organisation.

Les niveaux d'implication du personnel en contact

Les approches du pouvoir participatif et de la chaîne de production sont les extrémités opposées d'un spectre qui reflète les niveaux croissants de l'implication des employés. L'accroissement de pouvoir peut avoir lieu à plusieurs niveaux :

- *L'encouragement des suggestions* donne de l'autorité aux employés à travers des programmes formels. McDonald's, souvent considéré comme l'archétype de l'approche de contrôle, est à l'écoute de ses employés de contact (plusieurs innovations sont le fait d'employés).

- *La participation dans la définition de l'emploi* représente une ouverture sur l'ensemble des tâches à effectuer. Les emplois sont redéfinis de façon à permettre aux employés d'utiliser un plus grand nombre de connaissances. Dans les entreprises de services complexes, telles que les compagnies aériennes ou les hôpitaux, le travail participatif en équipes est souvent la réponse adéquate. Pour pouvoir s'adapter à cette nouvelle situation, les employés ont besoin d'être formés et le management doit être réorienté vers des actions de soutien du groupe.

- *Une forte implication* donne, même à l'employé en bas de l'échelle, un sentiment de responsabilité dans la performance de l'entreprise. L'information est partagée et les employés développent des aptitudes pour les travaux en équipe et, finalement, pour participer collectivement aux décisions managériales. Il y a un partage des profits, souvent accompagné d'une prise de participation dans l'entreprise sous la forme d'actions.

Southwest Airlines est l'illustration d'une entreprise à fort taux de participation, mettant en avant le bon sens et la flexibilité. L'entreprise a confiance en ses employés et leur donne la latitude et l'autorité nécessaires pour qu'ils puissent effectuer leur travail dans de bonnes conditions. Elle a éliminé les règles de travail inflexibles et les descriptions de postes rigides pour qu'ils aient la satisfaction d'effectuer leurs tâches correctement (que les avions partent à l'heure, par exemple), quelle que soit la personne officiellement responsable. Cela leur donne l'envie de s'entraider, si nécessaire. Ils adoptent une mentalité de « il faut faire ce qu'il faut ».

Les mécaniciens et les pilotes ont la liberté et la latitude d'aider les agents au sol dans leurs activités. De plus, les employés de Southwest font appel à leur bon sens et non aux règles, lorsque c'est dans l'intérêt du client.

Rod Jones, assistant chef pilote, se souvient d'un pilote qui a quitté la porte d'embarquement (bien que Southwest demande aux pilotes de ne pas en partir), pour raccompagner un voyageur âgé qui avait été dirigé vers le mauvais avion. Le pilote se sentait responsable. « Ainsi, il s'est adapté à la situation, a confirmé Jones. Il a débarqué le client, l'a accompagné et a rempli un rapport d'irrégularité. Bien qu'il ait enfreint les règles, il a utilisé son bon sens et a fait ce qu'il pensait être adéquat. Et nous avons dit, "Très bien, c'est comme cela qu'il faut faire"[44]. »

4.5. Constituer des équipes performantes

La nature de beaucoup de services nécessite de travailler en équipes polyvalentes, si l'entreprise veut offrir un service clients irréprochable. Traditionnellement, de nombreuses sociétés étaient organisées sous la forme de structures fonctionnelles, dans lesquelles chaque département était en charge d'une activité distincte (conseil, vente, facturation…). Ce contexte peut engendrer moins de travail en équipe, un service plus lent, davantage d'erreurs, tandis que les équipes risquent de ne pas se sentir liées aux clients finaux. Lorsque ceux-ci ont des problèmes, ils ne savent à qui s'adresser au sein d'une telle organisation.

La recherche empirique a confirmé que le personnel de contact considère le manque de soutien et de solidarité entre départements comme un facteur limitant dans la satisfaction de leurs clients[45], d'où l'intérêt des équipes multifonctions.

La puissance du travail en équipe dans les services

Katzenbach et Smith, consultants chez Mc Kinsey, définissent une équipe comme « un petit nombre de personnes ayant des qualifications complémentaires et qui sont concentrées sur les mêmes objectifs de performance, et une approche pour laquelle ils se sentent tous responsables[46] ». Les équipes, la formation et l'élargissement du champ de décision vont de pair. Les équipes facilitent la communication ainsi que le partage de connaissances. En opérant comme des unités petites et indépendantes, elles prennent plus de responsabilités. De plus, elles ont tendance à se fixer des objectifs plus élevés que leur superviseurs. Dans un bonne équipe, la pression pour être performant est élevée[47].

Certains universitaires pensent même qu'on accorde trop d'importance à l'embauche de « stars individuelles », surtout aux État-Unis, où la prépondérance des capacités individuelles et la motivation d'un candidat sont particulièrement prises en compte, en opposition avec les capacités et la motivation d'une équipe. Charles O'Reilly et Jeffrey Pfeffer (respectivement professeur des ressources humaines à la Harvard Business School et professeur en organisation à l'université de Stanford) émettent l'idée que la manière dont les individus travaillent en équipe est souvent aussi importante que leurs capacités individuelles, et que les stars peuvent être dépassées par les autres grâce à un meilleur travail d'équipe[48].

Les collaborateurs chez Customer Research Inc. (CRI), un cabinet d'études de marché prospère, manifestent leur fierté à travers les remarques suivantes[49] :

- « J'aime faire partie d'une équipe. Vous avez l'impression d'avoir votre place. Tout le monde sait ce qui se passe. »
- « Tout le monde accepte les responsabilités et participe pour aider. »
- « Lorsqu'un client a besoin de quelque chose dans l'heure, nous travaillons ensemble pour résoudre le problème. »
- « Il n'y a pas de fainéants. Tout le monde travaille à part égale. »

L'encadré Meilleures pratiques 11.5 montre comment Singapore Airlines utilise non seulement des équipes pour former les équipages de bord, mais aussi comment l'entreprise évalue, récompense et décide des promotions.

Meilleures pratiques 11.5

Le concept d'équipe à Singapore Airlines

SIA travaille pour créer un esprit d'équipe au sein de ses équipages de cabine. C'est difficile car de nombreux membres d'équipage sont en permanence dispersés dans le monde. La réponse de SIA est « le concept d'équipes ».

Chooh Poh Leong, manager en chef de la performance en cabine, explique : « Afin de manager efficacement nos six mille six cents employés, nous les divisons en équipes, en petites unités, avec un leader en charge d'environ treize personnes. Nous faisons en sorte qu'ils volent ensemble le plus possible. Cela entraîne une camaraderie, et les membres d'équipage ont le sentiment de faire partie d'une équipe, sans être simplement des membres. Le leader apprend à connaître les membres, leurs forces et leurs faiblesses, et devient leur *mentor* et leur conseiller, quelqu'un sur qui ils peuvent compter en cas de problème. Les responsables de la formation supervisent douze ou treize équipes et volent avec eux dès que possible, non seulement pour vérifier leurs performances, mais aussi pour favoriser le développement des équipes.

« L'interaction au sein de chaque équipe est très forte. Le chef d'équipe connaît vraiment son équipe. Vous seriez étonné du détail de chaque dossier d'évaluation du personnel. Ainsi, de cette façon, nous avons le contrôle, et nous pouvons nous assurer que le personnel livre le service promis. Ils savent qu'ils sont constamment observés et, ainsi, ils sont performants. En cas de problèmes, nous sommes informés et nous pouvons envoyer ces employés en formation. Ceux qui sont suffisamment performants bénéficieront d'une promotion. »

Source : Jochen Wirtz et Robert Johnston, « Singapore Airlines : What It Takes to Sustain Service Excellence – A Senior Management Perspective », *Managing Service Quality*, vol. 13, n° 1, 2003, pp. 10-19.

Créer des équipes de travail qui réussissent[50]

Il n'est pas facile de faire fonctionner correctement des équipes. Si les individus sont mal préparés et la structure de l'équipe mal organisée, l'entreprise risque d'avoir des volontaires enthousiastes mais manquant de compétences. Les connaissances n'incluent pas seulement la coopération, l'écoute des autres, le coaching et l'encouragement réciproque, mais aussi l'acceptation des différences, la capacité d'exprimer aux autres quelques vérités difficiles à dire et de poser des questions pertinentes. Tous ces aspects nécessitent une certaine formation.

Le management a également besoin d'élaborer une structure qui mènera l'équipe vers le succès. Un bon exemple est American Express Amérique latine, qui a développé les règles suivantes pour s'assurer du bon fonctionnement de ses équipes :

- Chaque équipe a un « propriétaire », une personne à qui appartiennent les problèmes de l'équipe.

- Chaque équipe a un leader qui surveille les progrès et les processus de l'équipe. Les leaders sont sélectionnés en fonction de leurs connaissances commerciales et de leurs capacités personnelles.

- Chaque équipe a un facilitateur, quelqu'un qui sait comment faire fonctionner des équipes, qui aide l'équipe à progresser et forme les autres à travailler efficacement[51].

4.6. Motiver et « énergiser » les individus

Une fois que l'entreprise a embauché les bons candidats, les a formés, leur a donné du pouvoir et les a placés dans des équipes efficaces, comment peut-elle être sûre qu'ils livreront une excellente qualité de service[52] ? La performance du personnel dépend des capacités et de la motivation. L'embauche, la formation, l'accroissement de pouvoir et le travail en équipe ont pour conséquence des employés capables, et les systèmes de gratification sont la clé de la motivation. Motiver, récompenser les bons employés de service sont quelques-uns des moyens les plus efficaces de les retenir.

L'une des raisons pour lesquelles les entreprises de services échouent est qu'elles n'utilisent pas à 100 % et efficacement la gamme de récompenses disponible (et pas seulement en termes d'argent). Recevoir un salaire est un dû plus qu'une motivation. Payer davantage a des effets seulement à court terme sur la motivation. Les bonus dus à la performance doivent être gagnés chaque fois et sont efficaces plus durablement. Le contenu du travail, la reconnaissance, le feed-back et l'accomplissement des objectifs sont également des éléments de motivation sur le long terme.

Le contenu du travail

Les individus sont motivés et satisfaits en sachant qu'ils font du bon travail. Leur estime augmente et ils aiment renforcer ce sentiment. C'est surtout vrai si l'emploi offre une variété d'activités, des tâches complètes et identifiables, s'il a un impact sur la vie des autres, est synonyme d'autonomie et si les performances sont l'objet de *feed-back*s directs (par exemple, le niveau de satisfaction des clients ou des ventes).

Le feed-back et la reconnaissance

Les employés transmettent un sentiment d'identité et d'appartenance à une entreprise, grâce au *feed-back* et à la reconnaissance qu'ils reçoivent de leur entourage (clients, collègues, patron…). Si on les reconnaît et qu'on les remercie pour l'excellence de leur travail, ils voudront le livrer encore mieux. Nous analyserons comment mesurer et utiliser le *feed-back* client au chapitre 13.

La réalisation des objectifs

Des objectifs spécifiques, difficiles mais réalisables, et acceptés par le personnel sont de forts éléments de motivation et engendrent plus de performance qu'en leur absence ou lorsqu'ils sont vagues (« faites de votre mieux ») ou impossibles à réaliser[53]. En bref, les objectifs sont des moteurs efficaces.

Les points suivants sont primordiaux pour la mise en place d'objectifs efficaces[54] :

- Atteindre un objectif considéré comme important est une récompense en soi.

- L'atteinte des objectifs peut être la base pour donner des récompenses (salaire, *feed-back*, reconnaissance). Le *feed-back* et la reconnaissance des collègues sont accordés encore plus rapidement, à coût moindre et plus efficacement, que le salaire. Ils ont également l'avantage de développer l'estime de soi.

- Les objectifs, spécifiques et difficiles, des employés de service doivent être publics pour être acceptés. Ils peuvent être intangibles, comme les améliorations des échelles d'évaluation de courtoisie.

- Les états d'avancement concernant l'accomplissement des objectifs (le *feed-back*) doivent être des événements publics (la reconnaissance), s'ils sont gratifiants pour les employés.

- Il n'est généralement pas nécessaire de spécifier les moyens d'atteindre les objectifs. Le *feed-back* doit servir de fonction corrective et aider à la progression, même en l'absence d'autres récompenses.

Les entreprises qui prospèrent reconnaissent que les problèmes d'individus sont complexes. Charles O'Reilly et Jeffrey Pfeffer ont réalisé une étude approfondie afin de savoir pourquoi certaines entreprises réussissent à long terme dans des secteurs très concurrentiels sans posséder certains avantages, tels que les barrières à l'entrée ou la propriété intellectuelle. Ils ont conclu que ces entreprises ont réussi non pas en gagnant la guerre des talents (même si elles embauchaient sélectivement), mais en exploitant totalement le talent des employés et en libérant leur motivation[55].

5. Culture et leadership dans les services

Jusqu'à présent, nous avons discuté des stratégies favorisant l'excellence dans les services. Néanmoins, pour y parvenir, une forte culture de service doit être implantée et continuellement renforcée par la direction de l'entreprise. Un leadership charismatique, également appelé leadership « transformationnel », change fondamentalement les valeurs, les objectifs et les aspirations des employés de contact. Il est probable que le personnel donne davantage de lui-même, au-delà des attentes de la direction, lorsque les valeurs et la culture de l'entreprise sont cohérentes avec ses propres valeurs, croyances et attitudes[56].

En parallèle, Leonard Berry défend un leadership fondé sur les valeurs qui inspirent et guident les entreprises de services. Le leadership doit faire ressortir l'envie et même la passion de servir. Il doit également accroître la créativité, l'énergie et le dévouement des fournisseurs de services. Le goût de l'excellence, l'innovation, la joie, le travail en équipe, le respect, l'intégrité et l'harmonie sociale[57] font partie des valeurs essentielles repérées par Berry dans les meilleures entreprises de services. Ces valeurs font partie de la culture de l'entreprise qui peut être définie de la manière suivante :

- Perception partagée de ce qui est important dans l'entreprise.

- Partage des raisons pour lesquelles ces valeurs et croyances sont des éléments importants pour l'entreprise[58].

Chez les employés, la perception de ce qui est important est essentiellement nourrie par leur appréciation de ce que font l'entreprise et les managers, pas vraiment de ce qu'ils disent. Ils comprennent ce qui est important grâce à leur interaction quotidienne avec les ressources humaines, le marketing et les services opérationnels.

Une forte culture de service est caractérisée par le contact client et la compréhension que ce contact est au cœur de la vie de l'entreprise. Celle-ci a conscience que ses revenus d'aujourd'hui et de demain sont dépendants de ce qui se déroule lors de l'interaction de service. La figure 11.4, la pyramide inversée, montre l'importance du contact avec la clientèle et illustre que le rôle de toute la direction est de soutenir les employés de contact dans leur tâche.

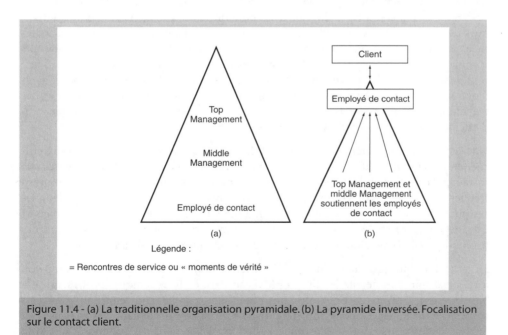

Figure 11.4 - (a) La traditionnelle organisation pyramidale. (b) La pyramide inversée. Focalisation sur le contact client.

Dans les entreprises ayant une forte culture de service, le management montre, en se tenant constamment informé et impliqué, combien le contact client est crucial pour lui.

Il discute et travaille régulièrement avec le personnel en contact et les clients, voire passe du temps à servir ces derniers. Par exemple, les manageurs de Disney World passent deux semaines par an à des postes de contact, à balayer les rues, à vendre des glaces ou à gérer une attraction[59].

Les entreprises leaders ne sont pas seulement préoccupées par le fonctionnement global, mais aussi par les détails. La manière dont les petites choses sont gérées est une indication sur la manière dont le reste l'est également, une occasion de se distinguer de la concurrence.

5.1. Le marketing interne

Pour créer une forte culture de service, disposer de grandes qualités managériales ne suffit pas, il faut la matérialiser par de gros efforts de communication et faire passer le message aux « troupes ». Les leaders utilisent, pour construire une culture de service, un panel d'outils allant du marketing à la formation en passant par des cérémonies d'entreprise, des conventions ou des remises de diplômes aux employés les plus performants.

La communication interne entre les directions et leurs employés joue un rôle déterminant dans le maintien et le développement d'une culture d'entreprise fondée sur des valeurs de service spécifiques. Des efforts de marketing internes sont surtout nécessaires dans les grands groupes de service implantés sur des sites très dispersés, parfois dans le monde entier. Même les employés travaillant loin du siège et du pays d'origine ont besoin d'être tenus informés des nouvelles politiques, des changements de caractéristiques des service, et des nouvelles initiatives de qualité. La communication peut également être nécessaire pour faire naître un esprit d'équipe et venir soutenir les objectifs communs de l'entreprise au-delà des frontières nationales. Imaginez dès lors le défi que représente le maintien d'un sens commun des objectifs dans les bureaux éloignés d'entreprises telles que Citibank, Air France, Accor ou Starbucks, dans lesquelles des personnes de cultures et de langues différentes doivent travailler ensemble afin d'atteindre des niveaux cohérents de service.

Une communication interne efficace peut aider à assurer une distribution du service efficace et satisfaisante, à atteindre des relations de travail productives et harmonieuses et à instaurer la confiance, le respect et la loyauté parmi les employés. Parmi les moyens fréquemment utilisés, on compte les journaux et magazines d'entreprise, les vidéos, les réseaux de télévision privés comme ceux de FedEX et de Merrill Lynch, les intranets et extranets (réseaux privés sur des sites web), des courriers personnalisés et des campagnes promotionnelles, des salons et expositions, des programmes de fidélisation, etc.

La recherche empirique dans l'industrie hôtelière a montré que la direction de Southwest a raison d'agir comme elle le fait. Judi McLean Park et Tony Simons (professeurs à la Northwestern University) ont réalisé une étude sur six mille cinq cents employés dans soixante-seize hôtels Holiday Inn. Ils ont mesuré le comportement des managers et analysé l'effet de maximes telles que : « Mon manager tient ses promesses », « Mon manager met en pratique ce qu'il prêche. » Ces phrases ont été corrélées aux réponses d'employés, telles que : « Je suis fier de dire aux autres que je fais partie de cet hôtel » et « Mes collègues se démènent pour satisfaire les demandes des clients. »

Meilleures pratiques 11.6

Les normes Gold du Ritz-Carlton

Par exemple, le Ritz-Carlton a converti les exigences de service de ses clients en normes « Gold Ritz-Carlton », incluant un credo, une devise, trois étapes et vingt « fondamentaux ». Tim Kirkpatrick, directeur de la formation et du développement de l'hôtel Ritz-Carlton de Boston précise : « Les normes Gold font parties de notre uniforme, tout comme un badge. Mais rappelez-vous, ce n'est qu'une étiquette jusqu'à ce que vous la mettiez en action*. » Un briefing quotidien inclut une discussion relative à l'une de ces normes, afin que les employés gardent à l'esprit la philosophie du Ritz-Carlton.

Un autre exemple majeur d'une entreprise à forte culture de service est Southwest Airlines, qui utilise toujours des moyens nouveaux et créatifs pour renforcer sa culture. Les membres de son « comité Culture » sont de fanatiques défenseurs de la préservation de l'esprit de famille. Le comité est constitué par tous les corps de métiers, de l'hôtesse à la standardiste. Le comité Culture n'est pas composé de la « crème des crèmes » des employés, c'est une comité de « gros cœurs »**. Il utilise le pouvoir et l'esprit de Southwest pour mieux lier les employés aux fondements de la culture de l'entreprise. Il travaille pour développer les valeurs clés de la compagnie :

- **Marchez un kilomètre dans mes chaussures.** Les employés volontaires d'un département devaient rencontrer ceux d'un autre département lors d'un de leurs jours de congé et passer un minimum de six heures avec eux à leur poste. Les participants furent récompensés, non seulement avec des billets aller-retour pour une destination de leur choix, mais aussi par de nouvelles amitiés.

- **Une journée sur le terrain.** Cette activité est pratiquée toute l'année par toute l'entreprise. Barri Tucker, directrice de la communication, s'est jointe à trois hôtesses de l'air lors d'un voyage de trois jours. Elle a ainsi amélioré sa compréhension du service en parlant directement avec les clients.

- **Opération « coup de main ».** Southwest a envoyé des volontaires partout où la concurrence avec le Shuttle d'United était féroce. Cela a permis de soulager la tâche des employés permanents dans ces villes pendant quelque temps et, également, de renforcer des équipes encore plus disponibles pour se battre au nom de Southwest***.

* Paul Hemp, « My Week as a Room-Service Waiter at the Ritz », *Harvard Business Review*, 80, juin 2002, 8-11.
** Adapté de Kevin et Jackie Freiberg, *Nuts ! Southwest Airlines' Crazy Recipe for Business and Personal Success*, New York, Broadway Books, 1997, 165-168.
***Idem.

Les résultats étaient impressionnants. Ils ont démontré que le comportement du manager était étroitement lié à la confiance de l'employé, à son engagement et à sa volonté de faire les petits plus qui font la différence. De plus, de tous les comportements managériaux qui ont été mesurés, l'intégrité managériale était le plus important des facteurs de profitabilité. Une augmentation de un huitième de point de l'intégrité comportementale globale d'un hôtel s'est traduite par une élévation de 2,5 % du revenu, et deux cent cinquante mille dollars (deux cent mille euros) de profits annuels supplémentaires[60].

Conclusion

Les entreprises de services qui réussissent s'engagent à avoir une gestion des ressources humaines très efficace. La figure 11.5 résume nos recommandations principales pour cela.

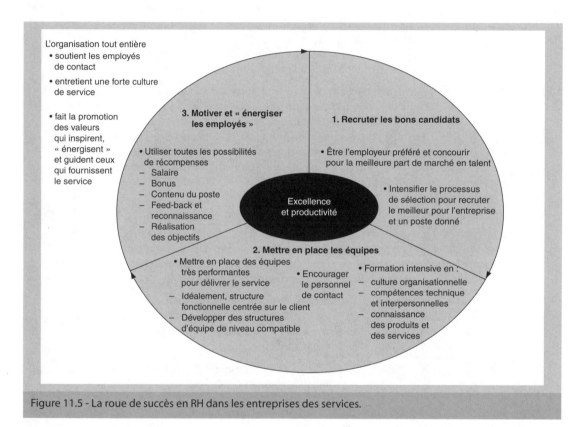

Figure 11.5 - La roue de succès en RH dans les entreprises des services.

Les stratégies de ressources humaines qui réussissent commencent par la séduction des candidats, suivie par une embauche très minutieuse, une formation intensive, un personnel impliqué avec un pouvoir lui donnant autorité et confiance en lui afin de délivrer un service excellent. Il faut avoir recours à une gamme complète de récompenses : rémunération, bonus, primes, reconnaissance, *feed-back*, afin de motiver les employés de contact jusqu'à l'atteinte de leurs objectifs. Le management inculque et renforce en permanence les valeurs et la culture de l'entreprise, mettant l'accent sur l'excellence du service et la productivité. Les employés comprennent et soutiennent les objectifs d'une entreprise dont les actions sont orientées vers la création de valeur et dont le leadership inspire la passion de servir.

Les résultats financiers et la position concurrentielle peuvent en être améliorés. Il est beaucoup plus difficile de dupliquer des ressources humaines très performantes que n'importe quelle autre ressource managériale.

Activités

Questions

1. Expliquez l'influence du personnel en contact sur la fidélité de la clientèle.

2. Qu'est-ce que le travail émotionnel ? Développez les manières dont ce dernier peut créer du stress pour les employés occupant certains postes. Illustrez avec des exemples.

3. Quelles sont les barrières principales pour que les entreprises interrompent le cycle d'échec et le substitue par le cycle de la réussite ?

4. Énumérez cinq directions dans lesquelles la sélection à l'embauche, la formation et la motivation des employés engendreront des dividendes en termes de satisfaction de la clientèle pour des entreprises telles que (a) un restaurant, (b) une compagnie aérienne, (c) un hôpital, (d) un cabinet de conseil.

5. Identifiez les facteurs qui favorisent l'adoption d'une stratégie de responsabilisation des employés.

6. Qu'entend-on par modèles de contrôle et d'implication du management ?

7. Identifiez les facteurs nécessaires à la réussite des équipes de service dans (a) une compagnie aérienne, (b) un restaurant.

8. Comment une entreprise de services peut-elle créer une forte culture de service qui met l'accent sur l'excellence de service et sur la productivité ?

Exercices d'application

1. Une compagnie aérienne fait circuler une annonce de recrutement pour des membres d'équipage. Cette annonce montre l'image d'un petit garçon assis sur un siège d'avion et serrant son ours en peluche. La légende dit : « Sa maman lui a dit de ne pas parler aux personnes étrangères. Alors, que va-t-il manger pour le déjeuner ? » Décrivez les types de personnalités (a) attirées par ce poste grâce à cette publicité, (b) celles qui renonceraient à postuler.

2. Pensez aux emplois suivants : infirmière urgentiste, technicien informatique, caissière en supermarché, dentiste, hôtesse d'accueil, professeur d'école maternelle, avocat, serveur dans un restaurant très chic et agent de change. Quels types d'émotions attendez-vous de chacun d'entre eux dans leurs relations avec les clients ? Sur quoi sont fondées vos attentes ?

Notes

1. Liliana L. Bove et Lester W. Johnson, « Customer Relationships with Service Personnel : Do We Measure Closeness, Quality or Strength ? », *Journal of Business Research*, 54, 2001, pp. 189-197.
2. Paul Hemp, « My Week as a Room-Service Waiter at the Ritz », *Harvard Business Review*, juin 2002, pp. 8-11.
3. James L. Heskett, Thomas O. Jones, Gary W. Loveman, W. Earl Sasser J^r et Leonard A. Schlesinger, « Putting the Service Profit Chain to Work », *Harvard Business Review*, mars-avril 1994.
4. Benjamin Schneider et David E. Bowen, « The Service Organization : Human Resources Management is Crucial », *Organizational Dynamics*, 21, n° 4, printemps 1993, pp. 39-52.

5. Shérazade Gatfaoui, « Confiance dans la relation consommateur-prestataire de service : une analyse du discours du personnel en contact », *Actes du congrès de l'AFM*, Deauville, 2001, vol. 17.

6. David E. Bowen et Benjamin Schneider, « Boundary-Spanning Role Employees and the Service Encounter : Some Guidelines for Management and Research », in *The Service Encounter*, J. A. Czepiel, M. R. Solomon et C. F. Surprenant, Lexington, Lexington Books, 1985, pp. 127-148.

7. Sandrine Hollet, « Une remise en cause des agents stresseurs du commercial : la notion de burnout », *Actes du congrès de l'AFM*, Deauville, 2001, vol. 17.

8. Arlie R. Hochschild, *The Managed Heart : Commercialization of Human Feeling*, Berkeley, University of California Press, 1983.

9. Arlie R. Hochschild, « Emotional Labor in the Friendly Skies », *Psychology Today*, juin 1982, 13-15. Cité dans Valarie A. Zeithaml et Mary Jo Bitner, *Services Marketing : Integrating Customer Focus Across the Firm*, New York, McGraw-Hill, 2003, p. 322.

10. Jochen Wirtz et Robert Johnston, « Singapore Airlines : What It Takes to Sustain Service Excellence – A Senior Management Perspective », *Managing Service Quality*, 13, n° 1, 2003, pp. 10-19.

11. Call Center News, « Call Centre Statistics », consultable sur www.callcenternews.com, 23 janvier 2003.

12. Call Center, « The Asians are Coming Again », *The Economist*, 28 avril 2001, p. 55.

13. Dan Moshavi et James R. Terbord, « The Job Satisfaction and Performance of Contingent and Regular Customer Service Representatives – A Human Capital Perspective », *International Journal of Service Industry Management*, 13, n° 4, 2002, pp. 333-347.

14. Les termes « cycle d'échec » et « cycle de succès » ont été inventés par Leonard L. Schlesinger et James L. Heskett dans « Breaking the Cycle of Failure in Services », *Sloan Management Review*, printemps 1991, 17-28. Le terme « cycle de médiocrité » provient de Christopher H. Lovelock, « Managing Services : The Human Factor », *Understanding Services Management*, W. J. Glynn et J. G. Barnes (éd.), Chichester, John Wiley & Sons, 1995, p. 228.

15. Christophe Fournier, « Étude des départs volontaires du personnel en contact dans les centres d'appels », *Actes du congrès de l'AFM*, Deauville, 2001, vol. 17.

16. Lloyd C. Harris et Emmanuel Ogbonna, « Exploring Service Sabotage : The Antecedents, Types, and Consequences of Frontline, Deviant, Antiservice Behaviors », *Journal of Service Research*, 4, n° 3, 2002, pp. 163-183.

17. Leonard Schlesinger et James L. Heskett, « Breaking the Cycle of Failure », *Sloan Management Review*, printemps 1991, pp. 17-28.

18. Reg Price et Roderick J. Brodie, « Transforming a Public Service Organization from Inside out to Outside in », *Journal of Service Research*, 4, n° 1, 2001, pp. 50-59.

19. Mahn Hee Yoon, « The Effect of Work Climate on Critical Employee and Customer Outcomes », *International Journal of Service Industry Management*, 12, n° 5, 2001, pp. 500-521.

20. Jim Collins, « Turning Goals into Results : The Power of Catalytic Mechanisms », *Harvard Business Review*, juillet-août 1999, p. 77.

21. Leonard L. Berry et A. Parasuraman, *Marketing Services – Competing Through Quality*, The Free Press, 1991, pp. 151-152.

22. Charles A. O'Reilly III et Jeffrey Pfeffer, *Hidden Value – How Great Companies Achieve Extraordinary Results with Ordinary People*, Boston, Harvard Business School Press, 2000, p. 1.

23. Robert Levering et Milton Moskowitz, *The 100 Best Companies to Work for in America*, New York, Currency Doubleday, 1993, xvii.

24. Bill Fromm et Leonard Schlesinger, *The Real Heroes of Business*, New York, Currency Doubleday, 1994, pp. 315-316.

25. Jim Collins, « Turning Goals into Results : The Power of Catalytic Mechanisms », *Harvard Business Review*, juillet-août 1999, p. 77.

26. Cette section a été adaptée de Benjamin Schneider et David E. Bowen, *Winning the Service Game*, Boston, Harvard Business School Press, 1995, pp. 115-126.

27. Lincolnwood, John Wooden, *A Lifetime of Observations and Reflections On and Off the Court*, Chicago, 1997, p. 66.

28. Serene Goh, « All the Right Staff », et Arlina Arshad, « Putting Your Personality to the Test », *The Straits Times*, 5 septembre 2001.

29. Timothy A. Judge, « The Dispositional Perspective in Human Resources Research », in *Research in Personnel and Human Resources Management*, 10, Ken Rowland et Gerald Ferris (éd.), Greenwich, JAI Press, 1992, pp. 31-72.

30. Voir notamment Benjamin Schneider, « Service Quality and Profits : Can You Have Your Cake and Eat It, Too ? », *Human Resource Planning*, 14, n° 2, 1991, pp. 151-157.

31. Cette section est adaptée de Leonard L. Berry, *On Great Service – A Framework for Action*, New York, The Free Press, 1995, pp. 181-182.

32. Leonard Schlesinger et James L. Heskett, « Breaking the Cycle of Failure », *Sloan Management Review*, printemps 1991, p. 26.
33. Benjamin Schneider et David E. Bowen, *Winning the Service Game*, Boston, Harvard Business School Press, 1995, p. 131.
34. Leonard L. Berry, *Discovering the Soul of Service – The Nine Drivers of Sustainable Business Success*, New York, The Free Press, 1999, p. 161.
35. Benjamin Schneider et David E. Bowen, *Winning the Service Game*, Boston, Harvard Business School Press, 1995, pp. 138-139.
36. David A. Tansik, « Managing Human Resource Issues for High Contact Service Personnel », in *Service Management Effectiveness*, D. E. Bowen, R. B. Chase, T. G. Cummings and Associates (éd.), San Francisco, Jossey-Bass, 1990, pp. 152-176.
37. Certaines parties de cette section sont fondées sur David E. Bowen et Edward E. Lawler, III, « The Empowerment of Service Workers : What, Why, How and When », *Sloan Management Review*, printemps 1992, pp. 32-39.
38. Dana Yagil, « The Relationship of Customer Satisfaction and Service Workers' Perceived Control – Examination of Three Models », *International Journal of Service Industry Management*, 13, n° 4, 2002, pp. 382-398.
39. Graham L. Bradley et Beverley A. Sparks, « Customer Reactions to Staff Empowerment : Mediators and Moderators », *Journal of Applied Social Psychology*, 30, n° 5, 2000, pp. 991-1012.
40. David E. Bowen et Edward E. Lawler, III, « The Empowerment of Service Workers : What, Why, How and When », *Sloan Management Review*, printemps 1992, pp. 32-39.
41. *Ibid.*
42. Chris Argyris, « Empowerment : The Emperor's New Clothes », *Harvard Business Review*, mai-juin, 1998, pp. 98-106.
43. Benjamin Schneider et David E. Bowen, *Winning the Service Game*, Boston, Harvard Business School Press, 1995, p. 250.
44. Ce paragraphe s'appuie sur Kevin Freiberg et Jackie Freiberg, *Nuts ! Southwest Airlines' Crazy Recipe for Business and Personal Success*, New York, Broadway Books, 1997, pp. 87-88.
45. Andrew Sergeant et Stephen Frenkel, « When Do Customer Contact Employees Satisfy Customers ? », *Journal of Service Research*, 3, n° 1, août 2000, pp. 18-34.
46. Jon R. Katzenbach et Douglas K. Smith, « The Discipline of Teams », *Harvard Business Review*, mars-avril 1993, p. 112.
47. Leonard L. Berry, *On Great Service – A Framework for Action*, New York, The Free Press, 1995, p. 131.
48. Charles A. O'Reilly III et Jeffrey Pfeffer, *Hidden Value – How Great Companies Achieve Extraordinary Results with Ordinary People*, Boston, Harvard Business School Press.
49. Leonard L. Berry, *Discovering the Soul of Service – The Nine Drivers of Sustainable Business Success*, New York, The Free Press, 1999, p. 189.
50. Cette section est fondée sur Benjamin Schneider et David E. Bowen, *Winning the Service Game*, Boston, Harvard Business School Press, 1995, 141 ; Leonard L. Berry, *On Great Service – A Framework for Action*, New York, The Free Press, 1999, p. 225.
51. Ron Zemke, « Experience Shows Intuition Isn't the Best Guide to Teamwork », *The Service Edge*, 7, n° 1, janvier 1994, p. 5.
52. Cette section est fondée sur Benjamin Schneider et David E. Bowen, *Winning the Service Game*, Boston, Harvard Business School Press, 1995, pp. 145-173.
53. Un bon résumé de la fixation des objectifs et de la motivation au travail existe sous la référence d'Edwin A. Locke et Gary Latham, *A Theory of Goal Setting and Task Performance*, New Jersey, Englewood Cliffs, Prentice Hall, 1990.
54. Benjamin Schneider et David E. Bowen, *Winning the Service Game*, Boston, Harvard Business School Press, 1995, p. 165.
55. Charles A. O'Reilly III et Jeffrey Pfeffer, *Hidden Value – How Great Companies Achieve Extraordinary Results with Ordinary People*, Boston, Harvard Business School Press, 2000, p. 232.
56. Scott B. MacKenzie, Philip M. Podsakoff et Gregory A. Rich, « Transformational and Transactional Leadership and Salesperson Performance », *Journal of the Academy of Marketing Science*, 29, n° 2, 2001, pp. 115-134.
57. Leonard L. Berry, *On Great Service – A Framework for Action*, pp. 236-237.
58. Benjamin Schneider et David E. Bowen, *Winning the Service Game*, Boston, Harvard Business School Press, 1995, p. 240.
59. Catherine de Vrye, *Good Service is Good Business*, Upper Saddle River, Prentice Hall, 2000, p. 11.
60. Tony Simons, « The High Cost of Lost Trust », *Harvard Business Review*, septembre 2002, pp. 2-3.

Lecture 3

Profils hiérarchiques de satisfaction des consommateurs de services[1]

Chiara Orsingher, Gian Luca Marzocchi,
Sara Valentini
Université de Bologne

Quelle organisation conceptuelle est sous-jacente au jugement évaluatif qui se produit dans l'esprit du client ? En nous appuyant sur la littérature satisfaction et sur la théorie des chaînages moyens-fins nous démontrons ici que les évaluations du client peuvent être décrites comme un ensemble d'éléments liés et organisés en hiérarchie. Les éléments de cette hiérarchie représentent les composantes d'une expérience de service satisfaisante et peuvent varier entre des attributs concrets (comme la courtoisie du personnel), des bénéfices de niveau plus élevé (comme le sentiment d'être pris en charge) jusqu'à une valeur plus abstraite (comme le bonheur). Ensuite, nous identifions des segments de clients à partir de leur profil de satisfaction et nous les décrivons sur la base du parcours hiérarchique qui caractérise chaque groupe.

La satisfaction du consommateur et la qualité perçue qui résultent d'une expérience de service ont fait l'objet de l'attention des chercheurs et des praticiens depuis de nombreuses années. Dans ce domaine, l'effort a porté sur la définition conceptuelle des construits de satisfaction et de qualité ainsi que sur leur opérationalisation. Parmi les instruments de mesure les plus utilisés, on trouve les échelles multi-item développées en accord avec les paradigmes acceptés en Marketing (Churchill, 1979). Bien que ces méthodes

aient permis l'identification et la mesure des éléments détaillés qui forment le jugement de satisfaction par les individus, l'hypothèse sous-jacente à toutes ces approches est que ces éléments sont une source de satisfaction en tant que tels. Cependant, une partie de la satisfaction peut être liée aux conséquences positives et aux valeurs qu'accompagnent ces éléments.

Cette recherche s'intéresse aux raisons de satisfaction des clients et démontre que les éléments pour lesquels le client est satisfait ne se limitent pas aux attributs directement liés au système de servuction. Nous soutenons l'idée que la satisfaction d'un client est formée par un ensemble d'éléments qui présente différents niveaux d'abstraction, du niveau plus concret au niveau plus abstrait. Ces éléments peuvent être importants en tant que tels ou en vertu de leur lien avec un attribut de niveau plus bas ou plus élevé. Ces différents éléments peuvent être à la fois des attributs, des conséquences abstraites, des valeurs ou des besoins.

Les questions auxquelles nous souhaitons répondre avec cette recherche sont les suivantes : pourquoi un client est-il satisfait de l'expérience de service ? Quels sont – au-delà des éléments concrets de la prestation de service – les bénéfices, les besoins et les valeurs que le client arrive à satisfaire ? Quelle est l'importance des éléments abstraits dans le jugement de satisfaction ? Existe-t-il dans l'esprit du client un lien entre ces différents éléments ? Est-il possible que les clients satisfaits des mêmes attributs cherchent en réalité à satisfaire des objectifs et des valeurs différentes ?

Pour répondre aux questions de la recherche nous allons d'abord rattacher la littérature sur la

1. *Actes du XXᵉ Congrès AFM* – 6 et 7 mai 2004, Saint-Malo.

satisfaction à celle sur la théorie des chaînages moyens-fins. Ensuite, nous utilisons la technique du *laddering* pour découvrir l'ensemble d'éléments liés à la satisfaction et nous vérifions leur importance sur la satisfaction globale. Finalement, nous identifions différents segments de clients et nous les décrivons sur la base de leur parcours cognitif de satisfaction.

L'intérêt théorique sous-jacent à cette recherche concerne avant tout la réflexion sur la présence d'une structure hiérarchique dans le jugement de satisfaction des clients. Sur le plan managérial, la connaissance des valeurs et des besoins finaux que les individus cherchent à poursuivre peut servir à mieux comprendre le système d'évaluation des clients au-delà des éléments de satisfaction pris un à un.

Le papier est organisé en quatre parties. Dans la première, nous présentons le cadre conceptuel de la recherche qui s'appuie sur la littérature sur la satisfaction et sur la théorie moyens-fins. Dans la seconde partie, nous présentons la méthodologie de l'étude et le contexte de la recherche. La troisième partie présente les résultats descriptifs et explicatifs de la recherche et enfin la quatrième partie est consacrée à la discussion des résultats et à l'analyse des implications managériales.

1. L'évaluation subjective : concepts et mesure de la satisfaction et de la qualité perçue

La satisfaction et la qualité perçue ont reçu beaucoup d'attention dans la littérature en marketing des services. Les travaux portants sur ce concept ont abordé ces thèmes sous différents angles : d'une part les chercheurs ont essayé de donner une définition conceptuelle de la satisfaction et de la qualité. D'autre part, les efforts ont porté sur le développement de mesures fiables et valides des deux concepts. Bien que le débat théorique sur la satisfaction soit toujours en cours et les chercheurs soient d'accord sur le chevauchement entre les deux concepts, une

différence entre la qualité et la satisfaction a été reconnue sur les points suivants (Llosa, 1996 ; Ngobo, 1997) :

- la satisfaction et la qualité perçue sont toutes les deux des évaluations subjectives de l'expérience de service qui se basent sur une comparaison entre la performance perçue et un standard de référence complexe et variable ;

- la satisfaction est essentiellement expérientielle et partiellement liée aux sentiments du client tandis que le jugement de qualité n'implique pas nécessairement une expérience personnelle et résulte d'un processus cognitif ;

- en fonction de la dimension temporelle que l'on considère et du modèle d'attitude des clients, le lien causal entre les deux concepts peut varier dans les deux sens.

Un des paradigmes les plus accrédités dans les études portant sur la satisfaction est celui de la confirmation des attentes. Selon ce paradigme, déjà identifié par Engel, Blackwell et Kollat en 1978, le client formule au moment de l'achat des prévisions sur la performance future de l'objet. Lors de son utilisation, le consommateur compare la qualité de la performance à ses attentes. Si la performance est égale ou supérieure à ce qu'il attendait, il sera satisfait. Si la performance est inférieure, il va être insatisfait. (Oliver, 1980) a repris ce paradigme pour décrire le mécanisme de construction de la satisfaction et affirme que le niveau de satisfaction est le résultat de l'ampleur et de la direction de la non-confirmation des attentes : si les perceptions sont inférieures au standard le client va ressentir l'insatisfaction, si les perceptions confirment les attentes il y aura un faible impact affectif sur la satisfaction. Finalement, si les perceptions sont supérieures aux standards de référence, la non-confirmation positive produira pour le client un sentiment de satisfaction.

L'opérationalisation du concept de satisfaction et de qualité ont suivi différents parcours souvent en fonction de la position épistémologique des chercheurs. Différentes méthodes de mesure ont été développées souvent avec l'objectif commun d'identifier les éléments qui contribuent au jugement évaluatif. Les approches qualitatives, les techniques quantitatives ou des combinaisons des deux approches sont parmi les méthodes les plus utilisées. Toutefois, les enquêtes par questionnaire sont les techniques plus répandues auprès des chercheurs et de praticiens ce qui a requis la mise au point d'instruments de mesure fiables et valides de ces concepts. Pour ce faire, les chercheurs (Oliver, 1980 ; Parasuraman *et al.*, 1988 ; Cronin *et al.*, 1992 ; Crosby, 1993) en accord avec les définitions conceptuelles de qualité perçue et de satisfaction ont développé des échelles sur le jugement de qualité qui résulte des expériences cumulatives ou des échelles multi-item destinées à saisir les composantes affectives, cognitives et conatives de la satisfaction. Certains chercheurs sont restés très attachés au paradigme de la disconfirmation des attentes et ont choisi de mesurer les attentes du client séparément de la performance perçue. Pour ce faire, il a été nécessaire de réfléchir à la nature des attentes et distinguer les attentes prévues (le niveau de performance que le client pense recevoir Oliver, 1981 ; Solomon *et al.*, 1985) des attentes désirées (ce qui devrait être fourni par l'entreprise) (Parasuraman *et al.*, 1988 ; Swan et Trawick, 1979 ; Westbrook et Reilly, 1983) des attentes idéales (qui se réfèrent à l'idée d'un service parfait) (Boulding *et al.*, 1993). D'autres auteurs se sont concentrés uniquement sur la mesure de la performance dans l'idée que celle-ci soit suffisante à saisir la satisfaction des clients.

Dans les deux cas, les chercheurs ont dû se confronter avec le problème de la nature et du niveau d'abstraction des éléments qui forment l'échelle de mesure. Si l'on observe les nombreux travaux scientifiques, on s'aperçoit que la nature des éléments qui apparaissent dans les échelles de mesure (qui sont éventuellement traduits sous forme d'énoncés) est de niveau d'abstraction très bas. En d'autres termes, dans beaucoup d'échelles de mesure on demande aux répondants leur niveau de satisfaction vis-à-vis de la courtoisie du personnel, de la propreté de l'ambiance, de la rapidité du service, de l'apparence du support physique. Ce qui ressort des

échelles de mesure est que la nature des éléments qui contribuent à la satisfaction est surtout liée au système de servuction, aux éléments qui le forment et au processus. Ce fait mérite un peu d'attention, et surtout peut conduire à se demander quel est le niveau d'abstraction que le client utilise pour évaluer son niveau de satisfaction vis-à-vis de l'expérience de service. Déjà en 1997 Oliver avait remarqué ce phénomène et se demandait : « quels est le niveau d'abstraction utilisé par les clients ? Si le client se concentre sur la performance des attributs, alors celle-ci est ce auquel le consommateur s'attend. Si le client se concentre sur des résultats de niveau supérieur comme la valeur et la qualité, alors ceci est ce auquel il s'attend. » (p. 69). En effet, le problème du niveau d'abstraction que le client utilise dans le jugement de satisfaction ouvre une série de questions intéressantes pour les chercheurs : la première est : que satisfont-ils les clients à travers l'achat d'un service ? S'agit-il uniquement de la satisfaction des attentes ou des besoins ou des valeurs d'ordre plus élevé ? Si la réponse est, comme il est plausible de penser, « tous les deux » pour quelles raisons le paradigme de la satisfaction des attentes a-t-il exclu ces concepts ? Et encore, pour quelle raison la satisfaction des besoins qui semble être l'étoile polaire des réflexions et des actions marketing a-t-elle progressivement perdu sa signification dans les études sur la satisfaction ? La littérature ne semble pas fournir une réponse claire à ces questions et après une lecture approfondie, on s'aperçoit que le problème n'est même pas soulevé par la majorité des auteurs. On pourrait faire l'objection que dans la réalité le problème n'existe pas : comme l'observe Oliver, si les clients sont intéressés à la performance des attributs, celle-ci est la réalité dont il faut tenir compte. Cependant, il est assez surprenant de remarquer que pour certaines catégories de services et surtout pour les services dits « purs » comme la formation supérieure, la consultation, la psychothérapie, etc. les éléments de satisfactions sont rapportables seulement aux caractéristiques du système de servuction. On peut supposer que la méthode d'investigation utilisée par les chercheurs pour identifier les éléments soit influencée par le paradigme de la recherche. Ceci pourrait amener à négliger certains aspects de ce phénomène qui existe en tant que tel mais qui n'arrive pas à ressortir à travers la méthode que le paradigme lui suggère. Ces réflexions ne sont pas très diffusées dans la littérature. Oliver (1997) est parmi les rares auteurs qui soulignent ce thème, mais il le fait en termes problématiques lors qu'il affirme : « le thème du niveau d'abstraction approprié [...] est difficile à traiter sur un grand échantillon de consommateurs, parce qu'il est impossible de comparer les individus sur la base d'un niveau d'abstraction ou de satisfaction quelconque. C'est pour cette raison peut-être que la performance des attributs est mesurée si souvent, vu qu'il existe un accord généralisé sur ce qui signifie le concept de performance, Toutefois, en faisant cela, le risque est de donner par acquis que la signification pour le client est inhérente à l'attribut en tant que tel, un processus que Howard définit réification. La réification comporte que l'attribut est la « réalité » recherché par le client quand, en effet, ça pourrait être quelque chose de niveau d'abstraction plus élevé comme l'esthétique ou la joie » (p. 69). L'auteur souligne comme l'instrument Servqual n'a pas été capable de saisir le sentiment d'auto réalisation, par exemple. Dans d'autres cas, Oliver fait noter que chaque information qui concerne la satisfaction des besoins se mélange avec une liste d'attributs et génère, à notre avis, une confusion conceptuelle. Pour cela l'auteur suggère d'approfondir la recherche sur le rôle de la satisfaction des besoins, à la fois au niveau de sa définition et de son pouvoir d'explication de la satisfaction par rapport aux autres variables. L'auteur affirme : « il est clair que beaucoup doit être encore fait pour établir une relation entre les niveaux des besoins et les attributs du produit ou du service. Il faut espérer que les enquêtes sur la satisfaction abordent quelques éléments de la satisfaction des besoins et peut être aussi de la gratification des besoins. [...] S'il est probablement vrai que beaucoup de services touchent quelque besoin situé à quelque niveau hiérarchique, en général il serait difficile de tracer une liste

d'attributs dans une hiérarchie de besoins cohérente. Que peuvent faire les chercheurs en marketing pour faire en sort que la satisfaction des besoins soit représentée dans le processus d'évaluation de la satisfaction ? » (p. 156).

Les réflexions d'Oliver vont dans le sens de cette recherche. Pour ces raisons nous croyons que les évaluations sont liées l'une à l'autre dans le système d'interprétation du client par un réseau complexe : les attributs du premier niveau sont liés à un ensemble de conséquences, de valeurs et de besoins qui sont importants pour le client. En d'autres termes, les attributs qui forment le jugement évaluatif peuvent être importants pour les conséquences physiologiques ou psychologiques que les consommateurs tirent de leur présence. Ces conséquences ou bénéfices, qu'elles soient des résultats fonctionnels ou des états positifs, possèdent la capacité de pousser l'individu vers des états désirés, *i. e.* les valeurs et les besoins (Rokeach, 1968).

L'idée d'une organisation hiérarchique des éléments qui contribuent à la satisfaction est en parti supporté dans la littérature marketing. Gutman (1982) affirme que « les perceptions et les évaluations des produits peuvent être étudiées à différents niveaux de la chaîne moyens-fins ». Zeithaml (1988) suggère que pour les évaluations pré-achat, le client utilise des informations à différent niveau de la chaîne moyens-fins en fonction de la spécificité de l'objet évalué (un produit spécifique ou une catégorie de produit) Gardial *et al.* (1994) démontrent par une verbalisation rétrospective des expériences de consommation que les opinions post-achat ont la tendance à se déplacer vers les niveaux abstraits de la hiérarchie moyens-fins par rapport aux opinions pré-achat. Bagozzi *et al.* (2000) décrivent l'évaluation favorable du Président Clinton comme un ensemble interconnecté de raisons qui possèdent une signification évaluative qui peut aller d'une signification concrète à des caractéristiques abstraites jusqu'à des objectifs terminaux.

Par l'étude de comment et de pourquoi la satisfaction est organisée dans l'esprit des clients, nous espérons acquérir une meilleure compréhension de l'ensemble des relations interconnectées sous jacentes à une expérience de service positive.

À cette réflexion nous voulons en ajouter une ultérieure. Nous croyons que la chaîne d'éléments qui contribue à la satisfaction ne soit pas homogène parmi tous les répondants : il est possible qu'il existe des clients qui présentent un « parcours » des éléments de satisfaction différents. Cela comporte deux aspects : d'une part, il est souhaitable de tracer l'hétérogénéité des clients sur la base de leur profil de satisfaction. D'autre part, il est possible de décrire les différents groupes de clients selon leur chaîne d'éléments de satisfaction.

Dans la partie suivante, nous décrivons la méthode et les résultats obtenus en appliquant la théorie des chaînages moyens-fins, différentes techniques du *laddering* et les modèles de segmentation « mixture » pour étudier l'organisation du jugement de satisfaction des clients.

2. Rappel des objectifs et méthodologie de la recherche

Comme nous l'avons déjà anticipé, les principales objectives de la recherche sont en nombre de trois. Le premier est l'identification des éléments situés à différents niveaux d'abstraction qui forment le jugement de satisfaction du client vis-à-vis d'une expérience de service.

Le second porte sur l'identification de différents groupes de clients à partir de leur jugement de satisfaction.

Le troisième est la description de ces groupes sur la base de leur parcours hiérarchique de satisfaction.

Pour atteindre ces différents objectifs il a été nécessaire de mener la recherche en deux phases différentes et de recourir à différentes méthodes de mesure. Plus précisément, pour atteindre le premier objectif nous avons employé la méthode du *laddering* selon la forme du *hard laddering* utilisé par Bagozzi *et al.* (1997). Par cette méthode on demande aux individus d'évoquer une liste d'éléments à la base de leur jugement de satisfaction. Ensuite, on leur demande de retourner au premier élément cité et de justifier

pourquoi celui-ci est important pour eux. La réponse est soumise à l'épreuve une deuxième fois en demandant à nouveaux pourquoi la justification fournie est importante. Cette procédure est répétée pour chaque élément primaire évoqué par l'individu.

Pour atteindre le deuxième objectif nous sommes partis des résultats obtenus dans la première phase. Les éléments identifiés par la méthode du *hard laddering* ont été classés en catégories de différents niveaux d'abstraction qui ont servi pour construire un questionnaire de satisfaction. Ce dernier a été administré à un nouvel échantillon de clients. Sur les réponses obtenues une analyse de segmentation prédictive a posteriori a été effectuée en utilisant les techniques de modèles de régression « mixture » (Titterington, Smith et Makov 1985 ; Wedel et De Sarbo 1994 ; McLachlan et Peel, 2000 ; Wedel, 2000 ; Wedel et Kamakura, 2000). L'hypothèse sous jacente à ces modèles est que la distribution statistique d'un phénomène sur un échantillon de clients représente la somme des distributions de deux groupes distincts entre eux mais mélangé en proportion qui ne sont pas connues *a priori*. Dans le cadre des régressions mixture les groupes sont formés sur la base des relations inférées entre une variable réponse – comme l'intention de comportement, une préférence ou la satisfaction – et un ensemble de variables causales tels que les attributs du produit, le prix ou l'intensité de la pression publicitaire. Le modèle identifie les différents segments caractérisés par différentes réponses aux variables indépendantes et procède en même temps à l'estimation des coefficients de régression linéaires pour chaque variable et pour chaque segment. Lorsque la variable de regroupement est à son tour observable, comme dans les exemples cités, on estimera deux droites de régression une pour chaque groupe prédéfini sur la base des valeurs de la variable de regroupement.

Finalement, pour atteindre le troisième objectif nous sommes aussi partis des éléments identifiés par les catégories de différents niveaux d'abstraction obtenues par le *hard laddering* et nous avons appliqué la technique APT (Association Pattern Technique) (Hofstede *et al.*, 1998). Cette méthode a des objectifs similaires à ceux *hard laddering*, mais elle se présente aux répondants sous forme de questions fermés. Plus précisément on construit deux matrices différentes : une matrice qui contient les attributs et les conséquences (AC) et une matrice qui contient les conséquences et les valeurs (CV). Pour chaque attribut présenté en ligne de la matrice AC on demande aux répondants d'indiquer à quelle conséquence (présenté en colonne) celui-ci conduit. Une fois complétée la matrice AC, la même tache est répété pour la matrice CV : pour chaque conséquence présentée en ligne de la matrice CV, on demande aux répondants d'indiquer à quelle conséquence conduit. Ce que l'on obtient par cette méthode est la chaîne hiérarchique des moyens-fins de l'échantillon. Ces informations nous ont servi pour décrire les segments identifiés au préalable avec la régression mixture. En d'autres termes, les techniques de régression mixture appliqués aux données de satisfaction ont permis de construire les segments, les chaînes moyens-fins obtenues par la méthode APT ont servi pour décrire les segments.

2.1. L'échantillon et le recueil des données

L'expérience de service considérée pour la recherche a été celle du service hôtelier. Il s'agit des services offerts par une chaîne internationale d'origine française située à Bologne avec une vocation de tourisme d'affaires. Puisque cette recherche comporte deux différentes étapes, les données ont été recueillies sur deux différents échantillons. Le premier est formé par 50 individus satisfaits de l'expérience de service de l'hôtel. Le second est formé par 200 individus satisfaits de l'expérience de service de l'hôtel. Pour ce dernier, il s'agit d'un échantillon quasi-probabiliste obtenu en administrant le questionnaire à un client sur dix qui rentraient à l'hôtel. Le questionnaire a été administré face à face entre 18 et 21 heures.

2.2. Les mesures

La première étude réalise sur 50 clients de l'hôtel a utilisé un questionnaire *hard laddering* selon la méthode préconisée par Bagozzi *et al.* (1997) Le questionnaire se présente aux répondants sous forme de quinze cases vides, cinq en ligne et trois en colonne. On commence en demandant à chaque répondant des raisons de satisfaction jusqu'à remplir – si possible – les cinq lignes. Après avoir identifié les cinq raisons, qui correspondent à cinq éléments de satisfaction, on demande au répondant de revenir à la première raison et de justifier pourquoi celle-ci est importante pour lui. Ensuite, on lui demande encore pourquoi la justification donnée est importante pour lui. Une fois que la compilation des deux niveaux est terminée, on passe à la deuxième raison et on répète la même procédure jusqu'à la cinquième.

La seconde étude, réalisée sur l'échantillon de 200 individus, a été faite par un questionnaire articulé dans trois parties. Dans la première partie on demande aux répondants d'indiquer sur une échelle de Likert la satisfaction globale et la satisfaction vis-à-vis de 29 éléments de niveau d'abstraction différents obtenues de la première étude. Dans la seconde partie on demande aux répondants d'effectuer la tache APT, c'est-à-dire de cocher pour les matrices Attributs Conséquences et Conséquences Valeurs quel attribut (conséquence) conduit à quelle conséquence (valeur).

Dans la troisième partie on demande aux répondants des variables de nature sociodémographique ainsi que leur mode de payement et leur fréquence d'utilisation des hôtels en général et de l'hôtel en question.

3. Résultats

Première étude. Les réponses obtenues par la première étude ont fourni un total de 246 chaînages, c'est-à-dire connexions entre les attributs, les conséquences et les valeurs. Les réponses obtenues ont été codées et ensuite classifiées pour obtenir un nombre de catégories permettant de synthétiser le phénomène observé. Trois juges ont travaillé de manière indépendante et ont ensuite comparé le travail de classification. Un accord de 93 % a été obtenu entre les trois juges et une discussion sur les éléments difficiles à catégoriser à permis d'arriver à une solution. Le nombre de catégories obtenues par l'analyse du contenu est 29. Le tableau 1 décrit les catégories classées par leur ratio d'abstraction et indique leur fréquence de citation.

Tableau 1 : Les catégories du *hard laddering*

Catégories	Fréquence de citation	Ratio d'abstraction
1 Courtoisie du personnel	39	0,000
2 Efficacité du personnel	14	0,000
3 Propreté	33	0,000
4 Localisation	47	0,000
5 Confort de la chambre	54	0,000
6 Services périphériques	23	0,000
7 Qualité des espaces communs	12	0,000
8 Gestion fiable	5	0,000
9 Disponibilité de chambres	4	0,000
10 Personnalisation du service	3	0,000
11 Bon prix	5	0,000
12 Qualité de la nourriture	7	0,000
13 Efficacité	72	0,500
14 Hygiène et Santé	23	0,500
15 Repos	24	0,500
16 Se sentir soigné et aimé	15	0,517
17 Se sentir à l'aise	48	0,522
18 Gain	6	0,545
19 Confiance	4	0,571
20 Se sentir chez soi	33	0,623
21 Hédonisme	23	0,657
22 Socialisation	14	0,667

Tableau 1 : Les catégories du *hard laddering*

Catégories	Fréquence de citation	Ratio d'abstraction
23 Sécurité	16	0,842
24 Productivité	32	0,842
25 Liens familiaux ou d'amitié	22	0,846
26 Contrôle de sa vie	18	0,857
27 Estime de soi	22	0,889
28 Pas de stress	68	0,944
29 Bien-être	66	0,985

Les catégories obtenues montrent que les clients évoquent des éléments de satisfaction avec différents niveaux d'abstraction. Les clients sont satisfaits de la courtoisie du personnel mais du fait qu'ils se sentent à l'hôtel comme chez eux et qu'ils n'ont pas de stress.

Toutefois, pour vérifier l'impact de ces différents éléments sur la satisfaction nous procédons avec l'analyse des données recueillies dans la deuxième étude.

Deuxième étude. Les 29 variables obtenues par le *hard laddering* ont été soumises à ACP avant d'être utilisées dans les régressions pour éviter les problèmes de multicollinéarité. Les résultats de l'ACP donnent une structure à six facteurs qui expliquent 55 % de la variance et qui peuvent être nommés de la manière suivante : **Confort** (facteur 1). **Soins et attention du personnel** (facteur 2). **Liens familiaux ou d'amitié *et* bien-être** (facteur 3), **Services périphériques** (facteur 4), la **Productivité** (facteur 5), **Bon prix** (facteur 6).

L'impact sur la satisfaction globale. Dans un premier temps, nous avons effectué une régression sur la totalité de l'échantillon. La satisfaction globale vis-à-vis de l'expérience de service représente la variable dépendante et les facteurs identifiés précédemment représentent les variables indépendantes. Les coefficients que l'on obtient font référence à l'impact « moyen » de chaque facteur sur le jugement de satisfaction.

Dans un deuxième temps, nous avons estimé le modèle de régression mixture. Les tests diagnostiques qui permettent d'identifier le nombre correct de groupes suggèrent l'existence de deux groupes. Le premier est formé par 131 individus et le second, moins nombreux, par 69 individus.

Celle-ci semble être une bonne solution puisque le modèle ne présente des problèmes d'identification et les modèles de régressions associés aux différents segments résultent bien discriminés. Le tableau 2 synthétise les résultats du modèle général et ceux pour les deux segments identifiés.

Tableau 2 : Coefficients de régression standardisés (agrégés et pour segment) pour le *modale mixture* à deux groupes

	Agrégés	Groupe 1	Groupe 2
Confort	0,43	0,15	0,53
Soins et attention du personnel	0,14	0,73	− 0,30
Liens familiers ou d'amitié *et bien-être*	0,01	0,16	− 0,03
Services périphériques	0,12	0,02	0,20
Productivité	0,12	− 0,36	0,52
Bon prix	0,06	0,18	− 0,01
R^2	0,50	0,72	0,87
% des cas (nombre)	100 (200)	65 (131)	35 (69)

Note : en gras coefficient significatif $p < 0{,}05$ bidirectionnel

En premier lieu, il faut noter que le R_2 correct du modèle général, c'est-à-dire celui calculé sur l'échantillon de 200 individus, explique seulement 49,9 % de la variance de la satisfaction globale. Au contraire, pour le groupe 1, on arrive à expliquer 71,9 % de la variance. Pour le groupe 2, l'adaptation du modèle est encore meilleure puisqu'on arrive à expliquer r86,7 % de la variance.

La comparaison entre les valeurs des coefficients de régression des facteurs qui expliquent la satisfaction permet de décrire les facteurs qui influencent la satisfaction de chaque segment.

Pour le groupe 1, la satisfaction est influencée en majorité par les facteurs humains. Le facteur *Soins et attention du personnel* présente une valeur positive et élevée. De même, celui associé au **Liens familiers ou d'amitié** *et bien-être* résulte positif et significatif. Au contraire, la *Productivité* montre un coefficient négatif. Par conséquent, pour ce groupe les caractéristiques les plus concrètes ne semblent pas avoir une influence sur la satisfaction. Celle-ci semble être liée à des motivations plus intangibles qui ont trait aux relations humaines.

Le groupe 2 semble posséder des caractéristiques opposées à celles du groupe 1. Dans ce segment ce sont les motivations les plus pratiques à recouvrir un rôle central. Le facteur **Confort** qui réunit la localisation, la propreté et le confort de la chambre et la **Productivité** présentent des coefficients positifs et supérieurs au 0,5. De plus, le facteur **Services périphériques** résulte significatif et celui concernant le personnel présente, au contraire, une valeur négative. Il semble donc que les individus appartenant à ce groupe évaluent le service sur la base de la productivité que le séjour à l'hôtel leur permet d'obtenir. Il s'agit de clients qui recherchent le confort, qui ne sont pas particulièrement intéressés aux soins et aux attentions du personnel, probablement parce qu'ils n'en ressentent pas le besoin.

3.1. La description des groupes

Suite à l'identification des deux segments de clients il nous reste la description de ces groupes sur la base des leurs chaînes hiérarchiques qui ressortent de l'analyse APT. Nous procéderons d'abord à la description des segments sur les variables conventionnellement utilisées, à savoir les caractéristiques sociodémographiques et les variables comportementales. Ensuite nous décrirons les segments en comparant leurs cartes hiérarchiques des valeurs, construites selon la littérature de chaînages moyens-fins (Reynolds et Gutman, 1988 ; Bagozzi et Dabholkar, 1994 ; Pieters, Baumgartner et Allen, 1995 ; Bagozzi et Edwards, 1998 ; Orsingher et Marzocchi, 2003).

Le premier groupe – le plus nombreux – est forme par 82,4 % d'hommes et par 17 % de femmes. Dans le groupe 2, en revanche, le pourcentage de femmes monte jusqu'au au 26 %. Les professions qui caractérisent le plus le groupe 1 sont hôtesse de l'air (16,8 %), dirigeant (16 %) et commerçant (8,4 %). Le groupe 2, au contraire, est formé par un pourcentage non négligeable d'employés (17,4 %) et d'entrepreneurs (16 %). Le groupe 1 est formé par un pourcentage assez élevé de célibataires (33 %) tandis que le groupe 2 présente un pourcentage plus élevé de couples avec enfants (48 %) et de divorcés avec enfants (7,2 %). Pour ce qui concerne le niveau d'études, le groupe 2 tend à avoir un niveau d'instruction plus élevé du groupe 1 : 39 % des individus du groupe 2 possèdent une maîtrise ou un diplôme du troisième cycle. Le groupe 1 est plus jeune du groupe 2, puisque 55 % de ses membres ont moins de 40 ans.

Finalement, une dernière remarque sur la nationalité. Le groupe 1 présente un nombre de clients étrangers plus élevé par rapport au groupe 2 (32 % contre 23 %).

Observons maintenant les profils des groupes sur la base de leur comportement d'utilisation du service. Les résultats sont synthétisés dans le tableau suivant.

Tableau 3 : Profil des groupes sur la base de l'évaluation et de l'utilisation du service

Variables	Groupe 1	Groupe 2
Satisfaction globale		
Insatisfaits	– –	+ +
Moyennement	– – –	+ + +
Satisfaits	+ + +	– – –
C/D des Attentes		
Inférieures aux attentes	–	+
Égale aux attentes	– –	+ +
Supérieure aux attentes	+ +	– –
Rachat		
Ne rachèterons pas	–	+
Indifférents	– –	+ +
Rachèterons	+ +	– –
Mode de payement		
Remboursé	+ +	– –
Non remboursé	– –	+ +
Qui a choisi l'hôtel		
L'entreprise	+ +	– –
La secrétaire, une agence de voyage	–	+
Fréquence d'utilisation du service		
Jours par an passés dans les hôtels	+ +	– –
Premier achat du service	– –	+ +
Jours par an passés à cet hôtel	+	– –

La première différence que l'on observe est que le groupe 1 est un fort utilisateur de cette catégorie de service. En effet, 31,3 % des clients passent plus de 100 jours par an dans les hôtels. De plus, 64 % de ces clients en passent plus de 30 par an. Dans le groupe 2, au contraire, les pourcentages les plus élevés (environ 50 %) se concentrent dans 6-30 jours par an. De plus, on retrouve dans ce groupe un pourcentage assez élevé (36 %) de clients qui séjournent pour la première fois dans l'hôtel. Par contre, nous n'avons pas observé des différences entre les groupes sur les variables raisons du séjour, mode de payement et raisons de choix de l'hôtel.

Pour ce qui concerne la satisfaction globale, on peut affirmer que les individus du groupe 1 sont plus satisfaits de ceux du groupe 2. En effet, dans 91,6 % des cas les clients du groupe 1 ont choisi entre les modalités « assez satisfait », « très satisfait » et « extrêmement satisfait ». De plus, dans ce groupe aucun client se déclare « très insatisfait » et seulement 2,3 % affirment être « moyennement satisfaits ». Le groupe 2 est lui aussi satisfait, mais moins que le groupe 1. Dans ce groupe le pourcentage des insatisfaits est plus élevé (10,5 %). De plus, il existe un pourcentage considérable de clients qui se déclarent ni « satisfaits ni insatisfaits ».

3.2. La description des segments à partir des cartes hiérarchiques des valeurs.

Les figures ci-contre présentent les cartes hiérarchiques des valeurs construites à partir des données recueillies avec la méthode de l'Association Pattern Technique.

Tout d'abord un éclaircissement : la dimension des cercles représente la fréquence de citation de cet élément par les répondants : plus un cercle est grand, plus souvent il a été cité.

Si l'on observe globalement les deux cartes, on s'aperçoit qu'elles présentent des similitudes. Elles sont les suivantes :

1. le rôle joué par la catégorie *efficacité* est central. Celle-ci apparaît souvent dans les chinages des individus. De plus, elle recouvre un rôle central comme le montrent le nombre de flèches qui arrivent à cette catégorie. En effet, plusieurs attributs sont liés à cette catégorie : *l'efficacité du personnel, la disponibilité des chambres, la localisation, les services périphériques et la gestion fiable* ;

2. le lien qui se présente avec plus d'intensité est celui entre *efficacité* et *productivité* ;

3. les valeurs *bien-être* et *pas de stress* sont ceux parmi les plus cités et occupent un rôle central dans la carte. En particulier le

bien-être est celui qui possède le nombre les plus élevé (sept) avec les conséquences ;

4. le lien entre *propreté → hygiène* et *santé → bien-être* est particulièrement fort.

Ces résultats pourraient faire penser à une certaine homogénéité entre les structures cognitives des deux groupes identifiés. Toutefois, si on analyse en détail les liens et les catégories on peut identifier des différences intéressantes. Dans la carte hiérarchique du groupe 1 la valeur *estime de soi* n'apparaît pas. De plus, la dimension de la catégorie *se sentir soigné et aimé* est plus grande dans le groupe 1 que dans le groupe 2. Cet élément est aussi lié à l'attribut *courtoisie du personnel*, ce qui ne s'avère pas dans le groupe 2. De plus, on observe un lien entre *gestion fiable, confiance* et *pas de stress* qui n'apparaît pas dans la carte du groupe 2. Une caractéristique ultérieure propre au groupe 1 est le lien qui existe entre l'attribut *qualité des espaces communs, socialisation* et *liens familiers ou d'amitié*. Le même attribut est lié pour le groupe 2 *se sentir à l'aise* qui à son tour présente des liens avec *bien-être* et *pas de stress*.

Donc, une même caractéristique du service offert par l'hôtel est perçue différemment par les deux groupes de clients. Pour le premier groupe, elle est importante parce qu'elle est rattachée aux sentiments, tandis que pour le second, elle représente une manière de satisfaire les exigences de bien-être et de relax. On pourrait aussi en voir une convergence avec les statistiques descriptives de ces groupes et observer que dans le premier groupe il y a un pourcentage de célibataires plus élevé par rapport au second.

Pour ce qui concerne le groupe 2, il est intéressant de noter que différents éléments n'apparaissent pas. Les catégories *socialisation, courtoisie du personnel*, et *confiance* ne sont pas incluses dans cette carte, puisqu'elles n'ont pas atteint le niveau de « cutoff » choisi. Comme l'on peut observer, les catégories qui n'apparaissent pas dans la carte du groupe 2 sont mono-thématiques et sont toutes liées à la gentillesse et aux soins du personnel de l'hôtel, c'est-à-dire aux facteurs qui présentaient pour ce groupe des coefficients de régression négatifs. Ces individus ne ressentent

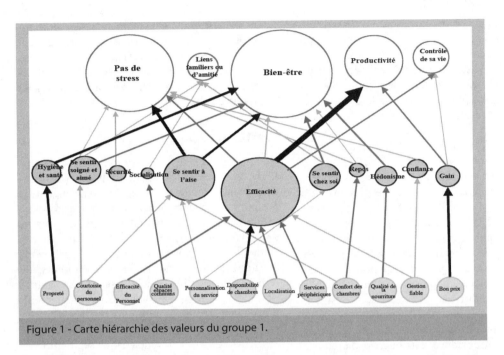

Figure 1 - Carte hiérarchie des valeurs du groupe 1.

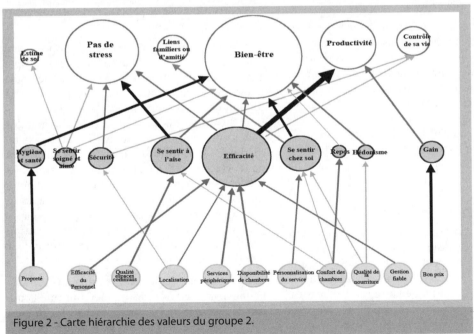

Figure 2 - Carte hiérarchie des valeurs du groupe 2.

pas ces éléments comme des sources de satisfaction de leur expérience de service. Pour ce qui concerne l'élément *se sentir chez soi*, il faut préciser que dans le groupe 2 ceci recouvre un rôle plus central que dans le groupe 1. Cet élément est cité plus souvent par le groupe 2 et reçoit les attributs *personnalisation du service*, *confort de la chambre* et *qualité de la nourriture*. Une observation ultérieure est que cet élément se relie au à la *socialisation* et à *se sentir soigné et aimé*. On peut en déduire que pour le groupe 2 l'importance attribuée aux sentiments est atteinte seulement si l'attribut initial est celui de se sentir chez soi. Au contraire, la même valeur est atteinte dans le groupe 1 par la socialisation et les soins et l'attention qui dans ce cas sont activés par la courtoisie du personnel. On pourrait identifier une correspondance avec les variables descriptives. Pour le groupe 2 ces résultats confirment que le groupe 2 est en majorité formé pas des couples avec enfants. Ce statut pourrait expliquer l'importance attribuée à la conséquence se sentir chez soi.

Rappelons que la satisfaction du groupe 1 est fortement influencée par tous ce qui à trait aux relations humaines et en particulier aux relations que les clients entretiennent avec le staff de l'hôtel. Les raisons de satisfaction de ce groupe apparaissent claires. Pour le groupe 1 la courtoisie du personnel est importante, puisqu'elle permet aussi de satisfaire les sentiments et le bien-être. Pour le groupe 2, au contraire, la courtoisie du personnel n'est pas importante, ou pour mieux dire, est considérée acquise dans un hôtel de luxe. Dans leur carte hiérarchique, en effet, elle n'apparaît pas du tout.

En conclusion, si l'on combine les informations obtenues des régressions avec l'analyse des cartes hiérarchiques on peut affirmer qu'il y a une convergence entre ces différents résultats. Toutefois, vu la forte similitude entre les deux cartes, au moins pour ce qui concerne leur structure fondamentale, on peut affirmer que les deux groupes sont similaires dans les principaux traits qui décrivent leur structure cognitive. En tout cas, les caractéristiques distinctives qui résultent de la régression, l'analyse des variables descriptives et l'observation des liens qui caractérisent les cartes hiérarchiques méritent un approfondissement. Cette analyse pourrait être importante pour calibrer les actions marketing sur les segments de clientèle.

Conclusions

Ce papier a eu trois principaux objectifs. D'abord, nous avons voulu analyser l'organisation conceptuelle sous-jacente au jugement évaluatif des clients en affirment que celui-ci ne se limite pas aux éléments concrets du système de servuction mais qu'il se fonde aussi sur des éléments plus abstraits. Ensuite nous avons étudié l'existence de différents segments de répondants identifiés sur la base de leur évaluation des éléments de satisfaction. Finalement, nous avons décrit ces segments sur des variables « classiques » mais aussi sur la hiérarchie des éléments de satisfaction de chaque segment.

La contribution de ce papier se situe sur un plan théorique et un plan managérial.

Sur le plan théorique, le papier propose une interprétation de la satisfaction qui tient compte des sources de satisfaction plus abstraites que, malgré leur importance, sont négligés dans la plupart de la littérature satisfaction. La contribution théorique est aussi au niveau méthodologique, puisque notre approche utilise deux méthodes qui, à notre connaissance, n'avaient pas encore trouvé une application conjointe : les modèles de régression mixture et les chaînes moyens-fins appliqués aux données de satisfaction. Ce faisant, nous combinons la forte capacité discriminante des modèles de segmentation prédictive *a posteriori* avec la profondeur descriptive du *laddering*.

L'apport managérial concerne différents aspects. D'une part, cette étude permet une meilleure compréhension des sources de satisfaction du client. En ce sens, les résultats peuvent contribuer à mieux faire comprendre le rôle des éléments plus abstraits de la prestation de service. La satisfaction du client n'est pas uniquement être courtois ou assurer la propreté des ambiances ; il faut aussi être capable de transmettre un sentiment de soin, assurer la productivité et les occasions de socialisation, par exemple. De plus, ces résultats peuvent aider les managers à personnaliser le service sur la base des différents chemins cognitifs des clients. Cette personnalisation peut se faire au niveau de la communication qui peut être axée pour chaque segment sur les éléments tangibles et abstraits considérés importants. Elle peut de même se faire sur le support physique et le comportement du personnel vis-à-vis des clients. Un client plus orienté à l'efficacité et à la productivité devra recevoir un accueil rapide, une chambre équipée avec toute la technologie nécessaire et un personnel disponible à résoudre les problèmes pratiques. Un client orienté aux relations appréciera l'*happy hours* offert par l'hôtel et les gestes d'attention que le personnel lui réserve.

Cette recherche présente bien sûr des limites. Ils ont trait à la longueur du questionnaire de la seconde phase de la recherche qui a probablement causé un effet de fatigue aux répondants. Ensuite, nous pensons qu'un échantillon plus nombreux nous aurait permis de mieux pouvoir comparer les groupes. Finalement, cette étude ne porte que sur les clients satisfaits et oublie les insatisfaits qui représentent pour beaucoup d'entreprises le vrai défi à affronter.

Les recherches futures devraient essayer de surmonter ces limites et de répliquer la méthodologie adoptée afin d'en augmenter la validité externe et apporter des réponses de plus en plus précises sur le sens de la satisfaction pour les clients.

Bibliographie

BAGOZZI R. P., BERGAMI M. et LEONE L., « Hierarchical Representation of Motives in Goal-Setting », University of Rome, Unpublished Working Paper, 1997.

BAGOZZI R. P. et DABHOLKAR P.A., « Discursive Psychology : An Alternative Conceptual Foundation to Means-End Chain Theory », *Psychology and Marketing*, vol. 17 (7), juillet 2000, pp. 535-586.

BAGOZZI R. P. et DABHOLKAR P.A., « Consumer Recycling Goals and Their Effect on Decisions to Recycle : A Means-End Chain Analysis », *Psychology and Marketing*, 11, 1994, pp. 313-340.

BAGOZZI R. P. et EDWARDS E., « Goal Setting and Goal Pursuit in the Regulation of Body Weight », *Psychology and Health*, vol. 13, 1998, pp. 593-621.

BARTLETT F., *Remembering*, Cambridge, UK, Cambridge University Press, 1932.

BOULDING W., KALRA A., STAELIN R. et ZEITHAML V., « A Dynamic Process Model of Service Quality : From Expectations to Behavioral Intentions », *Journal of Marketing Research*, vol. 30, février 1993, pp. 7-27.

CHURCHILL G., « A Paradigm for Developing Better Measures of Marketing Constructs », *Journal of Marketing Research*, vol. XIX, novembre 1979, pp. 491-504.

CRONIN J. J et TAYLOR, S. A., « Measuring Service Quality : A reexamination and extension », *Journal of Marketing*, vol. 56, 1992, pp. 55-68.

CROSBY L. A., « Measuring Customer Satisfaction », in *The Service Quality Handbook*, E. Scheuing et W. Christopher (éd.), Amacom, 1993, pp. 389-407.

ENGEL J. F., KOLLAT D. T. et BLACKWELL. R. D., *Consumer Behavior*, New York, Holt, Rinehart & Winston, 1978.

GARDIAL S. F., CLEMONS D. S., Woodruff R. B., Schumann D. W. et Burns M. J., « Comparing Consumers' Recall of Prepurchase and Postpurchase Product Evaluation Experiences », *Journal of Consumer Research*, vol. 20, mars 1994, pp. 548-560.

GUTMAN J., « A Means-End Chain Model Based on Consumer Categorization Processes », *Journal of Marketing*, 46, février 1982, pp. 60-72.

HOFSTEDE F.T., AUDENAERT A., STEENKAMP J.-B. E. M. et Wedel M., « An Investigation Into the Association Pattern Technique as a Quantitative Approach to Measuring Means-End Chains », *International Journal of Research in Marketing*, 15, 1988, pp. 37-50.

LLOSA S., *Contribution à l'étude de la satisfaction dans les services*, Thèse pour le doctorat nouveau régime, ès Sciences de gestion, IAE d'Aix-Marseille, 1996.

NGOBO P.V., « Qualité perçue et satisfaction des consommateurs : un état des recherches », *Revue française du Marketing*, n° 163, 1997, pp. 67-79.

OLIVER R. L., « A Cognitive Model of the Antecedents and Consequences of Satisfaction Decisions », *Journal of Marketing Research*, 17, 1980, pp. 460-469.

OLIVER R. L., *Satisfaction. A Behavioral Perspective on the Consumer*, New York, McGraw Hill International Editions, 1997.

ORSINGHER C. et MARZOCCHI G.L., « Hierarchical representation of satisfactory consumer service experience », *International Journal of Service Industries Management*, vol. 14, n° 2.

PARASURAMAN A., BERRY L. et ZEITHAML V., « SERV-QUAL : A Multiple Item Scale for Measuring Customer Perception of Service Quality », *Journal of Retailing*, vol. 64, 1988, pp. 12-40.

PIETERS R., BAUMGARTNER H. et ALLEN D., « A Means End Conceptualisation to Consumer Goal Structures », *International Journal of Research in Marketing*, 12 (3), 1995, pp. 227-244.

REYNOLDS T. et GUTMAN J., « Laddering Theory, Method, Analysis, and Interpretation », *Journal of Advertising Research*, février-mars 1988, pp. 11-30.

ROKEACH M. J., *Beliefs, Attitudes and Values*, San Francisco, Jossey Bass, 1968.

SOLOMON M., SURPRENANT C., CZEPIEL J. et GUTMAN E., « A Role Theory Perspective on Dyadic Interactions : The Service Encounter », *Journal of Marketing*, vol. 49, hiver 1985, pp. 95-111.

SWAN J. et TRAWICK I., « Disconfirmation of Expectation and Satisfaction with a Retail Service », *Journal of Retailing*, vol 5, n° 3, 1981, pp. 49-67.

TITTERINGTON D.M., SMITH A. F. M. et Makov U. E., *Statistical Analysis of Finite Mixture Distributions*, New York, John Wiley and Sons, 1985.

WEDEL M., *Glimmix 2.0 User's Manual*, ProGamma, Groningen, The Netherland, 2000.

WEDEL M. et KAMAKURA W.A., « A Review of Recent Developments in Latent Class Regression Models », in *Advanced Methods Of Marketing Research*, Bagozzi R. (éd.), Cambridge, Blackwell, 2000.

WEDEL M. et DE SARBO W.S., *Market Segmentation. Conceptual and Methodological Foundations*, Kluwer, Dordrecht (NL), 1994.

WESTBROOK R.A. et REILLY M. D., « Value-percept disparity : An alternative to the disconfirmation of expectations theory of consumer satisfaction », *Advances in Consumer Research*, 10, R. P. Bagozzi et A.M. Tybout (éd.), Ann Arbor M.I., Association for Consumer Research, 1983, pp. 256-261.

ZEITHAML V., « Consumer Perception of Price, Quality and Value : A Means-end Model and Synthesis of Evidence », *Journal of Marketing*, vol. 52, juillet 1988, pp. 2-22.

Mettre en place des stratégies de services efficaces

La quatrième partie de l'ouvrage développe quatre leviers stratégiques pour les services. Dans un premier temps, nous étudions les raisons pour lesquelles la profitabilité d'une firme passe par la création, la gestion et le maintien de relations durables avec les segments de clientèles jugés prioritaires pour une société de services et comment trouver les offres et les types de relation propices à renforcer et pérenniser la fidélité de ces clientèles. Dans un deuxième temps, nous montrons les avantages d'une firme de services à mettre en place une stratégie qui puisse traiter efficacement les plaintes des clients. Une orientation à la fois organisationnelle et relationnelle des opérations de recouvrement de service (service recover) détermine si la firme est capable de proposer des relations durables avec ses clients et de détecter si ces derniers font leurs achats ailleurs.

Dans un troisième temps, nous étudions pourquoi la productivité et la qualité sont nécessaires et à la base du succès financier de l'entreprise. La productivité doit permettre de diminuer les coûts de « production » et la qualité d'augmenter les revenus par une plus grande satisfaction des consommateurs et donc d'un réachat.

Enfin, dans le dernier chapitre, nous montrons comment les entreprises peuvent rester compétitives et progressistes. Une entreprise doit être préparée à évoluer de façon continuelle, non seulement au niveau des opérations marketing, mais aussi pour tout ce qui concerne la gestion des opérations et la gestion des ressources humaines. Le calibre et le type de leadership managérial déterminent la capacité de la firme à être leader sur son marché.

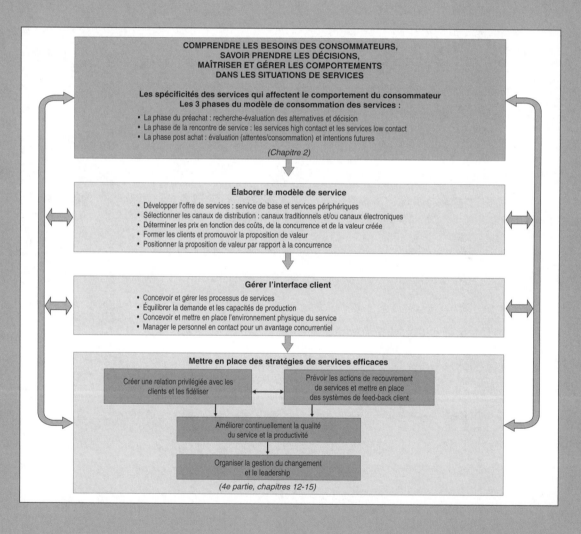

*« La première étape pour générer de la fidélité consiste à trouver
et à acquérir les bons clients »* – Frédérick F. Reichheld

« D'abord la stratégie, ensuite le CRM » – Steven S. Ramsey

Ce chapitre aborde les questions suivantes

- Pourquoi la fidélité du client est-elle un élément important de la profitabilité d'une entreprise de services ?
- Pourquoi est-ce si important pour une entreprise de services de cibler les bons clients ?
- Comment une entreprise peut-elle calculer la valeur à vie (VAV) de ses clients ?
- Quelles stratégies sont associées au concept de marketing relationnel ?
- Comment la mise en œuvre de liens de fidélité et de programmes de fidélisation peut-elle contribuer au développement de la fidélité du client ?
- Quel est le rôle des systèmes de CRM dans la personnalisation du service et dans le développement de la fidélité?

Cibler, attirer et retenir les bons clients sont les facteurs déterminants du succès de beaucoup d'entreprises de service. Dans ce chapitre, nous nous focaliserons sur l'importance de la sélection des segments cibles et des difficultés à développer et maintenir leur fidélité au travers de stratégies marketing efficaces[1], fondées sur une segmentation du marché. De plus en plus d'entreprises essayent de définir les types de clients qu'elles peuvent le mieux servir plutôt que de se positionner comme une solution globale, disponible pour tous. Une fois les clients acquis à sa cause, l'entreprise doit faire face à la difficulté de les fidéliser pour qu'ils consomment davantage.

Construire et développer des relations est un challenge, surtout lorsque l'entreprise possède des millions de clients qui communiquent avec l'entreprise de multiples manières (e-mails, centres d'appels, interactions en face-à-face). S'ils sont bien conçus, les systèmes de gestion de relations clients (CRM) permettent aux responsables de comprendre leurs clients, d'adapter et de personnaliser leurs services et leurs efforts à ces derniers.

1. La recherche de la fidélité des clients

La fidélité est un mot et un concept très ancien, utilisé jadis pour décrire la fidélité et la dévotion envers un pays, une cause ou un individu. Plus récemment, il a été employé dans un contexte commercial pour décrire la volonté d'un client à rester en relation avec une entreprise sur le long terme, à acheter et utiliser ses biens et services de manière régulière et exclusive, à recommander les produits de l'entreprise à des amis et connaissances. Néanmoins, la fidélité à une marque dépasse le seul comportement, elle comprend aussi une certaine préférence, une attirance et des intentions futures. Richard Oliver affirme que les consommateurs deviennent d'abord fidèles de façon cognitive, percevant, à partir d'informations sur ses caractéristiques, qu'une marque est préférable à ses concurrentes[2]. La seconde étape est la fidélité affective, dans laquelle le client développe une attirance pour une marque en se fondant sur une utilisation satisfaisante et répétée. Ce genre d'attitude est difficile à infléchir de la part des concurrents. La troisième étape est la fidélité conative, qui représente l'engagement du client à racheter un produit de la même marque, menant à la quatrième étape, la fidélité d'action, dans laquelle le client démontre un comportement de rachat constant.

« Seules quelques entreprises considèrent les clients comme des rentes », souligne Frederick Reichheld, auteur de *L'Effet loyauté* et chercheur réputé[3]. Et c'est précisément cela qu'un client fidèle peut signifier pour une entreprise : une source régulière de revenus pendant plusieurs années. Néanmoins, cette fidélité ne doit jamais être considérée comme acquise. Celle-ci ne perdurera que si le client perçoit qu'il obtient une meilleure offre (qualité supérieure par rapport au prix) inaccessible chez un autre fournisseur. Si l'entreprise déçoit le client, ou si un concurrent propose une meilleure offre, alors il y a un risque que le client « déserte ».

Dans un contexte marketing, on utilise en effet le terme de « déserteur » pour décrire les clients qui abandonnent la zone d'influence d'une entreprise pour transférer leur fidélité vers un autre fournisseur. Reichheld (cadre à la Bain & Company Inc.) et Sasser (professeur à la Harvard Business School) ont vulgarisé la stratégie « zéro déserteur », c'est-à-dire la conservation de chaque client que l'entreprise peut servir de manière profitable[4]. Un taux de défection croissant traduit non seulement un problème de qualité (ou que les concurrents proposent une meilleure offre), mais préfigure aussi une baisse des bénéfices. D'importants clients ne disparaissent pas en une nuit. Ils peuvent en revanche signaler leur insatisfaction grandissante en réduisant graduellement leurs achats et en transférant une partie des leurs activités ailleurs.

1.1. Pourquoi la fidélité des clients est à la base de profitabilité de l'entreprise[5]

Combien vaut réellement un client fidèle en termes de bénéfices ? Dans une étude célèbre, Reichheld et Sasser ont analysé le bénéfice dégagé par un client dans différentes entreprises de service, en fonction du nombre d'années de fidélité de celui-ci[6]. Ils mirent en évidence que plus les clients restaient fidèles longtemps à une entreprise dans chacun des secteurs d'activité étudiés, plus leur rentabilité augmentait. La figure 12.1 montre les bénéfices annuels par client, mesurés sur une période de cinq ans pour faciliter la comparaison. Les secteurs d'activité étudiés étaient : les cartes de crédit (30 $), la blanchisserie industrielle (144 $), la logistique (45 $) et l'entretien automobile (25 $). Des effets semblables furent également constatés dans le contexte d'Internet, où il faut en général plus d'un an pour récupérer les coûts d'acquisition d'un client. Les bénéfices augmentaient de pair avec la longévité du partenariat entre les clients et l'entreprise[7].

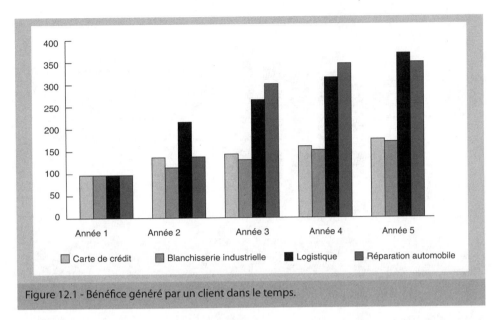

Figure 12.1 - Bénéfice généré par un client dans le temps.

Soulignant cette croissance des bénéfices, Reichheld et Sasser ont identifiés quatre facteurs permettant d'accroître les profits. Par ordre croissant d'importance sur la durée, ces facteurs sont :

1. *Augmentation des achats* (ou, dans le cas de cartes de crédit ou de services bancaires, des soldes de comptes plus élevés). Avec le temps, les entreprises clientes croissent et ont besoin d'acheter davantage. Les particuliers peuvent aussi acheter en plus grande quantité lorsque leur famille s'agrandit ou qu'ils s'enrichissent. Ces deux types de clients peuvent décider de s'approvisionner auprès d'un seul fournisseur qui propose un service de grande qualité.

2. *Baisse des coûts opérationnels.* Plus les clients sont expérimentés, moins ils demandent d'aide au fournisseur (moins d'information et d'assistance technique). S'ils sont impliqués dans le processus opérationnel, ils pourront également faire moins d'erreurs, contribuant à améliorer la productivité.

3. *Conséquences des recommandations à d'autres clients.* Des recommandations grâce au bouche-à-oreille sont des publicités et des ventes gratuites qui épargnent à l'entreprise de lourds investissements dans ce domaine.

4. *Marge sur les prix.* Les nouveaux clients se voient souvent offrir des prix d'introduction attractifs, alors que les clients historiques payent le prix standard. D'ailleurs, les clients acceptent souvent de payer le prix fort s'ils font confiance au fournisseur.

La figure 12.2 présente la contribution relative de chacun de ces facteurs sur une période de sept ans, en se basant sur l'analyse de dix-neuf catégories de produits différents (biens et services). Reichheld affirme que les avantages économiques intrinsèques à la fidélité du client expliquent pourquoi une entreprise est plus rentable qu'une autre. En outre, les coûts initiaux liés à l'attraction de ces clients peuvent être amortis sur plusieurs années.

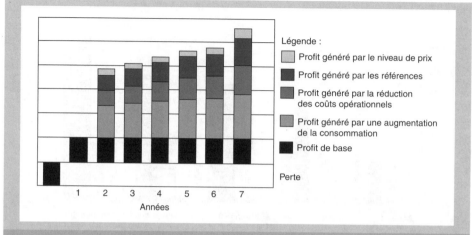

Figure 12.2 - Pourquoi les clients deviennent plus rentables avec le temps.

Source : Frederick F. Reichheld et W. Earl Sasser Jr., « Zero Defections: Quality Comes to Services », *Harvard Business Review*, septembre-octobre 1990, p. 105-111. Reproduit avec l'accord de Harvard Business School.

1.2. Évaluer la valeur d'un client fidèle[8]

Il serait inexact d'affirmer que les clients fidèles valent systématiquement plus que les clients effectuant une transaction unique[9]. En termes de coûts, tous les types de service n'entraînent pas de frais promotionnels élevés destinés à attirer de nouveaux clients. Parfois, il est plus judicieux d'investir dans un emplacement stratégique qui attirera les passants. À la différence des banques, des compagnies d'assurance et des autres entreprises nécessitant un fastidieux processus d'ouverture de compte, beaucoup d'entreprises de services ne sont assujetties à aucun frais lorsqu'un client effectue un achat. En termes de revenus, les clients fidèles ne génèrent pas forcément plus que des acheteurs uniques et, dans certains cas, ils peuvent même générer moins. Enfin, les revenus n'augmentent pas nécessairement avec le temps pour tous les types de clients[10].

De récents travaux sur le sujet ont aussi montré que l'impact d'un client sur le bénéfice pouvait grandement varier en fonction de la phase de cycle de vie du produit dans laquelle se trouvait le service. Par exemple, les recommandations de clients satisfaits et un bouche-à-oreille négatif de clients « déserteurs » ont un impact bien plus important au début du cycle de vie du produit qu'à sa fin[11].

La difficulté pour les responsables est d'examiner la situation en fonction des clients des différents segments et de déterminer les niveaux de rentabilité pour chaque type de clients.

1.3. La différence de valeur entre un client à vie et un client potentiel[12]

Si nous admettons que les relations avec un client fidèle ont le potentiel de générer un courant continu de profits, il devient évident que ce client est un actif financier important pour l'entreprise. Vu ainsi, il accroît la valeur de l'entreprise à chaque vente. D'un point de vue financier, les programmes marketing destinés à conquérir de nouveaux clients, construire une relation et accroître les ventes des clients existants doivent être considérés plutôt comme des investissements que comme des dépenses[13].

Le management de la valeur d'un client est une nouvelle approche de la stratégie marketing qui valorise le client et donc les stratégies conçues pour accroître la valeur de chaque client[14]. La valeur de la clientèle correspond à la somme de toutes les valeurs à vie de tous les clients de l'entreprise. Roland Rust, Valarie Zeithaml et Katerine Lemon affirment que, dans les entreprises dynamiques, les produits vont et viennent, mais les clients restent[15]. La conséquence est que les clients et la valeur de la clientèle peuvent être plus importants dans la stratégie de l'entreprise que les marques et leur valeur de marque.

Comment une entreprise peut-elle calculer la valeur de sa clientèle ? Pour comprendre la manière de calculer la valeur d'un client, quelle que soit l'entreprise, voir le Mémo 12.1.

Guide pour calculer la valeur d'un client

Le calcul de la valeur d'un client est une science inexacte et les formes de calcul peuvent extrêmement varier. Vous pouvez essayer de faire varier ces différents calculs afin de voir leur effet sur les résultats. D'une manière générale, le revenu par client est plus facile à identifier sur une base individuelle que les coûts qui y sont associés à moins que les coûts soient individuellement affectés aux clients.

Revenus des conquêtes diminués des coûts

Si l'enregistrements individuel de chaque transaction est reporté sur les comptes clients, l'achat initial d'un client et le prix sont connus. Par contre, le coût peut avoir été calculé sur une moyenne. Par exemple, les coûts marketing d'acquisition d'un nouveau client peuvent être calculés en divisant les coûts totaux marketing dédiés à cette activité (publicité, promotion, vente, etc.) par le nombre de nouveaux clients sur la même période. Si chaque nouvelle conquête demande une longue période, il faut essayer de rapprocher les dates des dépenses marketing de la date à laquelle le client est acquis.

Revenus annuels et coûts

Si les revenus annuels sont comptabilisés sur une base individuelle, ils peuvent être facilement repérés. La première priorité est donc de segmenter le fichier clientèle sur la base de la durée de la relation avec l'entreprise. Si l'enregistrement des coûts est assez documenté, vous pouvez les assigner à chaque compte ou assigner une moyenne de coûts par catégorie d'ancienneté.

Valeurs des « recommandations »

Calculer la valeur des recommandations nécessite un certain nombre de calculs. Pour commencer, vous devez déterminer : (1) quel pourcentage de nouveaux clients déclarent qu'ils ont été influencés par d'autres clients ; (2) quelles autres activités marketing ont attiré l'attention des clients sur l'entreprise. À partir de ces deux données, vous pouvez estimer quel pourcentage des dépenses de conquête peut être assigné à ces « recommandations ». Des recherches plus poussées pourraient vous permettre de déterminer la valeur des recommandations des vieux et des jeunes clients !

☞

Mémo 12.1

Valeur nette du client à ce jour

Calculer la valeur nette d'un client à ce jour nécessite de prévoir le plan annuel de promotions par les prix et éventuellement d'intégrer les futurs taux d'inflation. Cela nécessite d'envisager aussi la durée de la relation. La valeur nette d'un client est alors la somme des profits anticipés sur la durée projetée de la relation.

Acquisition			Année 1	Année 2	Année n
Revenu initial		*Revenu annuel*			
Droits d'entrée*	___	Cotisation annuelle*	___	___	___
Achat initial*	___	Ventes			
		Cotisation Services*	___	___	___
		Valeur de recommandation**	___	___	___
Total des revenus	___				
Coûts initiaux		*Coûts annuels*			
Marketing	___	Gestion du compte	___	___	___
Crédit[a]	___	Coût des ventes	___	___	___
Tenue de compte*	___	Pertes	___	___	___
Total des coûts	___		___	___	___
Profit net	___				

* Si applicable.
** Profit anticipé de chaque nouveau client (peut être limité à la première année ou exprimé en valeur nette de la valeur estimée du futur courant de profit jusqu'à l'année *n*). Cette valeur peut être négative si un client mécontent répand un bouche-à-oreille négatif causant le départ de clients.

Calculer la valeur à vie d'un client nécessite une bonne compréhension des revenus et des coûts associés année par année à un client. On peut simplifier ces calculs en développant une approche segment par segment plutôt que client par client[16].

Pour les entreprises recherchant le profit, la rentabilité potentielle d'un client devrait constituer l'un des éléments essentiels de la stratégie marketing. Comme le déclarent Grant (consultant chez Exchange Partners) et Schlesinger (ancien professeur à Harvard), « atteindre le profit maximal associé à chaque client devrait être le but fondamental de chaque entreprise… Même en faisant des estimations pessimistes, la différence entre la performance réelle et la performance optimale de la plupart des entreprises est énorme[17]. » Ils suggèrent d'analyser les différences entre les valeurs réelles et potentielles des clients :

- Quel est le comportement d'achat actuel des clients dans chacun des segments cibles ? Et quelles seraient les répercussions sur les ventes et les bénéfices s'ils adoptaient un profil comportemental idéal : (1) en achetant tous les services proposés par l'entreprise ; (2) en excluant un quelconque achat chez les concurrents ; (3) en payant le prix fort ? (Souvent, les entreprises ont intérêt à examiner les opportunités de ventes croisées sur les nouveaux services proposés aux clients existants. En même temps, des programmes récompensant les utilisateurs fréquents de leur fidélité peuvent aider au renforcement des relations et à l'augmentation du portefeuille clients de l'entreprise. Faire payer aux clients des prix supérieurs à ceux auxquels ils sont habitués peut être délicat, sauf si les concurrents limitent aussi les rabais et autres promotions.)

- Pendant combien de temps en moyenne les clients restent-ils fidèles à l'entreprise ? Quel serait l'impact d'une fidélité éternelle ?

Comme nous l'avons montré précédemment, la rentabilité d'un client croît avec le temps. La mission des dirigeants est de comprendre pourquoi les clients désertent et de prendre des mesures correctives.

2. Comprendre la relation client-entreprise

Une différence fondamentale existe entre une stratégie visant l'obtention d'une transaction unique et celle mise au point pour développer des relations de longue durée avec les clients. Des transactions réitérées constituent la base relationnelle entre un client et un prestataire, sans pour autant qu'un client réalisant des achats répétitifs recherche nécessairement la construction d'une relation durable. Là est toute la difficulté de la recherche d'une démarche de fidélité active.

2.1. Le marketing relationnel

Le terme *marketing relationnel*[18] est souvent utilisé pour décrire ce dernier type d'activité, mais, jusqu'à peu, il n'était défini que de façon vague. Des recherches entreprises par Coviello, Brodie et Munro, professeurs à l'université d'Auckland, suggèrent qu'il y a en fait quatre types de marketing : le marketing transactionnel et trois catégories de marketing relationnel : le database marketing, le marketing interactif et le marketing réseau[19].

2.2. Le marketing transactionnel

Une transaction représente l'événement durant lequel un échange de valeurs a lieu entre deux parties. Une transaction ou même un enchaînement de transactions ne constitue pas une relation car celle-ci nécessite une connaissance et une reconnaissance mutuelle. Lorsque chaque transaction entre un client et un fournisseur est effectuée discrètement et anonymement, sans conserver un historique des achats du client et sans créer de reconnaissance mutuelle entre le client et les employés, on ne peut pas dire qu'il y ait de marketing relationnel à proprement parler.

À quelques rares exceptions près, les consommateurs achètent des biens manufacturés à intervalles réguliers, paient pour chaque achat indépendamment et ne développent que rarement des relations avec le fabricant. Néanmoins, ils peuvent développer des relations avec le distributeur ou l'intermédiaire qui vend les produits. Cela vaut pour beaucoup de services comme les transports, la restauration et les séances de cinéma où achat et « consommation » sont des événements distincts[20].

2.3. Le database marketing[21]

Dans le database marketing[22], l'intérêt est toujours porté sur la transaction mais comprend désormais un échange d'informations. Les marketeurs s'appuient sur l'informatique, plus précisément sur des bases de données, pour créer une relation avec le client et le retenir dans le temps. Cependant, la nature de cette relation est souvent distante, avec une communication souvent décidée par le vendeur. La technologie est utilisée pour :

1. identifier et créer une base de données des clients actuels et potentiels ;
2. envoyer des messages différenciés en fonction des caractéristiques et préférences des consommateurs ;
3. suivre chaque relation et connaître le coût d'acquisition du consommateur ainsi que la valeur à vie résultant de ces achats[23].

Bien que la technologie permette de personnaliser les relations (comme l'insertion du nom du client sur les lettres écrites par un traitement de texte), elles restent toutefois distantes. Les fournisseurs de gaz, d'électricité ou de télévision par câble et satellite en sont de bons exemples.

2.4. Le marketing interactif

Il existe une relation plus proche lorsqu'il y a une interaction en face-à-face entre les clients et les représentants du fournisseur (ou « oreille-à-oreille » dans le cas d'une interaction téléphonique). Bien que le service reste en lui-même important, le processus social et ses acteurs créent de la valeur. Les interactions peuvent comprendre des négociations et le partage d'information dans les deux sens. Ce genre de relation existe dans nombre d'environnements (des agences bancaires aux cabinets dentaires), où les acheteurs et les vendeurs se connaissent et se font confiance. Il est également la caractéristique des services *b-to-b*. À la fois l'entreprise et le client sont prêts à investir des ressources (dont du temps) pour développer une relation bénéfique pour tous. Cet investissement comprend le temps passé à partager et à enregistrer l'information. Considérons cette observation effectuée par un opérateur de télécommunications désireux de dialoguer avec sa clientèle PME :

> *Les clients réclamaient un dialogue continu dont l'objectif était la compréhension de leurs besoins, plutôt qu'un contact plus tactique qui leur vendrait l'« affaire du mois ». Les clients étaient également intéressés par la continuité du contact, désireux de dialoguer régulièrement avec une personne particulière. Ils passaient pratiquement vingt minutes à donner des informations sur leur entreprise et leurs besoins. Mais ayant investi ce temps, ils s'attendaient à ce que cette relation perdure[24].*

Alors que les entreprises de service se développent et font de plus en plus appel à la technologie comme les sites Web interactifs et les équipements de libre service, le maintien de relations significatives avec les clients devient un véritable défi marketing[25].

2.5. Le marketing de réseau[26]

Un bon entremetteur est celui qui est capable de mettre en relation des personnes qui ont un intérêt commun. Ce genre de marketing a lieu en général dans un contexte *b-to-b*, lorsque les entreprises développent leur position dans un réseau de relations avec les clients, les distributeurs, les fournisseurs, les médias, les consultants, les associations de consommateurs, les pouvoirs publics, les concurrents, et même les clients de leurs clients. Il y a souvent une équipe au sein de l'entreprise fournisseur collaborant avec une équipe équivalente au sein de l'entreprise cliente. Ce concept de réseau existe également dans un environnement marketing de grande consommation où les clients sont encouragés à recommander leurs amis et connaissances au prestataire de service.

Les quatre types de marketing présentés ci-dessus ne sont pas forcément exclusifs. Une entreprise peut faire des affaires avec des clients qui n'ont nullement l'intention ni le besoin de faire d'autres achats, tout en faisant de gros efforts pour en servir d'autres qui seraient plus enclins à développer une relation de fidélité. Evert Gummesson, de l'université de Stockholm, évoque le *marketing relationnel total*, qu'il décrit comme suit :

> *Le marketing relationnel total est basé sur les relations, les réseaux et les interactions, soit un marketing globalement intégré à la gestion des réseaux de vente de l'entreprise, au marché et à la société. Il est orienté vers des relations à long terme, de type gagnant-gagnant, avec les clients, et la valeur est conjointement créées par les parties en présence*[27].

Il n'identifie pas moins de trente types de relations au sein du contexte élargi de marketing de relations totales.

2.6. Créer une relation d'appartenance

Bien que certains services donnent lieu à des transactions uniques, d'autres impliquent que les acheteurs reçoivent le service de manière continue. Même dans le cas de transactions uniques, il peut y avoir une opportunité de créer une relation durable. La nature particulière des relations qui suivent offre des occasions de catégoriser les services. Premièrement, on peut se demander si le fournisseur entre dans une relation formelle d'adhésion ou d'abonnement avec les clients, comme dans le cas d'un contrat téléphonique, de l'ouverture d'un compte bancaire ; deuxièmement, si le service est fourni de façon continue – comme une police d'assurance, la télévision, ou une protection policière –, ou si chaque transaction est considérée et facturée séparément. Le tableau 12.1 montre la matrice résultant de cette catégorisation avec des exemples dans chaque catégorie.

Tableau 12.1 : Types de relation entre l'entreprise de services et ses clients

	Types de relations entreprises/client	
Nature de la livraison de service	**Relation de Membre**	**Pas de relation formelle**
Service délivré en continu	Assurances	Station de radio
	Abonnement au câble	Protection policière
	Inscription au collège	Éclairage
	Banque	Routes nationales
Service ponctuel	Appels téléphoniques (hors forfait)	Location de voiture
	Abonnement théâtre	Péages routiers
	Réparation sous garantie	Transports publics
	Traitement médical pour un assuré social	Restaurant

Une relation d'adhésion est une relation formalisée entre une entreprise et un client identifiable, qui peut présenter des avantages pour les deux parties. Les services impliquant des relation uniques peuvent être transformés en relations d'adhésion soit en vendant le service globalement (un abonnement à une série de spectacles ou une carte mensuelle pour les transports en commun par exemple), soit en proposant des avantages supplémentaires aux clients qui décident de s'abonner auprès de l'entreprise (les programmes d'adhésion des hôtels, compagnies aériennes et loueurs de voitures entrent dans cette catégorie). L'avantage principal des relations d'adhésion pour l'entreprise de services est de savoir qui sont ses clients et, en général, quel usage font-ils des services proposés. Cela peut s'avérer une information très intéressante pour la segmentation dans le cas où les données sont bien classées et facilement accessibles. La connaissance des identités et adresses des clients permet à l'entreprise d'utiliser efficacement le mailing (par la poste ou par messagerie électronique) ou la vente par téléphone, qui est une méthode de communication marketing très ciblée. En retour, les clients membres peuvent avoir accès à des numéros spéciaux ou même à des responsables spécialisés qui les aident à communiquer avec l'entreprise.

3. La roue de la fidélité

Rendre un client fidèle n'est pas chose facile. Posez-vous la question de savoir quelles sont les sociétés vis-à-vis desquelles vous êtes fidèle. La plupart des gens les comptent sur les doigts d'une main. Cette difficulté est l'une des raisons essentielles aux énormes moyens que dépensent les firmes pour maintenir mais aussi développer la fidélité de leurs clients, et leurs actions et programmes sont bien souvent infructueux. Nous utilisons la « roue de la fidélité » (figure 12.3) pour aider les entreprises à penser, organiser et construire la fidélité de leurs clients. Ce cadre de référence comprend trois étapes séquentielles.

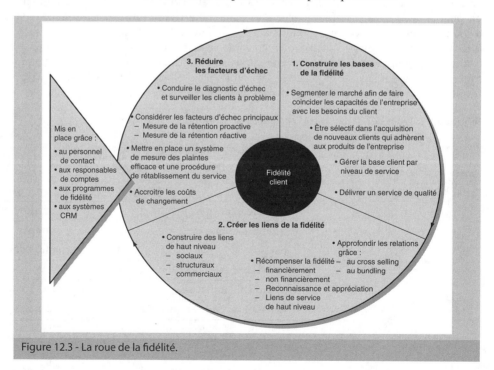

Figure 12.3 - La roue de la fidélité.

Dans un premier temps, la firme doit cibler, de la façon la plus précise possible, les segments de marché qu'elle souhaite servir et pour lesquels elle affiche un savoir-faire avéré et connu de tous. C'est la première étape à la construction de la fidélité : être capable d'offrir ce que veulent les clients ciblés.

Dans un deuxième temps, construire des liens étroits en mettant en place des packages et des offres adaptés, pour approfondir la relation avec le client, tout en maintenant des échanges constants et en le récompensant pour sa fidélité.

Dans un troisième temps, la firme doit identifier et éliminer les clients indésirables, évaluer la perte de clients existants et le besoin de les remplacer par de nouveaux.

4. Établir les bases de la fidélité client[28]

Beaucoup d'éléments entrent en compte dans la création de relations durables avec les clients. Le processus commence par l'identification et le ciblage des bons clients. « Qui devons-nous servir ? » est une question que chaque entreprise doit se poser régulièrement. Les clients diffèrent souvent beaucoup en fonction de leurs besoins. Ils diffèrent également en terme de valeur qu'ils peuvent apporter à l'entreprise. Les capacités et les technologies de l'entreprise ne conviennent pas forcément à chaque client.

4.1. De bonnes relations se fondent sur une bonne adéquation entre les besoins du consommateur et les aptitudes de l'entreprise

Tout d'abord, les entreprises se doivent d'être sélectives dans leur ciblage de segments si elles veulent développer des relations efficaces avec les clients. Dans ce chapitre, nous nous intéresserons plus particulièrement à l'importance du choix d'un portefeuille de segments habilement sélectionnés et des efforts à développer pour maintenir la fidélité des clients (voir le Mémo 12.2).

Mémo 12.2

Identifier et sélectionner les segments cibles

La segmentation du marché est essentielle à la réussite de tout programme marketing. Le concept de segmentation constate que les clients actuels et potentiels d'un marché diffèrent à plusieurs niveaux et que chaque segment ne constitue pas nécessairement une cible attractive pour l'entreprise.

Les segments de marché. Un segment est composé de clients actuels ou potentiels qui partagent les mêmes caractéristiques, besoins, comportement d'achat ou modes de consommation. Une segmentation efficace regroupe les acheteurs de façon à ce qu'il y ait de fortes similitudes en termes des caractéristiques *au sein* de ces segments, mais qu'il existe également de fortes distinctions *entre* ces segments. Deux grandes catégories de variables sont utiles pour décrire les différences entre segments. Les premières sont les caractéristiques des utilisateurs et les secondes sont les comportements d'utilisation.

Les caractéristiques des utilisateurs peuvent varier d'une personne à l'autre, reflétant les caractéristiques *démographiques* (l'âge, le revenu et le niveau d'études par exemple), la localisation géographique et les caractéristiques *psychographiques* (les attitudes, valeurs, styles de vie, et les opinions des décideurs et acheteurs). ☞

Identifier et sélectionner les segments cibles *(suite)*

Plus récemment, les marketeurs ont commencé à parler de *technographie,* un terme « breveté » par le cabinet d'études Forrester Research qui décrit la propension des clients à accepter et à être capable d'utiliser une technologie récente. D'autres variables importantes de segmentation sont les besoins des utilisateurs et les attraits spécifiques que recherchent les individus ou les acheteurs professionnels lors de la consommation d'un bien ou d'un service.

Le comportement d'utilisation renvoie à la manière dont un produit est acheté, livré et utilisé. Parmi ces variables, on trouve le moment et le lieu de l'achat et de la consommation, les quantités consommées (« les gros utilisateurs » génèrent toujours un intérêt particulier pour les marketeurs), la fréquence et l'objectif d'utilisation, les occasions de consommation (qu'on appelle parfois la « segmentation d'occasion »), la sensibilité à des variables marketing comme la publicité, le prix, la vitesse et d'autres caractéristiques du produit, et enfin la disponibilité d'autres canaux de distribution.

Le segment cible. Après avoir évalué les différents segments du marché, une entreprise doit axer ses efforts marketing en ciblant un ou plusieurs segments qui correspondent bien aux capacités et objectifs de l'entreprise. Les segments cibles sont souvent définis en se basant sur plusieurs variables. Par exemple, un hôtel peut viser des clients potentiels qui partagent les mêmes caractéristiques comme hommes d'affaires (segmentation démographique) visitant des clients à proximité de l'hôtel (segmentation géographique) et ayant la volonté de payer un certain tarif pour une chambre (réponse de l'utilisateur).

Lorsqu'ils recherchent le bon positionnement, les marketeurs de services doivent apporter des réponses aux questions suivantes :

* De quelle façon utile le marché peut-il être segmenté pour notre entreprise ?

* Quels sont les besoins des segments spécifiques que nous avons identifiés ?

* Quels segments correspondent le mieux à la mission de notre entreprise et à nos capacités actuelles ?

* Comment les avantages et désavantages concurrentiels de notre entreprise sont-ils perçus par les clients de chaque segment ? Les désavantages sont-ils corrigibles ?

* Grâce aux résultats de cette analyse, quel(s) segment(s) doit-on cibler ?

* Comment devons-nous différencier nos pratiques marketing de celles de la concurrence pour attirer et retenir les types de clients que nous désirons ?

* Quelle est la valeur financière à long terme d'un client fidèle dans chacun des segments que nous servons actuellement (et de ceux que nous aimerions servir) ?

* Comment notre entreprise doit-elle procéder pour créer des relations à long terme avec les clients des segments cibles ? Quelles stratégies sont nécessaires pour créer une fidélité à long terme ?

Adapter les clients aux capacités de l'entreprise est vital. Les responsables doivent donc analyser sur quels points les éléments opérationnels de l'entreprise et les besoins des clients sont compatibles (vitesse, qualité et disponibilité du service, capacité de l'entreprise à servir simultanément un nombre important de clients, apparence physique des installations du service). Ils doivent aussi s'interroger quant aux capacités de leurs employés à satisfaire les besoins de clientèles spécifiques, en termes de compétences et de styles personnels. Enfin, ils doivent se demander si leur entreprise est capable de faire aussi bien, voire mieux, que les services concurrents qui ciblent les mêmes clientèles[29].

Harmoniser les capacités et forces de l'entreprise avec les besoins des clients devrait susciter une promesse de service supérieure à leur yeux. Comme le dit Frederick Reichheld, « …la résultante devrait être une situation gagnant-gagnant, ou les bénéfices sont engrangés grâce au succès du service et à la satisfaction des clients, et non à leur dépens[30]. »

4.2. Rechercher la valeur, pas seulement le volume

Trop d'entreprises se focalisent encore sur le nombre de clients qu'elles servent – une donnée importante pour les départements opérationnels et les ressources humaines –, sans accorder suffisamment d'importance à la valeur de chaque client. Généralement, les gros utilisateurs, qui achètent plus fréquemment et en plus grandes quantités, sont plus rentables que les clients occasionnels. Pensez aux activités que vous pratiquez de façon régulière. Avez-vous un restaurant préféré ou une pizzeria dans laquelle vous mangez souvent ? Vous rendez-vous régulièrement dans le même cinéma, la même salle de sport ? Utilisez-vous un téléphone portable et ses nombreux services comme les SMS ou les appels internationaux ?

Si vous avez répondu positivement à l'une des questions ci-dessus, vous êtes potentiellement beaucoup plus intéressant pour les responsables des entreprises en question qu'un visiteur de passage. Le flux de revenu de vos achats, tout comme celui d'autres personnes telles que vous, peut s'accumuler et produire une somme considérable à la fin de l'année. Parfois, votre valeur en tant qu'utilisateur fréquent est ouvertement reconnue et appréciée. Vous avez l'impression que l'entreprise adapte les caractéristiques de son service, de même que son prix ou ses horaires, pour attirer des personnes comme vous et fait de son mieux pour vous rendre fidèle. Dans d'autres cas, cependant, vous pouvez ressentir que personne ne sait ni ne veut savoir qui vous êtes. Vos achats font de vous un client de valeur, mais vous ne vous sentez pas valorisé.

Nous remarquons également que tous les segments ne valent pas la peine d'être servis et qu'il n'est pas très réaliste de vouloir les retenir. Roger Hallowell, professeur de la Harvard Business School, expose brillamment cet argument à propos de la banque :

> *La clientèle d'une banque comporte sûrement soit des personnes qui ne peuvent être satisfaites compte tenu des niveaux de prix et de service que la banque est capable d'offrir, soit qui ne seront jamais rentables étant donnée leur activité bancaire (l'utilisation des ressources comparées aux revenus qu'ils génèrent). Une banque devrait cibler et servir seulement les clients dont les besoins peuvent être mieux servis que par ses concurrents, de manière rentable. Ce sont ces clients-là qui sont susceptibles de rester à la banque pour longtemps et qui achèteront des produits et services différents, qui recommanderont cette banque à leurs amis et relations et qui peuvent être à l'origine de revenus supérieurs pour les actionnaires de la banque[31].*

Par définition, les clients en relation longue avec l'entreprise n'achètent pas de services de commodités. Les clients qui achètent en se basant sur le prix minimum ne sont pas de bons clients cibles pour le marketing relationnel. Ils négocient et cherchent continuellement l'offre au plus bas prix[32].

Les entreprises leader en matière de fidélité sont exigeantes dans leur sélection de clients, qui sont ceux pour lesquels l'entreprise a été modelée afin de fournir une valeur vraiment spéciale. Capter les bons clients peut générer des revenus à long terme, une croissance continue, des références et une plus grande satisfaction des employés dont le quotidien est amélioré lorsqu'ils ont affaire à des clients contents. Attirer les mauvais clients se traduit généralement par des échecs coûteux, une réputation entamée et des employés déçus. Ce sont les entreprises hautement spécialisées et sélectives dans leur acquisition qui connaissent une forte croissance sur de longues périodes plutôt que celles qui se concentrent sur des acquisitions incohérentes[33].

On ne peut pas affirmer que les bons clients sont systématiquement ceux qui dépensent le plus. En fonction du service proposé, les bons clients peuvent provenir d'un important groupe de personnes qui ne sont pas satisfaites par d'autres fournisseurs. Beaucoup d'entreprises ont élaboré avec succès des stratégies ciblant les segments de clients qui étaient négligés par une concurrence ne leur trouvant pas une valeur suffisante. Rent-A-Car, par exemple, cible des clients ayant besoin temporairement d'une voiture de remplacement, évitant le segment plus traditionnel des hommes d'affaires ; l'agent de change Charles Schwab se concentre sur le segment des petits acheteurs d'actions[34].

Enfin, les marketeurs doivent être conscients qu'il existe certains clients qui ne valent pas la peine d'être servis puisqu'ils sont, soit trop difficiles à satisfaire soit incapables de savoir vraiment ce qu'ils veulent.

Dans le cadre de services financiers, l'objectif de l'analyse de portefeuille est de déterminer l'assortiment d'investissements (ou d'emprunts) qui sont appropriés aux besoins en ressources et au choix de niveau de risques. Le contenu d'un portefeuille d'investissement doit évoluer avec le temps, en fonction des performances individuelles des éléments constitutifs du portefeuille, et doit refléter les changements de situation et de préférences des clients.

Nous pouvons appliquer ce concept de portefeuille aux entreprises de services disposant d'une base de clients. Les différents segments ont une valeur différente pour l'entreprise de services. Comme pour les investissements, certains types de clients peuvent être plus rentables à court terme, alors que d'autres peuvent avoir un potentiel plus important à long terme. De la même manière, les habitudes de dépense de certains clients peuvent être stables dans le temps, alors que d'autres peuvent être plus cycliques. Les clients peuvent beaucoup dépenser pendant les périodes de forte croissance et réduire considérablement leurs achats en période de récession. Une entreprise avisée peut chercher un mix de ce genre de segments pour réduire son exposition aux risques du marché et des forces macroéconomiques[35].

Comme le soutient David Maister, le marketing consiste a obtenir une meilleure qualité de business et non seulement davantage de business[36]. La qualité d'une entreprise est mesurée par le type de clients qu'elle sert et par la nature des tâches sur lesquelles elle travaille. Le volume en lui-même n'est pas une mesure d'excellence, de pérennité ou de rentabilité. Dans le cadre d'entreprises de services professionnels comme le conseil ou les cabinets d'avocats, la diversité d'affaires gagnées peut jouer un rôle important pour à la fois définir l'entreprise et fournir une gamme de missions variées aux employés à différents niveaux de l'entreprise.

Vanguard décourage la conquête de « mauvais clients »

Le groupe Vanguard, l'un des leaders sur le marché des fonds communs de placement, gère désormais 550 milliards de dollars d'actifs grâce à son ciblage de la clientèle. Sa part de nouvelles ventes, qui était approximativement de 25 %, représentait sa part d'actif. En revanche, sa part de renoncement (rachat de parts) était bien plus faible, lui attribuant une part de cash flow nette de 55 % (ventes nouvelles moins renoncements) et en faisait le fonds à la croissance la plus rapide de son industrie.

Comment Vanguard a t-il atteint des taux de renoncement si faibles ? Le secret tenait dans des acquisitions minutieuses et dans des stratégies de produits et de prix qui encourageaient la conquête des bons clients. John Bogle, le fondateur de Vanguard, croyait en la supériorité des fonds indiciaires, dont les faibles frais de gestion produisaient de meilleures rentabilités sur le long terme. Il proposait aux clients de Vanguard des frais de gestion très bas au travers d'une politique de stabilité, sans avoir de force de vente, et en ne dépensant qu'une fraction de ce que payaient ses concurrents en publicité. Pour conserver ses coûts bas, il décourageait aussi les clients qui n'étaient pas détenteurs de valeurs à long terme.

John Bogle attribue le haut niveau de fidélité réalisé par Vanguard au soin porté aux défections de clients. « Je les épiais comme un faucon, explique-t-il, et les analysais avec plus d'attention que les nouvelles ventes pour m'assurer que la stratégie de Vanguard était la bonne. Des taux de renoncement faibles signifiaient que l'entreprise attirait le bon type d'investisseur fidèle, à long terme. La stabilité inhérente à sa base de clients fidèles fut la clé de l'avantage de Vanguard. La sélectivité minutieuse de Bogle devint légendaire. Il passait au peigne fin les rachats individuels pour voir qui avait accepté le mauvais type de clients. Lorsqu'un investisseur institutionnel liquidait pour 25 millions de dollars un fonds indiciaire acheté seulement neuf mois plus tôt, il percevait cette acquisition de client comme un échec. Il expliquait, « nous ne voulons pas d'investisseurs à court terme. Ils faussent le jeu au détriment des investisseurs à long terme ». À la fin de sa lettre au *Vanguard Index Trust*, Bogle réitérait : « Pour les opportunités d'investissement, nous leur recommandons vivement d'aller voir ailleurs ».

Vanguard refusa, par exemple, un investisseur institutionnel qui voulait investir 40 millions de dollars, car il le suspectait de vouloir retirer cet investissement dans les quelques semaines à venir, entraînant des coûts supplémentaires pour les investisseurs actuels. Le client potentiel se plaignit au PDG de Vanguard, qui, non seulement maintint la décision, mais utilisa également cette opportunité pour rappeler à ses équipes l'importance d'une sélectivité de la clientèle.

En outre, Vanguard introduisit un certain nombre de nouveautés dans les pratiques du secteur, qui décourageaient les traders trop actifs d'acheter ses fonds. Par exemple, Vanguard ne permettait pas les transferts de fonds effectués au téléphone, des frais de renoncement furent ajoutés à certains fonds, et la pratique habituelle de favoriser les nouveaux comptes au détriment des clients existants fut rejetée car considérée comme déloyale vis-à-vis de la base d'investisseurs. Ces politiques de produits et de prix dissuadèrent les traders très actifs mais rendirent ses fonds incomparablement plus attractifs aux yeux des investisseurs à long terme.

☞

Meilleures Pratiques 12.1

Vanguard décourage la conquête de « mauvais clients » (*suite*)

Enfin, les prix de Vanguard furent conçus de façon à récompenser les clients fidèles. Pour beaucoup de ses fonds, les investisseurs payaient des frais uniques d'entrée, intégrés dans le fonds lui-même et visant à compenser les coûts administratifs liés à la vente de nouvelles parts. Ces frais favorisaient les investisseurs à long terme et pénalisaient les investisseurs à court terme. Une autre approche de prix originale fut la création des parts « Admiral » destinées aux investisseurs fidèles, qui étaient assorties de frais de gestion moins onéreux (0,12 % par an au lieu de 0,18 %).

Source : Frederick F. Reichheld, « Loyalty Rules! How Today's Leaders Build Lasting Relationships », *Harvard Business School Press*, Boston, 2001, pp. 24-29, 84-87, 144-145.

4.3. Sélectionner un portefeuille de clients[37]

Les marketeurs devraient adopter une approche stratégique pour retenir, valoriser et même se débarrasser de clients. La rétention de clients nécessite le développement de liens à long terme, fructueux avec ces clients pour le bénéfice mutuel des deux parties. Ces efforts ne doivent pas nécessairement cibler tous les clients d'une entreprise avec la même intensité. Des recherches récentes ont confirmé que la plupart des entreprises ont différents groupes de clients en terme de rentabilité, et que ces groupes ont souvent des attentes et des besoins bien différents en matière de service. D'après Zeithaml, Rust et Lemon, il est essentiel que les entreprises de service comprennent les besoins des clients au sein des différents groupes de rentabilité et ajustent leur niveau de service en fonction des exigences de ces groupes[38].

4.4. Classer la base de clients

Les différents segments de clients de l'entreprise peuvent être établis d'après le niveau de contribution aux bénéfices, les besoins (dont la sensibilité à des variables comme le prix, le confort et la vitesse) et à des éléments de profil personnel identifiables comme les caractéristiques démographiques. Zeithaml, Rust et Lemon ont illustré ce principe au travers d'une pyramide à quatre étages dont chacun porte le nom d'un métal de plus en plus précieux (voir figure 12.4).

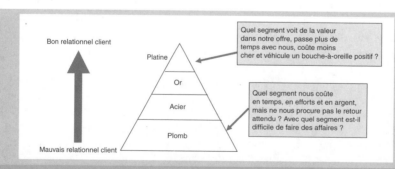

Figure 12.4 - La pyramide client.

Source : Valarie A. Zeithaml, Roland T. Rust & Katharine N. Lemon, « The Customer Pyramid : Creating and Serving Profitable Customers », *California Management Review*, vol. 43, n° 4 (été 2001), 118-142.

L'exemple évoqué dans l'encadré Questions de services 12.1 montre comment un cabinet d'études marketing a segmenté sa clientèle.

Classer les clients d'un cabinet d'études marketing

La segmentation a aidé un cabinet d'études marketing à mieux comprendre ses clients. L'agence a identifié les *clients de platine* comme de gros comptes qui ne sont pas seulement enclins à programmer un certain montant d'études au long de l'année, mais aussi capables d'investir du temps, en fonction de l'importance et de la nature de leurs projets, permettant une meilleure planification et une meilleure gestion des programmes d'études. Les coûts commerciaux des projets vendus à ces clients sont seulement de 2 % à 5 % de la valeur du projet (comparés aux 25 % facturés aux clients qui demandent un gros travail de proposition projet par projet). Les comptes de *platine* sont aussi plus enclins à essayer de nouveaux services et à acheter une plus grande variété de services chez leur fournisseur préféré. Ces clients sont généralement très satisfaits du cabinet et souvent d'accord pour jouer le rôle de références auprès des clients potentiels.

Les comptes d'or ont un profil similaire aux clients de *platine*, mis à part leur sensibilité aux prix et leur tendance à répartir leur budget sur plusieurs entreprises. Bien que ces comptes soient clients depuis des années, ils ne sont pas prêts à s'engager un an à l'avance pour un travail d'étude, même si l'entreprise est capable de leur proposer des facilités en termes de délai de planning et d'allocation de capacité.

Les comptes d'acier dépensent des sommes modérées en études et paient sur la base de projets distincts. Les frais liés à la vente sont élevés puisque ces entreprises tendent à envoyer leur demande à un certain nombre d'entreprises pour tous leurs projets. Ils recherchent le meilleur prix et n'accordent pas souvent suffisamment de temps au cabinet pour produire un travail de qualité.

Les comptes de plomb conduisent uniquement des projets isolés à faible coût, qui sont en général « rapides et sales », avec une faible opportunité pour le cabinet d'ajouter de la valeur ou d'utiliser son savoir faire de façon appropriée. Les frais de transaction sont généralement élevés puisque le client demande un devis à plusieurs entreprises. De plus, ces entreprises ne sont pas habituées à faire appel à ces cabinets. La vente d'un projet est souvent fastidieuse et requiert de nombreuses réunions. Les comptes de *plomb* demandent également un haut niveau de service après vente puisqu'ils ne comprennent pas correctement le travail d'étude ; ils changent souvent les paramètres du projet et s'attendent à ce que le cabinet d'étude absorbe tous les frais de révision, réduisant ainsi la rentabilité du contrat.

Source : Valarie A. Zeithaml, Roland T. Rust & Katharine N. Lemon, « The Customer Pyramid : Creating and Serving Profitable Customers », *California Management Review*, vol. 43, n° 4, été 2001, p. 127-128.

Questions de services 12.1

Platine

Ces clients représentent un très faible pourcentage de la base de clients de l'entreprise. Ce sont de gros utilisateurs qui génèrent une part importante de son bénéfice. Généralement, ce segment est moins sensible au prix mais exige un niveau de service irréprochable en retour et est enclin à investir et à essayer de nouveaux services.

Or

Le segment *or* est constitué de davantage de clients que le *platine*, mais ces clients participent moins aux bénéfices. Ils sont légèrement plus sensibles aux prix et moins engagés envers l'entreprise.

Acier

Ces clients forment la masse des clients de l'entreprise. Leur nombre permet des économies d'échelles. Ils sont importants pour que l'entreprise puisse développer et maintenir un certain niveau de capacité et d'infrastructure souvent requis pour servir les clients *or* et *platine*. Néanmoins, ces clients ne sont que marginalement rentables. Leur niveau de consommation n'est pas suffisamment élevé pour qu'on leur accorde un traitement particulier.

Plomb

Les clients *plomb* génèrent de faibles revenus pour l'entreprise, mais nécessitent cependant souvent le même niveau de service que les clients *acier*. C'est un segment générateur de pertes pour l'entreprise.

4.5. Conserver, développer et interrompre la relation client

De manière générale, les segments de clientèle ne sont pas uniquement établis sur leur rentabilité, mais aussi sur d'autres caractéristiques identifiables, communes à chacun d'entre eux. Au lieu de fournir le même niveau de service à tous les clients, chaque segment reçoit un certain niveau de service en fonction de ses exigences et de la valeur qu'il représente pour l'entreprise. Par exemple, le segment *platine* permet aux clients de recevoir des privilèges exclusifs, non disponibles pour les autres segments. Les niveaux de privilèges pour les clients *platine* et *or* sont souvent conçus avec pour objectif la conservation de ces clients dans l'entreprise, car ils intéressent fortement les concurrents.

Le marketing peut encourager l'accroissement du volume de ventes, la vente incrémentale pour chaque type de service utilisé ou la vente croisée de services complémentaires pour chacun des segments. Cependant, le marketing a des objectifs différents en fonction des segments de clientèle, puisque les besoins, comportements d'utilisation et habitudes d'achat sont en principe différents. Parmi les segments dans lesquels l'entreprise a déjà des parts de marché importantes, le marketing devrait se focaliser sur la défense et la conservation de ces clients, notamment à l'aide des programmes de fidélisation[39].

Pour les clients du segment *plomb*, la migration vers le segment acier ou la résiliation pure et simple du service sont les seules options envisageables. La migration peut être obtenue grâce à une combinaison de stratégies incluant l'augmentation des frais de base et des prix. Imposer des frais minimum (que l'on peut abandonner lorsqu'un certain niveau de revenu est généré) peut encourager les clients disposant de plusieurs fournisseurs à concentrer leurs transactions sur un seul et unique prestataire. Il existe un certain nombre de procédés permettant d'influencer le comportement du client de telle manière que les coûts de service s'en trouvent réduits ; par exemple, les frais de transaction peuvent être réduits par l'intermédiaire de canaux électroniques. Un autre procédé réside dans la création d'une plateforme à coût réduit et à prix attractif. Dans l'industrie du téléphone mobile, par exemple, les petits utilisateurs ont accès à des packages prépayés qui permettent à l'entreprise de ne pas avoir à envoyer de facture et de ne pas avoir à recevoir de paiement, ce qui élimine de manière significative le risque engendré par les mauvais payeurs.

La cessation de service à certains clients est la conséquence logique du fait que tous les clients d'une entreprise ne valent pas la peine d'être gardés. Certaines relations ne sont plus rentables pour l'entreprise lorsqu'elles coûtent plus chères à maintenir que les revenus qu'elles génèrent. Certains clients ne sont plus en accord avec la stratégie de l'entreprise, que ce soit à cause d'un changement de stratégie ou parce que leurs comportements et besoins ont changé. Tout comme les investisseurs doivent se débarrasser d'investissements médiocres et les banques amortir les mauvais prêts, chaque prestataire de service doit de manière régulière évaluer son portefeuille de clients et considérer la cessation d'activités avec un certain nombre d'entre eux. Les considérations légales et éthiques, bien entendu, détermineront s'il est opportun de prendre de telles mesures.

Certaines relations impliquent l'adhésion mutuelle à des règles convenues. Les clients des banques qui émettent un nombre de chèques trop élevé, les étudiants qui sont surpris en train de tricher à un examen ou les membres d'un club abusant constamment des équipements, par exemple, peuvent faire l'objet d'une décision de rupture de relation de la part de l'entreprise ou de l'université. Dans certaines circonstances la rupture peut être un peu moins conflictuelle. Un médecin ou un avocat peut par exemple suggérer à ses clients non solvables, difficiles ou insatisfaits, de chercher un autre professionnel plus en adéquation avec leurs besoins et attentes.

5. Établir la fidélité du client

Qu'est-ce qui rend un client fidèle à une entreprise et comment l'entreprise peut-elle accroître cette fidélité[40] ? Dans cette section, nous étudierons dans un premier temps les fondations même de la fidélité et verrons comment les entreprises en créent et accroissent les facteurs.

5.1. La fidélité côté client

Les travaux de recherche menés par Kevin Gwinner, Dwayne Gremler (respectivement chercheurs à l'université du Kansas et à l'université « Bowling Green States ») et Mary Jo Bitner (professeur à Arizona State University) suggèrent que les relations créent de la valeur pour les consommateurs individuels grâce à des facteurs comme la confiance, les bénéfices à caractère social et l'avantage de traitements particuliers (voir les Échos de la recherche 12.1). Kumar (université de Southern Illinois) souligne que les relations dans le cadre d'un service *b-to-b* dépendent largement de la qualité d'interaction entre les individus des différentes entreprises partenaires[41]. Au fur et à mesure que les relations se renforcent au cours d'une période, ils observent que « le personnel d'un prestataire de service joue fréquemment le rôle de sous-traitant, prenant ainsi des décisions critiques au nom de ses clients »[42].

5.2. Les stratégies de développement de la fidélité client[43]

Le fondement d'une véritable fidélité repose sur la satisfaction du client. Les clients très satisfaits ou même enchantés sont plus à même de devenir les apôtres fidèles d'une entreprise, de consolider leur relation avec un même prestataire et d'exercer un bouche-à-oreille positif.

Établir et maintenir de bonnes relations avec les sociétés de service : quel intérêt pour les clients ?

Quels sont, pour les clients, les bénéfices d'une relation privilégiée avec un prestataire de service ? Pour en savoir plus, des chercheurs ont entrepris deux études. La première consistait en une entrevue approfondie avec vingt et un répondants d'origines différentes. Ces entretiens duraient en moyenne quarante-huit minutes. Les questions portaient sur l'identification de fournisseurs de service auxquels les répondants faisaient appel de manière régulière. On leur demandait alors quels bénéfices relatifs à leur statut de client régulier ils pensaient tirer. Parmi les commentaires :

- « Je l'aime bien [coiffeur]… Il est vraiment drôle et a toujours de bonnes blagues. C'est un ami maintenant. »

- « Je sais ce que je vais obtenir. Je sais que si je vais dans le même restaurant régulièrement plutôt que de prendre le risque de me rendre dans un nouveau restaurant, la nourriture sera bonne. »

- « J'ai souvent des réductions de prix. À la petite boulangerie où je vais le matin, de temps en temps, ils me donnent un gâteau. »

- « Vous avez un meilleur service que les clients de passage… Nous continuons à aller chez le même réparateur de voiture car nous connaissons le propriétaire personnellement et… il se débrouille toujours pour nous faire revenir. »

- « Lorsque les personnes se sentent à l'aise, elles ne ressentent pas le besoin de changer de dentiste. Elles ne veulent tout simplement pas prendre le risque d'aller chez un autre praticien. »

Après avoir évalué et catégorisé ces commentaires, les chercheurs ont élaboré une autre étude qui comprenait la distribution de questionnaires à un échantillon de quatre cents personnes.

Il était demandé aux sujets de sélectionner un prestataire de service spécifique avec lequel ils avaient établi une bonne relation. Le questionnaire leur demandait alors d'évaluer avec quelle amplitude ils recevaient chacun des vingt et un bénéfices (dérivés de l'analyse de la première étude), résultats de la relation avec le prestataire de service qu'ils avaient antérieurement identifiés.

299 questionnaires utilisables furent retournés. L'analyse des résultats montra que la plupart des bénéfices que les clients estimaient recevoir des relations avec le prestataire de service pouvaient être regroupés en trois groupes. Le premier et plus important concernait ce que les chercheurs nommèrent « bénéfices de confiance », suivi par celui des « bénéfices sociaux » et enfin celui du « traitement spécial ».

- Les « bénéfices de confiance » ou le sentiment qu'une relation bien établie est plus sûre en cas de problèmes, une plus grande confiance en une performance correcte et une moindre inquiétude lors de l'achat, les clients sachant à quoi s'attendre et recevant le meilleur niveau de service de l'entreprise.

☞

- Les « bénéfices sociaux » ou la reconnaissance mutuelle des clients et des employés, leur bonne connaissance les uns des autres, les éventuels liens amicaux entre le client et le fournisseur de service et la satisfaction de certains aspects sociaux de la relation.
- Le « traitement spécial » : de meilleurs prix, des ristournes sur des offres spéciales non disponibles pour la plupart des clients, de services extras, une plus grande priorité lors d'attentes et un service plus rapide que pour la plupart des clients.

Source : Kevin P. Gwinner, Dwayne D. Gremler et Mary Jo Bitner, « Relational Benefits in Services Industries: The Customer's Perspective », *Journal of the Academy of Marketing Science*, Vol. 26, N° 2, 1998, pp. 101-114.

Échos de la recherche 12.1

Au contraire, le mécontentement conduit les clients à ne pas revenir et c'est un facteur essentiel du comportement de changement.

La figure 12.5 divise la relation satisfaction-fidélité en trois zones principales. La première, la zone dite de défection, se situe à des niveaux de satisfaction très bas. Les clients changent

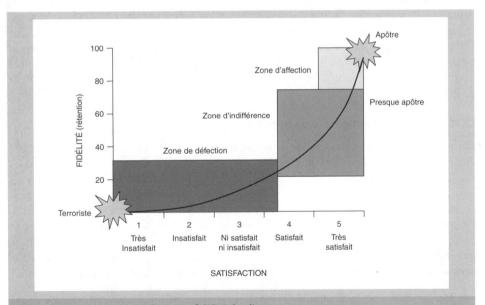

Figure 12.5 - La relation satisfaction – fidélité du client.

Source : Adapté de Thomas O. Jones et W. Earl Sasser Jr, « Pourquoi les client satisfaits partent-ils ? » *Harvard Business Review*, novembre-décembre 1995, imprimé avec la permission de la Harvard Business School.

alors de prestataire sauf si les coûts qu'incluent ce changement sont trop élevés ou si aucune alternative n'est disponible. Les clients extrêmement mécontents peuvent même devenir des « terroristes » en répandant un bouche à oreille négatif à l'encontre du prestataire de service. La deuxième zone, la zone d'indifférence, se situe à des niveaux intermédiaires. Là, les clients sont prêts à changer de prestataire de service s'ils peuvent trouver une meilleure alternative. La troisième zone, la zone d'affection, se situe aux niveaux de satisfaction les plus élevés et les clients ont atteint un tel degré de fidélité qu'ils ne cherchent aucune alternative à leur prestataire de service. Ils font l'éloge de l'entreprise en public et parviennent à convaincre de nouveaux clients d'utiliser les services du prestataire. Ils sont appelés « les apôtres ».

Avoir le bon portefeuille de segments de clients, attirer les bons clients, offrir un service avec différents niveaux de qualité et offrir des niveaux élevés de satisfaction sont une base solide pour la création de la fidélité du client, comme le montre la figure 12.3 (La roue de la fidélité). Cependant, l'entreprise peut faire encore mieux afin de créer des liens plus solides avec ses clients. Des stratégies spécifiques à la création de liens de fidélité sont résumées dans la deuxième partie de la figure[44]. Dans le même temps, les prestataires de service doivent travailler sur l'identification et l'élimination des facteurs d'échec : la perte de clients et le besoin de les remplacer par de nouveaux.

Renforcer et approfondir la relation

Les packages réservés et/ou les ventes croisées constituent une stratégie efficace pour lier les clients à l'entreprise de manière plus forte. Par exemple, les banques essaient de vendre le plus de produits financiers possibles à un détenteur de compte. Une fois que la famille possède un compte courant, une carte de crédit, un compte d'épargne, un coffre, qu'elle a souscrit à un emprunt pour sa voiture, etc. avec la même banque, la relation est telle que le changement d'institution bancaire devient quasi impossible pour le souscripteur, à moins, bien entendu, que le client ne soit extrêmement mécontent de la banque.

La récompense comme base de la relation

Dans n'importe quelle catégorie de produits, les responsables reconnaissent qu'il n'existe qu'un faible nombre de clients qui n'achètent qu'une marque unique, spécialement dans les situations où la livraison du service induit une transaction discontinue (par exemple les locations de véhicules) plutôt que de nature continue (par exemple les assurances). Dans de nombreux cas, les clients sont fidèles à plusieurs marques tout en rejetant les autres. Ce concept est parfois appelé « fidélité polygame ou multifidélité » (qui ne doit pas être confondue avec le concept de recherche de variété résultant du changement de marque sans fidélité particulière à aucune d'entre elles). Dans de tels cas, le but du marketing consiste à renforcer la préférence du client pour une marque plutôt qu'une autre.

Les encouragements sous forme de récompenses basés sur la fréquence d'achat, la valeur de l'achat ou la combinaison des deux sont des niveaux de liens basiques avec le client. Les liens basés sur la récompense peuvent être de nature financière ou non. Les liens à valeur financière peuvent être : des ristournes sur les achats, des programmes de récompense de la fidélité (*frequent flyer miles*) ou des programmes de remboursement que certains fournisseurs de cartes de crédit proposent en fonction du niveau de dépense des clients.

Les récompenses non financières englobent quant à elles les bénéfices ou la valeur qui ne peuvent être transcrits directement en termes monétaires. Les exemples de ce type de récompenses incluent une forme de priorité aux clients fidèles en matière d'attente et l'accès à un service spécial. Certaines compagnies aériennes permettent un plus grand nombre de bagages, une priorité d'embarquement et un accès à des salons privés dans les aéroports à ses clients fréquents, même s'ils ne volent qu'en classe économique. Dans un contexte *b-to-b*, les services additionnels jouent souvent un rôle essentiel dans la création et le renforcement de relations entre vendeurs et acheteurs de biens industriels[45]. Les récompenses de fidélité informelles, parfois utilisées dans les petites entreprises, peuvent prendre la forme d'un petit extra périodique en remerciement de la relation privilégiée.

Édouard Leclerc, l'un des principaux acteurs de la grande distribution en France

En 1949, Édouard Leclerc ouvre son premier magasin dans sa maison de Landernau, en Bretagne, avec pour objectif de faire chuter les prix. Dix ans plus tard, le 60e centre Leclerc ouvre ses portes à Issy-les-Moulineaux et, en 1962, les centres s'organisent en association et groupement d'achat. Édouard Leclerc part à la conquête du monopole des compagnies pétrolières en créant sa propre société d'importation pétrolière, la Siplec, en 1979, puis s'intéresse à la culture et devient rapidement le second libraire de France. Poursuivant son extension, il entame un nouveau combat en s'investissant dans le secteur du luxe, puis des voyages.

« Protéger notre environnement » est le credo d'Édouard Leclerc depuis 1989, date à laquelle il a lancé sa première campagne de sensibilisation à la pollution de l'eau et renforce son implication dans la protection de l'environnement en supprimant les sacs jetables.

Le « ticket Leclerc » pour fidéliser les clients…

Le principe est simple. Lorsque vous faites vos courses dans un centre Leclerc, vous choisissez des produits repérables par un logo. Ces produits font gagner des bons d'achat. Lorsque vous passez à la caisse, le montant total des bons d'achat s'inscrit au bas du ticket de caisse. Dans les 15 jours suivant la fin de l'opération, vous pouvez acheter ce que vous voulez avec les tickets ainsi obtenus.

…et la carte Leclerc pour augmenter les avantages

Cette carte, dont l'obtention est gratuite, permet à son porteur de toucher un bonus de 25 % sur la valeur des « tickets Leclerc » et permet de bénéficier d'offres exclusives en magasin. De plus, les partenaires de la carte proposent aux détenteurs divers avantages immédiatement crédités sur la carte.

Source : www. E-leclerc.com

Meilleures pratiques 12.2

Les récompenses intangibles importantes incluent des éléments distinctifs de reconnaissance spéciale. Les clients accordent de la valeur à une attention particulière donnée à leurs besoins. Ils apprécient également la garantie implicite offerte aux clients appartenant aux segments les plus importants. Un des objectifs de la récompense est de motiver les clients à faire appel plus souvent au même prestataire ou tout au moins de faire de ce fournisseur leur prestataire privilégié. Les programmes de fidélisation encouragent les clients à passer à un segment supérieur. Cependant, les programmes de fidélisation basés sur des récompenses sont facilement imitables par les autres fournisseurs et n'offrent que rarement un avantage compétitif dans le temps.

Les liens sociaux

Il n'est pas rare qu'un coiffeur appelle ses clients par leur nom, demande pourquoi il ne les a pas vu depuis longtemps et s'inquiète de ce qui leur est arrivé depuis leur précédente visite. Les relations personnelles qu'un prestataire entretient avec ses clients nourrissent des liens sociaux. Elles peuvent également être le reflet d'une fierté et d'une satisfaction à être membre d'une entreprise. Bien que les liens sociaux soient beaucoup plus difficiles et longs à créer que les liens financiers, ils sont, pour la même raison, beaucoup plus difficiles à imiter par les concurrents pour un même client. Une entreprise qui a créé des liens sociaux avec ses clients a une meilleure chance de les garder pendant une longue période de temps.

Les liens personnalisés

Ces liens s'établissent lorsque le fournisseur de service arrive à fournir un service personnalisé à ses clients fidèles. Le marketing « one to one » est la forme de personnalisation la plus poussée et s'établit lorsque chaque individu est traité comme un segment unique[46]. Beaucoup de chaînes d'hôtels perçoivent les préférences de leurs clients grâce à la base de données de leurs programmes de fidélisation, ce qui leur permet d'anticiper les besoins individuels de leurs clients (boissons préférées, type d'oreiller, journal du matin…) avant même qu'ils n'arrivent à l'hôtel. Lorsqu'un client s'habitue à ce type de traitement, il peut lui paraître plus difficile d'y renoncer en choisissant un autre prestataire qui ne sera pas capable de personnaliser son service (tout au moins immédiatement, puisqu'il faudra du temps au nouveau prestataire pour connaître les besoins d'un client).

Les liens structurels

Les liens structurels sont le plus souvent établis dans les relations *b-to-b* et visent à stimuler la fidélité à l'aide de relations structurelles entre le prestataire de service et le client. Les exemples de ce type de liens incluent des investissements conjoints dans des projets et le partage d'information, de procédés et d'équipement. Les liens structurels peuvent aussi être créés dans un environnement *b-to-c*. Par exemple, certaines compagnies aériennes proposent des alertes SMS et e-mail informant des heures de départ et d'arrivée des vols afin que leurs clients ne perdent pas de temps à l'aéroport en cas de retard. Certains loueurs de voitures offrent à leurs clients la possibilité de créer des pages personnalisées sur leurs sites web afin qu'ils puissent retrouver les détails de leurs derniers voyages, incluant les types de véhicules loués, la couverture de l'assurance, et ainsi de suite. Cela simplifie et rend plus rapide la réservation d'un nouveau véhicule. Une fois que les clients connaissent la manière de procéder de l'entreprise, les liens structurels créent une union entre eux qui rend beaucoup plus difficile pour la concurrence d'attirer ces clients.

5.3. Créer des liens par des programmes d'adhésion et de fidélisation

Dans le cadre de leur stratégie marketing, beaucoup de prestataires de service recherchent des moyens de développer des relations formelles basées sur une adhésion. Les hôtels, par exemple, ont développé des programmes de fidélisation qui offrent aux clients réguliers des priorités de réservation, des chambres de meilleure qualité et d'autres avantages. Beaucoup d'organisations à but non lucratif, comme les musées, développent des programmes d'adhésion dans le but de renforcer les liens avec leurs plus généreux donateurs, en leur offrant des privilèges supplémentaires tels que des expositions et des réunions privées avec les conservateurs ou les artistes, en remerciement de leurs dons annuels. L'objectif du marketing est alors de déterminer comment accroître les ventes et les revenus (ou, dans le cas d'organisations à but non lucratif, les dons) grâce à de tels programmes d'adhésion, en évitant dans le même temps le risque de perdre un nombre conséquent de clients habituels mais non privilégiés.

Transformer des transactions anonymes en adhésions

Les transactions anonymes, c'est-à-dire lorsqu'une transaction engendre le paiement par un consommateur « anonyme » au prestataire de service, sont typiques de services tels que les transports, les restaurants, les cinémas. Le problème des prestataires de tels services est qu'ils ont tendance à être moins bien informés sur leurs clients et sur l'usage que font ces derniers de leurs services que leurs homologues d'entreprises ayant un programme d'adhésion. Les responsables des entreprises réalisant des transactions anonymes doivent travailler plus afin d'établir des relations avec leur clientèle. Dans les petits commerces tels que les coiffeurs, les clients habituels sont (ou devraient être) accueillis comme des clients réguliers dont les besoins et préférences sont déjà connus. Recenser et retenir ces derniers de manière formelle est très utile, même dans les petites entreprises, car cela évite aux employés d'avoir à demander de manière répétitive aux clients ce qu'ils souhaitent, permettant de personnaliser le service et finalement d'anticiper les besoins futurs.

Dans les grandes entreprises ayant une base de clientèle importante, les transactions anonymes peuvent aussi évoluer vers de véritables relations mettant en œuvre des programmes de fidélisation basés sur des récompenses, qui requièrent la souscription par les clients d'une carte de membre avec laquelle toute transaction peut être enregistrée et donc les préférences des clients sont communiquées au *front office*. Des programmes de management de compte peuvent être associés au programme de fidélisation en offrant par exemple un numéro de téléphone spécial d'assistance ou en nommant un représentant attitré pour ce compte. Les contrats de longue durée entre des prestataires et leurs clients engendrent des relations de qualité supérieure, transformant ces relations en de véritables partenariats et alliances stratégiques.

Un bon nombre d'autres prestataires de service ont cherché à imiter le secteur du transport aérien en créant leurs propres programmes de fidélisation. Les hôtels, les entreprises de location de véhicules, les opérateurs téléphoniques, les distributeurs et même les émetteurs de carte de crédit sont parmi ceux qui cherchent à identifier et récompenser leurs meilleurs clients. Bien que certains développent leurs propres récompenses telles que des produits gratuits, l'obtention d'une voiture de classe supérieure ou la mise à disposition de chambres d'hôtels gratuites dans des centres de vacances, beaucoup d'entreprises transforment leurs récompenses en miles qui peuvent alors être crédités sur un programme de « voyageurs fréquents » (*frequent-flyer)* sélectionné au préalable.

En d'autres termes, les miles sont devenus une véritable monnaie promotionnelle dans le secteur du service. L'encadré Meilleures pratiques 12.3 décrit comment British Airways a développé son programme *Executive Club*.

Meilleures pratiques 12.3

British Airways : récompenser la valeur d'utilisation et pas seulement la fréquence

De nombreux transporteurs aériens internationaux ont initialement résisté à la tentation de créer leur propre programme de *frequent-flyer*. Ils étaient réticents non seulement à cause des coûts occasionnés, mais aussi du fait que ces programmes nécessitent l'attribution de places gratuites, places qu'une compagnie pourrait vendre pendant les périodes de forte demande. British Airways (BA) a créé son programme *Exclusive Club* en 1992. Jusqu'à cette date, sa réponse à la pression concurrentielle liée à de tels programmes se limitait à récompenser ses passagers par l'attribution de miles dans les programmes des transporteurs américains. Cependant, les responsables de BA ont finalement décidé de créer leur propre programme afin de mieux connaître leurs meilleurs clients et ainsi développer la fidélité à la marque.

Contrairement à beaucoup de programmes dans lesquels l'usage du service par le client n'est mesuré qu'en miles, les membres d'*Executive Club* reçoivent à la fois des miles en récompense d'achats de voyages et des points qui permettent aux voyageurs d'être positionnés dans un meilleur segment de clientèle au sein de BA (segments *argent* et *or*). Cependant, aucun point n'est offert pour les réservations effectuées dans certaines catégories d'offre. Avec la création de l'alliance « OneWorld » avec American Airlines, Qantas et d'autres transporteurs aériens, les membres d'*Executive Club* peuvent aussi gagner des miles et des points en volant sur ces compagnies partenaires.

Les porteurs de cartes argent et or reçoivent des privilèges spéciaux lorsqu'ils voyagent, tels que des réservations prioritaires et un service à terre de meilleure qualité. Par exemple, même si un porteur de carte or ne voyage qu'en classe économique, il pourra néanmoins profiter des privilèges de première classe lors de l'enregistrement des bagages ou dans les salons des aéroports. Cependant, alors que les miles peuvent être accumulés pendant cinq ans (au-delà, ils sont perdus), le positionnement de membre n'est valide que pour les quinze mois suivant l'année calendaire lors de laquelle le privilège a été obtenu. En bref, le droit à des conditions spéciales doit être obtenu chaque année. L'objectif de cette politique (qui n'est pas unique à BA) est d'encourager les passagers qui ont le choix entre plusieurs compagnies aériennes de choisir de voyager sur British Airways plutôt que de rejoindre d'autres programmes de *frequent-flyer* et d'obtenir des miles d'autres compagnies. Peu de voyageurs voyagent suffisamment pour obtenir les privilèges de l'échelon or (ou son équivalent) sur plus d'une compagnie aérienne. Cependant, une des récompenses de cet échelon est la possibilité d'utiliser les salons et autres services de compagnies aériennes faisant partie de mêmes alliances internationales (tels que OneWorld, StarAlliance – comprenant United Airlines, Air Canada et Lufthansa – ou SkyTeam – comprenant Aeromexico, Air France, Alitalia, CSA Czech Airlines, Delta Air Lines et Korean Air).

Le rôle des points varie en fonction de la classe de service, BA récompensant l'achat de billets plus chers par l'attribution de récompenses proportionnellement plus élevées.

☞

Les longs voyages rapportent plus de points que les courts (un vol intérieur ou en Europe en classe économique rapporte 15 points, un voyage transatlantique, 60 points et un vol du Royaume-Uni vers l'Australie ou la Nouvelle-Zélande, 100 points).

Afin de récompenser l'achat de billets plus chers, on double les points des passagers s'ils voyagent en *Club class (Business class)* et on les triple s'ils voyagent en *First class*. De la même manière, les passagers obtiennent des miles supplémentaires pour les deux classes : *Club* (+ 25 %) et *First* (+ 50 %). Au contraire, certains billets obtenus à des prix très réduits ne permettent pas d'obtenir de points.

Afin d'encourager les détenteurs de cartes or et argent à rester fidèles à BA, la compagnie offre des primes aux membres d'*Executive Club* pour qu'ils gardent leur statut actuel (ou pour qu'ils passent du statut argent à celui d'or). Les détenteurs de carte argent reçoivent un bonus équivalent à + 25 % sur tous les miles obtenus, sans tenir compte de la classe de service, alors que les détenteurs de carte or reçoivent un bonus équivalent à + 50 % de tous les miles obtenus. En d'autres termes, il ne vaut pas la peine d'adhérer à plusieurs programmes de *frequent-flyer* !

Bien que la compagnie aérienne ne fasse aucune promesse sur l'attribution de cadeaux supplémentaires, les membres d'*Executive Club* sont plus sujets que d'autres passagers à en recevoir, le statut de membre étant une considération importante. Pour des raisons évidentes, BA ne souhaite pas que ces voyageurs les plus fréquents pensent qu'ils peuvent acheter des billets moins chers et obtenir dans le même temps et de manière automatique un cadeau.

Bien entendu, les récompenses seules ne sont pas suffisantes pour retenir les meilleurs clients d'une entreprise. Si les clients sont mécontents de la qualité du service ou pensent qu'ils peuvent obtenir une valeur supérieure, un service moins cher, ils peuvent très rapidement ne plus être fidèles. Ainsi, ni British Airways, ni aucun autre prestataire de service ayant développé un programme pour ses clients habituels ne peut se permettre de perdre de vue ses objectifs de qualité et de rapport qualité/prix.

Comment les clients perçoivent-ils les programmes de récompense de la fidélité ?

Les récentes recherches effectuées dans le domaine des cartes de crédit suggèrent que les programmes de fidélisation renforcent la perception qu'ont les clients de la valeur du service et entraînent l'augmentation des revenus liés ce [re]gain de confiance[47]. Afin de déterminer le potentiel qu'a un programme de fidélisation dans la modification des comportements, Dowling et Uncles, professeurs à l'université de New South Wales, affirment que les marketeurs doivent examiner trois effets psychologiques[48].

- La fidélité à la marque face à la fidélité à l'offre. Jusqu'à quel point les clients sont-ils fidèles au service de base proposé (ou à la marque) plutôt qu'au programme de fidélisation lui-même ? Les marketeurs doivent élaborer des programmes de fidélisation qui viennent en appui du service proposé et du positionnement du produit en question.

- Quelle valeur les acheteurs donnent-ils aux récompenses ? Plusieurs éléments déterminent la valeur d'un programme de fidélisation :

  1. la valeur pécuniaire des récompenses (si les clients devaient les acheter) ;

2. la gamme de récompenses disponibles ; par exemple, une sélection de cadeaux plutôt qu'un cadeau unique ;

3. l'attractivité des récompenses ; un cadeau original que le consommateur n'achèterait pas normalement peut avoir un plus grand attrait qu'une offre de remboursement ;

4. si la fréquence d'utilisation requise pour l'obtention d'une récompense est à la portée de n'importe quel client ;

5. la facilité d'utilisation du programme et d'obtention du remboursement ;

6. les bénéfices psychologiques liés à l'appartenance au programme et à l'accumulation de points.

- Timing : au bout de combien de temps les clients peuvent-ils obtenir les privilèges du programme de récompenses ? Les cadeaux différés ont tendance à affaiblir l'attrait d'un programme de fidélisation. L'une des solutions consiste à envoyer périodiquement aux clients un compte-rendu sur leur position et les avantages qui y sont liés, indiquant les progrès réalisés jusqu'à la possibilité d'intégrer un segment particulier et en faisant la promotion des cadeaux pouvant être obtenus lorsque ce niveau est atteint.

5.4. Les stratégies pour réduire les facteurs de défection des clients[49]

Jusqu'à présent, nous avons parlé des facteurs de fidélité et des stratégies employées pour lier les clients à l'entreprise. Une approche alternative est de comprendre les facteurs de défection du client et de travailler sur leur réduction. Par exemple, dans le secteur des téléphones mobiles, les entreprises conduisent de manière régulière des diagnostics d'échecs. Ces études incluent l'analyse des informations obtenues sur le nombre de défections de clients, des entretiens téléphoniques avec les clients ayant abandonné le service (les centres d'appel posent souvent un certain nombre de questions lorsqu'un client résilie son abonnement afin de mieux en comprendre les raisons) et des entretiens en profondeur avec d'anciens clients conduits par un cabinet indépendant, ce qui donne, de manière générale, une meilleure compréhension des facteurs d'échecs.

Analyser les causes de défection des clients et surveiller les comptes à la baisse

Susan Keaveney, de l'université du Colorado, a mené une étude de grande envergure sur un ensemble de services et a trouvé plusieurs raisons pour lesquelles les clients changent de prestataire de service[50] (voir figure 12.6).

Les problèmes sur le service de base ont été mentionnés par 44 % des répondants ; la non-satisfaction du service a été mentionnée dans 34 % des cas ; les prix trop élevés, trompeurs ou non justifiés ont été cités par 30 % des répondants ; le fait que le service n'est pas pratique à utiliser, en termes de temps, de lieu, ou de retards, a été mentionné dans 21 % des cas ; enfin, une mauvaise réponse apportée à un défaut de service est citée par 17 % des répondants. Beaucoup de répondants ont aussi indiqué que la décision de changer de prestataire avait été prise après des incidents reliés entre eux, par exemple un problème dans la livraison du service suivi d'une insatisfaction après la reprise dudit service.

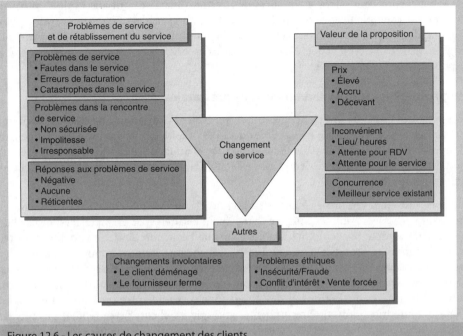

Figure 12.6 - Les causes de changement des clients.

Source : Adapté de Susan Keaveney, « Customer Switching Behavior in Service Industry : An Exploratory Study », *Journal of Marketing*, 59, avril 1995, p. 71-82 .

Les principales raisons d'attrition

Les conclusions de Susan Keaveney montrent l'importance de la qualité du service délivré (voir le chapitre 14), de la réponse apportée à une réclamation et à la reprise du service (voir chapitre 13), de la minimisation des coûts non monétaires, de la transparence du prix et de sa justification par une qualité en rapport (voir chapitre 6).

En plus de ces facteurs d'échecs généraux, les entreprises peuvent faire face à des échecs spécifiques à leur secteur d'activité. Par exemple, dans les services téléphoniques cellulaires, les besoins de remplacement du téléphone sont une raison typique qui pousse les clients à annuler un abonnement et le remplacer par un nouveau qui permet l'obtention d'un nouveau téléphone mobile en grande partie payé par l'entreprise. Les fournisseurs de téléphones mobiles payent de manière générale entre 50 % et 90 % du prix du téléphone, sommes qui dépendent en grande partie de la valeur de l'abonnement et de sa durée.

Mettre en place un service de « recouvrement » des plaintes et de réparation de service (*service recovery*)

Pour pallier les défections des appareils, beaucoup d'entreprises offrent des programmes de remplacement proactifs, avec lesquels les abonnés peuvent acheter des téléphones payés en partie par leur opérateur de manière régulière, ou bien même les reçoivent gratuitement grâce à leurs points de fidélité qui récompensent la fréquence d'utilisation de leur téléphone mobile. Des mesures de rétention réactive sont aussi mises en place, comme par exemple un personnel de centre d'appels spécialement entraîné, qui a pour mission de prendre en charge les appels de clients souhaitant résilier leur abonnement. Sa principale tâche est d'écouter les besoins et les problèmes de ces clients et d'essayer d'y répondre avec l'intention de les garder.

Augmenter les coûts de changement de prestataire

Ces systèmes proactifs ont pour mission de contrôler l'utilisation que chaque client fait du service et permettent de prendre des décisions rapides et efficaces telles que l'envoi d'une fiche de renseignement au client et/ou l'appel direct de ce dernier par un représentant du service clients afin de s'enquérir de l'état de la relation et de proposer des solutions en cas de problème.

Un autre moyen de réduire les échecs est d'accroître la difficulté de changer de prestataire[51]. Beaucoup de services ont des coûts de changement naturels (par exemple, il est difficile de changer de compte bancaire, spécialement lorsque beaucoup de débits, crédits et autres services bancaires sont liés à ce compte)[52]. Cependant, certains coûts de changement peuvent être engendrés par des modalités contractuelles qui pénalisent le changement. C'est le cas des frais de changement perçus par les entreprises de courtage lorsque l'on souhaite transférer des actions et des obligations vers une autre institution financière. Mais les entreprises doivent être prudentes afin que les clients ne se sentent pas pris en otage. Une entreprise qui met de nombreuses barrières au changement et offre un service de qualité médiocre a tendance à engendrer des réticences et peut faire l'objet d'un bouche à oreille négatif.

6. Les systèmes de gestion de la relation client (CRM)

Les marketeurs ont compris depuis longtemps l'importance du management de la relation client et certains secteurs d'activité l'appliquent depuis des décennies. Les exemples abondent, allant de l'épicerie du coin, du garage de quartier aux fournisseurs de services bancaires à des clients importants.

Lorsque l'on parle de CRM, il nous vient tout de suite à l'esprit des systèmes informatiques aux technologies les plus perfectionnées et aux infrastructures coûteuses et complexes, avec des noms tels que SAP, Siebel Systems, Peoplesoft ou Oracle. Cependant, CRM signifie le processus global par lequel les relations avec les clients sont construites et maintenues.

6.1. Objectifs des systèmes CRM

Beaucoup d'entreprises ont un nombre important de clients (souvent des millions), beaucoup de points de service différents (par exemple, agences, personnel de centres d'appel, machines en libre service, sites Internet, etc.), situés en de multiples zones géographiques. À un seul de ces points de service, il est douteux qu'un même client soit servi par le même personnel lors de deux visites consécutives. Dans de telles situations, les responsables manquaient d'outils leur permettant de pratiquer un marketing relationnel. Mais aujourd'hui les systèmes CRM permettent de le faire en enregistrant et en transmettant l'information d'un client vers les différents points de service.

Du point de vue du client, des systèmes CRM bien mis en œuvre peuvent permettre « une interface client unifiée », ce qui veut dire que lors de chaque transaction les détails du compte, les préférences du client et ses transactions passées ou l'historique d'un problème de service sont à la disposition de la personne servant le client. Cela peut engendrer une amélioration très importante du service.

Du point de vue de l'entreprise, les systèmes CRM permettent de mieux comprendre, de segmenter et de classifier sa base de clientèle, de mieux cibler les promotions et les ventes croisées et même de mettre en œuvre des « systèmes d'alerte d'échecs » qui signalent si un client est sur le point de changer de prestataire de service[53]. Le Mémo 12.3 met en lumière les applications des systèmes CRM.

Les applications d'usage courant des systèmes de CRM

Collecte de données. Le système collecte des données sur les clients telles que les détails des contacts, ses caractéristiques démographiques, son historique d'achats, ses préférences en matière de service et d'autres informations semblables.

Analyse des données. Les données collectées sont analysées et catégorisées par le système d'après des critères définis par l'entreprise. Elles sont utilisées afin de classifier la clientèle et adapter la livraison de service.

Automatisation de la force de vente. Les opportunités de vente, de ventes croisées et incrémentales peuvent être identifiées et l'entreprise peut les exploiter. En outre, le cycle de vente tout entier peut être retracé et ainsi facilement retrouvé par le système CRM.

Automatisation du marketing. L'extraction de données sur les clients permet à l'entreprise de cibler son marché. Un bon système CRM permet à l'entreprise de tendre vers le marketing « one to one » et de réaliser des réductions de coût. Cela permet une augmentation du ROI (*Return on Investment*) de ses dépenses de marketing. Les systèmes CRM permettent également d'évaluer l'efficacité des campagnes promotionnelles grâce à l'analyse des réponses.

Automatisation des centres d'appel. Le personnel des centres d'appel a à disposition des informations client et peut ainsi améliorer le niveau de service offert à l'ensemble des clients. De plus, l'identification de la personne qui appelle permet aux centres d'appel d'identifier son statut et d'adapter ainsi le niveau de service qui lui est accordé. Par exemple, un client *platine* reçoit une priorité d'appel lorsqu'il y a un temps d'attente.

Mémo 12.3

6.2. Qu'englobe une stratégie de CRM ?

Plutôt que de considérer le système de CRM (gestion de la relation client) comme une technologie, nous le voyons plutôt comme une stratégie, concentrée sur le développement et le management de relations clients rentables. Le schéma 12.7 nous montre les bases des cinq processus clés d'une stratégie de CRM :

1. **Le développement** d'une stratégie de CRM implique, en premier lieu, l'évaluation de la stratégie de l'entreprise. La stratégie de l'entreprise est typiquement la responsabilité

du top management. Une fois déterminée, cette stratégie d'entreprise devrait guider le développement de la stratégie client, dont le choix des segments cibles, la hiérarchisation de la base clients, la conception de « contrat de fidélité et de fidélisation de la clientèle » (comme évoquée dans la relation satisfaction/fidélité du client, schéma 12.4).

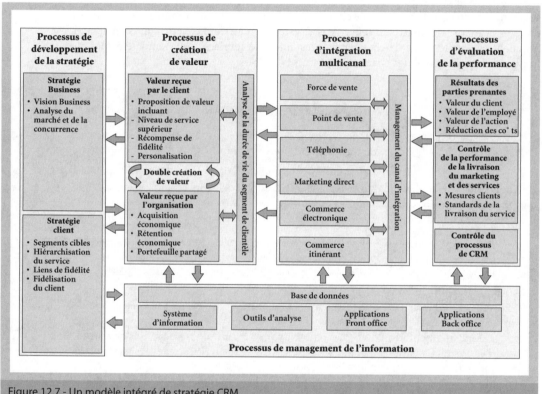

Figure 12.7 - Un modèle intégré de stratégie CRM.

2. **La création de valeur** traduit les stratégies d'entreprise et client en propositions concrètes pour les clients et l'entreprise. La valeur créée pour les clients inclut tous les bénéfices qui lui sont livrés à travers les services proposés, les avantages liés fidélité, l'adaptation aux besoins du client et la personnalisation. La valeur créée pour l'entreprise doit être diminuée des coûts d'acquisition et de rétention du client. Le cœur du CRM est le concept de double création de valeur – les clients doivent participer à la relation client (par exemple, en fournissant des informations) pour qu'ils puissent bénéficier de la valeur des initiatives CRM de l'entreprises. Par exemple, si mon permis de conduire, mon adresse de facturation, mes coordonnées bancaires et mes préférences en termes de voiture et d'assurance sont les seules informations enregistrées dans le système de CRM d'une entreprise de location de voitures, ai-je la possibilité de m'éviter de redonner ces informations à chaque réservation ? Les entreprises peuvent aussi créer de la valeur en rapprochant les

informations d'un client avec celles des autres (par exemple, Amazon analyse les livres achetés par les clients ayant un profil similaire au vôtre afin de vous faire profiter de promotions ciblées).

3. **L'intégration multicanal :** la plupart des entreprises de services interagissent avec les clients à travers une multitude de canaux et il est devenu très complexe de servir un client correctement à travers ces multiples canaux en lui offrant une interface client unifié.

4. **Management de l'information :** la livraison de services à travers différents canaux repose sur la capacité de l'entreprise à collecter des informations sur les clients en provenance de tous les canaux, de les intégrer à d'autres informations adéquates et de rendre l'information appropriée disponible aux différentes personnes en contact avec le client. Le processus de management de l'information englobe les bases de données (qui contiennent l'ensemble des données clients), les systèmes d'information (logiciels et matériels), les outils d'analyse comprenant les extractions de données et des progiciels spécifiques (tels que les outils d'analyse de gestion de campagne de promotion, l'évaluations des crédits, les profils clients et les systèmes d'alerte de la gestion de la fidélisation), les applications de *front-office* (comme, par exemple, les outils de gestion des centres d'appel), et les applications de *back-office* (qui supportent les processus internes liés aux clients, tels que la logistique, les achats et les processus financiers).

5. **L'évaluation de la performance** doit soulever trois questions critiques. Première-ment : est-ce que la stratégie de CRM crée de la valeur pour ses principales parties prenantes (c'est-à-dire les clients, les employés et les actionnaires) ? Deuxième-ment : est-ce que les objectifs marketing sont satisfaits (de l'acquisition du client au maintien de la satisfaction du client) et les objectifs de performance de la livraison du service réalisés ? Troisièmement : est-ce que le processus de CRM lui-même fonctionne conformément aux attentes ? (Par exemple, est-ce que la valeur de l'entreprise et du client ont été augmentées ? Et est-ce que l'intégration des canaux de vente et de services a été réellement réalisée ?) Le processus de management de la performance devrait conduire l'amélioration permanente de la stratégie CRM.

6.3. Les erreurs classiques de l'implémentation du CRM

Malheureusement, la majorité des implantations du CRM a échoué dans le passé. D'après le groupe Gartner, le taux d'échec est de 55 % et Accenture le situe à 60 %. L'une des raisons principales de ce taux d'échec élevé est le fait que les entreprises supposent que l'installation d'un système de CRM leur fournira une stratégie de relation client. Ils oublient que le système n'est qu'un outil pour accroître la capacité à livrer les clients de l'entreprise, et ne constitue pas la stratégie.

Par ailleurs, le CRM est transverse à de nombreux départements et fonctions (par exemple, des centres d'appel pour les clients, des services en ligne, la formation des employés et les départements informatiques), aux programmes (des programmes commerciaux et de fidélité, le lancement de nouveaux services, les ventes croisées et les opérations de promotion), et aux processus (par exemple, les autorisations de crédit, la gestion des plaintes et le recouvrement des créances). Le panel très large que recouvre le

CRM met en évidence le fait que c'est toujours le maillon le plus faible qui détermine le succès de l'opération.

Les raison classiques d'échec du CRM sont :

- **La vision du CRM en tant qu'initiative technologique.** Il est facile de penser que le CRM est avant tout technologique et laisser le département systèmes d'information concevoir la stratégie CRM à la place du top management ou du service marketing. Ceci implique un manque d'orientations stratégiques et de compréhension des clients et du marché, lors de l'implémentation.

- **Le manque d'attention au client.** Beaucoup d'entreprises mettent en place un outil CRM sans avoir pour objectif final une livraison de service de meilleure qualité aux clients.

- **Une mauvaise estimation de la valeur et de la durée de vie du client.** Les programmes marketing de beaucoup d'entreprises ne sont pas suffisamment structurés autour du potentiel commercial des différents clients. Par ailleurs, les couts de services pour les différents segments de clients ne sont pas forcément bien calculés (par exemple, en utilisant les méthodes de calcul des coûts basées sur l'activité, vues au chapitre 5).

- **Une implication inadéquate du top management.** Sans l'implication active et l'investissement du top management, la mise en place du projet de stratégie CRM ne pourra réussir.

- **L'échec de la modification des processus commerciaux.** Il est virtuellement impossible d'implanter une stratégie CRM avec succès sans re-concevoir le service client et les processus back-office. Beaucoup d'implantations ont échoué car le CRM était conçu avec les processus existants, sans qu'ils aient été repensés pour s'adapter à une nouvelle façon de travailler orientée client. La re-conception nécessite aussi un management du changement efficace ainsi qu'un engagement et un support des employés.

- **Une sous-estimation des difficultés de l'intégration des données.** Les entreprises échouent souvent l'intégration des données clients dans le système car celles-ci sont généralement éparpillées dans toute l'organisation. Une des clés pour utiliser tout le potentiel de l'outil CRM est de rendre la connaissance du client disponible en temps réel à tous les employés qui en ont besoin.

Conclusion

Gagner des parts de marché implique de mettre en œuvre de nombreux éléments. L'accroissement du portefeuille clients, les ventes croisées d'autres produits et services à des clients actuels et l'incitation à la fidélité à long terme en sont autant de moyens. Le processus commence par l'identification et le ciblage des bons clients, puis par la collecte d'informations concernant leurs besoins, incluant leurs préférences parmi les différentes formes de services. Transposer cette connaissance en processus opérationnels est une phase clé pour arriver à la fidélisation du client.

Les marketeurs doivent prêter attention aux clients ayant le plus de valeur pour l'entreprise puisque ce sont eux qui achètent ses produits avec la plus grande fréquence et dépensent le plus dans les services haut de gamme. Les programmes récompensant la fréquence d'utilisation (dont les clubs de *frequent-flyer* créés par les compagnies aériennes) identifient et fournissent des récompenses aux clients ayant la plus grande valeur et facilitent une livraison de service échelonnée. Ils permettent, en outre, aux marketeurs de suivre le comportement des clients ayant le plus de valeur en termes de lieu et de fréquence d'utilisation du service, de types de produits achetés, et enfin permettent de savoir combien ces clients dépensent.

Activités

Questions de révision

1. Pourquoi le ciblage des « bons clients » est-il si important pour gérer correctement la relation avec le client ?

2. Comment pouvez-vous estimer la valeur à vie d'un client ?

3. Que vous suggère le terme « portefeuille de clients » ? Comment une entreprise peut-elle décider du mix de clients qui lui convient ?

4. Quels critères un responsable marketing devrait-il prendre en considération pour décider quels segments, parmi ceux possibles, sont à cibler par l'entreprise ?

5. Identifiez quelles mesures peuvent permettre la création de liens avec le client et encouragent les relations à long terme ?

6. Quels arguments peuvent justifier les investissement dont le but est de garder les clients fidèles?

7. Quel est le rôle d'un système de CRM dans la stratégie relationnelle avec le client ?

Exercices d'application

1. Identifiez trois prestataires de service auxquels vous faites appel de manière régulière. Pour chacun d'entre eux, complétez la phrase suivante : « Je suis fidèle à cette entreprise parce que…»

2. Évaluez si ces entreprises ont réussi à créer un avantage concurrentiel durable grâce à la fidélité qu'elles ont réussi à obtenir de votre part ?

3. Identifiez deux prestataires de service auxquels vous avez fait appel par le passé mais avec lesquels vous avez cessé la relation (ou êtes sur le point de le faire) à cause de votre insatisfaction. Complétez la phrase suivante : « J'ai cessé (ou vais cesser) de faire appel à ce prestataire de service parce que….»

4. Quelles conclusions pouvez-vous tirer concernant les entreprises en question ? Comment ces entreprises pouvaient-elles éviter votre défection ? Comment pourraient-elles éviter de futures défections parmi les clients ayant le même profil que le vôtre ?

5. Évaluez les forces et les faiblesses des programmes de « *frequent user* » dans différents secteurs de service.

6. Concevez un questionnaire et menez une étude sur deux programmes de fidélisation. Le premier concerne des programmes de fidélisation ou d'adhésion que vous, vos amis, vos familles appréciez particulièrement et ce qui vous rend fidèles à cette entreprise. Le second concerne un programme de fidélisation qui est mal perçu et qui ne semble apporter aucune valeur au service. Utilisez des questions ouvertes, telles que « Qu'est-ce qui vous a poussé à souscrire dans un premier temps ? », « Pourquoi utilisez-vous ce programme ? », « Est-ce que le fait de participer au programme a changé vos habitudes d'utilisation du service ou d'achat ? », « Que pensez-vous des récompenses disponibles ? », « Est-ce que le fait d'adhérer au programme vous a apporté des privilèges immédiats ? », « Quel rôle est-ce que le programme d'adhésion joue dans le fait que vous restiez fidèle ? », « Quels sont les trois éléments de ce programme de fidélisation / d'adhésion que vous aimez le plus ? » – « que vous aimez le moins » – « que vous suggéreriez d'améliorer ». Analysez quelles caractéristiques font que les programmes de fidélisation / d'adhésion sont un succès et quelles caractéristiques n'entraînent pas les résultats escomptés. Utilisez des structures telles que la roue de la fidélité pour vous guider dans votre analyse et votre présentation.

Notes

1. Steven S. Ramsey, « Introduction : Strategy First, then CRM », in *The Ultimate CRM Handbook – Strategies & Concepts for Building Enduring Customer Loyalty & Profitability,* John G. Freeland éd., McGraw-Hill, New York, 2002, p. 13.

2. Richard L. Oliver, « Whence Consumer Loyalty ? », *Journal of Marketing,* 63, numéro spécial, 1999, pp. 33-44.

3. Frederick F. Reichheld et Thomas Teal, *L'Effet loyauté,* Dunod, 1996.

4. Frederick F. Reichheld et W. Earl Sasser Jr., « Zero Defections : Quality Comes to Services », *Harvard Business Review,* octobre 1990, pp. 105-111.

5. Voir aussi Jérôme Bon et Elisabeth Tissier Desbordes, « Fidéliser les clients ? Oui mais…. », *Revue Francaise de gestion,* janvier-février 2000, pp. 52-60.

6. *Ibid.*

7. Frederick F. Reichheld et Phil Schefter, « E-Loyalty – Your Secret Weapon on the Web », *Harvard Business Review,* juillet-août, 2002, pp. 105-113.

8. Voir aussi Lars Meyer-Warden et Christophe Benavent, « Les cartes de fidélité comme outils de segmentation et de ciblage. Le cas d'une enseigne de distribution », Décisions Marketing, n° 32, 2003, pp. 19-30.

9. Graham R. Dowling et Mark Uncles, « Do Customer Loyalty Programs Really Work ? » *Sloan Management Review,* été 1997, pp. 71-81; Werner Reinartz et V. Kumar, « The Mismanagement of Customer Loyalty », *Harvard Business Review,* juillet 2002, pp. 86-94.

10. Werner J. Reinartz et V. Kumar, « On the Profitability of Long-Life Customers in a Noncontractual Setting : An Empirical Investigation and Implications for Marketing », *Journal of Marketing,* n° 64, octobre 2000, pp. 17-35.

11. Voir aussi Michel Calciu et Francis Salerno, « Modélisation de la valeur client (lifetime value) : synthèse des modèles et propositions d'extension », *Actes du congrès de l'AFM,* vol. 18, Lille, 2002.

12. Jean-Claude Liquet et Dominique Crié, « Mesurer la durée de vie d'un client : le cas des abonnements presse », *Décisions Marketing* n° 13, pp. 75-84.

13. John E. Hogan, Katherine N. Lemon et Barak Libai, « What is the True Cost of a Lost Customer ? » *Journal of Services Research,* 5, n° 3, 2003, pp. 196-208.

14. David Bell, John Deighton, Werner J. Reinartz, Roland T. Rust et Gordon Swartz, « Seven Barriers to Customer Equity Management », *Journal of Service Research,* 5, août 2002, pp. 77-85.

15. Katerine N. Lemon, Roland T. Rust et Valarie A. Zeithaml, « What Drives Customer Equity ? », *Marketing management,* printemps 2001, pp. 20-25.

16. Roland T. Rust, Valarie A. Zeithaml et Katerine N. Lemon, « Driving Customer Equity ? », in *Dowling and Uncles,* The Free Press, New York, 2000, p. 74.

17. Roland Rust est directeur du centre de management des services et chercheur à la School of Business de l'université du Maryland ; Valarie Zeithaml est professeur à la School of Business de l'université de Caroline du Nord et Katerine Lemon est professeur associé à la School Business du Boston College.

18. Barak Libai, Das Narandayas et Clive Humby, « Toward an Individual Customer Profitability Model : A Segment Based Approach » *Journal of Service Research*, 5, août 2002, pp. 69-76.

19. Alan W. H. Grant et Leonard H. Schlesinger, « Realize Your Customer's Full Profit Potential », *Harvard Business Review*, n° 73, septembre-octobre, 1995, pp. 59-75.

20. Voir aussi Yasmine Benamour et Isabelle Prim, « Orientation relationnelle versus transactionnelle du client : développement d'une échelle dans le secteur bancaire », Actes du congrès de l'AFM, vol. 16, Montréal, 2000.

21. Nicole E. Coviello, Roderick J. Brodie et Hugh J. Munro, « Understanding Contemporary Marketing : Development of a Classification Scheme », *Journal of Marketing Management*, 13, n° 6, pp. 501-522.

22. Voir aussi Marc Filser, « Le magasin amiral : de l'atmosphère du point de vente à la stratégie relationnelle de l'enseigne », *Décisions Marketing*, n° 24, pp. 7-16.

23. Ou « marketing de bases de données » selon Kotler/Keller/Dubois/Manceau, *Marketing management*, 12ᵉ édition, Pearson Education, 2006.

24. Voir aussi Sabine Flambard-Ruaud et Jean-Paul Ventalon, « Cartographie d'une base de données : un entretien », *Décisions Marketing*, n° 7, 1996, p.31-35 ; A. Ainslie et X. Dreze, « Le data-mining et l'alternative modèles classiques/réseaux neuronaux », *Décisions Marketing*, n° 7, 1996, pp. 77-86.

25. J. R. Copulsky et M.J. Wolf, « Relationship Marketing : Positioning for the Future, » *Journal of Business Strategy* », 11, n° 4, 1990, pp. 16-20.

26. Voir aussi Michel Calciu et Francis Salerno, « Modélisation de la valeur client (lifetime value) : synthèse des modèles et propositions d'extension », Actes du congrès de l'AFM, vol. 18, Lille, 2002.

27. Christopher Lovelock et Martin Bless, Taken from the case « BT : Telephone Account Management », IMD (Institut pour l'International Management Development), Lausanne, Suisse, 1992.

28. Voir aussi Stéphane Lajoinie-Bourliataux, « Application du marketing direct sur Internet : le cas controversé des cookies et du spamming », *Décisions Marketing*, n° 14, 1998, pp. 73-79.

29. Evert Gummesson, *Total Relationship Marketing*, Butterworth-Heinemann, Oxford, 1999, p. 24.

30. Voir aussi Lars Meyer-Warden et Christophe Benavent, « Les cartes de fidélité comme outils de segmentation et de ciblage. Le cas d'une enseigne de distribution », *Décisions Marketing*, n° 32, 2003, pp. 19-30.

31. Voir aussi Patrick Nicholson, « L'identification d'une cible en marketing direct », *Recherche et applications en marketing*, vol. 9, n° 3, 1994, pp. 65-82.

32. Frederick F. Reichheld, *Loyalty Rules – How Today's Leaders Build Lasting Relationships*, Harvard Business School Press, Boston, 2001, p. 45.

33. Roger Hallowell, « The Relationships of Customer Satisfaction, Customer Loyalty, and Profitability : An Empirical Study », *International Journal of Service Industry Management*, 7, n° 4, 1996, pp. 27-42.

34. Leonard L. Berry, *Discovering the Soul of Service – The Nine Drivers of Sustainable Success*, The Free Press, New York, 1999, pp. 148-149.

35. Voir aussi Christophe Bénavent, « Gérer le portefeuille clients : une application au marché du Benelux, *Décisions Marketing*, n° 4, 1995, pp. 35-45.

36. David Rosenblum, Doug Tomlinson et Larry Scott, « Bottom-Feeding for Blockbuster Business », *Harvard Business Review*, mars 2003, pp. 52-59.

37. Voir aussi Christophe Bénavent, « Gérer le portefeuille clients : une application au marché du Benelux, *Décisions Marketing*, n° 4, 1995, pp. 35-45.

38. Ravi Dahr et Rashi Glazer, « Hedging Customers », *Harvard Business Review*, 81, mai 2003, pp. 86-92.

39. Voir en particulier le chapitre 20 de David H. Maister, *True Professionalism*, The Free Press, New York, 1997.

40. Valarie A. Zeithaml, Roland T. Rust et Katharine N. Lemon, « The Customer Pyramid : Creating and Serving Profitable Customers », *California Management Review*, 43, n° 4, été 2001, p. 118.

41. Werner J. Reinartz et V. Kumar, « The Impact of Customer Relationship Characteristics on Profitable Lifetime Duration », *Journal of Marketing*, 67, n° 1, 2003, pp. 77-99.

42. Voir aussi Cécile Bozzo, Dwight Merunka et Jean-Louis Moulins, « Fidélité et comportement d'achat : ne pas se fier aux apparences », *Décisions Marketing*, n° 32, 2003, pp. 9-17.

43. Piyush Kumar, « The Impact of Long-Term Client Relationships on the Performance of Business Service Firms », *Journal of Service Research*, 2, août 1999, pp. 4-18.

44. Voir aussi Jean Frisou, « Confiance interpersonnelle et engagement : une réorientation du béhavioriste », *Recherche et applications en marketing*, vol. 15, n° 1, 2000, pp. 63-80.

45. Voir aussi Paul-Valentin Ngobo« Les relations non linéaires entre la satisfaction, la fidélité et les réclamations », Actes du congrès de l'AFM, vol. 14, Bordeaux, 1998, pp. 641-670.
46. Valarie A. Zeithaml et Mary Jo Bitner, *Services Marketing*. 3e éd., McGraw-Hill, New York, 2003, p. 175 ; Leonard L. Berry et A. Parasuraman, « Three Levels of Relationship Marketing », in *Marketing Services - Competing through Quality*, The Free Press, New York, 1991, pp. 136-142.
47. Barbara Bund Jackson, « Build Relationships that Last », *Harvard Business Review*, novembre-décembre 1985, pp. 120-128.
48. Don Peppers et Martha Rogers, *The One-to-One Manager*, Currency/Doubleday, New York, 1999.
49. Ruth N. Bolton, P.K. Kannan et Matthew D. Bramlett, « Implications of Loyalty Program Membership and Service Experience for Customer Retention and Value », *Journal of the Academy of Marketing Science*, 28, n° 1, 2000, pp. 95-108.
50. « Do Customer Loyalty Really Work ? , in *Dowling and Uncles, op. cit.*, , p. 74.
51. Voir aussi Dominique Crie, « Rétention de clientèle et fidélité des clients », *Décisions Marketing*, n° 7, 1996, pp. 25-30.
52. Susan M. Keaveney, « Customer Switching Behavior in Service Industries : An Exploratory Study », *Journal of Marketing*, 59, avril 1995, pp. 71-82.
53. Jonathan Lee, Janghyuk Lee et Lawrence Feick, « The Impact of Switching Costs on the Consumer Satisfaction-Loyalty Link: Mobile Phone Service in France », *Journal of Services Marketing*, 15, n° 1, 2001, pp. 35-48.
54. Darrell K. Rigby, Frederick F. Reichheld et Phil Schefter, « Avoid the Four Perils of CRM », *Harvard Business Review*, février 2002, p. 108.
55. *Ibid.*

« L'erreur est humaine, la réparation divine. »
– Christopher Hart, James Heskett et Earl Sasser

*« L'un des moyens les plus sûrs pour détériorer la qualité
des relations clients est l'absence de plaintes.
Mais personne n'est jamais totalement satisfait surtout sur une longue période. »*
– Théodore Levitt

Ce chapitre aborde les questions suivantes

- Pourquoi les clients se plaignent-ils et qu'attendent-ils de l'entreprise ?
- Comment mettre en place une stratégie de réparation ?
- Dans quelles circonstances les entreprises doivent-elles offrir des garanties ? Est-il pertinent d'offrir des garanties inconditionnelles ?
- Comment les entreprises et le personnel en contact direct avec le client, doivent-ils répondre aux clients qui vont trop loin ou à ceux qui sont opportunistes ?
- Comment les entreprises peuvent-elles mettre en place, de façon systématique et à partir des réclamations des clients, un outil d'apprentissage en continu et de perfectionnement du service ?

L e premier mot d'ordre de la productivité et de la qualité d'un service pourrait être : « Que tout soit fait parfaitement, dès la première fois », mais nous ne pouvons nier que des erreurs continuent de se produire, parfois pour des raisons qui ne relèvent pas de la responsabilité de l'entreprise. Vous avez probablement remarqué, au cours de vos expériences personnelles, que les différents « moments de vérité » d'un service sont tout particulièrement des moments de vulnérabilité pour la qualité. Certaines caractéristiques des services, comme la performance en temps réel, la forte implication du client ou le fait que le client soit considéré comme un élément constitutif du service, augmentent fortement les risques d'erreurs. La façon dont une entreprise gère les conflits et résout les problèmes peut la conduire soit à construire une relation de confiance avec le client, soit à le voir se tourner vers la concurrence.

1. La plainte et le comportement du client

Il y a des chances que vous ne soyez pas satisfait par au moins l'une des partie des services qui vous sont offerts. Comment réagissez-vous par rapport à cette insatisfaction ?

Vous adressez-vous de façon informelle à un employé, demandez-vous à parler à un responsable ou bien rédigez-vous une lettre de réclamation ? Si vous ne faites rien de tout cela, peut-être que vous murmurez d'un air sombre, que vous grognez auprès de vos amis et de votre famille et, lorsqu'il vous arrive d'avoir besoin d'un service similaire, vous choisissez un autre prestataire.

Si vous faites partie de ceux qui ne se plaignent pas d'un service de mauvaise qualité, alors vous n'êtes pas seul. Des recherches à l'échelle mondiale ont montré que la plupart des personnes ne se plaignent pas, surtout si elles pensent que cela ne servira à rien.

1.1. Les réponses des clients face aux défaillances de service[1]

La figure 13.1 décrit les modèles d'action qu'un client peut choisir en réaction aux défaillances d'un service.

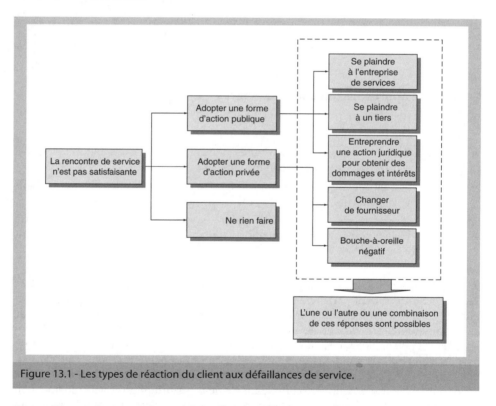

Figure 13.1 - Les types de réaction du client aux défaillances de service.

Ce modèle suggère au moins trois grands types d'actions :

1. choix d'une forme d'action publique. C'est-à-dire adresser une plainte à l'entreprise, s'adresser à un tiers, telle une association de défense du consommateur, ou un médiateur, voire faire appel à un tribunal civil ou pénal ;

2. choix d'une forme d'action privée (comme l'abandon de ce fournisseur) ;

3. choix de ne pas agir.

Il est important de se souvenir que le client peut choisir l'une de ces possibilités ou bien une combinaison de celles-ci. Les responsables doivent être conscients du fait que les conséquences de la fuite d'un client peuvent aller beaucoup plus loin que la simple perte des flux d'argent que cette personne aurait apportés.

Lorsqu'ils sont en colère, les clients parlent souvent de leurs problèmes aux autres. Internet leur permet aujourd'hui de toucher des milliers de personnes en envoyant des plaintes à des journaux ou en créant des sites Web qui relatent leurs mésaventures avec certaines organisations[2].

1.2. Comprendre les réponses des clients face aux défaillances de service

Afin d'être véritablement à même de répondre à des clients mécontents et qui se plaignent, les responsables doivent comprendre les raisons de la plainte.

Pourquoi les clients se plaignent-ils ?

Les études relatives au processus de plainte d'un client ont globalement identifié quatre raisons fondamentales.

- *Obtenir la restitution d'un service ou une compensation.* Souvent, les clients se plaignent d'une perte financière pour demander un remboursement, une compensation ou en cherchant le remplacement du service.

- *Libérer leur colère.* Certains clients se plaignent par principe ou pour libérer leur colère et leur frustration. Quand le service est long à l'excès, quand les employés sont impolis, volontairement intimidants ou lorsqu'ils ont l'air indifférents, l'amour-propre des clients, leur estime de soi, leur sens de l'équité peuvent en être affectés. Ils peuvent alors s'emporter. La colère peut également venir de la non-prise en compte d'une plainte provoquant un sentiment d'injustice. Ou encore du manque d'information : par exemple être bloqué dans un train sans avoir d'explication pendant deux heures.

- *Participer à l'amélioration du service.* Lorsque les clients sont très fortement liés au service (un collège, une association d'anciens élèves...), ils formulent des commentaires pour essayer de participer à l'amélioration du service.

- *Des raisons altruistes.* Enfin, certains clients sont animés de raisons altruistes. Ils veulent éviter à d'autres de rencontrer les mêmes difficultés et ils peuvent se sentir mal à l'aise si le problème n'est pas signalé.

Dans quelle proportion les clients mécontents se plaignent-ils ?

En fait, des recherches ont montré qu'en moyenne, 5 à 10 % seulement des clients qui ont été mécontents d'un service se plaignent[3]. Parfois, le pourcentage est beaucoup plus faible. Un des auteurs de ce livre a étudié les plaintes reçues par une compagnie de bus qui appartenait au service public. Il est parvenu à un résultat d'environ trois plaintes par personne tous les un million de trajets. Si l'on suppose qu'une personne effectue deux trajets par jour, il lui faudrait 1 370 ans (soit environ 27 vies) pour effectuer un million de trajets. En d'autres termes, le taux de plaintes était incroyablement faible, étant donné que les services de transport par bus ne sont généralement pas réputés pour la qualité de leur offre.

Pourquoi les clients mécontents se plaignent-ils ?

Tarp, un cabinet d'études qui mesure la satisfaction des clients, a identifié un certain nombre de raisons à l'absence de réclamation[4]. Les clients n'ont pas le temps d'écrire une lettre, de remplir un formulaire ou de passer un coup de fil dans la mesure, du moins, où ils considèrent que le service n'est pas suffisamment important pour en valoir la peine. Pour beaucoup, c'est un investissement qui a peu de chance d'être payé en retour, et de nombreux clients pensent que personne ne s'intéressera à leur problème, ni ne cherchera à le résoudre. Dans certaines situations, les gens ne savent aussi tout simplement pas où aller, ni que faire[5].

Par ailleurs, beaucoup ont l'impression que le fait de se plaindre est détestable. Ils peuvent redouter un conflit, plus particulièrement si la plainte s'adresse à une personne que le client connaît et à qui il peut avoir à faire appel à nouveau.

Les comportements par rapport à la plainte peuvent être influencés par les conventions sociales et la conception du rôle de chacun. Dans des services où les clients ont un pouvoir faible (pouvoir qui se définit par la capacité à orienter ou contrôler un échange), ils auront beaucoup moins tendance à émettre des plaintes. Ceci se vérifie particulièrement lorsque ces problèmes impliquent des professionnels, comme des médecins, des avocats ou des architectes. Du fait de leur expertise supposée, les normes sociales tendent à décourager les clients de critiquer de telles personnes[6].

Quels sont les clients qui se plaignent le plus ?

Les résultats de la recherche montrent régulièrement que les personnes appartenant à des catégories socioprofessionnelles plus élevées auront plus tendance à se plaindre que celles qui appartiennent à des catégories moins favorisées. Le fait d'avoir reçu une meilleure éducation, d'avoir un revenu supérieur et une plus grande implication au sein de la société donne l'assurance, le savoir et la volonté de se manifester lorsque l'on est face à un problème[7].

Par ailleurs, ceux qui se plaignent ont généralement une meilleure connaissance du produit en question.

Où s'adressent les clients pour se plaindre ?

Les études montrent que la majorité des plaintes sont faites sur le lieu même du service. Un des auteurs de ce livre vient de réaliser une étude sur le développement et la mise en place d'un système de traitement des plaintes des clients, et il s'est avéré de façon étonnante que plus de 99 % des clients s'adressaient directement, ou par téléphone, au personnel. Moins de 1 % seulement de la totalité des plaintes étaient communiquées par e-mail, lettre, fax ou par le biais d'enquêtes de satisfaction[8].

Une enquête auprès des passagers d'un avion a montré que seulement 3 % des personnes qui n'étaient pas satisfaites du repas se sont plaintes, et toutes se sont adressées au commandant de bord ! Aucune réclamation n'a été adressée aux bureaux de la compagnie ou à une association de consommateurs.

En réalité, même si les clients se plaignent, les responsables n'en sont pas informés. Les plaintes sont adressées au personnel en contact avec les clients et moins de 5 % d'entre elles parviennent jusqu'aux centres de décision de l'entreprise[9].

1.3. Qu'attendent les clients une fois qu'ils se sont plaints[10] ?

Dès lors qu'une erreur a été commise, les gens s'attendent à recevoir une juste compensation. Cependant, de récentes études ont montré que beaucoup de clients ont le sentiment de n'avoir pas été traités avec équité et de n'avoir pas reçu de compensation adéquate. Lorsque cela se produit, les clients ont tendance à réagir immédiatement, avec force et émotion[11].

Lors de la réparation d'une erreur, Stephen Tax et Stephen Brown ont montré que 85 % de la variation du taux de satisfaction des clients étaient déterminés par trois dimensions de justice et d'impartialité (voir figure 13.2.)[12].

- *La justice procédurale* correspond aux règles et aux procédures que tout client doit respecter pour se voir rendre justice. Dans ce cas, les clients attendent de l'entreprise qu'elle assume sa responsabilité, ce qui est à la base de toute procédure juste, et dispose d'un système de réparation souple et adapté. Le client espère que le système sera flexible et que l'on prendra en considération ce qu'il peut apporter au processus de réparation.

- *La justice interactive* implique le personnel de l'entreprise et joue sur le comportement du personnel vis-à-vis du client. Il est très important de proposer une explication à l'erreur commise et de faire des efforts pour résoudre le problème. Toutefois, ces efforts doivent être perçus comme honnêtes, sincères et polis.

- *La justice par le résultat* correspond à ce que reçoit le client en compensation des pertes et des inconvénients qui sont survenus du fait de l'entreprise. Il s'agit donc non seulement d'une compensation pour l'erreur qui a été commise, mais également d'une compensation pour le temps, les efforts et l'énergie que le client a fournis lors du processus de réparation[13].

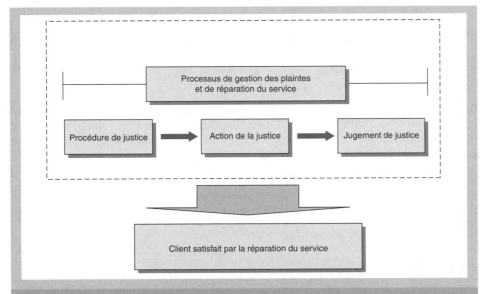

Figure 13.2 - Les trois dimensions de l'équité, pour le client, dans le processus de réparation.

Source : Stephen S. Tax et Stephen W. Brown, « Recovering and Learning from Service Failure », *Sloan Management Review*, 49, n° 1, automne 1998, pp. 75-88.

2. Les réponses des clients face à une réparation de service efficace

« Remercions le ciel de nous envoyer ceux qui se plaignent », tel était le titre provocateur d'un article sur la plainte dans le comportement du client. L'article décrivait également les succès d'un manager s'exclamant : « Dieu merci, j'ai eu un client mécontent au téléphone ! Ceux qui m'inquiètent le plus, ce sont ceux dont je n'entends jamais parler[14] ! » Les clients qui se plaignent donnent à l'entreprise une chance de corriger leurs problèmes (y compris ceux que l'entreprise ne soupçonnait peut-être pas), de rétablir une relation avec le client mécontent et d'améliorer la satisfaction de tous à l'avenir.

La réparation d'un service est un terme générique qui englobe les efforts systématiques effectués par l'entreprise pour corriger les problèmes survenus lors d'une erreur et recréer de la valeur pour le client. La réparation joue un rôle crucial dans l'élaboration ou le rétablissement de la satisfaction du client. Dans toute organisation, il se peut que des évènements aient des conséquences négatives sur la relation avec le client. Le véritable test de l'engagement de l'entreprise sur la qualité de ses services et la satisfaction de ses clients ne réside pas dans des promesses publicitaires, mais dans sa façon de réagir quand un client a des problèmes.

Un service après-vente performant a besoin de procédures efficaces pour résoudre des problèmes et faire face à des clients énervés. Il est vital que les entreprises disposent de stratégies de réparation valables car la moindre petite erreur peut mettre fin à une relation de confiance avec un client si :

- l'erreur est absolument outrageante (escroquerie manifeste de la part de l'entreprise, par exemple) ;

- le problème est lié à un problème de structure (plutôt qu'un phénomène isolé) ;

- Le service après-vente est faible et sert plus à composer avec le problème qu'à le traiter en profondeur[15].

Le risque de défection est important, en particulier si la concurrence propose quantité d'offres alternatives. Une étude sur le comportement du client, lors du passage d'une entreprise de services à une autre, a montré que 60 % des participants qui avaient changé de fournisseurs l'avaient fait parce qu'une erreur était survenue :

- 25 % mentionnaient une faute au niveau du service de base ;

- 19 % parlaient d'un échange désagréable avec un employé ;

- 10 % évoquaient une réponse décevante du service après-vente ;

- 4 % parlaient d'un comportement immoral du fournisseur[16].

2.1. L'impact de la réparation de service sur la fidélité du client

Lorsque les plaintes sont réglées de façon satisfaisante, il y a beaucoup plus de chances que les clients impliqués soient fidèles à l'entreprise.

L'étude du Tarp a montré que les intentions de réachat allaient de 9 à 37 % lorsque les clients étaient mécontents mais ne se plaignaient pas. Dans le cas d'une plainte sérieuse, le taux de rétention allait de 9 % à 19 % si l'entreprise avait écouté d'une oreille aimable, sans avoir été capable de résoudre le problème. Si le litige avait pu être réglé, le taux de réachat pouvait grimper jusqu'à 54 %. Le taux le plus élevé, jusqu'à 82 %, a été atteint lorsque le problème fut réglé parfaitement et rapidement[17].

On peut donc en conclure que le traitement d'une plainte doit être considéré comme une source de profit et non comme une source de coûts. Quand un client mécontent la quitte, l'entreprise perd beaucoup plus que le montant de la prochaine transaction, elle perd aussi tout un flux d'échange à long terme, non seulement avec ce client, mais également avec quiconque veut changer de fournisseur et ne choisira pas cette entreprise à cause du commentaire de l'ami mécontent. En conséquence, il est rentable d'investir dans le service après-vente, afin de préserver ces profits à long terme.

2.2. Le paradoxe du recouvrement de service

Le paradoxe du service après-vente réside dans le fait que les clients dont les problèmes ont été pleinement résolus ont plus tendance à racheter que ceux qui n'ont pas rencontré de problèmes. Une étude sur les erreurs répétées des services a montré que le paradoxe du service après-vente se vérifiait lors du premier problème résolu, mais plus lors du second. Il semble que les clients puissent pardonner une fois, mais perdent confiance ensuite[18]. L'étude montre également que les clients qui ont fait l'expérience d'un service après-vente efficace ont des attentes supérieures ; cette qualité de service devient dès lors leur référence[19].

Des études plus récentes ont pourtant remis en question le paradoxe du service après-vente. Ainsi, Tor Andreassen, professeur à l'École norvégienne de management, a analysé plus de 8 600 entretiens téléphoniques relatifs à une large palette de services. Ses résultats ont montré qu'après une intervention du service après-vente, les intentions de réachat des clients n'étaient jamais supérieures, leur perception de l'entreprise et leur attitude jamais meilleures que celles des clients satisfaits n'ayant jamais été en contact avec le service après-vente. Ceci était vérifié y compris quand le service après-vente était de qualité et que les clients avaient exprimé une satisfaction totale[20].

Le fait qu'un client soit ravi du service après-vente dépend également de la gravité de l'erreur et de son degré possible de réparation. Personne ne peut remplacer des photos de mariage ratées, des vacances gâchées ni effacer un préjudice causé par la maladresse de l'entreprise. Dans de telles circonstances, il est difficile d'imaginer que quelqu'un puisse être véritablement ravi, même si l'entreprise fournit le suivi le plus professionnel. Par opposition, si une réservation dans un hôtel a été mal faite, elle peut être compensée par le fait de se voir proposer une suite. Lorsque l'on répare une erreur en offrant un service d'une qualité supérieure, le client s'en trouve bien entendu ravi et va probablement espérer que l'erreur se répète à l'avenir.

La meilleure des stratégies est de réussir la première fois. Comme le dit Michael Hargrove, « Le service après-vente, c'est faire d'une erreur une opportunité que vous souhaitez ne jamais avoir »[21]. Il est indispensable que le service après-vente soit de qualité, mais les erreurs ne sauraient être tolérées. Malheureusement, l'expérience du terrain montre qu'une grande partie des clients n'est pas satisfaite des résultats de leur plainte. Des chiffres récents parlent de 40 à 60 % de mécontents par rapport au service après-vente[22].

Mémo 13.1

Quelques erreurs typiques de recouvrement de service

Les managers ne prennent pas en compte le fait que le recouvrement du service occasionne un retour financier significatif. Ces dernières années, de nombreuses entreprises se sont focalisées sur la réduction des coûts, en ne faisant que le minimum pour conserver leurs clients les plus rentables. Ils ont, en plus de cela, perdu le sens du respect envers l'ensemble des clients.

Les entreprises n'investissent pas assez dans les actions qui empêchent les défaillances de service. Idéalement, les marketeurs mais aussi les gens des opérations signalent les problèmes potentiels avant qu'ils ne deviennent des problèmes pour les clients. Même si les mesures préventives n'enlèvent pas le besoin de bons systèmes de recouvrement de service, elles réduisent grandement le poids des tâches doublement effectuées par l'équipe de *front office* et par celle du *back office*.

Les employés du *front office* ne réussissent pas à avoir la bonne attitude envers le client. Les trois choses les plus importantes du recouvrement de service sont l'attitude, l'attitude et l'attitude. Peu importe la construction ou l'organisation du système de recouvrement de service, cela ne marchera pas sans une attitude amicale et chaleureuse de la part de l'équipe de *front office*.

Les entreprises ne facilitent pas le retour d'expérience des clients. Bien qu'on puisse voir quelques améliorations – comme c'est le cas des hôtels et des restaurants qui proposent un questionnaire de satisfaction –, peu de choses sont faites pour les rendre faciles et expliquer leur importance aux clients. Les recherches montrent qu'une grande partie des clients ne connaissent pas l'existence d'un système de *feedback* à leur intention fait pour les aider à résoudre leurs problèmes.

Source : adapté de Rod Stiefbold, « Dissatisfied Customers Requires Services Recovery Planes », Marketing News, 37, n° 22, 27 octobre 2003, pp. 44-45.

3. Les principes d'un recouvrement de service efficace

Dans la mesure où les clients actuels sont l'une des bases des actifs de l'entreprise, il convient de réparer les erreurs commises. Voici trois principes essentiels pour y parvenir :

- permettre aux clients de donner facilement leur avis ;

- mettre en place un service après-vente efficace ;

- mettre en place un système de compensation adéquat.

La figure 13.3 décrit les composants d'un service après-vente efficace.

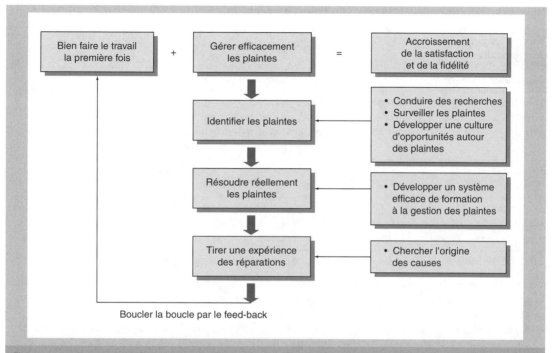

Figure 13.3 - Composants d'un recouvrement de service.

Source : adapté de Christopher H. Lovelock, Paul G. Patterson et Rhett Walker, *Services Marketing: Australia and New Zealand*, Sydney, Prentice Hall Australie, 1998, pp. 455.

3.1. Permettre aux clients de donner facilement leur avis

Comment les responsables d'entreprises peuvent-ils vaincre les réticences des clients qui n'osent pas se plaindre ? Le meilleur moyen est de s'attaquer directement à ces réticences. Le tableau 13.1 offre une vision globale des mesures qui peuvent être prises pour dépasser les réticences identifiées plus haut dans ce chapitre. Beaucoup d'entreprises ont amélioré leurs procédures de suivi des plaintes en créant des lignes téléphoniques où parler librement, des liens à partir de sites Web tels que :

- *http://www.gan.fr/site/Parole/Reclamation/GANReclamation.asp*

- *http://www.gan.fr/site/Parole/Reclamation/GANReclamationclient.asp*

- *http://www.gan.fr/site/Parole/Reclamation/GANConfirmation.asp*

- *http://www.gan.fr/site/Parole/Reclamation/GANMediateur.asp*

Ces entreprises mettent en évidence dans leurs bureaux les fiches de commentaires des clients et vont jusqu'à mettre à disposition du matériel vidéo pour enregistrer les plaintes. Dans leur « newsletter », elles mentionnent, sous le slogan « Vous nous le dites, nous le faisons », les conséquences directes des réclamations des clients.

Tableau 13.1 : Stratégies pour réduire les barrières et faciliter la critique

Barrière qui empêche les clients de se plaindre	Stratégies pour réduire ces barrières
Manque de praticité	Faciliter le *feedback* des clients :
Difficulté à trouver la bonne procédure. Effort à fournir : écrire et envoyer une lettre.	en imprimant les coordonnées du service clientèle (téléphone, e-mail, adresse postale) sur tous les éléments de communication qui leur sont adressés (lettre, fax, factures, brochure, enveloppe, pages jaunes…).
Réponse incertaine	Rassurer les clients sur le fait que leur réclamation sera prise en compte et qu'on y répondra :
Le client ne sait pas si une action est possible, et si oui, quel type d'action peut être mis en place pour répondre à son problème	en disposant de procédures et les communiquant aux clients (*via* des lettres d'information et le site web) ; en mentionnant les améliorations consécutives à leurs réclamations.
Effets désagréables	Faire de la critique une remarque constructive
Les clients qui se plaignent redoutent d'être traités de façon désagréable ; de faire des histoires ; et peuvent être gênés de se plaindre.	Remercier les clients pour leurs remarques (ce qui peut être fait de façon publique, souvent en adressant un message à tous les clients de la base de donnée). Former le personnel à adopter une attitude détendue et cordiale. Permettre la critique anonyme.

3.2. Mettre en place une organisation de réparation de service

Réparer des erreurs, c'est bien plus que de simples vœux pieux et la volonté de résoudre toute difficulté qui peut se présenter. Cela nécessite de l'implication, de l'organisation et des directives claires. Plus précisément, un service après-vente efficace devrait être proactif, organisé, entraîné et doté de pouvoirs.

La réparation de service doit être proactive

Le service clientèle doit être mis en place dès le départ, avant même que les clients aient une possibilité de se plaindre. Le personnel doit être sensibilisé aux signes de mécontentement et aller au-devant des clients en leur demandant s'ils rencontrent une difficulté. Ainsi, un serveur peut demander à un client qui n'a touché qu'à la moitié de son assiette : « Est-ce que tout se passe bien, Monsieur ? » ; le client peut alors répondre : « Oui, merci, mais je n'ai pas très faim » ou bien : « Le steak est bon, mais j'avais demandé du poulet ! De plus, il est très salé. » Cette réponse donne le temps au serveur de proposer une compensation, plutôt que d'avoir un client qui quitte le restaurant insatisfait et risque de ne plus y revenir.

Les procédures doivent être organisées

Il est nécessaire de prévoir des procédures en fonction des erreurs et, plus encore, en fonction de celles qui peuvent régulièrement se produire. Les pratiques de management dans le tourisme et l'hôtellerie conduisent souvent à de la surréservation. Pour faciliter le travail du personnel en contact avec le client, l'entreprise doit identifier les problèmes les plus fréquents et anticiper les procédures que le personnel doit suivre.

Le personnel doit être formé et motivé

Les clients sont souvent inquiets lorsque survient un problème, car les choses ne se passent pas ainsi qu'ils les avaient imaginées. Grâce à une formation efficace, le personnel en contact avec les clients possède la compétence et l'assurance nécessaires pour transformer le désagrément en satisfaction[23].

Le service doit pouvoir prendre des initiatives

Les actions du service après-vente doivent être souples et les employés doivent être incités à utiliser leurs capacités d'analyse et leurs qualités relationnelles pour mettre au point des solutions qui donnent satisfaction aux clients[24]. Ceci est particulièrement vrai lors des « situations exceptionnelles » pour lesquelles l'entreprise n'a pas mis au point une procédure toute faite. Les employés doivent avoir le pouvoir nécessaire pour prendre des décisions et dépenser de l'argent afin de résoudre rapidement les problèmes des clients et de leur procurer à nouveau de la valeur ajoutée. En ayant un service après-vente proactif, formé, organisé et doté de pouvoirs d'initiative, le personnel en contact avec le client sera capable de prendre en charge des situations très problématiques et sera plus à même de donner satisfaction au client.

3.3. Comment décider de la largesse des compensations ?

Bien évidemment, les procédures de réparations entraînent des coûts. Quelle compensation doit offrir l'entreprise lorsqu'elle commet une erreur ? Une simple excuse serait-elle suffisante ? Quelques règles élémentaires peuvent permettre de répondre à ces questions.

- *Quel est le positionnement de votre entreprise ?* Si l'entreprise est réputée pour l'excellence de ses services et pratique des tarifs élevés pour une qualité supérieure, les clients s'attendent à ce que les erreurs soient rares. L'entreprise doit donc montrer qu'elle fait des efforts considérables pour réparer ses erreurs et doit être prête à proposer des compensations d'une valeur significative. À une moindre échelle, sur un marché de masse, les clients sont prêts à considérer des actions plus simples, comme un café ou un dessert offert, comme une juste compensation.

- *Quelle est la gravité de l'erreur ?* Le mot d'ordre est généralement : « Que la sentence soit adaptée au crime. » Les clients attendent peu pour de petits dégâts, mais attendent des compensations plus importantes s'ils ont subi des dommages en terme de temps, d'effort, de gêne ou d'inquiétude.

- *Qui est le client lésé ?* Ceux qui sont des clients de longue date et ceux qui utilisent souvent le service attendent davantage, et cela vaut la peine de faire quelques efforts pour les satisfaire. Des clients qui n'utilisent le service qu'une fois ont tendance à être moins exigeant et leur importance pour l'entreprise est moindre ; par conséquent, la compensation peut être moindre, mais doit toujours être juste. Il y a toujours une chance pour qu'un client qui ne vient qu'une fois devienne un habitué s'il est bien accueilli et traité avec équité.

La règle de base essentielle en terme de compensation devrait être « une générosité savamment dosée ». Être perçu comme mesquin aggrave le dommage et l'entreprise devrait plutôt s'excuser que d'offrir une compensation ridicule.

Une compensation exagérément généreuse est non seulement onéreuse, mais peut également être perçue de façon négative par les clients[25]. Elle peut susciter des interrogations sur la qualité de l'entreprise et le client pourrait suspecter des motifs cachés et s'inquiéter de ses conséquences pour le personnel et pour l'entreprise. Par ailleurs, une générosité excessive ne semble pas entraîner des actes d'achat répétés plus importants que ceux suscités par une juste et simple réparation[26]. Enfin, une entreprise réputée pour une telle générosité peut pousser les clients malhonnêtes ou opportunistes à provoquer volontairement des erreurs.

3.4. Comment s'y prendre avec des clients qui se plaignent ?

Les responsables et le personnel doivent tous se préparer à une confrontation avec des clients en colère qui, parfois, insultent le personnel qui n'est en aucune façon responsable. Le mémo 13.2 présente des lignes de conduite spécifiques pour résoudre les problèmes de façon efficace, calmer les clients inquiets et leur proposer une solution qu'ils estimeront juste et satisfaisante.

Mémo 13.2

Comment gérer un client qui se plaint ?

1. **Agir vite.** Si la critique est émise au cours du service, il est alors encore possible de donner satisfaction au client. Quand les plaintes sont faites *a posteriori*, beaucoup d'entreprises ont comme politique de répondre dans les 24 heures ou plus rapidement encore. Même si la réparation nécessite beaucoup plus de temps, la confirmation rapide d'une prise en compte de la plainte du client demeure très importante.

2. **Reconnaître ses erreurs, mais ne pas être sur la défensive.** Agir en étant sur la défensive peut suggérer que l'entreprise a beaucoup à cacher ou qu'elle ne souhaite pas vraiment faire face à la situation.

3. **Montrer que l'on a compris le point de vue du client.** Envisager la situation du point de vue du client est le seul moyen de comprendre pourquoi quelque chose s'est mal passé et pourquoi la personne est mécontente. Le personnel de service doit éviter de formuler des conclusions hâtives à partir de sa propre interprétation.

4. **Ne pas se quereller avec le client.** L'objectif doit être de faire une synthèse des faits, afin d'arriver à un accord mutuel, et non pas de remporter une victoire ou de faire la preuve de la stupidité du client. La dispute est à l'opposé de l'écoute et entraîne la colère.

5. **Comprendre les sentiments du client** implicitement, ou ouvertement. Par exemple : « Je comprends que vous soyez bouleversé… » Une telle attitude permet de créer du lien, première étape de la reconstruction d'une relation brisée.

6. **Accorder au client le bénéfice du doute.** Tous les clients ne sont pas dignes de confiance et toutes les plaintes ne sont pas justifiées. Mais les clients doivent être traités comme si leur plainte était fondée, jusqu'à ce que preuve soit faite du contraire. S'il y a beaucoup d'argent en jeu (comme lorsqu'interviennent les assurances ou qu'il y a des risques de poursuites judiciaires), on doit procéder à une enquête minutieuse. S'il y a peu d'argent en jeu, il n'est pas forcément nécessaire de s'opposer à tout prix à un remboursement ou à une autre forme de compensation. Cependant, il est toujours bon de s'assurer que ledit client n'a pas déjà émis plusieurs fois des plaintes douteuses. ☞

7. **Préciser clairement les étapes de la résolution du problème.** Quand il n'est pas possible de résoudre le problème dans l'instant, le fait d'expliquer clairement au client comment l'entreprise va procéder signifie que l'entreprise est en train d'agir. Cela induit également une certaine idée du temps qui sera nécessaire (les entreprises doivent donc veiller à ne pas surpromettre à ce niveau !).

8. **Informer en permanence les clients de l'avancée du processus.** Personne n'aime être laissé dans l'incertitude. L'incertitude est mère d'anxiété et de stress. Les gens ont tendance à accepter les dysfonctionnements s'ils savent ce qui se passe et s'ils sont tenus informés régulièrement.

9. **Penser aux compensations.** Quand les clients ne reçoivent pas les services pour lesquels ils ont payé, lorsqu'ils ont subi des dommages et/ou perdu du temps et de l'argent, il est de circonstance d'offrir une compensation financière ou un service équivalent. Ce type de compensation peut aussi réduire le risque que le client mécontent n'entame des poursuites judiciaires. Les garanties mentionnent souvent quelles seront ces compensations et l'entreprise doit veiller à les respecter.

10. **Tenter de recréer de la valeur pour le client.** Lorsque des clients ont été déçus, un des plus grands défis est de rétablir la confiance et de préserver la relation à venir. Il faut de la persévérance pour apaiser la colère du client et le persuader que des actions sont mises en place pour éviter que l'erreur ne se reproduise. Il est important de faire de véritables efforts afin de s'assurer de sa fidélité et de faire en sorte qu'il recommande l'entreprise à d'autres.

4. Les garanties de services

Un nombre croissant d'entreprises proposent à leurs clients des garanties de satisfaction qui promettent que si le service n'est pas aussi bon que prévu, le client est en droit d'exiger une ou plusieurs sortes de compensation comme le remplacement du service, un crédit ou un remboursement. Dans certaines entreprises, ces garanties sont soumises à des conditions, dans d'autres, elles sont sans conditions. Il existe maintenant une littérature académique substantielle sur le rôle, le design, l'implantation et l'impact des garanties de services[27].

4.1. Le pouvoir des garanties de services

Christopher Hart (professeur à l'Université du Michigan), soutient que les garanties sont de puissants outils, qui permettent à la fois de promouvoir un service et d'en garantir la qualité, ceci pour les raisons suivantes[28] :

1. les garanties contraignent les entreprises à se concentrer sur ce que veulent les clients et sur ce qu'ils attendent à chaque étape du service ;

2. les garanties définissent des standards précis, en rappelant aux clients comme au personnel les engagements de l'entreprise. Étant donné le montant des dédommagements, les responsables prennent les garanties très au sérieux, car elles mettent en évidence le coût financier des erreurs de l'entreprise ;

3. les garanties nécessitent le développement de systèmes permettant de recueillir de façon significative les réclamations des clients, et d'y apporter une réponse ;

4. les garanties obligent les services à comprendre leurs erreurs, les poussent à identifier leurs faiblesses potentielles et à les surmonter ;

5. les garanties renforcent la stratégie marketing, elles réduisent le risque à l'achat et favorisent la fidélisation du client à long terme.

L'importance des garanties est mise en évidence dans l'exemple de l'hôtel Hampton Inn (une filiale des hôtels Hilton). La garantie de satisfaction à 100 % s'applique aujourd'hui aux suites (voir figure 13.4). Lors de l'élaboration de son offre, la stratégie du Hampton Inn fut de proposer le remboursement du prix de la chambre aux clients qui exprimeraient leur mécontentement ; cela a attiré de nouveaux clients et à également permis de conserver les anciens. Les gens choisissent le Hampton parce qu'ils savent qu'ils seront satisfaits. Ce qui est au moins aussi important, c'est que la garantie est devenue un outil indispensable aux responsables et leur permet d'identifier les points qu'il est possible d'améliorer pour parfaire leur offre.

Figure 13.4 - La garantie 100 % satisfaction du Hampton Inn : « Nous vous garantissons la grande qualité des chambres, un personnel aimable et efficace, ainsi qu'un cadre propre et agréable. Si vous n'êtes pas entièrement satisfaits, nous ne vous demanderons pas de payer. »

Source : « Hampton Inn 100 percent Satisfaction Guarantee, Research justifying the Guarantee », Promus Companies.

Lors d'une conversation à propos de l'impact des garanties sur le personnel et la direction, le directeur marketing adjoint du Hampton a déclaré : « La mise en place de la garantie nous a permis de comprendre concrètement, et non de façon théorique, ce qui donnait satisfaction au client. » Il est devenu indispensable que l'ensemble du personnel de *back office*, de contact mais aussi les responsables, le personnel du siège écoutent les clients avec attention, anticipent leurs besoins autant que possible et règlent leurs problèmes rapidement, de sorte que les clients soient satisfaits du résultat. Penser le rôle du Hampton en fonction du client a eu un impact important sur le business de l'entreprise.

« La garantie a insufflé de la pression dans le système, dit un manager. Elle montre où se trouvent nos faiblesses et ses conséquences financières nous poussent à nous améliorer. »

En conséquence, la garantie a un impact important sur la composition de l'offre et la façon dont le service est assuré. Finalement, les études relatives à l'impact de la garantie de satisfaction 100 % ont montré que la garantie avait eu un effet incroyablement positif sur les performances de l'entreprise.

4.2. Comment élaborer les garanties de services ?

Certaines garanties sont simples et sans condition. D'autres ont été écrites par des hommes de loi et contiennent de multiples restrictions. Comparez les exemples de l'encadré Questions de services 13.1, et demandez-vous quelles garanties vous inspirent de la confiance et ce qui vous inciterait à choisir tel ou tel fournisseur.

Exemples de garanties

La garantie Bugs Burger Bug Killer (désinsectisation industrielle)

- Vous ne nous devrez pas un centime tant qu'il restera le moindre problème chez vous ! Si vous êtes un jour insatisfait du service de BBBK, vous recevrez un remboursement équivalent à un an de nos services, en plus d'un dédommagement équivalent aux frais engendrés par les services du prestataire de votre choix, et ce pour un an.

- Si un client trouve un insecte chez vous, l'entreprise paiera son repas, lui enverra une lettre d'excuses et lui offrira le repas suivant ou la nuit suivante.

- Si vos locaux sont un jour fermés à cause de la présence de cafards, BBBK s'engage à payer toutes les charges ainsi que toutes les pertes liées au dommage, en plus de 5000 $.

Source : Christopher W. Hart, « The Power of Unconditional Service Guarantees », *Harvard Business Review*, juillet-août 1990.

La garantie L.L. Bean (vêtements de pluie et d'extérieur)

- Nos produits vous garantissent 100 % de satisfaction dans tous les cas. Vous pouvez nous retourner nos produits, chaque fois que la preuve du contraire pourra être faite. Nous les remplacerons, nous vous rembourserons ou créditerons votre compte (pour tout achat fait par carte bancaire). Nous ne pourrions pas envisager que vous possédiez un produit L.L.Bean qui ne donnerait pas une entière satisfaction.

Source : catalogue L.L. Bean et site Web de l'entreprise, *www.llbean.com/customerService/aboutLLBean/guarantee.html*, avril 2003.

☞

Questions de services 13.1

Exemples de garanties *(suite)*

La garantie Fnac : Satisfait ou remboursé *(suite)*

1. **Sur Fnac.com, vous avez 15 jours pour changer d'avis !** Quelles que soient vos raisons, sur Fnac.com vous avez 15 jours pour changer d'avis, nous vous remboursons intégralement le prix des articles retournés en bon état.

   Le produit doit être retourné dans son emballage d'origine complet (accessoires, notice...), avec la facture, dans les 15 jours à compter de la réception de votre colis.

   Le droit de retour ne peut être exercé pour les enregistrements audio, vidéo ou les logiciels informatiques descellés.

   Les frais d'envoi et de retour restent à votre charge.

2. **En cas de commande non conforme, vous êtes intégralement remboursé.**

   Nous nous engageons à vous rembourser ou à vous échanger les produits défectueux ou ne correspondant pas à votre commande. La demande doit être effectuée dans les 15 jours ouvrés suivant la livraison.

   Les frais d'envoi vous seront remboursés sur la base du tarif facturé et les frais de retour vous seront remboursés.

3. **Le cas des spectacles.** Un billet de spectacle ne peut être ni repris, ni échangé, ni revendu sauf en cas d'annulation d'un spectacle et de décision par l'organisateur du remboursement des billets.

   Pour les adhérents Fnac. Votre billet de spectacle est intégralement remboursé en cas d'imprévu. Gratuite et réservée aux adhérents, cette assurance vous permet ainsi de réserver votre place en gardant l'esprit libre.

4. **Pour plus de tranquillité : les garanties gratuites pour les produits techniques.** Sur Fnac.com, vous bénéficiez gratuitement, pour les produits techniques, de la garantie d'un an ou deux ans selon les produits (ensemble des produits techniques figurant dans les onglets « Image & Son », « Micro & Télécom », « Logiciels & Jeux »).

- Vous pouvez également choisir pour plus de tranquillité l'extension de garantie ainsi que les assurances.

Source : www.Fnac.com « Satisfait ou remboursé ».

La garantie satisfaction totale GrandOptical

1. **Vos lunettes en 1 heure ou la livraison gratuite.** Si ce délai pour fabriquer vos lunettes est dépassé, nous vous les livrons où vous voulez.

2. **Une esthétique parfaite ou le remboursement sous 30 jours.** Si vos lunettes ne vous plaisent plus, nous vous les échangeons ou nous vous remboursons. À votre guise.

☞

3. **Le confort maximum ou le remboursement sous 30 jours.** Si vous ne vous habituez pas à vos lunettes, nous vous les échangeons ou nous vous remboursons. À votre guise.

4. **Le modèle vu au bout du monde.** Si vous avez vu une monture que par hasard nous n'aurions pas en magasin, nous vous la trouverons. En 48 heures.

5. **En cas de casse, des solutions de rechange pendant 1 an ou 3 ans avec la carte Grand Avantage.** Un échange gratuit, des petites réparations à volonté et un équipement de secours en attendant.

6. **Vos lunettes sur mesure.** Si vous ne trouvez pas le modèle qui vous va, nous vous le fabriquons sur mesure.

7. **Un prix compétitif ou le remboursement de la différence.** Si, dans le mois suivant l'achat, vous trouvez vos lunettes affichées moins chères ailleurs, nous vous remboursons la différence.

Source : Le Carnet de Vue Grand Avantage GrandOptical et http://www.grandoptical.fr.

Les garanties de L.L.Bean, de BBBK et de GrandOptical sont très puissantes, sans conditions et inspirent confiance. L'effet produit par les autres est limité par de nombreuses conditions. La Fnac exclut spécifiquement certaines catégories de produits comme les enregistrements audio, vidéo ou les logiciels informatiques descellés ainsi que les billets de spectacle. Une garantie partielle continue cependant à offrir aux clients un certain niveau de tranquillité.

Hart affirme que les garanties des services doivent être établies de sorte qu'elles remplissent les conditions suivantes :

1. **Sans condition.** Quel que soit ce qui est promis, la garantie est sans condition et il ne doit y avoir aucun élément qui puisse surprendre le client par la suite[29].

2. **Facile à comprendre et à communiquer** au client, de sorte qu'il soit parfaitement au courant des avantages qu'il peut obtenir de la garantie.

3. **Significatives pour le client** par rapport à ce qu'il considère comme important pour une garantie. La garantie doit apporter une compensation parfaitement adaptée au préjudice.

4. **Facile à demander.** Les garanties doivent être orientées le plus possible vers le client et le moins possible vers le fournisseur.

5. **Faciles à obtenir.** Si un problème survient, le client doit pouvoir obtenir ce que promettent les garanties sans difficulté.

6. **Crédibles.** La garantie doit être crédible.

Tout le monde n'est pas d'accord avec les affirmations de Hart stipulant que toutes les garanties doivent être inconditionnelles. Certains chercheurs affirment que les garanties inconditionnelles sont irréalistes, en particulier lorsque le fournisseur ne contrôle pas tous les éléments contribuant au service (par exemple le temps ou les infrastructures). Cependant, même lorsque les garanties comportent certaines restrictions, les cinq autres conditions restent extrêmement importantes pour une garantie efficace.

4.3. Est-ce que la satisfaction totale est ce que l'on peut garantir de mieux ?

Les garanties de satisfaction totale sont souvent considérées comme ce que l'on peut offrir de mieux. Cependant, on considère depuis peu que ces garanties sont ambiguës et risquent de dévaloriser l'offre. Les clients peuvent en effet demander : « Qu'est ce qu'une satisfaction totale ? » ou encore : « Est-ce que je peux me référer à la garantie si je ne suis pas satisfait, même si ce n'est pas le fait de l'entreprise[30] ? »

Le tableau 13.2 montre quelques exemples des différents types de garanties.

Tableau 13.2 : Différents types de garanties

Nom	Couverture de la garantie	Exemples
Garantie spécifique sur un attribut précis.	Un seul élément du service est couvert par la garantie.	« Entre 12 h et 14 h, si vous choisissez une des trois pizzas « stars », nous nous engageons à la servir dans les 10 min qui suivent la commande. Si nous avons du retard, votre prochaine commande sera gratuite. »
Garantie spécifique, relative à plusieurs points attributs.	Quelques éléments importants du service sont couverts par la garantie.	La garantie de l'hôtel Marriot de Minneapolis : « Notre engagement qualité est de vous offrir un accueil chaleureux et un service efficace, des chambres propres, agréables où tout fonctionne, un départ sans problème. Si, selon vous, nous ne respectons pas notre engagement, nous vous donnerons 20 $ en liquide et nous ne vous poserons pas de question. Ce sera votre appréciation. »
La garantie satisfaction à 100 %.	Tous les aspects du service sont couverts par la garantie. Il n'y a aucune exception.	La garantie Lands' End : « Si vous n'êtes pas entièrement satisfaits par l'un de nos produits, quelle qu'en soit sa durée d'utilisation, retournez-le nous et nous en rembourserons le prix. Nous pesons chacun de nos mots. N'importe quel produit. N'importe quand. Et pour être parfaitement clair, nous allons plus loin : nous faisons de ce principe une garantie. »
La garantie composée.	Tous les aspects du service sont couverts par la promesse de satisfaction à 100 %. Mais les garanties standard sont explicitement précisées dans la garantie pour réduire l'incertitude des clients.	La garantie de services Information Datapro : « Rendre un rapport de grande qualité et qui répond aux exigences de départ, dans les délais impartis. Si nous ne réussissons pas à respecter cet engagement ou si vous êtes insatisfait d'un des éléments de notre travail, vous pouvez réduire de la facture totale le montant que vous jugerez nécessaire. »

Adapté de Jochen Wirtz et Doreen Kum, « Designing Service Guarantees – Is Full Satisfaction the Best You can Guarantee? », *Journal of Services Marketing*, 15, n° 4, 2001, p. 282-299.

4.4. Est-il toujours pertinent d'introduire des garanties ?

Les responsables doivent sérieusement réfléchir aux forces et aux faiblesses de leur entreprise avant de choisir d'introduire des garanties. Hart et Ostrom affirment que, dans beaucoup de cas, ce n'est pas souhaitable[31].

Les entreprises qui sont réputées pour la grande qualité de leur service n'ont pas nécessairement besoin de proposer une garantie. En fait, cela pourrait même sembler paradoxal pour leur image d'en offrir une. Une garantie n'apporte pas toujours une valeur supplémentaire à une entreprise dont le nom à lui seul est déjà un gage de grande qualité[32]. Cela peut même gêner le client. À l'inverse, les entreprises dont le service est de mauvaise qualité doivent d'abord s'efforcer d'atteindre un niveau suffisant avant de proposer à leurs clients une garantie de façon régulière. Amtrak a été contraint d'abandonner une de ses garanties, qui prévoyait de rembourser les billets des clients lorsqu'un train avait du retard, quand l'entreprise a réalisé qu'elle payait des remboursements parce que son infrastructure était défectueuse.

Sur un marché où les clients prennent peu de risques financiers, personnels ou physiques, une garantie n'apporte pas beaucoup de valeur ajoutée, alors que sa création, sa mise en place et sa gestion sont coûteuses. Lorsqu'il y a peu de différences en terme de qualité entre des entreprises concurrentes, celle qui introduira une garantie la première s'octroiera l'avantage de créer de la valeur ajoutée pour ses services. Si plusieurs concurrents ont déjà mis en place des systèmes de garanties, la garantie peut devenir une des caractéristiques du secteur. Le seul moyen d'avoir un impact réel sur le marché est alors de lancer une garantie nettement supérieure à celle des concurrents.

5. Décourager les abus et les comportements opportunistes

Tout au long de ce chapitre, nous avons conseillé aux entreprises de bien accueillir les réclamations des clients et les demandes relatives aux garanties, et même d'encourager de tels comportements. Comment le faire cependant sans inciter les clients à être abusifs ?

Gérer les fraudes des clients

Des clients malhonnêtes peuvent profiter des systèmes de dédommagement et de garantie, où tout simplement d'un service très orienté vers le client de multiples façons. Ils peuvent par exemple voler l'entreprise, refuser de payer, feindre d'être mécontent, faire en sorte que l'entreprise commette des erreurs ou exagérer les dommages causés par l'entreprise. Que faire pour se prémunir des attitudes opportunistes des clients ?

Suspecter les clients peut les rendre mécontents et agressifs, surtout si un problème survient. Le président du Tarp, l'entreprise qui a mené une étude sur les comportements liés aux plaintes, note :

> « *Notre recherche a montré que les actions de fraudes préméditées ne touchent que 1 à 2 % de la totalité de la clientèle de la plupart des entreprises. Cependant, la plupart des entreprises se protègent de ces clients peu scrupuleux en considérant les autres 98 % comme des voleurs*[33]. »

Sachant cela, le présupposé sur le lieu de travail devrait être : « En cas de doute, faites confiance au client. » Cependant, comme le montre l'encadré Questions de services 13.2, il est vital de surveiller ceux qui se réfèrent aux garanties, qui réclament le paiement de compensations. Il est également vital de tenir à jour des bases de données et de surveiller les clients qui demandent régulièrement à être remboursés. Ainsi, une compagnie aérienne a découvert que le même client avait perdu sa valise sur trois vols consécutifs. Les chances pour que cela se produise sont inférieures à celles de gagner au Loto. Le personnel de service en a donc été averti.

À la chasse aux abus

En lien avec son système de surveillance, le Hampton Inn a mis au point des moyens d'identification des clients qui abusent du système et utilisent de fausses raisons pour se référer aux garanties de façon répétitive et être remboursé du prix de leur chambre. Les clients qui ont souvent tendance à adopter cette attitude font l'objet d'une attention particulière et d'un véritable suivi. Où que ce soit, les responsables téléphonent aux clients et les interrogent sur leurs récents séjours. La conversation pourrait être la suivante : « Bonjour Monsieur Jones. Je suis le directeur de l'équipe d'assistance du Hampton Inn et je vois que vous avez eu des problèmes lors de vos quatre derniers séjours chez nous. Étant donné que nous prenons les plaintes très au sérieux, j'ai pensé vous appeler pour comprendre où se trouvait le problème. »

La réponse classique est alors un silence de mort, quelquefois rompu par des questions sur la façon dont le siège peut être au courant de ces problèmes. Ces appels ont aussi leurs moments d'anthologie. On a demandé innocemment à un client qui avait utilisé les garanties dix-sept fois au cours d'un voyage aller-retour à travers les États-Unis : « Où aimez-vous passer la nuit quand vous voyagez ? » « Hampton Inn », fut immédiatement la réponse. « Cependant, nos chiffres montrent que les dix-sept fois où vous avez passé la nuit dans l'un de nos hôtels, vous avez utilisé la garantie de satisfaction 100 %. « C'est pour cela que je les aime ! », s'est exclamé le client.

Source : Christopher W. Hart et Elizabeth Long, *Extraordinary Guarantees*, New York, Amacom, 1997.

La fois suivante, lorsque ce passager s'est présenté à l'enregistrement, le personnel de service a filmé ses bagages presque en continu depuis l'enregistrement au lieu de destination. Il s'est avéré qu'un complice du voyageur s'emparait de la valise à son arrivée, tandis que celui-ci se dirigeait vers le bureau des objets perdus pour signaler que sa valise avait disparu. Cette fois, la police les attendait, lui et son ami.

6. Tirer les leçons des réclamations *feedback* des clients

Il y a deux attitudes possibles par rapport à une plainte. La première, c'est de l'appréhender, ainsi qu'on vient de le voir, comme le problème particulier d'un client auquel on doit apporter une solution. La seconde, que nous abordons maintenant, c'est de la considérer comme une partie d'un flux d'informations qui peuvent être collectées de façon systématique, transmises *via* un système de traitement, analysées, et permettre ainsi une amélioration du service[34].

6.1. Les principaux objectifs d'un système de remontées d'informations (CFS, Customer Feedback System)

« Ce ne sont pas les espèces les plus fortes qui survivent, ni les plus intelligentes, ce sont celles qui s'adaptent le mieux », écrivait Charles Darwin. De la même manière, les stratèges ont remarqué que, sur des marchés de plus en plus compétitifs, l'avantage concurrentiel d'une entreprise réside *in fine* dans sa capacité à apprendre et à évoluer plus vite que ses concurrents[35].

Les objectifs d'un « CFS » peuvent être regroupés en trois catégories :

Évaluation et comparaison (*benchmark*) de la qualité et de la performance[36]

L'objectif est de répondre à la question « Les clients sont-ils satisfaits ? ». Il s'agit de savoir en quoi l'entreprise a été performante par rapport à ses concurrentes et par rapport à l'année précédente. Il s'agit également de déterminer s'il y a eu des retours sur investissement en terme de satisfaction et quels sont les objectifs de l'entreprise pour l'année suivante.

Très souvent, la comparaison (entre les différentes agences, entre les équipes ou par rapport aux résultats de la concurrence) est utilisée comme le principal moyen de motivation des managers et du personnel afin de les inciter à améliorer la performance. Ceci est tout particulièrement vrai si les résultats sont liés aux montants des compensations.

Tirer les enseignements des réclamations des clients et s'améliorer

Dans ce cas, l'objectif est de répondre aux questions « Pourquoi nos clients ne sont-ils pas satisfaits ? » et « Où et comment pouvons-nous nous améliorer ? ». Pour ce faire, il est nécessaire d'obtenir des informations plus précises sur les processus et les produits afin d'orienter les efforts de l'entreprise et de mettre en avant les points sur lesquels les retours sur investissement seront potentiellement les plus élevés. Il s'agit également de comprendre et d'acquérir les éléments que possèdent déjà les concurrents et qui donnent satisfaction aux clients.

Mettre en place une culture d'entreprise orientée client

Il s'agit ici de faire en sorte que toute l'organisation soit tournée vers les besoins et la satisfaction du client. Il s'agit également de rallier toute la structure autour d'une culture de la qualité de service.

6.2. Utiliser un ensemble d'outils de collecte de données

Le tableau 13.3 présente un ensemble d'outils utilisés pour traiter les réclamations des clients selon les besoins de l'entreprise. Sachant que ces outils ont leurs qualités et leurs défauts, les responsables marketing doivent les utiliser en fonction de l'information qu'ils recherchent. Ainsi que le soulignent Leonard Berry et A. Parasuraman,

« la combinaison de différents types d'approches permet à une entreprise d'en conjuguer les points forts et d'en compenser les points faibles. »[37]

Tableau 13.3 : Forces et faiblesses des outils de traitement des réactions des clients

Outils	Niveau de mesure			Actionnable	Représentatif, fiable	Potentiel pour réparation de service	Premiers constats	Coût
	Entreprise	Processus	Transaction spécifique					
Études de marché (dont étude de la concurrence)	●	○	○	○	●	○	○	○
Enquête annuelle de la satisfaction globale	●	◐	○	○	●	○	○	○
Enquêtes sur les transactions	●	●	◐	◐	●	○	○	○
Documents de *feed-back*	◐	●	●	◐	◐	●	◐	●
Clients mystères	○	◐	●	●	○	○	◐	○
Feed-back non sollicité	○	◐	●	●	○	●	◐	●
Groupes de discussion thématique	○	◐	●	●	○	●	●	◐
Revues de service	○	◐	●	●	○	●	●	◐

Légende : Répond à la demande ● complètement ; ◐ modérément ; ○ difficilement/pas du tout.
Source : adapté de Jochen Wirtz et Monica Tomlin, « Institutionalizing Customer-driven Learning Through Fully Integrated Customer Feed-back Systems », *Managing Service Quality*, 10, n° 4, 2000, p. 210.

Études globales, études annuelles et études opérationnelles[38]

Les études globales et les études annuelles sont des outils classiques d'évaluation de la plupart des services et des produits. Ce sont des outils de mesure d'une très grande qualité dont l'objectif est d'obtenir un indice ou un indicateur général de la satisfaction des clients au niveau de toute l'entreprise. Cela peut être basé sur un indice (en utilisant différents attributs de service) et/ou pondéré (en évaluant le poids des segments ou des produits les plus importants).

Des indicateurs généraux comme ceux-ci permettent d'évaluer la satisfaction des clients, mais non pas de savoir pourquoi ils sont contents ou mécontents. Le nombre de questions que l'on peut poser au sujet d'un processus ou d'un produit reste limité. Ainsi, une banque classique regroupe de 30 à 50 procédures différentes ; du formulaire de prêt pour l'achat d'une voiture au dépôt d'espèces au guichet. Étant donné le nombre important de ces processus, la plupart des questionnaires ne peuvent comporter qu'une ou deux questions par processus (exemple : « Êtes-vous satisfait de nos distributeurs de billets ? ») et ne peuvent étudier ces questions en profondeur.

Au contraire, les questionnaires opérationnels sont généralement soumis aux clients après qu'ils ont opéré une transaction particulière et les interrogent plus en détail sur le processus. À ce niveau, on peut intégrer tous les aspects et les éléments clés du service fourni par les distributeurs automatiques au questionnaire, y compris quelques questions ouvertes telles que : « Ce que j'ai préféré », « Ce que j'ai le moins aimé », ou « Suggestions d'amélioration ». Une telle méthode a plus de valeur pour l'entreprise car elle lui permet de savoir pourquoi le client est content ou mécontent du processus et de mieux comprendre comment améliorer la satisfaction de ses clients.

Ces trois différents types de questionnaires sont représentatifs et fiables lorsqu'ils sont correctement élaborés. La représentativité et la fiabilité sont nécessaires à :

- l'évaluation correcte de la position de l'entreprise, d'un processus, d'une agence ou d'un individu par rapport à des objectifs de qualité (les variations de la qualité ne sont alors pas dues à des biais d'échantillonnage, ni au hasard) ;

- l'évaluation des individus, du personnel, des équipes, des agences et/ou des processus, tout particulièrement si des primes sont en jeu.

La méthodologie de l'étude doit être indiscutable si l'on veut que le personnel en accepte les résultats, tout particulièrement si ces résultats sont mauvais.

Le potentiel d'une bonne réparation est important et doit, si possible, être élaboré à partir des outils de traitements des réclamations des clients. Cependant, la plupart des études assurent la confidentialité des réponses, rendant impossible d'identifier les interviewés mécontents et de leur répondre. Lors d'entretiens en face-à-face ou lors d'enquêtes téléphoniques, on peut toutefois demander aux interviewers d'interroger les clients afin de savoir si ceux-ci souhaitent que l'entreprise revienne vers eux sur les points qui posent problème.

Le questionnaire de satisfaction

Cet outil puissant et cher consiste à donner un formulaire à remplir au client après chaque étape importante du processus et à l'inviter à le retourner complété, par courrier ou autre moyen au département de traitement des réclamations clients. Par exemple, un tel formulaire peut être joint à chaque lettre d'acceptation d'un prêt immobilier ou à toute facture. Bien que ces formulaires soient de bons indicateurs de la qualité du processus et apportent des éléments particuliers sur ce qui fonctionne ou non, ils présentent un biais, car les clients qui répondent ne sont généralement pas représentatifs, étant souvent ceux qui sont très satisfaits ou très mécontents.

Les clients mystères

Les services utilisent souvent la méthode des « clients mystères » pour surveiller le comportement du personnel en contact avec le client. Les banques, les distributeurs, les entreprises de locations de véhicules et les hôtels font partie des entreprises qui ont recours à ces clients mystères le plus souvent. Ainsi, le bureau central des réservations d'un grand hôtel engage tous les mois de nombreux clients mystères pour « évaluer les compétences » en matière de vente par téléphone de ses employés (actions de proposition, de vente et de réservation – celle-ci mettant fin à la négociation). L'étude évalue également la qualité de la conversation téléphonique à partir de critères comme celui d'« accueil chaleureux et agréable » ou de « capacité à établir un contact avec le client ». Les clients mystères apportent des informations tout à fait légitimes et très détaillées pour le coaching, la formation et l'évaluation de la performance.

Étant donné que le nombre d'appels ou de visites mystères reste peu élevé, les évaluations des personnes ne sont souvent ni fiables, ni représentatives. Cependant, si un même membre du personnel obtient de bons (ou de mauvais) résultats de façon régulière, un manager peut raisonnablement penser que la performance de cette personne est bonne (ou mauvaise).

Il faut cependant faire attention, car les clients mystères font souvent un excès de zèle et sont particulièrement sévères.

Les réactions non sollicitées

Nous avons vu que l'on peut transformer les plaintes, les compliments ou les suggestions des clients en flux d'information qui peuvent être utilisés pour mieux contrôler la qualité et mettre en avant les améliorations[39] à faire dans l'élaboration et la livraison du service. Les plaintes et les compliments sont de grandes sources d'information précises sur ce qui fâche les clients et ce qui les réjouit.

Tout comme le questionnaire de satisfaction, les réactions non sollicitées ne sont pas une mesure fiable de la satisfaction générale des clients, mais elles sont une source d'inspiration pour les points à améliorer. Si l'objectif de la collecte des réactions est d'obtenir des informations sur les points à améliorer (plus que de se comparer à la concurrence ou d'évaluer le personnel), alors la fiabilité et la représentativité ne sont plus nécessaires et des outils plus qualitatifs comme les plaintes, les compliments ou les entretiens de groupe sont généralement suffisants.

Des lettres de plaintes et des compliments détaillés, des conversations téléphoniques enregistrées ou les réactions des employés, peuvent être d'excellents outils de communication interne pour informer sur les attentes des clients. Cet apprentissage crée une philosophie de l'orientation client de façon beaucoup plus efficace que l'utilisation de statistiques « cliniques » et de rapports.

Ainsi, Singapore Airlines imprime ses lettres de plaintes et de compliments dans le magazine mensuel destiné à son personnel, *Outlook*, et diffuse à ce même personnel des vidéos de clients qui donnent leur avis sur le service, ce qui laisse une impression durable aux employés et les pousse à s'améliorer.

Groupes de discussion thématiques et comptes rendus d'entretien

Ces outils donnent tous deux des idées et des éléments d'information précis sur les points à améliorer. Très souvent, les groupes de discussion rassemblent des clients d'un même segment ou d'un même groupe d'utilisateurs afin de mieux définir leurs besoins. Les comptes rendus retracent des entretiens individuels qui traitent des questions en profondeur et qui sont généralement menés une fois par an avec l'un des clients les plus importants. En général, un responsable senior de l'entreprise rend visite au client et discute avec lui de la performance de l'entreprise par rapport à l'année précédente, des éléments à conserver ou des points à modifier. Ce responsable senior, à son retour dans l'entreprise, discute des réclamations du client avec le responsable du compte. Il informe ensuite le client de la façon dont l'entreprise va répondre à ses besoins et la façon dont le compte sera géré au cours de l'année suivante. Mis à part le fait d'être une excellente occasion d'obtenir des informations, tout particulièrement quand les réclamations des clients sont centralisées et analysées, ces comptes rendus se focalisent sur les clients les plus rentables et sont sources d'idées quant aux réparations éventuelles à proposer au client.

L'encadré Meilleures pratiques 13.1 met en avant l'excellence du système de *feed-back* de FedEx, qui allie à une large palette d'outils de traitement des réclamations un système extrêmement rigoureux de mesure de la performance.

Meilleures pratiques 13.1

FedEx, à l'écoute du client

« Nous sommes convaincus que la qualité du service doit être mesurée de façon mathématique », déclare Frederick W. Smith, président du conseil d'administration et directeur général de FedEx.

L'entreprise a un engagement d'objectifs de qualité clairs et réaffirmés régulièrement, suivi par la mesure constante des progrès réalisés. Dès le début, FedEx s'est fixé deux objectifs de qualité ambitieux: une garantie de satisfaction à 100 % à chaque transaction et une garantie de performance à 100 % pour chaque colis pris en charge, la satisfaction du client étant mesurée à partir du pourcentage de colis livrés dans les délais par rapport au nombre total de colis traités. Cependant, comme l'a montré l'expérience, le pourcentage de paquets livrés dans les délais était un critère d'évaluation interne, qui n'était pas synonyme de satisfaction des clients.

- **Index de qualité de service.** Puisque Fedex avait systématiquement classé les plaintes de ses clients, elle fut capable d'établir ce que le directeur général a appelé la « hiérarchie des horreurs », une liste qui correspondait aux huit plaintes les plus fréquemment déposées par les clients. Cette liste devint la base de ce qui constitue aujourd'hui le système de *feed-back* de FedEx. L'entreprise a amélioré cette liste et mis au point l'index Qualité (*Service Quality Index*, prononcez « Sky »), un outil de mesure de la satisfaction selon douze critères et du point de vue des clients. Chaque critère a été pondéré en fonction de son importance relative pour la satisfaction globale du client. Tous les critères sont réévalués de façon quotidienne, de sorte que l'index puisse être modifié en permanence.

  Parallèlement au SQI, qui a évolué pour mieux refléter l'évolution des procédures de service et des priorités des clients, Fedex utilise de multiples autres outils pour collecter les informations.

- **L'enquête de satisfaction.** Il s'agit d'une enquête téléphonique trimestrielle, menée auprès de plusieurs milliers de clients sélectionnés au hasard et classés par segments. Les résultats sont présentés aux directeurs lors d'une réunion trimestrielle.

- **Enquête de satisfaction, auprès de clients cibles.** Cette étude se concentre sur des processus particuliers et est menée deux fois par an auprès des clients qui ont expérimenté l'un de ces processus au cours des trois derniers mois.

- **Centre d'expertise FedEx des formulaires de commentaires.** Les formulaires de commentaires sont collectés dans toutes les localisations FedEx. Les résultats sont analysés deux fois par an et transmis aux responsables des agences.

☞

Meilleures pratiques 13.1

FedEx, à l'écoute du client *(suite)*

- **Enquêtes sur les services en ligne.** FedEx réalise régulièrement des enquêtes pour obtenir des informations sur ses services en lignes (comme le suivi de colis) ainsi que des études *ad hoc* sur ses nouveaux produits.

Les informations obtenues au moyen de ces différents outils de mesure de la satisfaction du client ont permis à FedEx de conserver un rôle de leader au sein de son secteur et lui ont, entre autre, permis d'obtenir le prestigieux prix « Malcom Baldridge » de la qualité.

Source : « Blueprints for Service Quality : The Federal Express Approach », *AMA Management Briefing*, New York, American Management Association, 1991, pp. 51-64 ; Linda Rosencrance, « BetaSphere Delivers FedEx Some Customer Feed-back », *Computerworld*, 14, n° 14, 2000, p. 36.

6.3. Favoriser les *feedback* non sollicités

Pour que les plaintes et les suggestions soient utiles à la recherche, elles doivent être transmises, centralisées, triées, enregistrées et analysées. Cela nécessite d'avoir un système de saisie de ces informations, là où elles émergent, puis de les transférer vers une unité centrale. Certaines entreprises utilisent simplement un intranet pour enregistrer les réclamations reçues par le personnel. Coordonner de telles activités n'est pas simple, car il existe différents types de sources :

- personnel de l'entreprise en contact avec le client, directement, par téléphone ou par e-mail ;

- entreprises qui agissent au nom du fournisseur initial ;

- responsables qui travaillent en *back office* mais qui ont été contactés par des clients qui souhaitaient s'adresser à la hiérarchie ;

- suggestions ou plaintes adressées par lettre, e-mail, déposées sur le site de l'entreprise ou dans une boîte particulière ;

- plaintes provenant de groupes tiers, associations de défense des consommateurs, cabinets juridiques.

6.4. Analyse, reporting et communication des feed-back clients

Choisir l'outil le plus adapté et enregistrer les appréciations des clients n'a de sens que si l'entreprise est capable de diffuser l'information aux personnes des départements concernés, afin qu'une action corrective soit mise en place. Ainsi, pour favoriser un apprentissage et un perfectionnement continus, il est nécessaire de mettre en place un système de *reporting* qui vérifie et transmette les progrès au personnel en contact avec le client, aux responsables des agences, aux départements et à la direction.

La transmission des informations au personnel en contact avec le client doit être immédiate, de sorte que les plaintes et les suggestions, comme c'est le cas dans de nombreuses entreprises, puissent être discutées en équipe lors de la réunion du matin. Par ailleurs, nous recommandons que trois types de rapports différents transmettent l'information nécessaire au management et aux services de formation :

- une mise à jour de la performance, mensuelle, fournit aux responsables des informations actualisées sur les commentaires des clients et la performance opérationnelle du processus. Dans ce cas, le rapport est envoyé au responsable du processus, qui peut en discuter avec son équipe ;

- un rapport trimestriel sur la performance, destiné aux responsables des agences et des départements, fournit des informations sur les tendances de la performance et de la qualité ;

- enfin, un rapport annuel sur la performance de l'entreprise fournit à la direction des données représentatives sur l'état et les tendances à long terme de la satisfaction du client.

Ces rapports doivent être courts, agréables à lire et doivent se concentrer sur les indicateurs clés, à travers un commentaire clair.

Conclusion

Collecter les réactions des clients *via* les plaintes, suggestions et compliments est un moyen d'augmenter la satisfaction du client, en permettant une meilleure compréhension de ses attentes. La plainte est évidemment la manifestation la moins souhaitable.

Les entreprises de services mettent en place différentes stratégies pour réparer leurs erreurs et assurer les clients de leur bonne volonté. C'est indispensable à la réussite à long terme de l'entreprise. Même la meilleure des réparations n'est pas aussi efficace que le fait d'être bien traité la première fois. Il a été montré que des garanties sans condition correctement élaborées étaient de puissants vecteurs d'identification des problèmes et de légitimation des améliorations nécessaires ; elles permettent également de créer une culture d'entreprise au sein de laquelle le personnel prend des initiatives pour s'assurer de la satisfaction des clients.

Une entreprise de services et son personnel doivent tirer des enseignements de leurs erreurs et s'assurer que les problèmes sont résolus. Il faut s'assurer que des systèmes de traitements de données collectent les informations provenant des plaintes et compliments de façon systématique, les analysent, et les transmettent afin de susciter des améliorations. L'objectif principal d'un système efficace de traitement des réclamations du client est d'institutionnaliser un système d'apprentissage en continu.

Activités

Questions de révision

1. Pourquoi les clients mécontents se plaignent-ils ? Qu'attendent-ils de l'entreprise une fois qu'ils ont formulé leur plainte ?

2. Pourquoi une entreprise doit-elle préférer que ses clients se manifestent et se plaignent ?

3. Quel est le paradoxe de la réparation ? Dans quelles conditions ce paradoxe apparaît-il le plus fréquemment ? Pourquoi est-il mieux de fournir le service comme prévu, même lorsque le paradoxe apparaît dans un contexte particulier ?

4. Que peut faire une entreprise pour faciliter le processus de plainte à ses clients ?

5. Pourquoi une stratégie de réparation doit-elle être proactive, organisée et autoriser à prendre des initiatives ?

6. Quel doit être le degré de générosité des compensations pour un service ? Quel est le coût économique des compensations classiques que proposent les entreprises ?

7. Comment doivent être élaborées les garanties ? Quels doivent être les avantages des garanties, en plus de la réparation ?

8. Quels sont les différents types de clients « douteux » et comment peuvent-ils être « gérés » sans que l'on importune les autres clients ?

9. Quels sont les principaux objectifs d'un système de traitement des réclamations des clients ?

10. Quels outils permettant d'obtenir les réclamations des clients connaissez-vous ? Quels sont les qualités et les défauts de chacun de ces outils ?

Exercices d'application

1. Songez à la dernière fois où vous n'avez pas été satisfait d'un service. Vous êtes-vous plaint ? Expliquez votre réponse.

2. Quand avez-vous été pour la dernière fois entièrement satisfait par la réponse d'une entreprise à votre plainte ? Décrivez en détail ce qui s'est passé et ce qui vous a satisfait.

3. Quelle serait la politique de réparation adéquate à une erreur :

   – de votre banque,

   – d'une grande banque privée pour la gestion des grandes fortunes ?

4. Élaborez une proposition de garantie performante pour un service où le risque perçu est élevé. Expliquez pourquoi et comment votre garantie va réduire le risque perçu par le client et pourquoi les clients actuels seront heureux de se voir offrir une pareille garantie, bien qu'ils soient déjà clients et que le risque soit moins élevé pour eux.

5. Rassemblez les outils qui permettent de collecter les réclamations des clients (formulaire de réclamation, questionnaires et accès en ligne) et expliquez comment l'information peut être utilisée pour atteindre les trois principaux objectifs d'un système de traitement de ces réclamations.

Notes

1. Voir aussi Hélène Zeitoun et Emmanuel Chéron, « Mesure et effets de l'insatisfaction : application au marché des services aériens », *Recherche et applications en marketing*, vol. 5, n° 4, pp. 71-86.
2. Bernd Stauss, « Global Word of Mouth », *Marketing Management*, automne 1997, pp. 28-30.

3. Stephen S. Tax et Stephen W. Brown, « Recovering and Learning from Service Failure », *Sloan Management Review*, 49, n° 1, automne 1998, pp. 75-88.

4. Technical Assistance Research Programs Institute (Tarp), *Consumer Complaint Handling in America; An Update Study, Part II*, Washington DC, Tarp and US Office of Consumer Affairs, avril 1986 ; Nancy Stephens et Kevin P. Gwinner, « Why Don't Some People Complain ? A Cognitive-Emotive Process Model of Consumer Complaining Behavior », *Journal of the Academy of Marketing Science*, 26, n° 3, 1998, pp. 172-189.

5. Cathy Goodwin et B.J. Verhage, « Role Perceptions of Services : A Cross-Cultural Comparison with Behavioral Implications », *Journal of Economic Psychology*, 10, 1990, p. 543-558.

6. Kaisa Snellman et Tina Vihtkari, « Customer Complaining Behavior in Technology Based Service Encounters », *International Journal of Service Industry Management*, 14, n° 2, 2003, pp. 217-231.
   Paul-Valentin Ngobo, « Les relations non linéaires entre la satisfaction, la fidélité et les réclamations », *Actes du congrès de l'AFM*, Bordeaux, vol. 14, 1998, pp. 641-670.

7. Nancy Stephens, « Complaining », in *Handbook of Services Marketing and Management*, Teresa A. Swartz et Dawn Iacobucci Thousand Oaks, Californie, (éd.) Sage Publications, 2000, p. 291.

8. John Goodman, « Basic Facts on Customer Complaint Behavior and the Impact of Service on the Bottom Line », *Competitive Advantage,* juin 1999, pp. 1-5, et Dominique Crié, « Un cadre conceptuel d'analyse du comportement de réclamation », *Recherche et applications en marketing*, vol. 16, n° 1, pp. 45-63.

9. Tarp Consumer Complaint Handling in America.

10. Voir aussi Dominique Crié et Richard Ladwein, « La lettre de réclamation au regard de la théorie de l'engagement : une approche empirique dans la vente par correspondance », Actes du congrès de l'AFM, Bordeaux, vol. 14, 1998, pp. 4-22.

11. Kathleen Seiders et Leonard L Berry, « Service Fairness : What it is and Why it Matters », *Academy of Management Executive*, 12, n° 2, 1990, pp. 8-20.

12. Stephen S. Tax et Stephen W. Brown, « Recovering and Learning from Service Failure ».

13. Les textes suivants analysent le rôle de l'impartialité perçue dans les réponses des clients aux efforts de réparation : Stephen S. Tax et Stephen W. Brown, « Service Recovery: Research, Insight and Practice », in *Handbook of Services Marketing and Management*, p. 277 ; Tor Wallin Andreassen, « Antecedents of Service Recovery », *European Journal of Marketing*, 34, n° 1 et 2, 2000, pp. 156-175 ; Ko de Ruyter et Martin Wetzel, « Customer Equity Considerations in Service Recovery », *International Journal of Service Industry Management*, 11, n° 1, 2002, pp. 91-108 ; Janet R. McColl-Kennedy et Beverley A. Sparks, « Application of Fairness Theory to Service Failures and Service Recovery », *Journal of Service Research*, 5, n° 3, 2003, pp. 251-266.

14. Oren Harari, « Thank Heavens for Complainers », *Management Review*, mars 1997, pp. 25-29.

15. Leonard L. Berry, *On Great Service : A Framework for Action*, New York, The Free Press, 1995, p. 94.

16. Susan M. Keveaney, « Customer Switching Behavior in Service Industries : An Exploratory Study », *Journal of Marketing*, 59, avril 1995, pp. 71-82.

17. Tarp, Consumer Complaint Handling in America.

18. Stefan Michel, « Analyzing Service Failures and Recoveries : A Process Approach », *International Journal of Service Industry Management*, 12, n° 1, 2001, pp. 20-33.

19. James G. Maxham III et Richard G. Netemeyer, « A Longitudinal Study of Complaining Customers' Evaluations of Multiple Service Failures and Recovery Efforts », *Journal of Marketing*, 66, n° 4, 2002, pp. 57-72.

20. Tor Wallin Andreassen, « From Disgust to Delight : Do Customers Hold a Grudge ? », *Journal of Service Research*, 4, n° 1, 2001, pp. 39-49. D'autres études récentes ont aussi confirmé que le paradoxe du service après-vente n'est pas universel. Voir par exemple Michael A. McCollough, Leonard L. Berry et Manjit S. Yadav, « An Empirical Investigation of Customer Satisfaction after Service Failure and Recovery », *Journal of Service Research*, 3, n° 2, 2000, pp. 121-137 ; James G. Maxham III, « Service Recovery's Influence on Consumer Satisfaction, Positive Word-of-Mouth, and Purchase Intentions », *Journal of Business Research*, 54, 2001 pp. 11-24.

21. Michael Hargrove, cité par Ron Kaufman, *Up your Service !* Singapour, Ron Kaufman, Plc Ltd, 2000, p. 225.

22. Stephen S. Tax et Stephen W. Brown, « Service Recovery : Research, Insight and Practice » ; Stephen S. Tax, Stephen W. Brown et Murali Chandrashekaran, « Customer Evaluation of Service Complaint Experiences : Implications for Relationship Marketing », *Journal of Marketing*, 62, n° 2, été 1998, pp. 60-76.

23. Ron Zemke et Chip R. Bell, *Knock Your Socks Off Service Recovery*, New York, Amacom, 2000, p. 60.

24. Barbara R. Lewis, « Customer Care in Services », in *Understanding Services Management*, W.J. Glynn et J.G. Barnes, Grande-Bretagne, Wiley (éd.) Chichester, 1995, pp. 57-89.

25. Hooman Estelami et Peter De Maeyer, « Customer Reactions to Service Provider Overgenerosity », *Journal of Service Research*, 4, n° 3, 2002, pp. 205-217.

26. Rhonda Mack, Rene Mueller, John Crotts et Amanda Broderick, « Perceptions, Corrections and Defections : Implications for Service Recovery in the Restaurant Industry », *Managing Service Quality*, 10, n° 6, 2000, pp. 339-346.

27. Sur les garanties de service, voir aussi Sara Björlin Lidén et Per Skålén, « The Effect of Service Guarantees on Service Recovery », *International Journal of Service Industry Management*, 14, n° 1, 2003, pp. 36-58 ; Brigitte Auriacombe et Francois Mayaux, « Garanties de services : proposition d'une typologie et premières applications opérationnelles », *Cahiers de recherche de l'EM Lyon*, juillet 2003.

28. Christopher W. L Hart, « The Power of Unconditional Service Guarantees », *Harvard Business Review*, juillet-août 1990, pp. 54-62.

29. *Ibid.*

30. Gordon H. Mc Dougall, Terence Levesque et Peter VanderPlaat, « Designing the Service Guarantee: Unconditional or Specific ? », *The Journal of Services Marketing*, 12, n° 4, 1998 pp. 278-293 ; Jochen Wirtz, « Development of a Service Guarantee Model », *Asia Pacific Journal of Management*, 15, n° 1, 1998, pp. 51-75.

31. Amy L. Ostrom et Christopher Hart, « Service Guarantee : Research and Practice », in *Handbook of Services Marketing and Management*, pp. 299-316.

32. Jochen Wirtz, Doreen Kum et Khai Sheang Lee, « Should a Firm with a Reputation for Outstanding Service Quality Offer a Service Guarantee ? », *Journal of Services Marketing*, 14, n° 6, 2000, pp. 502-512.

33. John Goodman, cité dans « Improving Service Doesn't Always Require Big Investment », *The Service Edge*, juillet-août 1990, p. 3.

34. Cette section est partiellement basée sur Jochen Wirtz et Monica Tomlin, « Institutionalizing Customer-driven Learning Through Fully Integrated Customer Feed-back Systems », *Managing Service Quality*, 10, n° 4, 2000, pp. 205-215.

35. W. E. Baker et J. M. Sinkula, « The Synergistic Effect of Market Orientation and Learning Orientation on Organizational Performance », *Journal of the Academy of Marketing Science*, 27, n° 4, 1999, pp. 411-427.

36. Voir aussi Olivier de La Villarmois, « Le benchmarking interne comme outil de contrôle du réseau commercial : le cas de la banque de détail », *Décisions Marketing*, n° 22, 2001, pp. 53-63.

37. Sur les sujets abordés dans cette section, voir Leonard L. Berry et A. Parasuraman, « Listening to the Customer – The Concept of a Service Quality Information System », *Sloan Management Review*, printemps 1997, pp. 65-76.

38. Voir aussi Richard Ladwein, *Les Études marketing,* Paris, Economica, 1996 ; Yves Evrard, Bernard Pras et Elyette Roux, *Market : études et recherches en marketing*, 3ᵉ édition, , Paris, Dunod, 2003.

39. Robert Johnston et Sandy Mehra, « Best-Practice Complaint Management », *Academy of Management Executive*, 16, n° 4, 2002, pp. 145-154.

*« Tout ce qui compte ne peut être comptabilisé
mais tout ce qui peut être compté ne compte pas forcément. » – Albert Einstein*

*« Notre mission est inviolable : offrir au client le meilleur service que nous puissions lui proposer ;
réduire nos coûts au maximum ; et générer des profits pour sans cesse nous renouveler. »
– Joseph Pillay, Former Chairman, Singapore Airlines*

Ce chapitre aborde les questions suivantes

- Que faut-il entendre par *qualité* et *productivité* dans un contexte de service et pourquoi devraient-elles être liées lors de l'élaboration de la stratégie marketing ?
- Comment pouvons-nous analyser les problèmes de qualité des services ?
- Quels sont les outils pour améliorer la productivité des services ?
- Comment des concepts tels qu'ISO 9000, TQM, l'approche de Malcom-Baldrige et Six Sigma sont-ils en relation avec le management et l'amélioration de la productivité et la qualité de service ?

L a productivité fut l'un des impératifs managériaux clés des années 1970 : travailler plus vite et plus efficacement afin de réduire les coûts. Durant les années 1980 et au début des années 1990, l'amélioration de la qualité est devenue une grande priorité. Dans un contexte de service, cette stratégie a impliqué la création de nouveaux processus de service et de nouveaux services produits pour améliorer la satisfaction du client. Au début du XXIᵉ siècle, le lien entre ces deux stratégies commence à s'accentuer afin de créer plus de valeur pour les clients et l'entreprise.

La qualité tout comme la productivité ont été perçues jusqu'ici comme de véritables objectifs, relevant des dirigeants de l'entreprise. Les améliorations au sein de ces domaines de service requièrent une sélection plus sévère des employés, une formation et une supervision plus intense, ou bien la renégociation des accords collectifs relatifs aux missions professionnelles ou aux réglementations du travail. Les responsables des ressources humaines sont aussi concernés. Ce n'est que lorsque la qualité du service fut explicitement liée à la satisfaction du client que les marketeurs furent reconnus comme ayant un rôle important à jouer.

Défini de façon plus large, l'accroissement de la valeur requiert une amélioration de la qualité des programmes de service afin d'améliorer continuellement les bénéfices pour le client. En même temps, les efforts d'amélioration de productivité doivent associer une recherche de réduction des coûts. Le challenge vise à garantir que les deux programmes concourent mutuellement à l'aboutissement d'objectifs communs, plutôt que de mener chacun à une poursuite d'objectifs conflictuels.

Dans ce chapitre, nous passerons en revue les défis qu'implique l'amélioration de la productivité et de la qualité dans les entreprises de service.

1. Intégrer les stratégies de productivité et de qualité de service

Un thème clé qui revient régulièrement dans ce livre est que, en matière de service, le marketing ne peut pas fonctionner isolément des autres domaines fonctionnels. Les tâches qui sont considérées comme de la seule responsabilité des opérations dans un environnement industriel doivent, dans un contexte de service, impliquer le marketing parce que les clients sont souvent concernés et même activement impliqués dans les processus de service. Rendre les processus de service plus efficaces ne résulte pas forcément d'une amélioration qualitative pour les clients. De même, amener les employés à travailler plus vite pourra parfois être bien perçu par le client ; en revanche, d'autres fois, cela pourra lui donner l'impression d'être bousculé et peu désiré. Ainsi le marketing, les opérations et les ressources humaines ont besoin de communiquer afin de s'assurer qu'ils peuvent délivrer des expériences de qualité de manière plus efficace.

De façon similaire, mettre en place des stratégies marketing d'amélioration de la satisfaction du client peut se révéler coûteux et troublant pour une entreprise si les implications pour les opérations et les ressources humaines n'ont pas été soigneusement étudiées. C'est pourquoi il est nécessaire de considérer les stratégies d'amélioration de la qualité et de la productivité de manière conjointe plutôt que séparément.

Au début des années 1990, le professeur suédois Evert Gummesson s'est aperçu que bien que la qualité de service doive être vue conjointement avec les aspects productivité et rentabilité, elle avait été l'objet de vastes recherches, alors que ce n'était pas le cas de la productivité[1]. Aujourd'hui, la situation change et nous allons présenter les enseignements des nombreuses et récentes études concernant la productivité au cours de ce chapitre.

1.1. Qualité de service, productivité et marketing

L'intérêt du marketing dans la qualité des services est évident : une mauvaise qualité place toute entreprise en position de désavantage concurrentiel. Si les clients perçoivent que la qualité n'est pas satisfaisante, ils ne tardent pas à aller voir ailleurs. Les dernières années ont témoigné d'une véritable explosion du mécontentement en ce qui concerne la qualité des services à une période pendant laquelle la qualité de nombreux produits fabriqués semblait pourtant s'être améliorée de manière significative.

D'un point de vue marketing, la question importante est de savoir si les clients remarquent de notables différences de qualité entre concurrents. Le consultant Brad Gale la reprend succinctement lorsqu'il dit que « la valeur est simplement la qualité, bien que le client en ait sa propre définition, offerte au juste prix »[2]. Améliorer la qualité du service aux yeux du client en vaut la peine pour l'entreprise qui le fournit. Des données du Pims (*Profit Impact of Marker Strategy*) montre qu'une meilleure qualité que la concurrence mène à de meilleurs profits[3].

De manière similaire, améliorer la productivité est importante pour le marketing pour de nombreuses raisons. Premièrement, cela aide à maintenir des prix bas. Des coûts plus bas signifient soit de meilleurs profits, soit la capacité à maintenir des prix bas. L'entreprise aux coûts les plus bas dans un secteur d'activité a le choix de sa position en tant que leader des prix bas, en général un avantage significatif au sein de segments de marché sensibles aux prix. Deuxièmement, les entreprises aux coûts les plus bas peuvent aussi dégager des marges plus importantes, ce qui leur permet de dépenser plus que la concurrence dans les activités de recherche et de marketing, d'amélioration du service clients et des services supplémentaires. Elles doivent aussi être capables d'offrir de plus grandes marges pour attirer et rémunérer les meilleurs distributeurs et intermédiaires. En troisième lieu, se place l'opportunité de sécuriser le long terme grâce aux investissements dans de nouvelles technologies afin de créer de nouveaux services, des produits aux caractéristiques améliorées et des systèmes de distribution innovants. Enfin, les efforts de productivité ont souvent un impact sur les clients. Le marketing a la responsabilité de s'assurer que les impacts négatifs sont évités ou minimisés et que les nouvelles procédures sont soigneusement présentées aux clients. Les impacts positifs peuvent alors être promus comme un nouvel avantage.

La qualité et la productivité sont les deux voies parallèles pour créer de la valeur pour les clients et les entreprises réunies. D'une manière plus générale, la qualité focalise sur les bénéfices créés pour le client et la productivité représente l'ensemble des coûts financiers générés par l'entreprise, qui pourra par conséquent se répercuter sur les prix en avantageant le client. L'intégration soigneuse de programmes d'amélioration de la qualité et de la productivité permettra à long terme d'engendrer un meilleur profit pour l'entreprise.

2. Qu'est-ce que la qualité de service[4] ?

De quoi s'agit-il quand on parle de qualité de service ? Tout le personnel de l'entreprise doit l'entendre de manière identique pour pouvoir aborder les questions de mesure de la qualité de service, d'identification des causes de manque de qualité de service et de conception et mise en place d'actions correctives.

2.1. Les différentes perspectives de la qualité de service

Le mot *qualité* a différents sens pour les personnes selon le contexte. David Garvin, professeur à la Harvard Business School, identifie cinq perspectives à propos de la qualité[5].

- *La vue transcendante* de la qualité est synonyme d'une excellence innée, une marque de standards inflexibles et de prestations de haut niveau. Ce point de vue est souvent appliqué aux arts du visuel et de la performance. Tout prouve que les gens apprennent à reconnaître la qualité uniquement à travers l'expérience acquise par une exposition répétée. Cependant, selon un point de vue pratique, suggérer que les managers ou les clients prendront conscience de la qualité simplement en la voyant ne les aidera pas beaucoup.

- *L'approche par le produit de base* voit la qualité comme une variable précise et mesurable. Les différences en matière de qualité, et cela se justifie, reflètent les différences au sein de l'ensemble des ingrédients ou attributs que le produit possède. Et comme cette vision est complètement objective, il apparaît impossible de rendre compte des différences de goût, de besoins et de préférences des clients eux-mêmes (ou même de segments de marché complets).

- Les *définitions fondées sur l'utilisateur* partent du principe que la qualité est un trompe-l'œil. Ces définitions associent qualité et satisfaction maximum. Cette perspective subjective est orientée vers la demande et reconnaît que les clients ont différents besoins et différentes envies.

- L'*approche par la production* est prioritairement basée sur les pratiques de l'ingénierie et de la fabrication (Dans les services nous aurons tendance à dire que la qualité est dirigée par les opérations). L'accent est mis sur la conformité des spécifications développées en interne, qui sont souvent dictées par des objectifs de productivité et de respect des coûts.

- Les *définitions basées sur la valeur* définissent la qualité en termes de valeur et de prix. En considérant l'échange entre la performance et le prix, la qualité tend à être définie comme une « excellence abordable ».

Garvin suggère que ces alternatives de perception de la qualité aident à expliquer les conflits qui surviennent quelquefois entre les responsables au sein de départements fonctionnels différents. Cependant il poursuit en argumentant :

> *Malgré l'éventualité de conflit, les entreprises peuvent tirer profit des multiples perspectives de qualité. L'acceptation d'une définition unique de la qualité est une source fréquente de problèmes. Tout simplement parce que chacune de ces approches a ses approximations. Les entreprises peuvent cependant rencontrer quelques problèmes si elles utilisent de trop nombreuses définitions de la qualité et ce en fonction du stade où en est le produit ; du design au marché… Le succès requiert en temps normal une coordination étroite entre les activités de chaque fonction.*

Les composants de la qualité des produits manufacturés

Pour intégrer les différentes perspectives, Garvin a développé les composants suivants de la qualité qui pourraient être utiles comme modèle pour l'analyse et la planification stratégique. Ceux-ci sont :

1. la performance (les caractéristiques opérationnelles) ;
2. l'apparence (la cloche et le sifflet) ;
3. la fiabilité (probabilité de dysfonctionnement ou d'échec) ;
4. la conformité (respect des spécifications) ;
5. la durabilité (pendant combien de temps le produit générera- t-il de la valeur pour le client ?) ;
6. l'utilité (rapidité, courtoisie, compétence et problèmes identifiés et résolus) ;
7. l'esthétique (quel effet exerce le produit sur les cinq sens de l'utilisateur ?) ;
8. la qualité perçue (les associations telles que la réputation de l'entreprise ou de la marque).

Il est à noter que ces catégories furent développées à partir d'une optique de production, mais qu'elles s'adressent aussi à la notion de service attachée à un bien physique.

Les composants de la qualité dans les services

Les chercheurs s'accordent sur le fait que la nature distincte du service requiert une approche distincte dans la définition et la mesure de la qualité du service. Comme de nombreux services restent par nature intangibles et à facettes multiples, il peut être difficile d'évaluer la qualité d'un service par rapport à un produit. Comme les clients prennent part à la production du service, en particulier dans les processus s'adressant aux personnes, une distinction a besoin d'être faite entre le processus de livraison du service (ce que Christian Grönroos appelle « qualité fonctionnelle ») et le résultat du service (ce qu'il appelle « qualité technique »)[6]. Grönroos et d'autres suggèrent que la qualité perçue d'un service est le résultat d'une évaluation du processus au sein duquel les clients comparent leurs perceptions de la livraison du service et de son résultat par rapport à ce qu'ils attendent.

La recherche la plus vaste concernant la qualité du service est fortement orientée vers l'utilisateur. Grâce à des groupes de recherche spécialisés, Zeithaml, Berry et Parasuraman ont identifié dix critères utilisés par le consommateur afin d'évaluer la qualité du service (voir tableau 14.1). En conséquence de leur recherche, ils ont trouvé un fort degré de corrélation entre plusieurs de ces variables et les ont ainsi consolidées en cinq grandes dimensions :

- *tangibilité* (apparence d'éléments physiques) ;
- *fiabilité* (performance fiable et précise) ;
- *réactivité* (promptitude et serviabilité) ;
- *assurance* (compétence, courtoisie, crédibilité et sécurité) ;
- *empathie* (facilité d'accès, bonnes communications et compréhension du client)[7].

Une seule de ces cinq dimensions, la fiabilité, a une correspondance avec les résultats des recherches de Garvin sur la qualité des produits manufacturés.

Tableau 14.1 : Les dimensions génériques utilisées par les clients pour évaluer la qualité d'un service

Dimension	Définition	Exemples de questions que les clients peuvent poser
Crédibilité	Être digne de confiance, honnête	• L'hôpital a-t-il bonne réputation ? • Mon agent de change s'abstient-il de faire pression sur moi pour acheter ?
Sécurité	Absence de danger, de risque, de doute	• Est-ce dangereux pour moi d'utiliser ce distributeur de billets la nuit ? • Suis-je certain que ma police d'assurance me couvre complètement ?
Accessibilité	Abord facile et contact aisé	• Avec quelle facilité puis-je parler à un responsable en cas de problème ? • L'hôtel est-il situé à un emplacement facile d'accès ?

Tableau 14.1 : Les dimensions génériques utilisées par les clients pour évaluer la qualité d'un service *(suite)*

Dimension	Définition	Exemples de questions que les clients peuvent poser
Communication	Écoute des clients, Information régulière des clients	• Si j'ai une plainte à formuler, le management a-t-il la volonté de m'écouter ? • Mon médecin évite-t-il d'utiliser un jargon technique ? • Mon peintre me prévient-il lorsqu'il reporte notre RDV ?
Compréhension du client	Efforts pour connaître les clients et leurs besoins	• Me reconnaît-on dans cet hôtel comme un habitué ? • Mon agent de change cherche-t-il à comprendre mes objectifs financiers ?
Tangibilité	Apparence physique des locaux, équipements, du personnel et des documents	• Mon commercial est-il vêtu de manière appropriée ? • Mon relevé bancaire est-il facilement compréhensible ? • Les abords de l'entreprise sont-ils avenants ?
Fiabilité	Capacité à réaliser le service promis de manière sûre et précise	• Mon micro-ordinateur est-il réparé convenablement dès la première fois ? • Quand on me promet de me rappeler dans les cinq minutes, le fait-on vraiment ?
Réactivité	Volonté d'aider le client en lui fournissant un service rapide et adapté	• Quand j'ai un problème, l'entreprise le résout-elle rapidement ? • Le serveur de restaurant saura-t-il me servir vite si je suis pressé ?
Compétence	Possession des connaissances nécessaires pour délivrer le service	• Quand j'appelle mon agence de voyage, est-elle capable de me fournir les informations dont j'ai besoin ? • Le médecin a-t-il fait un bon diagnostic ?
Courtoisie	Politesse, respect et contact personnel amical	• La standardiste est-elle toujours courtoise ? • Le plombier enlève-t-il ses chaussures avant d'entrer ?

Source : adapté de Valarie A. Zeithaml, A. Parasuraman et Leonard L. Berry, *Delivering Quality Service : Balancing Customer Perceptions and Expectations*, The Free Press, New York, 1990.

2.2. Comprendre la qualité du service du point de vue du client

Pour mesurer la satisfaction des clients vis-à-vis de différents aspects de la qualité de service, Valarie Zeithaml et ses collègues ont développé une grille d'évaluation appelée SERVQUAL. Elle est basée sur le principe que les clients peuvent évaluer la qualité des services d'une entreprise en comparant leurs perceptions à leurs propres attentes. SERV-QUAL est considéré comme un outil de mesure générique, qui peut être appliqué à un large spectre d'entreprises de services. Dans sa forme de base, la grille comporte 22 questions relatives à la perception des services, et une série de questions portent sur les attentes des clients en fonction des cinq dimensions de la qualité de service précédemment décrite (tableau 14.2). Les personnes interrogées placent sur un ensemble d'échelles leurs attentes pour un type de services particuliers. Ensuite, il leur est demandé d'évaluer la perception qu'ils ont des services utilisés d'une entreprise spécifique. Quand les performances mesurées sont inférieures aux attentes, c'est un signe de faible qualité et inversement.

Les limites du modèle SERVQUAL

Bien que SERVQUAL (pour « Service Quality ») ait été largement utilisé par les entreprises de services, des doutes ont été émis par rapport à son fondement conceptuel et ses limites méthodologiques[8]. Afin d'évaluer la stabilité de ces cinq dimensions lorsqu'on les applique à une variété de services, Mels, Boshoff et Nel ont analysé des données provenant de banques, de courtiers d'assurance, de réparateurs automobiles et de matériel électrique, ainsi que de cabinets d'assurance-vie[9]. Leurs résultats montrent qu'en réalité SERVQUAL ne mesure que deux facteurs : la qualité intrinsèque du service (ressemblant aux termes de qualité fonctionnelle qu'emploie Grönroos) et sa qualité extrinsèque (qui se réfère aux aspects tangibles de la livraison du service et « ressemble à certaines extensions » que Grönroos nomme « qualité technique »)[10].

Ces résultats n'amoindrissent pas pour autant la valeur de ceux de Zeithaml, Berry et Parasuraman en ce qui concerne l'identification des quelques clés de la qualité du service, mais ils soulignent le fait que mesurer la qualité perçue par les clients est difficile. Anne Smith, professeur à l'université de Glasgow, note que la majorité des chercheurs qui utilisent SERVQUAL ont en plus oublié, ajouté ou altéré les listes des attributs mesurant la qualité du service[11].

Mesurer la qualité de service dans les environnements en ligne

SERVQUAL fut essentiellement développé dans un contexte de rencontre en « face à face ». Dans les environnements modernes connectés à Internet, de nouvelles questions mesurant différentes dimensions de la qualité de service sont apparues. Pour mesurer la qualité de service électronique sur des sites Internet, Parasuraman, Zeithaml et Malhotra ont créé une grille de 22 questions appelée E-S-QUA reflétant les quatre dimensions clés de *l'efficacité* (c'est-à-dire que la navigation est aisée, les transactions peuvent être effectuées rapidement, et que le site web se charge rapidement), de *l'accessibilité* du système (c'est-à-dire que le site est tout le temps accessible, se lance correctement, est stable et qu'il ne « bug » pas), de *la réalisation* (c'est-à-dire que les demandes sont livrées comme promis, et que les offres sont décrites sincèrement et honnêtement), et de *l'intimité* (c'est-à-dire que les informations privées sont protégées et que les informations personnelles ne sont pas partagées avec d'autres sites).

Tableau 14.2 : L'échelle SERVQUAL

L'échelle SERVQUAL inclut cinq dimensions : tangibilité, fiabilité, réactivité, sérieux et empathie. Dans chacune de ces dimensions, plusieurs aspects sont mesurés sur une échelle à 7 points, de *tout à fait d'accord* à *pas du tout d'accord*, avec un total de 21 points étudiés.

Questions de SERVQUAL

Note : pour les répondants, les instructions sont aussi incluses et chaque hypothèse est accompagnée d'une *échelle de réponse à 7 points* allant de *tout à fait d'accord* = 7 à *pas du tout d'accord* = 1. Seuls les extrêmes indiqués ; il n'y a pas de mots entre les nombres 2 et 6.

Tangibilité

Aspect parfait (par exemple, les opérateurs de TV câblés, les hôpitaux, ou l'entreprise considérée tout au long du questionnaire), équipement paraissant moderne.

Les équipements matériels visibles sont particulièrement attrayants.

L'apparence des employés est parfaite.

Les documents (par exemple, les brochures) associés à un service paraîtront attrayants.

Fiabilité

Quand une promesse de faire quelque chose en un temps donné a été formulée, les délais sont respectés.

Quand les clients ont un problème, l'entreprise montre un intérêt sincère quant à la résolution de ce problème.

L'entreprise offre un service approprié dès la première demande.

L'entreprise fournit ses services dans les délais sur lesquels elle s'est engagée.

L'entreprise accorde une attention particulière à l'absence d'erreurs.

Réactivité

Les employés informent les clients de la date exacte à laquelle le service sera effectué.

Les employés fournissent un service rapide aux clients.

Les employés sont toujours désireux d'aider les clients.

Les employés ne sont jamais trop occupés pour répondre aux requêtes des clients.

Sérieux

L'attitude des employés inspire un sentiment de confiance aux clients.

Les clients sentent que le travail est effectué en toute sécurité.

Les employés sont courtois en toute occasion avec les clients.

Les employés sont compétents pour répondre aux questions des clients.

Tableau 14.2 : L'échelle SERVQUAL *(suite)*

Empathie

L'entreprise montre une attention personnalisée aux clients.

L'entreprise a des horaires d'ouverture convenant à tous leurs clients.

L'entreprise a des employés qui montrent une attention particulière aux clients.

Les employés comprennent les besoins spécifiques de leurs clients.

Source : adapté d'A. Parasuraman, Valarie A. Zeithaml et Leonard Berry, « SERVQUAL : A Multiple Item Scale for Measuring Consumer Perceptions of Service Quality », *Journal of Retailing,* 64, 1998, pp. 12-40.

Autres contributions dans la mesure de la qualité du service

Comparer la performance aux attentes fonctionne pour des marchés raisonnablement concurrentiels où les clients ont une connaissance suffisante pour choisir avec détermination un service qui rencontre leurs besoins et leur demandes. Cependant, sur des marchés non concurrentiels ou dans des situations où les clients n'ont pas le choix (parce que les coûts de changement vont être prohibitifs ou parce que le temps manque ou qu'il existe des contraintes liées à la localisation), il y a des risques de définition de la qualité du service d'abord en termes de satisfaction client. Si les attentes du client sont faibles et la livraison du service marginalement meilleure que le niveau attendu, nous pouvons dire que le client perçoit une bonne qualité du service ! Dans de telles situations il est préférable de comparer les besoins et les attentes aux standards et définir une bonne qualité du service comme l'atteinte ou le dépassement des besoins du client plutôt que ses attentes[12].

La recherche de la satisfaction à travers la qualité indique que les clients ont affaire à des services dont les caractéristiques sont assez élaborées (voir chapitre 2). Le problème survient lorsqu'il leur est demandé d'évaluer la qualité de ces services dont les caractéristiques sont fortement intangibles (donc basées sur les croyances), tels que des dossiers comptables complexes ou des traitements médicaux, qu'il est extrêmement difficile à évaluer même si la livraison en est terminée. En bref, les clients ne peuvent pas être sûrs de ce à quoi ils doivent s'attendre et ne savent pas à quel point le travail fourni par les professionnels était bon. Une tendance naturelle dans de telles situations est, pour les clients ou les patients, de se baser sur le déroulement de processus et de signaux tangibles pour juger de la qualité.

Les facteurs d'appréciation liés aux processus comprennent les sentiments des clients par rapport au style personnel du fournisseur et au niveau de satisfaction par rapport aux services supplémentaires qu'ils sont compétents à évaluer (par exemple le goût des plats dans les hôpitaux ou la clarté des factures). En conséquence, les perceptions des clients du service de base peuvent être sérieusement influencées par leur évaluation des attributs du processus et des éléments tangibles du service. C'est ce que l'on appelle un effet de halo[13]. Dans le but d'obtenir des mesures crédibles des performances de qualité, il pourrait s'avérer nécessaire de revoir de manière identique les processus et les résultats conjointement comme éléments indissociables du service de base[14].

Susan Devlin et H. K. Dong, directeurs de recherche de mesures et de supports d'apprentissage à Bellcore Piscataway, proposent des guides sur la façon de mesurer la qualité à travers chaque aspect du business au sein du véritable environnement de l'entreprise[15].

Pour aider les clients à se souvenir de leurs expériences en terme de qualité et à les évaluer, ces auteurs suggèrent d'évaluer la rencontre de service pas à pas.

3. Le modèle des écarts – un outil conceptuel pour identifier et corriger les problèmes de qualité du service[16]

Si chacun accepte l'idée selon laquelle la qualité entraîne constamment la rencontre ou le dépassement des attentes du client, alors le devoir du manager est de se concentrer sur les attentes et les perceptions du client et d'empêcher qu'un fossé ne se creuse entre celles-ci.

3.1. Les écarts entre la conception et la livraison du service

Zeithaml, Berry et Parasuraman ont identifié quatre déficiences potentielles dans l'organisation du service qui peuvent conduire à un écart résultant plus important qui matérialise la différence entre ce que les clients attendaient et ce qu'ils pensaient se faire délivrer[17]. La figure 14.1 matérialise un cadre qui identifie sept types d'écarts qui peuvent intervenir à différents stades pendant la conception et la livraison d'un service.

1. **L'écart de connaissance** : la différence entre ce que le prestataire de service pense de l'attente des clients et ce que ces derniers ont comme réels besoins.

2. **L'écart de standards :** la différence entre la perception des attentes du client par le management de l'entreprise et les standards de qualité établis pour la livraison du service.

3. **L' écart de livraison :** la différence entre les standards de livraison spécifiés et la performance réelle du prestataire de service.

4. **Les écarts de communication interne :** la différence entre ce que le personnel chargé de la publicité et des ventes pense des caractéristiques du produit, de son niveau de performance et de sa qualité de service, et ce que l'entreprise est réellement capable de délivrer.

5. **Les écart de perception :** la différence entre ce qui est vraiment délivré et ce que les clients pensent avoir reçu (car ils sont incapables d'évaluer précisément la qualité du service).

6. **Les écarts d'interprétation :** la différence entre ce que la communication d'un prestataire de service (avant la livraison) promet et ce que le client avait compris de la promesse de la communication.

7. **Les écarts de service :** la différence entre ce que le client s'attend à recevoir et les perceptions qu'il a du service déjà délivré.

Les écarts 1, 5, 6 et 7 représentent les fossés extérieurs entre le client et l'entreprise. Les écarts 2, 3, et 4 sont des écarts internes qui se produisent entre les différents services et départements au sein de l'entreprise.

Les écarts, en tout point de la conception du service et de sa livraison, peuvent détériorer les relations avec les clients. L'écart de service (7) est le plus critique : c'est pourquoi le but principal des efforts pour améliorer la qualité du service est de combler cet écart ou de le réduire autant que possible. Cependant, pour finaliser cet objectif, les

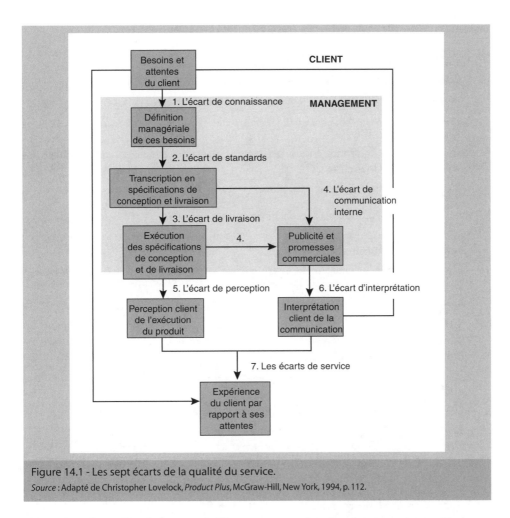

Figure 14.1 - Les sept écarts de la qualité du service.

Source : Adapté de Christopher Lovelock, *Product Plus*, McGraw-Hill, New York, 1994, p. 112.

entreprises de service doivent travailler sur un ou plus des six autres écarts décrits en figure 14.1. Améliorer la qualité du service requiert une identification des causes spécifiques de chacun des écarts et, par la suite, un développement de stratégies palliatives.

3.2. Les stratégies pour réduire les écarts de qualité du service[18]

Zeithaml, Parasuraman et Berry proposent une série de mesures de base pour combler les écarts 1 à 4[19]. Leurs prescriptions (conformément à la figure 14.1) sont résumées dans le tableau 14.3.

Que dire des écarts 5 et 6 ? L'écart 5 (écart de perception) reconnaît que les clients ne comprennent pas toujours correctement ce que le service a fait pour eux. Cette situation se produit particulièrement dans les services basés sur la confiance, où il est difficile de juger de la performance même après la livraison. Certaines personnes en charge dans la qualité du service en font un point d'honneur, pas seulement pour tenir les clients

Tableau 14.3 : Conseils pour combler les écarts de qualité du service

Écart n° 1. Conseil : savoir ce que les clients attendent

- Acquérir une meilleure compréhension des attentes du client grâce à la recherche, l'analyse des réclamations, l'étude des panels, etc.
- Accroître les contacts entre les clients et le management dans le but d'améliorer la compréhension mutuelle.
- Améliorer la communication entre le personnel de contact et le management en réduisant le nombre d'échelons entre les deux.
- Transformer les informations en actions.

Écart n° 2. Conseil : élaborer les standards de qualité adéquats

- S'assurer que le top management impulse des obligations de qualité en adéquation avec le point de vue du client.
- Faire en sorte que le management intermédiaire communique, renforce l'orientation « service au client » à l'intérieur de ses départements.
- Former le management pour montrer aux employés comment délivrer un service de qualité.
- Être réceptif aux nouvelles manières de faciliter les affaires en surmontant les obstacles liés à la livraison des services.
- Standardiser les tâches répétitives pour assurer consistance et fiabilité en instituant des méthodes de travail.
- Établir des objectifs de qualité de service clairs qui soient motivants, réalistes et conçus pour répondre aux souhaits des clients.
- Déterminer avec les employés quelles sont les tâches qui ont le plus d'impact sur la qualité et par conséquent doivent être l'objet de la plus grande attention.
- S'assurer que les employés comprennent et acceptent les objectifs et les priorités.
- Mesurer la performance et en donner connaissance aux employés régulièrement.
- Récompenser les managers et les employés qui atteignent les objectifs de qualité.

Écart n° 3. Conseil : s'assurer que la performance de l'entreprise est au niveau des standards de service

- Clarifier le rôle des employés.
- S'assurer que tous les employés comprennent comment leur travail contribue à la satisfaction globale.
- Sélectionner les employés en fonction de leur capacité et de leur potentiel à réussir dans leur travail.
- Fournir aux employés la formation technique nécessaire pour s'acquitter au mieux de leur tâche.
- Développer des méthodes originales de recrutement pour attirer et retenir les meilleurs.

Tableau 14.2 : Conseils pour combler les écarts de qualité du service *(suite)*

- Améliorer la performance des employés en sélectionnant et en leur fournissant les équipements technologiques les plus adaptés et les plus performants.
- Informer les employés des attentes, des perceptions et des problèmes des clients.
- Former les employés à la communication interpersonnelle, en particulier sous conditions de stress.
- Éliminer les rôles conflictuels entre employés en les impliquant dans la mise en place de standards.
- Former les employés à déterminer leurs priorités et à gérer le temps.
- Mesurer la performance des employés et récompenser la qualité de leur service.
- Développer un système de récompense qui soit pertinent, simple et équitable.
- Impliquer au maximum les employés et les managers en les incitant à prendre des décisions au niveau le plus bas. Leur donner plus de latitude dans la manière d'atteindre les objectifs.
- S'assurer que les employés qui sont affectés à un support interne ont un bon contact personnel et fournissent un bon service aux clients.
- Favoriser le travail en équipe pour que les employés s'entraident mutuellement.
- Considérer les clients comme des employés particuliers ; clarifier leur rôle dans la livraison du service ; les former et les motiver dans leur rôle de coproducteurs.

Écart n° 4. Conseil : s'assurer que la livraison est conforme aux promesses

- Recueillir les impressions du personnel lorsqu'une nouvelle campagne publicitaire est lancée.
- Développer des publicités qui représentent les employés au travail.
- Montrer les publicités à ceux qui vont délivrer le service avant que les clients n'y soient exposés.
- Faire en sorte que les équipes de vente impliquent les opérations dans des rencontres avec des clients.
- Développer des campagnes internes de formation, de motivation et de publicité pour renforcer les liens entre le marketing, les opérations et les ressources humaines.
- S'assurer que les standards de services sont les mêmes partout.
- S'assurer que le contenu de la publicité reflète fidèlement les caractéristiques du service les plus importantes aux yeux du client.
- Gérer les exigences du client en lui disant ce qui est possible et ce qui ne l'est pas, et pourquoi.
- Identifier et expliquer les imperfections.
- Offrir aux clients différents niveaux de service et de prix en leur expliquant les différences.

informés durant la livraison du service mais pour les interroger à la fin et parfois leur offrir une preuve tangible. Par exemple, un médecin va expliquer à son patient ce qui se passe pendant une opération chirurgicale, ce qui en résulte ou ce qui a été différent des prévisions, et ce à quoi le patient peut s'attendre par la suite. Pour expliquer la nature d'une réparation compliquée, un technicien pourra donner certaines explications au client et prouver l'évidence en montrant les composants endommagés qui ont dû être remplacés.

Pour réduire l'écart 6 (écart d'interprétation), les spécialistes de la communication doivent tester le contenu de tout type de publicité, de brochure, d'appel téléphonique et de site Internet avant leur diffusion. Le pré-test, très largement utilisé par les agences de publicité, implique de présenter à un groupe de clients un certain nombre de moyens de communication avant la publication. Ainsi, ceux qui participent au pré-test peuvent se faire interroger sur leur opinion de la communication et sur leur interprétation de ce que signifient les promesses spécifiques ou sous-entendues. Si leur interprétation ne correspond pas à ce qu'escomptait l'entreprise, alors des modifications du texte ou de l'image seront nécessaires. Le personnel de service, ayant communiqué directement avec les clients en ne se limitant pas au service clients et aux ventes, devra s'assurer qu'ils ont bien compris leurs présentations.

La force de la méthodologie des écarts est qu'elle offre un ensemble de visions et de solutions applicables dans différents secteurs. Ce qu'elle ne vise pas, par contre, c'est l'identification des problèmes de qualité qui pourraient apparaître. Chaque entreprise développe sa propre attitude afin de s'assurer que la qualité du service demeure et devienne un objectif clé.

4. Mesurer et améliorer la qualité du service

On le dit de façon assez courante, « ce qui n'est pas mesuré n'est pas géré ». Sans moyens de mesure, les responsables ne peuvent savoir s'il existe des écarts de qualité de service et mener les actions correctives appropriées. Ensuite, la mesure est nécessaire afin de déterminer si, après correction, les objectifs d'améliorations ont été atteints ou non.

4.1. Différentes mesures de qualité de service

Les standards définis et la mesure de la qualité de service peuvent être regroupées en deux larges catégories : « dures » et « molles». Les mesures molles sont celles qui ne sont pas facilement observables et doivent être collectées en parlant avec les gens (clients, employés ou autres). Comme le notent Zeithaml et Bitner, « les standards de mesures molles fournissent une direction, un guide et un *feed-back* aux employés dans le but d'atteindre la satisfaction du client et peuvent être quantifiés en mesurant les perceptions et les croyances du client »[20]. Servqual est un exemple de système de mesures molles sophistiqué.

A contrario, les standards et mesures durs renvoient à des caractéristiques et à des activités qui peuvent être quantifiées dans le temps ou bien mesurées par le biais d'audits. Ces mesures peuvent inclure certains éléments tels que le nombre de coups de téléphone perdus alors que le client était en ligne, le temps que ce dernier a dû attendre à différentes étapes de la livraison du service, le temps requis pour remplir une tâche spécifique, la température de certains aliments, le nombre de trains arrivés en retard, le nombre de bagages perdus, le nombre de patients complètement guéris suite à une opération spécifique et celui de ce qui furent traités correctement. Les standards sont souvent établis en référence au pourcentage d'occasions auxquelles une mesure particulière a réussi. Le défi pour le marketing des services est de s'assurer que les mesures opérationnelles de la qualité de service reflètent les attentes du client.

Les entreprises connues pour l'excellente qualité de leur service utilisent les mesures dures et molles. Ces entreprises sont très attentives aux clients et aux employés. Plus l'entreprise est importante, plus il est nécessaire de formaliser des programmes de *feed-back* en utilisant une variété de procédures conçues de manière professionnelle.

Les mesures « molles » de la qualité du service

Comment les entreprises peuvent-elles mesurer leur performance par rapport aux standards de qualité de service ? Berry et Parasuraman expliquent que :

> *Les entreprises ont besoin d'établir des systèmes d'écoute en continu utilisant diverses méthodes parmi différents groupes de clients. Une étude simple de la qualité du service est une photo prise à un certain moment sous un angle particulier. Une vue plus profonde et une prise de décision éclairée proviennent d'un ensemble de photos prises en continu sous différents angles formant l'essence même d'une écoute systématique[21].*

Ils recommandent une recherche continue conduite selon différentes approches. Les mesures clés de la qualité d'un service orienté client (abordé au chapitre 12) comprennent des études marketing annuelles, des enquêtes transactionnelles, des *feed-back* clients, des achats mystères et l'analyses de réponses non sollicitées telles que des plaintes et des compliments, des focus groupes et des revues de service. D'autres mesures molles peuvent être envisagées :

- *les enquêtes en continu sur des titulaires de compte* par téléphone ou courrier, en utilisant des procédures scientifiques d'échantillonnage afin de déterminer la satisfaction des clients au sens le plus large dans un contexte relationnel ;

- *les panels conseil composés de clients* pour offrir un *feed-back* et des conseils sur les performances du service ;

- *les panels et les enquêtes auprès des employés* afin de déterminer les perceptions de la qualité du service délivré au client sur des dimensions spécifiques, les barrières à l'amélioration du service et des suggestions d'amélioration.

Concevoir et mettre en œuvre à une large échelle des enquêtes clients afin de mesurer le service à travers une large gamme d'attributs n'est pas une tâche facile. Les managers opérationnels perçoivent quelquefois les résultats comme des menaces lorsque des comparaisons directes sont faites sur les performances respectives de différents départements d'une même entreprise.

Les mesures « dures » de la qualité du service

Ces mesures se réfèrent typiquement aux processus opérationnels ou aux résultats. Elles prennent en compte des données telles que le temps de fonctionnement opérationnel du service, le temps de réponse, les taux de panne, et les coûts de livraison. Dans un service complexe, les opérations effectuent de multiples mesures de qualité qui sont enregistrées à différents stades du déroulement du processus. Dans les services à faible contact, où les clients ne sont pas très impliqués dans les procédures de livraison, beaucoup de mesures opérationnelles concernent les activités de *back stage*, qui ont un effet secondaire sur les clients.

FedEx fut l'une des premières entreprises à comprendre que le besoin de qualité du service concernait l'ensemble des activités qui avaient un impact sur les clients. En publiant un index sur ces bases, les responsables pensaient que tous les employés de FedEx allaient mieux travailler dans le but d'améliorer la qualité. L'entreprise reconnut le danger d'utiliser des pourcentages en tant qu'objectifs, parce qu'ils pouvaient mener à la suffisance. Dans une entreprise aussi importante que FedEx, qui livre des millions de colis par jour, même la livraison de 99 % des paquets à l'heure ou l'arrivée de 99 % des vols sans problème peuvent laisser survenir d'importants problèmes. Il fut donc décidé d'aborder la mesure de la qualité sur la base du « zéro échec ». Comme le remarqua l'un des cadres dirigeants :

> *Ce n'est que lorsque vous examinez les différents types d'échecs, leur nombre et leurs raisons, que vous commencez à améliorer la qualité de votre service. Pour nous, l'astuce a été d'exprimer les problèmes de qualité en chiffres. Cela nous a amené à développer l'indice de qualité du service SQI (Service Quality Index), qui prenait en compte chacun des douze évènements quotidiens, en les pondérant sur la base de la gravité des problèmes causés au client indiqués par les plaintes écrites envoyées à FedEx[22].*

Cet indice « dur » a été conçu à partir des résultats d'autres recherches basées sur des indices « mous » (et a été périodiquement modifié au vu des résultats de nouvelles recherches). Alors qu'il s'intéresse aux problèmes de service à travers le point de vue du client, SQI mesure quotidiennement l'incidence de douze types d'activités différentes qui sont susceptibles de mener à la non-satisfaction des clients. L'indice comprend les chiffres bruts de chaque évènement pondérés, ce qui souligne l'importance de chaque évènement pour les clients. Ces résultats sont par la suite totalisés pour donner un nouvel indice général (voir tableau 14.4). Tout comme au golf, plus l'indice est faible, meilleure est la performance. Cependant, contrairement au golf, SQI implique dans son calcul certains nombres significatifs, représentant le nombre réel de colis livrés quotidiennement. Un objectif annuel calculé sur la moyenne quotidienne de l'indice SQI, prenant en compte la réduction d'occurrence du nombre de pannes par rapport à l'année passée.

Tableau 14.4 : La composition de la qualité du service chez FedEx, indice SQI

Type de problème	Pondération × nombre d'incident = Points quotidiens
Livraison en retard le bon jour	1
Livraison en retard le mauvais jour	5
Document de traçabilité non demandé	1
Plainte réitérée	5

Tableau 14.4 : La composition de la qualité du service chez FedEx, indice SQI *(suite)*

Type de problème	Pondération × nombre d'incident = Points quotidiens
Absence de preuve de livraison	1
Ajustement facture	1
Ramassages manquants	10
Paquets perdus	10
Paquets endommagés	10
Retard avion	5
Appels abandonnés	1
Total points SQI	

Pour garantir une observation continue de chaque composant du SQI, FedEx a mis en place douze équipes, chacune étant responsable de la qualité d'un des composants et chargée de comprendre et de corriger les causes à l'origine des problèmes observés.

Les graphiques de contrôle présentent une méthode simple affichant le niveau de performance en regard de critères spécifiques de qualité. À cause de son aspect visuel, les déviations sont parfaitement identifiables. La figure 14.2 montre la performance d'une compagnie aérienne sur le critère du respect de l'heure de départ, suggérant que ce point a besoin d'être traité par le management à cause de son irrégularité. Évidemment, ces graphiques de contrôle ne sont valables que dans la mesure où les données sur lesquelles ils se basent le sont aussi.

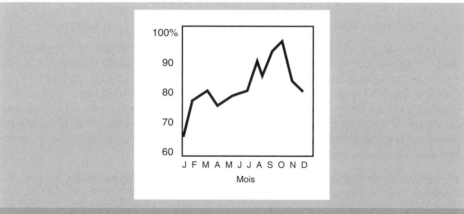

Figure 14.2 - Graphiques de contrôle montrant le pourcentage de vols partant dans les quinze minutes de l'horaire prévu.

4.2. Les outils d'identification et d'analyse des problèmes de qualité du service

Lorsqu'un problème provient de causes internes contrôlables, il n'y a aucune excuse pour permettre que cela se reproduise. En fait, maintenir la bienveillance des clients après un problème de qualité de service dépend de la promesse qui lui est faite de prendre les mesures adéquates afin d'assurer que cela ne se reproduira plus. Avec cette idée à l'esprit, voyons rapidement quelques outils d'identification des causes de problèmes spécifiques de qualité du service.

L'analyse des causes : le diagramme en arête de poisson

L'analyse des causes et des effets utilise une technique développée à l'origine par l'expert en qualité japonais Kaoru Ishikawa. Des groupes de responsables et de membres du personnel font un *brainstorming* pour pouvoir identifier tous les facteurs possibles à l'origine de dysfonctionnements spécifiques. Les facteurs résultants sont ensuite classés en cinq catégories – équipement, main-d'œuvre (ou personnel), matériel, procédures et autre – sur un graphique de causes et effets, plus populairement connu sous le nom d'« arête de poisson ». Cette technique a été utilisée pendant de nombreuses années dans la fabrication et, plus récemment, dans les services.

Pour accroître la valeur de cette analyse afin de l'utiliser dans les entreprises de services, C. Lovelock a élaboré un cadre qui comprend non pas cinq mais huit groupes[23]. Le « personnel » a été divisé en personnel de *back stage* et personnel de *front stage* afin de mettre en évidence le fait que les problèmes de service de *front stage* sont souvent vécus directement par les clients, alors que les problèmes de *back stage* ont tendance à ressortir plus indirectement. L'« information » a été séparée des « procédures », car on a reconnu que beaucoup de problèmes de service résultent d'un manque d'information, en particulier à cause du personnel de *front stage* omettant de dire aux clients que faire et quand. Dans le contexte des compagnies aériennes, par exemple, une mauvaise annonce des heures de départs peut amener les passagers à arriver en retard à la porte d'embarquement. Finalement, Lovelock a ajouté une nouvelle catégorie : les « clients ».

Dans la fabrication, les clients ont un impact faible sur les processus opérationnels au jour le jour, mais dans les services où le contact est plus important, ils sont impliqués dans les opérations de *front stage*. S'ils ne jouent pas leur propre rôle correctement, ils peuvent réduire la productivité du service et causer des problèmes de qualité pour eux-mêmes et pour les autres clients. Par exemple, un avion peut être retardé si un passager essaie d'embarquer à la dernière minute avec un bagage trop volumineux qui nécessite d'être mis en soute. Exemple de diagramme en arête de poisson, la figure 14.3 montre vingt-deux raisons possibles pour qu'un avion parte en retard[24].

Une fois que les principales causes de retard du départ ont été identifiées, il est nécessaire de justifier quel impact chaque cause a vraiment sur les délais.

L'*analyse de Pareto* (du nom de l'économiste italien qui la développa le premier) cherche à identifier les principales causes des résultats observés. Ce type d'analyse souligne la règle bien connue des 80/20, car elle révèle souvent qu'environ 80 % de la valeur d'une variable (dans ce cas précis, le nombre de problèmes de service) est justifiée par 20 % de la variable causale (c'est-à-dire le nombre possible de causes).

Dans l'exemple de la compagnie aérienne ci-dessus, les résultats ont montré que 88 % des départs en retard des aéroports desservis étaient causés uniquement par quatre facteurs (15 %). En fait, plus de la moitié des retards étaient causés par un seul facteur : l'acceptation de passagers en retard (cette situation existe lorsque le personnel retient un vol pour un passager en train d'enregistrer après l'heure limite d'embarcation). Dans pareille situation, la compagnie donne satisfaction au passager en retard, en l'encourageant peut-être à ne pas recommencer la prochaine fois, mais risque de mécontenter tous les autres passagers déjà à bord et attendant le départ de l'avion. Parmi les autres causes de retard possibles, il y a l'attente pour pousser l'avion sur la piste (un véhicule doit en effet venir dégager l'avion de la porte), l'attente pour le plein de carburant et les délais pour signer les différents documents (feuille de poids et d'équilibre, une exigence de sécurité relative au chargement de l'avion que le commandant de bord doit vérifier à chaque vol). D'autres analyses ont montré cependant certaines variations significatives de ces causes d'un aéroport à l'autre.

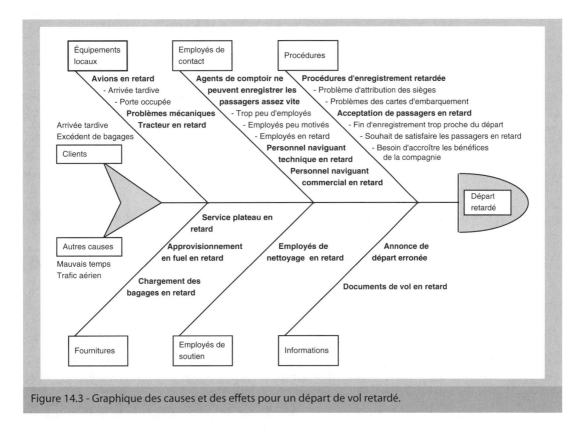

Figure 14.3 - Graphique des causes et des effets pour un départ de vol retardé.

Combiner le diagramme en arête de poisson et l'analyse de Pareto permet de mettre en évidence les principales causes des problèmes de service.

Blueprinting

Comme nous l'avons vu au chapitre 8, un *blueprint* bien construit est un outil très puissant d'identification des problèmes. Il permet de visualiser les processus de livraison du service en représentant les interactions avec les clients en *front stage*, les locaux, les équipements et les activités de *back stage* qui ne sont pas vues des clients et qui ne font pas partie de l'expérience qu'ils vivent.

Les *blueprints* peuvent être utilisés pour identifier les points où les problèmes sont le plus susceptibles d'arriver. Ils nous aident à comprendre à quel point les problèmes (comme par exemple l'enregistrement d'une mauvaise date) peuvent avoir des effets en chaîne par la suite En comptant la fréquence des problèmes par nature, les responsables peuvent identifier les différents types qui se produisent le plus souvent et nécessitent une attention particulière. Une des solutions possibles est de mettre en évidence les points faibles du système (voir le mémo 14.1 sur la technique de *poka-yokes*). Dans le cas de problèmes ne pouvant pas être facilement identifiés à partir des procédures ou qui ne peuvent pas être facilement prévus (comme des problèmes relatifs à la météo), les solutions doivent envisager le développement de plans de contingence ou des procédures de recouvrement du service. Connaître les causes possibles des problèmes de qualité du service est le premier pas vers leur prévention.

4.3. Le retour sur qualité (ROQ)

Malgré l'attention portée à l'amélioration de la qualité de service, beaucoup d'entreprises ont été déçues des résultats, reconnaissant que quelquefois les efforts d'amélioration leur ont fait rencontrer des difficultés financières, en partie par surcroît de dépense. Dans certains cas, ces résultats reflètent une mauvaise ou incomplète application du programme de qualité lui-même. Dans d'autres cas, les mesures d'amélioration de la qualité du service ne semblent pas se traduire par de meilleurs profits, une augmentation des parts de marché ou de meilleures ventes.

L'estimation des coûts et des profits des initiatives d'amélioration de la qualité

Rust, Zahonik et Keiningham montrent :

1. qu'une approche de retour sur la qualité (ROQ) basée sur le fait que la qualité est un investissement ;
2. que les efforts de qualité doivent être mesurables financièrement ;
3. qu'il est possible de trop dépenser sur la qualité ;
4. que toutes les dépenses d'amélioration de qualité ne sont pas toutes pertinentes[25].

Une perspective importante du ROQ est que les efforts d'amélioration de la qualité peuvent tirer profit d'une coordination avec les programmes d'amélioration de la productivité[26].

Pour déterminer la faisabilité des programmes d'amélioration de la qualité, ceux-ci doivent être soigneusement évalués financièrement et anticiper la réponse du client. Le programme va-t-il permettre à l'entreprise d'augmenter la fidélité (et réduire les défections), d'augmenter le portefeuille, et/ou attirer plus de clients (par le bouche-à-oreille des clients actuels), et si tel est le cas, quel revenu supplémentaire va être généré ?

Poka-yokes – Un outil efficace pour identifier les points faibles des processus de service

Une des méthodes les plus utiles de la gestion globale de la qualité (TQM, *Total Quality Management*) dans l'industrie est l'application du *poka-yokes*, ou méthode pour prévenir les défauts dans les processus de fabrication. Richard Chase et Douglas Stewart, professeurs à la School Business Administration de l'université de Californie, ont introduit ce concept dans les processus de services.

Une partie du défi de l'implantation du *poka-yokes*, dans un contexte de service, est le besoin d'identifier les erreurs, non seulement du fournisseur, mais aussi celles du client. Le *poka-yokes*, vu du côté du fournisseur, peut assurer que le personnel de service fait les choses convenablement, comme cela est souhaitable, dans le bon ordre et à la bonne vitesse. Le travail des chirurgiens illustre bien cet aspect des choses. Les plateaux d'instruments chirurgicaux ont une identification pour chaque pièce. Pour une opération donnée, tous les instruments sont bien rangés à leur place sur le plateau, ce qui permet au chirurgien de se rendre compte, avant de refermer l'incision, que rien ne manque.

Certaines entreprises de services utilisent le *poka-yokes* pour s'assurer que certaines étapes ou certains standards de la livraison du service sont bien compris lors de l'interaction personnel-client. Une banque s'assure des contacts visuels en demandant à ses guichetiers de noter la couleur des yeux de leur client avant le début d'une transaction. Un parc à thème coréen coud les poches de pantalon de ses nouveaux employés pour s'assurer que ces derniers conserveront une attitude correcte et ne prendront pas l'habitude de mettre les mains dedans. Certaines entreprises placent des miroirs à la sortie des vestiaires afin que le personnel puisse vérifier son apparence pour donner une meilleure impression en allant à la rencontre du client.

Côté client, l'application du *poka-yokes* se focalise généralement sur la préparation de sa rencontre avec la personne qui le reçoit (lui rappeler d'arriver à l'heure si possible et d'apporter les éléments nécessaires pour la transaction, par exemple), sur la compréhension et l'anticipation de son rôle pendant la rencontre de service. Les exemples de préparation du client comprennent l'indication de la tenue vestimentaire sur les invitations, l'envoi de mémos de rappels pour les rendez-vous médicaux et le rappel de procédures sur les documents mis à sa disposition (« Avez vous préparé vos numéros de compte et codes personnels avant d'appeler nos services ? »). Le *poka-yokes* indique au client ses erreurs par des « bip » sonores et lui rappelle de la même manière de ne pas oublier sa carte dans le distributeur…

La méthode poka-yokes est à la fois un art et une science. La plupart des processus peuvent paraître triviaux, mais c'est l'avantage de cette méthode. Elle peut être utilisée pour identifier les faiblesses les plus courantes du service et pour assurer l'adhésion à certains standards.

Source : Richard B. Chase et Douglas M. Stewart, « Make Your Service Fail-Safe », *Sloan Management Review*, printemps 1994, p. 35-44.

Déterminer le niveau optimal de fiabilité

Une entreprise dont la qualité du service est faible peut arriver à une augmentation conséquente de la fiabilité avec de modestes investissements d'amélioration. Comme l'illustre la figure 14.4, les investissements initiaux de réduction des points faibles du service conduisent souvent à des résultats significatifs, mais, à un certain niveau, la diminution des points faibles requiert des niveaux d'investissement croissants, parfois même inabordables. Quel niveau de fiabilité doit-on fixer ?

D'une manière générale, le coût de réparation du service est inférieur au coût d'un client mécontent. Cela suggère une stratégie de fiabilité croissante jusqu'au point où l'amélioration du service est égale au coût de réparation.

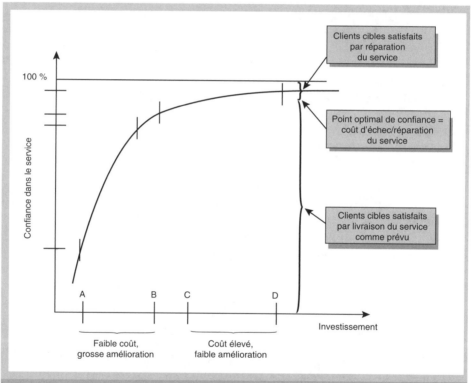

Figure 14.4 - À quel moment l'amélioration de la fiabilité du service n'est plus économiquement rentable ?

5.   Définir et mesurer la productivité

De façon simple, la productivité mesure la quantité de « résultats » produits relativement à la quantité d'entrées dans le système de production. C'est pourquoi les améliorations de productivité requièrent une augmentation de ce ratio de production, soit en diminuant les ressources requises pour créer un volume donné de production, soit en augmentant la production obtenue à partir d'un niveau donné de ressources.

5.1. Définir la productivité dans un contexte de service

Que signifie-t-on par *input* dans un contexte de service ? Ces *inputs* varient selon la nature de l'activité, mais doivent inclure le travail (physique et intellectuel), les matières, l'énergie et le capital (la terre, les immeubles, les équipements, les systèmes d'information et les actifs financiers). La nature intangible des performances de service rend plus difficile la mesure de la productivité des services que celle des produits. Ce problème est particulièrement complexe pour des services basés sur l'information. Le résultat pour un fabricant consiste en des produits comme des voitures, des paquets de savon, en fait des unités qui peuvent être comptées et aussitôt classées en différents modèles ou catégories. Parce que la production et la consommation sont séparées dans le temps, les articles défectueux au contrôle qualité sont recyclés ou modifiés ou détruits, et ainsi valorisés à leurs coûts respectifs d'entrée.

Mesurer la productivité est difficile dans les services lorsque le résultat est malaisé à définir. Dans un service s'adressant à des personnes, comme dans un hôpital, nous pouvons compter le nombre de patients traités au cours d'une année. Mais comment faire pour compter les différents types d'interventions réalisées, l'ablation de tumeurs, les traitements contre le diabète ou la réparation d'os cassés ? Et que dire des différences entre les patients ? Comment évaluer les différents résultats des traitements ? Certains patients guérissent, d'autres développent des complications et malheureusement certains meurent parfois. Seules quelques procédures médicales permettent de vraiment prévoir les résultats.

La mesure des tâches est peut-être plus simple pour les services s'adressant à des biens, car les entreprises sont de quasi-usines de biens manufacturés, effectuant des tâches de routine avec des entrées et des sorties mesurables. À titre d'exemple, nous pouvons évoquer les garages, avec des opérations d'entretien courant comme changer l'huile ou les pneus, ou bien des restaurants de type fast-food, qui offrent des menus simples et limités. Cependant, la tâche devient de plus en plus compliquée lorsque le mécanicien d'un garage doit trouver et réparer une fuite ou quand nous sommes dans un restaurant connu pour sa cuisine variée et exceptionnelle. Et que dire des services basés sur l'information ? Comment pourrions-nous définir la production d'une banque ou d'une entreprise de consulting ? Et comment comparer cette production avec celle d'un cabinet juridique ?

5.2. L'efficience du service, la productivité et l'efficacité

Il nous faut distinguer ces trois termes[27] les uns des autres. L'efficience implique la comparaison à un standard qui est généralement basé sur le temps (quel temps faut-il à un employé pour accomplir une tâche par rapport à un standard prédéfini ?). La productivité implique une estimation financière des *outputs* par rapport aux *inputs*. L'efficacité, par contraste, peut être définie comme le degré à partir duquel une entreprise atteint ses objectifs.

Un problème majeur dans la mesure de la productivité concerne la variabilité. Comme James Heskett le souligne, les mesures traditionnelles de production de service tendent à ignorer les variations de qualité ou la valeur du service. Dans le transport, par exemple, une tonne délivrée en retard est traitée de la même façon du point de vue des objectifs de productivité qu'une cargaison livrée à temps[28].

Une autre approche, qui consiste à compter le nombre de clients servis par unité de temps, souffre du même défaut : qu'arrive-t-il lorsqu'un accroissement de la cadence de traitement des clients provoque des problèmes de qualité du service ? Supposons qu'une coiffeuse serve trois clients par heure et trouve qu'elle peut augmenter sa productivité en réalisant ce qui techniquement peut être qualifié de bonne coupe, en utilisant un sèche-cheveux plus rapide mais plus bruyant, éliminant toute conversation possible, et en pressant les clients. Même si la coupe en elle-même est de bon niveau, son exécution amènera les clients à évaluer l'expérience de ce service de manière moins positive.

Le problème est que les techniques classiques de mesure de la productivité se focalisent plus sur la production que sur ses *aboutissements,* privilégiant l'efficience au détriment de l'efficacité. Sur la durée, les entreprises qui sont plus efficaces en délivrant constamment les produits que les clients désirent devraient être capables de proposer des prix plus élevés. Le besoin d'amélioration de l'efficacité et des résultats suggère que les problèmes de productivité ne peuvent être dissociés de ceux de la qualité et de la valeur. Les clients fidèles deviennent de plus en plus profitables dans le temps et sont une indication du retour sur investissement obtenu grâce à la qualité du service. Ainsi, John Shaw suggère que les mesures de croissance de la productivité dans les services devraient être basées sur les clients[29]. Il propose les points d'analyse et de comparaison suivants :

- profitabilité par client ;
- part de capital utilisé par client ;
- valeur d'actions utilisée par client.

Ces mesures montrent comment l'entreprise fonctionne. Mais les responsables et les employés ont besoin de méthodes pour arriver à de meilleurs résultats. Les professeurs Frei (Harvard Business School) et Harker (université de Pennsylvanie), qui se sont focalisés sur les processus dans les banques, ont développé une méthodologie en vue d'aider les responsables à comprendre jusqu'à quel niveau l'inefficacité dans une activité est due à la conception des procédures employées et à l'exécution de ces dernières[30].

6. Améliorer la productivité des services

La concurrence omniprésente dans le secteur des services pousse les entreprises à continuellement rechercher des gains de productivité. Cette section fait le point sur les différentes approches et sources de gains de productivité.

6.1. Les stratégies génériques d'amélioration de la productivité

La responsabilité d'améliorer la productivité des services a été traditionnellement celle du management des opérations, dont l'approche s'est focalisée sur des actions telles que :

- le contrôle des coûts à chaque étape du processus ;
- des efforts pour réduire le gaspillage de matériel et de travail ;

- adapter la capacité de production au niveau moyen de la demande plutôt qu'au niveau des pics, afin que les employés et les équipements ne soient pas sous-employés pendant de longues périodes ;

- remplacer les employés par des machines automatiques ;

- fournir aux employés des équipements et des bases de données leur permettant de travailler plus vite avec un niveau de qualité plus élevé ;

- apprendre aux employés comment travailler de manière plus productive (plus rapidement n'est pas nécessaire si cela mène à des erreurs ou à un travail non satisfaisant qui devra être refait) ;

- élargir le nombre de tâches qu'un employé peut réaliser pour éliminer les goulots d'étranglement et les pertes de temps en mettant en place la polyvalence du personnel (affecter le personnel aux endroits les plus sollicités) ;

- installer des systèmes experts pouvant aider les professionnels moins expérimentés à prendre en main plus tôt – et à des salaires moins élevés – un travail habituellement réalisé par des professionnels plus expérimentés.

Bien que l'amélioration de la productivité puisse être approchée de façon incrémentale, les principaux gains requièrent souvent un *reengineering* des processus de service, comme nous l'avons vu au chapitre 8.

6.2. Les approches client pour améliorer la productivité

Dans des situations où les clients sont largement impliqués dans un processus de production du service, les responsables marketing doivent garder à l'esprit que des stratégies marketing peuvent être utilisées afin d'influencer le client à se comporter de façon plus productive. Nous passerons en revue trois stratégies : changer le timing de la demande du client, impliquer les clients de façon plus active dans les processus de production et lui demander d'utiliser les tierce parties

Déplacer dans le temps la demande du client

Manager la demande dans un secteur de service à contrainte de capacité a été un thème récurrent dans ce livre (voir en particulier les chapitres 6 et 9). Les clients se plaignent souvent que les services auxquels ils sont habitués sont encombrés, reflétant des moments particuliers de la journée, de la saison ou d'autres pics de demande. Pendant les périodes entre ces pics, les responsables regrettent qu'il y ait trop peu de clients et que leurs équipements et personnel ne soient pas totalement productifs. En déplaçant la demande hors de ces pics, les responsables peuvent faire un meilleur usage de leurs actifs productifs et fournir un meilleur service. Toutefois, quelques demandes ne peuvent être repoussées sans la coopération de tiers ou des autorités qui contrôlent les horaires de travail et les périodes de vacances (scolaires par exemple). Pour combler les capacités inoccupées pendant les heures creuses, le marketing devra peut-être cibler de nouveaux segments de marché ayant des besoins et des rythmes différents, plutôt que de se concentrer exclusivement sur les segments habituels. Si les pics et les creux de demande peuvent être lissés et les capacités d'utilisation améliorées, la productivité augmentera, provoquant plus de production avec un niveau de consommation constante (en supposant des coûts variables négligeables).

Impliquer davantage les clients dans le processus de production

Les clients qui assument un rôle plus actif dans la production de services et dans le processus de livraison peuvent se charger de certaines missions normalement dévolues à l'entreprise de service. Chacune des parties peut tirer avantage de l'utilisation d'un automate, d'un libre-service[31].

De nombreuses innovations technologiques sont destinées à accomplir des tâches autrefois assumées par les employés. Aujourd'hui, de nombreuses entreprises essayent d'encourager les clients qui ont accès à Internet à obtenir des informations provenant du site Web de l'entreprise et même à commander au travers du Web plutôt que de s'adresser à des opérateurs dans les bureaux de l'entreprise. Pour que de tels changements réussissent, les sites Web doivent être agréables, rendre la navigation facile et les clients doivent être convaincus que la sécurité du système permet de confier au Web les informations contenues sur les cartes de crédit. Quelques compagnies proposent des incitations promotionnelles pour encourager les clients à faire la commande initiale sur le Web.

Même les hôtels cinq étoiles, qui ont traditionnellement un personnel au relationnel de haut niveau, ont demandé à leurs clients de participer davantage. Par exemple, des coffres de dépôts sécurisés et des consultations de messages automatiques sur le téléphone ont été installés dans la plupart des chambres. Dans le passé, ces services étaient fournis par un comptoir ou par un concierge. Toutefois, malgré la réduction de personnel de service, cette innovation a été vue comme un avantage pour les clients. Ils peuvent avoir un accès plus facile et plus rapide à leurs dépôts, et peuvent facilement voir une lumière clignoter sur leur téléphone s'ils ont un message qui les attend plutôt que d'avoir à contacter le concierge.

Certains clients, plus que d'autres, peuvent vouloir se servir eux-mêmes. En fait, la recherche suggère que cela pourrait être une variable de segmentation utile. Une étude sur une large échelle présentait des personnes interrogées avec le choix entre une option où ils s'occupaient de tout eux-mêmes et un système traditionnel de distribution dans les stations services, les banques, les restaurants, les aéroports, et les services de transport[32]. Pour chaque service, un scénario particulier avait été esquissé sur la base d'entretiens antérieurs qui avaient déterminé que les décisions de choisir les options de libre-service étaient très spécifiques aux situations et dépendaient de facteurs tels que le moment dans la journée, les conditions climatiques, la présence ou l'absence d'autres personnes, le temps et les coûts perçus.

Les résultats ont montré, dans chaque exemple, une proportion mesurable de répondants qui auraient choisi l'option de libre-service même si le temps ou les économies financières ne le justifiaient pas. Quand ces économies financières ou autres avantages étaient ajoutés, la proportion choisissant le libre-service augmentait. Des analyses supplémentaires ont montré des superpositions entre les différents services. Si les répondants ne se servaient pas leur propre essence, par exemple, ils étaient moins enclins à utiliser un distributeur automatique et préféraient être servis par un employé à la banque.

Les améliorations de qualité et de productivité dépendent souvent de la volonté qu'ont les clients d'apprendre de nouvelles procédures, pour suivre des instructions et interagir de façon coopérative avec des employés et d'autres personnes. Les clients qui abordent la rencontre de service avec des normes pré-établies, des valeurs et des rôles définis résistent plus au changement. Cathy Goodwin, professeur à l'université de Californie à Berkeley, suggère que ses recherches sur la socialisation peuvent aider les marketeurs de service à re-concevoir la nature de la rencontre de service de telle sorte qu'elle rende le client plus coopératif[33]. En particulier, elle avance que les clients vont avoir besoin d'aide pour apprendre de nouvelles compétences, pour se former une nouvelle image (« Je peux le faire moi-même »), pour développer de nouvelles relations avec les fournisseurs et les autres clients, et pour acquérir de nouvelles valeurs.

Demander au client d'utiliser les tierces parties

Dans certains cas, le management peut améliorer la productivité du service en déléguant une ou plusieurs fonctions de support marketing à des tiers. Le processus d'achat se décompose en quatre temps: l'information, la réservation, le paiement et la consommation. Quand la consommation du produit de base se passe sur un lieu qui n'est pas d'accès facile pour les clients à partir de leur domicile ou depuis leur lieu de travail (par exemple un aéroport, un théâtre, un stade ou un hôtel dans une ville éloignée), la délégation de la livraison d'éléments de service supplémentaires à des entreprises intermédiaires prend tout son sens.

Les intermédiaires spécialisés se réjouissent des économies d'échelle, qui leur permettent d'accomplir la même tâche à un meilleur prix que le fournisseur du service principal, laissant ce dernier se concentrer sur la qualité et la productivité dans son propre domaine d'expertise. Certains intermédiaires sont des entreprises locales bien identifiables, comme les agences de voyages où les clients peuvent se rendre en personne. D'autres, tels que les centres de réservations hôteliers, délèguent souvent leur propre identité à celle de la société de service du client. Quand les intermédiaires offrent un service 24 heures sur 24 au niveau national, les appels des clients sont répartis sur une plage de temps plus large. Les hauts et les bas de la demande d'appels sont davantage lissés quand le centre d'appels dessert un continent complet comme l'Amérique du Nord, qui a de multiples fuseaux horaires : les périodes chargées en Nouvelle-Écosse ou a New York sont peut-être des périodes creuses sur la côte Pacifique (et vice versa). L'industrie des centres d'appels est en train d'exploser en Europe, avec la Grande-Bretagne, l'Irlande et les Pays-Bas qui accueillent le plus grand nombre de centres. Les centres d'appels internationaux regroupant différentes langues augmentent rapidement. Des pays comme les États-Unis, le Canada et l'Australie, qui ont une importante population immigrante, ont ici des avantages car ils ont souvent une offre disponible de personnes dont la langue maternelle correspond aux différentes langues demandées. Comme avec tout changement dans les procédures, un mouvement vers l'utilisation d'intermédiaires pour fournir des services supplémentaires ne réussira que si les clients savent comment les utiliser et veulent le faire. Au minimum, une campagne de promotion et de formation est nécessaire pour réussir un tel changement.

6.3. Comment les améliorations de productivité influent sur la qualité et la valeur

Le responsables marketing feraient bien d'examiner la productivité du point de vue des processus business utilisés pour transformer les entrées de ressources en résultats produits et désirés par les clients. Colin Armistead (université de Bournemouth, Grande-Bretagne) et Simon Machin (Royal Mail) ont adopté cette approche dans l'étude d'un service postal, au cours de laquelle, grâce au *blueprint*, ils observèrent les processus permettant d'envoyer des produits aux clients à travers un flux respectant des standards de qualité[34]. Ils ont conclu que la gestion des processus business aide une grande entreprise à positionner la productivité de son service face à la qualité et à mieux comprendre les liens complexes entre la satisfaction du client (*via* la performance globale des processus) et la productivité.

Comment les changements et actions en *back office* influencent les clients

Les implications marketing des changements en *back stage* dépendent du fait qu'ils sont perçus ou non par les clients. Si les mécaniciens aéronautiques développent une procédure pour entretenir les moteurs plus rapidement, sans entraîner ni hausse de salaire ni hausse des coûts matériels, la compagnie aérienne aura alors réalisé une amélioration de productivité qui n'aura aucun impact sur l'expérience de service vécue par le client.

Toutefois, d'autres changements en *back stage* peuvent avoir un effet en *front stage* et affecter les clients. Le marketing devrait être attentif aux changements proposés en *back stage*, pas seulement pour les identifier, mais aussi pour y préparer les clients. Dans une banque, par exemple, la décision d'installer de nouveaux ordinateurs et des imprimantes peut être motivée par des objectifs d'amélioration de la qualité interne et de réduction du coût des relevés de fin de mois. Toutefois, ce nouvel équipement peut changer l'apparence des relevés bancaires et le moment dans le mois auquel ils sont postés. Si les clients sont susceptibles de remarquer de tels changements, une explication peut s'avérer nécessaire. Si les nouveaux relevés sont plus faciles à lire et à comprendre, alors le changement vaut la peine d'être promu comme une amélioration du service.

Malheureusement, les changements technologiques sont souvent mis en œuvre par des spécialistes qui n'ont jamais été sensibilisés aux préoccupations des clients Et, au lieu d'aboutir à un meilleur résultat, ils se présentent de telle manière qu'ils seront plus difficiles à interpréter. Par exemple, le nom du client sera peut-être tronqué puisque le département informatique n'aura pas prévu assez de caractères pour l'écrire en entier. Dans un tel cas, un gain de productivité en *back stage* peut apparaître au client comme une baisse de qualité du résultat.

Améliorer le *front office* pour augmenter la productivité

Dans les services à contact élevé, les améliorations de productivité sont assez visibles. Certains changements demandent simplement aux clients un accord tacite, alors que d'autres leur demandent d'adopter de nouveaux schémas comportementaux dans leurs relations avec l'entreprise. Si des changements substantiels sont proposés, alors il convient dans un premier temps de mener une étude pour déterminer comment les clients peuvent réagir. Oublier de prendre en considération la réaction des clients peut conduire à une perte de business et à l'annulation de certains gains de productivité. Le mémo 14.2 propose une manière de s'attaquer à la résistance aux changements des clients. Une fois la nature des changements décidée, la communication marketing peut aider à préparer les clients, en leur en expliquant les raisons, les avantages et ce qu'ils devront faire différemment dans le futur.

Prendre en compte la réticence du client au changement

La résistance au changement du client, dans des environnements familiers et des schémas comportementaux établis depuis longtemps, peut contrarier les tentatives d'amélioration de la productivité et même de la qualité. Bien trop souvent, l'incapacité des managers à observer de tels changements de la part de leurs clients crée une résistance bien réelle. Les managers opérationnels de services peuvent, et doivent, éviter d'être insensibles à l'égard de leurs clients. Six possibilités leur sont suggérées :

1. **Développer la confiance du client.** Il est plus difficile d'introduire des changements relatifs à la productivité quand les personnes ne font pas confiance à celui qui est chargé de les initier, comme c'est souvent le cas dans les grandes entreprises de service, apparemment impersonnelles. La volonté des clients d'accepter les changements peut être intimement liée au degré de bonne volonté qu'ils nourrissent à l'égard de l'entreprise. Si une entreprise n'a pas une relation fortement positive avec ses clients, ces derniers sont capables de bloquer les améliorations de productivité qui avantagent presque tout le monde en maintenant des coûts bas[*].

2. **Comprendre les habitudes et les attentes des clients.** Les gens tombent dans la routine en utilisant un service particulier, en considérant certaines étapes dans un ordre spécifique. En effet, ils ont en tête leurs propres schémas de flux. Les innovations qui perturbent les routines bien ancrées sont susceptibles de rencontrer une certaine résistance, à moins que les consommateurs ne soient prudemment informés des changements envisagés. Par exemple, en introduisant le code-barres, beaucoup de commerçants ont sous-estimé l'habitude de lire le prix sur le paquet, bien que certains aient préparé leurs clients à ce changement en leur expliquant comment ils en seraient affectés et surtout les raisons de cette innovation rationnelle.

3. **Tester les nouvelles procédures et les nouveaux équipements.** Avant d'introduire de nouveaux équipements et de nouvelles procédures, les marketeurs ont besoin de savoir ce que sera la réaction probable du client. Ces efforts doivent comprendre non seulement des essais en laboratoire, mais aussi des tests sur le terrain. Quand on remplace du personnel par un équipement automatique, il est particulièrement important que les clients de toute sorte le trouvent facile d'utilisation. Quelques équipements destinés à l'usage de clients semblent avoir été conçus par des ingénieurs pour des ingénieurs. Des instructions d'utilisation ambiguës, complexes ou autoritaires peuvent décourager les clients ayant des difficultés de lecture ou de compréhension, ou ceux habitués à un service personnalisé.

☞

---

* Voir Shérazade Gatfaoui, « Confiance dans la relation consommateur-prestataire de service : une analyse du discours du personnel en contact », *Actes du congrès de l'AFM,* Deauville, vol. 17,2001.

Prendre en compte la réticence du client au changement (*suite*)

4. **Promouvoir les bénéfices.** L'introduction d'équipements en libre service nécessite une participation du client. C'est pourquoi ce travail supplémentaire demandé doit être associé à des bénéfices supplémentaires, comme du temps de gagné, des plages horaires étendues, et parfois même des économies. Ces bénéfices sont parfois évidents, mais ils doivent être promus. Les stratégies les plus couramment employées sont la publicité de masse, les affiches sur place et la communication du personnel vantant l'intérêt spécifique du client qui changera de comportement en utilisant les nouveaux équipements.

5. **Former les clients à l'utilisation des innovations et les promouvoir.** Installer des machines en libre-service et fournir des instructions écrites n'est pas suffisant pour convaincre les clients, en particulier ceux qui sont réfractaires aux nouvelles technologies et au changement en général. L'expérience des DAB/GAB montre que l'affectation de personnel pour faire la démonstration des nouveaux équipements et répondre aux questions est un élément clé pour gagner l'acceptation des clients. Des incitations promotionnelles peuvent aussi aboutir à un premier essai. Les clients qui auront essayé l'équipement une fois et qui en seront satisfaits l'utiliseront plus volontiers dans le futur.

6. **Être à l'écoute et continuer à rechercher des améliorations** L'introduction de la qualité et de la productivité est un processus continu. L'avantage possédé aujourd'hui peut être dépassé demain par celui d'un concurrent. Et l'avantage compétitif que génère un surcroît de productivité peut être rapidement effacé si d'autres entreprises adoptent les mêmes (ou de meilleures) procédures. Par exemple, le management d'une entreprise installant des pages contenant des informations sur la société et ses services sur le Web doit régulièrement vérifier que les pages sont « visitées » par les clients qui recherchent des informations et que, par exemple, un transfert en provenance du numéro vert s'effectue si telle est la volonté de la société.

Attention aux stratégies de réduction des coûts

Si l'on excepte les nouvelles technologies, la plupart des tentatives d'amélioration de la productivité dans les services ont tendance à concentrer les efforts sur l'élimination des gaspillages et la réduction des coûts de main-d'œuvre. Wickham Skinner, de la Harvard Business School, nous met en garde :

> *Réduire petit à petit et résolument le gaspillage et l'inefficacité – le cœur de la majorité des programmes de productivité – n'est pas suffisant pour restaurer la compétitivité. En effet, se concentrer sur la réduction des coûts (c'est-à-dire augmenter le rendement de la main-d'œuvre tout en maintenant constant le niveau d'activité ou, mieux encore, en le réduisant) se révèle être nuisible[35].*

Skinner s'exprimait à propos des entreprises de fabrication, mais il aurait pu tout aussi bien écrire sur les services. La réduction des effectifs de *front stage* signifie soit que les employés restant devront travailler plus et plus vite, soit qu'il n'y aura pas suffisamment de personnel pour servir les clients lors des périodes de pointe. Bien que les employés soient capables de travailler plus vite sur une courte période, peu d'entre eux peuvent maintenir le rythme sur de longues périodes : ils se fatiguent, font des erreurs, et traitent les clients de manière superficielle. Les employés qui essaient de faire plusieurs choses à la fois – servir un client, répondre simultanément au téléphone et trier des papiers – les font finalement toutes mal. Une pression excessive alimente les mécontentements et les frustrations du personnel en contact avec les clients, pris entre le désir de satisfaire les besoins de ses clients et celui de satisfaire les objectifs de productivité imposés par la direction.

Les tentatives pour économiser le matériel et les équipements, pour éviter le gaspillage risquent d'échouer de la même façon. L'un de nous demanda une fois à la réceptionniste, dans un hôtel, pourquoi la procédure de départ avait pris autant de temps. L'employée répondit avec un sourire fatigué que les quatre réceptionnistes devaient partager une seule agrafeuse pour attacher les reçus des paiements de cartes de crédits aux factures et que par conséquent elle avait dû attendre son tour pour l'utiliser.

Conclusion

Améliorer la qualité du service et améliorer la productivité de celui-ci sont souvent deux faces d'une même pièce et constituent un objectif potentiel d'augmentation de la valeur aussi bien pour le client que pour l'entreprise. Un défi primordial pour toute entreprise de service est de fournir des résultats satisfaisants à ses clients, tout en faisant en sorte que ce soit rentable pour l'entreprise. Si les clients ne sont pas satisfaits par la qualité d'un service, ils ne seront pas incités à le payer cher, voire même à l'acheter, surtout si les concurrents proposent une meilleure qualité. De faibles volumes de ventes et/ou de faibles prix signifient moins de gains de productivité.

La notion selon laquelle le client est le meilleur juge de la qualité et du déroulement d'un service et de ses résultats est maintenant largement acceptée. Quand le client est vu comme l'arbitre ultime, alors les responsables marketing jouent un rôle essentiel dans la détermination de ses attentes et dans la mesure de sa satisfaction. Toutefois, les services marketing doivent travailler étroitement avec les autres directions, en particulier les services de conception et d'exécution des services.

Ce chapitre a présenté un nombre de modèles et d'outils pour définir, mesurer et améliorer la qualité du service, incluant des programmes de recherche pour identifier les écarts de qualité, et différents outils analytiques pour identifier et améliorer les points faibles.

La re-conception des processus de service a été présentée comme un outil important pour augmenter la productivité du service. Les responsables marketing doivent être intégrés dans ces programmes d'amélioration à partir du moment où ces efforts sont susceptibles d'avoir un impact sur les clients. Dans la mesure où ces derniers sont souvent impliqués dans le déroulement de la réalisation du service, les marketeurs doivent être attentifs aux opportunités de réorienter le comportement du client de telle sorte qu'il puisse aider l'entreprise à devenir plus productive. Les possibilités de libre-service, de transfert d'une partie de la demande client vers des périodes moins chargées et l'utilisation de tierces parties pour les services supplémentaires sont des exemples de ce type de comportement coopératif.

En résumé, valeur, qualité et productivité sont des préoccupations importantes pour toute direction générale, dans la mesure où elles sont directement liées à la rentabilité et à la survie de l'entreprise sur un marché concurrentiel. Les stratégies élaborées pour accroître la valeur dépendent dans une large mesure d'une amélioration continuelle de la qualité du service (tel que défini par les clients) et de sa productivité, renforcée par la satisfaction de la clientèle. La fonction marketing a beaucoup à offrir dans la réorganisation de notre pensée concernant ces questions, aussi bien que dans l'aide pour mener à bien des améliorations significatives.

Activités

Questions de révision

1. Expliquez la relation entre qualité du service, productivité et marketing.

2. Quels écarts peuvent apparaître dans la qualité du service et quelles initiatives peuvent prendre les marketeurs pour les empêcher ?

3. Quels sont les principaux outils que les entreprises de service peuvent utiliser pour analyser et résoudre les problèmes de qualité de service ?

4. Pourquoi la productivité est-elle un problème plus important pour les entreprises de service que pour les entreprises de fabrication ?

5. Quels sont les principaux outils pour améliorer la productivité du service ?

Exercices d'application

1. Revoyez les cinq dimensions de la qualité du service. Que signifient ces cinq dimensions dans le contexte : a) d'un atelier de réparations industrielles, b) d'une banque de dépôt, c) d'un des quatre grands cabinet de comptabilité et d'audit ?

2. Comment définiriez-vous une « qualité de service excellente » pour le service d'information de votre compagnie d'assurances ? Contactez le service de l'entreprise en question et évaluez-le selon votre définition de « l'excellence ».

3. Considérez vos propres et récentes expériences de client de services. Dans quelles dimensions de la qualité du service avez-vous le plus souvent ressenti un grand écart entre vos attentes et votre perception de la performance du service ? Selon vous, quelles en sont les raisons ? Quelles étapes devraient suivre la direction afin d'améliorer la qualité ?

4. Dans quelle mesure pouvez-vous, en tant que client, aider à améliorer la productivité pour au moins cinq entreprises de service auxquelles vous êtes habitué ? Quelles caractéristiques distinctes de chaque service rendent certaines de ces actions possibles ?

5. Quelles mesures clés pourraient être utilisées afin de contrôler la qualité du service, sa productivité et sa rentabilité pour une grande chaîne de pizzerias ? Plus spécifiquement, quelles mesures recommanderiez-vous de prendre à une telle entreprise, en prenant en compte les coûts ?

Notes

1. Evert Gummesson, « Service Management : An Evaluation and the Future », *International Journal of Service Industry Management*, 5, n° 1, 1994, pp. 77-96.
2. Bradley T. Gale, *Managing Customer Value*, New York, The Free Press, 1994.
3. Robert D. Buzzell et Bradley T. Gale, *The PIMS Principles – Linking Strategy to Performance*, New York, The Free Press, 1987.
4. Voir aussi F. Mayaux, R. Revat, J. Lapierr, P. Filiatrault et J. Perrien, « Qualité de service », *Actes du congrès*, Paris, vol. 10, 1994.
5. David A. Garvin, *Managing Quality*, chapitre 3 en particulier, The Free Press, New York, 1988.
6. Christian Grönroos, *Service Management and Marketing,* chapitre 2, Lexington, Lexington Books, 1990.
7. Valarie A. Zeithaml, A. Parasuraman et Leonard L. Berry, *Delivering Quality Service*, New York, The Free Press, 1990).
8. Voir par exemple Francis Buttle, « SERVQUAL : Review, Critique, Research Agenda », *European Journal of Marketing*, 30, n° 1, 1996, pp. 8-32 ; Simon S.K. Lam et Ka Shing Woo, « Measuring Service Quality : A Test-Retest Reliability Investigation of SERVQUAL », *Journal of the Market Research Society*, 39, avril 1997, pp. 381-393 ; Terrence H. Witkowski et Mary F. Wolfinbarger, « Comparative Service Quality : German and American Ratings Across Service Settings », *Journal of Business Research*, 55, 2002, pp. 875-881.
9. Gerhard Mels, Christo Boshoff et Denon Nel, « The Dimensions of Service Quality : The Original European Perspective Revisited », *The Service Industries Journal*, 17, janvier 1997, pp. 173-189.
10. Grönroos, *Service Management and Marketing.*
11. Anne M. Smith, « Measuring Service Quality : Is SERVQUAL Now Redundant ? », *Journal of Marketing Management*, 11, janvier-février-avril 1995, pp. 257-276.
12. Jochen Wirtz et Anna S. Mattila, « Exploring the Role of Alternative Perceived Performance Measures and Needs-Congruency in the Consumer Satisfaction Process », *Journal of Consumer Psychology*, 11, n° 3, 2001, pp. 181-192.
    Sylvie Llosa, « L'analyse de la contribution des éléments du service à la satisfaction : un modèle tétraclasse », *Décisions marketing*, n° 10, 1997, pp. 81-88.
13. Jochen Wirtz, « Halo in Customer Satisfaction Measures – The Role of Purpose of Rating, Number of Attributes, and Customer Involvement », *International Journal of Service Industry Management*, 14, n° 1.
14. Voir aussi Jacques-Marie Aurifeille, « Proposition d'une méthode de mesure du halo affectif en marketing », *Recherche et applications en marketing*, vol. 6, n° 4, 1991, pp. 59-77.
15. Susan J. Devlin et H.K. Dong, « Service Quality from the Customers' Perspective », *Marketing Research*, 6, n° 1, 1994, pp. 5-13.
16. Voir aussi Frédérique Perron, « La qualité de service : une comparaison de l'évaluation des écarts avec les performances appliquées à la zone achat », *Recherche et applications en marketing*, vol. 13, n° 3, pp. 3-20.
17. Valarie A. Zeithaml, Leonard L. Berry et A. Parasuraman, « Communication and Control Processes in the Delivery of Services », *Journal of Marketing*, 52, avril 1988, pp. 36-58.
18. Voir aussi David Ballantyne, Martin Christopher et Adrian Payne, « Conduire et mesurer la qualité du service : pour une approche complète », *Décisions marketing*, n° 2, 1994, pp. 37-43.
19. Zeithaml *et al.*, « Communication and Control Processes in the Delivery of Services ».
20. Valarie A. Zeithaml et Mary Jo Bitner, *Services Marketing 3/E*, New York, McGraw-Hill, 2003, p. 261.
21. Leonard L. Berry et A. Parasuraman, « Listening to the Customer – The Concept of a Service Quality Information System », *Sloan Management Review*, printemps 1997, pp. 65-76.
22. Commentaires de Thomas R. Oliver, alors vice-président sénior, ventes et service client chez Federal Express, rapportés par Christopher H. Lovelock, *Federal Express : Quality Improvement Program*, Lausanne, IMD (International Institute for Management Development), 1990.
23. Christopher Lovelock, *Product Plus: How Product + Service = Competitive Advantage*, New York, McGraw-Hill, 1994, p. 218.
24. Ces catégories et les données de la recherche qui suivent ont été adaptées à partir d'information de D. Daryl Wyckoff, « New Tools for Achieving Service Quality », *Cornell Hotel and Restaurant Administration Quarterly*, novembre 1984.
25. Roland T. Rust, Anthony J. Zahonik et Timothy L. Keiningham, « Return on Quality (ROQ): Making Service Quality Financially Accountable », *Journal of Marketing*, 59, avril 1995, pp. 58-70.
26. Roland T. Rust, Christine Moorman et Peter R. Dickson, « Getting return on Quality : revenue Expansion, cost reduction, or Both? », *Journal of Marketing*, 66, octobre 2002, pp. 7-24.

27. Kenneth J. Klassen, Randolph M. Russell et James J. Chrisman, « Efficiency and Productivity Measures for High Contact Services », *The Service Industries Journal*, 18, octobre 1998, pp. 1-18.

28. James L. Heskett, *Managing in the Service Economy*, New York, The Free Press, 1986.

29. John C. Shaw, *The Service Focus*, Homewood, Dow Jones-Irwin, 1990, pp. 152-153.

30. Frances X. Frei et Patrick T. Harker, « Measuring the Efficiency of Service Delivery Processes : An Application to Retail Banking », *Journal of Service Research*, 1, mai 1999, pp. 300-312.

31. Voir aussi Annie Munos, « Technologies et métier de service », *Décisions marketing*, n° 17, pp. 55-66.

32. Eric Langeard, John E. G. Bateson, Christopher H. Lovelock et Pierre Eiglier, *Services Marketing : New Insights from Consumers and Managers*, Cambridge (États-Unis), Marketing Science Institute, 1981, chapitre 2 en particulier. Un bon résumé est proposé par J. E. G. Bateson, « Self-Service Consumer : An Exploratory Study », *Journal of Retailing*, 51, automne 1985, pp. 49-76.

33. Cathy Goodwin, « I Can Do It Myself : Training the Service Consumer to Contribute to Service Productivity », *Journal of Services Marketing*, 2, automne 1988, pp. 71-78.

34. Colin Armistead et Simon Machin, « Business Process Management : Implications for Productivity in Multi-stage Service Networks », *International Journal of Service Industry Management*, 9, n° 4, 1998, pp. 323-336.

35. Wickham Skinner, « The Productivity Paradox », *McKinsey Quarterly*, hiver 1987, pp. 36-45.

Chapitre 15

Manager le changement et le leadership dans les services

*« Le marketing est tellement basique qu'il ne peut être considéré comme une fonction indépendante…
Il est l'ensemble du business vu du point de vue du résultat final, c'est-à-dire du point de vue du client.
Les problématiques et la responsabilité du marketing doivent donc être perméables
à l'ensemble des services de l'entreprise. » – Peter Drucker*

*« Plus une entreprise se concentre sur le court terme, plus il est probable qu'elle s'engage
dans un comportement qui détruit de la valeur. » – Don Peppers et Martha Rogers*

Ce chapitre aborde les questions suivantes

- Quelles sont les implications de la chaîne des profits dans le management des services ?
- Pourquoi le marketing, la gestion et les ressources humaines doivent-ils coopérer étroitement et être fortement intégrés au sein de l'entreprise ?
- Quelles sont les raisons des tensions existant entre les différents services de l'entreprise et comment peut-on les éviter ?
- Comment faire qu'une entreprise de services très réactive sur le marché intérieur accède à un rayonnement international ?
- Quel est le rôle des leaders dans le succès d'une entreprise ?

Tout au long de cet ouvrage, nous avons examiné la manière de manager une entreprise de services pour atteindre à la fois la satisfaction du client et la rentabilité. Notre focus a été placé sur le marketing, la seule fonction qui génère en fait des revenus pour une entreprise. Cependant, nous avons constamment insisté sur le fait que le déploiement d'activités marketing dans les entreprises de services s'étend au-delà des responsabilités assignées traditionnellement à un département de marketing.

D'où la nécessité d'une collaboration active entre les managers opérationnels et le management des ressources humaines pour la planification et l'implantation d'une stratégie de marketing des services.

Nous avons montré que le marketing lui-même pouvait être vu de différentes façons. Comme une initiative stratégique et concurrentielle poursuivie par le top management, comme un kit d'activités fonctionnelles effectuées par le middle management, ou comme une orientation tournée vers le client pour toute l'entreprise. En fait, ces trois perspectives sont nécessaires pour développer avec succès des stratégies de services.

Les entreprises de services qui réussissent déjà ne peuvent pas se permettre de se reposer sur leurs lauriers. Elles doivent constamment évoluer et s'adapter pour prendre l'avantage sur les nouveaux marchés, ou sur ceux qui se développent, répondre aux nouveaux besoins du client, contrer les concurrents, et exploiter les nouvelles technologies. En revanche, les entreprises peu performantes ou qui fonctionnent mal doivent envisager un changement de stratégie si elles veulent survivre ou prospérer. Nous verrons dans ce chapitre que ces deux situations impliquent de manager le changement.

Il est cependant très difficile pour une entreprise d'être leader sur son secteur et de le rester s'il manque des leaders qui peuvent élaborer la vision nécessaire et la concrétiser. L'accent peut être mis sur les aspects sur lesquels l'entreprise veut être concurrentielle : créer un espace de travail exceptionnel pour attirer les clients et les bons éléments, s'assurer que les clients reçoivent plus de valeur que la concurrence ne peut en offrir, mettre en place des innovations importantes, implanter de nouvelles technologies apportant un avantage concurrentiel, mettre en place des standards de qualité de service.

Nous allons maintenant établir un lien entre les thèmes et les sujets des chapitres précédents, en particulier ceux sur le management des employés, la fidélisation des clients, et l'amélioration de la qualité de services, en examinant ce que doit être la gestion d'une entreprise de services : à la fois se focaliser sur le client et être à l'écoute du marché.

1. Les choix marketing au cœur de la création de la valeur

« Les entreprises réussissent en conquérant, en gardant, et en faisant croître les clients » affirment Don Peppers et Martha Rogers.

En soutenant que l'obsession des actionnaires de vouloir la croissance du revenu à court terme et des bénéfices peut en réalité détruire la valeur ajoutée, ils déclarent :

> *Aujourd'hui, les actionnaires veulent que les dirigeants démontrent que leurs entreprises peuvent faire de l'argent et croître comme elles le faisaient par le passé. Ils veulent que les clients d'une entreprise achètent plus, plus souvent, et restent fidèles plus longtemps. Ils veulent pouvoir présenter une entreprise qui gagne toujours plus et avoir plus de clients...*

> *La croissance nourrit l'innovation et la créativité, générant des idées nouvelles et des initiatives, et stimulant les managers de tous les secteurs à « penser autrement ».*

1.1. La chaîne de profit des services

À travers l'utilisation de ce qu'ils appellent « la chaîne de profit des services », Heskett, Jones, Loveman, Sasser et Leonard ont mis au point une série d'hypothèses qui permettent à une entreprise de services de réussir (figure 15.1)[1].

Les notions et les relations qui sous-tendent le modèle de la chaîne de profit des services illustrent le lien de dépendance qui existe entre le marketing, la production et les ressources humaines. Bien que les responsables de chacun de ces services aient des responsabilités différentes, « travailler ensemble » est tout l'enjeu. Ils doivent tous s'investir sur le plan stratégique et la mise en place de tâches spécifiques doit être bien coordonnée.

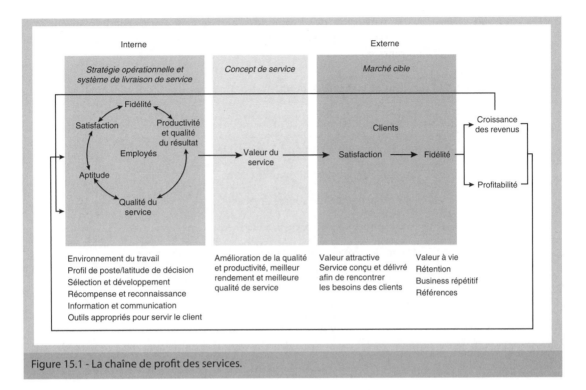

Figure 15.1 - La chaîne de profit des services.

La responsabilité des tâches à effectuer doit être entièrement assumée au sein de l'entreprise ou répartie entre l'entreprise de services d'origine et ses sous-traitants ; mais ceux-ci doivent travailler en étroite collaboration s'ils souhaitent atteindre les objectifs fixés. Les autres fonctions, comme la comptabilité ou la finance, n'ont pas besoin d'être aussi fortement intégrées, car elles sont moins directement liées au processus de production et de livraison du service.

La chaîne de profit des services met en évidence les qualités que doivent avoir les leaders afin de gérer efficacement leurs entreprises (voir le tableau 15.1). Les liens 1 et 2 se rapportent plus particulièrement au client. Ils mettent en avant la nécessité d'identifier et de comprendre ses besoins et d'investir dans des actions qui le fidélisent. Il apparaît également nécessaire de chercher sans cesse à développer des mesures qui agissent sur des variables telles que la fidélité et la satisfaction, à la fois auprès des clients et du personnel[2]. Le lien 3 se rapporte à la valeur créée par le service pour le consommateur et souligne la nécessité d'investir pour améliorer la qualité du service et la productivité, afin de réduire les coûts.

D'autres liens (4 à 7) se rapportent aux relations avec le personnel et insistent sur le temps à passer pour investir dans la formation de nouveaux managers et créer des postes qui offrent une grande souplesse de travail aux employés. Il est aussi démontré qu'une politique de salaires élevés diminue le turnover, augmente la productivité et la qualité du travail et, de ce fait, réduit les coûts. Enfin, ce que sous-tend la chaîne (lien 8), c'est un management de qualité. Il est donc évident que pour mettre en place la chaîne de profit des services, il est nécessaire de comprendre précisément comment le marketing, la production et les ressources humaines sont impliqués à une plus grande échelle dans la stratégie de l'entreprise.

Tableau 15.1 : Les liens de la chaîne de profit

1. La fidélisation du client est source de profits et de croissance.
2. La satisfaction du client est à l'origine de sa fidélité.
3. La qualité est source de satisfaction pour le client.
4. La productivité du personnel est source de qualité.
5. La fidélité du personnel est source de productivité.
6. La satisfaction du personnel est à l'origine de sa fidélité vis-à-vis de l'entreprise.
7. La qualité de l'environnement de travail est source de satisfaction pour les employés.
8. Un management de grande qualité est à la source de la chaîne des succès.

Sources : James L. Heskett *et al.*, « Putting the Service Profit Chain to Work », *Harvard Business Review*, mars-avril 1994 ; James L. Heskett, W. Earl Sasser et Leonard L. Schlesinger, *The Service Profit Chain*, Boston, Harvard Business School Press, 1997.

1.2. Quelles qualités sont associées aux entreprises de services qui gagnent ?

Les thèmes et les relations sous-jacentes à la chaîne de profit des services illustrent de manière irréfutable la dépendance mutuelle entre le marketing, les opérations et les ressources humaines. Une entreprise qui est reconnue comme leader parmi les entreprises de services offre à ses clients une valeur et une qualité supérieures. Elle a des stratégies marketing qui surpassent la concurrence, tout en étant vue comme une entreprise de confiance respectueuse des valeurs éthiques. Cette dernière est aussi perçue comme leader dans les opérations, respectée pour ses processus opérationnels efficaces et son utilisation innovante de la technologie. Enfin, elle est reconnue pour être un excellent lieu de travail, devançant dans ses pratiques de management des ressources humaines ses concurrentes. Elle possède des employés fidèles, productifs et tournés vers les clients. Clairement, l'implantation d'une chaîne de profit des services requiert une profonde compréhension de la manière dont le marketing, les opérations et les ressources humaines sont en étroite relation avec les problématiques stratégiques globales de l'entreprise et contribuent à la création de valeur.

Atteindre une position de leader dans les services nécessite une vision réaliste de ce qu'il en coûte pour réussir et une stratégie conduite pour une équipe dirigeante forte et efficace. L'implantation d'une telle stratégie implique une coordination attentive entre le marketing (qui définit dans ses grandes lignes tous les aspects du service client), les opérations (incluant le management des technologies) et les ressources humaines. Comme nous l'avons souligné tout au long du livre, la fonction marketing dans les entreprises de services ne peut pas être facilement séparée des autres directions, et la fonction marketing est nettement plus large que le travail effectué par le département marketing.

Idéalement, les entreprises de services devraient être organisées de manière à permettre aux trois fonctions, marketing, opérations et ressources humaines, de travailler en étroite collaboration pour que l'entreprise soit réactive face aux différentes parties prenantes et réussisse sur ses marchés cibles. Pour les entreprises qui y parviennent correctement, le succès est finalement couronné par un accroissement de la valeur de l'entreprise elle-même – exprimée, pour les entreprises cotées en Bourse, par une augmentation du prix de leurs actions. Comme l'a démontré une étude de l'indice américain de satisfaction clients (ACSI), la plupart des secteurs d'activités de services démontrent un fort lien entre la satisfaction du client – ce sur quoi chaque employé de l'entreprise doit travailler – et la valeur boursière (figure 15.2). Une distinction importante entre les entreprises de services leaders et les autres est la manière dont elles conçoivent la création de valeur. Les premières cherchent à créer de la valeur par la satisfaction du client et ses antécédents, alors que les autres cherchent à améliorer la valeur en Bourse grâce à des mesures tactiques pour augmenter les ventes, réduire les coûts à court terme et bénéficier de la dynamique des marchés financiers.

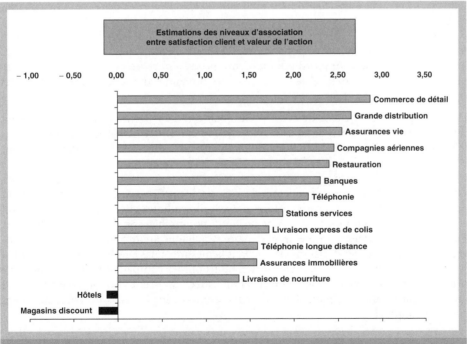

Figure 15.2 - La satisfaction client est très liée à la valeur de l'action dans la plupart des secteurs de services.

2. Intégrer le marketing, les opérations et la gestion des ressources humaines

Une longue tradition de spécialisation fonctionnelle va à l'encontre d'un management efficace des services. L'un des défis des dirigeants de toutes les organisations est d'éviter l'écueil de ce que l'on appelle parfois les « silos fonctionnels », où chaque fonction existe indépendamment des autres et conserve jalousement cette indépendance. D'une manière idéale, les entreprises devraient être organisées de façon à ce que les trois fonctions marketing, production et ressources humaines, puissent s'exercer en étroite collaboration et que l'entreprise soit réactive à la demande de ses différents actionnaires.

Pourquoi est-il si important que les sociétés de services intègrent les activités réalisées par les fonctions marketing, opérationnelles et de ressources humaines ? Comme nous l'avons vu, beaucoup d'entreprises de services – spécialement celles impliquant les services délivrés par des personnes – sont littéralement des « usines » que les clients contactent quand ils en ont besoin. Quand les clients sont activement impliqués dans la livraison du service et que le service final est consommé simultanément à sa production, un engagement actif entre la production (les opérations) et les clients devrait être obligatoire. En dehors du développement des technologies en libre service, le contact entre les opérationnels et les clients reste la règle plutôt que l'exception dans beaucoup de secteurs. Le résultat est que la fonction marketing des entreprises de services ne peut pas être dissociée – et indépendante des procédures, du personnel, et des équipements gérés par les opérations. Dans les services impliquant un fort relationnel, les résultats sont fonction de la qualité des personnes recrutées et formées par le département des ressources humaines. Aujourd'hui, les entreprises de services ne peuvent pas se permettre d'avoir des spécialistes des ressources humaines qui ne comprennent pas les clients.

Dans beaucoup de sociétés de services, la qualité et l'engagement du personnel sont devenus une source considérable d'avantage concurrentiel. Regardez des entreprises telles qu'Accor, Air France, Mc Kinsey et Goldman Sachs. En tant que client, vous pouvez et vous ferez la différence entre ces entreprises et leurs concurrentes grâce à la qualité de leurs employés. Un engagement fort du top management envers les ressources humaines est une marque de succès de beaucoup de sociétés de services. Pour que le management des ressources humaines réussisse, Terri Kabachnik explique que : « cette fonction doit être tournée vers le commerce avec une profonde compréhension du projet d'entreprise. Elle doit être considérée comme un partenaire stratégique apportant des solutions innovantes et influençant les décisions clés. » Dans la mesure où les employés comprennent et soutiennent les objectifs de leur entreprise, où ils ont les compétences et les formations nécessaires à la réussite dans leur travail, et où ils reconnaissent l'importance de créer et de maintenir la satisfaction du client, les activités marketing et opérationnelles devraient être plus simples à gérer.

2.1. Réduire les conflits entre les départements

Étant donné que les entreprises de services sont très fortement orientées vers le marché et la satisfaction du client, il existe un risque croissant de conflits entre ces trois fonctions, particulièrement entre le marketing et la production. Comment ces trois fonctions peuvent-elles coexister facilement au sein d'une entreprise et comment sont perçus leurs rôles respectifs ? Sandra Vandermerwe souligne que les entreprises créatrices de valeur devraient réfléchir en termes d'« activités » et non de fonctions[3]. En effet, on trouve encore dans de nombreuses entreprises des employés du marketing et de la production qui ne se comprennent pas.

Ainsi les responsables marketing considèrent que leur rôle est d'améliorer sans cesse l'offre produit, d'accroître son intérêt pour le client, ce qui en conséquence augmente les ventes. Les responsables production, au contraire, considèrent que leur travail consiste à réduire l'importance de ces éléments afin de coller aux contraintes du service – personnel et équipements – tout en respectant les contraintes de coûts. Des conflits peuvent également survenir entre les ressources humaines et les deux autres fonctions, plus particulièrement lorsque les employés font face à des situations où ils doivent atteindre des objectifs contradictoires imposés par le marketing et la production.

Les marketeurs qui souhaitent éviter les conflits avec la production doivent être conscients des questions qui sont à la base de sa stratégie. Modifier le fonctionnement habituel est difficile pour les responsables de production qui se sentent à l'aise avec des approches traditionnelles. Ils en viennent rapidement à ne se concentrer que sur leurs propres tâches et oublient que tous les départements doivent travailler ensemble pour faire de l'entreprise une entité qui soit orientée vers le service du client. Tant que les services seront organisés en entités fonctionnelles (et beaucoup le sont), il faudra, pour créer une synergie stratégique entre les départements et les coordonner, que la direction donne des impératifs précis à chaque fonction.

Chaque impératif doit être en rapport avec la meilleure gestion possible du client et expliquer en quoi la fonction joue un rôle spécifique dans la réalisation des objectifs finaux. Un des défis du management des services est de s'assurer que chacun des impératifs donnés aux trois fonctions est compatible avec les autres et qu'ils se renforcent mutuellement. Bien que chaque entreprise doive déterminer ses propres impératifs en fonction de sa spécificité, nous pouvons les exprimer d'une manière générale.

- **Les impératifs du marketing**. Cibler les segments spécifiques que l'entreprise est en mesure de satisfaire et développer des relations privilégiées avec les clients en leur offrant un ensemble de services soigneusement définis, à un prix qui soit source de satisfaction pour eux et source de profits pour l'entreprise. Les clients reconnaîtront que cet ensemble de services est d'une qualité constante, répond à leurs besoins et est supérieur aux offres de la concurrence.

- **Les impératifs de la production.** Produire et fournir l'ensemble des services spécifiques aux clients cibles, grâce à un choix d'opérations techniques qui permettent à l'entreprise d'offrir aux consommateurs le prix, la quantité, la régularité et la qualité qu'ils attendent, et réduire sans cesse ses coûts en améliorant la productivité. Les méthodes de productions choisies doivent également être adaptées aux compétences que possèdent ou que peuvent acquérir le personnel permanent, intermédiaire ou les sous-traitants. L'entreprise doit avoir les ressources nécessaires, en termes de matériels, d'équipements et de technologies, pour réaliser ces opérations sans que cela ait d'impact négatif sur le personnel ni sur l'environnement de l'entreprise.

- **Les impératifs des ressources humaines.** Recruter, former et motiver des managers, des chefs d'équipes et des employés qui sachent travailler ensemble et trouver un équilibre satisfaisant entre ces deux inséparables objectifs que sont la satisfaction du client et la rentabilité de la production. Les employés doivent avoir envie de rester au sein de l'entreprise et de développer leurs compétences. Ils doivent apprécier leur environnement de travail, les opportunités qui leur sont offertes et être fiers du service à la création et à la diffusion duquel ils participent.

3. Créer une entreprise de services leader

En tant que consommateur, vous avez probablement fait l'expérience d'un éventail de services qui allaient de la qualité la meilleure à la plus exécrable. Peut-être que vous connaissez des entreprises en qui vous pouvez avoir confiance et qui vous fourniront toujours un service de qualité, tandis que d'autres sont imprévisibles et offrent tantôt un service de bonne qualité, tantôt un service de qualité moyenne. Peut-être même que vous connaissez quelques entreprises qui offrent systématiquement un service de mauvaise qualité et qui sont désagréables avec leurs clients.

3.1. Des perdants aux gagnants : quatre niveaux de performance

Le leadership des services n'est pas caractérisé par une performance exceptionnelle, faite d'une seule dimension. Cette performance se reflète plutôt au travers de multiples dimensions. Afin de tenter de percevoir l'étendue du spectre de la performance, nous devons, dans un premier temps, étudier l'organisation de chacune des fonctions décrites précédemment : le marketing, la production et les ressources humaines. Le modèle proposé par Richard Chase, de l'université de Californie du Sud, et Robert Hayes[4], de Harvard, classe les acteurs des services en quatre catégories : les perdants, les insignifiants, les professionnels et les gagnants. Pour chaque catégorie, on trouve une description de l'organisation type à 12 niveaux différents.

En ce qui concerne la fonction marketing, nous nous attacherons au rôle du marketing de la valeur, du profil du consommateur et de la qualité du service. En ce qui concerne la fonction production, nous nous attacherons au rôle de la production, de la distribution du service (en *front stage*), des opérations en *back stage*, de la productivité et de l'introduction de nouvelles technologies. Enfin, en ce qui concerne la fonction ressources humaines, nous étudierons son rôle – de la main-d'œuvre aux responsables des contacts avec le client. Il est évident qu'il existe des croisements entre ces dimensions et entre ces fonctions. Par ailleurs, certaines variables peuvent avoir une importance différente selon les marchés. L'objectif de ce modèle est cependant d'obtenir des indices sur les éléments qui doivent être modifiés dans les entreprises qui ne réussissent pas aussi bien qu'elles le devraient.

Les perdants

Ces entreprises se situent au plus bas niveau de qualité, aussi bien en ce qui concerne la satisfaction apportée au client qu'en ce qui concerne le fonctionnement interne. Leurs notes sont aussi mauvaises en marketing, qu'en production et qu'en ressources humaines. Les clients les fréquentent, mais pour des raisons autres que leurs performances : le plus souvent parce qu'elles n'ont pas de véritables concurrents, ce qui explique que ces perdants puissent survivre. De telles entreprises considèrent la distribution comme un mal inévitable. Les nouvelles technologies ne sont introduites que sous la contrainte, et la main-d'œuvre peu attentionnée freine la performance. Le cercle vicieux de l'erreur et de la médiocrité présenté dans les figures 11.1 et 11.2 décrit le comportement de ces entreprises et montre quelles en sont les conséquences.

Les insignifiants

Bien que leurs résultats laissent encore fort à désirer, les insignifiants ont éliminé les pires caractéristiques des perdants. Ils sont dominés par une production aux conceptions classiques, qui cherche à réduire les coûts par la standardisation. Leurs stratégies marketing sont très peu sophistiquées et le rôle des ressources humaines et de la production pourrait être respectivement résumé par les maximes « ce qui ne va pas trop mal est bien assez bon » et « tant que ce n'est pas cassé, n'y touche pas ». Les clients ne recherchent pas ces entreprises, mais ils ne les évitent pas systématiquement non plus. On peut souvent trouver des entreprises de ce type dans le secteur du prêt-à-porter de mauvaise qualité et elles sont souvent peu différentes les unes des autres. C'est la fréquence des promotions qui a tendance à être le principal moyen d'attraction de nouveaux clients.

Les professionnels

Ces entreprises évoluent dans un milieu tout à fait différent des insignifiants et ont une stratégie de positionnement sur le marché bien définie. Les clients du segment cible recherchent ces entreprises qui s'appuient sur leur réputation à satisfaire les besoins des consommateurs. Le marketing y est plus élaboré, soutenu par des communications ciblées et des prix conçus à partir des attentes des clients. Des études évaluent la satisfaction du consommateur et élaborent des recommandations pour l'amélioration du service. La production et le marketing travaillent ensemble pour développer de nouveaux systèmes de distribution et reconnaissent la nécessité de combiner productivité et réponse aux attentes de qualité de la part du client. Il existe des liens réels entre les activités *back stage* et *front stage*, et la direction a une conception des ressources humaines plus proactive et plus orientée vers le développement que celle qui gouverne les insignifiants.

Les leaders

Ces entreprises sont « la crème de la crème » de leurs marchés respectifs. Alors que les professionnels sont bons, les leaders sont remarquables. Le nom de ces entreprises est synonyme d'excellence et de savoir-faire, pour le bonheur de leurs clients. Les leaders sont reconnus pour leurs innovations dans tous les champs du management, pour l'excellence de leur communication interne et de leur coordination des trois fonctions, souvent le résultat d'une structure organisationnelle linéaire et d'un très large développement du fonctionnement par équipes. En conséquence, l'entreprise est en fait un processus continu, ayant le client pour centre.

Les efforts marketing des services sont soutenus par l'utilisation massive d'importantes bases de données. Elles fournissent des informations stratégiques essentielles sur les consommateurs, qui sont souvent interrogés de façon individuelle. Le test de concept, l'observation et les contacts avec des clients prescripteurs sont utilisés lors du développement de nouveaux services révolutionnaires, qui répondent à des besoins qui n'avaient pas été identifiés jusqu'alors. Les spécialistes de la production travaillent avec des leaders de la technologie du monde entier afin de développer des systèmes qui constitueront une prime à l'audace et l'innovation pour l'entreprise et lui permettront d'atteindre un niveau de résultat tel que ses concurrents ne pourront pas espérer la rejoindre avant un très long laps de temps[5].

Les cadres considèrent que la qualité du personnel est un avantage stratégique. Les ressources humaines travaillent avec eux afin de développer et pérenniser une culture orientée vers le service, et mettre en place un environnement de travail qui leur permette plus facilement d'attirer et de garder les plus brillants.

3.2. Passer à un niveau de performance supérieur

Les entreprises peuvent passer d'un niveau à l'autre. Les stars d'un jour peuvent devenir paresseuses car satisfaites d'elles-mêmes. Les entreprises qui se concentrent uniquement sur la satisfaction de leurs clients actuels peuvent manquer des virages dans l'évolution du marché et découvrir qu'elles sont complètement dépassées. Ces entreprises pourront continuer à servir des clients habituels, fidèles mais moins dynamiques. Elles seront incapables d'attirer une clientèle nouvelle, dont les attentes sont différentes. Ceux dont le succès initial était bâti sur la maîtrise d'une technologie particulière réaliseront peut-être qu'en protégeant leur maîtrise du processus, ils ont poussé leurs concurrents à développer une alternative plus performante. Et ceux dont la direction a travaillé des années à la création d'une équipe fidèle, fortement orientée vers le service, se rendront peut-être compte qu'une telle culture peut se trouver rapidement détruite par le résultat d'une fusion ou d'une acquisition, qui met à la tête de l'entreprise des leaders tournés vers le profit à court terme. Malheureusement, les managers seniors peuvent s'égarer en croyant que leur entreprise a atteint un très haut niveau de résultat quand, en réalité, les fondations de ce succès sont vacillantes.

Sur la plupart des marchés, on peut rencontrer des entreprises qui escaladent l'échelle du succès grâce à des efforts persistants pour coordonner marketing, production et ressources humaines, créer les conditions les plus favorables pour affronter la concurrence et améliorer la satisfaction de leurs clients.

Vous pouvez vous référer au tableau 15.2 qui, pour chaque niveau de performance, indique les rôles des fonctions marketing, opérationnelles et ressources humaines.

Tableau 15.2 : Quatre niveaux de performance du service

Niveau	1. Perdant	2. Insignifiant	3. Professionnel	4. Leader
		La fonction marketing		
Le rôle du marketing	Rôle tactique uniquement. La publicité et les campagnes de promotions manquent d'objectifs : pas d'implication dans les décisions sur le service ou le prix	Utilise un mélange de vente et de communication de masse, en utilisant une stratégie de segmentation simple ; fait une utilisation simple de la réduction des prix et des promotions ; réalise et classe des enquêtes de satisfaction basiques	A un positionnement clair pour contrer la concurrence ; utilise des communications ciblées avec des attraits distincts pour clarifier les promesses et éduquer les clients ; la fixation des prix est basée sur la valeur ; gère les usages du client et exploite un système de fidélité ; utilise un grand nombre de techniques de recherche pour mesurer la satisfaction du client et obtenir de nouvelles idées pour l'amélioration des services ; travaille avec les opérations pour introduire de nouveaux systèmes de production	Leader novateur dans des segments ciblés, connu pour sa compétence marketing ; des produits et des processus réputés (marques) ; mène des analyses poussées des bases de données relationnelles comme matière à un marketing one to one et à une gestion proactive des comptes ; conçoit l'état de l'art dans les techniques de recherche ; utilise les concepts de test, d'observation et des clients tests pour le développement de nouveaux produits ; proche des opérations et des ressources humaines
L'attrait concurrentiel	Les clients utilisent l'entreprise pour d'autres raisons que la performance	Les clients ne recherchent, ni ne fuient l'entreprise	Le client recherche l'entreprise basée sur sa solide réputation pour répondre aux besoins du client	Le nom de l'entreprise est synonyme d'excellence du service ; la capacité de ravir le client soulève des attentes que les concurrents ne peuvent atteindre
Le profil du client	Non défini : un marché de masse à servir à coût minimal	Un ou plusieurs segments dont les besoins basiques ont été compris	Groupe d'individus dont la variation des besoins et de la valeur pour l'entreprise est clairement comprise	Les employés sont choisis et retenus à partir de leur valeur future pour l'entreprise, en y incluant leur potentiel à créer de nouvelles opportunités de services et leur capacité à stimuler l'innovation
La qualité de service	Très variable, habituellement pas satisfaisante ; soumise aux priorités des opérations	Répond aux attentes du client ; cohérente sur une ou deux dimensions, mais pas sur toutes	Répond ou surpasse constamment les attentes des clients dans de multiples dimensions	Amène les clients à de nouveaux niveaux d'attente, s'améliore continuellement

Tableau 15.2 : Quatre niveaux de performance du service *(suite)*

Niveau	1. Perdant	2. Insignifiant	3. Professionnel	4. Leader
		Les fonctions opérationnelles		
Rôle des opérations	Réactif, concentré sur les coûts	Préoccupation de la ligne principale de management : créer et livrer le produit, se concentrer sur la standardisation pour améliorer la productivité, définir la qualité d'une perspective interne	Joue un rôle stratégique dans la stratégie concurrentielle ; reconnaît l'arbitrage entre la productivité et la qualité définie par le client ; désireux d'externaliser ; gère des études concurrentielles	Reconnu pour l'innovation, l'attention et l'excellence ; c'est l'égal du marketing et du management des ressources humaines ; a des capacités de recherche en interne et des contacts universitaires ; expérimente continuellement
Production du service (front stage)	Une règle constante ; les lieux et horaires sont sans rapport avec les préférences des clients, qui sont continuellement ignorés	Inconditionnels de la tradition : « Si ce n'est pas cassé, il ne faut pas réparer. » Règles strictes pour les clients, chaque étape de la production s'effectue indépendamment	Conduites par la satisfaction du client et non par la tradition ; désireux de personnaliser et de tester de nouvelles approches ; met l'accent sur la vitesse, l'utilité et le confort	La production est un processus intégré organisé pour le client ; les employés savent pour qui ils travaillent ; se concentrent sur une amélioration continuelle
Opérations de support	Divorcé d'avec le front stage ; la tête dans les machines	Contribuent aux étapes de production des personnes du front stage, mais sont organisées séparément ; étrangères aux clients	Les processus sont explicitement liés aux activités du front stage. Voit son rôle comme un service aux « clients internes »	En étroite collaboration avec le front stage, même si les locaux sont très éloignés ; comprend comment son rôle fait partie d'un processus global de service aux clients externes ; dialogue continuellement
Productivité	Non définie ; les managers sont sanctionnés s'ils ne respectent pas le budget	Basée sur la standardisation ; récompensée pour garder les coûts en dessous des niveaux budgétaires	Se concentre sur la re-conception des processus back stage ; évite les améliorations de productivité qui dégraderont l'utilisation du service par le client ; affine les processus continuellement pour accroître l'efficience	Comprend le concept de retour sur qualité ; cherche activement l'implication du client dans l'amélioration de la productivité ; teste continuellement de nouveaux processus et de nouvelles technologies
Introduction des nouvelles technologies	Intégration tardive, sous la contrainte, quand c'est indispensable pour survivre	Suit la foule quand c'est justifié pour des réductions de coûts	Utilisateur précoce des technologies de l'information si elles promettent un accroissement de services pour les clients et offrent un avantage concurrentiel	Travaille avec les leaders technologiques pour développer de nouvelles applications, ce qui crée un avantage de premier entrant ; cherche à atteindre des niveaux de performance que les concurrents ne peuvent atteindre

Tableau 15.2 : Quatre niveaux de performance du service *(suite)*

Niveau	1. Perdant	2. Insignifiant	3. Professionnel	4. Leader
Ressources humaines				
Rôle des ressources humaines	Fournit des employés pas cher qui correspondent aux critères minimaux du poste	Recrute et forme des employés qui peuvent agir intelligemment	Investit dans un recrutement sélectif, avec une formation continuelle ; reste proche des employés, promeut une mobilité ascendante ; s'efforce d'améliorer la qualité de travail	Cherche une qualité d'employés qui soit un avantage stratégique ; l'entreprise est connue pour être un lieu exceptionnel de travail ; les RH aident le top management à nourrir la culture
Personnel	Contrainte négative : employés peu performants, qui s'en moquent, infidèles	Ressource adéquate, suit les procédures sans être inspiré, turnover souvent élevé	Motivé, travaille dur, se permet quelques remarques dans le choix des procédures, fournit des suggestions	Innovante et puissante ; très fidèle, attachée aux valeurs et aux buts de l'entreprise ; crée des procédures
Management du personnel de contact	Contrôle les travailleurs	Contrôle les processus	Écoute les clients, entraîne et aide les collaborateurs	Source d'idées nouvelles pour le top management ; des collaborateurs mentors promeuvent une évolution de carrière ; valeur pour l'entreprise

4. À la recherche du leadership

Les entreprises leaders sont celles qui se démarquent sur leurs marchés et secteurs d'activités respectifs. Mais elles ont toujours besoin de leaders pour les conduire dans la bonne direction, définir les priorités en termes de stratégie, et s'assurer que des stratégies pertinentes sont mises en place à tous les niveaux de l'entreprise. Une grande partie de la théorie du leadership traite des bouleversements et des changements. Il est facile de voir pourquoi des entreprises peu performantes ont besoin de transformer leur culture et leurs processus de production en profondeur afin d'être plus performantes. Mais, dans un contexte de changements rapides, même les entreprises les plus performantes ont besoin de se développer continuellement, se transformant en structures évolutives.

4.1. Manager une entreprise de services

John Kotter, qui est peut-être l'une des autorités les plus connues du leadership, soutient que dans les processus de changement les plus réussis, les individus passent par huit étapes complexes, qui demandent souvent beaucoup de temps[6] :

1. instaurer un climat d'urgence pour accélérer l'élan du changement ;

2. mettre en place une équipe suffisamment solide pour diriger le processus ;

3. définir une vision adéquate de la direction que souhaite prendre l'entreprise ;

4. communiquer largement cette vision ;

5. donner aux employés le pouvoir nécessaire pour mettre en place cette vision ;

6. avoir suffisamment de résultats à court terme pour être crédible et contrer le cynisme ;

7. donner l'impulsion et l'utiliser pour vaincre les problèmes les plus complexes ;

8. ancrer ces nouveaux comportements dans la culture de l'entreprise.

Leadership *versus* management

La force première d'un changement réussi, c'est le leadership, qui est lié au développement d'une vision et d'une stratégie ainsi qu'à la délégation des pouvoirs aux employés pour surmonter les obstacles et mettre en place la vision initiale. Le management, lui, se rapporte plutôt au fait de pérenniser une situation en utilisant le planning, le budget, l'organisation, la gestion d'équipe, le contrôle et la résolution des problèmes. Warren Bennis et Bert Nanus, tous deux professeurs à l'université de Californie du Sud, distinguent ainsi les leaders des managers : les leaders vont mettre en avant les ressources émotionnelles, voire spirituelles d'une organisation, tandis que les managers vont se concentrer sur ses ressources physiques, comme la matière première, la technologie, le capital[7]. Kotter explique :

> *Le leadership s'incarne dans les personnes et la culture. C'est doux et chaud. Le management s'incarne dans la hiérarchie et les systèmes. C'est plus dur et plus froid… Fondamentalement, l'objectif du management est de faire perdurer un système actuel qui fonctionne. Fondamentalement, l'objectif du leadership est de mettre en place des changements utiles, plus particulièrement des changements incrémentiels. On peut avoir trop ou pas assez de l'un ou de l'autre. Un leadership fort sans management peut conduire au chaos ; l'organisation peut grimper tout droit au*

sommet de la falaise. Un management fort sans leadership peut transformer l'entreprise en une bureaucratie mortifère[8].

Cependant, le leadership tend à devenir une partie essentielle et de plus en plus importante du travail managérial, dans la mesure où les changements sont de plus en plus fréquents. À la fois, reflets de la concurrence et des avancées technologiques, de nouveaux services sont introduits de plus en plus fréquemment et leurs cycles de vie sont de plus en plus courts (si, en effet, ils arrivent à franchir le cap de la phase d'introduction sur le marché). En même temps, le marché ne cesse de se transformer sous l'effet d'entreprises mondiales qui s'introduisent sur de nouveaux marchés géographiques, de fusions, d'acquisitions et de la disparition d'anciens concurrents. Le processus de production des services s'est lui aussi accéléré, avec des clients qui demandent des services et des réponses plus rapides quand les choses vont mal. En conséquence, déclare Kotter, la direction peut passer aujourd'hui 80 % de son temps à faire du leadership, ce qui double le chiffre d'il n'y a pas si longtemps ! Même ceux qui sont au bas de la hiérarchie du management peuvent passer 20 % de leur temps à faire du leadership.

Diriger est différent de planifier

Les gens confondent souvent ces deux activités. La planification, selon Kotter, est un processus de management créé dans le but de produire des résultats selon une certaine organisation et non un changement. Une direction est, par rapport au planning, une activité plus inductive que déductive. Les leaders recherchent les tendances, les relations et les liens qui vont les aider à expliquer les choses et pressentir les futures tendances. Les directions (ou lignes directrices) développent des visions et des stratégies qui décrivent ce que doivent devenir sur le long terme un marché, une technologie ou une culture d'entreprise. Elles définissent dans les grandes lignes une façon pratique d'atteindre cet objectif. Les leaders efficaces savent comment communiquer simplement avec ceux qui n'ont pas nécessairement la même formation ou le même type de connaissances. Ils connaissent leurs publics, et sont capables de faire passer leur message et de transmettre des concepts complexes en quelques phrases[9].

Parmi les meilleures visions et les meilleures stratégies, toutes ne sont pas incroyablement innovantes ; elles associent plutôt des concepts de base fondamentaux et les traduisent en une stratégie réaliste et concurrentielle qui sert à la fois les intérêts des clients, des employés et des actionnaires. Certaines visions, toutefois, entrent dans la catégorie que Gary Hamel et C. K. Pralahad (fondateur de la société de conseil en stratégie Stratégos) appellent « le stretch », un défi pour atteindre des niveaux de performance et acquérir des avantages compétitifs qui semblent, à première vue, être hors de portée de l'entreprise[10]. Pour « s'étirer » et atteindre des objectifs « en or », il faut être capable d'avoir une approche novatrice par rapport aux façons traditionnelles de faire du business et de développer les ressources existantes à travers des partenariats. Cela demande également d'insuffler énergie et volonté aux managers et aux employés ensemble pour qu'ils atteignent des résultats supérieurs à ceux qu'ils se croient capables d'atteindre.

La planification suit et complète la direction, permettant de vérifier les écarts avec la réalité et de tracer un itinéraire pour la mise en place de la stratégie. Un bon calendrier est un calendrier d'actions pour l'accomplissement d'une mission, à travers l'utilisation de ressources existantes ou l'identification de nouvelles sources.

4.2. Les qualités de leadership

On a beaucoup écrit sur le leadership. On l'a même décrit comme un service à part entière[11]. Les qualités qui lui sont souvent associées sont : vision, charisme, persévérance, grande exigence, expertise, empathie, force de persuasion et intégrité. Les recommandations qui sont habituellement faites aux leaders soulignent l'importance d'établir (ou de préserver) une culture qui soit pertinente pour l'entreprise, qui mette en place un processus d'organisation stratégique efficace, qui soit source de cohésion et qui offre sans cesse l'exemple des comportements attendus par l'entreprise. Ainsi, récemment, Sam Walton, le fondateur légendaire de l'enseigne de distribution Wal-Mart, qualifiait les bons managers de « leaders serviteurs »[12]. Jim Collins, l'auteur de *De la performance à l'excellence*[13], concluait également qu'un leader n'avait pas besoin d'avoir une personnalité démesurée. Au contraire, il est important, selon lui, pour qu'un leader soit capable de conduire une entreprise à l'excellence, qu'il soit doté d'une humilité personnelle, associée à une forte volonté dans sa vie professionnelle, une détermination sans bornes et une tendance à donner du crédit aux autres et à accepter ses erreurs[14].

Leonard Berry soutient que le leadership des services nécessite une perspective particulière. « Indépendamment des marchés cibles, des services spécifiques ou de la politique de prix, les leaders des services considèrent la qualité du service comme les fondations de la concurrence. »[15] Leonard Berry reconnaît le rôle fondamental des employés et souligne que les leaders des services doivent avoir foi en la qualité des personnes qui travaillent pour eux et faire de la communication avec leurs employés une priorité. L'amour de son métier est une autre caractéristique du leadership qu'il souligne, dans la mesure où il associe un enthousiasme naturel à une façon appropriée de le manifester. Un tel enthousiasme pousse les gens à enseigner le métier aux autres et à leur transmettre les nuances, les secrets et les astuces qui marchent. Berry met aussi en évidence à quel point il est important que les leaders soient gouvernés par des valeurs fondamentales qu'ils insufflent dans l'entreprise, expliquant qu'un « des rôles essentiels des leaders porteurs de valeurs est de cultiver le sens du leadership au sein de tous les membres de l'entreprise ». Il note également que les « leaders porteurs de valeurs s'appuient sur celles-ci pour piloter leur entreprise lors des moments difficiles »[16].

De récentes études montrent que le leadership transformationnel est le style préféré pour obtenir de bons résultats dans une entreprise. Les leaders transformationnels travaillent à partir de leurs valeurs personnelles les plus ancrées, changent les valeurs et les croyances de ceux qui les suivent et développent la capacité de ceux-ci à dépasser leur intérêt personnel grâce à :

- *leur charisme*, qui propose une vision, développe un sens de la mission, suscite de la fierté chez les employés, provoque respect et confiance ;

- *leur motivation et leur inspiration*, qui transmettent de hautes aspirations et communiquent simplement les objectifs importants ;

- *leur stimulation intellectuelle*, qui défend la rationalité, résout les problèmes de façon logique et avec attention ;

- *leur considération individuelle*, qui porte une grande attention aux particularités de chaque employé, coache et conseille l'équipe en faisant attention aux individus[17].

Cependant, Rakesh Karma met en garde contre la trop grande importance accordée au charisme dans le choix des dirigeants, expliquant que cela peut conduire à des attentes irréalisables[18]. Il souligne aussi les comportements immoraux qui peuvent survenir lorsque des leaders qui n'ont aucun principe obtiennent une confiance aveugle de leurs collaborateurs, et il mentionne les activités frauduleuses, comme celles soutenues par le leadership d'Enron, qui peuvent conduire l'entreprise à la faillite.

Au sein des entreprises hiérarchisées, structurées à l'exemple d'un modèle militaire, on présume souvent que le leadership au sommet de la hiérarchie est suffisant. Néanmoins, comme le souligne Sandra Vandermerwe, professeur à la Management School Imperial College à l'université de Londres, les entreprises de services visionnaires ont besoin d'être plus flexibles. L'importance croissante du travail en équipe aujourd'hui signifie que :

> *Les leaders sont partout, disséminés au sein des équipes. On les trouve tout particulièrement aux postes qui sont en relation directe avec le client, ou à l'interface client-entreprise, de sorte que les prises de décisions conduisent à une relation à long terme avec le client… Les leaders sont des champions des projets et de la relation client, ils donnent de l'énergie au groupe grâce à leur enthousiasme, leur intérêt et leur savoir-faire[19].*

Vous pouvez voir dans les meilleures pratiques 15.1 comment une entreprise suédoise, Stena Line (industrie du ferry), a réussi à augmenter les performances d'une filiale nouvellement acquise, auparavant détenue par l'État.

Créer une compétence marketing dans une compagnie de Ferry

Quand Stena Line a acheté Sealink British Ferries (dont les lignes relient l'Angleterre à l'Irlande ainsi qu'à d'autres pays européens), la compagnie suédoise a plus que doublé en taille et est devenue l'une des plus grandes entreprises de transbordeurs du monde. Stena se vanta d'avoir un département entier dédié à l'amélioration de la qualité. En revanche, la philosophie était décrite comme étrangère à la culture de Sealink, qui reflétait plutôt une structure *top-down*, d'esprit militaire, qui se concentrait sur les aspects opérationnels des mouvements des bateaux. La qualité des expériences des clients n'était qu'une considération secondaire.

Les faiblesses managériales apparaissaient aussi dans le manque d'attention à la concurrence croissante des autres entreprises, dont les ferries, neufs et très rapides, offraient aux clients un voyage plus rapide et plus confortable. Le top management de Sealink menait des contrôles rigoureux, mettait en place des directives et appliquait les standards globaux de l'entreprise à travers toutes les divisions, plutôt que de personnaliser les règles à partir des besoins spécifiques de chaque ligne. Toutes les décisions devaient être soumises à l'accord du siège social. Les managers de division étaient séparés par deux lignes de management des équipes opérationnelles impliquées dans les opérations. Cette structure organisationnelle a généré des conflits, à cause des délais de décisions trop longs, et d'une incapacité à répondre rapidement aux changements du marché.

☞

Meilleures pratiques 15.1

Créer une compétence marketing dans une compagnie de Ferry

La philosophie de Stena était très différente. Stena était organisée en une structure décentralisée, pensant que chaque fonction managériale devait être responsable de ses propres activités et répondre de ses résultats. Stena voulait que les décisions managériales de la filiale anglaise soient prises par les personnes proches du marché, comprenant la concurrence locale et la demande. Quelques fonctions centrales ont été déplacées dans les filiales, impliquant une plus grande part de responsabilité des activités marketing. De nouvelles compétences et perspectives sont donc apparues ; des formations, des transferts et des recrutements externes ont été organisés.

Avant la fusion, aucune priorité n'avait été donnée à la ponctualité des opérations. Les navires étaient toujours en retard et des excuses standard étaient utilisées dans des communiqués impersonnels. Les plaintes des clients étaient ignorées, et il y avait peu de pression sur les responsables du service client pour que la situation s'améliore. Après la fusion, les choses ont commencé à changer. Le problème des départs et des arrivées en retard a été résolu sur les problèmes individuels. Pour un trajet donné par exemple, le chef de port a impliqué toute son équipe opérationnelle et a donné à chaque personne la responsabilité d'un aspect précis du processus d'amélioration. Des enregistrements de chaque parcours ont été conservés, de même que les raisons des départs en retard, et les performances des concurrents. Cette approche participative a créé des liens forts entre les membres des équipes, mais a aussi permis aux équipes du service client d'apprendre à partir des expériences. En deux ans, les navires Stena naviguaient avec une ponctualité proche de 100 %.

Les services à bord constituaient un domaine d'amélioration. Historiquement, les managers du service client faisaient plus ce qui convenait aux équipes plutôt qu'aux clients, et notamment en prévoyant les horaires des déjeuners au moment où les demandes de services par les clients étaient les plus nombreuses. Comme l'a noté un observateur : « Les clients étaient ignorés pendant la première et la dernière demi-heure à bord… Les clients devaient trouver leur chemin [dans le bateau]… L'équipage ne répondait aux clients que lorsque ces derniers s'adressaient directement à eux et faisaient un effort pour attirer leur attention. » Stena a donc demandé à ce que chaque personne choisisse un domaine spécifique d'amélioration et de travailler en petit groupe pour y parvenir. Au début, quelques équipes étaient meilleures que d'autres, ce qui entraînait des niveaux de services aux clients différents d'un navire à l'autre. Par la suite, les responsables ont partagé leurs idées, leurs expériences, et créé des adaptations pour chaque navire. Les changements clés pendant les deux premières années ont finalement permis d'obtenir des niveaux de services cohérents sur tous les navires, sur tous les parcours.

En 2006, Stena Line avait 34 navires en fonctionnement sur 18 parcours (dont 7 à destination de ports britanniques), transportant quelque 17 millions de passagers et 3 millions de véhicules par an. Leader sur tous ses marchés, Stena met en avant un service de qualité et l'amélioration continue du produit.

Sources : adapté d'Audrey Gilmore, « Services Marketing Management Competencies : A Ferry company example », *International Journal of Service Industry Management*, 9, n° 1, 1998, pp. 74-92 ; www.stenaline.com, juin 2006.

5. Le management du changement

Il y a de grandes différences entre le fait de diriger une entreprise qui fonctionne bien et réussit, et réorienter une entreprise vers de nouveaux domaines d'activités en essayant de transformer complètement une organisation qui ne fonctionne pas. En ce qui concerne Wal-Mart, Sam Walton a créé à la fois l'entreprise et la culture. Sa tâche a consisté à préserver la culture de l'entreprise tout au long de sa croissance et à choisir un successeur qui saurait maintenir une culture adéquate au fur et à mesure que l'entreprise continuerait à se développer. Herb Kelleher, l'un des fondateurs de Southwest Airlines, a d'abord utilisé ses compétences juridiques en tant qu'avocat de l'entreprise. Plus tard, il a montré l'étendue de ses compétences en termes de relations humaines en tant que président-directeur.

Meg Whitman fut recruté en tant que président-directeur général d'eBay lorsqu'il devint évident aux fondateurs que la start-up du web avait besoin du leadership de quelqu'un qui possédait la perspicacité et la discipline d'un marketeur expérimenté. L'encadré Meilleures pratiques 15.2 donne un aperçu de sa vision du leadership.

Le point de vue de Meg Whitman, P-DG d'eBay, sur le rôle d'un leader

Un dirigeant d'entreprise doit veiller à ce que son organisation ne perde pas de vue sa mission. Cela peut paraître simple, mais ce peut être en fait extrêmement difficile dans le contexte actuel, sans cesse changeant et extrêmement compétitif. Un leader doit aussi pousser ses partenaires potentiels à rejoindre sa cause. EBay réussit parce que nous sommes constamment restés concentrés sur notre mission, nos clients et quelques éléments clés de la réussite. En tant qu'entreprise, nous considérons que ne rien faire coûte beaucoup plus cher que de commettre une erreur.

Source : Deborah Blagg et Susan Young, « What Makes a Good Leader ? », *Harvard Business School Bulletin*, février 2001, p. 32.

Meilleures pratiques 15.2

J.W. (Bill) Marriott Jr a hérité de son père le poste de directeur général de l'entreprise qui porte le nom de la famille. Bien qu'il soit celui qui a transformé l'entreprise qui se concentrait sur la restauration en une chaîne d'hôtels mondiale, il insiste pour affirmer que la culture du groupe découle de la philosophie et des valeurs de son fondateur.

> « *Prends soin des employés et de tes clients* », *répétait mon père… Mon père savait que si ses employés étaient contents, ses clients seraient contents et que cela aurait de bonnes conséquences sur ses employés*[20].

5.1. Évolution versus transformation

Il y a deux façons de transformer une entreprise. La première s'inspire de la théorie de Darwin, des mutations continuelles dans le but d'assurer la survie de ceux qui savent le mieux s'adapter. L'évolution signifie que la direction fait évoluer les priorités et la stratégie de l'entreprise pour tirer avantage des changements de contexte et de l'avancée des technologies. Sans vagues de mutations permanentes, il est peu probable qu'une entreprise demeure performante sur un marché dynamique.

C'est une transformation d'un autre type qui s'opère dans des situations de « bouleversements ». American Express, qui fut longtemps une icône dans le monde des services financiers et des voyages, a été ébranlée au début des années 1990 quand sa tentative de diversification s'est révélé être un échec. Des observateurs ont souligné que le caractère élitiste de la culture de l'entreprise l'avait empêchée de voir les changements de l'environnement et notamment la concurrence intense à laquelle devait faire face la carte Amex avec des banques qui offraient des cartes de crédit et de débit comme Visa et MasterCard[21]. En 1993, le conseil d'administration renvoya le P-DG d'Amex, James Robinson III, l'héritier d'une vieille famille de banquiers d'Atlanta, et le remplaça par le beaucoup plus terre à terre Harvey Golub, qui insista immédiatement pour que l'entreprise mette en place des méthodes de mesure objective des résultats.

En travaillant en étroite collaboration avec Kenneth Chenault, qui était responsable de la carte Amex, Golub s'est attaqué aux coûts trop élevés de l'entreprise, a éliminé les dépenses inutiles et restructuré l'entreprise, parvenant à économiser 3 milliards de dollars. Chenault, qui fut par la suite nommé président et directeur général, élargit l'offre des cartes Amex, rendues ainsi plus intéressantes. Il créa de nouveaux types de cartes et travailla avec les grandes surfaces de distribution, y compris Wal-Mart. En 2001, Golub prit sa retraite, passant le relais à Chenault, le successeur qu'il avait choisi et qui sut relever le défi de maintenir le niveau mondial de l'entreprise sur un marché sans cesse en évolution.

Selon Rosabeth Moss Kanter, professeur à Harvard et auteur de référence, il peut être intéressant, dans des situations de « bouleversements », de faire appel à de nouveaux directeurs généraux issus d'autres entreprises[22]. De telles personnes sont mieux à même de déclencher les dynamiques d'évolution parce qu'elles n'ont pas été auparavant « engluées » dans l'ancienne organisation. Elles sont aptes à dénoncer les problèmes et changer les habitudes. De nouveaux directeurs généraux seront plus crédibles dans la représentation et le respect des clients. Les leaders de bouleversements exemplaires sont ceux qui, selon Kanter, comprennent le puissant pouvoir unificateur du report d'attention sur le client. Une telle concentration peut rendre plus facile la tâche difficile d'obtenir une collaboration entre les divisions. En plus d'abattre des barrières entre le marketing, la production et les ressources humaines, entre des divisions produits ou les zones géographiques différentes, les directeurs généraux responsables de bouleversements doivent aussi reformuler les priorités financières afin de permettre aux équipes de saisir de nouvelles opportunités.

Les professeurs Chan Kim et Renée Mauborgne, de l'INSEAD, ont identifié quatre obstacles auxquels les leaders doivent faire face lors de la réorientation et la formulation de leur stratégie[23]. Les obstacles cognitifs surviennent lorsque les individus ne peuvent pas se mettre d'accord sur les raisons des problèmes existants et sur la nécessité d'un changement. Les obstacles de ressources n'existent que lorsque l'entreprise est contrainte par une limitation de capitaux. Les obstacles de motivation empêchent une stratégie d'être rapidement mise en place quand les employés sont peu enclins aux changements nécessaires. Enfin les obstacles politiques prennent la forme d'une résistance organisée de la part des groupes ayant des intérêts et qui défendent leurs positions.

Bouleverser une organisation dont les ressources sont limitées nécessite de concentrer ses ressources là où les besoins et les retours sur investissement potentiels sont les plus importants. Pour illustrer un leadership efficace dans des conditions similaires, Kim et Mauborgne mettent en avant le travail de William Bratton, qui devint célèbre après une carrière de vingt ans au sein de la police de Boston et de New York. Bratton croyait en l'importance de mettre les managers face aux problèmes les plus importants pour le public. Lorsqu'il devint chef de la police des transports de New York, il découvrit qu'aucun des officiers seniors n'utilisait le métro. Il demanda alors que tous les responsables de la police des transports, y compris lui-même, prennent le métro pour se rendre à leur travail ainsi qu'aux réunions, et ce même la nuit, au lieu d'utiliser des voitures fournies par la ville. Ainsi, les officiers seniors devinrent exposés à la réalité des problèmes auxquels devaient faire face des millions de citoyens ordinaires et les officiers qui essayaient vaille que vaille de maintenir l'ordre.

Le prédécesseur de Bratton avait utilisé les lobbies pour obtenir de l'argent et augmenter le nombre de policiers dans le métro, partant du principe que pour stopper les abus il fallait des policiers sur toutes les lignes et des patrouilles pour chacune des 700 entrées et sorties que compte le métro. Bratton, en revanche, demanda à son personnel de déterminer où les crimes étaient commis. En constatant que la plupart des crimes ne survenaient que dans certaines stations et sur quelques lignes, il redéploya ses troupes en fonction des zones qui posaient problème et envoya un certain nombre de policiers en civil. Associée à des innovations qui accéléraient les procédures d'arrestation, cette refonte complète de l'allocation des ressources eut pour résultat une réduction significative des crimes dans le métro, sans investissements supplémentaires.

5.2. Modeler le comportement désiré

Une des caractéristiques des leaders efficaces, c'est leur capacité à modeler le comportement de leurs managers et de leurs autres employés ainsi qu'ils le désirent. Cela nécessite souvent une approche connue sous le nom de « management baladeur », rendue populaire par Thomas Peters et Robert Waterman dans leur ouvrage *Le Prix de l'excellence*[24]. Le management baladeur se traduit par des visites régulières, parfois à l'improviste, dans tous les services de l'entreprise. Cela permet d'avoir des idées précises à la fois sur ce qui se passe en *back stage* et en *front stage*, c'est l'occasion d'observer et de rencontrer à la fois les employés et les clients et de voir comment la stratégie du groupe est mise en place sur le terrain. Très souvent, cette approche conduit à admettre que des changements de stratégie sont nécessaires. Rencontrer le « patron » dans de telles circonstances peut aussi être un facteur de motivation pour le personnel. Quand Herb Kelleher était P-DG de Southwest Airlines, nul n'était surpris de le voir apparaître dans les hangars de la maintenance à 2 heures du matin, ni de le rencontrer de façon occasionnelle comme personnel de bord.

En plus du leadership interne, les responsables comme Walton, Kelleher, Whitman, Marriott, Dubrulle et Pélisson, Trigano, Pinault, Breton, ont aussi assumé leur rôle auprès des entités extérieures, ambassadeurs de leurs entreprises et promoteurs de sa qualité et de ses valeurs. Dubrulle et Pélisson, notamment, sont souvent apparus dans les publicités de leur entreprise.

Le risque existe toujours, bien entendu, que les grands dirigeants soient trop tournés vers l'extérieur, aux dépens de l'efficacité interne de leur entreprise. Un directeur général qui a des revenus confortables, mène un train de vie princier et apparaît dans des campagnes de publicité massive, peut écœurer les ouvriers mal payés aux derniers échelons de l'organisation. Il se peut aussi, c'est un autre risque, que le style et les priorités d'un certain leadership aient été efficaces pour l'entreprise par le passé, mais qu'ils deviennent inappropriés dans un environnement en évolution.

5.3. Évaluer le potentiel de leadership

Le leadership n'est pas l'apanage des cadres et de la direction. Toute personne qui se trouve à un poste de direction ou de management, y compris les chefs d'équipes, a besoin de leadership. FedEx en est si fortement persuadée qu'elle exige de chaque employé qui souhaite accéder à des postes supérieurs de management de participer à son processus d'évaluation du leadership et de prise de conscience : Leadership Evaluation and Awareness Process (LEAP)[25].

La première étape du LEAP est la participation à une journée de cours d'introduction qui familiarise chaque candidat aux responsabilités du management. Environ un candidat sur cinq déclare à ce stade : « le management n'est pas pour moi. » L'étape suivante se fait sur une période de trois à six mois, au cours de laquelle le manager coache le ou la candidate sur une série de caractéristiques du leadership déterminées par l'entreprise. La troisième étape est une évaluation qui est faite par un certain nombre de collègues du candidat (choisis par le manager). Enfin, le candidat doit présenter, par écrit et à l'oral, ses commentaires sur des cas particuliers à un groupe de managers formés au LEAP ; cet échantillon compare ensuite les résultats à ceux obtenus à partir d'autres sources.

FedEx met l'accent sur le leadership à tous les niveaux grâce à son questionnaire « Retour sur action », qui inclut un indice dans lequel les employés évaluent leurs managers sur le leadership dans dix domaines. Malheureusement, toutes les entreprises ne sont pas aussi précises dans leur façon de présenter le leadership à tous les niveaux de l'entreprise. Dans beaucoup d'entre elles, les promotions sont souvent décidées par hasard ou bien se font à partir de critères comme l'ancienneté.

5.4. Leadership, culture et climat

Pour conclure ce chapitre, nous vous proposons de survoler rapidement un thème transversal à tout ce chapitre, mais aussi à l'ensemble de cet ouvrage. Pour qu'une culture soit efficace, le leader doit l'alimenter, la nourrir en permanence[26]. La culture organisationnelle peut être ainsi définie comme :

- une perception commune de ce qui est important dans l'entreprise ;
- un partage des mêmes valeurs morales ;
- une même compréhension de ce qui fonctionne et de ce qui ne fonctionne pas ;
- des croyances, des hypothèses communes sur les raisons de l'importance de ces choix ;
- une attitude professionnelle et un rapport aux autres communs.

Le climat organisationnel est la strate supérieure, la plus tangible des structures qui sous-tendent la culture de l'entreprise. Six facteurs ont un impact sur l'environnement de travail d'une entreprise : la *flexibilité* (jusqu'où les employés se sentent libres d'innover) ; le sens des *responsabilités* ; le niveau des *standards* de l'entreprise ; la façon dont est perçue la capacité à *récompenser* ; le degré de *clarté* qu'ont les personnes dans la conscience de leur mission et de leurs valeurs ; et le degré d'*implication* pour atteindre les objectifs communs[27]. Du point de vue d'un employé, ce climat est directement lié aux politiques managériales et aux procédures, tout particulièrement celles qui relèvent des ressources humaines. En résumé, l'atmosphère illustre les perceptions communes des employés par rapport aux pratiques, aux procédures, aux types de comportements qui sont récompensés et soutenus dans des situations particulières.

Parce qu'on trouve souvent simultanément plusieurs atmosphères au sein d'une même entreprise, une atmosphère doit se rapporter à des éléments spécifiques ; par exemple, le service, le soutien, l'innovation ou la sécurité. L'atmosphère d'une entreprise de services se rapporte aux perceptions qu'ont les employés de ses pratiques, de ses procédures, des comportements qui sont attendus par rapport au client et à la qualité du service, et qui sont récompensés lorsqu'ils sont correctement accomplis. Les traits essentiels d'une culture orientée vers le service incluent des objectifs marketing clairs et de fortes directives pour offrir le plus de valeur ajoutée et de qualité[28].

Les leaders ont la responsabilité de la mise en place des cultures et des atmosphères qui en résultent. Dans le cas du leadership transformationnel, on peut avoir à transformer une culture, source de dysfonctionnements, en une autre, différente, qui est nécessaire à la réussite. Pourquoi certains leaders savent-ils mieux que d'autres amener le changement d'atmosphère souhaité ? Comme le montre l'encadré Échos de la recherche 15.1, des études suggèrent qu'il s'agit peut-être d'une question de style.

L'impact des styles de leadership sur l'atmosphère de travail

Daniel Goleman, spécialiste de psychologie appliquée de l'université de Rutgers, est connu pour ses travaux sur l'intelligence émotionnelle – la capacité à s'autogérer et à gérer notre relation aux autres de manière efficace. Ayant au préalable déterminé six styles de leadership différents, il s'est demandé comment chaque style avait réussi à affecter l'ambiance ou l'atmosphère de travail. Son analyse repose sur l'étude du comportement de milliers de cadres et de l'impact de celui-ci sur leur entreprise.

Les leaders coercitifs demandent une obéissance immédiate (« Faites ce que je vous dis ») et il est montré qu'ils ont un effet négatif sur l'ambiance. Goleman ajoute que ce style coercitif, souvent très conflictuel, peut avoir de la valeur uniquement en période de crise ou en cas de problème avec un employé.

Les leaders pacifistes et apaisants ont de hautes exigences en termes de performance et montrent l'exemple par leur attitude énergique, ce style pourrait être résumé par un « Faites comme moi, maintenant ». Il est étonnant, d'une certaine manière, que l'on ait montré que ces comportements pouvaient également avoir des conséquences

☞

Échos de la recherche 15.1

L'impact des styles de leadership sur l'atmosphère de travail

négatives sur l'ambiance. Sur le terrain, ces leaders apaisants peuvent être démoralisants en présumant trop et trop rapidement de leurs subordonnés et s'attendant à cequ'ils sachent déjà que faire et comment le faire. Découvrir que les autres ont moins de capacités que ce qu'il s'imaginait peut amener le leader à se concentrer uniquement sur les détails et à faire du micromanagement. Ce type de management n'a de chances de fonctionner que si l'on cherche à obtenir des résultats rapides dans une équipe compétente et extrêmement motivée.

L'étude a démontré que le style le plus efficace pour établir des changements positifs dans une atmosphère était celui des *leaders autoritaires*, qui ont les compétences et la personnalité nécessaires à la mobilisation des individus en faveur d'une vision. Ils établissent un véritable lien de confiance à travers leur approche du type « Venez avec moi ». L'étude a également montré que trois autres styles avaient des impacts positifs sur l'atmosphère : celui des *leaders empathiques*, qui défendent « les gens d'abord » et qui cherchent à créer une harmonie et des liens émotionnels ; celui des *leaders démocratiques*, qui cherchent le consensus par la participation (« Qu'en pensez-vous ? ») et celui des *leaders coaches*, qui cherchent à former les individus pour le futur et dont le style pourrait être résumé par un « Essayez ceci ».

Source : Daniel Goleman, « Leadership that Gets Results », *Harvard Business Review*, 78, mars-avril 2000, pp. 78-93.

La mise en place d'un nouveau climat au sein d'une entreprise de services, qui repose sur une compréhension claire de ce qui est nécessaire au succès de l'entreprise, peut conduire à une refonte radicale de l'activité des ressources humaines, des procédures de production et des politiques de reconnaissance et de récompense. Les nouveaux employés d'une entreprise doivent très rapidement se familiariser avec la culture existante, sinon ils se retrouveront dominés par elle au lieu d'évoluer avec elle et, si nécessaire, de la modifier.

Conclusion

Aucune entreprise ne peut espérer devenir leader et le rester sans des hommes à sa tête pour en définir et transmettre une vision, secondés par d'autres qui possèdent les compétences managériales pour la faire vivre. Pour être leader sur le marché des services, il faut obtenir d'excellents résultats dans de nombreux domaines qui sont de la responsabilité du marketing, de la production et des ressources humaines.

Dans toutes les entreprises, le marketing doit coexister avec la production, très souvent la fonction dominante, dont les préoccupations sont centrées sur les coûts et l'efficacité plutôt que sur les clients. Le marketing doit également coexister avec les ressources humaines, qui recrutent et forment le personnel, y compris celui qui sera en contact direct avec le client. Un des défis permanents est de trouver l'équilibre entre les préoccupations de chaque fonction, non seulement au niveau de la direction, mais aussi sur le terrain. *In fine*, la capacité d'une entreprise à intégrer de façon efficace le marketing, la production et la gestion des ressources humaines va déterminer sa position en termes de performance : perdante, insignifiante, professionnelle ou leader.

Les leaders exemplaires comprennent l'importance et l'effet motivant pour les équipes de créer une culture orientée client et un esprit de service. Dans les situations tourmentées, ce pôle d'attention peut faciliter l'adhésion et la collaboration de tous. Les caractéristiques des leaders qui réussissent montrent leur habilité à adopter le rôle et le comportement qu'ils attendent des autres. Modifier une organisation qui a un nombre limité de ressources requiert la concentration de ces ressources-là où le besoin et le gain potentiels sont les plus grands. Les compétences de leadership sont nécessaires à toute personne ayant un rôle d'encadrement ou de management, et particulièrement celles qui gèrent les équipes en charge des processus de gestion du changement.

En résumé, transformer une organisation pour développer une nouvelle culture n'est pas une tâche aisée, même pour le plus doué des leaders. C'est d'autant plus difficile lorsque l'entreprise fait partie d'un secteur qui maintient des traditions bien enracinées.

Activités

Questions de révision

1. Quelles tâches sont habituellement confiées :

    a) au marketing ;

    b) à la production ;

    c) à la gestion des ressources humaines ?

2. Quelles sont les raisons des tensions entre le marketing, la production et la gestion des ressources humaines ? Donnez des exemples précis sur la façon dont ces tensions peuvent varier d'un secteur d'activité à l'autre.

3. Comment sont définis les quatre degrés de la performance des services ? À partir de votre expérience personnelle, pour chaque catégorie, donnez un exemple d'entreprise.

4. Quelle est la différence entre le leadership et le management ? Illustrez votre réponse à l'aide d'exemples.

5. Que veut dire l'expression « leadership transformationnel » ? Montrez les différences qui existent entre une entreprise qui vit une évolution et celle qui doit être « bouleversée ».

6. « Les leaders exemplaires qui conduisent un changement profond de l'entreprise sont ceux qui comprennent le puissant pouvoir unificateur du report d'attention sur le client. » Commentez cette citation. Est-ce que le fait de se concentrer sur les clients a plus de chances d'avoir un effet unificateur au sein d'une entreprise en période de grands bouleversements qu'à un autre moment ?

7. Quel est le lien entre leadership, ambiance et culture ?

Exercices d'application

1. Comparez les rôles du marketing, de la production et des ressources humaines :

   a) au sein d'une compagnie pétrolière ;

   b) chez un agent de change en ligne ;

   c) dans une compagnie d'assurance.

2. Décrivez les caractéristiques d'une personne dont le leadership a joué un rôle déterminant dans le succès d'une entreprise, en mettant en avant les qualités personnelles qui vous semblent importantes.

Notes

1. James L. Heskett, Thomas O. Jones, Gary W. Loveman, W. Earl Sasser Jr, et Leonard A. Schlesinger, « Putting the Service Profit Chain to Work », *Harvard Business Review*, mars-avril 1994 ; James L. Heskett, W. Earl Sasser Jr, et Leonard A. Schlesinger, *The Service Profit Chain*, New York, The Free Press, 1997.
2. Notez qu'une relation entre satisfaction des employés et satisfaction des clients peut davantage exister dans les situations de contact élevé où le comportement des employés est un aspect important de l'expérience client. Voir Rhian Silvestro et Stuart Cross, « Applying the Service Profit Chain in a Retail Environment : Challenging the "Satisfaction Mirror" », *International Journal of Service Industry Management*, 11, n° 3, 2000, pp. 244-268.
3. Sandra Vandermerwe, *From Tin Soldiers to Russian Dolls*, Oxford, Butterworth-Heinemann, 1993, p. 82.
4. Richard B. Chase et Robert H. Hayes, « Beefing Up Operations in Service Firms », *Sloan Management Review*, automne 1991, pp. 15-26.
5. Claudia H. Deutsch, « Management : Companies Scramble to Fill Shoes at the Top », *Nytimes.com*, novembre 2000.
6. John P. Kotter, *What Leaders Really Do*, Boston, Harvard Business School Press, 1999, pp. 10-11.
7. Warren Bennis et Burt Nanus, *Leaders : The Strategies for Taking Charge*, New York, Harper and Row, 1985, p. 92.
8. *Ibid.*, p. 10-11.
9. Deborah Blagg et Susan Young, « What Makes a Leader ? », *Harvard Business School Bulletin*, février 2001, pp. 31-36.
10. Gary Hamel et C.K. Prahlahad, *Competing for the Future*, Boston, Harvard Business School Press, 1994.
11. Voir, par exemple, le numéro spécial « Leadership as a Service » (Celeste Wilderom), *International Journal of Service Industry Management*, vol. 3, n° 2, 1992.
12. James L. Heskett, W. Earl Sasser Jr et Leonard A. Schlesinger, *The Service Profit Chain*, p. 236.
13. Jim Collins, *De la performance à l'excellence*, Paris, Village Mondial, 2003 (traduit de l'anglais *Good to Great*, Harperbusiness, 2001).
14. Jim Collins, « Level 5 Leadership : The Triumph of Humility and Fierce Resolve », *Harvard Business Review*, janvier 2001, pp. 66-76.
15. Leonard L. Berry, *On Great Service*, p. 9.
16. Leonard L. Berry, *Discovering the Soul of Service*, New York, The Free Press, 1999, p. 44, 47. Voir aussi D. Micheal Abrashoff, « Retention Through Redemption », *Harvard Business Review*, février 2001, pp. 136-141, pour un exemple très intéressant de leadership réussi dans l'US Navy.
17. John H. Humphreys, « Transformational Leader Behavior, Proximity and Successful Services Marketing », *Journal of Services Marketing*, 16, n° 6, 2002, pp. 487-502.
18. Rakesh Karma, « The Curse of the Superstar CEO », *Harvard Business Review*, 80, septembre 2002, pp. 60-66.
19. Sandra Vandermerwe, *From Tin Soldiers to Russian Dolls*, p. 129.
20. M. Sheridan, « J.W. Marriott Jr, Chairman and President, Marriott Corporation », *Sky Magazine*, mars 1987, pp. 46-53.
21. Nelson D. Schwartz, « What's in the Cards for Amex ? », *Fortune*, 22 janvier 2001, pp. 58-70.
22. Rosabeth Moss Kanter, « Leadership and the Psychology of Turnaround », *Harvard Business Review*, 81, juin 2003, pp. 58-67.

23. W. Chan Kim et Renée Mauborgne, « Tipping Point Leadership », *Harvard Business Review*, 81, avril 2003, pp. 61-69.

24. Thomas J. Peters et Robert H. Waterman, *In Search of Excellence*, New York, Harper & Row, 1982, p. 122.

25. Christopher Lovelock, *Federal Express : Quality Improvement Program*, Cranfield (Grande-Bretagne), European Case Clearing House, 1990.

26. Cet extrait est basé en partie sur Benjamin Schneider et David E. Bowen, *Winning the Service Game*, Boston, Harvard Business School Press, 1995 ; David E. Bowen, Benjamin Schneider et Sandra S. Kim, « Shaping Service Cultures through Strategic Human Resource Management », in *Handbook of Services Marketing and Management*, T. Schwartz et D. Iacobucci éd., Thousand Oaks (Californie), Sage Publications, 2000, pp. 439-454.

27. Daniel Goleman, « Leadership that Gets Results », *Harvard Business Review*, 78, mars-avril 2000, pp. 78-93.

28. Hans Kasper, « Culture and Leadership in Market-oriented Service Organisations », *European Journal of Marketing*, 36, n° 9-10, 2002, pp. 1047-1057.

Lecture 4

Le rôle des interactions dans la qualité de service[1]

Sonia Capelli,
maître de conférences à l'IUP de Valence,
membre du CERAG (Université Grenoble 2)

William Sabadie,
maître de conférences à l'IAE
de l'université Lyon 3, membre du centre de
recherche Magellan (IAE de Lyon)

Cet article propose d'étudier la nature des relations sociales qui se nouent durant une prestation de service. L'analyse des interactions conduit à distinguer trois acteurs (le client, le personnel en contact et les autres clients) et deux natures d'interactions selon qu'elles sont centrées sur le résultat (interaction fonctionnelle) ou sur la construction d'une relation de proximité (interaction sociale). Un outil de mesure associé à cette conceptualisation est développé et validé dans le cadre de deux types de prestations : la kinésithérapie et la coiffure. Cette démarche permet notamment d'évaluer l'importance relative des interactions sur le jugement des consommateurs de services.

Il y a longtemps que le marketing considère la décision d'achat comme un processus collégial. En effet, le consommateur est un « animal social » et, à ce titre, il prend rarement ses décisions de façon isolée. Par exemple, les membres de la cellule familiale (Gentry et Burns, 1990) et les pairs (Vernette et Giannelloni, 2004)

exercent une grande influence sur le processus de choix d'un produit ou d'un service. Parmi ces relations sociales, Adelman *et al.* (1987) distinguent « les liens forts » qui se créent avec l'intimité au sein des groupes d'appartenance des « liens faibles », par exemple des fréquentations professionnelles. Ces derniers permettent entre autres d'accéder à des informations sur les biens et les services, de faire des comparaisons sociales avec des gens différents et de faciliter les conversations faiblement risquées sur des sujets impliquants. La consommation d'un service se prête particulièrement à la création de ce type de liens faibles entre clients. En effet ils participent à la production de l'expérience de service et leurs comportements influencent directement la qualité de la prestation (Eiglier et Langeard, 1987). Pourtant, le rôle des interactions entre clients n'a fait l'objet que de peu de travaux (cf. Bitner *et al.*, 1997 pour une revue de la littérature). C'est pourquoi cet article traite plus précisément de l'impact des autres clients sur la qualité perçue lors d'une prestation de service.

L'étude des interactions entre clients durant la consommation d'un service s'inscrit dans le champ du marketing relationnel (Berry, 1983). Les relations entre l'entreprise et ses clients constituent un objet d'étude particulièrement important du fait des caractéristiques des relations et des services (Grönroos, 1990 ; Flambard-Ruaud et Llosa, 1999). Une relation existe lorsque les échanges s'inscrivent dans la durée. De nombreux services requièrent ou proposent

1. *Actes du XXIIᵉ Congrès AFM* – 11 et 12 mai 2006, Nantes

des systèmes d'abonnement (assurance, banque, théâtre, transport, etc.) qui sont propices à la construction de la relation. De plus, les clients sont plus demandeurs de cette relation lorsqu'elle permet de réduire les risques inhérents à une prestation plus ou moins immatérielle (Davis *et al.*, 1999). Enfin, la dimension humaine est constitutive de la plupart des prestations de service et les interactions sociales permettent le développement d'une certaine intimité entre le personnel en contact et les clients (Price et Arnould, 1999), voire entre les clients (Aubert-Gamet et Cova, 1999 ; Mc Grath et Otnes, 1995). Parasuraman *et al.* (1985) soulignent l'importance de la relation interpersonnelle pour définir le concept de qualité des services. Parmi les dix dimensions de la qualité des services, ils proposent notamment la compétence, la courtoisie et la capacité d'empathie du personnel en contact. Toutefois, Parasuraman *et al.* (1985) ont limité leur modèle aux relations humaines entre les clients et le personnel en contact. À leur instar, les relations qui peuvent se mettre en place entre différents clients présents lors de la même expérience de service ont été peu étudiées (Mc Grath et Otnes, 1995). La plupart du temps, elles ont été abordées par le biais des conversations entre les clients d'une même prestation de service, qualifiées de participations orales observables 2 (POO2) par Harris *et al.* (1995) – le terme POO1 regroupant les discussions entre les employés et le client. Les méthodes d'observation ethnographiques ont été particulièrement utilisées, permettant de circonscrire les motivations, le contenu et les conséquences de ces conversations entre clients (voir Harris et Baron, 2004 pour une revue). Seuls Davis *et al.* (1999) étudient le déroulement de ces conversations par le biais d'une étude quantitative. Cependant, comme le soulignent Harris *et al.* (2000, p. 122) « On sait peu de choses sur l'importance de ces conversations – NDA entre clients – par rapport aux autres parties de l'expérience de service. » C'est pourquoi, nous proposons d'étudier la nature des relations sociales qui se jouent entre les acteurs de la servuction, et en particulier celles qui lient les clients, et de comparer leurs apports respectifs dans le cadre du jugement de la qualité perçue d'une prestation.

Sur la base des travaux d'Eiglier et Langeard (1987), nous élargissons le champ de la relation sociale aux interactions entre les clients pour étudier le jugement de qualité des consommateurs de services. Cette démarche considère tous les types d'interactions entre acteurs et permet ainsi d'évaluer l'importance relative de ces relations entre les clients d'une même servuction.

Dans ce but, les fondements théoriques de l'interaction lors d'une expérience de service sont abordés dans une première partie. La deuxième partie présente les résultats empiriques concernant la mesure de la qualité des interactions et son impact sur l'évaluation globale d'une prestation. Une étude qualitative et deux études quantitatives ont été menées auprès de clients de cabinets de kinésithérapie et de salons de coiffure. La troisième partie présente une discussion suivie des limites et voies de recherche de l'étude.

1. Le rôle des autres clients dans les services

La littérature sur l'expérience de service est présentée afin d'appréhender l'influence des autres clients sur la qualité perçue. Puis, un approfondissement des caractéristiques des interactions sociales est proposé.

1.1. L'expérience de service

Selon Eglier et Langeard (1987), le service résulte de l'interaction de trois éléments de base nécessaires à sa production et à sa distribution : le client, le support physique et le personnel en contact qui subissent, en arrière, la coordination du système d'organisation interne à l'entreprise et la présence des autres clients. Cette conception systémique de la production d'un service accorde une place

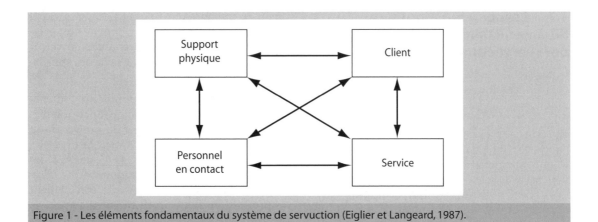

Figure 1 - Les éléments fondamentaux du système de servuction (Eiglier et Langeard, 1987).

prépondérante aux interactions entre les éléments de production (voir figure 1).

Durant la rencontre de service, les clients et les employés coproduisent le service (Solomon *et al.*, 1985). De nombreux travaux se sont focalisés sur le rôle du personnel en contact (Bitner *et al.* 1990 ; Price *et al.*, 1995, Swan *et al.* 1999 ; Salerno, 2001). Ils soulignent l'importance de la performance du personnel et son influence sur le jugement des clients. D'autres travaux ont étudié le rôle du client et sa participation à la production du service (cf. Bendapudi et Leone, 2003 pour une revue de la littérature). Par exemple, Bettencourt (1997) distingue trois types de participation des clients : (1) ils sont des sources d'information pour innover, faire évoluer et améliorer les prestations, (2) ils peuvent recommander le prestataire et (3) ils coproduisent le service. L'interaction entre le personnel et le client a fait l'objet de nombreuses études, alors que les travaux portant sur les relations entre clients restent exploratoires (McGrath et Otnes, 1995, Aubert-Gamet et Cova, 1999) ou théoriques (Harris *et al.*, 2000). Pourtant, le comportement des autres clients n'est pas neutre pour le consommateur (voir Harris et Baron, 2004 pour une revue), il peut par exemple avoir un effet sur la satisfaction vis-à-vis de l'expérience de service (Martin, 1996 ; Grove et Fisk,

1997) et sur les intentions d'achat (Harris *et al.*, 1997). L'intervention des clients peut également faire partie de l'expérience de service attendue comme lors de loisirs de groupe (Arnould et Price, 1993 ; Grove et Fisk, 1997). Les clients peuvent dégrader l'expérience de service (Grove et Fisk, 1997) ou l'améliorer par l'échange d'informations (Harris *et al.*, 1999) ou par un « soutien social » (Adelman *et al.*, 1995). McGrath et Otnes (1995) proposent une typologie des consommateurs en fonction des rôles qu'ils peuvent tenir durant leurs interactions avec d'autres clients : (1) les chercheurs d'aide, en quête d'information auprès des autres clients, (2) les aideurs proactifs, qui se sentent à l'aise pour proposer des conseils aux autres et n'hésitent pas à donner leur avis spontanément et (3) les aideurs réactifs qui sont généralement sollicités du fait de leur apparence ou leurs manières et qui recherchent des interactions sociales. Dans le cadre d'une réplication en Grande Bretagne, Parker et Ward (2000) proposent une quatrième catégorie : les chercheurs d'aide réactifs qui n'aiment pas les interactions et préfèrent faire un mauvais achat plutôt que de parler à des étrangers. Finalement, si le rôle des clients dans l'expérience est établi, il est important d'étudier la nature des interactions qu'ils peuvent entretenir.

1.2. Les caractéristiques des interactions entre les acteurs de la servuction

Un des fondements du marketing relationnel est d'envisager une alternative à la motivation uniquement fonctionnelle des échanges (Bendapudi et Berry, 1997). Sur la base de la théorie de l'échange social (Thibaut et Kelley, 1959) et de l'approche interactionniste les travaux dans le champ relationnel soulignent l'importance de la dimension sociale des échanges. Aubert-Gamet et Cova (1999) distinguent trois types d'échanges qui ont lieu durant une prestation de service : les échanges économiques (liés à la valeur d'usage), les échanges socio-économiques (qui englobent la valeur d'usage et les relations avec le personnel) et les échanges sociétaux (qui caractérisent les relations du client avec les autres clients pour satisfaire son sens de la communauté). D'autre part, l'approche par les bénéfices relationnels suggèrent que les clients s'engagent dans des relations de long terme parce qu'ils en retirent un certain nombre d'avantages (Bendapudi et Berry, 1997 ; Gwinner *et al.*, 1998). Gwinner *et al.* (1998) distinguent trois types de bénéfices. Tout d'abord, les bénéfices psychologiques permettent au client de réduire son anxiété et de savoir ce à quoi il peut s'attendre. Ensuite, les bénéfices sociaux concernent la dimension émotionnelle de la relation et ils se caractérisent par la reconnaissance des employés, la familiarité avec les employés, voire la création d'un lien d'amitié (Price et Arnould, 1999). Enfin, les bénéfices liés aux traitements spéciaux prennent la forme de promotions sur les prix, de services plus rapides ou de services additionnels individualisés.

Il convient donc de distinguer les interactions de services fonctionnelles et sociales (Bendapudi et Berry, 1997 ; Goodwin, 1996 ; Goodwin et Gremler, 1996 ; Reynolds et Beatty, 1998). Goodwin (1996), à la suite des travaux de Berscheid (1994) et de Clark (1981, 1984, 1986 ; Clark et Mills, 1993), propose de considérer les expériences de service sur un continuum opposant les relations basées sur un échange strictement économique (les parties souhaitent uniquement maximiser leur profit) aux relations entre des individus préoccupés par leur partenaire, comme celles vécues par des amis ou des membres d'une famille.

De la même façon, de nombreux auteurs distinguent des motivations fonctionnelles *versus* sociales pour engager la conversation avec des clients inconnus. Ainsi, Baron *et al.* (1996), montrent que dans 49 % des cas, les conversations entre consommateurs d'un magasin de meubles concernent directement les produits en vente. Ils distinguent au sein de ces conversations les conseils des discussions sur les produits. Ils proposent une troisième catégorie regroupant les conversations anodines, qui ne traite pas directement de l'achat en cours.

Martin et Clark (1996) distinguent différents types de rencontres entre consommateurs selon qu'elles sont relatives à la tâche ou non. Ces auteurs reconnaissent l'existence de conversations « mixtes », qui permettent de réaliser des objectifs pluriels. Parker et Ward (2000) soulignent les motivations sociales de deux catégories de clients, les aideurs proactifs et réactifs, à la consommation de services. Contrairement aux deux autres catégories de clients qui ont des discussions centrées sur la prestation de service, ces derniers recherchent essentiellement l'opportunité de discuter avec d'autres clients.

Il est dès lors possible de distinguer les interactions en fonction de l'objectif qu'elles servent. D'une part, les interactions fonctionnelles sont relatives à la prestation de service en cours. Par exemple, les autres clients présents lors d'une prestation de service apportent un avis plus crédible qu'un vendeur (Baron *et al.*, 1996). D'autre part, les interactions sociales n'ont pas de rapport avec la prestation en cours et permettent au consommateur de créer des liens avec d'autres individus et ainsi d'appartenir à une communauté (Aubert-Gamet et Cova, 1999). De cette façon, une conversation, qui contient diverses interactions, peut revêtir un caractère mixte.

Pour conclure, les interactions de type fonctionnel sont plus fréquentes que les interactions sociales (Baron *et al.*, 1996). Cependant, la littérature ne donne aucune information sur l'importance relative de ces deux types d'interactions, notamment en termes de perception de la qualité du service. Dans ce but, les différents aspects de l'interaction entre les acteurs de la servuction sont développés par la suite à l'aide de plusieurs études empiriques.

2. Le protocole de recherche

Cette partie a pour objectif d'évaluer l'importance des relations sociales entres les clients au cours d'une expérience de service. Nous étudierons la nature de ce type de relations et leur impact sur l'évaluation de la prestation dans le cas de services interpersonnels (Bitner 1992). Trois études ont été menées successivement (voir figure 2).

2.1. Étude 1 : étude qualitative

Pour cette étude, la situation de consommation de service retenue est celle d'une prestation chez un kinésithérapeute. Au-delà de l'intérêt managérial du fait de l'absence d'étude sur ce thème, ce choix est dicté principalement par trois raisons. La première concerne la difficulté

d'évaluation de la performance. En effet, le patient n'a souvent pas la connaissance médicale lui permettant de juger de la performance du praticien. Ceci est confirmé par trois entretiens en profondeur menés auprès de kinésithérapeutes. Ils concèdent spontanément l'incapacité du patient à juger de leurs compétences avec des *verbatims* tels que « ... seuls les polytraumatisés qui on fait plusieurs centres de rééducation peuvent me juger. Je pense que la meilleure preuve c'est le discours qu'ils tiennent. C'est sûr qu'on ne peut pas connaître tout sur tout, quand on parle de craquants qui se sont déplacés, de nerfs froissés, de muscles froissés, de début foulure tu te dis que tu peux tout faire avaler ». Les patients évaluent difficilement la prestation à partir de critères objectifs. C'est pourquoi, la qualité de la prestation repose sur la confiance envers le personnel en contact. La seconde raison du choix de ce terrain concerne la longueur des séances au cours desquelles plusieurs personnes sont souvent présentes. Ceci est d'autant plus vrai dans les centres de rééducations qui regroupent l'activité de plusieurs praticiens. La troisième raison tient au fait que les patients sont amenés à se côtoyer régulièrement car ils consultent généralement aux mêmes horaires. La régularité de ces contacts est susceptible de favoriser l'apparition de différents types d'interactions.

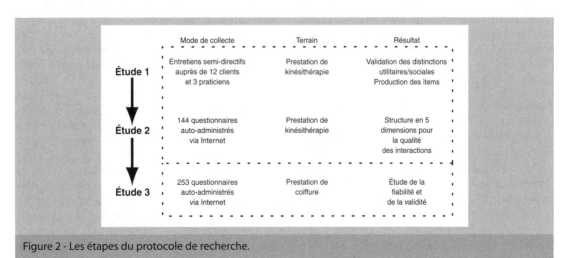

Figure 2 - Les étapes du protocole de recherche.

Dans cette première phase, des entretiens semi-directifs ont été menés auprès des deux acteurs du processus de servuction : les praticiens (trois entretiens) et les patients (douze entretiens). Ces entretiens permettent de confirmer l'existence et les caractéristiques des interactions dans le cadre d'une prestation de kinésithérapie.

2.2. Nature des interactions

Lors d'une séance de rééducation, une discussion entre le patient et le kinésithérapeute sera dite fonctionnelle si elle consiste en un échange d'informations au sujet de la pathologie du client. Ainsi, un praticien conseille, dès le premier contact avec le patient de : « parler de la suite […] de ce qui va se passer plus tard » pour une pathologie. Ce type d'interaction sert donc directement la réalisation du service (ici le soin du patient). Dans la plupart des interviews réalisés, les patients affirment que c'est le fait de soulager la douleur physique, ou *a minima* d'expliquer correctement le problème rencontré qui est source de satisfaction. Par exemple, David déclare « Ce dont mon kiné me parle correspond à ce que je ressens donc ça me satisfait, si la personne en face de moi ne m'explique pas bien, je ne suis pas satisfait… ». Lors du même entretien, il affirme également « Il faut parler de la vie quotidienne pour comprendre mon problème, […] : je lui parle de mon fils car ça me fait mal au dos de le porter… ». Ainsi, une conversation, même si elle porte sur un thème plus personnel, peut permettre de mieux soigner le patient. Elle sera donc qualifiée de fonctionnelle.

Au contraire, cette interaction sera qualifiée de sociale si elle porte sur des sujets moins orientés vers la pathologie. Par exemple, un professionnel décrivant sa conversation avec ses patients déclare : « Quand tu es dans la phase de prise en charge manuelle de tel patient où le contact est important, tu t'adaptes au patient qui est en face ; tu peux parler de ce qu'il est en train de lire dans le journal. Tu regardes par la fenêtre, le temps qu'il fait. C'est comme chez le coiffeur ! » Ce genre d'interactions ne participe donc pas directement au résultat du service, mais il est susceptible de donner lieu à une évaluation par les patients.

2.3. La valence des interactions

Dans le temps, la relation sociale peut revêtir une importance toute particulière à la fois pour les patients et pour le praticien. Un praticien illustre ce processus : « Ça c'est bien passé avec un type […], qui avait une histoire un peu particulière, que j'ai suivi pendant six mois […]. Une rééducation qui s'est très bien passée, […] il avait une bonne progression jusqu'à la reprise du sport à bon niveau… Et puis c'est un type qui avait une histoire. On avait quelques points communs. […] Il était marié et puis il s'est séparé d'avec sa femme parce qu'elle ne voulait pas avoir d'enfants. […] C'était un type adorable… Les questions que tu poses, c'est complètement personnel, ce n'est pas seulement le thérapeute. Ca va au-delà. Je disais que la relation elle devient un peu biaisée au bout d'un moment parce que tu en arrives à oublier la pathologie et à ne plus voir que la personne. » Certains patients regrettent la pauvreté des relations humaines durant les soins : « Le kinésithérapeute, il m'a fait un massage du bras les trois premiers séances… Après, il mettait des électrodes et c'est moi qui faisais les exercices. Il me laissait en plan avec le matériel. Ce n'est pas assez humain, il y a trop de machines. Le contact humain ça compte car tu lui fais confiance. Tu lui confies une partie de ton corps. Il va rassurer, alerter, avertir, tenir compte de ta douleur, t'expliquer. » Les interactions avec les autres clients peuvent également être importantes. Ainsi, un professionnel nous a relaté les pratiques de certains patients qui s'échangent des DVD d'une séance sur l'autre. La réaction d'Annick au sujet de deux autres patientes présentes dans le cabinet illustre cet aspect : « Elles étaient géniales ces mamies. Elles ont participé au fait que j'ai passé un bon moment pendant mon électrostimulation ! » Au contraire, certaines personnes refusent les interactions avec les autres patients : « Il y avait parfois d'autres patients durant la séance mais je ne discutais pas avec eux parce que ça ne m'intéresse pas de discuter avec les autres. » La composante fonctionnelle de l'interaction peut également apparaître comme prépondérante.

Tableau 1 : Exemples d'items associés aux interactions sociales de services

	Qualité fonctionnelle	**Qualité sociale**
Prestataire	Mon kiné est compétent, il est capable de répondre à mes questions.	Mon kiné est sympathique.
Autres patients	En discutant avec les autres patients du cabinet, j'obtiens des informations pertinentes sur mon problème.	Les discussions avec les autres patients sont agréables.

Le fait d'interagir avec d'autres patients souffrant de la même pathologie permet par exemple de mieux réaliser les exercices proposés ou de voir comment va évoluer la rééducation.

Pour conclure, la nature des interactions peut être différente selon l'interlocuteur. Ainsi, Patrick déclare : « Avec les autres gens je parle de la pluie et du beau temps, du quotidien. Avec le kiné je parle de mon problème. » Au contraire, pour certains, comme Annick, la proximité sociale avec le praticien vient naturellement : « Avec mon kiné je discute des vacances, de ce qu'on fait, de ce qu'on aime, de ce qu'on n'aime pas… »

L'étude qualitative souligne l'importance de la dimension humaine entre les acteurs de la servuction. Les interactions peuvent être distinguées selon qu'elles relèvent d'une perspective fonctionnelle ou sociale et qu'elles concernent le personnel en contact ou les autres clients. Ces résultats nous permettent d'envisager la création d'un outil de mesure multidimensionnel de la qualité des interactions sociales.

2.4. Étude 2 : étude exploratoire

Suite à l'étude qualitative menée auprès des kinésithérapeutes, une démarche classique de construction d'échelle de mesure a été adoptée (Churchill, 1979 ; Rossiter, 2002), Ainsi, en croisant les trois composantes de l'interaction humaine (le patient, le prestataire et les autres patients) avec les deux natures d'interactions (fonctionnelle et sociale) nous aboutissons à quatre cas. Pour chacun de ces cas, des items ont été formulés à partir de la revue de la littérature

et des entretiens. Cette conceptualisation est différente de celle proposée par Parasuraman *et al.* (1988) dans la mesure où elle considère notamment les interactions humaines dans l'expérience de service. Toutefois, conformément au modèle proposé par Eiglier et Langeard (1987), la qualité du support physique est également considérée. Cette démarche est illustrée dans le tableau 1.

Le questionnaire a été auto-administré *via* un site Internet auprès d'un échantillon de convenance de 200 individus. Le recours à un site Internet dynamique a permis de filtrer les répondants en ne retenant que les personnes ayant déjà consulté un kinésithérapeute (144 répondants). Une mesure des performances perçues pour appréhender la qualité perçue[2] a été utilisée. Les items ont été associés à une échelle de Likert à 5 points, allant de « Pas du tout d'accord » à « Tout à fait d'accord ». Le nombre de répondants en fonction du nombre d'items composant l'échelle correspondait aux normes empiriques proposées par la littérature (Tabachnik et Fidell, 1989) et l'indice KMO de Barlett permettait de pratiquer une analyse factorielle exploratoire.

---

2. La mesure des performances perçues ne pose pas les problèmes théoriques et opérationnels liés aux scores de différences (Cronin et Taylor, 1992 ; Grapentine, 1994). D'autre part, ce type de mesure aurait un pouvoir prédictif de la satisfaction ou de la qualité perçue souvent supérieur à celui du processus de confirmation, qu'il soit mesuré de manière soustractive ou subjective (Dabholkar et *al.*, 2000).

Les résultats de l'analyse factorielle exploratoire de la qualité perçue sont présentés dans le
tableau 2.

Tableau 2 : L'échelle de mesure de la qualité de service perçue chez un kinésithérapeute

Item	Qualité de représentation	Poids Factoriel	Alpha de Cronbach
Qualité de l'interaction fonctionnelle avec le prestataire *31 % de la variance expliquée*			*0,89*
Mon kiné me donne des informations précises sur les causes et le traitement de mon problème	0,744	0,791	
Mon kiné est compétent, il est capable de répondre à mes questions	0,792	0,841	
Mon kiné informe rapidement les patients de toute évolution de leur problème	0,736	0,901	
Mon kiné est compétent dans son domaine	0,581	0,562	
Mon kiné adapte rapidement le traitement aux problèmes que je rencontre	0,753	0,698	
Qualité de l'interaction fonctionnelle avec les autres clients *16 % de la variance expliquée*			*0,91*
En discutant avec les autres patients du cabinet, j'obtiens des informations pertinentes sur mon problème.	0,701	0,839	
L'expérience des autres patients m'est utile pour savoir comment va évoluer ma pathologie.	0,808	0,864	
Les autres patients me conseillent utilement sur les exercices à faire dans ma situation.	0,843	0,913	
Les conseils des autres patients sur ma pathologie sont intéressants.	0,806	0,896	
Qualité du support physique *8 % de la variance expliquée*			*0,81*
La décoration et l'esthétique des installations matérielles du kiné sont agréables	0,725	0,851	
Item	Qualité de représentation	Poids Factoriel	Alpha de Cronbach
Les installations matérielles de mon kiné sont confortables et bien aménagées	0,812	0,917	
Mon kiné est correctement vêtu et a une apparence soignée	0,452	0,657	
Mon kiné possède un équipement récent et adapté aux soins	0,663	0,653	

Tableau 2 : L'échelle de mesure de la qualité de service perçue chez un kinésithérapeute *(suite)*

Qualité de l'interaction sociale avec les autres clients *7 % de la variance expliquée*		*0,71*
La qualité des relations humaines avec les autres patients est excellente.	0,379	0,506
Généralement, les autres patients du cabinet sont sympathiques.	0,683	0,804
Les autres patients du cabinet sont polis et aimables.	0,660	0,789
Les discussions avec les autres patients sont agréables.	0,605	0,693
Qualité de l'interaction sociale avec le prestataire *5 % de la variance expliquée*		*0,85*
J'entretiens des relations amicales avec mon kiné.	0,530	0,752
Mon kiné est à l'écoute de ses patients.	0,621	0,594
Mon kiné est sympathique.	0,742	0,842
Mon kiné répond à mes problèmes avec bienveillance et compréhension.	0,682	0,687
Mon kiné est poli et aimable.	0,641	0,649
Mon kiné m'accorde une attention personnalisée, il prend le temps d'écouter et de discuter de ma situation personnelle.	0,633	0,646

Après épuration des items présentant une qualité de représentation inférieure à 0,4, les critères du coude et des valeurs propres supérieures à l'unité nous ont conduit à retenir 5 facteurs expliquant 66 % de variance. Les dimensions ont été interprétées à la suite d'une rotation *oblimin*, à l'aide de la matrice des types. La validation de l'échelle permet de confirmer l'existence d'une dimension sociale de la qualité perçue liée aux interactions entre clients. La dimensionnalité de l'échelle de qualité perçue permet quant à elle de valider l'existence de plusieurs composantes de cette dimension sociale et de l'inscrire au sein des mesures classiques de la qualité perçue.

Cette structure valide l'approche théorique proposée. La fiabilité des dimensions de la qualité perçue est satisfaisante compte tenu de l'approche exploratoire (alphas de 0,71 à 0,91). Les dimensions fonctionnelles restituent la plus grande partie de la variance expliquée (47 %). Les clients distinguent bien les relations fonctionnelles entretenues avec le prestataire de celles entretenues avec les autres clients. La première dimension fonctionnelle est celle liée au prestataire (31 %) ce qui est en accord avec la littérature sur la qualité de services. La seconde dimension fonctionnelle est celle liées aux autres patients (16 % de la variance expliquée). Elle souligne le fait qu'un patient utilise les autres patients comme source d'informations sur sa pathologie par exemple.

Le troisième facteur restitue la qualité du support physique qui est classiquement considéré comme une dimension d'évaluation lors de la consommation de services (8 % de la variance expliquée). Les deux dernières dimensions ont trait au caractère social de l'interaction. La qualité de l'interaction sociale avec les autres clients participe à l'évaluation du service (7 %). Ainsi, les autres clients participent à l'établissement d'une ambiance conviviale lors de la servuction. De manière surprenante, la dimension sociale de l'interaction avec le kinésithérapeute est celle qui explique le moins de variance (5 %).

2.5. Étude 3 : étude confirmatoire

La validité et la fiabilité de l'échelle de mesure ont été étudiées dans un autre domaine de services. Nous avons répliqué l'étude auprès de clients de salons de coiffure. Ce type de prestations se prête tout particulièrement à l'établissement de relations sociales (Price et Arnould, 1999).

Les items de l'échelle initiale ont été adaptés au terrain. 253 questionnaires ont été auto-administrés à l'aide d'un site Internet. Les données ont été traitées *via* un modèle d'équations structurelles à l'aide du logiciel AMOS5. Les résultats de l'étude confirmatoire sont présentés dans le tableau 3. Les indices d'ajustement du modèle aux données sont satisfaisants (RMSEA = 0,049 compris entre [0,039 ; 0,058], GFI = 0,87). Le modèle proposé dans l'étude exploratoire est confirmé pour le cas d'une prestation de coiffure.

Tableau 3 : L'échelle de mesure de la qualité de service perçue chez un coiffeur

Item	λ	α	σ	σvc
Qualité de l'interaction sociale avec le prestataire	0,939	0,74	0,92	0,65
Mon coiffeur est à l'écoute de ses clients	0,581			
Mon coiffeur prend le temps de m'écouter et de discuter de ma situation personnelle	0,643			
Mon coiffeur est sympathique	0,555			
Mon coiffeur répond à mes questions avec bienveillance et compréhension	0,691			
Mon coiffeur est poli et aimable.	0,592			
J'apprécie la personnalité de mon coiffeur	0,762			
Qualité de l'interaction fonctionnelle avec le prestataire	0,728	0,70	0,84	0,63
Mon coiffeur me donne des informations précises sur la coupe de cheveux qu'il envisage	0,771			
Mon coiffeur informe ses clients des coupes qu'il envisage	0,774			
Mon coiffeur est compétent, il est capable de répondre à mes questions*	0,563			
Qualité du support physique	0,537	0,80	0,90	0,76
La décoration et l'esthétique des installations matérielles de mon coiffeur son agréables	0,712			
Les installations matérielles de mon coiffeur sont confortables et bien aménagées	0,810			
Mon coiffeur possède un équipement récent et adapté aux soins	0,738			

Tableau 3 : L'échelle de mesure de la qualité de service perçue chez un coiffeur

Item	λ	α	σ	σvc
*Qualité de l'interaction avec les autres clients**	0,495			
Qualité de l'interaction sociale avec les autres clients	0,829	0,70	0,89	0,58
La qualité des relations humaines avec les autres clients est excellente	0,562			
Généralement, les autres clients du salon de coiffure sont sympathiques	0,582			
Les autres clients du salon de coiffure sont polis et aimables	0,693			
Les discussions avec les autres clients sont agréables	0,623			
Il m'arrive de parler de ma vie et de mes centres d'intérêts, etc. avec certains clients du salon de coiffure	0,642			
Les autres clients prennent le temps de m'écouter et de discuter de ma situation personnelle	0,704			
Qualité de l'interaction fonctionnelle avec les autres clients	0,604	0,73	0,76	0,45
En discutant avec les autres clients du salon, j'obtiens des informations pertinentes pour choisir une coupe de cheveux	0,580			
L'expérience des autres clients m'est utile pour choisir la bonne coupe de cheveux	0,630			
Les autres clients me renseignent utilement en ce qui concerne le choix et/ou l'entretien de ma coiffure	0,646			
Les coiffures des autres clients me donnent des idées pour choisir ma coupe	0,604			

* L'analyse confirmatoire nous a conduit à regrouper les dimensions relatives à l'interaction entre les clients au sein d'un même facteur de second ordre.

La fiabilité des dimensions de la qualité est très satisfaisante compte tenu de la parcimonie des items composant chaque dimension (Rossiter, 2002). Les alphas de Chronbach s'échelonnent entre 0,70 et 0,80. Les rhô de Joreskog sont compris entre 0,76 et 0,92. La validité convergente du modèle est satisfaisante. D'une part, tous les coefficients sont significatifs (p<0,05). D'autre part, les rhô de validité convergente sont supérieurs à 0,50, à l'exception de celui la dimension de la relation fonctionnelle avec les autres clients (0,45). Cette faiblesse peut s'expliquer par la structure de second ordre qui regroupe les deux dimensions relatives aux interactions avec les autres clients.

2.6. Validité discriminante

Afin d'évaluer la validité discriminante des dimensions d'interaction de la qualité perçue, une mise en perspective par rapport aux travaux existants sur le lien d'amitié entre un prestataire et son client a été réalisée (Price et Arnould, 1999). Malgré l'absence de travaux portant sur la relation d'amitié entre les clients, la proximité de ces deux concepts laisse à espérer qu'il existe un lien entre les construits d'amitié pour le prestataire et pour les autres clients. Ainsi, la mesure du lien d'amitié a été mesurée à l'aide d'une échelle de Likert en cinq points (voir annexe 1). La corrélation entre la mesure de la dimension sociale de l'interaction entre le client et son prestataire et ce lien d'amitié s'élève à 0,552. Elle est de 0,316 pour l'interaction sociale avec les autres clients (RMSEA = 0,063 [0,051 ; 0,076]). Ces résultats permettent donc de conclure qu'il existe bien un lien entre les mesures d'interactions sociales et l'amitié, comme on pouvait le supposer suite à la revue de la littérature, mais ce lien est suffisamment faible pour valider le fait que les concepts sous-jacents sont bien distincts. Autrement dit, les interactions qui émergent entre un client et un prestataire de services peuvent être de nature sociale, sans pour autant relever de l'amitié. De même, l'amitié entre un prestataire de services et son client favorise les interactions entre les clients, sans pour autant l'impliquer totalement.

2.7. Validité prédictive

Les étapes de l'enchaînement causal qualité, satisfaction, intention de réachat, fidélisation, profit, ont été étudiées et validées dans diverses recherches théoriques et empiriques (Anderson *et al.*, 1994 ; Jones et Sasser, 1995 ; Rust *et al.*, 1995). Les relations entre les clients d'une servuction peuvent avoir des conséquences positives à la fois pour le prestataire et pour les consommateurs (voir Harris et Baron 2004 pour une revue). Les résultats d'Hennig-Thurau *et al.* (2002) montrent, que les bénéfices sociaux ont une influence sur l'engagement et la fidélité. À l'inverse, les bénéfices fonctionnels tels que les traitements spéciaux n'influenceraient pas la fidélité. Ces auteurs proposent que les bénéfices temporaires accordés à certains clients ne permettent pas de créer une relation à long terme. Au contraire, ils pourraient inciter le client à être plus attentif aux avantages économiques de la relation et donc à devenir plus opportuniste. De la même façon, Price et Arnould (1999) montrent que les relations d'amitié avec

le prestataire permettent d'augmenter la fidélité du consommateur et les comportements de prescriptions.

Trois types de manifestations de la fidélité ou de l'engagement peuvent être relevés (Morgan et Hunt, 1994 ; Rust *et al.*, 1995 ; Anderson, 1996 ; Zeithaml *et al.*, 1996) : 1) le réachat ou la continuité de la relation ; 2) les communications informelles par le bouche-à-oreille ; 3) la tolérance à l'égard du prix ou encore l'acceptation de sacrifices à court terme (une baisse des prix de la part des concurrents par exemple). Ces trois caractéristiques ont été intégrées comme étalons de la qualité prédictive de l'échelle de mesure de la qualité des interactions lors de la consommation de services.

Tout d'abord, la corrélation entre la qualité de l'interaction et l'engagement est significatif avec un risque de 5 % et s'élève à 0,754 (RMSEA = 0,043 [0,033 ; 0,052] ; R^2 = 0,436). L'engagement a été mesuré à l'aide de l'échelle proposée par Gurviez (1998). Ce résultat confirme l'intérêt d'appréhender la qualité de l'interaction lors de la consommation d'un service. En effet, cet aspect de la qualité détermine le fait que l'individu reste fidèle à un prestataire même en cas de changements.

Ensuite, le bouche-à-oreille a été évalué à l'aide de l'échelle proposée par Price et Arnould (1999). Le lien entre la qualité des interactions et le bouche-à-oreille positif s'élève à 0,892 (RMSEA = 0,041[0,031 ;0,050] ; R^2 = 0,796). Ce score atteste de l'importance de la prise en compte de l'existence de ces interactions pour l'obtention d'un bouche-à-oreille positif, primordial lors d'une consommation difficilement évaluable comme c'est le cas dans les services.

Enfin, la fidélité comportementale a été mesurée à l'aide de la fréquence de visite chez le prestataire évalué. Le lien qualité-fidélité s'élève à 0,366 (RMSEA = 0,048 [0,039 ;0,57] ; R^2 = 0,134). Autrement dit, plus les individus sont satisfaits de la qualité des interactions lors d'une prestation de service et plus ils sont fidèles à leur prestataire.

Pour conclure, comme attendu, la qualité des interactions sociales est cruciale pour expliquer la fidélité du consommateur de services. Néanmoins, l'étude est limitée à la relation entre la qualité perçue et l'intention de fidélité pour plusieurs raisons. Tout d'abord, le concept de satisfaction des clients n'est pas considéré car le contexte est très impliquant. Les clients sont généralement très satisfaits de leur prestataire actuel (moyenne : 4,30 sur une échelle de Likert ; écart type : 0,75). S'ils ne sont pas satisfaits, ils en changent car il existe peu de barrières à la sortie. Ce constat va dans le sens de Hennig-Thurau et Klee (1997) qui ont critiqué la robustesse de la relation entre la satisfaction et la fidélité. De plus, certains consommateurs perçoivent négativement les interactions avec les autres clients (Grove et Fisk, 1997) ce qui peut amoindrir le lien attendu entre la qualité perçue et l'intention de fidélité.

3. Discussion et implications

L'objectif de cet article est d'intégrer les relations entre clients aux conceptions existantes de la qualité dans les activités de services. En effet, les conceptualisations proposées dans la littérature ne permettent pas de saisir les facettes de la qualité liées aux relations humaines qui se tissent entre les individus au moment de la consommation de services. Pour y parvenir, la qualité perçue est étudiée dans le cadre conceptuel proposé par Eiglier et Langeard (1987).

En synthèse, le principal apport académique repose sur la conceptualisation et l'opérationnalisation de la qualité perçue inhérente aux interactions entre les composantes humaines du système de servuction : le client – le prestataire – les autres clients. Les trois études menées nous conduisent à distinguer cinq facettes de la qualité perçue. Chaque type d'interaction (avec le personnel et les autres clients) recouvre les dimensions fonctionnelle et sociale. Tout d'abord, la dimension fonctionnelle de l'interac-

tion avec le personnel en contact concerne la capacité du prestataire à fournir le service de base (la relation humaine permettant de soigner une pathologie dans le cas d'un kinésithérapeute ou de proposer une coupe dans le cas d'un coiffeur – e.g. les recommandations données par le personnel en contact…). Le personnel est également évalué sur sa capacité à entretenir des relations amicales. Ensuite, les interactions avec les autres clients sont évaluées sur leur capacité à fournir des informations utiles centrées sur le service de base (les soins ou la coiffure). La dimension sociale des interactions avec les autres clients concerne la qualité des relations humaines. Enfin, la qualité du support physique participe à la qualité perçue par les clients des prestations étudiées.

La comparaison des deux terrains d'étude montre que la dimension sociale de l'interaction avec le prestataire est beaucoup plus importante dans le contexte de la coiffure que dans celui de la kinésithérapie. Les interactions avec les autres clients semblent moins importantes dans le contexte du salon de coiffure. En revanche, les autres clients ont un rôle fonctionnel plus important en donnant des conseils ou des informations sur la pathologie dans le cadre de soins de kinésithérapie.

Cette différence pose la question du lien entre interaction et relation. En effet, la fréquence des interactions est l'une des conditions pour qu'une relation à proprement parler s'instaure. En psychologie sociale, la notion de relation interpersonnelle se définit comme la succession d'interactions entre deux personnes sur une assez longue période (Hinde, 1979 ; Vallerand, 1994). La construction d'une relation suppose donc une continuité dans les échanges permettant de construire le lien social entre les individus. Les travaux en marketing relationnel adoptent cette perspective et proposent de prendre en compte les relations dans leur continuité (MacNeil, 1980 ; Dwyer *et al.*, 1987). Dans le cas d'un prestataire régulier, ce qui est le plus souvent le cas pour les coiffeurs et les kinésithérapeutes, une véritable relation peut se tisser entre le prestataire et son client du fait de la répétition des interactions. Par contre, la fréquence des rencontres entre clients n'est pas forcément assurée. Ainsi, les séances de kinésithérapies se caractérisent souvent par une régularité en termes d'horaires à raison de plusieurs séances hebdomadaires, alors que les rendez-vous chez le coiffeur sont beaucoup plus rares et aléatoires. Dans le premier cas, les mêmes patients se rencontrent fréquemment, alors que dans le deuxième cas les autres clients présents dans le salon de coiffure sont le plus souvent inconnus. Ce constat est à même d'expliquer le poids plus important des autres clients pour une prestation de kinésithérapie que pour une coupe chez le coiffeur. On ne peut parler de relation que pour des patients d'un kinésithérapeute qui sont amenés à se rencontrer plusieurs fois, alors que les rencontres chez le coiffeur se limitent à de simples interactions. D'une façon plus générale, les résultats mis en avant dans cette étude illustrent bien les limites de l'utilisation des théories de l'interaction pour justifier d'un paradigme relationnel en marketing. En effet, dans le cas d'une prestation de service, les clients peuvent apprécier d'interagir avec d'autres personnes, sans pour autant être en quête de relations sociales. Cette motivation est plus saillante dans des cas extrêmes de recherche communautaire (Cova et Cova, 2002).

De plus, les interactions qui s'instaurent entre clients ne répondent pas forcément à une attente de relations sociales. Ainsi, la mise en perspective de la dimension fonctionnelle des interactions met en lumière une motivation fonctionnelle à l'échange avec le prestataire et avec les autres clients. Les interactions ne conduisent pas nécessairement à l'établissement d'une proximité sociale. Selon Macneil (1980), les relations basées sur un mode relationnel sont caractérisées par une orientation vers la proximité et la réalisation de buts communs spécifiques. La proximité sociale se traduit par un important contenu affectif. Ce résultat remet donc en question une lecture uniquement postmoderne des interactions entre les acteurs de la servuction.

Les implications managériales de cette étude concernent à la fois l'outil développé et les conclusions traitant de l'impact du rôle des autres clients dans la consommation de services. En premier lieu, nous proposons un instrument de mesure permettant de capter les composantes humaines de la qualité. Ainsi, la conceptualisation de la qualité perçue est enrichie afin de restituer les interactions humaines à but fonctionnel ou social du client avec le prestataire et les autres clients.

En deuxième lieu, les conclusions de l'étude permettent de formuler des recommandations aux professionnels. D'une part, le rôle des clients dans la servuction est une réalité que ces derniers doivent intégrer. En effet, la formation dispensée dans les écoles est bien souvent dominée par l'aspect technique du métier, alors que tous les professionnels, une fois confrontés aux clients ne sont pas forcément en mesure de tenir compte de l'aspect humain de leur travail. En particulier, si l'objectif du professionnel est de mener une véritable démarche de marketing relationnel, il devra également favoriser des interactions répétées entre les mêmes clients. Par exemple, l'un des kinésithérapeutes interrogés affirme réunir aux mêmes horaires des patients qu'il perçoit comme potentiellement proches, et ce d'une séance à l'autre.

Par ailleurs, ces implications concernant les services peuvent également être étendues à toutes les activités de commerce qui comprennent une composante de servuction. Par exemple, certaines enseignes, comme Nature et Découverte, utilisent le personnel en contact et les autres clients pour améliorer la qualité perçue de la prestation, *via* l'échange d'informations et la participation à des manifestations communes (voir par exemple Remy, 2000 pour un détail de ces stratégies sur le point de vente).

Finalement, cette étude illustre bien que l'existence d'interactions n'implique pas forcément une véritable relation entre les acteurs de la servuction. En effet, tant que les intérêts des individus en contact ne convergent pas, ou tant que l'interaction est ponctuelle, on ne peut pas parler de relation. Hennig-Thurau *et al.* (2002) préconisent de demander aux employés de construire une relation de proximité sociale. L'objectif est d'aller au-delà de contacts occasionnels et que la relation soit mutuellement perçue comme ayant un statut spécial (Barnes et Howlett, 1998). Le client juge de la sympathie du personnel en contact et décide s'il est plaisant d'intégrer cette personne à son entourage (Doney et Cannon, 1997). Cette proximité sociale aurait une influence positive sur la confiance et la satisfaction des clients et l'orientation à la long terme des relations (Doney et Cannon, 1997, Crosby *et al.*, 1990 ; Boles *et al.*, 2000 ; Dwyer *et al.*, 1987 ; Smith, 1998). Néanmoins, Hennig-Thurau *et al.* (2002) soulignent également que l'instrumentalisation d'une relation sociale est risquée. En effet, Price et Arnould (1999) affirment que la relation est dégradée lorsque le client perçoit un objectif instrumental.

Conclusion

Plusieurs limites de l'étude peuvent être émises concernant les terrains d'application choisis. D'une part, l'utilisation d'une méthode déclarative *ex post* induit un biais important d'interprétation par le répondant, c'est pourquoi une étude *in situ* devrait compléter les deux situations examinées ici.

L'utilisation d'une démarche déclarative minimise également le rôle des interactions sociales. En effet, la théorie des rôles (Goffman, 1959) repose pour une grande partie sur des stratégies difficilement avouables par les individus. Par exemple, un consommateur reconnaîtra difficilement aller chez le coiffeur avant tout pour discuter avec des gens sympathiques. Il préférera afficher une motivation fonctionnelle pour sa consommation.

Cette recherche ouvre la voie à des recherches futures à plusieurs niveaux. Tout d'abord, afin de raffiner les résultats obtenus, il conviendrait d'intégrer des variables à même de modérer l'importance des différentes composantes de la qualité des interactions. Ainsi, les caractéristiques individuelles telles que l'orientation relationnelle (Prim et Sabadie, 2003), l'ouverture

(Costa et MacCrae, 1992), ou plus contextuelles comme l'implication (Strazzieri, 1994) ou la nature du service peuvent impliquer des variations d'une étude à l'autre. Par exemple, dans les magasins Ikéa, Harris *et al.* (1995) montrent que les femmes engagent plus la conversation avec des inconnues que les hommes. Par ailleurs, une comparaison interculturelle permettrait de mettre en lumière les habitudes de socialisation entre consommateurs selon les pays.

Ensuite, l'impact des interactions sociales sur la qualité de la relation est une voie de recherche très prometteuse (Price et Arnould, 1999). Par exemple, Goodwin (1996) suggère que des clients ayant développé une relation sociale répondent de manière plus favorable aux incidents de services. Murray et Holmes (1994) montrent que les individus développant des relations proches n'accepteront pas des informations négatives à propos de leur partenaire lorsque elles sont susceptibles de menacer leur relation. Ainsi, un client socialement proche aurait tendance à attribuer la responsabilité d'un incident de service à des facteurs externes ou à positiver les causes du problème en faveur du prestataire – par exemple, « les files d'attentes sont longues parce qu'il prend le temps d'écouter les clients » – (Fletcher et Fincham, 1991 ; Folkes, 1988).

Enfin, les recherches sur les interactions entre clients lors d'une consommation de services se sont focalisées sur l'interaction entre inconnus. Cependant, dans une optique relationnelle, cet état de fait peut-être modifié au fur et à mesure du temps. Ainsi, les « habitués » d'un prestataire peuvent devenir de véritables relations et tisser des liens forts au sens de Adelman *et al.* (1987). Dans ce cas, la qualité des interactions entre clients peut devenir centrale pour l'évaluation de la prestation de service. C'est pourquoi les recherches futures devront s'attacher à approfondir la qualité des interactions perçues au sein de communautés de consommateurs (Dholakia *et al.*, 2004). Cette démarche permettrait de distinguer les interactions simples entre clients de celles qui fondent une véritable relation.

Annexe : échelles de mesure utilisées pour tester la validité

Amitié				
Item	λ	α	σ	σvc
		0,87	**0,84**	**0,53**
Je pense à mon coiffeur comme à un ami	0,788			
Je connais très bien ce coiffeur	0,736			
Je suis capable de me confier sincèrement à ce coiffeur	0,818			
Je pense que ce coiffeur s'intéresse réellement à ma vie et à mes centres d'intérêts, etc.	0,781			
Il m'arrive de faire des petits gestes pour faire plaisir à mon coiffeur (un mot gentil, un cadeau d'anniversaire par exemple)	0,650			

Bouche à oreille				
Item	λ	α	σ	σvc
		0,79	**0,86**	**0,68**
Je recommanderais ce coiffeur à quelqu'un qui me demande conseil	0,860			
Je parle en bons termes de ce coiffeur	0,864			
J'ai tendance à vanter et à défendre ce coiffeur	0,641			

Engagement				
Item	λ	α	σ	σvc
		0,80	**0,79**	**0,57**
Si nécessaire, je préfère faire quelques petits sacrifices pour continuer à utiliser ce coiffeur.	0,676			
Je pense continuer longtemps à aller chez ce coiffeur	0,848			
Je continuerai à me rendre chez ce coiffeur, même s'il augmentait un peu ses prix	0,780			

Bibliographie

ADELMAN M.B. et AHUVIA A., « Social Support in the Service Sector : The antecedents, process and outcomes of social support in an introductory service », *Journal of Business Research*, 32, 3, 1995, pp. 273-282.

ADELMAN M.B., PARKS M. et ALBRECHT T.L., « Beyong close relationships : Support in weak ties », in T.L. Albrecht et M.B. Adelman (éd.), *Communicating Social Support*, Newbury Park, Sage, 1987, pp. 126-147.

ANDERSON E.W., « Customer Satisfaction and Price Tolerance », *Marketing Letters*, 7, 3, 1996, pp. 19-30.

ANDERSON E.W., FORNELL C. et LEHMANN D., « Customer Satisfaction, Market share and profitability : Findings from Sweden », *Journal of Marketing*, 58, 1994, pp. 53-66.

ARNOULD E. et PRICE L.L., « River magic : Hedonic consumption and the extended service encounter », *Journal of Consumer Research*, 20, 1993, pp. 24-45.

AUBERT-GAMET V. et Cova B., « Servicescapes : from modern non-place to postmodern common places », *Journal of Business Research*, 44, 1, 1999, pp. 37-45.

BARON S., HARRIS K. et DAVIS B.J., « Oral participation in retail service delivery : a comparaison of the roles of contact personnel and customers », *European Journal of Marketing*, 30, 9, 1996, pp. 75-90.

BARNES J.G. et HOWLETT D.M., « Predictors of equity in relationships between service providers and retail customers », *International Journal of Bank Marketing*, 16, 1, 1998, pp. 5-23.

BENDAPUDI N. et LEONE R. P., « Psychological implications of customer participation in co-production », *Journal of Marketing*, 67, 1, 2003, pp. 14-28.

BENDAPUDI N. et BERRY L.L., « Customers' Motivations for Maintaining Relationships With Service Providers », *Journal of Retailing*, 73, 12, 1997, pp. 15-37.

BERSCHEID E., « Interpersonal relationships », in L.W. Porter et M.R. Rosenzweig (éd.), *Annual Review of Psychology*, 45, 1994, pp. 79-129 (Palo Alto, CA : Annual Reviews Inc.).

BERRY L.L., « Relationship Marketing », in *Emerging perspectives on service marketing*, L.L. Berry, G.L. Shostack et G.D. Upsay (éd.), Chicago, American Marketing Association, 1983, pp. 25-28.

BETTENCOURT L.A., « Customer Voluntaryu Performance : Customers As Partners in Service Delivery », *Journal of Retailing*, 73, 3, 1997, pp. 383-406.

BITNER M.J., « Servicescapes : The impact of physical Surrounding on Customers and Employees », *Journal of Marketing*, 56, 2, 1992, pp. 57-71.

BITNER M.J., BOOMS B. et TETREAULT M., « The Service Encounter : Diagnosing Favorable and Unfavorable Incidents », *Journal of Marketing*, 54, 1, 1990, pp. 71-84.

BITNER M.J., FARANDA W.T., HUBBERT A.R. et Zeithaml V.A., « Customer contributions and roles in service delivery », *International Journal of Service Industry Management*, 8, 3, 1997, pp. 193-205.

BOLES J.S., JOHNSON J.T. et BARKSDALE H.C., « How salespeople build quality relationships : A replication and extensions », *Journal of Business Research*, 48, 1, 2000, pp. 75-81.

CHURCHILL G.A., « A paradigm for developing better measures of marketing constructs », *Journal of Marketing Research*, 16,1, 1979, pp. 64-73.

CLARK M.S., « Noncomparability of benefits given and received : A cue to the existence of freindship », *Social Psychology Quaterly*, 44, 1981, pp. 375-381.

CLARK M.S., « Record keeping in two types of relationships », *Journal of Personality and Social Psychology*, 47, 1984, pp. 549-557.

CLARK M.S., « Evidence for the effectiveness of manipulations of communal and exchange relationships », *Personality and Social Psychology Bulletin*, 12, 1986, pp. 414-425.

CLARK M.S. et MILLS J., « The difference between communal and exchange relationships : What it is and is not », *Personality and Social Psychology Bulletin*, 19, 1993, pp. 684-691.

COSTA P.T. et MACCRAE R.R., « Four ways five factors are basic », *Personality and Individual Differences*, 13, 6, 1992, pp. 653-665.

COVA B. et COVA V., « Tribal Marketing : the tribalisation of society and its impact on the conduct of marketing », *European Journal of Marketing*, 36, 5-6, 2002, pp. 595-620.

CRONIN J. J. et TAYLOR S. A., « Measuring service quality : A reexamination and extension », *Journal of Marketing*, 56, 1992, pp. 55-68.

CROSBY L.A., EVANS K.R. et COWLES D., « Relationship quality in services selling : An interpersonal influence perspective », *Journal of Marketing*, 54, 3, 1990, pp. 68-81.

DABHOLKAR P. A., SHEPHERD C. D. et THORPE D. I., « A Comprehensive Framwork for Service Quality », *Journal of Retailing*, 76 (2), 2000, pp. 169-173.

DAVIS B., BARON S. et HARRIS K., « Observable Oral Participation in the servuction system : toward a content and process model », *Journal of Business Research*, 44, 1999, pp. 47-53.

DHOLAKIA U.M., BAGOZZI R.P. et PEARO L.K., « A social influence model of consumer participation in network- and small-group-based virtual communities », *International Journal of Research in Marketing*, 21, 3, 2004, pp. 241-264.

DONEY P.M. et CANNON J.P., « An Examination of the nature of trust in buyer-seller realtionships », *Journal of Marketing*, 61, 2, 1997, pp. 11-27.

DWYER F.R., SCHURR P.H. et Oh S., « Developing Buyer-Seller Relations », *Journal of Marketing*, 51, 2, 1987, pp. 11-28.

EIGLIER P. et LANGEARD E., *Servuction. Le Marketing des services*, McGraw Hill, 1987.

FLAMBARD-RUAUD S. et LLOSA S., « Marketing relationnel et marketing des services : une profonde complicité », in *Faire de la recherche en Marketing*, B. Pras (dir.), Vuibert (FNEGE), 1999.

FLETCHER G.J. et FINCHAM F.D., « Attribution processes in close relationships », in G.J. Fletcher et F.D. Fincham (éd.), *Cognition in close relationships*, 1991, pp. 7-35 (Hillsdale, NJ : Lawrence Erlbaum Associate, Inc.).

FOLKES V., « Consumer relations to product failures : An attributional approach », *Journal of Consumer Research*, 10, 1984, pp. 398-409.

FOLKES V.S., « Recent attribution Research in Consumer Behavior : a review and new directions », *Journal of Consumer Research*, 16, 1988, pp. 433-441.

GENTRY J.W. et BURNS A., « La prise de décision dans la famille : une bibliographie sélective (1980-1990) », *Recherche et Applications en Marketing*, 5, 3, 1990, pp. 69-85.

GOFFMAN E.R., *The Presentation of Self in Everyday Live*, New York, Doubleday, 1959.

GOODWIN C., « Communality as a Dimension of Service Relationship », *Journal of Consumer Psychology*, 5, 4, 1996, pp. 387-415.

GOODWIN C. et Gremler D.D., « Friendship over the counter », in S.B. Brown, D. Bowen et T. Swartz (éd.), *Advances in services marketing and management*, 5, Greenwich, CT : JAI, 1996.

GRAPENTINE T., « Problematic scales », *Marketing Research*, 6, 4, 1994, pp. 8-12.

GRÖNROOS C., *Service Management and Marketing*, Lexingtion M.A., Lexington Books, 1990.

GROVE S.J. et FISK R.P., « The Impact of Other Customers on Service Experiences : A Critical Incident Examination o "Getting Along" », *Journal of Retailing*, 73, 1, 1997, pp. 63-85.

GURVIEZ P., *Le rôle central de la confiance dans la relation consommateur-marque*, Thèse de doctorat en sciences de gestion, Université d'Aix-Marseille, 1998.

GWINNER K.P., GREMLER D.D. et BITNER M.J., « Relational Benefits in Service Industries : The Customer's Perspective », *Journal of The Academy of Marketing Science*, 26, 2, 1998, p. 101 et 114.

HARRIS K. et BARON S., « Consumer-to-consumer Conversations », *Journal of Services Research*, 6, 3, 2004, pp. 287-303.

HARRIS K, BARON S. et DAVIES B.J., « What sort of soil do rhododendrons like ? Comparing customer and employee responses to requests for product-related information », *Journal of Services Marketing*, 13, 1, 1999.

HARRIS K., BARON S. et PARKER C., « Understanding the Consumer Experience : It's good to talk », *Journal of Marketing Management*, 16, 1-3, 2000, pp. 111-127.

HARRIS K., BARON S. et RATCLIFFE J., « Customers as oral participants in a service setting », *Journal of Services Marketing*, 9, 4, 1995, pp. 64-76.

HARRIS K., DAVIES B.J. et BARON S., « Conversations during Purchase consideration : sales assistants and customers », *The International Review of Retail, Distribution and Consumer Research*, 7, 3, 1997, pp. 173-190.

HENNIG-THURAU T. et KLEE A., « The Impact of Customer satisfaction and Relationship Quality on Customer Retention : a Critical Reassessment and Model Development », *Psychology and Marketing*, 14, 8, 1997, pp. 737-764.

HENNIG-THURAU T., GWINNER K.P. et GREMLER D.D., « Understanding Relationship Marketing outcomes », *Journal of Services Research*, 4, 3, 2002, pp. 230-246.

HINDE R.A., *Toward understanding relationships*, New York, Academic Press, 1979.

JONES E. T. et SASSER W. E., « Why satisfied customers defect », *Harvard Business Review*, novembre-décembre 1995, pp. 88-99.

MACNEIL R., « The new social contract : An inquiry into modern contractual relations », New Haven, CT : Yale University, 1980.

MARTIN C.L., « Consumer-to-consumer relationships : satisfaction with other consumers' public behaviour », *Journal of Consumer Affairs*, 30, 1, 1996, pp. 146-169.

MARTIN C. et CLARK T., « Networks of costumer-to-costumer relationships in marketing », in *Networks in Marketing*, Iacobucci D. (éd.), Londres, Sage, 1996.

MC GRATH MA. et OTNES C., « Unaquainted influencers : when strangers interact in the retail setting », *Journal of Business Research*, 32, 1995, pp. 261-272.

MORGAN R. M. et Hunt S. D., « The Commitment-Trust Theory of Relationship Marketing », *Journal of Marketing*, 58, 1994, pp. 20-38.

MURRAY S.L. et Holmes J.G., « Storytelling in close relationships : The construction of confidence », *Personality and Social Psychology Bulletin*, 20, 1994, pp. 664-675.

PARASURAMAN A., ZEITHAML V. et BERRY L., « A conceptual model of service quality and its implications for future research », *Journal of Marketing*, 49, 4, 1985, pp. 41-50.

PARASURAMAN A., ZEITHAML V. et BERRY L., « SERVQUAL : A Multiple-item scale for measuring consumer perceptions of service quality », *Journal of Retailing*, 64, 1, été 1988, pp. 12-40.

PARKER C. et WARD P., « An analysis of role adoptions and scripts during customer-to-customer encounters », *European Journal of Marketing*, 34,3/4, 2000, pp. 341-358.

PRICE L. et ARNOULD E., « Commercial Friendships : Service Provider-Client Relationship in Context », *Journal of Marketing*, 63, 3, 1999, pp. 38-56.

PRICE L., ARNOULD E. et TIERNEY P., « Going to Extremes : Managing Service Encounters and Assessing Provider Performance », *Journal of Marketing*, 59, 2, 1995, pp. 83-97.

PRIM I. et SABADIE W., « L'orientation relationnelle des clients : un nouvel outil de segmentation ? », 8es Journées de recherche en marketing de Bourgogne, Dijon, 2003.

REMY E., *Le lien social dans les échanges marchands de services : concept de services de lien et habillage social*, Thèse de doctorat, Université de Rouen, 2000.

REYNOLDS K.E. et BEATTY S., *Relationship-Motivated Consumers : Functional Versus Social Perspectives*, working paper, University of Alabama, 1998.

ROSSITER J.R., « The C-OAR-SE Procedure for Scale Development in Marketing », *International Journal of Research in Marketing*, 19, 2002, pp. 305-335.

RUST R., ZAHORIK A. et KEININGHAM T., « Return on Quality (ROQ) : Making Service Quality Financially Accountable », *Journal of Marketing*, 59, avril 1995, pp. 58-70.

SALERNO A., « Une étude empirique des relations entre personnalisation, proximité dyadique et identité de clientèle », *Recherche et Applications en Marketing*, 16, 4, 2001, pp. 25-46.

SMITH J.B., « Buyer-Seller relationships : Similarity, relationship management, and quality », *Psychology and Marketing*, 15, 1, 1998, pp. 3-21.

SOLOMON M.R., SURPRENANT C., Czepiel J.A. et Gutan E.G., « A Role of Theory Perspective on Dyadic Interactions : The Service Encounter », *Journal of Marketing*, 49, 1, 1985, pp. 99-111.

STRAZZIERI A., « Mesurer l'implication durable vis-à-vis d'un produit indépendamment du risque perçu », *Recherche et applications en marketing*, 9, 1, 1994, pp. 73-91.

SWAN J., BOWERS M. et RICHARDSON D., « Customer Trust in the Salesperson : An Integrative Review and a Meta-Analysis of Empirical Litterature », *Journal of Business Research*, 44, 2, 1999, pp. 93-107.

TABACHNICK B.G. et FIDELL L.S., *Using Multivariate Data*, 2e édition, New-York, Harper & Row, 1989.

THIBAUT J.W. et KELLEY H.H., *The social psychology of groups*, New York, Wiley and Sons, 1959.

VALLERAND R.J., *Les fondements de la psychologie sociale*, Montréal, Gaëtan Morin, 1994.

VERNETTE E. et GIANNELLONI J.-L., « L'auto-évaluation du leadership d'opinion en marketing : nouvelles investigations psychométriques », *Recherche et applications en Marketing*, 19, 4, 2004, pp. 65-87.

ZEITHAML V., BERRY L.L. et PARASURAMAN A., « The behavioral consequences of service quality », *Journal of Marketing*, 60, 1996, pp. 31-46.

Production de services, comportement déviant du client et gouvernementalité : pour une ouverture à la GRH

Le cas de la gestion de la fraude à la RATP

Jean-Baptiste Suquet, Doctorant CRG/RATP

Le client est traditionnellement la chasse gardée, dans les sciences de gestion, des spécialistes du marketing. En forçant à peine le trait, on peut sans peine reconstruire un discours selon lequel une organisation fonctionnerait comme une entité aux frontières bien délimitées et se mettrait en relation avec des entités extérieures, dont ses clients : il s'agit alors avant tout de bien ajuster l'offre de l'organisation à la demande des clients, et se poser donc la question de leur satisfaction, de la qualité des prestations fournies par rapport à leurs attentes, etc.

Certains critiques du marketing s'inscrivent contre cette perspective, réclamant une analyse fine et fondée sur l'observation des pratiques sociales qui constituent effectivement les marchés (Morgan, 2003). Il y a là une volonté de la part de ces auteurs de ne pas se perdre dans des idéalismes économistes qui servent selon eux trop souvent la rhétorique[1].

Plus encore, les réflexions issues du marketing des services remettent profondément en cause cette approche, dans la mesure où le client ne saurait être analysé séparément lorsque l'on s'intéresse à la production d'un service : la *servuction* reconnaît le rôle du client comme décisif, à tel point que certains auteurs n'ont pas hésité à employer à son endroit l'image d'employé partiel (« partial employee », Mills & Morris, 1986).

On voit bien ici le glissement qui peut s'opérer quant à la problématique du rôle du client dans les organisations de service. Nous chercherons à suivre cette perspective en rappelant que la maîtrise du comportement des clients s'avère décisive pour la production viable d'un service, et que le concept de gouvernementalité (Hatchuel *et al.* (dir.), 2005) offre un cadre pour la penser. Nous décrirons à partir du cas de la gestion de la fraude à bord des bus de la RATP, comment une organisation appréhende cette question de gouvernementalité, notamment par la mise en place de « mécanismes de pouvoir » (Foucault, 2004).

Mais nous entendons souligner les limites d'une telle approche : non pas que les évolutions des techniques de maîtrise des comportements ne constituent pas un sujet d'intérêt pour l'étude des organisations, mais plutôt dans la mesure où leur mise en œuvre effective ne doit pas être laissée de côté. Nous mettrons notamment en lumière l'intérêt d'une intégration de la GRH aux questionnements en termes de gouvernementalité. En l'occurrence et à partir du cas de la gestion de la fraude, nous introduirons la dimension des dynamiques professionnelles en jeu au

---

1. On retrouve d'ailleurs sans trop de peine tout un ensemble de recherches effectuées à la suite de Granovetter, et s'attaquant à une certaine économie, trop empreinte de purs modèles…

sein des organisations de service et autour des techniques de maîtrise des comportements.

Méthodologie

Les données sur lesquelles est fondée l'analyse sont issues d'une recherche de thèse en cours, à la RATP, à propos des évolutions de la gestion de la fraude. Dans le cadre d'une convention CIFRE, il s'agit d'accompagner les évolutions des pratiques des agents de contrôle, au sein de l'unité du Contrôle Service Bus (CSB), chargée de la lutte contre la fraude sur le réseau de surface de la RATP. Le problème focalisant l'attention de la recherche, sous-jacent dans la communication, a été défini en fonction du questionnement des acteurs de l'organisation, certains d'entre eux étant relativement perplexes quant à la façon dont la rencontre entre la relation de service et la lutte contre la fraude pouvait s'opérer.

Plusieurs types de matériau ont été croisés afin de donner consistance au cas. D'une part, des archives et documents actuels de l'unité (et plus largement de la RATP) ont été collectés, de façon à se donner accès aux discours « stratégiques » et à leurs évolutions. D'autre part, une observation ethnographique du travail des agents a été effectuée, sur plusieurs mois (08/2004 – 03/2005), au cours de la mise en œuvre d'un projet de service (Bus Attitude) auquel les agents étaient tenus de contribuer. La mise en relation de ces deux types de données (la stratégie et le travail concret, pour le dire simplement), successivement quant à un service particulier (le Service De Ligne) puis à la Bus Attitude, nous a semblé à même de mettre en évidence, à un niveau organisationnel, l'apparition de techniques de maîtrise des comportements.

---

1. Les organisations de service : l'enjeu du comportement des clients

1.1. Du marketing des services à la gouvernementalité ?

Le marketing des services s'attache à mettre en évidence et à théoriser les spécificités du fonctionnement des organisations de service, de plus en plus prépondérantes dans les économies occidentales. Il n'est pas question ici de se livrer à une revue de littérature, mais simplement de rappeler la perspective originale sur le rapport entre le client et l'organisation, qu'ont permis ces travaux.

En effet, le marketing des services ne s'intéresse pas tant à la domination des clients sur les organisations, ou inversement, qu'à la coopération entre le client et l'organisation dans une visée de production[2]. Les particularités économiques du service, qui en font une entité *coproduite* et non simplement produite (ce qui serait le cas d'un bien), ont conduit les économistes, et à leur suite les gestionnaires, à s'interroger sur les modalités de cette coproduction[3].

Le rôle du client ne peut plus s'analyser, dans ce cadre, comme une simple consommation, acquiescement à une offre prédéterminée. Au contraire, son rôle est, en ce qui concerne ce type de système de production que sont les services, déterminant quant à la performance du système. C'est pour cette raison que le cadre d'analyse traditionnel de la production de service, la servuction, intègre le client comme un des éléments du système (Eiglier P. & Langeard E., 1988).

On comprend dès lors la pertinence, pour ce type d'organisation, d'une maîtrise (minimale) du comportement des clients. Les appels aux recherches marketing sur la déviance du consommateur (Fullerton R. & Punj G., 1997) peuvent être interprétés en ce sens, de même que celles sur les possibilités d'intégration du client à l'organisation (par exemple, Goudarzi K., 2006), en ce qui concerne la socialisation du client, au-delà de l'image évocatrice du client comme « employé partiel » (Mills & Morris, 1986).

---

2. Bien entendu, c'est plus la visée de la réflexion qui selon nous distingue l'approche « domination » (visée politique de dénonciation) de celle de la « coopération » (visée d'organisation). Pour autant, dans les deux cas, les jeux de pouvoirs nous semblent très présents. Nous ne nous interdirons pas pour cette raison, par la suite, de parler de pouvoir.

3. Le lecteur peut se référer pour plus de détail, à de Bandt & Gadrey (1994) notamment.

Mais plus important encore, il semble que ce ne soit pas les seuls savoirs marketing qui soient mobilisés, puisque le marketing des services entend être le lieu théorique de rencontre entre la GRH, le marketing, et autres savoirs de l'opérationnalisation[4]. On a donc plusieurs types de savoirs possibles, dont on peut penser qu'ils modifient par leur rencontre la compréhension de l'objet « client » (suivant que l'on a recours à une compréhension purement marketing ou que l'on considère ce dernier comme actif dans le processus de production) et les techniques utilisées pour en maîtriser le comportement (régulation par le marché ou par des scripts par exemple…).

On avance alors vers une interrogation foucaldienne, en terme de gouvernementalité (Hatchuel A. *et al.* (dir.), 2006). Il s'agit en effet de se donner à voir simultanément l'objet qui pose question (ici le client), les savoirs qui le conditionnent (savoirs scientifiques, contextes stratégiques…), et les techniques qui l'encadrent (par exemple la publicité) (Lenay, 2005). En adoptant ce cadre de la gouvernementalité, on peut poser la question des techniques qui permettent de s'assurer du comportement du client, de l'orienter dans la direction souhaitée, en fonction des objectifs stratégiques du système de production. Nous allons montrer maintenant que le cas de la gestion de la fraude à la RATP renvoie bien à ce type de questionnement.

1.2. La RATP face à un nouveau contexte stratégique, ou l'importance des clients rendue sensible

Au-delà d'une brève présentation des enjeux que représente le client pour la RATP, il s'agit ici d'expliquer comment ceux-ci sont devenus sensibles au cours des dernières années, prenant le pas sur d'autres enjeux à la faveur d'un contexte stratégique[5] changeant. Il nous semble que c'est là le meilleur moyen de mettre en lumière l'indissociabilité des enjeux clients, d'un contexte stratégique et d'une organisation[6].

La fraude comme enjeu financier quotidien

La RATP a mis en place, au cours des années 1970, un système de self-service qui abandonnait l'espace du réseau au voyageur (Dartevelle, 1992). Rentrant dans une logique de rationalisation et de transport de masse, elle supprimait les receveurs dans les bus et privilégiait l'écoulement rapide des flux. Couplé à un système de financement qui indexait le paiement du prestataire par les tutelles sur le nombre de voyageurs transportés, on comprend alors aisément la façon dont la question de la fraude se posait, ou plutôt ne se posait pas : un voyageur non payant augmentait les recettes de la RATP[7] !

Le contexte stratégique de la RATP a bien entendu évolué depuis. Ainsi, la montée de l'exigence commerciale est patente dans les discours managériaux. En effet, face à la probabilité croissante de la mise en concurrence des transports publics européens, la RATP est appelée à améliorer son efficacité et son attractivité, pour être en mesure de tenir tête aux autres transporteurs.

---

4. On peut se référer par exemple à l'appel à communication du « 9th Seminar on service management research », qui s'est tenu à Lalonde les Maures en juin 2006.

5. L'optique choisie ici quant à la description du contexte stratégique est weickienne : c'est celle du *sensemaking*. Nous n'entendons pas dire ce qu'est la stratégie de la RATP. Nous préférons au contraire aborder la stratégie telle qu'on la dit dans les discours managériaux et les discussions quotidiennes, soulignant le sens donné par les acteurs à l'environnement, sens tout à la fois construit et partagé.

6. On remarquera qu'une telle approche rejoint l'optique choisie précédemment quant au contexte stratégique : celle de la compréhension de l'organisation. Ici, à la suite des travaux de Frank Cochoy (2002), il s'agit de s'intéresser au client tel que l'organisation se le « figure » par rapport à l'état d'un marché.

7. Rappelons tout de même que la fraude a toujours été perçue comme un problème, mais que l'attention que lui accordaient les transporteurs s'est avérée variable suivant les contextes, de même que les dimensions du problème que ces derniers mettaient en valeur.

La modification des relations avec le mandataire est également décisive. Le nouveau contrat négocié avec l'autorité régulatrice compétente, le Syndicat des Transports d'Île-de-France, prévoit une modification du mode de rémunération de la RATP, avec intéressement aux résultats. On est dès lors bien loin de la rémunération au voyageur transporté, qui ne posait pas la fraude comme un enjeu commercial et financier ; et bien plus près encore d'un passage à une rémunération au nombre de voyageurs ayant validé[8].

La question de la validation se pose d'ailleurs avec d'autant plus d'acuité qu'un changement de support technique pour les titres de transport est en cours[9]. Ainsi, la généralisation sur le réseau d'un passe sans contact (télébilletique) oblige à envisager la réactualisation parmi les voyageurs du « rite de paiement », et notamment de son versant « validation systématique à l'entrée ».

De plus, l'attention qui est donnée à la pérennité financière de la RATP souligne en conséquence avec force la nécessité d'une politique commerciale efficace. La prégnance d'un discours marketing est à cet égard significative : la satisfaction tout autant que la fidélisation[10] des voyageurs apparaissent décisives.

Vers une « nouvelle relation de service » ?

Cette évolution du contexte stratégique contribue actuellement à donner une autre coloration à la relation de service. Le concept de relation de service avait servi, au début des années 1990, à mettre en exergue la nécessaire modernisation de la RATP, à l'instar des autres services publics. Il fallait alors rompre avec le modèle de la bureaucratie éloignée de ses « usagers », pour ouvrir l'ère des clients et de leur satisfaction… De ce point de vue, la relation de service servait de concept analytique fondateur pour une meilleure prise en compte du déroulement réel des interactions entre les usagers et les agents. Elle permettait de mettre le doigt sur un centre névralgique de la (bonne) production du service[11].

Avec l'évolution du contexte stratégique et l'apparition d'enjeux clients sensiblement différents[12], la relation de service, si elle reste un rouage essentiel d'une prestation de service de qualité, constitue avant tout l'occasion au cours de laquelle une véritable plus-value peut être apportée à un client, qui a le choix… Il faudrait alors « plus de relation de service », c'est-à-dire apporter plus de service et surtout plus de relationnel au moment de la rencontre entre voyageur et agent : de la présence, de la convivialité, des renseignements…

On voit bien à ce point comment, dans un contexte d'enracinement progressif des services liés à la prise en compte du client[13], le concept analytique de relation de service a été tout à la fois conservé (focaliser l'attention à l'interaction entre les agents et les usagers) et en même temps profondément remanié (la nécessité de « vitaminer » le service, à un moment où toute

---

8. Ce basculement semble certain pour tous, la seule incertitude porte sur la date de sa mise en œuvre effective. Le bulletin hebdomadaire interne à la RATP *Tour d'horizon* l'annonçait au 1er décembre 2005 pour l'année à venir.

9. Il s'agit, derrière le vocable « Navigo », d'harmoniser progressivement sur la région Ile-de-France les différents supports existants pour les titres de transport, pour la plupart magnétiques.

10. Ville & Transports, Opérateurs de transport public : la course à la fidélisation des clients (n° 3 89, 12/2005, pp. 24-27).

11. Il est intéressant de noter le décalage entre les analyses antérieures du marketing des services et cette prise de conscience peut-être tardive… Ceci s'explique probablement par des raisons spécifiques au secteur public, que nous ne pouvons détailler ici.

12. Alors qu'elle avait émergé pour mieux servir un usager (captif) vu comme faisant les frais d'une bureaucratie incapable de le prendre en compte, il semble que l'échiquier soit aujourd'hui inversé : il y a maintenant un client qui peut sanctionner l'organisation du fait de sa non-satisfaction (on pense en marché).

13. Les travaux d'Emmanuelle Lévy (Lévy, 1999) montrent bien le poids croissant de ces services, depuis les années 1980 notamment (même s'il est toujours délicat d'évaluer leur impact réel). On peut penser notamment à la mise en place d'une unité spécifiquement dédiée à la « relation de service » (et dont c'est le nom !) dans les années 1990.

la différence peut se faire). La nouvelle « coloration » de la relation de service, se traduit ainsi par l'impératif d'un « service attentionné ». On saisit en quoi les évolutions décrites rendent décisive la maîtrise des comportements de ces mêmes clients : les fidéliser, les faire valider, etc.

Une re-problématisation de la fraude

La problématique de la fraude, dès lors, non seulement se fait plus pressante, mais évolue. Ainsi, elle se posait déjà dans les années 1990, par exemple, mais principalement sous l'angle de l'insécurité. Avec les évolutions brièvement retracées ci-dessus, c'est autrement que l'organisation s'interroge quant à la fraude, quand bien même les taux de fraude, élevés sur le réseau de surface (entre 10 et 15 %), restent du même ordre. Comment réussir à impulser une maîtrise du comportement du client qui ne soit pas rétrospective, focalisée sur le réglementaire et la sanction, mais plutôt favorise un certain type de comportements, dans une logique de pérennité de la RATP, tout en assurant la satisfaction de tous les clients ?

On voit bien ici en quoi le cas de la gestion de la fraude à la RATP renvoie à une problématique de gouvernementalité[14], dans la mesure où il pose à la fois la question des techniques qui permettent d'influer sur un phénomène (ici la fraude) et celle de la compréhension/problématisation de ce phénomène.

Nous considérerons désormais comme fixée cette compréhension/problématisation pour nous intéresser aux techniques qu'a cherché à mettre en œuvre la RATP pour répondre à ses problèmes de fraude. Il s'agira de montrer comment l'organisation en question s'est proposée de réagir, puis,

dans un second temps, de souligner les difficultés pratiques soulevées par cette évolution de la gouvernementalité, qui a entraîné des transformations dans le travail même des agents.

2. Gouverner les clients : quelles techniques organisationnelles ?

2.1. Le cadre conceptuel des mécanismes de pouvoir

L'approche par les mécanismes de pouvoir

Ainsi que nous l'avons montré, la question de la maîtrise des comportements des clients par l'organisation se traite comme une problématique de gouvernementalité. Cette approche présente des avantages par rapport à d'autres approches des questions de pouvoir[15], si présentes dans notre cas, à considérer qu'on entende prendre un point de vue organisationnel. En effet, elle se distingue de travaux qui avaient été réalisés à un niveau microsociologique, cherchant à discerner le pouvoir dans les interactions de service (Jeantet, 2003 ou Warin 1993 notamment).

Au contraire, il s'agit de mettre en évidence l'action d'une organisation, ou au niveau d'une organisation, par rapport à un objet qui lui est partiellement extérieur[16]. Il s'agit alors de se

---

14. Foucault (2004) emploie le terme de « gouvernement » qui correspond à l'analyse des techniques qui suit. Il nous semble que les différences sont cependant négligeables entre ce terme et celui de « gouvernementalité », qui est le terme utilisé par Foucault dans ses travaux postérieurs (dans la continuité des précédents) et repris dans les travaux de gestion caractérisés par cette approche.

15. Nous prenons ce terme au sens large, celui qui renvoie à l'influence d'un acteur sur un autre (et qui n'est de ce fait pas sans lien avec d'autres termes comme régulation, domination, gouvernement…).

16. Nous ne cherchons pas à défendre ici une soi-disant extériorité de la fraude, phénomène qui est largement coproduit… Pour autant, on ne peut nier que le phénomène n'est pas strictement interne non plus, dans la mesure où la fraude concerne des voyageurs. On peut noter à ce propos que les travaux de Courpasson (2000) se distinguent de ceux de Foucault, bien qu'ils en soient assez proches, sur ce point précisément : Courpasson cherche en effet à comprendre comment une organisation maîtrise le comportement de *ses* salariés, et non de *ses* clients. Or il n'y a aucune raison de considérer a priori que ces deux relations (respectivement de salariat et de commerce) sont comparables.

doter d'outils conceptuels aptes à rendre compte de ce que nous avons observé sur le terrain dans cette perspective. Le concept de gouvernementalité n'est peut-être pas suffisant de ce point de vue ; ou plutôt, s'il désigne bien une classe de pratiques générale, ou un type de rapport d'une organisation à un objet (ici la fraude), il semble qu'il faille chercher ailleurs chez Foucault les outils pour mettre en évidence concrètement les pratiques précises auxquels cette gouvernementalité renvoie.

En effet, Foucault, au travers de son concept de « mécanisme de pouvoir » (Foucault, 2004), permet une attention soutenue au « par où ça passe » et au « comment ça se passe ». Les mécanismes de pouvoir permettent de se concentrer sur des techniques de gouvernement, fondatrices d'une nouvelle gouvernementalité (sur lequel nous souhaitons insister désormais). Nous entendons donc insister sur certains aspects de la gouvernementalité émergente identifiée dans le cas de la gestion à la RATP[17].

Caractérisation de l'approche par les « mécanismes de pouvoir »

De façon inductive, Foucault identifie trois mécanismes de pouvoir, dont nous rapportons les définitions et soulignons les traits principaux ci-dessous :

- **le mécanisme juridico-légal :** « La première forme (…), c'est le système du code légal avec partage binaire entre le permis et le défendu et un couplage en quoi consiste précisément le code, le couplage entre un type d'action interdit et un type de punition. Donc, c'est le mécanisme légal ou juridique. »

- **le mécanisme disciplinaire :** « Le deuxième mécanisme, (…) c'est le mécanisme disciplinaire qui va se caractériser par le fait que, à l'intérieur du système binaire du code, apparaît un troisième personnage qui est le coupable et en même temps, en dehors, outre l'acte législatif qui pose la loi, l'acte judiciaire qui punit le coupable, toute une série de techniques adjacentes, policières, médicales, psychologiques, qui relèvent de la surveillance, du diagnostic, de la transformation éventuelle des individus. »

- **le mécanisme de sécurité :** « La troisième forme, (…) [c'est le] dispositif de sécurité qui va (…) insérer le phénomène en question (…) à l'intérieur d'une série d'événements probables. Deuxièmement, on va insérer les réactions du pouvoir à l'égard de ce phénomène dans un calcul, qui est un calcul de coût. Et enfin, troisièmement, au lieu d'instaurer un partage binaire entre le permis et le défendu, on va fixer d'une part une moyenne considérée comme optimale et puis fixer des limites de l'acceptable, au-delà desquelles il ne faudra plus que ça se passe. »

Ces trois mécanismes sont selon lui des idéaux-types que l'on ne doit pas analyser séparément, dans la mesure où ils ne se succéderaient pas les uns aux autres. Au contraire, Foucault considère que chaque mécanisme de pouvoir est fortement corrélé aux autres, et que chacun contribue de façon spécifique à donner forme à une technique[18].

---

17. Il serait bien trop long de discuter du rapport de succession ou de simultanéité qui unit les différents aspects d'une gouvernementalité (Foucault mettait en évidence plutôt des simultanéités). Sans nous positionner par rapport à ce débat, nous renvoyons simplement à la façon dont les acteurs rendent compte de leur action. En l'occurrence, ils disent déduire les techniques et dispositifs mis en place de leur réflexion ou d'une évolution de la stratégie. Ce qui est bien entendu discutable…

18. « Donc vous n'avez pas du tout une série dans laquelle les éléments vont se succéder les uns aux autres, ceux qui apparaissent faisant disparaître les précédents. Il n'y a pas l'âge du légal, l'âge du disciplinaire, l'âge de la sécurité. Vous n'avez pas des mécanismes de sécurité qui prennent la place des mécanismes disciplinaires, lesquels auraient pris la place des mécanismes juridico-légaux. En fait, vous avez une série d'édifices complexes dans lesquels ce qui va changer, bien sûr, ce sont les techniques elles-mêmes qui vont se perfectionner ou en tout cas se compliquer mais surtout ce qui va changer, c'est la dominante ou plus exactement le système de corrélation entre les mécanismes juridico-légaux, les mécanismes disciplinaires et les mécanismes de sécurité. Autrement dit, vous allez avoir une histoire qui va être une histoire des techniques proprement dites. » (*ibid.*)

Nous allons reprendre ce principe pour fonder un repère à trois axes, correspondant aux trois mécanismes de pouvoir mis en évidence par Foucault. Il nous semble au-delà de la portée de cette communication de discuter de l'optimalité d'un tel repère. Foucault raisonne en effet de façon très inductive, découvrant les mécanismes de pouvoir au fil de ses recherches et de ses besoins. Comment pouvons-nous alors savoir si ces mécanismes de pouvoir sont suffisamment nombreux pour exprimer la totalité des possibilités ?

Notre parti sera donc de nous contenter de ces trois axes, qui nous suffisent pour discriminer les pratiques observées. Nous chercherons à les caractériser à travers les traits spécifiques de chaque mécanisme de pouvoir, et à les positionner ainsi les unes vis-à-vis des autres. Un tableau fait la synthèse de ce travail (la partie grise présente les axes, et la façon dont leurs traits peuvent se combiner pour identifier une technique).

Il s'agit ici désormais de faire le lien entre les pratiques et les techniques qui leur correspondent. Nous allons donc décrire le travail des agents du SDL dans une optique de comparaison avec celui des contrôleurs « classiques » de CSB (nous les appellerons les contrôleurs), d'une part, et d'autre part de « projection » sur les axes du repère choisi (mécanismes juridico-légal, disciplinaire et de sécurité). Les résultats sont synthétisés dans le tableau à la fin de la section.

Personnage et série d'événements probables

Les contrôleurs sont chargés de la « lutte contre la fraude », et *donc* des fraudeurs. Ce qui semble une évidence pour une majorité repose en fait sur une hypothèse forte, fondatrice des démarches plus répressives[19]. Celle selon laquelle il conviendrait de sanctionner les personnes ayant fraudé, sous peine de faire croire à tous à une impunité. Ce double objectif de dissuasion et de

répression passe par une focalisation sur les fraudeurs, et une attention moindre pour les autres voyageurs – ceux qui sont en règle. Pour ancrer la « peur du gendarme », il est indispensable de sanctionner les fraudeurs.

L'émergence d'un nouveau mécanisme de pouvoir à la RATP

Pour identifier la technique de gouvernement répondant à l'évolution du contexte stratégique de la RATP, nous entendons nous appuyer sur nos observations du travail des agents de contrôle, traditionnellement concernés par la question de la fraude. La méthodologie d'observation est ethnographique, elle fonctionne par la multiplication des opportunités d'observation (formation, travail de contrôle, temps de pause…) et d'échanges (qui témoignent de la réflexivité des acteurs sur leurs pratiques).

En l'occurrence, pour la section à venir, nous nous concentrerons sur les pratiques d'un petit groupe, le Service De Ligne (SDL), issu d'une expérimentation menée sur une ligne de bus. La réussite de cette expérimentation dans un contexte favorable et à petite échelle, a permis de saisir les caractéristiques de cette nouvelle technique de gouvernement. Reprenant un travail de mise en forme déjà effectué (Suquet, 2006), nous montrerons en quoi ces pratiques des agents du SDL se distinguent de celles des agents de CSB, caractéristiques du contrôle « traditionnel ».

Cette façon de procéder et d'isoler, un peu artificiellement, cette technique de gouvernement se justifie. En effet, cette technique étant émergente, il est important de pouvoir délimiter un contexte de management dans lequel elle s'exprime, quitte à la présenter comme un idéal-type. Il s'agira ensuite, et à ce titre cette présentation de la technique n'est qu'introductive, de quitter ce microcosme et de prendre en compte les difficultés pour la direction de la RATP à mettre en œuvre cette technique à plus grande échelle.

En ayant recours à la même méthodologie d'observation, nous choisirons alors un cadre différent d'observation, et envisagerons la mise en œuvre de la Bus Attitude, le projet de service qui entendait s'appuyer sur les enseignements de ces expérimentations préalables. Nous pourrons alors plonger plus avant dans les problématiques « humaines » de la gouvernementalité.

---

19. Nous n'avons aucune intention de discuter de la vérité d'une telle hypothèse ; nous constatons simplement l'importance qui est la sienne dans les discours des tenants de la répression. Sans elle, une partie de l'édifice s'écroulerait probablement…

Les agents du SDL témoignent d'une autre anticipation des comportements. Prenant acte de la mauvaise image du contrôle traditionnel auprès des voyageurs, dont témoignent la plupart des enquêtes de satisfaction, ainsi que d'une certaine interprétation des chiffres de la fraude (la fraude, qui s'élève à environ 15 %, se répartit entre 5 % de fraudeurs « durs », 10 % de fraudeurs « mous » ou « opportunistes » ; ce qui donne 85 % de voyageurs payants), ils considèrent qu'il faut opérer un triple renversement, dont leur travail est la concrétisation.

Non plus se focaliser sur le fraudeur, mais plutôt sur le voyageur (en le traitant comme un client, sinon actuel du moins potentiel). Ne pas mettre au premier plan l'efficacité du contrôle, mais prendre en compte avant tout l'ambiance à bord du bus (pour éviter un effet « chape de plomb » propre selon eux aux contrôleurs). Enfin, prêter attention non pas à la récidive éventuelle des comportements de fraude, mais plutôt à celle des comportements conformes, qu'il s'agit de conforter et de légitimer, sous peine d'un découragement de la part des voyageurs en règle.

Code de référence

L'élargissement de la cible s'accompagne d'un élargissement des comportements visés, d'une part, et d'autre part de la substitution de la « réparation » à la sanction. On a vu que les contrôleurs s'intéressaient principalement aux fraudeurs, c'est-à-dire aux infractions tarifaires : le voyageur contrôlé a-t-il un titre en règle, possède-t-il les justificatifs nécessaires, etc. ? Les agents du SDL, semble-t-il, en se souciant avant tout des voyageurs, prennent en compte une gamme de comportements plus large. Bien sûr, la question du paiement est importante, et on peut même dire que le SDL anticipe en s'intéressant également à la validation, à la diffusion et à la légitimation de laquelle les agents consacrent une bonne partie de leur temps de travail. Mais ils essaient d'agir également sur le respect des voyageurs pour le machiniste, ou encore sur leur comportement de paiement – promotion fréquente des abonnements[20]…

Les agents du SDL se démarquent également des contrôleurs par leur réaction aux écarts de comportement constatés. Lorsque ces derniers ont essentiellement recours à la sanction pour punir les infractions, l'observateur ne peut qu'être surpris par la « douceur » des réactions du SDL. Ses agents opèrent plus par réparation, ne verbalisant que dans les cas extrêmes[21]. La métaphore de la réparation, qui relève de notre propre usage, sert ici à suggérer la proximité de la relation de service : face à un écart de conduite, l'agent cherche dans un premier temps soit les raisons de cet écart (titre inadapté notamment), soit la démonstration publique d'un accord après-coup aux règles d'usage du transport en commun (« allez acheter un ticket auprès du machiniste »).

Techniques adjacentes

Les agents du SDL travaillent en petites équipes : pas plus de quatre équipiers. Les contrôleurs ne viennent eux pas sur les lignes 183 ou TVM à moins d'une dizaine. Pour les agents du SDL, il leur est possible d'aller sur toute la ligne, du fait de leur présence continue, alors que les contrôleurs ne seraient pas les bienvenus sur toute une partie (les « cités »). Cette présence a pour effet de leur permettre de connaître les « habitués » et inversement d'habituer les voyageurs.

Les méthodes de contrôle employées sont également importantes, en ce qu'elles génèrent une ambiance très différente dans le bus. Les contrôleurs se caractérisent principalement par la « chute », à savoir le filtrage des voyageurs descendants du bus, à chaque porte. Au contraire, les méthodes auxquelles ont recours les équipes du SDL sont principalement : contrôle itinérant (le bus roulant, les agents passent voir les voyageurs, de préférence

---

20. Intégrale et Imagine'R sont pour la RATP les titres de transport les plus commodes pour les voyageurs et, dans le même temps, les plus sécurisants en termes financiers…

21. Ainsi d'un voyageur qui se retrouvait sans ticket pour la septième fois, aux dires des agents : celui-ci ne pouvait pas y échapper (« il ne faut pas se foutre de nous »). Le plus souvent toutefois, les contrôleurs cherchent un arrangement avec la personne.

de l'avant vers l'arrière, laissant un certain temps à ceux de l'arrière pour descendre ou régulariser leur situation[22]) ; ou contrôle à la montée (dans ce cas, les agents se tiennent à côté d'une porte, à l'intérieur du bus, et accueillent chaque voyageur qui pénètre dans le bus).

Ces méthodes sont génératrices d'un certain type de relations, définissant un espace des possibles pour les interactions entre voyageurs et agents. Ceux du SDL profitent du temps qu'ils peuvent prendre pour rentrer le plus souvent possible en relation avec les voyageurs. Jouant de l'humour et d'une certaine bonhomie, ou témoignant d'une grande sollicitude, ils cherchent en permanence l'incitation au meilleur comportement et l'argumentation commerciale. Ils ne refusent pas non plus l'occasion d'échanger quelques propos sans conséquence, si ce n'est une image de l'institution et une ambiance améliorées.

_____
22. Les contrôleurs (en général) considèrent que l'arrière d'un bus est toujours plus dangereux que l'avant d'un bus. Ils sont de ce fait plus méfiants vis-à-vis de cette zone, qui amènerait plus de problèmes…

Fort contraste donc avec les pratiques des contrôleurs, dont le métier demande une aussi grande habileté relationnelle, mais utilisée dans le cadre d'une verbalisation : il s'agit alors, au cours d'une interaction conflictuelle, d'amener le plus paisiblement possible (tout en conservant une optique de fiabilité des renseignements collectés) la personne à la verbalisation. Autant dire que bonhomie et propos anodins ne sont dans ce cadre pas monnaie courante…

Calcul de coût, définition d'une moyenne cible et d'un cadre acceptable

Le coût du contrôle classique est élevé, si l'on prend en considération la taille des équipes, le taux d'agressions (interactions conflictuelles) et le nombre de voyageurs sur lesquels une action est exercée. La fraude est cependant considérée comme non acceptable, d'autant plus sur une ligne à fort trafic. Le taux de fraude est l'indicateur essentiel de pilotage de l'action (le taux de recouvrement, calculé de façon globale au niveau de CSB, est bien moins pris en compte).

Tableau 1 : Synthèse des techniques de gouvernement de la RATP

Mécanisme de pouvoir	Juridico-légal	Disciplinaire	De Sécurité
Technique	Code de référence (couplage acte interdit /punition)	1/ le personnage (intérieur au code) 2/ techniques adjacentes de surveillance/transformation (extérieur au code)	1/ insertion dans une série d'événements probables 2/ calcul de coût 3/ définition pour le phénomène d'une moyenne et de limites acceptables
Technique « répressive »	Couplage entre l'infraction tarifaire et l'amende	1/ le fraudeur (isolé des voyageurs _via_ le contrôle) 2/ équipes nombreuses, privilégiant la « chute », verbalisation	1/ « peur du gendarme » 2/ et 3/ taux de fraude (et taux de recouvrement)
Technique « attentionnée »	Couplage entre des écarts d'usage et des réparations	1/ le client 2/ petites équipes associées à une ligne, contrôle en itinérant ou à la montée, incitation à valider et argumentation commerciale	1/ réversibilité des comportements de paiement, mimétisme/légitimation 2/ taux d'abonnement et de validation

En comparaison, le SDL permet de démultiplier la présence et la visibilité sur le réseau, en raison de la faible taille des équipes. Son action est orientée vers un taux d'abonnement et un taux de validation. Les agents notent également le nombre de tickets achetés. Il est difficile toutefois de conclure plus avant, puisque c'est précisément sur ces aspects que le débat fait rage entre tenants de la répression et ceux du service attentionné. Les calculs de coût sont à mettre en relation avec des estimations de recettes, ou du moins de résultats, qui demeurent controversés[23].

Néanmoins, l'axe « mécanisme de sécurité » renvoyant semble-t-il largement à des questions de pilotage économique, il n'est pas étonnant que la comparaison soit difficile, puisqu'en l'occurrence le SDL correspond à une technique « émergente », une expérimentation pérennisée mais pas encore ancrée. Il nous semble que ce que nous avons présenté permet malgré tout de positionner les pratiques du SDL comme distinctes de celles du CSB, et témoignant en cela d'une technique « attentionnée » qui émergerait en s'appuyant sur le discours client-centriste.

On voit bien à ce point l'émergence d'une technique de gouvernement répondant à l'évolution du contexte stratégique de la RATP quant à la fraude. Renouvelant les catégories, déplaçant les repères, cette technique prend place dans le complexe de gouvernementalité de la RATP. Pour autant, à ce niveau, c'est avant tout un idéal-type qui a été présenté, laissant de côté ce qui est saisi au moment de l'observation du travail des agents : leur « vécu »[24].

Bien entendu, cette dimension de l'analyse ouvre la porte à tout un ensemble de problématiques de la GRH, que nous n'entendons pas

traiter ici. Toujours à partir du cas, nous allons développer dans la section suivante un aspect de ce vécu, qui s'est avéré problématique dans l'implémentation de cette technique sur le réseau : celui des dynamiques professionnelles.

3. Mettre en place une gouvernementalité : les dynamiques professionnelles

Au cours de cette section, nous allons pointer du doigt, dans un premier temps, les difficultés qui se sont posées pour la mise en œuvre de cette technique de maîtrise des comportements des clients, et que la précédente section ne laissait pas apparaître. En exposant les principaux aspects de ces difficultés, nous montrerons en quoi le gouvernement des clients implique - en creux – un gouvernement des agents. Nous insisterons notamment sur la nécessité qui est apparue, grâce au cadre conceptuel d'Abbott, de gérer les dynamiques professionnelles à l'œuvre. Ce cadre conceptuel nous a semblé répondre aux interrogations du terrain, tout en assurant une compatibilité avec l'approche par la gouvernementalité.

3.1. Les difficultés de la mise en œuvre de la BA

La BA est un projet du département BUS de la RATP. Il ambitionnait de restaurer une « véritable relation de service » dans les bus parisiens. Le projet dénote clairement une évolution stratégique forte de la RATP : la probable mise en concurrence et l'évolution des règles du financement par les tutelles, ont conduit la direction à promouvoir ce nouvel « état d'esprit », dont l'institution espérait tout à la fois, de la part des voyageurs, un meilleur respect des règles de civilité et une plus grande satisfaction quant au service rendu. Il faut noter que l'on retrouve la même problématisation des comportements des voyageurs que pour le SDL. Le projet BA est d'ailleurs souvent considéré comme étant la suite assez logique du SDL et du NST (Nouveau Service Tram, autre expérimentation menée à partir de la fin des années 1990).

---

23. Le choix des statistiques pertinentes pour décrire l'activité des équipes est significatif : CSB n'a pas recours à l'indicateur « nombre de tickets achetés » pour décrire l'activité des agents SDL, ce qui nous semble symptomatique…

24. Ce mot, utilisé ici dans son sens le plus simple, a vocation à ouvrir l'analyse à tout un ensemble de problématiques des ressources humaines : motivation, implication, sens du travail…

La mise en œuvre de ce projet au service de contrôle du département (CSB) a suscité quelques difficultés. Les contrôleurs, qui étaient concernés par ce projet en tant qu'agents de contact[25], n'ont dans l'ensemble pas adhéré à cette nouvelle activité : la « BA ». Ainsi, l'évolution stratégique se traduisait sur le « terrain » par une « résistance » des agents, que l'encadrement interprétait comme le résultat d'une culture spécifique aux contrôleurs : celle de la répression, qui ne serait pas compatible avec celle du « service attentionné ».

Le blocage relatif de la situation – en tout cas, le manque d'adhésion des agents aux injonctions de l'encadrement, a sensibilisé l'encadrement de CSB à l'intérêt d'une recherche sur l'évolution du travail des contrôleurs, qui a permis de comprendre progressivement le sens que prenait pour eux le nouveau travail qui leur était demandé. Le suivi régulier des agents sur le terrain (au cours de leurs missions BA) a permis de mettre en évidence leur difficulté à saisir celle-ci. La BA n'offrait pas de prise aux agents, qui avaient l'impression de ne « rien faire ».

Cette rupture dans la relation de travail (Honoré, 2002) et cette absence consécutive de sens pour les agents nous ont paru spécifiques quant à trois aspects principaux. D'une part, il s'agissait d'une rupture non de l'identité du travailleur, et donc pas au sens des identités professionnelles telles que traditionnellement appréhendée par la tradition française (Dubar, 2003) : au contraire, les agents ne parlaient pas d'eux, mais de l'ineptie de leur activité. Ceci incite à interpréter ce vide de sens en analysant leur activité, et ce par une approche cognitive (et non fonctionnelle) (Lorino & Peyrolle, 1999).

D'autre part, l'insistance sur le regard des autres (encadrement comme clients) bien plus que sur celui des pairs, de même que le positionnement systématique de la Bus Attitude par rapport à l'autre technique de maîtrise des comportements (le contrôle traditionnel) notamment, incitent à privilégier une approche systémique de la question de la maîtrise des comportements des clients, et non centrée sur un seul groupe qu'il s'agirait de professionnaliser progressivement sans tenir compte de son environnement (Bureau & Suquet, 2006).

Le cadre que nous proposons d'utiliser pour interpréter le cas, celui du système des professions, nous paraît remplir ces conditions, et permettre une formalisation de la compréhension de la Bus Attitude au plus près du terrain. Nous considérons de plus qu'il ne déroge pas au principe de la gouvernementalité de prise en compte simultanée d'un objet, des savoirs, et des techniques. Nous allons maintenant en présenter les principaux traits, puis l'appliquer au cas de la Bus Attitude.

3.2. Un cadre conceptuel : le système des professions[26]

The system of professions est un livre d'A. Abbott, sociologue des professions qui a cherché à rendre compte de la professionnalisation d'une façon moins téléologique que ses prédécesseurs (Abbott, 1988). Il a été élaboré dans une perspective pragmatique et rétrospective[27], mais il ouvre également des perspectives d'action pour les managers qui pourraient s'interroger sur la façon de concevoir et d'orienter un changement. Tolbert (1990) souligne la facilité de transposition de ce cadre conceptuel à un contexte institutionnel qui ne soit pas celui des professions, au sens clas-

---

25. Le projet s'adressait théoriquement en finalité aux machinistes-receveurs, puisqu'il s'agissait de les aider à « reprendre la main » à bord des bus, eux qui s'étaient focalisés sur la conduite pour tout un ensemble de raisons. Le projet prévoyait une « montée en puissance » graduelle du machiniste, et c'est la raison de la constitution des « équipes en ligne », rassemblant contrôleurs et machinistes-receveurs mis à disposition. Leur travail s'est cependant prolongé, dans la mesure où la reprise en main des machinistes n'a pas répondu aux espoirs de l'encadrement, sur la période d'observation en tout cas.

26. Un schéma en annexe donne une représentation simplifiée du modèle du système des professions.

27. Les études d'Abbott sont fondées sur des cas historiques, et cherchent à comprendre pourquoi tel groupe plutôt que tel autre a réussi à se ménager un monopole pour résoudre tel type de problème (pour prendre un exemple parlant, tous les types de médecine ne sont pas remboursés par la Sécurité Sociale…).

sique du terme, et encourage justement à son utilisation dans un contexte organisationnel[28].

Partir d'un problème : une approche systémique

Selon Abbott, identifier un groupe professionnel, c'est pointer du doigt un problème et la solution qu'il y apporte, dans la mesure où sa raison d'être réside dans le traitement d'un problème. Il propose de distinguer entre les aspects objectifs et subjectifs d'un problème. L'aspect objectif (par exemple une addiction à l'alcool), que l'on peut constater physiquement et qui paraît indiscutable, est ce autour de quoi il y a consensus.

Les aspects subjectifs, eux, relèvent de l'interprétation d'un groupe particulier (par exemple, l'addiction à l'alcool peut être ramenée à des questions religieuses, morales, ou encore physiologiques…). Il ne faut pas comprendre par « subjectif » que l'interprétation du problème par le groupe professionnel est arbitraire, mais simplement qu'elle peut être concurrencée par d'autres interprétations du même problème.

Tout le travail d'un groupe professionnel est précisément de donner une forte légitimité à son interprétation, que les autres ne puissent plus la concurrencer, et que son statut subjectif devienne insensible (on peut prendre l'exemple de la lutte entre les différents types de médecine : la médecine actuelle des hôpitaux a acquis un rôle fortement dominant).

À partir des aspects subjectifs d'un problème, et en fonction d'eux, on peut se donner à voir un système de groupes professionnels, tous liés au problème objectif, et tous prétendant apporter une réponse à ce problème, via une compréhension subjective spécifique. C'est l'évolution de ce système qu'il faut privilégier et non se focaliser sur un groupe en particulier.

Stabiliser des réponses : les chaînes de diagnostic/inférence/traitement

Un groupe professionnel est donc lié à un aspect subjectif d'un problème. La réponse qu'il peut apporter (dans son efficacité et sa spécificité) provient d'un ensemble de séquences de raisonnement à trois temps (des chaînes diagnostic/inférence/traitement).

Le diagnostic consiste à examiner le cas, en tirer des informations, puis les combiner ensemble de façon à ramener le cas présent à un cas connu. Dans les cas les plus simples, le traitement à administrer (prescription) est directement relié au diagnostic formulé. Le traitement correspond, de même que le diagnostic, à tout un système classificatoire propre au groupe professionnel, et qui constitue en partie son expertise par rapport au problème.

Il arrive cependant que les cas plus complexes nécessitent une opération d'inférence[29]. C'est dans l'équilibre entre la routinisation d'un certain nombre de cas (sans inférence) et le recours à l'inférence dans d'autres cas, qui assure la légitimité d'un groupe professionnel[30]. On peut dire ainsi qu'un groupe professionnel doit être capable selon Abbott, de routiniser sa pratique tout en conservant une capacité d'innovation, s'il souhaite conserver une place privilégiée vis-à-vis des autres groupes professionnels.

---

28. « *Thus, the book should be, and is likely to become, required reading for anyone interested in understanding the relationship between occupations and organizations* » (*ibid.*).

29. Cela signifie que le professionnel va devoir passer par une étape supplémentaire, qui consiste à assurer le passage d'un diagnostic à un traitement. Ceci peut se faire soit par exclusion progressive des solutions les moins pertinentes, soit par construction (le raisonnement se fait alors en anticipant les réactions, comme aux échecs).

30. En effet, Abbott souligne qu'une profession ne procédant que par inférence (« tous les cas sont différents ») ne serait pas crédible, et qu'inversement, la réduction de tous les raisonnements à des chaînes diagnostic – traitement (« tous les cas sont connus ») ne permettrait plus à un groupe professionnel d'occuper une place privilégiée par rapport au traitement du problème (ou en tout cas l'exposerait bien plus à la concurrence).

Vers un monopole ? Juridiction, formalisation de la connaissance et rôle des auditoires

Un groupe professionnel vise le monopole. Il s'agit pour lui, à la limite, d'être le seul groupe professionnel pouvant répondre à un problème donné. C'est ce qu'Abbott appelle détenir une juridiction sur un problème[31]. Un des moyens couramment utilisés par les groupes professionnels pour stabiliser une juridiction, est de formaliser officiellement leur expertise (la chaîne diagnostic - inférence - traitement), si possible à un niveau académique.

Mais beaucoup de groupes ne peuvent prétendre à une telle manifestation de leur professionnalisme, et leur expertise reste largement informelle. La reconnaissance professionnelle d'un groupe ne dépend pas que du niveau de formalisation de son expertise, même si cela s'avère souvent être un avantage décisif.

Un autre processus intervient dans la professionnalisation, qui est bien sûr lié à la formalisation de l'expertise d'un groupe, mais ne peut toutefois y être réduit. Il s'agit du jeu des auditoires. Un auditoire est un groupe public extérieur au système formé par les groupes professionnels, mais qui est intéressé par la solution apportée au problème. Les auditoires sont souvent déterminants dans l'attribution des juridictions : les groupes en concurrence ont besoin d'un principe extérieur de légitimation pour trouver un « vainqueur »[32]. Le plus souvent, l'État notamment joue un rôle de premier plan.

3.3. Les dynamiques professionnelles autour de l'implantation d'une technique de gouvernement

Un problème ambigu

La BA, de par son ambition, a endossé de nombreux objectifs, parmi lesquels on liste :

- la convivialité et la tranquillité (objectifs d'ambiance et de qualité) ;

- la relation de service et le service attentionné (objectif de qualité de service)

- la hausse des recettes et la baisse de la fraude (objectifs économiques et commerciaux) ;

- la civilité et le respect des règles d'usage (objectifs de régulation des comportements).

La diversité des registres met en évidence la difficulté à situer le projet, à l'interpréter. Il paraît inévitable que les interprétations du projet aient alors été diverses et parfois contradictoires, sans évoquer leur évolution dans le temps, ou l'opportunité d'insister parfois sur tel aspect plutôt que sur tel aspect[33]. Il semble dès lors difficile de faire ressortir de façon claire et consensuelle le problème auquel la BA était censée apporter une réponse.

Les agents de CSB, quant à eux, considéraient apporter une réponse à la question de la fraude. Traditionnellement, leur objectif était en effet de contrôler les voyageurs, et de verbaliser les personnes en infraction. Cette communication n'est pas le lieu pour détailler l'histoire de l'évolution du travail des contrôleurs, mais il est en tout cas net que CSB était principalement chargé, de

---

31. Comprendre par là : l'existence d'un lien solidement établi et reconnu entre un groupe professionnel et le traitement d'un problème, dans l'un au moins de ses versants subjectifs.

32. On peut trouver une analogie facile si l'on évoque le jeu de la concurrence entre producteurs sur un même marché, qui trouve sa fin dans la satisfaction ou non du consommateur (et les parts de marché qui en résultent).

33. Un responsable de CSB a reconnu avoir plus ou moins mis de côté l'aspect « respect des règles d'usage », dans la mesure où il aurait impliqué des conflits syndicaux relatifs à la taille des équipes sur le terrain (les équipes de contrôle de CSB ont une taille minimum de 5 agents, ce seuil évoluant en fonction des lignes).

façon traditionnelle, d'une approche « répressive » de la fraude, qui correspondait à une compréhension subjective spécifique[34].

Nous avons pu observer dès lors une singulière difficulté des agents à comprendre ce que c'est que « faire de la BA », c'est-à-dire en quoi la BA consistait en tant qu'activité. En effet, ils avaient tendance à interpréter la BA en cherchant à la positionner dans le système des professions lié à la fraude. Mais la BA n'étant pas formulée directement et uniquement comme un projet de lutte anti-fraude, la positionner au sein de ce système posait problème.

Cette absence de prise en compte par l'encadrement, dans le déploiement de la BA, de la spécificité des agents du CSB s'est donc avérée problématique, puisqu'il en est ressorti une absence de positionnement de la BA, en tout cas dans le système pertinent pour les agents de CSB. Dès lors, la compréhension de l'action impulsée par la BA n'était pas facile, et bon nombre d'agents en ont conclu au vide de la BA, qui en tant qu'activité, n'était pas présentée comme apportant une réponse à un problème particulier.

Des réponses non convaincantes

Cette difficulté à saisir la BA pour les agents de CSB ne s'est pas limitée à un positionnement ambigu de l'activité par rapport à un problème. Un premier questionnement a concerné les règles de la BA, en tant qu'elles témoignent du « traitement » apporté au problème. Ces règles de fonctionnement n'ont pas manqué d'être remises en cause, par le problème de la fraude lui-même, notamment autour de la question de la verbalisation. En effet, la question de la possibilité de verbaliser a longtemps fait débat au sein des équipes, les agents de CSB s'interrogeant sur la

possibilité de verbaliser en BA. C'est-à-dire qu'ils s'interrogeaient à la fois sur l'autorisation qu'en donnait l'encadrement, et sur les moyens effectifs de procéder à la celle-ci.

On voit bien comment se jouait derrière ce conflit et ces hésitations, la confrontation de différentes façons de verbaliser, l'une correspondant à la façon traditionnelle de contrôler, partagée par un collectif majoritaire et ancrée dans les schémas mentaux. Le sens de l'injonction à verbaliser en BA se jouait par rapport à cette ancienne façon de contrôler, qui avait fait la preuve d'une certaine efficacité et d'une certaine pertinence.

La BA ne s'est pas révélée plus convaincante pour les agents, par rapport aux autres problèmes concernés par ce projet. Les objectifs d'ambiance notamment se traduisaient dans les faits par une forte communication autour de situations standards, comme celle de la « grand-mère », à propos de laquelle il était demandé aux agents de contribuer au service attentionné en l'aidant à monter son sac. Ainsi que l'ont exprimé les agents en formation, ce type d'exemple n'était pas convaincant, dans la mesure où, s'il remplit parfaitement un espace conceptuel, et définit génériquement le « service attentionné », il est plus difficile de prétendre qu'il se rencontre suffisamment fréquemment sur le terrain pour occuper un service entier…

Légitimer une activité

Ainsi, les agents ne voyaient pas bien comment les réponses proposées par la BA étaient pertinentes et crédibles. Ils n'ont d'autre part pas eu l'impression que les autres collectifs considéraient comme légitime leur activité. D'une part, l'encadrement a relativement peu communiqué sur les résultats chiffrés de l'activité des agents, alors même que cela aurait pu donner à cette activité une visibilité, et donc un début d'existence. D'autre part, les voyageurs, qui exprimaient dans les enquêtes une satisfaction globale vis-à-vis de la BA, ne témoignaient pas aux agents spontanément leur gratitude.

---

34. Le lecteur peut d'ailleurs noter que cette compréhension de la fraude comme un problème de respect de l'ordre n'est pas celle qui caractérise les expérimentations que nous avons évoquées ci-dessus : Nouveau Service Tram et Service De Ligne. Ces dernières restent cependant très minoritaires à l'échelle du réseau Bus.

Dans le cadre de leur activité, ainsi, les agents se sentaient parfois plutôt inutiles, n'acceptant pas de rester « sans rien faire » sous le regard des voyageurs.

Enfin, les autres collectifs de travail sont restés très prégnants, et n'ont pas été déstabilisés par l'arrivée de la BA. Pour la majorité des contrôleurs, par exemple, le choix était rapide, entre le contrôle traditionnel et la BA, comme en témoignent sans ambiguïté les chiffres de l'absentéisme en BA… On a pu constater finalement que ce projet devait être interprété non comme la déclinaison de principes stratégiques déjà porteurs d'un sens, mais plutôt comme la mise en place d'une activité concurrente des autres, et qui ne prenait son sens local que par rapport aux autres activités déjà en place, et liées au même problème.

On voit bien à l'issue de ce rapide tableau des difficultés rencontrées par la mise en œuvre de la Bus Attitude, combien ce qui pourrait ne paraître qu'un simple décalque d'un projet de gouvernementalité (autour du pivot que constitue la « relation de service ») s'est avéré bien plus compliqué, et notamment exigeant une réflexion en GRH. Le modèle du système des professions a permis d'interroger la gouvernementalité dans ses aspects pratiques, en analysant à la fois les savoirs (les chaînes de raisonnement, les enquêtes de satisfaction…), les techniques pour agir sur l'objet (chaque groupe dans le système était identifié par une technique) et l'objet (dans ses aspects objectifs et subjectifs) qu'elle mettait en jeu.

La question du sens de l'activité s'est posée dans le cadre de la mise en œuvre de cette nouvelle gouvernementalité, et il est apparu grâce au modèle du système des professions que sa difficulté ne renvoyait pas simplement à l'éternel fossé entre le « terrain » et les « bureaux », que des « régulations autonomes » se chargent de résoudre pour le meilleur ou pour le pire (Alis, 1999).

Sans chercher à nier la prégnance indiscutable de l'autonomie des salariés dans les organisations de service (Lallé, 1999), il nous semble cependant que l'analyse par les dynamiques professionnelles ainsi appréhendées appelle à une prise en compte spécifique des activités correspondant à la gouvernementalité, via la formalisation de la constitution de leur sens, par rapport à d'autres activités, et par rapport à leurs destinataires également.

Conclusion

En conclusion, nous souhaitons avant tout nous prémunir d'extrapoler à partir d'une étude de cas qui présente de nombreuses spécificités (on est notamment en présence de techniques de contrôle nécessitant du personnel de contact, à la différence des portillons de contrôle dans le métro, par exemple). Au contraire, il s'agit d'ouvrir quelques pistes de réflexions, et ce à la fois quant à la GRH dans les organisations de service et au travail théorique du cadre conceptuel de la gouvernementalité, lorsqu'il est utilisé en sciences de gestion.

Le premier point confirme, mais en leur donnant plus de poids encore, les conséquences qu'a déjà tirées le marketing des services de la spécificité de la production dans les organisations de service. En l'occurrence, il s'agit de prendre en compte à la fois les salariés et les clients. On a pu voir en quoi la question du gouvernement des clients ne se posait pas indépendamment de celui des salariés. L'inverse semble défendable également.

À partir de là, la question est de savoir quels sont les modèles susceptibles de confronter efficacement, ou plutôt de tenir ensemble clients et agents. Celui du système des professions apporte un début de réponse, par rapport à la question du sens de l'activité. Il permet de placer au centre de l'analyse des techniques (pour résoudre un problème à partir de certains éléments de savoir), autour desquelles se positionnent à la fois les agents et les clients, l'intérieur et l'extérieur de l'organisation.

On voit bien le lien qui se profile avec la gouvernementalité. Ce cadre conceptuel n'a pas permis de poser complètement la question de la gestion de la fraude à la RATP. Bien entendu, on a pu dans un premier temps mettre en évidence l'évolution des savoirs et de l'objet « fraude ». On a même pu mettre en lumière l'émergence d'une technique nouvelle, autour de la relation de service. Cependant, bon nombre de problématiques gestionnaires avaient été évacuées de cette approche « idéale » de la gouvernementalité.

De ce point de vue, la dernière section et la prise en compte des dynamiques professionnelles qu'elle permet appellent à un enrichissement du modèle de la gouvernementalité. La voie indiquée par Olivier Lenay (2005) nous semble nécessaire : « l'ergonomie de la gouvernementalité » est en effet une question cruciale pour les gestionnaires. Mais il se limite aux instruments de gestion, alors qu'il nous semble qu'il ne faudrait pas oublier d'y intégrer la GRH…

Annexe

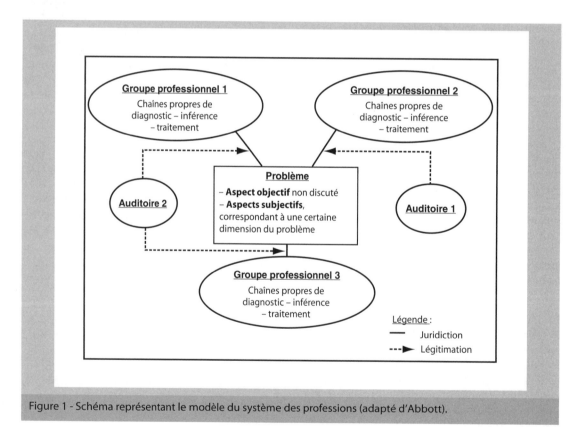

Figure 1 - Schéma représentant le modèle du système des professions (adapté d'Abbott).

Bibliographie

ABBOTT A., *The system of professions*, The University of Chicago Press, 1988.

ALIS D., « Les régulations autonomes du personnel en contact avec la clientèle : le cas des agents généraux d'assurance », *Revue de Gestion des Ressources humaines*, n° 34, 1999, pp. 15-29.

BUREAU & SUQUET, *La professionnalisation : une dimension oubliée du contrôle organisationnel ?*, 2006 (Article en soumission à Finance Contrôle Stratégie).

COCHOY F., *Figures du client, leçons du marché*, « Les figures sociales du client », *Sciences de la société*, n° 56, mai 2002.

COURPASSON D., *L'action contrainte*, Paris, PUF, 2000.

Dartevelle M., « Le travail du contrôleur », *Annales de la recherche urbaine*, n° 57-58, 1992.

DAVID A., *RATP la métamorphose – Réalités et théorie du changement*, Paris, Interéditions, 1995.

DE BANDt J. et Gadrey J. (dir.), *Relations de service, marché de services*, Éditions du CNRS, 1994.

DUBAR C., *Transformation des identités professionnelles et reconversions industrielles*, in Allouche J., *Encyclopédie des ressources humaines*, Paris, Vuibert, 2003.

EIGLIER Pierre et LEANGEARD Eric, *Servuction : le marketing des services*, 1988.

FOUCAULT M., *Sécurité, Territoire, Population (Cours au Collège de France, 1977-1978)*, Paris, Gallimard – Seuil, 2004.

GOUDARZI K., *The organizational socialization of service customers, toward a conceptualization based on expert interviews*, Actes du 9ᵉ séminaire international de recherche en management des activités de service, IAE d'Aix-en-Provence, 2006.

HATCHUEL A. *et al.* (dir.), *Gouvernement, organisation et gestion : l'héritage de Michel Foucault*, Les Presses de l'université de Laval, 2005.

HONORÉ L., « Transformation de la relation de travail, rupture de l'identité professionnelle et dynamique disciplinaire », *Revue de Gestion des Ressources humaines*, n° 43, 2002, pp. 102-113.

JEANTET A., « "À votre service !" La relation de service comme rapport social », *Sociologie du Travail*, vol. 45, n° 2, 2003, pp. 191-209.

LALLÉ B., « Nouvelles technologies et évolution de la dialectique (contrôle/autonomie) dans le secteur des services. Application au cas bancaire », *Revue de Gestion des Ressources humaines*, n° 32, 1999, pp. 97-107.

LENAY O., *L'ergonomie de la gouvernementalité. Le cas du système hospitalier français*, in Hatchuel A. *et al.* (dir.), *Gouvernement, organisation et gestion : l'héritage de Michel Foucault*, Les Presses de l'université de Laval, 2005.

LEVY E., *L'inscription des voyageurs dans la production du transport urbain : le cas de la RATP – BUS. Les enjeux d'une modernisation au service du public*, Thèse de doctorat, Paris, École Polytechnique, 1999.

MILLS P. et MORRIS J., « Clients as "partial" employees of service organizations : role development in client participation », *Academy of management review*, 11:4, 1986, pp. 726-735.

MORGAN G., *Marketing and critique : prospects and problems*, in Alvesson M. et Willmott H., *Studying management critically*, SAGE, 2003.

PEYROLLE J.-C. et LORINO P., « Enquête sur le facteur X. L'autonomie de l'activité pour le management des ressources humaines et pour le contrôle de gestion », *Revue de Gestion des Ressources humaines*, n° 33, 1999, pp. 173-186.

TOLBERT P., « The System of Professions : An Essay on the Division of Expert Labor (Book Review) », *Administrative Science Quarterly*, vol. 35, n° 2, 1990, p. 410.

SUQUET J.-B., *Plus près du client : quand l'action publique minimise les risques*, Actes du colloque Politiques et Management public, *L'action publique au risque du client ? Client centrisme et citoyenneté*, Institut de Management Public, 2006.

WARIN P., « Les relations de service comme régulation », *Revue française de sociologie*, vol. 34, 1993, pp. 69-95.

Études de cas

Le Dr Mahalee et sa banque d'affaires londonienne

Claire Thierry, consommatrice de services

Comment gérer un garage Ford lorsque l'on n'est pas de la partie ?

Licenciement au restaurant

La garantie de service d'Accellion

eBay : commissaire-priseur pour le monde entier !

Le Dr Mahalee et sa banque d'affaires londonienne

Christopher Lovelock

Un responsable client senior d'une banque international est sur le point de rencontrer un riche homme d'affaires asiatique à la recherche d'un financement pour le rachat de sa société. Le client éventuel a déjà pris contact avec une banque concurrente.

C'était un vendredi de la mi-février et le Dr Kadir Mahalee, un riche homme d'affaires venu de Tailesia, un petit pays situé au sud-ouest de l'Asie, visitait Londres à l'occasion d'un voyage mêlant affaires et plaisir. Mahalee, qui possédait un doctorat de la London School of Economics, avait été dans le passé professeur de commerce international et cadre commercial pour son gouvernement. Il était le fondateur d'Eximsa, une importante société d'exportation tailesienne. Les affaires le conduisaient à Londres tous les deux à trois mois. Ces voyages lui fournissaient l'occasion de rendre visite à sa fille, Leona, l'aînée de ses quatre enfants, qui vivait à Londres.

Plusieurs de ses dix petits-enfants allaient à l'université en Grande-Bretagne et il était particulièrement fier de son petit-fils, Anson, qui étudiait à la Royal Academy of Music. En fait, il avait planifié ce voyage pour qu'il coïncide avec le récital de violon d'Anson qui aurait lieu à 14 heures ce jour-là.

Le déplacement à Londres de Mahalee avait pour objectif principal la résolution d'une question délicate quant à sa société. Il avait décidé de se mettre à la retraite et voulait prendre certaines mesures pour l'avenir de la société. Son fils, Victor, était impliqué dans

l'affaire et dirigeait le bureau commercial d'Eximsa en Europe.

Cependant, Victor n'était pas en très bonne santé et donc incapable de reprendre la société. Mahalee savait qu'un groupe d'employés loyaux seraient intéressés par le rachat de sa société si le crédit nécessaire pouvait être trouvé.

Avant son départ de Tailesia, Mahalee avait discuté la possibilité d'un rachat avec son fidèle conseiller financier, Li Sieuw Meng, qui lui avait recommandé de s'adresser à plusieurs banques londoniennes en raison de la complexité potentielle de l'affaire :

Les banques londoniennes ont de l'expérience en matièreR de rachats. De plus, vous avez besoin d'une banque qui puisse gérer un crédit pour des acheteurs potentiels aussi bien à New York et à Londres qu'en Asie. Une fois que le rachat aura eu lieu, vous disposerez d'une somme importante pour investir. Ce sera le moment de reconsidérer votre capital immobilier.

Après avoir conseillé à Mahalee deux banques concurrentes, la Trust Company et la Global Private Bank, Li ajouta :

J'ai rencontré un responsable client de la Global Private Bank, qui m'a contacté à plusieurs reprises. Voici sa carte de visite ; son nom est Miguel Kim. Je n'ai jamais travaillé avec lui, mais il m'a vraiment semblé tout à fait compétent. Malheureusement, je ne connais personne à la Trust Company, mais voici leur adresse à Londres.

Après s'être enregistré au « Savoy Hôtel » à Londres le mercredi suivant, Mahalee téléphona au bureau de Kim. Kim étant absent, Mahalee parla à la secrétaire du responsable client, se présentant brièvement et fixant un rendez-vous dans les locaux de la Global Private Bank, rue Lombard, vendredi en milieu de matinée.

Le jeudi, Mahalee se rendit à la Trust Company. Les deux personnes qu'il rencontra à cette occasion étaient extrêmement agréables et avaient déjà séjourné quelque temps en Tailesia. Elles semblaient en savoir long sur la gestion immobilière et lui fournirent quelques bonnes recommandations sur la manière de gérer la complexité de ses affaires familiales. Cependant, elles étaient clairement moins expérimentées en ce qui concernait le crédit d'affaires, son besoin le plus urgent.

Le matin suivant, Mahalee prit le petit-déjeuner avec Leona. Alors qu'ils se séparaient, elle lui dit, « Je te retrouve à 13 h 30 dans le hall du « Savoy Hôtel » et on ira au récital ensemble. Nous ne devons pas être en retard si nous voulons obtenir des sièges sur la première rangée. » Sur le chemin de la Global Private Bank, Mahalee s'arrêta à la bijouterie Mappin & Webb afin d'acheter un cadeau à sa femme pour son anniversaire.

Cette pause shopping lui fournit une occasion agréable de se détendre ; il acheta un beau collier vert dont il savait qu'il plairait à sa femme. Quand il sortit de la bijouterie, il fut pris dans une tempête de neige inattendue. Il ne parvenait pas à trouver un taxi et son arthrite le faisait de nouveau souffrir, rendant un trajet à pied jusqu'à la station de métro la plus proche hors de question. Enfin, il parvint à attraper un taxi qui le déposa aux bureaux de la Global Bancorp, rue Lombard, aux environs de midi. Après avoir pénétré dans la succursale de la Global Retail Bank située au rez-de-chaussée, il fut conduit par un garde chargé de la sécurité jusqu'aux bureaux de la Private Bank au deuxième étage.

Il arriva à la réception agréablement arrangée de la Private Bank à 12 h 15. La réceptionniste le salua et prit contact avec la secrétaire de Miguel Kim, qui vint promptement à la rencontre de Mahalee auquel elle déclara :

M. Kim est vraiment déçu de ne pas être présent pour vous accueillir, Dr Mahalee, mais il avait un déjeuner avec un de ses clients prévu depuis plus d'un mois. Il prévoit d'être de retour à 13 h 30. En attendant, il a demandé à un autre responsable client senior, Sophia Costa, de s'occuper de vous.

Sophia Costa, 41 ans, occupait le poste de vice-présidente et travaillait à la Global Bancorp depuis 14 ans (deux années de plus que Miguel Kim). Elle s'était rendue à Tailesia déjà une fois, mais n'avait pas rencontré le conseiller financier de Mahalee, ni aucun membre de la famille de Mahalee. Avec son expérience en gestion de relation client, Sophia Costa avait une connaissance pointue de la gestion de portefeuilles offshore et des services fiduciaires. Miguel Kim était passé dans son bureau à 11 h 45 et lui avait demandé si elle pourrait le remplacer dans le cas où un client éventuel, le Dr Mahalee, qui aurait dû arriver un peu plus tôt, devait se présenter pendant son absence. Il renseigna Sophia sur Mahalee, un homme d'affaires tailesien couronné de succès qui envisageait de partir à la retraite, lui dit qu'il n'avait jamais rencontré personnellement l'homme en question, puis partit rapidement pour son déjeuner d'affaires.

Le téléphone se mit à sonner dans le bureau de Sophia et elle tendit le bras jusqu'à l'appareil pour décrocher. C'était la secrétaire de Kim. « Le Dr Mahalee est à la réception, Mme Costa. »

Questions

1. Préparez un organigramme des rencontres du Dr Mahalee.

2. Mettez-vous à la place de Mahalee : comment vous sentez-vous (autant physiquement que

mentalement) après la conversation avec la réceptionniste de la Global Bank ? Quelles sont vos priorités sur l'instant ?

3. À la place de Sophia Costa, que feriez-vous durant les cinq premières minutes passées avec Mahalee ?

4. Quelle issue positive pourrait-on imaginer à la réunion, tant pour le client que pour la banque ? Comment Sophia devrait s'y prendre pour parvenir à un tel résultat ?

Claire Thierry, consommatrice de services

Christopher Lovelock

Au cours d'une seule journée, une jeune femme (dynamique) utilise une large gamme de services.

Claire Thierry, une élève de dernière année (en école de commerce), avait travaillé tard la nuit précédente sur un gros dossier et se leva tard le lendemain matin dans l'appartement qu'elle partageait avec trois autres étudiantes. Ses colocataires, ayant cours tôt dans la matinée, étaient déjà parties lorsqu'elle se leva. Après avoir pris sa douche, elle s'habilla rapidement puis se prépara rapidement une tasse de café, se passant de son habituel bol de céréales, pensant qu'elle pourrait acheter un croissant à l'école.

Le temps dehors lui paraissant menaçant, elle alla vérifier sur Internet les prévisions météorologiques locales. Elles prévoyaient de la pluie, elle attrapa donc un parapluie avant de quitter l'appartement et de marcher jusqu'à l'arrêt de bus pour son trajet quotidien jusqu'à son école. Sur le chemin, elle glissa une lettre à la Poste. Le bus arriva à l'heure. C'était le chauffeur habituel qui la reconnut et lui adressa un bonjour chaleureux lorsqu'elle lui présenta sa carte mensuelle. Le bus était assez plein, transportant un mélange d'étudiants et d'employés, elle dut donc rester debout.

Arrivée à destination, Claire sortit du bus et marcha en direction de son école. Comme elle avait faim, elle entra dans le hall principal et se dirigea vers le petit stand de nourriture gaiement décoré qui se trouvait dans le coin opposé. « Désolé, lui répondit le serveur. Nous venons de vendre les derniers croissants et nous en attendons de nouveaux. Des pains au chocolat.

Voulez-vous un déca' ? » Claire soupira. Ce n'était pas la première fois que cela arrivait. Mais son cours était sur le point de commencer et elle ne pouvait pas attendre.

Rejoignant la foule des étudiants, elle s'assit dans l'amphithéâtre où se tenait son cours de finance. Le professeur lut son cours pendant 75 minutes sur un ton monotone, projetant occasionnellement des tableaux de chiffres sur un large écran afin d'illustrer certains calculs. Claire était encore toute endormie et cela n'aidait pas à rendre le cours passionnant… Elle se fit la réflexion que ce serait aussi efficace, et beaucoup plus pratique, si les cours étaient transmis sur le Web ou enregistrés sur des DVD que les étudiants pourraient regarder quand bon leur semble. Elle préféra nettement le cours de marketing qui suivit parce que le professeur était une personne très dynamique qui considérait qu'avoir un dialogue actif avec ses étudiants était la meilleure pédagogie. Claire apporta plusieurs contributions à la discussion et eut l'impression d'apprendre beaucoup en écoutant les analyses et opinions des autres.

Elle déjeuna avec trois amis à la cafétéria qui venait d'être rénovée. L'ancienne cafétéria était un endroit lugubre où l'on servait de la nourriture peu appétissante à des prix élevés. Elle avait été remplacée par un réfectoire bien agencé et coloré, qui offrait beaucoup plus de choix. Il contenait à la fois des fournisseurs locaux et des chaînes de fast-food connues. Chacun proposait un choix de sandwichs, ainsi que de la nourriture exotique, des salades et plusieurs desserts. Bien qu'elle aurait aimé manger un sandwich – la queue devant le stand sandwich étant assez longue –, Claire accompagna ses amis au Mc Donald's puis craqua pour un *caffe latte* au stand café « Hav-a-Java » juste à côté. Le réfectoire était particulièrement fréquenté ce jour-là, peut-être à cause des trombes d'eau qui tombaient désormais dehors. Quand ils trouvèrent enfin une table, ils durent jeter les déchets laissés sur place. « Bande de flemmards ! » commenta son ami Marc à propos des clients précédents.

Après le déjeuner, Claire s'arrêta à un distributeur automatique, inséra sa carte et retira un peu d'argent. Se souvenant qu'elle avait un entretien d'embauche à la fin de la semaine, elle téléphona à son coiffeur et compta sur la chance pour obtenir un rendez-vous dans la journée grâce à l'annulation d'un autre client. Quittant la cafétéria, elle traversa en courant la place trempée par la pluie pour se rendre jusqu'au Département des langues. Pour préparer le cours suivant, espagnol des affaires, elle passa une heure dans le laboratoire de langues, regardant une vidéo attrayante présentant des consommateurs faisant des achats dans différents types de magasins. Elle répéta ensuite des phrases clés et écouta sa voix enregistrée. « Mon accent s'améliore nettement ! » se dit-elle.

Son dernier cours terminé et la tête pleine de phrases en espagnol, Claire se rendit chez le coiffeur. Elle aimait bien ce salon de coiffure qui avait un décor lumineux et tendance avec des employés sympathiques et à l'allure très soignée. Malheureusement, la coiffeuse avait pris du retard et Claire dut attendre 20 minutes, qu'elle mit à profit pour revoir un chapitre pour le cours de ressources humaines du lendemain. Certains autres clients qui attendaient lisaient des magazines fournis par le salon. Finalement, ce fut l'heure du shampoing, après quoi la coiffeuse lui proposa une coupe un peu différente. Claire accepta, même si elle s'opposa catégoriquement à l'idée d'éclaircir sa couleur de cheveux. Elle s'assit sans bouger, observant l'évolution dans le miroir et tournant la tête quand on lui demandait. Elle fut contente du résultat et complimenta la coiffeuse sur son travail. En comptant le shampoing, l'opération avait duré environ 40 minutes. Elle donna un pourboire à la coiffeuse et alla payer à l'accueil.

La pluie avait cessé et le soleil brillait lorsque Claire quitta le salon, elle rentra donc à pied, en s'arrêtant pour récupérer des vêtements au pressing. Ce magasin était assez sinistre, sentait les solvants et avait sérieusement besoin d'être repeint. Elle fut ennuyée d'apprendre que son chemisier en soie était prêt à temps, mais le tailleur dont elle avait besoin pour son entretien ne l'était pas. La vendeuse, qui avait les ongles sales, marmonna des excuses d'un ton peu sincère sans la regarder dans les yeux. Bien que la boutique fût pratique et que la qualité du travail plutôt bonne, Claire trouvait les employés antipathiques et peu serviables.

De retour dans son immeuble, elle ouvrit la boite aux lettres dans le hall d'entrée, prit son courrier et celui de ses colocataires. Son courrier, plutôt sans intérêt, comprenait la facture trimestrielle de son assurance, pour laquelle elle n'avait rien à faire puisqu'elle avait signé une autorisation de prélèvement automatique. Il y avait aussi un avis de son ophtalmologiste lui rappelant qu'il était temps de prendre rendez-vous pour un nouvel examen de ses yeux. Claire se promit de penser à l'appeler, prévoyant qu'elle pourrait avoir besoin d'une nouvelle ordonnance pour ses lentilles de contact. Elle était sur le point de jeter les prospectus lorsqu'elle remarqua une publicité pour un nouveau pressing comprenant un coupon de réduction. Elle décida d'essayer cette nouvelle boutique et rangea le coupon dans sa poche.

Comme c'était son tour de préparer le dîner, elle partit faire un tour dans la cuisine, alluma la lumière et regarda dans le réfrigérateur puis dans les placards pour voir ce qu'il restait. Claire soupira, il n'y avait pas grand-chose dans cette cuisine… Peut-être pourrait-elle faire une salade et commander une pizza ?

Questions

1. Identifiez chacun des services auxquels Claire a eu recours ou qu'elle prévoit d'utiliser. Classez-les par catégorie. Quels besoins tente-t-elle de satisfaire dans chaque cas ?

2. Dans quelle mesure ces services incluent une implication du consommateur, importante, partielle ou une dépendance totale vis-à-vis du prestataire de service ? Quels domaines sont plus propices selon vous au libre-service et quelles sont alors les conséquences pour le consommateur et le fournisseur ?

3. Quels sont les points communs et les différences qui existent entre le pressing et le salon de coiffure ? Que pourraient-ils apprendre l'un de l'autre ?

Comment gérer un garage Ford lorsque l'on n'est pas de la partie ?

Christopher Lovelock

Une jeune directrice de services médicaux se retrouve tout à coup à la tête de la concession automobile familiale, qui connaît des ennuis financiers. Elle s'inquiète de la faible performance du service et se demande si un revirement est encore possible.

Vue de l'avenue Wilson, l'agence avait une apparence agréable. Les drapeaux ondulaient et les fanions triangulaires rouges, blancs et bleus flottaient gaiement au rythme de la brise de fin d'après-midi. Les rangées de nouveaux modèles de voitures et de camions brillaient sous la lumière du soleil. Des géraniums illuminaient les parterres devant l'entrée de la salle d'exposition. Le logo de Ford apparaissait sur la signalisation au coin de l'avenue Wilson et de la Route 78 et indiquait « Garage Ford Sullivan ». En dessous une pancarte s'exclamait « Affaire à faire ! ».

À l'intérieur de la magnifique salle d'exposition, dotée d'une belle hauteur de plafond, quatre des nouveaux modèles Ford étaient présentés : un SUV hybride Escape argenté, un convertible Mustang bleu, une berline Five Hundred noire, et un pick-up Ranger rouge. Chaque véhicule avait été astiqué jusqu'à ce qu'il étincelle d'un éclat incomparable. Deux groupes de clients bavardaient avec le personnel commercial et un homme d'un certain âge était assis sur le siège conducteur de la Mustang, étudiant les commandes.

En haut, dans le bureau du directeur général confortablement meublé, Carol Sullivan-Diaz étudiait, penchée sur son ordinateur portable, une analyse des tableaux financiers. Elle se sentait fatiguée et déprimée. Son père, Walter

Sullivan, était mort d'une crise cardiaque quatre semaines plus tôt à l'âge de 56 ans. En tant qu'exécuteur testamentaire, la banque lui avait demandé d'assumer temporairement la position de directeur général de l'agence. L'installation d'une imprimante laser tout-en-un qui faisait également office de scanner, de photocopieuse et de fax était le seul changement visible qu'elle avait apporté au bureau de son père, s'étant plongée sans répit dans l'examen de la situation de l'agence.

Sullivan-Diaz n'aimait pas les chiffres qu'elle lisait. La situation financière s'était dégradée depuis un an et demi, et elle se trouvait maintenant dans le rouge depuis six mois. Les ventes de voitures neuves avaient baissé, en partie à cause de la hausse des taux d'intérêt et les marges avaient été réduites par des promotions et autres efforts commerciaux entrepris afin de faire redécoller les ventes. Reflétant la montée du prix des carburants, les prévisions des spécialistes de l'industrie automobile étaient décourageantes, tout comme ses propres projections financières pour le département des ventes. Les revenus issus des activités de garagiste, qui se trouvaient au-dessous de la moyenne pour une agence de cette taille, avaient aussi décliné, bien qu'affichant encore un faible profit.

Carol se demandait si elle n'avait pas fait une erreur la semaine dernière en refusant l'offre de rachat de Bill Froelich. Certes, la somme proposée était considérablement au-dessous de l'offre du même Froelich que son père avait rejetée deux ans plus tôt, mais l'affaire était alors plus profitable.

1. La famille Sullivan

En 1983, Walter Sullivan avait acheté une petite concession Ford et l'avait rebaptisée « Garage Ford Sullivan ». Il en avait fait l'une des concessions automobiles les plus connues des environs. En 1999, il s'était lourdement endetté pour acheter le site actuel à une intersection majeure de la banlieue, dans un secteur de la ville prometteur en termes de construction immobilière.

Il y avait déjà un concessionnaire à cet endroit, mais les bâtiments avaient 30 ans. Sullivan avait alors conservé les locaux du garage, mais avait abattu la salle d'exposition pour la remplacer par un bâtiment moderne plus attirant. En s'installant sur ce nouvel emplacement, considérablement plus grand que celui qu'il occupait précédemment, il en avait profité pour rebaptiser son affaire.

Chacun semblait avoir connu Walter Sullivan. Il avait été un homme public et un entrepreneur volontaire, actif dans les affaires, apparaissant dans des spots publicitaires télévisés et à la radio, sur une station qu'il avait lui-même créée. Son approche de la vente de voitures était de mettre l'accent sur les promotions, les remises et les arrangements afin de maintenir le volume. Il n'était jamais plus heureux que lorsqu'il concluait une vente.

Carol Sullivan-Diaz, âgée de 28 ans, était l'aînée des trois filles de Walter et Carmen Sullivan. Après l'obtention d'une maîtrise en économie, elle avait poursuivi son cursus par un MBA et avait ensuite entamé une carrière dans la gestion de services médicaux. Elle était mariée au Dr Roberto Diaz, un chirurgien de l'hôpital de St. Luke. Ses sœurs jumelles âgées de 20 ans, Gail et Joanne, étudiantes à l'université, vivaient avec leur mère.

Pendant ses études, mademoiselle Sullivan-Diaz avait travaillé à temps partiel pour la concession de son père, réalisant des tâches de secrétariat et de comptabilité et apportant son aide au garage en tant qu'assistante commerciale ; elle était donc tout à fait familière avec les opérations de l'agence. Lorsqu'elle était en école de commerce,

elle avait finalement opté pour une carrière dans la gestion de services médicaux. Après avoir été diplômée, elle avait travaillé comme assistante de direction du directeur de St. Luke, un grand hôpital accueillant de nombreux étudiants en médecine en formation. Deux ans plus tard, elle avait rejoint le Metropolitan Health Plan comme assistante du directeur marketing, une position qu'elle occupait maintenant depuis presque trois ans. Ses responsabilités consistaient à attirer de nouveaux membres, traiter les plaintes, étudier le marché et concevoir des programmes pour la rétention des membres.

L'employeur de Carol lui avait donné un congé exceptionnel de six semaines pour qu'elle puisse mettre en ordre les affaires de son père. Elle ne pensait pas pouvoir prolonger ce congé bien au-delà des deux semaines encore disponibles. Ni elle ni les autres membres de la famille n'étaient intéressés par une carrière de concessionnaire automobile. Cependant, elle était prête à mettre son propre travail entre parenthèses pendant un certain temps pour remettre sur pied l'entreprise, si cela se révélait possible. La qualité de son travail était reconnue et elle pensait par la suite retrouver sans difficulté un poste de direction dans un établissement médical.

2. Le garage Ford Sullivan

Comme c'est le cas pour de nombreux concessionnaires, ce garage Ford ne se contentait pas de vendre des véhicules mais proposait également un service de réparation, ces deux activités étant désignées dans le commerce comme « l'avant-vente » et « l'après-vente ». Des véhicules neufs et d'occasion y étaient vendus, puisqu'une grande partie des ventes de voitures et de fourgons neufs impliquaient la reprise du véhicule existant. Des voitures d'occasion bien entretenues étaient aussi achetées lors d'enchères pour être revendues. Les acheteurs convaincus qu'ils ne pouvaient pas se permettre d'acquérir une voiture neuve se laissaient souvent tenter par un véhicule ayant déjà servi, tandis que certains clients à la recherche d'une voiture d'occasion pouvaient parfois être persuadés d'en acheter une neuve. Avant d'être mis en vente, les véhicules d'occasion étaient soigneusement remis en état, certaines pièces étant remplacées si nécessaire. Ils étaient ensuite nettoyés à fond. Les bosses et autres défauts étaient réparés dans un atelier de carrosserie voisin et dans certains cas on offrait au véhicule une nouvelle couche de peinture.

L'agence employait un directeur commercial, sept commerciaux, un administratif et une secrétaire. L'un des commerciaux avait donné sa démission et partirait à la fin de la semaine suivante. Le garage, quand tous les postes étaient pourvus, disposait d'un directeur, d'un chef d'équipe, de neuf mécaniciens et de deux assistants clientèle. Les jumeaux Sullivan travaillaient souvent à temps partiel au garage pour remplacer en période de pointe les assistants clientèle malades ou en vacances, ou lorsqu'un poste était vacant, comme c'était le cas actuellement. Ce travail consistait à planifier des rendez-vous pour des réparations ou de la maintenance, recopier au propre chaque commande, appeler les clients pour les informer du coût estimé des travaux et les assister quand ils revenaient chercher leur véhicule et payer.

Sullivan-Diaz savait de sa propre expérience d'assistante clientèle que ce métier pouvait être stressant. Peu de personnes appréciaient de devoir laisser leur voiture, même pour une seule journée. Quand une voiture était en panne ou avait des problèmes, le propriétaire était souvent inquiet de savoir combien de temps il faudrait pour la réparer et, si sa garantie avait expiré, combien coûteraient les pièces et la main-d'œuvre. Les clients se montraient impitoyables lorsqu'un problème n'était pas complètement réparé dès la première tentative et qu'ils devaient ramener leur véhicule pour des travaux supplémentaires. La plupart des problèmes mécaniques n'étaient pas difficiles à réparer, bien que le coût de remplacement des pièces puisse être assez élevé. C'étaient souvent les « petites » choses comme les fuites d'eau et les problèmes électroniques qui

se révélaient les plus difficiles à diagnostiquer et à corriger et il était parfois nécessaire que le client se rende au garage deux ou trois fois avant qu'un tel problème ne soit résolu. Dans ces situations, le coût des pièces et du matériel était relativement faible, mais facturé à 60 euros de l'heure, le prix de la main-d'œuvre grimpait très vite. Les clients pouvaient alors se montrer parfaitement grossiers, hurlant sur les assistants clientèle au téléphone ou prenant violemment à partie assistants clientèle, mécaniciens et même le directeur en personne.

Il y avait un fort turnover chez les assistants clientèle, et c'était une des raisons pour lesquelles Carol, et plus récemment ses sœurs, avaient souvent été mises à contribution pour « garder le fort », comme disait son père. Elle avait surpris plus d'une fois un assistant clientèle exaspéré répondre avec brusquerie à un client insatisfait ou lui raccrocher au nez quand il se montrait grossier. Gail et Joanne se relayaient actuellement pour couvrir le poste inoccupé, mais lorsque les deux sœurs devaient se rendre en classe, l'agence n'avait plus qu'un assistant clientèle en service. Selon les standards nationaux, le garage Ford Sullivan se situait à l'extrémité inférieure des agences de taille moyenne, vendant autour de 1 100 voitures par an, la moitié en véhicules neufs et l'autre en véhicules d'occasion. L'année dernière, ses revenus s'étaient élevés à 26,6 millions d'euros pour la vente et 2,9 millions d'euros pour le garage, par rapport à respectivement 30,5 millions d'euros et 3,6 millions d'euros l'année précédente.

Bien que le prix de vente à l'unité des voitures soit plutôt élevé, les marges étaient faibles, et d'autant plus pour les voitures neuves. Les directives du constructeur suggéraient que la contribution marginale pour la vente de voitures devait représenter environ 5,5 % du revenu des ventes et, pour les activités de garagiste, autour de 25 %. Chez un concessionnaire standard, 60 % du chiffre d'affaires brut provenaient traditionnellement de la vente et 40 % de l'activité de garagiste, mais la balance penchait désormais de plus en plus en faveur de ce dernier poste.

Pendant les douze derniers mois, mademoiselle Sullivan-Diaz avait évalué que les marges des ventes brutes étaient respectivement de 4,6 % et 24 %, des chiffres en baisse par rapport à l'année précédente et insuffisants pour couvrir les dépenses fixes de l'agence. Son père n'avait fait aucune mention de difficultés financières et elle avait été ébranlée lorsque la banque lui avait appris, après sa mort, que la concession avait deux mois d'arriéré dans le paiement des hypothèques. Une nouvelle analyse avait montré que les comptes fournisseurs avaient fortement augmenté sur les six mois précédents. Heureusement, Sullivan avait contracté une assurance vie au bénéfice de sa société et ces revenus avaient été plus que suffisants pour mettre à jour les paiements hypothécaires, tous les arriérés, et laisser encore quelques fonds en prévision du futur.

3. Perspectives

Étant donné le niveau de confiance des consommateurs et les licenciements récents dans plusieurs usines locales, qui affectaient l'économie locale, les perspectives de croissance ne semblaient pas prometteuses. Cependant, les promotions avaient permis de ramener le stock à un niveau raisonnable. De ses discussions avec Larry Winters, le directeur commercial, mademoiselle Sullivan-Diaz avait conclu que l'on pourrait réduire les dépenses en ne remplaçant pas l'agent commercial qui avait donné sa démission, conserver le stock à son niveau actuel et rendre l'usage de la publicité et des promotions plus efficace. Même si Winters ne possédait pas la personnalité exubérante de Walter, il avait été en son temps un excellent représentant commercial et avait fait preuve de très bonnes capacités de gestionnaire en tant que directeur commercial.

Alors qu'elle passait en revue les résultats du garage, mademoiselle Sullivan-Diaz s'interrogeait sur le potentiel de croissance du volume des ventes et du chiffre d'affaires de cette activité.

Son père ne s'y était jamais vraiment intéressé, considérant simplement les réparations et la maintenance comme une adjonction nécessaire au métier de concessionnaire. « Les clients ont toujours l'air malheureux au garage, lui avait-il fait remarquer une fois. Mais ici dans l'agence, tout le monde est heureux quand quelqu'un achète une nouvelle voiture. » Les locaux du garage n'étaient pas facilement visibles de la route principale, cachés derrière la salle d'exposition. Malgré l'apparence vétuste des bâtiments, l'équipement lui-même était moderne et bien entretenu. Il y avait la capacité suffisante pour traiter plus de demandes, mais cela impliquerait l'embauche d'un ou plusieurs mécaniciens supplémentaires.

On demandait aux clients d'apporter leur voiture avant 8 h 30. Après l'avoir garée, ils pénétraient dans le garage par une petite porte sur le côté du bâtiment et attendaient leur tour pour s'entretenir avec les assistants clientèle, qui occupaient une pièce étroite, à la peinture écaillée et dont les fenêtres donnaient sur le parking. Les clients restaient debout tandis que l'on prenait leur commande. La sonnerie du téléphone interrompait fréquemment le processus. Les étagères utilisées pour l'archivage contenaient les dossiers clients et d'autres documents alignés sur le mur du fond de la pièce.

S'il s'agissait d'une demande ordinaire, comme une vidange d'huile, le devis était fourni immédiatement au client. Pour les travaux plus complexes, on les rappelait plus tard dans la matinée une fois que le véhicule avait été examiné. Lorsque les réparations étaient terminées, ils devaient venir récupérer leur voiture avant 18 heures.

Plusieurs fois, Carol avait vivement recommandé à son père d'informatiser le processus de prise de commande du garage, mais il n'avait jamais appliqué ses suggestions, et les commandes étaient donc toujours écrites à la main sur de grandes feuilles jaunes, doublées de copies en carbone.

Le chef de service, Rick Obert, qui approchait la cinquantaine, occupait ce poste depuis la réouverture d'Auto World à son emplacement actuel. La famille Sullivan estimait qu'il possédait de bonnes compétences techniques et il dirigeait efficacement les mécaniciens. Cependant, ses manières avec les clients pouvaient être brusques et discutables.

4.   Les résultats de l'étude de satisfaction client

Parmi les informations à sa disposition, mademoiselle Sullivan-Diaz avait également étudié attentivement les résultats des enquêtes de satisfaction client expédiées tous les mois par un cabinet d'études détenu par la Ford Motor Company.

Tous les acheteurs de voitures neuves Ford recevaient un questionnaire par courrier dans les 30 jours suivants leur achat, dans lequel il leur était demandé d'évaluer, sur une échelle à cinq points, leur satisfaction par rapport au service rendu par le concessionnaire, la préparation du véhicule et les caractéristiques du véhicule en lui-même.

Une autre étude était envoyée à ces mêmes acheteurs neuf mois après leur achat. On leur demandait tout d'abord leur niveau de satisfaction par rapport au véhicule, puis s'ils avaient ramené leur véhicule au concessionnaire pour une opération de maintenance ou une réparation depuis l'achat. Si c'était le cas, la population interrogée devait alors évaluer le garage sur quatorze points allant de l'attitude du personnel jusqu'à la qualité de la prestation réalisée, et ensuite estimer leur satisfaction générale.

Il leur était aussi demandé où ils iraient à l'avenir pour la maintenance et les réparations mécaniques et électroniques mineures de leur voiture, ainsi que pour les travaux plus importants dans ces mêmes catégories et la carrosserie. Les options possibles étaient le concessionnaire où ils avaient acheté le véhicule, un autre concessionnaire Ford, « un autre garage » ou « vous réalisez les travaux par vous-même ». Le questionnaire se terminait par l'évaluation de la satisfaction générale du client par rapport au service de garagiste du concessionnaire, ainsi que la probabilité qu'ils rachètent chez lui un autre produit de Ford Motor Company.

Les concessionnaires recevaient des rapports mensuels contenant les évaluations clients de leur agence pendant le mois précédent et récapitulant les résultats sur plusieurs mois. Afin de permettre la comparaison avec d'autres agences Ford, les rapports incluaient également les moyennes régionales et nationales. Après analyse, les questionnaires complétés étaient retournés à l'agence, et, puisqu'ils mentionnaient le nom du client qui les avait remplis, le concessionnaire pouvait voir quel client avait été satisfait ou non.

Dans la première enquête réalisée auprès des nouveaux acheteurs, le garage Ford Sullivan obtenait plus que la moyenne sur la plupart des points. Carol avait découvert, perplexe, que presque 90 % des personnes interrogées répondaient « oui » lorsqu'on leur demandait si quelqu'un leur avait expliqué quoi faire si leur véhicule avait besoin de maintenance ou de réparation, mais moins d'un tiers affirmaient avoir été présentés à quelqu'un dans le garage. Elle demanda à Larry Winters de s'expliquer sur cet état de fait.

Les résultats de l'enquête réalisée neuf mois après l'achat la préoccupaient. Bien que les évaluations concernant les voitures soient conformes aux moyennes nationales, le niveau général de satisfaction par rapport au garage était relativement faible, le plaçant ainsi dans le quart le plus mal noté des agences Ford.

Les plus mauvaises évaluations concernaient la promptitude avec laquelle l'ordre de commande était enregistré, l'organisation du travail, la commodité des heures de service et l'aspect général du garage. Sur le temps nécessaire à la réalisation des travaux, la disponibilité des pièces et la qualité du travail (« votre véhicule a-t-il été réparé correctement ? »), l'évaluation du garage était proche de la moyenne. Pour les variables interpersonnelles telles que l'attitude du personnel, la politesse, la compréhension des problèmes du client et les explications données après les travaux, les évaluations du garage étaient relativement mauvaises.

Quand mademoiselle Sullivan-Diaz passa en revue les questionnaires individuels, elle constata qu'il y avait un large degré de variation entre les réponses des clients sur ces variables interpersonnelles, celles-ci variant sur une échelle à cinq points de « totalement satisfait » à « totalement insatisfait ». Pour en savoir plus, elle avait examiné les enquêtes menées auprès de plusieurs douzaines de clients qui avaient récemment complété les questionnaires envoyés neuf mois après l'achat. Au moins une partie des évaluations pourraient s'expliquer par le conseiller clientèle avec lequel le client avait traité. Ceux qui avaient été reçus deux fois ou plus par ses sœurs, par exemple, notaient bien mieux le garage que ceux qui avaient eu affaire à Jim Fiskell, le conseiller clientèle qui avait récemment démissionné.

Les réponses les plus inquiétantes étaient sans doute celles qui touchaient à la probabilité que les clients reviennent au garage à l'avenir. Plus de la moitié indiquaient qu'ils s'adresseraient à un autre concessionnaire Ford ou à « un autre garage » pour la maintenance de leur véhicule (comme la vidange d'huile ou un réglage) ou pour des réparations mécaniques et électriques mineures.

Environ 30 % d'entre eux ne se rendraient pas non plus au garage Sullivan pour des réparations majeures. L'évaluation de la satisfaction générale du client par rapport au concessionnaire après neuf mois était au-dessous de la moyenne et la probabilité d'un nouvel achat dans la même agence était de nouveau un point au-dessous de la probabilité d'achat d'un autre produit Ford.

5. Options

Mademoiselle Sullivan-Diaz repoussa les tableaux financiers qu'elle avait imprimés et ferma son ordinateur portable. Il était temps de rentrer à la maison pour le dîner. Pour elle, il n'y avait que deux options pour l'agence : la revendre dès maintenant à un prix dérisoire, ou prendre un an ou deux pour essayer de la remettre à flot financièrement. Dans ce dernier cas, si le redressement réussissait, l'affaire pourrait par la suite être vendue à un prix beaucoup plus intéressant qu'actuellement, ou bien la famille pourrait nommer un directeur général à la tête de l'agence pour la gérer à leur place.

Bill Froelich, le propriétaire d'une agence voisine et de trois autres dans des villes alentour, avait proposé d'acheter le garage à un prix qui correspondait juste à la valorisation des actifs nets, selon les comptables plus de 250 000 $ de *goodwill*. Cependant, lorsque l'industrie automobile était florissante, la règle voulait que l'on estime le *goodwill* à 1 200 $ par véhicule vendu chaque année. Carol savait que Froelich souhaitait développer un réseau d'agences pour réaliser des économies d'échelle. Les prix de ses voitures neuves étaient très compétitifs et son agence la plus proche regroupait plusieurs franchises – Ford, Lincoln-Mercury, Volvo et Jaguar – sur une unique propriété très étendue.

6. Un dérangement inattendu

Alors que Carol quittait son bureau, elle aperçut le directeur commercial qui montait les escaliers depuis la salle d'exposition.

« Larry, lui dit-elle, j'ai une question pour vous.

– Allez-y, lui répondit le directeur commercial.

– J'ai regardé les enquêtes de satisfaction client. Pourquoi nos commerciaux ne présentent-ils pas les nouveaux clients aux gens du garage ? C'est censé faire partie de notre protocole de vente, mais cela n'arrive qu'environ une fois sur trois ! »

Larry Winter croisa les jambes. « En fait, Carol, je laisse ça à leur discrétion. Nous leur parlons du garage, bien sûr, mais certains des gars à l'étage sont un peu gênés de les amener en bas après leur passage dans la salle d'exposition. Ça fait quand même un sacré contraste, si vous voyez ce que je veux dire. »

Soudain, des cris leur parvinrent de l'étage en dessous. Un homme d'environ 40 ans, vêtu d'un jean et d'un anorak, se tenait dans l'embrasure de la porte et hurlait sur l'un des agents commerciaux. Carol et Larry ne comprenaient que des fragments de ce qu'il disait, et parmi ses obscénités :

« … trois fois que je viens… toujours pas réparé correctement… votre garage craint… mais qui est le responsable ici ? » Dans la salle d'exposition, tout le monde s'était arrêté net pour observer le nouvel arrivant.

Winters lança un regard à sa jeune employer et roula des yeux. « S'il y avait quelque chose que votre papa ne pouvait pas supporter, c'était les types comme ça, se donnant en spectacle dans la salle d'exposition et demandant le patron. Walt irait se cacher dans son bureau ! Ne vous inquiétez pas, Tom va s'occuper de ce gars et le mettre dehors. Quel imbécile !

– Non, lui dit mademoiselle Sullivan-Diaz, fermement. Je vais m'occuper de lui. J'ai appris une chose quand je travaillais à St. Luke : on ne laisse pas les gens étaler leurs problèmes à corps et à cri devant les autres. Vous les emmenez quelque part, vous les calmez et vous trouvez ce qui ne va pas. »

Elle descendit rapidement les escaliers, se demandant à elle-même : « Qu'y a-t-il d'autre que je pourrais transférer de la gestion d'un établissement médical à un concessionnaire automobile ? »

Questions

1. En quoi le marketing pour la vente de voiture diffère-t-il du marketing pour un garage ?

2. Comparez le service des ventes et le service de garage de Ford Sullivan.

3. D'un point de vue client, quelles parallèles existe-t-il, selon vous, entre la direction d'un concessionnaire automobile (activités de vente et de garagiste) et la gestion d'un service médical ?

4. Quel conseil donneriez-vous à Carol Sullivan-Diaz ?

Licenciement au restaurant

Christopher Lovelock

Un jury d'examen composé de directeurs et de membres du personnel d'une chaîne de restaurant doit décider si une serveuse a été ou non injustement renvoyée de son poste.

« J'ai eu l'impression qu'on me plantait un poignard dans le ventre ! » déclara Marie Campbell, 53 ans, après son renvoi du poste de serveuse qu'elle occupait dans un restaurant de la chaîne « Red Lobster ». Mais, au lieu d'entamer des poursuites pour ce qu'elle considérait comme un licenciement abusif après 19 ans de service, Marie préféra passer devant un comité d'examen composé de pairs, dans l'espoir de récupérer son travail et les trois semaines de salaire perdu.

Trois semaines après le licenciement de Marie, un jury de salariés venant de différents restaurants de la chaîne Red Lobster passait en revue les faits et tentait de déterminer si la serveuse avait été injustement ou non renvoyée. Marie était accusée d'avoir subtilisé le formulaire de satisfaction rempli par deux ou trois clients qu'elle avait servis.

La chaîne Red Lobster appartenait au groupe Darden Industries, qui possédait également une autre grande chaîne de restaurants connue sous le nom d'« Olive Garden ». La société, qui comptait plus de 110 000 salariés, avait depuis quelques années pour politique interne d'encourager l'examen de la situation par les pairs lors de licenciements jugés abusifs ou d'actions disciplinaires litigieuses. Cette politique avait pour objectif de limiter les procès contre la société

engagés par des salariés et de détendre les relations de travail.

Les défenseurs de la méthode de l'examen par les pairs, qui avait été adoptée par plusieurs autres sociétés, considéraient que c'était une façon très efficace de canaliser de manière constructive la douleur et la colère que les employés ressentaient après un renvoi ou une procédure disciplinaire. En réduisant la probabilité de procès, la société économisait également en frais d'avocats et autres.

Un porte-parole de Darden Industries avait déclaré que l'examen par les pairs avait été « extrêmement efficace » pour retenir des employés victimes d'un licenciement injuste. Chaque année, environ cent conflits aboutissaient à un examen par les pairs, et seulement dix d'entre eux se finissaient par un procès. Des managers de Red Lobster et beaucoup d'employés estimaient également que l'examen par les pairs avait permis de réduire les tensions raciales. Mme Campbell, qui prétendait avoir reçu des douzaines d'appels d'appui, choisit un examen par les pairs plutôt qu'un procès, non seulement en raison de son moindre coût mais parce que : « J'aime l'idée d'être jugée par des gens qui savent comment les choses se passent dans un petit restaurant. »

1. Les faits

Le jury incluait un directeur général, un directeur adjoint, un serveur, une hôtesse et un barman, qui s'étaient tous portés volontaires pour passer en revue les circonstances du licenciement de Marie Campbell. Chaque intervenant avait reçu une formation à l'examen par les pairs et recevait son salaire habituel plus le remboursement de ses frais de déplacement. Il avait pour seule instruction de faire ce qui lui semblait juste.

Marie Campbell avait été renvoyée par Jeanne Larimer, la directrice générale du Red Lobster de Marston, où Marie travaillait comme serveuse. Le motif de ce licenciement était que Marie avait demandé à l'hôtesse du restaurant, Eva Taunton, la clef de la boîte contenant les formulaires de satisfaction remplis par les clients et avait subtilisé l'un d'eux. Le formulaire en question avait été rempli par deux ou trois clients que Marie Campbell avait servis et qui n'avaient pas semblé satisfaits du moment passé dans le restaurant. Par la suite, les clients avaient appris que leur formulaire de commentaires, qui mentionnait une côte de bœuf trop saignante et une serveuse peu coopérative, avait été enlevé de la boîte.

Le témoignage de Jeanne Larimer

Jeanne Larimer, qui gérait cent employés à temps complet et à temps partiel, déclara qu'elle avait renvoyé Marie Campbell après que l'un des deux clients se soit plaint assez violemment auprès d'elle et de son superviseur. « Elle [la cliente] s'est sentie violée, déclara la directrice, parce que ses commentaires ont été retirés de la boîte et que sa plainte au sujet de la nourriture a été ignorée. » Jeanne Larimer attira l'attention du jury sur le règlement de la société, indiquant que Marie Campbell avait violé la politique qui interdisait le déplacement d'une propriété de l'entreprise, de quelque nature qu'elle soit.

Le témoignage de Marie Campbell

Marie Campbell déclara que la cliente avait commandé sa côte de bœuf « bien cuite » et s'était ensuite plainte que la côte était trop grasse et pas assez cuite. La serveuse affirma au jury qu'elle avait poliment informé la cliente que

« dans la côte de bœuf, il y avait toujours de la graisse », mais s'était arrangée pour qu'elle puisse obtenir un morceau plus cuit. Cependant, la cliente ne semblait toujours pas satisfaite et, après avoir versé de la sauce sur sa viande, finit par repousser son assiette sans finir le plat. Comme la cliente semblait plutôt mécontente, Marie Campbell lui offrit un dessert gratuit. Mais les clients décidèrent de quitter le restaurant, payèrent l'addition, remplirent le formulaire de satisfaction et le laissèrent tomber dans la boîte prévue à cet effet.

Marie Campbell admit qu'elle était mue par la curiosité lorsqu'elle demanda à Eva Taunton, l'hôtesse du restaurant, la clef de la boîte à commentaires. Après avoir retrouvé le formulaire en question et l'avoir lu, elle le mit dans sa poche. Son intention, déclara-t-elle, était de montrer le document à Mme Larimer, qui s'était inquiétée auparavant du fait que la côte de bœuf servie au restaurant était trop cuite, et non pas assez cuite. Cependant, elle avait oublié le formulaire et plus tard, accidentellement, l'avait jeté.

Le témoignage d'Eva Taunton

Au moment du licenciement, Eva Taunton, une étudiante de 17 ans, travaillait au restaurant Red Lobster pour l'été. « Je n'ai pas pensé que c'était grave de lui [Marie Campbell] donner la clef, confessa-t-elle. Beaucoup de gens venaient me voir pour me l'emprunter. »

2. Le jury délibère

Ayant entendu les différents témoignages, les membres du jury devaient décider si Mme Larimer avait eu raison de licencier Marie Campbell ou non. Au départ, les réactions du jury étaient différentes selon le poste qu'ils occupaient, les travailleurs payés à l'heure soutenant Marie Campbell et les directeurs soutenant Jeanne Larimer. Mais, par la suite, le débat prit une tournure plus sérieuse afin d'essayer d'atteindre un consensus.

Questions

1. Quelles sont les implications marketing de cette situation ?

2. Évaluez le concept d'examen par les pairs. Quelles sont ses forces et faiblesses ? Quel type d'environnement est nécessaire pour que cela fonctionne ?

3. Passez en revue les faits. Évaluez la véracité des témoignages présentés.

4. Quelle décision prendriez-vous et pourquoi ?

La garantie de service d'Accellion

Jochen Wirtz et Jill Klein

Accellion est une entreprise spécialisée dans les nouvelles technologies qui a mis en place une garantie de la qualité de ses services considérée comme audacieuse dont le but est de transmettre à ses clients, prospects et employés, son engagement pour l'excellence des services qu'elle délivre.

Accellion est une jeune entreprise spécialisée dans les nouvelles technologies et à la pointe dans le domaine du stockage d'informations, la gestion et la restitution de fichiers partagés. Encore inconnue du secteur, l'entreprise avait pour objectif de devenir l'acteur incontournable pour la prochaine génération d'applications basées sur Internet.

L'offre la plus appréciée qu'ait faite Accellion aux 2 000 plus grandes entreprises mondiales référencées ainsi qu'aux fournisseurs de contenus privés sur Internet, était de leur permettre de répondre plus rapidement à leurs clients, d'améliorer leurs capacités opérationnelles et de faire baisser les coûts. Plus précisément, les clients d'Accellion pouvaient améliorer leur temps d'émission et de réception des fichiers de plus de 200 %. Cette amélioration de la performance était permise par la mise en place d'un système intelligent de stockage et de gestion des fichiers « à la frontière d'Internet » par le transfert de contenus provenant de « régions » situées plus près de l'utilisateur final. Le routage traditionnel à travers les nombreux serveurs et hubs, très coûteux en temps, pouvait être partiellement évité en utilisant l'infrastructure d'Accellion.

Les besoins en infrastructure réseau pour pouvoir proposer aux utilisateurs finaux une large bande passante n'avaient jamais été aussi importants. La vague du multimédia et du Web personnalisable était en plein développement et tout cela ne pouvait être fourni efficacement par l'architecture existante qui acheminait les données à travers le réseau congestionné des serveurs constituant l'épine dorsale d'Internet. Cela a fortement encouragé Accellion à développer et à mettre sur le marché un nouveau service : stockage, gestion et restitution des fichiers partagés. Accellion proposa une plateforme d'applications résidant sur des serveurs indépendants qui étaient directement connectés aux fournisseurs d'accès Internet (FAI) des utilisateurs, évitant ainsi les « centres » congestionnés d'Internet. Ce temps d'accès réduit permit à Accellion de fournir des contenus spécialisés et des applications de manière plus efficace.

Pour commercialiser l'offre de qualité d'Accellion dans les meilleures conditions possibles, Warren J. Kaplan, P-DG d'Accellion, et S. Mohan, son directeur stratégique, estimèrent que, en plus d'être à la pointe de la technologie, les facteurs clés du succès de la stratégie de croissance agressive d'Accellion étaient l'excellence dans la prestation de service et une satisfaction élevée de la clientèle. Ils considérèrent que les consommateurs allaient préférer profiter de la technologie et des partenariats d'Accellion plutôt que de devoir gérer les détails du déploiement, de la maintenance et de la mise à jour de leur propre infrastructure de stockage d'applications partagées sur Internet. Pour construire une culture centrée sur la satisfaction du client et pour donner l'image crédible d'une excellente qualité de service au marché, Accellion s'efforça d'exploiter le pouvoir attractif des garanties de service.

Les services ayant un bon rapport qualité prix et destinés à améliorer la performance et la fiabilité devenaient cruciaux avec le développement exponentiel de l'utilisation du multimédia et autres fichiers volumineux. L'offre d'Accellion était clairement attractive, mais comment l'entreprise pouvait-elle convaincre ses clients potentiels que sa technologie et son service pourraient véritablement offrir ce qui était promis ?

S. Mohan estima qu'une Garantie de la qualité de service serait un outil efficace pour rendre ces promesses crédibles, et, dans le même temps, pour pousser son équipe à fournir le service tel qu'il avait été promis. Mark Ranford, directeur de la production d'Accellion, et S. Mohan prirent la responsabilité du développement de la Garantie. Ils lancèrent finalement une Garantie de la qualité de service (présenté dans le document 1) en indiquant qu'« il s'agit d'une déclaration révolutionnaire de notre engagement à l'égard des consommateurs pour faire tout ce qu'il faudra pour assurer leur satisfaction ». Le lancement officiel de la garantie fut annoncé à tous les employés par email (document 2).

Document 1

La Garantie de service d'Accellion

La Garantie de qualité de service d'Accellion définit la promesse et l'engagement d'Accellion vis-à-vis de la délivrance d'un service à forte valeur ajoutée et est incorporée dans le contrat passé avec chaque client. La définition des termes employés ci-dessous est la même que celle donnée dans le contrat client.

1. **Garantie de performance**

   Accellion garantit que la performance du réseau lors des téléchargements et envois de contenus, dans le cadre de l'utilisation du service d'Accellion, sera équivalente à au moins 200 % de celle d'un site standard auquel on accède depuis les frontières d'Internet. Pour vérifier les déclarations ci-dessus, les tests de performances seront effectués par Accellion.

2. **Garantie de disponibilité**

   Accellion garantit une disponibilité du service à 100 %, excepté en cas de Force Majeure ou d'opérations de maintenance planifiées pour les clients qui ont choisi le service de sauvegarde.

3. **Garantie du service client**

   Dans le cas où Accellion ne réussirait pas à atteindre le niveau de service prévu aux paragraphes 1 et 2 ci-dessus, Accellion créditera le compte du client du montant d'un mois d'abonnement correspondant au mois affecté par le dysfonctionnement, à condition que le client informe Accellion par écrit de ce dysfonctionnement dans les cinq jours de sa survenance. Si le client ne respecte pas cette condition, il perdra son droit à obtenir ce remboursement.

   Accellion préviendra le client au moins 48 heures (2 jours) à l'avance des opérations de maintenance prévues. Si le service devient indisponible pour toute autre raison, Accellion préviendra rapidement le client et mettra en œuvre toutes les actions nécessaires pour rétablir le service.

☞

Accellion assure une assistance disponible 24 h/24 et fournira au client une réponse à toute requête à propos du service en 2 heures maximum à partir du moment où la requête a été reçue par le service client.

4. **Politique de sécurité et de confidentialité**

Accellion respecte complètement la vie privée du client et la confidentialité de toute donnée qu'il aurait stockée sur ses serveurs. Le service offert par Accellion ne requiert de la part du client la fourniture d'aucune information personnelle pour pouvoir enregistrer des données sur ses serveurs. Toutes les informations fournies par le client à Accellion sont enregistrées pour le seul bénéfice du client. Accellion ne partagera pas, ne rendra pas public, ni ne vendra toute information à sa disposition permettant d'identifier personnellement un client et s'assurera que les informations sur le client et ses données seront gardées confidentielles.

La révélation d'informations ou de données relatives au client et étant en possession d'Accellion ne pourra arriver que si cette révélation est nécessaire pour obéir à une décision de justice, pour protéger les droits ou la propriété d'Accellion ou pour appliquer les conditions d'utilisation du service telles que prévues au contrat.

Accellion s'assurera que les informations sur le client et ses données seront gardées en lieu sûr et les protégera contre tout accès non autorisé ou usage impropre, ce qui inclut la mise en place de toutes étapes raisonnables nécessaires pour vérifier l'identité d'un client avant de lui accorder l'accès.

Email adressé à tous les salariés d'Accellion pour annoncer le lancement de la Garantie de qualité de service

Chers collègues,

Je suis heureux de vous faire parvenir notre nouvelle offre « Garantie de qualité de service », innovante dans notre secteur d'activité. Merci de la lire avec attention. Vous allez la trouver très agressive. Elle fait peser sur chaque membre de la société la responsabilité de son succès. Les clients ne veulent pas d'un Accord sur le niveau de service, ils veulent juste que le réseau marche bien et en permanence. C'est pourquoi nous avons créé cette Garantie inconditionnelle. Ce type de garantie a montré son succès dans d'autres secteurs pour lesquels le service est la clé du succès (des leaders tels que Gartner Group, LL Bean, Nordstrom… par exemple).

En tant que membre de l'équipe d'Accellion, vous êtes la clé de la satisfaction de nos clients.

Merci d'avance pour votre contribution au succès de nos clients et au nôtre.

Cette Garantie, cependant, était seulement une partie de la campagne d'Accellion en faveur de l'excellence dans ses activités opérationnelles. De nombreux facteurs se combinèrent pour maintenir la société concentrée sur ses clients et sur la délivrance du meilleur service possible. Cela permit aux employés de créer un portefeuille de clientèle important et fidèle. Ainsi, il était très important d'accroître la notoriété de l'offre unique d'Accellion et de convaincre les adopteurs précoces et les prescripteurs de ses avantages.

Les clients d'Accellion réagirent de manière positive. Un client témoigna : « Regardez ça. Je n'ai jamais rien vu de pareil. Personne n'offre 100 % de disponibilité. C'est extraordinaire ! » Un autre client s'exclama : « Vous devez vraiment avoir confiance en votre service. C'est vraiment sans risque à présent, n'est-ce pas ? » Accellion s'est engagée à travers sa Garantie et elle a véritablement cru qu'avoir le meilleur réseau et les meilleurs partenaires technologiques lui permettrait de tenir ses promesses.

Questions

1. Quel est l'impact marketing d'une garantie de service bien conçue ?

2. Évaluez la conception de la garantie d'Accellion présentée au document 1. Dans quelle mesure permettra-t-elle de transmettre aux clients actuels et potentiels l'image de l'excellence du service ? Proposeriez-vous quelques modifications dans sa conception ou sa mise en œuvre ?

3. Cette garantie permettra-t-elle de créer une culture de l'excellence dans la délivrance du service au sein d'Accellion ? Quel(s) autre(s) élément(s) serai(ent) nécessaire(s) pour atteindre une telle culture ?

4. Pensez-vous que des clients puissent profiter de cette garantie et « fomenter » des dysfonctionnements pour pouvoir invoquer la garantie ? Si oui, comment Accellion pourrait-elle minimiser les potentiels abus ?

eBay : commissaire-priseur pour le monde entier !

Thierry Isckia[1] et Denis Lapert

Qui ne connaît pas encore eBay, le plus grand bazar en ligne du monde ? Fin 2006, la plate-forme d'enchères sur Internet revendiquait 221 millions d'utilisateurs (dont 81 millions d'utilisateurs actifs), 52 milliards de dollars échangés[2] et environ 2 milliards de dollars d'enchères enregistrées. En 2005 et 2006, eBay a dépassé le milliard de dollars de bénéfices, avec respectivement 1,082 milliard de dollars et 1,125 milliard de dollars à la fin de l'exercice 2006. 2007 s'annonce également comme une excellente année pour la société californienne qui a communiqué ses résultats financiers pour le second trimestre. Tout semble en effet aller pour le mieux pour le groupe dont les différents secteurs d'activités (enchères, paiements, communications) sont en hausse. S'affichant à 3,6 milliards de dollars, le chiffre d'affaires du groupe est en hausse au second trimestre 2007. Sur l'ensemble de l'année 2007, il devrait être, selon les prévisions du groupe, compris entre 7,2 et 7,4 milliards de dollars. Quant au bénéfice net, il a atteint au second trimestre 753 millions de dollars contre 498 millions de dollars un an auparavant.

Ces performances ne sont cependant pas à mettre sur le seul compte des enchères en ligne. En effet, si ces dernières se portent bien, les activités de paiement en ligne avec PayPal et de télé-phonie sur IP avec Skype contribuent également à tirer les revenus du groupe vers le haut. Au second trimestre 2007, les activités de vente étaient en hausse de 26 % avec 1,29 milliard de dollars de chiffre d'affaires, celles de paiement en ligne en hausse de 34 % avec 454 millions de dollars de chiffre d'affaires et celles de télé-phonie IP étaient bénéficiaires et atteignaient 90 millions de dollars. Les activités réunies des deux filiales PayPal et Skype représentaient ainsi au 2e trimestre environ 27 % des revenus d'eBay. Avec plus de 100 millions d'objets en vente, eBay est une braderie géante, que tous les chineurs de la terre arpentent de long en large 24 heures sur 24, 365 jours par an. Voici ce qu'est eBay : le plus grand site de vente aux enchères sur Internet de la planète, et la plus rentable des start-up resca-pées de la vague Internet.

1. Les origines d'eBay

La société qui est aujourd'hui devenue une véri-table icône de l'Internet a été fondée en septembre 1995 par un Français, Pierre Omidyar, que ses parents franco-iraniens avaient emmené outre-Atlantique alors qu'il n'avait que 6 ans. Une vingtaine d'années plus tard, après avoir été diplômé en Computer Science à l'université de Tufts dans le Massachusetts, un job d'été va conduire le jeune homme en Cali-fornie, en plein cœur de la Silicon Valley. Adam Cohen[3], auteur d'un livre sur eBay, raconte qu'« avec sa barbe, son catogan et ses lunettes d'aviateur, il se fondait parfaitement dans l'ambiance des développeurs informatiques de

---

1. Thierry ISCKIA est maître de conférences en sciences de gestion et enseignant en management stratégique à INT Management. Ses recherches portent principalement sur les stratégies eBusiness et l'étude des écosystèmes d'affaires dans le domaine des technologies de l'information. Avant de rejoindre l'INT, Thierry a travaillé plusieurs années chez FT&RD, puis Wanadoo.
2. *Gross Merchandise Volume* ou GMV.
3. *The Perfect Store : Inside eBay*, Back Bay Books, 2003.

l'époque ». Un bref passage chez Claris, un éditeur de logiciels filiale d'Apple, une première création d'entreprise en 1991, et voilà notre jeune informaticien mûr pour participer à la grande aventure Internet qui agite la vallée à l'époque.

La légende veut que ce soit Pam Wesley, qui n'était pas encore sa femme, qui soit à l'origine de l'idée. Elle collectionnait les distributeurs de bonbons de la marque Pez et se plaignait d'avoir du mal à trouver d'autres collectionneurs pour faire des échanges. En quelques semaines, Pierre Omidyar va développer « AuctionWeb », une version de base du site de vente aux enchères... Le bouche à oreille va faire le reste et le site va bientôt attirer de plus en plus de visiteurs... au point de commencer à coûter cher à son créateur en frais de fonctionnement. Pierre Omidyar va alors décider de facturer des commissions de l'ordre de 1,5 % à 6 % du prix de vente pour chaque transaction. Ce principe va constituer l'une des bases du modèle économique d'eBay. Plus tard, d'autres sources de revenu seront ajoutées comme la facturation de frais d'insertion (0,10 à 2,50 euros), la mise en avant de certains produits, la mise à disposition d'outils statistiques... Dès le premier mois d'activité, en février 1996, le montant des commissions réalisées sur les ventes dépassait celui des dépenses d'exploitation (frais techniques). Quelques mois plus tard, l'informaticien va décider de monter son entreprise : eBay était née ! Aujourd'hui, Pierre Omidyar détient 20 % de la société qui est côté au Nasdaq et qui emploie près de 10 000 personnes.

2. Le business model initial et ses évolutions

Le succès d'eBay (le nom fait référence à la baie de San Francisco, la région où est née l'entreprise) s'explique par l'invention d'un modèle économique nouveau, rendu possible par Internet. Le principe est simple. Tout internaute peut vendre un objet sur le site : il s'enregistre gratuitement en inscrivant ses coordonnées personnelles, puis choisit une catégorie (art, antiquités, mode, hi-fi, auto...) et rédige une petite annonce, éventuellement enrichie de quelques photos. Le vendeur (particulier ou professionnel) indique aussi un prix minimal et précise la durée de la mise en vente. Ensuite, il lui suffit... d'attendre. Partout dans le monde, d'autres internautes peuvent accéder au site et consulter l'annonce. Ceux qui sont intéressés renchérissent sur le dernier prix affiché. Au jour prévu pour la clôture de l'enchère, c'est celui qui a misé le plus gros qui l'emporte. Vendeur et acheteur se mettent ensuite d'accord pour récupérer la marchandise et boucler la transaction. Au passage, eBay prélève une commission en fonction du montant de la transaction.

La plupart des modèles d'affaires sur Internet relèvent de cette logique économique de plateforme d'intermédiation. Dans ce modèle d'intermédiation, eBay n'est pas propriétaire des objets mis en vente et ne gère pas les aspects logistiques (stockage et livraison) liés aux enchères. Il y a aujourd'hui plus de 6 millions de nouveaux objets référencés par jour, répartis dans plus de 35 000 catégories sur 37 points de présence géographique. Environ 80 millions de personnes pratiquent ce sport régulièrement à travers le monde et le trafic ne cesse d'augmenter. eBay est l'un des sites les plus fréquentés du Web et la plus grande communauté d'acheteurs et de vendeurs sur Internet. Selon AC Nielsen International Research, en 2006, 1,3 million de personnes dans le monde vivaient totalement ou partiellement des revenus générés par leurs ventes sur eBay, dont 15 000 en France.

La proposition de valeur pour les acheteurs repose sur une offre très large, des prix imbattables et une très grande facilité d'usage. Pour les vendeurs, la plate-forme garantit l'accès à des millions d'acheteurs, des coûts très faibles, et la capacité d'écouler rapidement leurs produits au meilleur prix. Pour de nombreux professionnels, eBay est devenu un véritable canal de distribution avec une zone de chalandise étendue et des coûts limités. Pour Fabrice Grinda[4], le fondateur d'Aucland et concurrent français d'eBay au début des années 2000, si eBay a connu un tel succès, « c'est avant tout parce qu'il a répondu à un vrai besoin en créant des marchés qui n'existaient pas jusqu'alors ». À ses débuts, le site a permis à des collectionneurs qui avaient peu de chances de se rencontrer physiquement d'échanger les pièces les plus convoitées.

La deuxième bonne idée de Pierre Omidyar a été de mettre en place un système d'évaluation permettant aux utilisateurs d'eBay de noter les vendeurs, et donc de faire le tri entre les bons et les mauvais eBayeurs. Cette innovation a permis d'instaurer un climat relatif de confiance sans lequel le site n'aurait pas pu décoller aussi vite. En effet, l'absence de contact physique entre acheteurs et vendeurs et la facilité de changer d'identité sur Internet peuvent encourager les comportements opportunistes dans le cadre d'échanges marchands et constituer un frein au développement des échanges. eBay a bien compris l'intérêt qu'il pouvait tirer des interactions sociales virtuelles, dans la production de confiance indispensable à l'essor de ses activités sur Internet.

D'une manière générale, ces interactions virtuelles entre usagers de la plate-forme consistent à s'échanger des informations sur la qualité ou la fiabilité des utilisateurs, permettant ainsi la formation de bonnes ou de mauvaises réputations. Chacun est alors dissuadé d'adopter un comportement opportuniste pour améliorer ou préserver sa bonne réputation. Chaque acheteur et vendeur, à la fin d'une transaction, a la possibilité d'adresser une évaluation positive, neutre ou négative à son partenaire, et d'ajouter éventuellement des commentaires. Cette évaluation est publique et peut être consultée par tous les utilisateurs d'eBay. Lorsqu'un individu envisage d'effectuer une transaction avec quelqu'un sur eBay, il connaît le profil d'évaluation et donc la réputation de son partenaire. Il dispose également d'informations sur la réputation des évaluateurs et peut donc savoir quel crédit accorder à chacune des évaluations. Par exemple, il n'accordera pas forcément la même valeur à une évaluation négative si elle est émise par une personne ayant un mauvais score ou par une personne ayant une excellente réputation.

L'acquisition de PayPal en juillet 2002 – pour un montant de 1,5 milliard de dollars – a également contribué au succès d'eBay. Ce système de paiement en ligne (voir figure 1) permet en effet aux particuliers comme aux professionnels de régler leurs achats avec le niveau de sécurité et la facilité d'utilisation d'une carte bancaire.

---

4. Source : http://www.lemonde.fr, 3 septembre 2007.

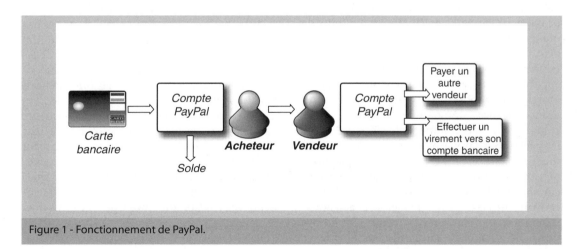

Figure 1 - Fonctionnement de PayPal.

PayPal, c'est aujourd'hui plus de 130 millions de comptes clients répartis dans une soixantaine de pays et 1,4 milliard de dollars de chiffre d'affaires fin 2006. Au second trimestre 2007, les revenus générés étaient en hausse de 34 % par rapport à l'année précédente. PayPal est indéniablement l'une des clés du succès d'eBay. Pour la présidente d'eBay, Meg Whitman, « en permettant aux gens de vendre et d'acheter en ligne, eBay et PayPal ont des missions complémentaires ». Le rachat de PayPal fut un tournant marquant pour le site d'enchères en ligne : il disposait dès lors de sa propre solution de paiement en ligne, garantissant ainsi une meilleure réputation au niveau des échanges financiers réalisés lors des ventes/achats sur le site et en dehors. Aujourd'hui, le service PayPal est complètement intégré à la plate-forme d'eBay, il bénéficie d'une excellente image auprès des utilisateurs et contribue à accroître la proposition de valeur tout en renforçant la fameuse « *Shopping Experience* ». Si l'acquisition de PayPal est apparue un peu exotique aux yeux de certains analystes financiers, ces derniers ont vite compris les synergies qui pouvaient résulter de la combinaison de ce type de service avec ceux déjà existants sur la plate-forme.

Enfin, en 2005, eBay va faire l'acquisition de Skype pour un montant total de 4,1 milliards de dollars. Cette société luxembourgeoise créée en 2002 est devenue célèbre en créant un logiciel propriétaire de voix sur IP (Internet Protocol) qui permet de téléphoner gratuitement entre deux ordinateurs équipés de Skype et connectés à Internet. Le logiciel permet aussi d'effectuer des appels payants vers des téléphones fixes et mobiles et propose depuis peu un service de visioconférence. Aujourd'hui, Skype peut compter sur une communauté de 4 000 développeurs pour faire évoluer son ergonomie, ses fonctionnalités et plus généralement la qualité de service. En outre, quelques partenaires de choix comme Intel, Lynksys, Motorola et Mozilla, contribuent à la diffusion du logiciel et à sa notoriété. Ainsi, Mozilla a prévu d'intégrer Skype à la prochaine version de son navigateur Firefox, et

Motorola a décidé d'embarquer Skype sur ses mobiles en prévision du développement de la téléphonie sur IP. Cette acquisition permet à eBay de renforcer sa position sur la toile tout en permettant à la société de se diversifier et de trouver de nouvelles sources de revenus significatives. Fin 2006, Skype a généré 195 millions de dollars de chiffre d'affaires et on dénombrait au 1er trimestre 2007 pas moins de 196 millions d'utilisateurs enregistrés et 7,7 milliards de minutes de communication Skype-to-Skype (PC à PC).

Certains analystes estiment cependant qu'eBay a payé très cher le rachat de Skype et qu'une solution « maison » aurait pu être développée à un coût bien moins important. Rien ne permet cependant d'être aussi catégorique, et de nombreux exemples sont là pour nous rappeler qu'il est bien souvent plus rentable d'acheter une technologie sur étagère (*On-The-Shelf*) plutôt que de s'efforcer de la développer soi-même sans aucune garantie de succès.

Pour Meg Whitman[5], « Skype représente un bond en avant dans la façon de communiquer et une nouvelle façon de monétiser l'e-commerce ». Toujours selon la présidente d'eBay, « ce rachat est l'occasion pour le groupe de créer un moteur de communication et d'e-commerce sans égal ». Aujourd'hui, Skype poursuit ses activités classiques de voix sur IP (VoIP) et devrait être prochainement intégré à la plate-forme d'enchères en ligne. EBay explique que « Skype rationalisera et améliorera les communications entre les acheteurs et les vendeurs [...] : les acheteurs pourront aisément parler aux vendeurs et obtenir les informations qu'ils souhaitent pour se décider à acheter. Les vendeurs pourront plus facilement construire leur relation avec les clients et conclure leur transaction ». Ces communications pourraient être facturées spécifiquement, à l'appel, générant ainsi de nouveaux revenus pour eBay, mais surtout, ce service pourrait être payé directement avec PayPal, son service de transaction en

---

5. Interview accordée à ZDNet.fr le 12 septembre 2005.

ligne. De nombreux débouchés sont d'ores et déjà envisageables pour eBay. Selon Meg Whitman, l'intégration de Skype devrait faciliter les transactions réalisées sur eBay : « Nous avons l'intention de faire en sorte que la communication vocale fasse partie intégrante de la place de marché eBay. Ceci constitue un énorme pas en avant pour rendre les transactions plus rapides et plus faciles, et également pour apporter plus d'interactivité et d'humanité au sein de la communauté eBay. » On le constate également, « *The Power of Three*[6] », autrement dit le trio eBay – Skype – PayPal permet d'élargir l'offre de services sur le site d'enchères en ligne et constitue un énorme gisement de valeurs que la société a bien l'intention de faire fructifier.

Plus généralement, le rachat de Skype s'inscrit dans une logique qui vise à proposer des fonctions *click to talk* (cliquer pour appeler) afin de faciliter la mise en relation entre le client et un conseiller avant l'achat. Le groupe vise particulièrement les sites commerciaux, qui souhaitent établir une relation plus directe avec leurs clients : ils pourront afficher un lien *click to call* afin de permettre aux consommateurs de les appeler pour se renseigner avant d'acheter. C'est ce service qu'eBay compte facturer à ses clients. La société estime qu'il s'agit là d'un moyen beaucoup plus efficace d'amener à la conclusion d'une vente que les traditionnelles publicités au clic et autres liens sponsorisés. Selon la présidente d'eBay, cette nouvelle fonctionnalité pourrait s'avérer particulièrement utile pour permettre à la société de se renforcer sur des secteurs comme la vente de voitures, l'immobilier ou encore les voyages en ligne. Les développements et les usages potentiels associés à Skype sont énormes et, dans cette perspective, la filiale d'eBay s'attache à développer son écosystème en nouant de nombreux partenariats (une cinquantaine à ce jour) avec des fabricants de *hardware* et de *software*. Skype se lance également dans la certification de terminaux (Skype Certified Devices) permettant de recevoir un appel Skype sur son mobile ou Pocket PC. Ce service encore en test actuellement aurait déjà été téléchargé plus de 5 millions de fois et installé sur plus de 120 modèles de téléphones mobiles.

3. Croissance et évolution

Le succès d'eBay tient en partie à l'originalité de son *business model*. Si le principe des enchères est vieux comme le monde, eBay a été le premier à transférer ce modèle sur Internet et à bénéficier du coup de l'extraordinaire connectivité assurée par le réseau. Le principal intérêt du modèle eBay, c'est de ne pas avoir à supporter de charges d'infrastructure et notamment de coûts logistiques. La version du site américain peut ainsi être déclinée un peu partout dans le monde sans avoir besoin de reconstituer toute la logistique nécessaire au *back office* (stockage, *shipping*…). La plate-forme assure simplement la mise en relation entre acheteurs et vendeurs. Pas de stocks coûteux donc, puisque les eBayeurs rédigent eux-mêmes leurs annonces, empaquettent les objets et les expédient aux destinataires. C'est ce principe qui a permis au site d'être rentable dès 1995. Tout le contraire d'Amazon, le célèbre cybercommerçant né comme eBay en 1995, et qui ne connaîtra ses premiers bénéfices qu'en 2003.

Le secret de la formule stratégique d'eBay, c'est de « chouchouter » sa communauté d'acheteurs et de vendeurs et de leur proposer tous les services susceptibles de créer de la valeur dans le cadre de leurs échanges sur la plate-forme. Nous l'avons vu, le rachat de PayPal et de Skype s'inscrit parfaitement dans cette perspective. Tous ces services contribuent à tirer la proposition de valeur vers le haut, renforcent la « *Shopping Experience* » et permettent par la même occasion de verrouiller la base de clients (acheteurs et vendeurs, particuliers ou professionnels) en introduisant des coûts de changement (*switching costs*).

Un autre atout du modèle eBay réside dans les externalités de réseau. Bien connues par les spécialistes de l'économie des réseaux, les externalités de réseau traduisent un phénomène assez

6. Source : Annual Report 2005.

simple : la valeur d'usage d'un service augmente avec le nombre d'utilisateurs du service. Ainsi, plus le nombre d'utilisateurs d'un service est important et plus les nouveaux utilisateurs seront enclins à utiliser ce service. C'est ce type de phénomène qui contribue à augmenter le poids de certaines places de marché comme celle d'eBay ou encore d'Amazon. Comme sur une bourse de valeurs, les vendeurs vont là où ils peuvent trouver le plus grand nombre d'acheteurs possibles, et vice versa. Si par ailleurs, comme l'a fait eBay, la place de marché dispose d'un moyen efficace d'assurer la sécurité des échanges et de renforcer la confiance des utilisateurs, alors un cercle vertueux de croissance peut se mettre en place. Une partie du pouvoir d'attraction d'eBay trouve donc son origine dans ce phénomène.

Tous les services destinés à améliorer les échanges et renforcer les liens entre les membres de la communauté eBay s'inscrivent dans cette logique d'externalité de réseau. De ce point de vue, la raison principale du succès d'eBay, c'est d'avoir su bâtir une véritable communauté d'intérêts avec des valeurs qui lui sont propres. Sur cette question, Pierre Omidyar déclarait, il y a quelques années, dans une interview accordée au *Journal du Net* : « Contrairement à ce que disent beaucoup d'entrepreneurs sur Internet, on ne peut pas créer une communauté. On peut juste favoriser sa création. Nous voulons dire à nos membres qu'eBay leur appartient et que c'est à eux de le faire évoluer. » En corollaire, les modalités de tarification en vigueur sur le site permettent d'asseoir le développement de la communauté eBay (acheteurs et vendeurs). En effet, sur les plates-formes, qui s'apparentent à des marchés multifaces (*n-sided markets*), la tarification de l'accès et de l'usage est susceptible d'influencer le volume des échanges ou des interactions. Autrement dit, la valeur économique et sociale créée sur cette plate-forme dépend de la structure des tarifs imposés aux différentes catégories d'utilisateurs. L'objectif étant, par le biais de stratégies tarifaires et non tarifaires, de stimuler les interactions sociales au sein de chacune des catégories d'utilisateurs et entre les

différentes catégories d'utilisateurs, ces interactions étant créatrices de valeur.

La stratégie de croissance d'eBay fait une large part à la croissance externe. Depuis 2002, la société s'est lancée dans l'acquisition de nombreuses start-up susceptibles de lui faire de l'ombre. Sont d'abord visées des start-up qui piquent des parts de marché au géant sur ses marchés locaux (Amérique latine, Allemagne…) sur son cœur de métier. Il y a ensuite des entreprises qui proposent des services complémentaires comme les petites annonces de proximité, et qui pourraient éventuellement lui faire de l'ombre. Dans ce cas, eBay rachète ou prend des parts du capital. C'est le cas avec Craigslist (États-Unis) dont eBay détient 25 % du capital depuis 2004 ou de Marktplaats (Hollande) racheté en 2004. Enfin, nous l'avons vu, il y a des entreprises « techno » qui peuvent lui apporter des compétences, comme PayPal ou Skype. Aujourd'hui, le marché des petites annonces de proximité représente un autre gisement de valeur qu'eBay compte bien exploiter pour conforter sa position. En 2005, la société a fait l'acquisition de Rent.com, Shopping.com et Gumtree et LoQuo, deux sites spécialisés dans les petites annonces.

Dans le courant de l'été 2007, eBay a augmenté sa ligne de crédit auprès de Wells Fargo Bank de 1 à 2 milliards de dollars. Selon certaines rumeurs[7], ce cash pourrait être destiné à contrer l'offensive de Google (Google Checkout) et d'Amazon (Amazon Flexible Payment Service) sur les services de paiement en ligne. On évoque également un accord possible avec IAC, le groupe de Barry Diller qui possède notamment le moteur de recherche Ask.com. Pour eBay qui cherche absolument à réduire sa dépendance vis-à-vis de Google, le rachat d'un moteur concurrent pourrait avoir du sens.

Cet été également, le site a procédé à une modification de son design jugé un peu *has been* et à l'*upgrade* de son moteur de recherche. À ce sujet, les mauvaises langues estiment qu'eBay aurait

---

7. http://techconfidential.thedealblogs.com/2007/08/ where_will_ebay_shop.php.

tout simplement copié le design d'Amazon.com. La rentrée 2007 a également été riche puisqu'eBay a signé l'un des partenariats les plus importants de son histoire en s'associant avec Dailymotion, le géant français de l'hébergement vidéo. Le concurrent de YouTube permettra en effet aux eBayeurs d'héberger officiellement leur vidéo pour le site d'enchères, afin de présenter leur produit. Avec environ 37,4 millions de visiteurs uniques et 1,2 milliard de pages vues (en mai 2007), Dailymotion fait partie des 50 sites les plus visités au monde.

4. Les concurrents d'eBay

Les concurrents d'eBay sont nombreux. Certes, sur son métier historique, la société fait figure de leader même si de nombreux sites d'enchères spécialisés existent. En outre, il existe de nombreuses possibilités de se procurer les objets en vente sur eBay par d'autres moyens que les enchères : les petites annonces comme Google Base (le service de petites annonces de Google), les cybermarchands spécialisés, et plus généralement tous les sites communautaires comme Facebook où les internautes se regroupent par affinités afin d'échanger photos, textes…

Sur son activité « Payment », eBay doit faire face à Google et Amazon, et il est probable que nous assistions prochainement à une guerre dans le domaine du paiement en ligne. Si Google Checkout lancé l'année dernière est bien moins populaire que PayPal, le monstre Google dispose d'un tel trésor de guerre (150 milliards de dollars de capitalisation boursière) que si ses dirigeants décidaient d'en faire une priorité, cette concurrence deviendrait très vite redoutable. Par ailleurs, Amazon a lancé récemment l'Amazon Flexible Payment Service (AFP) qui compte bien rivaliser avec Google Checkout et PayPal.

Récemment, Yahoo et eBay ont conclu une alliance dans la publicité en ligne. Cette alliance apparaît d'ores et déjà comme une offensive majeure contre les initiatives récentes de Google (Google Base) et de Microsoft (Microsoft Live

Expo, anciennement « Fremont »), les principaux concurrents de cette nouvelle alliance. Avec cette alliance, Yahoo deviendra fournisseur de bandeaux et encarts publicitaires sur eBay. Il proposera également des services de recherche sur le site de vente aux enchères en ligne afin de permettre aux internautes d'accéder plus rapidement à ce qu'ils recherchent – la qualité du *search* sur eBay laissant à désirer. En contrepartie, Yahoo assurera la promotion de PayPal en l'utilisant pour ses services payants destinés au grand public (musique) et aux entreprises (Yahoo possède un business de création et gestion de sites e-commerce très important aux États-Unis). Cela renforcera de manière significative la position de PayPal, qui est leader mais qui coûte cher aux marchands et qui est aujourd'hui challengé par Google Checkout et AFP.

Concernant Google, la société a lancé en 2005 son service de petites annonces, baptisé Google Base, en venant chasser directement sur le terrain d'eBay qui s'est associé la même année à Craigslist. À travers ce service, Google souhaite mettre en relation rapidement et simplement ceux qui recherchent une information ou un produit avec ceux qui la ou le proposent. Dans la même veine, Microsoft a lancé en 2006 sa propre place de marché, sous le nom de Live Expo[8], une réponse à Google Base, et une attaque contre eBay ou Craigslist. Tout comme Google Base, Live Expo propose aux utilisateurs d'apporter leur propre contenu, tous horizons confondus, afin d'entrer en relation avec d'autres utilisateurs.

On le constate, la dimension communautaire est en passe de devenir le nouveau champ de bataille où les géants du Net vont s'affronter pour asseoir leur suprématie. Dans ce domaine, une fois de plus, les rumeurs vont bon train : Murdoch, le magnat des medias (News Corp) et nouveau propriétaire de MySpace serait en contact avec eBay afin de transformer MySpace en plateforme d'achat-vente entre particuliers, grâce à la technologie eBay et au système de paiement du même groupe (PayPal).

---

8. http://expo.live.com/default.aspx.

5. Le rôle de Meg Whitman

Si le concept inventé par Pierre Omidyar était brillant et répondait à un besoin, il aurait pu facilement échouer sans la mise en place de procédures et d'un management rigoureux. Tous les analystes s'accordent pour considérer qu'un des facteurs clés de succès d'eBay est l'arrivée en mai 1998 de Margaret (Meg) Whitman en tant que président et directeur général. Meg Whitman n'avait pas le profil habituel des dirigeants de start-up.

Née en 1957 et diplômée de Princeton et d'Harvard Business School, elle a occupé des fonctions importantes dans de nombreuses multinationales, Procter et Gamble, le célèbre cabinet de conseil Bain et Co., Disney, et le géant du jouet, Hasbro. On la voit comme sage et pondérée, très efficace avec un sens aigu du service. Une grande partie du succès d'eBay lui revient grâce à son leadership, son style, sa vision sur les meilleures façons d'utiliser les nouvelles technologies. Elle est à la base de la culture, des valeurs de l'entreprise et des relations d'eBay avec sa communauté d'utilisateurs. En une période très courte, Whitman a transformé eBay d'un marché aux puces à peine structuré en une entreprise bien organisée avec une croissance rapide. Elle a inculqué à ses employés et clients le sens de la communauté qui est devenu la marque de fabrique de la société, écoutant ses clients et bien focalisée sur ses compétences de base. Attentive aux moindres détails concernant aussi bien les problèmes de qualité de service que les questions stratégiques. Elle s'attacha en particulier à faire en sorte que l'expansion de la société se développe par le rachat de sociétés de vente aux enchères partout dans le monde. Commentant les avantages de la taille d'eBay, elle fit remarquer[9] : « Nous sommes loin d'être la plus importante place de marché. Les vendeurs veulent être là où sont les acheteurs et les acheteurs veulent être là où sont les vendeurs. Ce serait ce qui les aiderait le plus. »

Les réalisations de Whitman et ses talents de manager ont été largement reconnus et elle est régulièrement mentionnée chaque année depuis l'an 2000 dans *Business week* comme l'un des managers les plus puissants et *Fortune* l'a nommée comme la troisième femme d'affaires la plus puissante en 2002. Elle est admirée pour son insistance à intégrer l'avis des clients dans tous les aspects des décisions d'eBay. En 1999, elle lança un programme appelé « La Voix du Client ». Très régulièrement, une douzaine de clients fidèles rencontrent Whitman et les principaux directeurs au siège d'eBay pour discuter de ce qui va bien du point de vue du client et de ce qui mérite d'être amélioré. Elle est en contact avec les clients en les informant des changements et en les encourageant à donner leur avis y compris leurs critiques. Commentant le rôle des clients, elle explique[10] : « Ce qui est réellement intéressant à propos d'eBay est que nous fournissons la place de marché, mais ce sont les clients qui font la société. Ils fournissent le produit, le commercialisent et le distribuent. » De plus, pour être sûre de maintenir l'entreprise bien focalisée sur ses clients, elle a investi dans l'amélioration des systèmes d'information d'eBay afin de maintenir l'ensemble à un haut niveau de fiabilité et permettant un accroissement du volume d'affaires.

Cependant, Meg est elle sur le départ ?

Selon diverses sources, Meg s'appliquerait la règle selon laquelle au-delà de 10 ans dans le même poste, il faut partir. Âgée de 51 ans, Meg Whitman, PDG d'eBay depuis 1998, a connu une longévité rare à la tête d'une compagnie de la Silicon Valley, souligne le *Wall Street Journal*.

L'annonce de son probable départ intervient à un moment critique pour le groupe : ses sites de ventes aux enchères, qui assurent les deux tiers de ses revenus, ont subi un ralentissement de leur croissance ces dernières années. Inverser la tendance nécessiterait d'importants changements qu'un nouveau président pourrait rendre moins douloureux.

---

9. *Time*, août 2004.

10. Source : http://dir.salon.com/people/bc/2001/11/27/whitman/index.html.

Questions

1. Expliquez les raisons du succès d'eBay. Quels sont les éléments clés de son *business model* et les évolutions possibles suite au rachat de PayPal et de Skype ?

2. En quoi le rôle et le statut du client d'eBay (eBayeurs) diffèrent-ils de ceux d'un client du commerce de détail traditionnel ?

3. Pourquoi la notion de « communauté » est-elle si importante pour un acteur comme eBay ? Cette dimension communautaire est-elle spécifique à eBay ?

4. Quelle est la contribution de Meg Whitman à la stratégie d'eBay ?

Glossaire des termes de marketing des services et de management

Ce glossaire définit les principaux termes clés utilisés dans cet ouvrage et plus généralement en marketing et management des services. Pour une approche plus complète des termes du marketing, référez-vous aux glossaires contenus dans les ouvrages de marketing tel que *Marketing Management* de Philip Kotler, Bernard Dubois et Delphine Manceau (Pearson Education, 12ᵉ édition).

Tout le monde n'attache pas le même sens au même terme. C'est pourquoi, il est important de clarifier ce que vous entendez vraiment lorsque vous employez un mot ou une phrase particulière. Il arrive fréquemment, dans tout domaine en pleine évolution, que les mêmes termes soient parfois définis et utilisés de manière différente par les universitaires et les praticiens, et entre les managers de différents secteurs d'activité. Même des sociétés prises individuellement peuvent attacher un sens personnel à des termes spécifiques.

Les mots et les phrases peuvent également avoir un sens complètement différent lorsqu'ils sont appliqués dans un contexte non managérial. À titre d'exemple, le mot « service » a de nombreuses définitions, réunissant des applications allant du travail domestique, de l'attente dans un restaurant et du devoir militaire jusqu'au tennis, aux procédures légales et à l'élevage des animaux de ferme.

Analyse comparative (ou *benchmarking*). Comparaison des produits et des processus d'une organisation avec ceux des concurrents ou des leaders, dans le même secteur ou un secteur différent, afin de trouver les moyens d'améliorer la performance, la qualité et de diminuer les coûts.

Analyse conjointe. Une méthode de recherche servant à déterminer le niveau d'utilité que les consommateurs attachent aux différentes caractéristiques d'un produit.

Analyse de Pareto. Procédure d'analyse pour identifier la proportion de problèmes causés par chacun des différents éléments du processus.

Attente post-processus. Attente intervenant après que la livraison du service ait été effectuée.

Attente pré-processus. Attente avant que la livraison du service ne commence.

Attentes. Standards personnels que les clients utilisent pour juger la qualité d'un service.

Attitude. Les évaluations, impressions et réactions durables d'une personne vis-à-vis d'un objet ou d'une idée.

Attribut du produit. Ensemble des caractéristiques (à la fois tangibles et intangibles) d'un bien ou d'un service pouvant être évaluées par les clients.

Attributs d'examen. Caractéristiques d'un produit que les consommateurs peuvent aisément évaluer avant l'achat.

Attributs d'expériences. Caractéristiques de la performance d'un produit ou d'un service que les clients peuvent évaluer uniquement pendant la livraison du service.

Attributs de croyance. Caractéristiques de produits qui ne peuvent pas être évalués par le consommateur, même après leur achat et leur consommation.

Autonomisation. Autorisation donnée aux employés de trouver des solutions aux problèmes et de prendre les décisions adéquates pour répondre aux préoccupations des clients, sans avoir à obtenir l'aval hiérarchique.

Avantage compétitif. Position sur le marché qui ne peut pas être facilement imitée par les concurrents à court terme.

Avantage compétitif. Capacité d'une société à réussir dans certains domaines alors que ses concurrents ne peuvent ou ne veulent pas l'égaler dans ces domaines.

Backstage. Les aspects de la livraison du service qui sont cachés aux consommateurs.

Balking (pas d'équivalent). Décision d'un consommateur de ne pas faire la queue parce que l'attente semble trop longue.

Bannière publicitaire. Petite fenêtre rectangulaire sur un site Web, qui contient du texte et parfois une image pour faire la promotion d'une marque.

Bénéfice/Avantage. Avantage ou gain qu'obtient un client du fait de la réalisation d'un service ou de l'utilisation d'un bien matériel.

Besoins. Désirs profonds et subconscients qui sont toujours rattachés à l'existence à long terme et à des problématiques d'identité.

Blog. Site Web accessible publiquement contenant des pages fréquemment mises à jour sous forme d'articles, de journal intime, de brèves, etc. Les auteurs, appelés bloggeurs, se concentrent souvent sur des sujets spécifiques.

Blueprint. Schéma des différentes séquences d'activité nécessaires à la livraison du service, et qui précise les éléments en front stage et en back stage ainsi que les liens entre eux.

Bouche à oreille. Commentaires positifs ou négatifs sur un service fait par un individu (habituellement un client, ou un ancien client) à un autre individu.

Business Model. Moyens par lesquels une organisation génère des revenus grâce aux ventes et autres sources de revenus. Il représente un choix de politique de prix, de types d'utilisateurs, de revenus publicitaires ou sponsors, d'autres parties tierces, destiné à couvrir les coûts et créer du profit pour les actionnaires. (Remarque : pour les entreprises publiques ou à but non lucratif, les donations et subventions peuvent être des éléments à part entière de ce modèle.)

Canaux de distribution. Moyens physiques et électroniques par lesquels une entreprise de services (parfois assistée d'intermédiaires) fournit un ou plusieurs éléments de produit et service à ses clients.

Capacité de production. Ensemble des installations, des équipements, de la main-d'œuvre, des infrastructures et des autres biens disponibles dans l'entreprise pour créer les produits ou services finaux.

Capacité maximale. Limite haute de la capacité d'une entreprise à répondre à la demande client à une date spécifique.

Capacité optimale. Point au-delà duquel les efforts d'une entreprise pour servir des consommateurs supplémentaires entraîneront la perception d'une qualité de service dégradée.

Chaîne de valeur. Ensemble des départements au sein d'une entreprise ou de partenaires externes et/ou de sous-traitants qui, par leurs activités, contribuent à la création de valeur pour concevoir, produire, vendre, délivrer et supporter un produit ou une offre de service.

Charge psychologique. État mental ou émotionnel non voulu, expérimenté par les clients à la suite du processus de livraison d'un service.

Churn (contraction de l'anglais *change and turn*) traduit en français par **attrition**. Il exprime le taux de déperdition de clients pour une entreprise.

Clicks and Mortar. Une stratégie qui consiste à offrir des services à la fois dans des magasins réels et dans des boutiques virtuelles *via* des sites sur Internet.

Client mystère. Technique d'évaluation du service employant des individus actant comme des clients ordinaires pour obtenir un retour/feedback sur l'environnement d'achat et les interactions clients/employés.

Clients internes. Employés recevant des services des fournisseurs internes (un autre employé ou un autre département) en tant qu'apport nécessaire à la bonne réalisation du travail.

Communication impersonnelle. Communication à sens unique dirigée vers une audience ciblée n'ayant pas de contact avec la source du message (ceci inclut la publicité, les actes promotionnels et les relations publiques).

Communication intégrée. Concept selon lequel une entreprise va attentivement intégrer et coordonner ses différents canaux de communications pour donner un message clair, pertinent et concis sur l'entreprise et ses produits.

Communication interne. Ensemble des formes de communication du management vers les employés au sein d'une entreprise.

Communications personnelles. communications directes entre les personnes du marketing et les clients, impliquant un vrai dialogue (tel qu'une conversation en face-à-face, des appels téléphoniques et des mails).

Compétence principale/Cœur de métier. Une aptitude qui est la source d'un savoir-faire unique et un avantage compétitif.

Concept de service. Offre de l'entreprise et de ses processus de livraison.

Configuration d'une queue. Manière dont la ligne d'attente est organisée.

Consommation. Achat et utilisation d'un bien ou d'un service.

Cost based pricing. Mise en relation du prix à payer pour un produit avec les coûts associés à sa production, sa livraison et sa commercialisation.

Cost Leader. Une entreprise qui mène sa politique de prix avec pour objectif de proposer les prix les plus bas de son secteur.

Courbe de demande. Courbe montrant le nombre d'unités que le marché va acheter à différents prix.

Coût total. Somme des coûts fixes et variables pour l'ensemble des niveaux de production donnés.

Coût variable. Coût dépendant directement du volume de production ou de la vente de services.

Coûts fixes. Coûts ne variant pas avec la production.

CRM (gestion de la relation client). Structures et systèmes informatiques permettant la mise en œuvre et l'utilisation d'une stratégie de gestion de la relation client.

Culture d'entreprise. Croyances, normes, expérience et anecdotes partagées qui caractérisent une organisation.

Culture organisationnelle. Valeurs, croyances et style de comportement dans le travail partagé qui sont fondés sur une compréhension commune des missions et objectifs de l'entreprise.

Customer equity (capital client). Somme des valeurs des durées de vie des clients de la base complète de clients d'une entreprise.

Cycle de demande. Période pendant laquelle la demande pour un service va croître et décroître de manière relativement prévisible avant que cette même variation ne se reproduise.

Database marketing. Construction, maintenance et utilisation de bases de données clients pour, entre autres, contacter, vendre, effectuer de la vente croisée ou de l'*up selling*, et construire des relations clients.

Défection. Décision d'un client de transférer la fidélité qu'il avait pour son fournisseur de service actuel vers la concurrence.

Demande excessive. Demande d'un service à un instant donné qui est supérieure à la capacité de production de l'entreprise.

Demande indésirable. Requête pour un service en conflit avec la mission de l'entreprise, ses priorités ou ses capacités.

Dépenses non pécuniaires. Dépenses en temps, effort mental et physique, et expériences sensitives non voulues associées à la recherche, à l'achat et à l'utilisation d'un service.

Design d'entreprise. Ensemble de couleurs, symboles, logos et inscriptions utilisées de manière durable pour donner à une société une identité facilement reconnaissable.

Diagramme de causes et effets. Technique de diagramme exposant les problèmes spécifiques aux services en différentes catégories de causes sous-jacentes (aussi connu sous le nom de diagramme d'Ishikawa).

Diagramme de contrôle. Diagramme qui représente les changements qualitatifs de la performance d'un service concernant une variable spécifique relative à un standard prédéfini.

Discounting. Stratégie de diminution du prix d'un article ou d'un service.

E-commerce. Achat, vente et autres processus marketing basés sur Internet.

Effet de Halo. Tendance d'un produit à voir les évaluations de son attribut principal influencer l'évaluation de ses autres attributs.

Effort physique. Conséquences non désirées sur le corps d'un client résultant de son implication dans le processus de livraison du service.

Élasticité des prix. Amplitude de l'influence d'une variation de prix sur la demande. (La demande est décrite comme non élastique au prix quand les changements de prix n'ont que peu, ou pas, d'effets sur la demande.)

Éléments du produit. Ensemble des composants d'un service créant de la valeur pour les clients.

Emotional labor/Travail émotionnel. Expression d'émotions socialement adéquates (pas forcément vraies) envers des clients pendant la livraison de services.

Enablement. Fournir aux employés compétents les outils et les ressources dont ils ont besoin afin d'utiliser leur propre discernement avec confiance et efficacité.

Enquête post-achat. Technique pour mesurer la satisfaction du client et sa perception de la qualité du service, alors que le service expérimenté est encore proche dans son esprit.

Entrepôt de données (Data whare house). Base de données détaillée et complète contenant des informations sur les clients et des données sur les transactions.

Étape préachat. Première étape dans le processus d'achat de services, pendant laquelle les clients identifient les alternatives, évaluent les bénéfices et les risques, et prennent la décision d'achat.

Évaluation des prix basée sur la valeur (Value pricing). Pratique de fixation des prix à partir du montant que les clients sont prêts à payer pour la valeur qu'ils pensent recevoir.

Évidence physique. Indices visibles ou tangibles donnant la preuve d'un service de qualité.

Exploitation de données. Extraction d'informations utiles concernant des individus, des tendances ou des groupes, à partir d'importantes quantités de données client.

Fardeaux sensoriels. Sensations négatives ressenties par les cinq sens du client pendant le processus de livraison du service.

Fidélité. Engagement du client à continuer à commercer avec une société spécifique sur une longue période.

Fleur des services. Cadre permettant la compréhension des éléments de services supplémentaires entourant et ajoutant de la valeur au produit de base.

Flux tendu. Consiste à ajuster à tout moment les capacités de production au niveau de la demande.

Focus group. Groupe, typiquement constitué de 6 à 8 personnes attentivement présélectionnées à partir de certaines caractéristiques (par exemple, démographique, psychographique, ou consommateur existant de produits), qui est réuni par des chercheurs pour des discussions approfondies, menées par un modérateur, sur des sujets spécifiques.

Franchise. Association contractuelle entre un franchiseur (en général, un fabricant, un grossiste ou une entreprise de services) et un professionnel indépendant (franchisé), qui achète le droit de posséder et de gérer la marque dans une ou plusieurs unités.

« Front stage ». Les aspects de livraison du service qui sont visibles, ou du moins apparents, aux clients.

Garantie de service. Promesse de l'entreprise de respecter les standards prédéfinis lors de la livraison du service, sous peine de devoir donner une ou plusieurs formes de compensation au client.

Gestion de la relation client. Processus global de création et de maintien de relations avec le client en apportant une valeur et une satisfaction plus grande pour le client et l'entreprise.

Image. Ensemble de croyances, d'idées et d'impressions liées à l'observation d'un objet.

Incident critique. Rencontre spécifique entre le consommateur et le prestataire de services dont l'issue a été particulièrement satisfaisante ou décevante pour une ou pour les deux parties.

Intangibilité physique. Éléments de service qui ne sont pas accessibles pour un examen par l'un ou plusieurs des cinq sens ; (plus précisément) éléments qui ne peuvent pas être touchés, vus, sentis, goûtés ou conservés par des clients.

Intangibilité mentale. Difficulté pour les clients à visualiser une expérience en amont de l'achat, à comprendre le processus et même la nature de sa finalité.

Interface client. Ensemble des points d'une organisation avec lesquels le client est en interaction avec l'entreprise.

Internet (« la toile »). Réseaux d'ordinateurs qui connectent les utilisateurs du monde entier les uns aux autres et donnent accès à un vaste entrepôt d'informations.

iTV (Télévision interactive). Procédures permettant aux auditeurs de modifier leur utilisation de la télévision en contrôlant les programmes télévisuels (par exemple, Tivo, video on demand) et/ou leur contenu.

Jay customer. Consommateur impulsif et ingérable qui agit de manière non réfléchie et parfois dangereuse, posant des problèmes à l'entreprise, à ses employés, ainsi qu'aux autres consommateurs.

Logigramme. Représentation visuelle des étapes nécessaires à la livraison d'un service aux clients (voir aussi Blueprint).

Management des ressources humaines. Coordination des tâches liées à la description d'un poste, au recrutement, à la sélection, à la formation et à la motivation des employés ; cela inclut aussi la planification et l'administration des autres tâches liées à la gestion des employés.

Management du revenu. Stratégie de construction du prix basée sur le fait de faire payer différents prix à différents segments à différents moments pour maximiser le revenu possible de la capacité d'une entreprise sur une durée spécifique (aussi connu sous le nom de yield management).

Marché ciblé. Marchés sur le(s)quel(s) une société a décidé d'être présente.

Marché. Lieu réel ou virtuel où les fournisseurs et les clients se retrouvent pour acheter/vendre des produits ou des services.

Marketing interne. Activités marketing dirigées vers les employés pour les entraîner, les motiver, et les faire se concentrer sur le client.

Marketing mix communication. Ensemble des outils de communication (gratuits et payants) à disposition des équipes marketing, comprenant la publicité, la promotion des ventes, l'événementiel, les relations publiques, le marketing direct, etc.

Marketing réciproque. Tactique de communication marketing permettant à une entreprise sur Internet de proposer à un acheteur de recevoir des promotions d'une autre entreprise en ligne, et vice-versa, sans coûts additionnels pour chacune des parties.

Marketing relationnel. Activités dont le but est de développer des liens rentables, sur le long terme, entre une entreprise et ses clients pour un bénéfice mutualisé entre les deux parties.

Marketing viral. Utilisation d'Internet pour créer des effets de bouche à oreille de manière à supporter les efforts marketing.

Marque. Un nom, une phrase, un motif, un symbole, un logo ou une combinaison de ces éléments qui représente les services d'une société et qui la différencie de ses concurrents.

Mass customization. Proposition d'un service générique avec quelques éléments de personnalisation à un grand nombre de clients pour un prix faible.

Membership. Relation formalisée entre l'entreprise et un client spécifique permettant aux deux parties de pouvoir bénéficier d'avantages.

Méthode ABC. Une approche de l'évaluation des coûts basée sur l'identification de chaque activité exercée puis la détermination des ressources que chacune de ces activités consomme.

Mise en œuvre marketing. Processus de passage des plans marketing à des projets et assurant l'exécution de ces projets dans le respect des objectifs fixés dans les plans marketing.

Modèle de consommation du service à trois étapes. Cadre représentant la manière dont les clients se déplacent d'un état préachat (dans lequel ils reconnaissent leurs besoins, cherchent et évaluent les solutions alternatives, et prennent une décision), à un état post-achat (dans lequel ils évaluent la performance du service par rapport à leurs attentes).

Modèle de gravité des points de vente. Approche mathématique dans la sélection des sites pour un commerçant, impliquant le calcul du centre de gravité géographique de la population ciblée et la localisation d'une installation facilitant l'accès des clients.

Modèle de management proactif. Approche basée sur l'hypothèse que les employés sont capables de s'autogérer, et, s'ils sont convenablement formés, motivés et informés, qu'ils sont aptes à prendre les bonnes décisions quant à la production et à la livraison de services.

Modèle de service. Assertion globale spécifiant la nature du concept de service (offre de l'entreprise, de ses destinataires et des processus de livraison) et du business model l'accompagnant (manière dont les revenus vont être générés pour couvrir les coûts et assurer la viabilité financière).

Modèle moléculaire. Cadre utilisant une analogie chimique pour décrire la structure d'une offre de service (modèle moléculaire de Shostack).

Moment de vérité. Instant dans la livraison du service pendant lequel les clients interagissent avec les employés ou les installations de livraison, et dont le résultat peut affecter les perceptions liées à la qualité de service.

Monde virtuel. Une réalité virtuelle sans existence physique dans laquelle se déroulent des transactions ou des communications virtuelles.

Niveaux de contact avec le client. Degré d'interaction physique entre les clients et l'organisation.

OTSU (opportunité de rater). Voir Point critique.

Perception. Processus selon lequel des individus sélectionnent, organisent et interprètent des informations pour former une image significative du monde.

Permission marketing. Stratégie de communication marketing encourageant les clients à se porter volontaires auprès d'une entreprise pour communiquer à travers des canaux spécifiques en échange d'avantages commerciaux.

Plan perceptuel. Illustration visuelle de la manière dont les clients perçoivent des services concurrents.

Point critique. Étape dans un processus à partir duquel il existe un risque non négligeable de problème qui pourrait détériorer la qualité de service (quelquefois appelé humoristiquement OTSU, pour *Opportunity to screw up*, c'est-à-dire « opportunité de rater »).

Positionnement. Établissement d'une place précise et distinctive d'un produit ou d'un service dans l'esprit des clients, liée aux attributs que possède l'entreprise et que ne possèdent pas ses concurrents.

Post encounter stage. Étape finale dans le processus d'achat de service, pendant laquelle les clients évaluent le service expérimenté, formulent leur jugement de satisfaction/insatisfaction du résultat du service et établissent leurs intentions futures.

Prévisualisation du service. Démonstration du fonctionnement du service, de manière à éduquer les clients sur les rôles qu'ils devront jouer pendant la livraison du service.

Prix dynamique. Technique employée pour facturer différents clients à différents prix pour les mêmes produits, basée sur les informations collectées grâce à l'historique de leurs achats, de leurs préférences et de leur sensibilité au prix.

Prix forfaitaire. Tarif unique d'un service.

Prix packagé. Prix à payer comprenant le prix du service de base, auquel sont ajoutés des frais additionnels pour des éléments supplémentaires optionnels.

Processus d'achat. Étapes suivies par un client dans le choix, la consommation et l'évaluation d'un service.

Processus. Méthode particulière d'opérations ou série d'actions, généralement constituée d'étapes devant se dérouler dans une séquence précise.

Productivité. Niveau d'efficacité dans la transformation des inputs en produits finaux qui ont une valeur ajoutée pour le client.

Produit amélioré. Un produit de base (un bien ou un service) auquel on a ajouté des éléments supplémentaires qui accroissent sa valeur pour le consommateur.

Produit final. Résultat final du processus de livraison d'un service tel que perçu et valorisé par les clients.

Produit. Résultat final (un service ou un bien fabriqué) produit par une entreprise.

Programme de fidélité/Programme grand utilisateur. Programme visant à récompenser les clients dont les achats sont réguliers et d'un montant important.

Promotion des ventes. Activité à court terme offerte aux clients et aux intermédiaires pour stimuler des achats plus rapidement ou plus importants.

Promotion éducation. Ensemble des activités de communication et de motivation faites pour construire un sentiment de préférence du client pour un service ou un fournisseur de service spécifique.

Proposition de valeur. Ensemble spécifique de bénéfices et de solutions qu'une entreprise prévoit d'offrir, ainsi que la manière dont elle propose de les délivrer, en mettant en avant les points clés des différences vis-à-vis des alternatives concurrentes.

Publicité. Toute forme de communication impersonnelle réalisée sur un support payant par un vendeur pour informer, éduquer et persuader les membres d'une audience ciblée.

Qualité de service. Évaluations cognitives, à long terme, de la livraison du service pour une entreprise.

Qualité. Degré à partir duquel un service satisfait les clients en répondant constamment à ses besoins, ses désirs et ses attentes.

Queue. Ligne de personnes, véhicules, autres objets physiques ou items intangibles attendant leur tour pour être servis ou intégrés dans un processus.

Recherche marketing. Collecte, analyse et rédaction de rapports systématiques et d'articles fondés sur le recueil d'informations correspondant à une situation marketing spécifique.

Réclamation. Expression formelle d'une insatisfaction concernant tout élément relatif à un service.

Reengineering. Analyse et re-conception de processus d'entreprise dans le but créer des améliorations significatives de la performance dans des domaines tels que les coûts, la qualité, la vitesse et les expériences du client lors de l'utilisation du service.

Registre des réclamations. Registre détaillé de toutes les réclamations des consommateurs reçues par un prestataire de service.

Relations publiques. Efforts faits pour stimuler un intérêt positif pour une entreprise et ses produits en envoyant des communiqués de presse, en tenant des conférences de presse, en créant des événements spéciaux et en sponsorisant des activités organisées par une entité extérieure.

Rencontre de service. Période pendant laquelle les clients interagissent directement avec un service.

Rendement. Revenu moyen perçu par unité de capacité offerte à la vente.

Renoncement. Décision du client de quitter une queue avant d'en arriver au bout car l'attente est plus longue ou plus pesante que prévu.

Réparation du service. Efforts systématiques de l'entreprise pour corriger un problème suite à une défaillance du service et de conserver la bienveillance du client.

Repositionnement. Changement de la position tenue par une entreprise et/ou ses produits dans l'esprit d'un client par rapport à la concurrence.

Retour sur qualité. Contrepartie financière obtenue grâce à des investissements pour l'amélioration de la qualité du service.

Roue de la fidélité. Approche systématique et globale de ciblage, d'acquisition, de développement et de rétention d'une base de clients.

Satisfaction du client. Réaction émotionnelle à court terme due à l'accomplissement d'un service spécifique.

Satisfaction. Sentiment personnel de plaisir résultant d'une expérience de consommation en comparaison avec les attentes.

Secteur des services. Secteur de l'économie d'une nation représenté par les services en tout genre, incluant ceux offerts au public par les entreprises et par les organisations à but non lucratif (services marchands et non marchands).

Segment. Groupe de clients actuels ou futurs partageant des caractéristiques, des besoins, des comportements d'achat ou des types de consommation communs.

Segmentation démographique. Division du marché en groupes basés sur des critères démographiques tels que l'âge, le sexe, la situation de famille, la taille de la famille, le salaire, la profession, les études, la religion.

Segmentation du marché. Processus de division d'un marché en groupes distincts dont chacun regroupe des clients homogènes partageant tous des caractéristiques importantes les distinguant des clients d'autres segments, et répondant de manière similaire aux actions marketing.

Segmentation géographique. Division du marché en unités géographiques telle que pays, régions ou villes.

Segmentation psychographique. Division du marché en différents groupes basés sur des caractéristiques de personnalité, de classe sociale ou de style de vie.

Service blueprint. Voir Blueprint, Logigramme.

Service désiré. Niveau de qualité espéré par le client qui croit, ou pense, pouvoir en bénéficier.

Service prévu. Niveau de qualité de service que le client pense recevoir de l'entreprise.

Service satisfaisant/minimum. Niveau minimum d'un service qu'un consommateur acceptera sans être insatisfait.

Service. Activité économique offerte par une partie à une autre, typiquement sans transfert de biens, créant de la valeur grâce à la location ou l'accès à des biens, de la main-d'œuvre, des compétences professionnelles, des installations, des réseaux, ou des systèmes, séparément ou ensemble.

Services à contact élevé. Services impliquant de fortes interactions entre les clients, le personnel, les équipements et les installations.

Services à faible contact. Services requérant un contact minimal, voire inexistant, entre les clients et l'entreprise.

Services d'information. Ensemble des services dont la valeur ajoutée principale est la transmission d'informations aux clients ; cela inclut le traitement du stimulus mental et le traitement de l'information.

Services supplémentaires. Services additionnels ajoutant une valeur supplémentaire au service de base pour le client.

Service scène. Lieux physiques où les clients viennent pour commander et pour obtenir la livraison des services.

SERVQUAL. Un modèle en 22 items standardisés permettant de mesurer les attentes du client et ses perceptions des cinq dimensions de la qualité de service.

Standardisation. Réduction de la variance entre les opérations et la livraison des services.

Stickiness (pouvoir d'attraction). Capacité d'un site Internet à encourager les visites répétées et les achats en fournissant aux utilisateurs une navigation aisée, une exécution des tâches sans problème, et en gardant son audience en alerte avec une communication interactive présentée de manière attrayante.

Surcapacité. Capacité d'une entreprise à produire un service en quantité supérieure à la demande.

Système d'information de la qualité de service. Processus de recherche continuel fournissant aux managers des informations utiles et adéquates sur la satisfaction des clients, leurs attentes et leur perception de la qualité.

Système de livraison de service. Partie du processus de service pendant laquelle les éléments sont définitivement assemblés et délivrés au client ; ceci inclut les éléments visibles du déroulement du service.

Système opérationnel du service. Partie du processus complet de service pendant laquelle les inputs sont traités et les éléments du produit de service sont créés.

Systèmes experts. Programmes informatiques interactifs qui simulent le raisonnement d'un expert humain pour dresser des conclusions à partir de données, résoudre des problèmes et donner des conseils personnalisés.

Tangible. Pouvant être touché, tenu ou conservé dans sa forme physique pendant une longue durée.

Technique de l'incident critique. Méthode pour collecter, classer et analyser des incidents critiques qui se sont déroulés entre clients et prestataires de services.

Transaction à distance. Interactions entre clients et prestataires de service pour lesquels les courriers et communications téléphoniques minimisent le besoin de se rencontrer en face-à-face.

Transaction. Événement pendant lequel se fait un échange de valeur entre deux parties.

Usine de services. Site physique dans lequel les opérations du service prennent place.

Valeur d'échange. Transfert des bénéfices et des solutions offertes par une entreprise en compensation de valeurs financières ou autres offertes par un acheteur.

Valeur de la durée de vie d'un client. Valeur nette des contributions actuelles et futures, et des profits attendus pour les achats de chaque client pendant sa durée de vie en tant que client d'une entreprise donnée.

Valeur nette. Somme de l'ensemble des bénéfices perçus (valeur brute) à laquelle est soustraite la somme des dépenses.

Variabilité. Manque d'uniformité dans les inputs et les produits finaux pendant le processus de production de service.

Vente aux enchères. Une procédure de vente dirigée par un intermédiaire professionnel au cours de laquelle le prix du produit est déterminé en faisant enchérir les acheteurs potentiels les uns contre les autres.

Vente en ligne. Vente sur Internet en lieu et place des magasins physiques.

Yield management. Voir Management du revenu.

Zone de tolérance. Échelle selon laquelle les clients acceptent des variations dans la livraison du service.

Index des notions

Index des noms